D1455801

DR. HEINZ KÜPPER

ILLUSTRIERTES LEXIKON DER DEUTSCHEN UMGANGS SPRACHE

BAND 8

DR. HEINZ KÜPPER

ILLUSTRIERTES LEXIKON DER DEUTSCHEN UMGANGS SPRACHE

IN 8 BÄNDEN

BAND 8
SUSIG–ZYPRESSE

KLETT

CIP-Kurztitelaufnahme der Deutschen Bibliothek
Küpper, Heinz:
Illustriertes Lexikon der deutschen Umgangssprache:
in 8 Bd./Heinz Küpper. – Stuttgart: Klett
NE: HST
Bd. 8. Susig – Zypresse –1984.
ISBN 3-12-570080-9 Kunststoff
ISBN 3-12-570180-5 Hldr.
ISBN 3-12-570280-1 Ldr.

© Ernst Klett Verlage GmbH u. Co. KG, Stuttgart 1984. Alle Rechte vorbehalten.
Konzeption und redaktionelle Durchführung:
VGSI Verlagsgesellschaft Gemeinden Städte Industrie mbH, Stuttgart.
Bildauswahl und Bilderläuterungen: Martin Rabe
unter Mitarbeit von Dr. Norbert Sorg und Iris Steinhäuser.
Umschlaggestaltung und Layoutkonzeption: Ulrich Kolb.
Reproduktionen: Litho-Service C. Berg, Stuttgart.
Fotosatz und Druck: Ernst Klett Druckerei
Printed in Germany.

INHALT

LEXIKON

ANHANG

Die Kinder

Eine Analyse der umgangssprachlichen Bezeichnungen für Kinder wäre vielleicht aussagekräftiger als so manche empirische Untersuchung. Denn die im Scheißerle, Spatz, Ding, Klage, Bengel oder Göre zutage tretenden Symptome der Verniedlichung oder Reduzierung zum Objekt sind schließlich immer auch Ausdruck einer dem Kind nicht gerecht werdenden Bewußtseinshaltung.

susig *adj* **1.** benommen, verträumt, energielos. ↗Suse 1. Seit dem späten 19. Jh, nördlich der Mainlinie.
2. oberflächlich bei der Arbeit. 1870 *ff*.
Susigkeit *f* Saumseligkeit, Schwunglosigkeit. 1900 *ff*.
süß *adj* **1.** reizend, entzückend, allerliebst. „Süß" ist alles, was eine angenehme Empfindung hervorruft und ästhetisch erquickt. So können das Baby, das Mädchen, das Bild, der junge Hund usw. „süß" sein. Beliebte Jugend-, Leutnants- und Operettenvokabel. Seit dem späten 19. Jh.
2. schmeichlerisch, verlockend. Seit dem 15. Jh.
3. einmalig ~ = unübertrefflich. *Schül* und *stud,* 1945 *ff*.
4. zu und zu ~ = allerliebst. 1920 *ff*.
5. sich ~ benehmen = sich liebenswert, lobenswert benehmen. 1950 *ff*.
6. ~ schlafen = angenehm schlafen. Meist in der Befehlsform gebraucht. Seit dem 19. Jh.
7. ~ schwätzen = schmeichlerisch reden. Seit dem 19. Jh.
Süße *f* **1.** Koseanrede an die Freundin, die Frau. Seit dem 19. Jh.
2. auf die ~ = mit Schmeichelei; kosend. Verkürzt aus „auf die süße ↗Tour". 1920 *ff*.
Süße-Leben-Nutte *f* Frau mit ärgerniserregendem Lebenswandel; unmoralische Frau. *Vgl* ↗Leben 10. 1960 *ff*.
Süßer *m* **1.** Geliebter; intimer Freund; Ehemann (Kosewort). Seit dem 19. Jh.
2. Prostituiertenanrede an den Kunden. Seit dem 19. Jh.
3. Schmeichler. Seit dem 19. Jh.
4. Homosexueller. Seit dem 19. Jh.
5. Mann, der viel Zucker in den Kaffee (Tee) nimmt. 1900 *ff*.
6. Kuß. Seit dem 19. Jh.
7. kleiner ~ = unselbständiger Junge. 1950 *ff*.
Süßhahn *m* Frauenheld. 1900 *ff*.

*Miniature aus der „Manessischen Handschrift", die Werke von 140 Dichtern enthält und somit die größte „Anthologie" mittelalterlicher Lyrik darstellt. Der in diesen meist gesungenen Dichtungen verherrliche Minnedienst beruht auf einer fast schon irrealen Ritualisierung und Typisierung der Liebe – und damit der Trennung zwischen persönlichem Erleben und höfischer Konvention. Als die gesellschaftliche und ideologische Fundierung dieser Gattung brüchig wird, scheint auch der uneigennützige Liebesdienst an der unerreichbaren Herrin seine Anziehungskraft verloren zu haben, und die bis dahin melancholisch-empfindsame Stimmung macht einem eher artistischen Gefühl oder gar naturalistischen Strömungen Platz. Der Ton wird süß, besser noch: süßlich, und das durchaus auch in der umgangssprachlichen Bedeutung der Vokabel: reizend (**süß 1.**), schmeichlerisch (**süß 2.**) und allerliebst (**süß 4.**).*

Süßholz *n* **1.** Schlagstock, Prügel. Eigentlich die Süßwurzel oder Lakritze. Bei Kindern sehr beliebt; wird ihnen auch als „Trostpflaster" gegeben. Dadurch analog mit „↗Tröster". 1920 *ff*.
2. meterlanges ~ = plumpe, lang anhaltende Schmeichelei. *Halbw* nach 1955.
3. ~ raspeln = a) schöntun; den Hof machen; flirten. Wer Süßholz raspelt oder schabt, spricht „süßlich" im Sinne von „schmeichlerisch". Bei Hans Sachs (1494–1576) heißt es „süßes Holz ins Maul nehmen", wobei „süßes Holz" bildlich für „schöne Reden" steht. In der heute geläufigen Form im frühen 19. Jh aufgekommen; entweder *stud* Herkunft oder durch Studenten volkstümlich geworden. – b) die Wahrheit entstellend reden. 1900 *ff*.
Süßholzgeraspel *n* Schmeichelrede; verschönende Darstellung der Wirklichkeit. 1900 *ff*.
Süßholzraspelei *f* Kosrede; Liebesworte. 1900 *ff*.
Süßholzraspler *m* **1.** Schöntuer, Schmeichler. Etwa seit 1820.
2. jugendlicher Liebhaber (als Bühnenrolle). Theaterspr. 1900 *ff*.
Süßi *m* hübscher, netter kleiner Junge. *Halbw* 1950 *ff*.
Süßigkeiten *pl* Rauschgift. Tarnwort. *Halbw* 1960 *ff*.
Süßing *m* Kosewort. *Nordd* seit dem 19. Jh.
Süßkind *n* Kosewort. *Halbw* 1955 *ff*.
Süßling *m* **1.** überfreundlicher Mensch. Seit dem 18. Jh.
2. weibischer Halbwüchsiger. 1900 *ff*.
3. Likör. Um 1900 *rotw* Bezeichnung für Honig und Kaffee. 1960 *ff, österr, rotw*.
Süßmaul *n* Freund von (süßen) Leckereien. Seit dem 19. Jh.
süßmäulig *adj* nach leckeren Speisen (Süßspeisen, Süßigkeiten) verlangend. Seit dem 19. Jh.
Süßmund *m* affektiert geraffter Mund; schmeichlerisch redender Mensch. 1950 *ff*.
süßsauer *adv* **1.** ~ grinsen = unecht, heuchlerisch lächeln. „Süßsauer" bezieht sich auf zwei gleichzeitige Geschmacksempfindungen. 1900 *ff*.
2. auf etw ~ reagieren = etw ablehnen mögen, aber beistimmen müssen. *Sold* in beiden Weltkriegen.
Süßschwätzer *m* Schmeichler. Seit dem 19. Jh.
Süßstoff *m* Rührseligkeit; Schwelgen in Gefühlen. 1955 *ff*.
Süßwasserkapitän *m* Bootsbesitzer auf Binnengewässern. 1955 *ff*.
Süßwasserkrebs *m* Binnenschiffer. 1950 *ff*.
Süßwasserkreuzer *m* Paddelboot. Berlin 1920 *ff*.
Süßwassermatrose *m* **1.** Binnenschiffer. Seit dem 19. Jh.
2. Angehöriger der Bundesmarine. *BSD* 1965 *ff*.
3. Homosexueller. ↗Süßer 4. 1900 *ff*.
Süßwassersoldat *m* Angehöriger der Bundesmarine. *BSD* 1965 *ff*.

Das Filmplakat „Swing Time" aus den dreißiger Jahren, zeigt mit Fred Astaire und Ginger Rogers das Hollywood-Traumpaar des frühen Musik- und Revuefilms. Während der Herrschaft des Nationalsozialismus in Deutschland galt der Swing als „entartete" Musik, und im Oktober des Jahres 1935 wurde der Jazz insgesamt per Dekret „für den gesamten deutschen Rundfunk verboten". In privaten Zirkeln wurden aber noch immer die alten und zum Teil auch neue, auf abenteuerliche Weise ins Land geschmuggelte Platten aufgelegt. Die offizielle Propaganda beschimpfte alle, die von diesen „Hottentottenrhythmen" nicht lassen konnten, unter anderem auch als **Swingheini**. „Swingheinis – von den zahlreichen die Jazzanhänger diffamierenden Bezeichnungen hatte sich diese am weitesten verbreitet. Das Wort läßt etwas vom Zorn strammer Naturen auf alles Schlappe, Unmilitärische, nicht Reglementierte ahnen. ... Denn die ‚Boys' und ‚Girls' reizten die Machthaber nicht durch politische Aktion, durch antifaschistische Aktivitäten, sondern allein durch ihre pure Existenz." (Werner Burkhardt)

sutje (suttje, sutchen) adv langsam, sacht, sanft, allmählich. Fußt auf ndl „zoetjes = sacht". Seit dem 18. Jh, vorwiegend nord-westd.

Sutter m Tabaksaft in der Pfeife. Gehört zu „↗Sudel = Jauche". Seit dem 19. Jh, fränkisch.

sutzeln (suzzeln) intr saugen. Fußt auf der Erweiterung „suckezen" von „saugen". Vorwiegend oberd, seit dem 17. Jh.

Swingheini m Jazzanhänger. „Swing" (nach engl „to swing = schaukeln, schwingen"), eigentlich Stilartbezeichnung des Jazz seit 1930, wurde im dt Sprachgebrauch der Nachkriegsjahre zum Synonym für „Jazz" schlechthin und für „moderne Tanzmusik" ganz allgemein. ↗Heini 1. 1940 ff.

Swoter (engl ausgesprochen) m strebsamer Schüler. Übernommen aus engl „swoter = Streber". 1950 ff, schül.

Swutsch m 1. liederlicher Lebenswandel; Schwelgerei; Ausschweifung. ↗Swutscher. Nord-westd, spätestens seit 1900.
2. zielloser Spaziergang; Wirtshausbesuch; Vergnügung. 1900 ff.

swutschen intr liederlich leben; schlemmen; sich ausleben. Vgl das Folgende. Nord-westd, spätestens seit 1900.

Swutscher *m* liederlich lebender Mensch. Geht zurück auf *franz* „suitier". 1900 *ff*.

Symbiose *f* eine ~ eingehen (schließen) = vom Mitschüler abschreiben. Dem Naturkundeunterricht entnommen: meint eigentlich das Zusammenleben zweier Arten von Lebewesen, das für beide Teile von Vorteil ist. *Schül* 1930 *ff*.

Symbi'oser *m* intimer Freund; Geschlechtspartner. *Jug* 1960 *ff*.

Sym'path *m* sympathischer Mensch. 1920 *ff*.

sympa'thetisch *adj* sympathisch. Zusammengesetzt aus „sympathisch" und „pathetisch". 1920 *ff*.

Sympathi'sant *m* Gesinnungsgenosse. Meint im engeren Sinne den Beschützer und geistigen Helfer von Umstürzlern. Gegen 1968 aufgekommen im Zusammenhang mit der Baader-Meinhof-Gruppe.

Symphoniebehälter *m* Kofferradio. 1950 *ff*, *halbw*.

Symphonie-Garage *f* Konzertsaal, Tonhalle. Anspielung auf die ästhetisch einfallslose Bauweise. 1950 *ff*.

Sympi *m* (heimlicher) Gesinnungsgenosse von Terroristen. Zusammengezogen aus „↗Sympathisant". 1976 *ff*.

Synagogenschlüssel *m* große, gebogene Nase. Anspielung auf die „Judennase". 1920 *ff*.

Synode *f* Lehrerkonferenz. Eigentlich Versammlung der führenden Kleriker in kirchlichen Angelegenheiten. Seit dem späten 19. Jh. Gilt in Basel als offizielle Bezeichnung.

Syph *m f* Syphilis. Hieraus verkürzt. 1900 *ff*.

Syphilist *m* Zivilist. Wortwitzelei. *Sold* 1914 bis heute.

Syrup *m* Getriebeöl. Wegen der Farb- und Konsistenzähnlichkeit. 1955 *ff*.

System *n* herrschende Gesellschaftsschicht; herrschende Gesellschaftsordnung. Aufgekommen nach 1840 im Kampf der Arbeiterklasse und weiterverbreitet in den späten zwanziger Jahren als NS-Kampfwort gegen die Weimarer Republik und wiederaufgelebt nach 1950 in Kreisen der Kritiker des neuen Staatswesens der Bundesrepublik Deutschland, später auch allgemein der modernen Lebensformen, der großtechnischen Zivilisation.

Systembonze *m* Parteifunktionär aus der Zeit der Weimarer Republik. ↗Bonze. 1930 *ff*.

systemimmanent *adj* der herrschenden Gesellschaftsschicht eigen; zum Kernpunkt einer politischen Ideologie gehörend. 1965 *ff*.

Systemprodukt *n* von der herrschenden Schicht beeinflußter (beherrschter) Bürger; politisch unselbständiger Bürger. 1965 *ff*.

systemüberwindend *adj* die herrschende Gesellschaftsordnung bekämpfend. 1965 *ff*.

Systemüberwinder *m* Kämpfer gegen die derzeitige Gesellschaftsordnung. 1965 *ff*.

Die Abbildung dokumentiert die Wandlung Boy George vom Salon-Punk zum niedlichen Kuscheltier für pubertierende Mädchen. Die industrielle Verwertung der Pop-Szene (vgl. **Szene 1a.**) *hat allerdings einen dermaßen raschen Wechsel der Moden und Stile zur Folge, daß es gut sein kann, daß Boy George, und das auch in einem übertragenen Sinne, die Haare bald wieder zu Berge stehen.*

Systemüberwindung *f* Beseitigung der freiheitlich-demokratischen Grundordnung; Kampf gegen die kapitalistische Weltordnung. 1965 *ff*.

Szene *f* **1.** geräuschvolle Auseinandersetzung; lebhafter Wortwechsel. Übernommen vom Bühnenauftritt und in den Alltag eingeführt mit der Bedeutung eines leidenschaftlich bewegten Vorgangs. Seit dem 19. Jh.

1 a. Berufs-, Betätigungs-, Lebensbereich; Schauplatz. Nach 1965 übernommen aus *gleichbed engl* „scene". (Bonner ~, Musik-~, Terror-~, Rauschgift-~, Schlager-~, Mode-~, Streik-~, Wahlkampf-~, Disco-~ u. v. a. m.).

2. große ~ = heftige, aufgeregte Auseinandersetzung. 1900 *ff*.

3. auf offener ~ = auf offener Straße. Bezieht sich eigentlich auf die Bühne, vor der der Vorhang hochgezogen ist. 1950 *ff*.

4. die ~ ist gestorben = die Szene ist abgeschlossen, gut gelungen, zu Ende gefilmt. Filmspr. 1920 *ff*.

5. eine ~ im Kasten haben = die Aufnahme eines Filmauftritts beendet haben. Kasten = Filmkamera. Filmspr. 1920 *ff*.

6. eine ~ hinlegen = a) eine Bühnenszene hervorragend spielen. ↗hinlegen 2. 1920 *ff*, theaterspr. – b) sich vor jm übertrieben aufführen; sich zu ei-

Wenn der Karneval vorbei ist, steigen in Niederbayern die Politiker in die Bütt. Allen voran Franz Josef Strauß, dem in Passau 8000 Fans aus ganz Deutschland zujubelten. Wie das Polit-Spektakel ablief, beobachtete Hans Wagner

Polit-Szenen aus Niederbayern

Die „Polit-Szenen aus Niederbayern" lassen, was wohl auch beabsichtigt ist, unwillkürlich an die „Jagdszenen aus Niederbayern" denken, das 1971 erschienene Buch von Martin Sperr, jene, wie die „Abendzeitung München" schrieb, „beklemmende Geschichte von den rechtschaffenen, ordnungsliebenden Dörflern, die zu mordlüsternen Jägern werden, weil einer von ihnen ‚anders' ist als sie." Der Titel dieser Erzählung bezieht sich zwar auf die Bedeutung dieser Vokabel als Bezeichnung für einen Bühnenauftritt oder eine Filmsequenz; ihr Inhalt dagegen verweist auf das, was jeder Szene, auch der Polit-Szene (vgl. **Szene 1.a.**), letztendlich immer zugrunde liegt:

Gewohnheiten, Verhaltensregeln, moralische Normen und andere Festlegungen, die bewußt oder unbewußt, für alle gelten, die sich einer solchen Szene zurechnen oder ihr zugerechnet werden. Die Tatsache, daß es an für das Gesellschaftsganze verbindlichen Regeln, Vorschriften und Ideologemen nun wirklich nicht mangelt, diese aber immer brüchiger und unglaubwürdiger erscheinen und einer kritischen Reflexion unterworfen werden, führt zur Herausbildung von immer mehr „Szenen", von denen diejenigen, die sich ihr anschließen, sich eine Entfaltung ihrer eigenen Persönlichkeit und eine umfassendere Befriedigung ihrer Bedürfnisse erhoffen.

nem Wutausbruch hinreißen lassen. 1920 ff.
7. über die ~ laufen (gehen) = sich ereignen. Vgl ↗ Bühne 3. 1950 ff.
8. eine ~ machen = sich wie ein Schauspieler (eine Schauspielerin) benehmen. Seit dem 19. Jh.
9. jm eine ~ machen = sich in jds Gegenwart übertrieben aufregen; jn laut und energisch rügen; jn entwürdigend anherrschen. Was mit dem Theater zusammenhängt, wird in volkstümlicher Auffassung als übertrieben und unnatürlich, auch als geheuchelt gewertet. Seit dem 19. Jh.

10. jn in ~ setzen = jn vorteilhaft an die Öffentlichkeit bringen; jn geschickt dem Publikum vorstellen. 1920 ff.
11. sich in ~ setzen = die Aufmerksamkeit aufdringlich auf sich lenken; sich von der vorteilhaftesten Seite darstellen; eine gewinnende Pose einnehmen; durch Äußerlichkeiten einen günstigen Eindruck zu erwecken suchen. 1870 ff.
Szenenwechsel m Parteienwechsel in einem Gremium; Regierungsumbildung. Aus der Theatersprache übernommen. 1970 ff; wohl älter.

T 34 hartnäckig (stur) wie ein ~ = unbeirrbar handelnd; eigensinnig; störrisch. „T 34" war die Bezeichnung für einen russischen Panzerkampfwagen im Zweiten Weltkrieg. *Sold* 1942 *ff.*

TBH Tanzlokal. Abgekürzt aus ↗Teenagerbefruchtungshalle. *Halbw* 1960 *ff.*

TBK 1. schwere Geistesstörung; hochgradige Begriffsstutzigkeit; ausgeprägte Dummheit. Abkürzung von „totale ↗Bekloppheit". *Jug* 1950 *ff.*
2. Versteck für die Übermittlung von Geheimnachrichten. Abkürzung von „toter ↗Briefkasten". 1969 *ff*, agenterspr.

TSP Lokal mit Mädchenbetrieb. Abgekürzt aus ↗Tittenschwungpalast. *BSD* 1965 *ff.*

TTS-Motor *m* Fahrrad. Abkürzung von „Trottel, tritt selber!". *Bayr* und *österr,* 1930 *ff,* schül.

TTV (TTUVP) machen sich der Dienstpflicht entziehen; sich dem Dienst zu entziehen suchen; sich unerlaubt vom Dienst entfernen. Abkürzung von „↗tarnen, täuschen und verpissen". ↗verpissen. *BSD* 1965 *ff.*

TV-Fatzke *m* Nachrichtensprecher, Moderator im Fernsehen. ↗Fatzke. 1960 *ff.*

TV-Glotze *f* Fernsehbildschirm. ↗Glotze. 1960 *ff.*

TV-Gucker *m* Fernsehzuschauer. 1970 *ff.*

TV-Idiot *m* Mensch mit dem Bildungsstand eines Fernsehzuschauers. 1965 *ff.*

T-Zug *m* Trans-Europ-Express. Die Abkürzung „TEE" klingt wie der Buchstabe T. Dem „D-Zug" nachgebildet. 1959 *ff.*

Tabak *m* **1.** ~ vom deutschen Bahndamm = minderwertiger Tabak. ↗Bahndamm. 1939 *ff.*
2. alter ~ = längst Bekanntes. 1930 *ff.*
3. in den ~ schießen = weggehen; die Stellung aufgeben. Vorwiegend in der Befehlsform. Schießen = sich schnell bewegen. *Halbw* 1955 *ff.*
4. das ist scharfer ~ = das ist eine Zumutung, eine schroffe Zurechtweisung. Seit dem 19. Jh.
5. das ist starker ~ (Tobak) = das ist eine schwer begreifliche Sache, eine schwierige Sache, eine unerträgliche Zumutung, ein derber Witz o. ä. Be-

ruht auf einer Volkserzählung: der Teufel begegnet im Wald einem Jäger und fragt ihn, was er da in der Hand halte und welchem Zweck es diene; der Jäger gibt seine Flinte für eine Tabakdose aus, und als der Teufel um eine Prise bittet, schießt ihm der Jäger eine Ladung ins Gesicht; darauf sagt der Teufel „das ist starker Tabak". Seit dem 18. Jh. *Vgl franz* „c'est un peu fort de tabac".

Tabakdose *f* starke Raucherin. ↗Dose 1 u. 2. 1920 *ff.*

Tabakkauer *m* Stotterer. Er bewegt den Mund, als kaue er Tabak, aber äußert sich nicht oder nur in Intervallen. 1930 *ff,* Berlin.

Tabakonkel *m* starker Raucher. ↗Onkel. 1920 *ff.*

Tabakpflanze *f* **1.** Mädchen, das in der Öffentlichkeit (auf der Straße) raucht. ↗Pflanze. 1950 *ff.*
2. nette ~ = leichtlebiges Mädchen. ↗Pflanze 4. 1950 *ff,* Berlin.

Tabakpinsel *m* Zigarre, deren Deckblatt an der Glimmstelle geplatzt ist. 1920 *ff.*

Tabaksandwich (Grundwort *engl* ausgesprochen) *n* Zigarette. Variante zu ↗Lungenbrötchen. Zürich 1950 *ff, halbw.*

Tabakstange *f* Zigarette. Analog zu ↗Stengel. *Jug* 1950 *ff.*

Tabakwährung *f* Verrechnungseinheit unter Strafgefangenen. 1955 *ff.*

Tabellenführer *m* oberster Leiter; Klassenbester. Stammt aus der Sportsprache: Tabellenführer ist diejenige Fuß-, Handballmannschaft, die an der Spitze der Bundes- oder Regionalliga steht. 1955 *ff.*

täbern *intr* rauchen. Neues Verbum zu „Tabak". *Steir* 1964 *ff,* jug.

Tabernakel *m* (*n*) **1.** Kopf. Eigentlich Bezeichnung für das Sakramentshäuschen, dann auch für das Schutzdach über Standbildern. Variante zu „Dach = Kopf". Etwa seit dem ausgehenden 19. Jh, vorwiegend in Gegenden mit vorherrschender katholischer Bevölkerung.
2. Vagina. Vom Aufbewahrungsort für das Allerheiligste Altarsakrament übertragen. 1930 *ff.*

Tablett *n* **1.** aufs ~ kommen = zur Sprache kommen. Entstellt aus „aufs ↗Tapet kommen", unter Einfluß des Folgenden. 1950 *ff.*
2. kommt nicht aufs ~! = ausgeschlossen! Ausdruck der Ablehnung. Versteht sich aus der Berliner Vorform „das kommt nicht aufs Tabrett!". „Tabrett" ist entstellt aus „tabouret = kleiner gepolsterter Hocker". Gemeint ist, daß das Betreffende bei jm keinen Platz beanspruchen kann, also nicht geduldet wird. Etwa seit dem frühen 20. Jh, gemeindeutsch und *österr.*
3. etw auf einem ~ rantragen = ein Bühnenstück überdeutlich gestalten. *Vgl* auch ↗Präsentierteller. 1955 *ff.*
4. jn aufs ~ stellen = jn in der Öffentlichkeit vorführen; jn dem Publikum von der vorteilhaftesten Seite vorstellen. 1920 *ff.*

Tacheles reden 1. vom Geschäftlichen reden; zur Sache kommen; ohne Umschweife miteinander reden; ein Geständnis ablegen. Fußt (nach Mitteilung von Dr. Siegmund A. Wolf) auf *jidd* „tachlis = Endzweck"; *jidd* „letachlis kommen = zum Endzweck, Abschluß kommen". Etwa seit 1900. **2.** jm Vorhaltungen machen. 1920 *ff*. **3.** die Honorarfrage erörtern. Filmspr. 1920 *ff*.

Tachen (Tacken) *m* Groschen; Wehrsold. Herleitung unbekannt. Anscheinend vorwiegend in Westfalen verbreitet. *BSD* 1965 *ff*.

tachinieren *intr* arbeitsscheu sein; sich einer Arbeit entziehen; dem Schulunterricht fernbleiben. Fußt wahrscheinlich auf *tschech* „tahnouti se = sich ziehen, dehnen; sich fortmachen". *Österr* 1900 *ff*.

Tachinierer *m* Mensch, der sich einer Verpflichtung entzieht; arbeitsscheuer Mensch; Schüler, der den Schulunterricht absichtlich versäumt. *Österr* und *bayr* 1900 *ff*.

Tachi'nitis *f* geheuchelte Krankheit eines arbeitsscheuen Menschen. *Österr* 1914 *ff, sold*.

Tachi'nose *f* Arbeitsscheu; Dienstunlust. ↗tachinieren. Medizinischen Fachwörtern wie „Trichinose, Sklerose" usw. nachgeahmt. *Österr* 1900 *ff*, vorwiegend *sold*.

tacho im ~ sein = seinen Vorteil zu wahren wissen; sich zu helfen wissen. ↗tacko sein. Verwandt mit ↗Tacheles 1. 1970 *ff, rotw*.

Tachtel *f* Ohrfeige; Schlag auf den Kopf. ↗Dachtel 1. 1500 *ff*.

tachteln *tr* jn ohrfeigen. Seit dem 19. Jh.

tack *adj* tüchtig, anstellig. Geht zurück auf *tschech* „tak = so" (nämlich „so, wie er sein soll"). Wien 1930 *ff*.

tackeln *intr* Straßenprostituierte sein. Nebenform und Bedeutungsverengung von „↗dackeln 1". 1960 *ff*, Berlin, *prost*.

tacko sein (taku sein) 1. angesehen, einflußreich sein. Fußt auf *gleichbed jidd* „takiph". 1750 *ff*. **2.** zuverlässig sein. 1900 *ff*. **3.** dümmlich sein. Durch Einwirkung des Vorhergehenden umgewandelt aus „↗ticktick an Birne". 1960 *ff, prost*, Frankfurt am Main.

Tacktacker *m* **1.** Maschinengewehrschütze. Schallnachahmend für das Geräusch rasch aufeinanderfolgender Schüsse. *Sold* 1940 *ff*. **2.** Mensch mit unversieglichem Redefluß. Analog zu ↗Maschinengewehr 2. *Ziv* 1940 *ff*.

tadeli'dös *adj* einwandfrei. Erweitert aus „tadellos" durch eine romanische Endung. 1940 *ff*.

Tafel *f* Brief-, Geldtasche. Übertragen in der Kundensprache seit 1840 aus der Bedeutung „Rechnungsbuch" oder „Wechslerbank".

Tafelaufsatz *m* Gast, mit dem man Eindruck macht. Eigentlich das zum Schmücken der Speisetafel verwendete zusätzliche Geschirr (Blumenarrangement o. ä.). 1900 *ff*.

Tafelfetzen *m* Lappen für die Schultafel. 1900 *ff*.

Tafelknecht *m* Klassenordner(in). Er (sie) hat die Schultafel abzuwischen. *Österr* 1900 *ff*.

Tafelkratzer *m* Schüler der untersten Volksschulklasse. Er lernte früher auf der Schiefertafel schreiben. 1900 *ff*.

Tafellecker *m* Schulneuling. Mit dem angefeuchteten Finger löschte man früher die Fehler auf der Schreibtafel aus. Seit dem späten 19. Jh.

tafeln *v* jm eine ~ = jm eine Ohrfeige versetzen. Analog zu „jm eine ↗wischen". 1900 *ff*.

Taferlklasse *f* erste Volksschulklasse. Die ersten Schreibversuche wurden mittels Griffel auf der Schiefertafel gemacht. *Österr* 1850 *ff*.

Taferlklaßler *m* Schulanfänger. *Österr* 1850 *ff*.

Taferlklaßlerasyl *n* Volksschule, Grundschule. *Österr* 1960 *ff*.

Taferlkratzer *m* Schulneuling. ↗Tafelkratzer. *Österr* 1900 *ff*.

Taferlmann (-frau) *m* (*f*) Punktrichter(in) beim Eiskunstlauf. Bei Abgabe der Wertung heben sie ein Täfelchen mit der Wertungszahl in die Höhe. 1960 *ff*.

Taferlschule *f* Volksschule. *Österr* 1900 *ff*.

taff *adj* hervorragend. Nebenform von ↗toff. 1950 *ff*.

Tag *m* **1.** ~ der Befreiung = Tag der Ehescheidung. 1930 *ff*, Jurastudenten. **2.** ~ der inneren Einkehr = Tag, an dem man den Geschlechtsverkehr ausübt. Eigentlich der Tag der Besinnung; hier Anspielung auf die Einführung des männlichen Glieds in die Scheide. 1960 *ff*. **3.** ~ der Entscheidung = Tag der Zeugnisausgabe. Geht auf einen Filmtitel zurück. *Schül* 1958 *ff*. **4.** ~ der Freiheit = Entlassung aus dem Wehrdienst. Eigentlich der Tag der Entlassung aus der Haftanstalt. *BSD* 1965 *ff*. **5.** ~ des Herrn = a) Tag der Herrenpartien. „Herr" ist eigentlich Gott; hier bezogen auf den Hausherrn. Seit dem späten 19. Jh, Berlin. – b) Lohnzahltag. Gewertet als der eigentliche Feiertag des Arbeitnehmers. 1900 *ff*. – c) Entlassung aus der Bundeswehr am Dienstzeitende. *BSD* 1965 *ff*. – d) arbeitsfreier Samstag. Die erwerbstätigen Männer haben arbeitsfrei, während die Arbeit der Hausfrauen weitergeht. 1958 *ff*. **6.** ~ Null = Tag der Entlassung aus der Bundeswehr. Hängt zusammen entweder mit dem „↗Maßband" (wenn kein Zentimeter mehr abzuschneiden ist) oder mit dem „Tag Null", wie man den Tag der Kapitulation am 7. bzw. 9. Mai 1945 bezeichnet: es ist der Tag völligen Neubeginns nach einer Katastrophe. *BSD* 1970 *ff*. **7.** ~ der deutschen Schwarzarbeit = arbeitsfreier Samstag; Samstag der 45-Stunden-Woche. 1956 *ff*. **8.** ~ der offenen Tür = leicht zugängliches Mädchen. Eigentlich der Tag, an dem Außenstehende öffentliche Einrichtungen, Ver- und Entsorgungsbetriebe, Kasernen usw. besichtigen können. *BSD* 1968 *ff*.

9. ~ der Wahrheit = Musterung. Fußt auf der Meinung, die Musterungsärzte ermittelten irrtumsfrei den körperlichen Zustand der angetretenen Zivilisten. *BSD* 1965 *ff.*

10. ~ der deutschen Zentralheizung = 1. Oktober. Mit ihm setzt die Heizperiode ein. 1960 *ff.*

11. am ~, als der Regen kam = Körperwaschung. Fußt auf dem gleichnamigen Schlagerlied, dessen Text von Ernst Bader und dessen Musik von Bécaud und Delanoe stammt. *BSD* 1971 *ff.*

12. blauer ~ = Tag geheuchelter Arbeitsunfähigkeit. ↗blaumachen. 1950 *ff.*

13. dicker ~ = ereignisreicher, verlustreicher Tag. Dick = vollgestopft, vollgepreßt. *Sold* 1939 *ff.*

14. eisenfreier (eisenloser) ~ = Tag, an dem an der Front kaum ein Schuß fällt. *Sold* in beiden Weltkriegen.

15. ja, den ganzen ~!: Redewendung, mit dem man bestätigt, daß heute der soundsovielte Tag des Monats (der vermutete Wochen- oder Feiertag) ist. 1900 *ff.*

16. kritische ~e = Menstruationszeit. 1900 *ff.*

17. die längsten ~e = die letzten Tage im Monat. Man hat den Eindruck, die Tage bis zum Ersten (bis zur Lohn- oder Gehaltszahlung) wollten nicht vorübergehen. 1920 *ff, stud.*

18. rabenschwarzer ~ = Tag voller Mißerfolge. Zusammenhängend mit Schwarz als Sinnbildfarbe des Unheils. 1900 *ff.*

19. rote ~e = Menstruationstage. Seit dem 19. Jh.

20. schöner ~, heute abend = schöner Abend heute. *Schül* 1930 *ff.*

21. schönster ~ meines Lebens = a) Tag der Versetzung. Fußt auf dem Titel eines 1957 gedrehten Films. *Schül* 1959 *ff.* – b) Tag der Entlassung aus der Bundeswehr am Dienstzeitende. *BSD* 1965 *ff.*

22. tolle ~e = a) Fastnachtstage. 1900 *ff.* – b) Zeitspanne des Sommer-, Winterschlußverkaufs. 1970 *ff.*

23. in achtzig ~en um die Erde = Erdkundeunterricht in der Schule. Geht zurück auf den *dt* Titel des 1956 unter der Regie von Mike Todd gedrehten Films „Around The World in 80 Days" nach dem Roman von Jules Verne. 1959 *ff.*

24. den ~ andonnern = den Tag mit der Notdurftverrichtung beginnen. 1940 *ff, sold;* aber wahrscheinlich im Ersten Weltkrieg aufgekommen.

25. den ~ einläuten = morgens koitieren. 1935 *ff.*

26. seinen ~ haben = vorübergehend gereizt, verärgert, mißgestimmt sein. Auf den Mann übertragen von der Stimmung der menstruierenden Frau. 1920 *ff.*

27. ihre ~e haben = menstruieren. Seit dem 19. Jh.

28. einen (seinen, ihren) grauen ~ haben = mißgestimmt sein. Grau als Farbe der Freudlosigkeit. 1950 *ff.*

29. du hast heute wohl deinen schlauen ~? = du kommst dir heute wohl besonders klug vor? 1920 *ff.*

30. seinen sozialen ~ haben = sehr spendefreudig sein. 1950 *ff.*

30 a. seinen starken ~ haben = an einem bestimmten Tag hervorragender Könner sein. *Sportl* 1960 *ff.*

31. einen volksnahen ~ haben = als hochgestellte Persönlichkeit sich schlicht und natürlich geben. Hängt zusammen mit NS-Begriffen wie „volksverbunden" und ähnlichen Bezeichnungen schwülstiger Form und ungreifbarer Substanz. *Stud* 1950 *ff.*

31 a. sich einen flotten ~ machen = sich ausleben. Seit dem 19. Jh.

32. sich einen guten ~ machen = sorglos, bequem, gut leben. 1900 *ff.*

33. sich einen schlauen ~ machen = bequem, sorgenfrei, auf Kosten anderer leben. Seit dem 19. Jh.

34. guten ~ und gut Weg sagen (einander guten ~ und gut Weg geben, wünschen) = einander grüßen, aber nicht näher bekannt sein; höflich ein paar Worte wechseln und seiner Wege gehen. 1700 *ff.*

35. mit jm guten ~ und guten Weg stehen = mit jm oberflächliche Höflichkeiten austauschen. *Vgl* das Vorhergehende. Seit dem 19. Jh.

36. sich den ~ um die Ohren schlagen. ↗Ohr 73.

37. nun ist es ~ bei mir = nun ist für mich die Sache klar. Tag = heller Tag; Tageshelligkeit. 1700 *ff.*

38. den gestrigen ~ suchen = zerstreut sein; Aussichtsloses beginnen. 1800 *ff.*

39. nun wird's ~ = a) jetzt verstehe ich endlich die Zusammenhänge. Analog zu ↗dämmern 1. 1800 *ff.* – b) Ausdruck der Verwunderung, des Unwillens, der Ungeduld o. ä. 1800 *ff.*

Tagchen guten Tag! Seit dem frühen 20. Jh, *halbw.*

Tagebagger *m* Soldat auf Zeit. *BSD* 1970 *ff.*

Tagebär *m* **1.** Rekrut. ↗Bär 1. Bis zu seiner Entlassung hat er noch viele Tage vor sich. *BSD* 1965 *ff.* **2.** Soldat auf Zeit. Er hat schon viele Tage hinter sich und auch noch viele vor sich. *BSD* 1965 *ff.* **3.** Altgedienter; Reservist. *BSD* 1965 *ff.*

Tageberger *m* Wehrpflichtiger, der noch viele Tage Wehrdienst abzuleisten hat. *BSD* 1965 *ff.*

Tageblatt *n* Mensch, der gern über andere schwätzt. Er ist eine Art Tageszeitung. 1920 *ff.*

Tagejäger *m* Längerdienender. *BSD* 1970 *ff.*

Tage-Klotz *m* Zeitsoldat. Klotz = grobes, unförmiges Stück. Bei Längerdienenden vermutet man eine handfest-derbe Natur. *BSD* 1965 *ff.*

Tage-Lappen *m* Soldat auf Zeit. Hängt zusammen mit ↗Waschlappen: ihn halten die Nichtzeitsoldaten für energielos im Zivilleben. *BSD* 1965 *ff.*

Tagelöhner *m* papierner ~ = a) Büroangestellter, Schreiber. Seit dem 19. Jh. – b) Kaufmann. 1900 *ff.*

Tagemeßband *n* Gesamtlänge der Dienstzeit in der Bundeswehr. ↗Maßband 1. *BSD* 1965 *ff.*

Tagesform *f* Leistungsvermögen eines Sportlers an einem bestimmten Tag. ↗Form 1. *Sportl* 1950 *ff.*

Tageslöwe *m* (vorübergehend) gefeierter Künstler. ↗Löwe 4. 1830 *ff.*

Tagesordnung *f* über etw zur ~ übergehen = auf etw nicht eingehen. Hergenommen von der Verhandlungsfolge, außerhalb derer man nichts bespricht. 1920 *ff.*

Tagesstrich *m* Weg der männlichen und weiblichen Prostituierten am Tage; Kundenfang durch Straßenprostituierte am Tage. ↗Strich 2. 1900 *ff.*

Tageszeitung *f* lebende ~ = Mensch, der gern und ausführlich über andere schwätzt. ↗Tageblatt. 1920 *ff.*

täglich *adj* eintönig-langweilig; abwechslungslos. 1955 *ff.*

Tagnicker *m* Empfangschef in Restaurants, Kaufhäusern o. ä. Er nickt den Ankömmlingen „guten Tag" zu. 1920 *ff.*

tagtag gehen spazierengehen. Das Kind winkt zum Abschied „Tag, Tag" (guten Tag, guten Tag). 1900 *ff,* kinderspr.

tagtag machen jm zuwinken. *Vgl* das Vorhergehende. 1900 *ff,* kinderspr.

Tagungswanze *f* aufdringlicher Teilnehmer an Tagungen. Er wird als Ungeziefer empfunden. 1955 *ff.*

tailachen *intr* 1. gehen, laufen. Stammt aus *jidd* „talecha = gesandt werden". *Rotw* 1840 *ff.*
2. davongehen, fliehen. 1900 *ff, rotw, prost* und *sold.*

Tailacher *m* Handelsvertreter, der von Geschäft zu Geschäft, von Wohnungstür zu Wohnungstür geht. 1900 *ff.*

Taille *f* 1. griffige ~ = schmale Hüfte. 1950 *ff.*
2. per ~ = ohne Mantel, ohne Jacke o. ä. Berlin seit dem späten 19. Jh.

Taillenschau *f* Musterung. *BSD* 1968 *ff.*

Taillentrainer *m* Korsett o. ä. Theaterspr. 1920 *ff.*

Taillenweite *f* 1. jds ~ prüfen = jn innig umarmen. 1930 *ff.*
2. das ist genau meine ~ = das sagt mir sehr zu, ist genau das Passende, ist mir hochwillkommen. 1940 *ff.*

tak *adj* ritterlich, anständig, tüchtig. ↗tack. *Österr* 1930 *ff.*

Take *f* Gauner, Kameradenpreller o. ä. Nebenform zu *ostd* „Teke = stechendes Insekt". Berlin 1918 *ff.*

Takel *n* 1. putzsüchtige Frau. Meint in der Seemannssprache die Ausrüstung, das Tauwerk des Schiffes. ↗auftakeln 1. 1840 *ff.*
2. in der Kleidung nachlässige Frau. ↗abtakeln 1. 1900 *ff.*

Takelage (Endung *franz* ausgesprochen) *f* 1. Kleidung (vor allem die auffallende, geschmacklose). Seit dem 19. Jh.
2. übermäßig zur Schau getragener Schmuck. 1900 *ff.*

Takelpäckchen *n* Arbeitsanzug. ↗Päckchen. *Marinespr* 1900 *ff.*

Takelung (Takelwerk) *f (n)* auffallende (billige, geschmacklose) Kleidung. 1900 *ff.*

Takt *m* 1. nach ~ und Noten = regelrecht, vorschriftsmäßig, gründlich. Nach Takt und Noten spielt Klavier, wer sich streng an die Vorschriften des Komponisten hält. 1900 *ff.*
2. den ~ aufstocken = sich höflicher, taktvoller benehmen als bisher. Hergenommen vom Haus, das man um ein Stockwerk erhöht. 1960 *ff, jug.*
3. sich nicht aus dem ~ bringen lassen = unerschütterlich arbeiten; das Arbeitstempo beibehalten. 1910 *ff.*
3 a. ein paar ~e gehen = einen kurzen Spaziergang unternehmen. 1930 *ff.*
3 b. ein paar ~e Zeit haben = etwas Zeit erübrigen können. 1930 *ff.*
4. ein paar ~e plaudern (reden) = ein wenig plaudern. 1930 *ff.*
5. mit jm ein paar ~e reden = jm ernste Vorhaltungen machen. Man bringt ihm Takt bei oder die „↗Flötentöne". 1925 *ff.*
6. jm ein paar ~e sagen = jm Anstand beibringen. 1925 *ff.*
7. jm den ~ schlagen = jn verprügeln. Aus dem Taktstock wird der Prügelstock. 1920 *ff.*
8. ~ ist Luxus = anstandsgemäßes Verhalten ist überflüssig. *Jug* 1955 *ff.*

taktfest *adj* 1. nicht ~ sein = a) leicht kränklich sein. Der Musiker ist taktfest, wenn er den musikalischen Takt beherrscht; der Soldat ist taktfest, wenn er den vorgeschriebenen Schritt-Takt einhält. 1800 *ff.* – b) unzuverlässig sein. 1800 *ff.*
2. in einem Fach ~ sein = ein Fach beherrschen. Seit dem 19. Jh.

taktieren *intr* eine bestimmte Taktik befolgen; taktisch vorgehen. Aus der Militär- oder Sportsprache gegen 1950 übernommen. Wortprägung möglicherweise von Professor Ludwig Erhard.

Taktik *f* anständiges Benehmen; Schicklichkeitsgefühl. Aufgefaßt als Lehre vom Takt. 1800 *ff.*

Taktiker *m* Lehrer für Anstandsunterricht; Leiter einer Tanzschule. Eigentlich einer, der sich in Dingen der Kriegsführung auskennt; hier bezogen auf „Takt = gesittetes Benehmen". 1950 *ff;* wohl älter.

Taktiro'bat *m* 1. hoher Generalstabsoffizier. Zusammengesetzt aus „Taktik" und „Akrobat". *Sold* 1939 *ff.*
2. Generaldirektor eines großen Unternehmens. 1950 *ff.*
3. Besitzer der Aktienmehrheit eines Industrieunternehmens. 1950 *ff.*

Taktstock *m* Richtungsanzeiger des Verkehrspolizeibeamten. Mit ihm ist er der „↗Dirigent" des Straßenverkehrs. 1935 *ff.*

Der Stich zeigt einen Segler in voller Takelage. Was bei einem solchen Schiff meist nur Mittel zum Zweck des Fortkommens ist, erhält in der Umgangssprache einen durchwegs pejorativen Charakter (vgl. **Takelage 1., 2., Takelung (Takelwerk)** *und* **Takel 1.2.**)*, wobei natürlich nicht auszuschließen ist, daß eine Person, die sich auftakelt (vgl.* **auftakeln 1.**)*, nicht zuletzt auch an ihr persönliches Weiterkommen denken dürfte. Es ist dies jedoch eine ganz besondere Art des Utilitarismus, die schon von weitem als solche zu erkennen ist und deshalb gleich ins Auge fällt, so daß, wie beim Segelwerk eines Schiffes, sofort zu sehen ist, woher der Wind weht. Das trifft allerdings auch auf jemanden zu, der recht abgetakelt daher kommt (vgl.* **abtakeln 1.**)*. Erwünscht ist eben das „Normale", nicht zu viel und auch nicht zu wenig, nicht zu protzig aber auch nicht zu abgerissen.*

taku sein ↗tacko sein.

Talar-Muffel *m* Universitätsprofessor ohne Verständnis für Reformen. 1967 aufgekommen im Gefolge des „↗Krawattenmuffel" und im Zusammenhang mit den Reformbegehren der Studenten.

Talarwanze *f* weibliche Person, die sich ohne Berufung aufdringlich mit kirchlichen Angelegenheiten befaßt. 1950 *ff.*

talen *intr* geziert sprechen; sich geziert benehmen. Herleitung unbekannt; *vgl* „↗dahlen 1". Berlin 1900 *ff.*

Talent *n* da sitzt (steht) er nun mit seinem ~ (und kann es nicht verwerten) = trotz Wissen und Fertigkeit ist er ratlos. Stammt aus der Berliner Posse „Berlin bei Nacht" von David Kalisch (1850).

Talentbestie *f* untalentierter Schauspieler. Der „↗Intelligenzbestie" nachgebildet. Theaterspr. um 1900.

Talentbündel *n* vielseitig talentierter Mensch. 1965 *ff.*

Talentfabrik *f* Schauspiel-, Zirkusschule. 1920 *ff.*

Talentklumpen *m* hochtalentierter Mensch. Bei ihm ballen sich die Talente. 1965 *ff.*

Talentmühle *f* Bildungsanstalt, Fachschule o. ä. Dort werden Begabungen „durch die Mühle gedreht", d. h. die besondere Begabung wird zerschrotet, die allgemeine wird gefördert. 1950 *ff.*

Talentpächter *m* Theaterdirektor, -intendant. Seit dem ausgehenden 19. Jh.

Talentschmiede *f* Sportschule; Sportverein, der namhafte Spieler ausgebildet hat; Ausbildungsstätte für künstlerischen Nachwuchs. 1970 *ff.*

Talentschnüffler *m* Talentsucher für das Schaugeschäft. 1960 *ff.*

Talentschuppen *m* **1.** Studio für junge Schlager-

musiker, -sänger usw. ↗Schuppen. 1960 *ff*. (1966 Titel einer Sendereihe im Regionalprogramm des Südwestfunks Baden-Baden).
2. Verein, der viele namhafte Fußballspieler ausgebildet hat. 1960 *ff*.
3. Klublokal der Halbwüchsigen. 1960 *ff*.
4. Hilfsschule. *Iron* Ausdruck im Munde überheblicher Gymnasiasten. 1965 *ff*.

Talentspäher (-sucher) *m* Leiter einer Schauspielschule, eines Mannequin-Studios usw. 1960 *ff*.

talentverdächtig *adj* meistens dümmlich, aber gelegentlich gescheit redend (handelnd). *Iron* Adjektiv. 1920 *ff*.

Taler *m* runde Scheibe Wurst. Formähnlich mit dem ehemaligen Dreimarkstück. 1900 *ff*.

Talerchen *pl* Geld, Lohn, Gehalt, Sold. Burschikose Verniedlichung. 1920 *ff*.

Talerkleid *n* Kleid aus runden Metallfolien. 1966 *ff*.

Talfahrt *f* **1.** Konjunkturrückgang, Währungsverfall, Kursverlust. Hergenommen von der Schifffahrt oder vom Skiabfahrtslauf. 1970 *ff*; geprägt von Bundeswirtschaftsminister Karl Schiller.
2. Abstieg einer Sportmannschaft; sittliches (gesellschaftliches) Absinken eines Menschen. 1973 *ff*.

talfen *intr* betteln. Fußt auf *jidd* „dalfen = arm". *Rotw* seit dem frühen 19. Jh.

Talfer *m* Bettler. Seit dem 19. Jh.

talgen *intr* hochwertige Karten dem Partner zuspielen. Analog zu „↗schmieren 6". 1900 *ff*.

Talglicht *n* **1.** hervortretender Nasenschleim bei kleinen Kindern. ↗Licht 2. 1800 *ff*.
2. ihm geht ein ~ auf = er beginnt endlich zu begreifen; er erkennt endlich die Zusammenhänge. Analog zu „ihm geht ein ↗Licht auf". Talglichter waren bis ins 19. Jh üblich; sie wurden abgelöst von Paraffin- und Stearinkerzen. Seit dem 19. Jh.
3. jm ein ~ aufstecken = jn deutlich auf etw hinweisen; jm etw zu verstehen geben. Seit dem 19. Jh.

Talk *m* ↗Dalk.

talken *intr* ↗dalken.

talkert *adj* ↗dalkert.

talmi *adj adv* **1.** unecht. Entstanden aus der Abkürzung „Tal. mi. or" für die nach dem Erfinder Tallois „Tallois-demi-or" genannte, mit Gold überwalzte Kupfer-Zinn-Mischung. Gegen 1860/70 aufgekommen.
2. echt ~ = schlechte Ware; schlechte Leistung; unfeines Benehmen. 1900 *ff*.

Talmi-Adel *m* unechter Adel. 1920 *ff*.

Talmi-Dame *f* weibliche Person, die vergeblich als Dame zu gelten sucht. 1920 *ff*.

Talmi-Eleganz *f* Eleganz zweifelhafter Art. 1920 *ff*.

Talmi-Gent (Grundwort *engl* ausgesprochen) *m* zweifelhafter Ehrenmann. 1910 *ff*.

Talmi-Kavalier *m* zweifelhafter Ehrenmann ohne ritterliches Benehmen gegenüber den Frauen; Gauner in führenden Gesellschaftskreisen. 1900 *ff*.

Tal'mine *f* weibliche Person, an der vieles oder alles unecht ist. 1935 *ff*.

Talmi-Zeug *n* unechter Schmuck o. ä. ↗talmi 1. 1870 *ff*.

Talpe *f* **1.** Pfote, Tatze; große Fußstapfe. ↗talpen 1. 1500 *ff*.
2. plumpe, hart zufassende Hand. ↗talpen 2. 1500 *ff*.

talpen *intr* **1.** schwer auftreten; schwerfällig gehen. Schallnachahmend für das Geräusch, das man beim Gehen im Morast hervorruft. 1500 *ff*.
2. grob anfassen; schroffe Vorhaltungen machen. Seit dem 19. Jh.
3. es getalpt kriegen = Prügel erhalten. 1900 *ff*.

Talps *m* Tölpel. ↗talpen. Seit dem 19. Jh.

talpschen *intr* ungeschickt mit den Händen fassen. ↗talpen. Berlin und *niederd,* seit dem 19. Jh.

talpschig *adj* täppisch. Seit dem 19. Jh, Berlin und *niederd.*

tälsch *adj* widerlich, linkisch, dümmlich. Wohl verwandt mit „↗dalkert (dalkig, dalkch, dalksch, dalsch)". Vorwiegend *schles,* seit dem 19. Jh.

'Talschleiche (-schleicher) *f (m)* Wanderer, der keinen Berg besteigt. 1900 *ff*.

Talsohle *f* **1.** Tiefstand des Wirtschaftslebens. 1967 von Bundeswirtschaftsminister Karl Schiller aufgebrachter Fachausdruck in Anlehnung an den geographischen Begriff.
2. moralischer Tiefstand. 1967 *ff*.
3. Folge von Widrigkeiten; Niedergang, Abstieg; Tiefstand des Leistungsvermögens. 1971 *ff*.

Talsperre *f* **1.** Regelbinde. 1914 *ff, sold* und *ziv.*
2. Busennadel, -brosche. *Jug* 1955 *ff*.
3. Durst haben wie eine ~ = heftigen Durst haben. 1930 *ff*.
4. ~ spielen = sich langsam betrinken. Man macht es der Talsperre nach, die langsam vollläuft. 1930 *ff, halbw* und arbeiterspr.

Tampax rauchen Filterzigaretten rauchen. Übernommen von der Tampax-Hygiene der menstruierenden Frau. 1950 *ff*.

Tampax-Zigarette *f* Filterzigarette. 1950 *ff*.

Tampen *m* Stück, Endstück. Tamp = dickes Tauende. *Marinespr* 1900 *ff*.

Tampus *m* Alkoholrausch. Aus „↗Dampf 2" latinisiert. *Oberd* 1800 *ff*.

Tam'tam (Tam-'Tam) *m n* geräuschvolles Beiwerk; Lärm; Reklamebetriebsamkeit; Propaganda; Marktschreierei; prunkvolle Aufmachung. Über *franz* Vermittlung übernommen von der gleichlautenden Bezeichnung für die Eingeborenentrommel in Afrika sowie in Vorder- und Hinterindien. Dem Wesen nach schallnachahmend, gibt das Wort den Doppelschlag auf die Trommel wieder. 1850 *ff*.

Tandel (Tantel) *m* Nachschlüssel, Dietrich. Ableitung ist ungesichert. *Rotw* 1840 *ff.*

Tande'lei *f* Gesamtheit der Diebeswerkzeuge. *Rotw* 1980 *ff.*

Tände'line *f* Mädchen, das sich mit jedem Jungen flirtend oder intim einläßt. Tändeln = liebeln. 1960 *ff, halbw.*

tandeln *intr* mit falschem Schlüssel öffnen. ↗ Tandel. *Rotw* 1880 *ff.*

Tändelzahn *m* Mädchen für kleine, für harmlose Liebeleien. ↗ Zahn 3. 1955 *ff, halbw.*

Tandem *n* Schauspielerpaar. Eigentlich Bezeichnung für das Fahrrad mit zwei Sitzen und zwei Tretlagern, jedoch nur einer Lenkstange. 1970 *ff.*

Tandemwahl *f* Wahl, bei der auf beiden Seiten zwei Parteiführer in den Vordergrund treten. 1972 *ff.*

Tandler (Tändler) *m* Händler, Gebrauchtwarenhändler; Trödler. Aus *lat* „tantum = soviel" entwickelte sich im Mittelalter „tendeler" im Sinne von „vielseitiger Händler". *Oberd* 1500 *ff.*

Tandlerin *f* Händlerin. *Bayr* und *österr*, seit dem 16. Jh.

Tan'gente *f* eine ~ an die Kurve legen = eine weibliche Person mit üppigem Busen umarmen. Tangente ist in der Mathematik eine Gerade, die eine Kurve nur in einem einzigen Punkt berührt. *Vgl* ↗ Kurve 1. *Halbw* nach 1955, Berlin.

Tangobeleuchtung *f* Halbdunkel. 1928 *ff.*

Tangobesen *m* Jazzbesen. 1955 *ff,* musikerspr.

Tangoblick *m* Blick schmachtenden Verlangens. 1960 *ff.*

Tango-Boy *m* Flirtender. *Halbw* 1960 *ff.*

Tango-Bubi *m* **1.** Eintänzer. 1920 *ff.*
2. Zuhälter. Nach 1945 aufgekommen.

Tango-Diesel *m* **1.** Transistorgerät. Diesel = mechanisch (ohne Elektrizität) betriebenes Gerät. 1955 *ff, halbw.*
2. Plattenspieler; Musikautomat. 1955 *ff.*

Tango-Fatzke *m* Stutzer. ↗ Fatzke. 1920 *ff.*

Tango-Heini *m* Stutzer. ↗ Heini 1. 1920/30 *ff.*

Tango-Hölzer *pl* lange Beine. Sie eignen sich für lange Tanzschritte. 1960 *ff, halbw.*

Tango-Hosen (-Buxen) *pl* überweite Hosen (der Berufskleidung, auch der Gesellschaftskleidung). Derlei Hosen wurden nach 1920 Mode und wiederum nach 1955.

Tango-Jüngling *m* Stutzer; weibischer junger Mann (stark pomadisiert; in modischem Anzug usw.). 1920 *ff.*

Tango-Kavalier *m* junger Stutzer. 1925 *ff.*

Tango-Maxe *m* jugendlicher Stutzer. 1925 *ff.*

Tango-Schwenker *m* Frack. Kurz vor dem Ersten Weltkrieg aufgekommen und gegen 1925/30 in weite Bevölkerungskreise eingedrungen, vor allem bei den jungen Leuten.

Tank *m* **1.** Harnblase. Aus der *engl* Bedeutung „Flüssigkeitsbehälter" hervorgegangen. 1925 *ff.*
2. Arrest(anstalt). Auch „Täng" gesprochen. An-

Wenn Sie Ihren Tankwart ärgern wollen, müssen Sie mit Ihrem Fiat Uno ES möglichst viele Berge runterfahren.

Dann stellt die elektronische Schubabschaltung nämlich die Benzinzufuhr ab.

Ohne Benzin oder einen anderen Kraftstoff läuft kein Automobil, und ohne Alkohol kommt zumindest umgangssprachlich auch der Mensch nicht allzuweit (vgl. **tanken 3.**, **6.**, **Tank 6.***). Daß jener besondere Stoff, hier eine so wichtige Rolle spielt (vgl.* **Tankstelle 1.**, **Tankstutzen**, **Tankvermögen**, **Tankwart***), muß wohl als Hinweis darauf gedeutet werden, daß einer, der eines solchen Antriebsmittels bedarf, zur menschlichen Maschine geworden ist – und das, wie der Sprachgebrauch verrät, auch weiß.*

spielung auf die Enge der Arrestzelle. „Tank" meint vor allem den Arrest an Bord. *Marinespr* 1914 *ff, BSD* 1965 *ff.*
3. Bauch; Magen. 1925 *ff, sold.*
4. vorwärts stürmender Fußballspieler. Wie ein Panzerkampfwagen überrennt er die gegnerische Abwehr. *Sportl* 1950 *ff.*
5. stur wie ein ~ = unbeirrbar; seinem Vorsatz treu. ↗ stur 1. *Sold* 1939 *ff.*
6. zuviel im ~ haben = betrunken sein. ↗ Tank 3. 1925 *ff.*

Tankdampfer *m* Bezechter. ↗ Tank 6. 1950 *ff.*

tanken *tr* **1.** Flüssigkeiten einfüllen (Benzin in das Taschenfeuerzeug, Tinte in den Füllfederhalter). Gegen 1925/30 aus der Kraftfahrersprache übernommen.
2. sich etw auf Vorrat zu eigen machen (man tankt Frohsinn, Bräune, gute Laune, Kraft für den Alltag usw.). 1930 *ff.*
3. trinken, zechen. Wie man Betriebsstoff in den Benzintank füllt. ↗Tank 6. 1920 *ff. Vgl engl* „to tank up".
4. sich mit Geld versehen; sich die Löhnung, das Gehalt auszahlen lassen. Man füllt die Geldbörse auf oder nach. 1920 *ff.*
5. sich durch etw ~ = die gegnerische Abwehr durchbrechen. ↗Tank 4. *Sportl* 1950 *ff.*
6. sich randvoll ~ = sich bis zur Bewußtlosigkeit betrinken. 1930 *ff.*

Tankfritze *m* Tankwart. ↗Fritze. 1920 *ff.*

Tanksäulenheiliger *m* Tankwart. Zusammengesetzt aus „Tanksäule" und „Säulenheiliger". 1935 *ff.*

Tankstelle *f* **1.** Wirtshaus. ↗tanken 3. 1925 *ff.*
2. Feldküche. *Sold* 1939 *ff.*
3. Kantine. *BSD* 1965 *ff.*
4. Abort. Man leert dort den Tank der Harnblase (*vgl* ↗Tank 1), aber holt auch den für die Klassenarbeit versteckten Täuschungszettel hervor. 1925 *ff.*
5. ~ der Seele = Autobahnkirche. 1978 *ff.*
6. geistige ~ = Buchhandlung. Bundeskanzler Helmut Schmidt am 10. Mai 1981 in Mainz.

Tankstutzen *m* Mund. Eigentlich das Einfüll-Loch (Ansatzstück) am Kraftstoffbehälter des Autos. 1935 *ff.*

Tankvermögen *n* Trinkfestigkeit. ↗tanken 3. 1950 *ff.*

Tankwart *m* Gastwirt. ↗Tankstelle 1. 1925 *ff.*

Tannapfelrentner *m* Rentner in ärmlichen Verhältnissen. Er sammelt Tannenzapfen für sein Feuer. 1920 *ff.*

Tannenbaum *m* **1.** Angriffszeichen (Zielmarkierung) der Bombenflugzeuge. Analog zu ↗Christbaum 1. *Sold* und *ziv* 1939 *ff.*
2. Auto mit vielen Lampen. Kraftfahrerspr. 1955 *ff.*
3. o du grüner ~!: Ausdruck der Verwunderung. 1950 *ff.*
4. vergnügten ~!: scherzhafter Weihnachtswunsch. Seit dem ausgehenden 19. Jh.
5. da brennt der ganze ~ = da herrscht viel Betriebsamkeit, viel Arbeit. 1910 *ff.*
6. haben Sie schon einen Tannenbaum?: ablenkende Zwischenfrage. 1920 *ff.*
7. einen ~ setzen = Zielmarkierungszeichen setzen. ↗Tannenbaum 1. *Sold* 1939 *ff.*

Tannenholz *n* nach ~ riechen = todkrank sein; dem Tode nahe sein. Särge werden meist aus Tannenholz hergestellt. Seit dem 19. Jh. *Vgl franz* „sentir le sapin".

Tantalusmagen *m* einen ~ haben = immer hungrig sein; sehr viel essen können. Nach der *griech* Sage setzte Tantalus den Göttern seinen Sohn Pelops als Speise vor und wurde für seinen Frevel in den Hades verbannt, wo er zu ewigem Hunger und Durst verurteilt war. *Stud* 1900 *ff.*

Tantchen *n* gut aussehender Jugendlicher. Sein Gesicht trägt mädchenhafte Züge; ↗Tante 3. *Schül* 1960 *ff.*

Tante *f* **1.** Händlerin, Verkäuferin o. ä. Weibliches Gegenstück zu ↗Onkel. Seit dem 19. Jh.
2. Abort. Verkürzt aus „↗Tante Meyer". 1900 *ff.*
3. Mädchen, Freundin. Die Bedeutung schillert. Das Mädchen kann älter wirken als es ist; auch kann es „tantenhaft = albern, geziert" sein; oder es ist „tantig = sittenstreng, prüde". *Halbw* 1955 *ff.*
4. Vierzigjährige. *Halbw* 1960 *ff.*
5. ältliche Prostituierte. 1920 *ff.*
6. Homosexueller; Prostituierter. *Rotw* seit dem 19. Jh.
7. Transportflugzeug „Ju 52". Verkürzt aus „↗Tante Ju". *Sold* 1939 *ff.*
8. ~ aus Amerika = Menstruation. Tarnausdruck. *Vgl* ↗Onkel 16. 1900 *ff.*
9. ~ Anna = Abort. Wahrscheinlich übertragen von der Bezeichnung für die Abortwärterin. 1900 *ff.*
10. ~ Änne = Antenne. Das *engl* gesprochene „aunt Anne" ergibt in *dt* Phonetik „Antenne". Technikerspr. 1955 *ff.*
11. ~ Arsch = Abortwärterin. Berlin 1905 *ff.*
12. ~ Dora = Pfandlleihanstalt in Wien. Scherzhafte Umschreibung für „Dorotheum". 1930 *ff.*
13. ~ Dorothee = Pfandlleihanstalt in Wien. *Vgl* das Vorhergehende. 1930 *ff.*
14. ~ Emma = Inhaberin eines kleinen Einzelhandelsgeschäfts. Emma war früher ein beliebter Vorname. 1955 *ff.*
15. ~ Frieda = Truppenführung. Deutung der amtlichen Abkürzung „T.F.". *Sold* 1935 bis heute.
16. ~ Ju = Flugzeugtyp „Junkers 52" (Ju 52). Es war das volkstümlichste Flugzeug der zivilen und militärischen Luftfahrt (seit 1932), weswegen man es vertraulich als „Tante" bezeichnete, – nach dem Vorbild der Seeleute, für die jedes Schiff weiblichen Geschlechts ist. *Sold* 1935 *ff.*
17. ~ Judela (Judula) = Flugzeugtyp „Junkers 52". *Vgl* das Vorhergehende. *Sold* 1935 *ff.*
18. ~ Klara = a) Sonne. ↗Klara. – b) Putzfrau. Sie schafft Sauberkeit. 1920 *ff.*
19. ~ Klärchen = Sonne. ↗Klärchen 1.
20. ~ Meyer = a) Abort. „Tante" bezieht sich auf die Kindergewohnheit, fremde erwachsene weibliche Personen als „Tante" anzusprechen. „Meyer" als weitverbreiteter Familienname vertritt das neutrale „Dings". 1850 *ff.* – b) Abortwärterin. 1920 *ff.*
21. ~ Rosa = Menstruation. 1910 *ff.*

22. alte ~ = Flugzeugtyp „Junkers 52". ↗Tante 16. 1935 *ff.*

23. gute alte ~ = beliebte Zeitung. Ausgangspunkt ist die Berliner Bezeichnung „Tante Voß" für die „Vossische Zeitung". 1950 *ff.*

24. geschaffte ~ = unsympathisches Mädchen. ↗geschafft 1. Gemeint ist wohl, daß es als Tante hervorragend wäre. *Halbw* 1955 *ff.*

25. ach du liebe ~!: Ausdruck der Überraschung. 1950 *ff.*

26. dann nicht, liebe ~! (oft mit dem Zusatz: „heiraten wir den Onkel"): Redewendung, wenn einer einen Vorschlag ablehnt. Berlin 1850 *ff.*

27. meine ~ = Pfandamt. Nachahmung von *engl* „at my uncle's = beim Pfandleiher". Berlin 1860 *ff.*

28. rote ~ = Menstruation. 1900 *ff.*

29. trübe ~ = langweiliges, prüdes Mädchen. „Trübe" meint hier das Gegenteil von „lebenslustig". *Halbw* 1950 *ff.*

30. ~n einsammeln = Mädchenbekanntschaften anknüpfen. ↗Tante 3. *Halbw* 1955 *ff.*

31. auf die ~ gehen = den Abort aufsuchen ↗Tante 20. 1900 *ff.*

32. die ~ zu Besuch haben (die Tante aus Amerika zu Besuch haben; die rote Tante haben) = menstruieren. ↗Tante 8 und 28. 1900 *ff.*

33. wenn meine ~ Räder hätte, wäre sie ein Omnibus: Entgegnung auf einen Wenn-Satz. ↗Rad 7. 1900 *ff.*

34. eine ~ sterben lassen = für das Fernbleiben vom Schulunterricht eine glaubwürdige Begründung geben. Wien 1950 *ff.*

Tante-Anna-Laden *m* kleines Einzelhandelsgeschäft. 1950 *ff.*

Tante-Emma-Anschluß *m* privater Telefonanschluß. 1955 *ff.*

Tante-Emma-Betrieb *m* Kleinbetrieb mit einfachen Herstellungsverfahren. 1955 *ff.*

Tante-Emma-Brief *m* Einberufungsbescheid in neutralem Umschlag mit weiblichem Absender. *BSD* 1968 *ff.*

Tante-Emma-Laden *m* kleines Einzelhandelsgeschäft, in dem mit veralteten Methoden gearbeitet wird. ↗Tante 14. 1955 *ff.*

Tante-Emma-Pension *f* Gästehaus alten Stils. 1970 *ff.*

Tantel *m* ↗Tandel.

tantenhaft *adj* albern-geziert; ängstlich; vorsichtig. 1920 *ff.*

Tanten-TÜV *m* polizeiärztliche Untersuchung der Prostituierten. ↗Tante 5; ↗TÜV. 1970 *ff.*

tantig *adj* sittenstreng. 1920 *ff.*

Tanz *m* **1.** Wortwechsel; Zank; Auseinandersetzung; Schlägerei; militärischer Angriff. Herzuleiten von den Bauerntänzen und Reigen, die mit ihrem dramatischen Einschlag, ihrer lebhaften Gebärdensprache und ihren Freudenausrufen getanzten Dialogcharakter haben. 1400 *ff.*

2. übliche Handlungsweise. Seit dem 19. Jh.

3. übertriebenes Gehabe; Aufsehen. 1900 *ff.*

4. *pl* = Ungebührlichkeiten. Hergenommen von den neuen Tänzen, die von der älteren Generation als sittenwidrig empfunden werden. 1900 *ff.*

5. ~ auf zwei (mehreren) Hochzeiten = Bemühen, zwischen entgegengesetzten Ansichten zu bestehen; doppelte Parteizugehörigkeit. 1900 *ff.*

6. ~ ums goldene Kalb = Umwerbung einer vermögenden jungen Dame. Aus der biblischen Geschichte von Moses übertragen. 1900 *ff.*

7. ~ verkehrt = Tanz, zu dem die Dame den Herrn auffordert; Damenwahl. 1920 *ff.*

8. neue Tänze = Neuerungen. 1870 *ff.*

9. schräger ~ = Jazztanz o. ä. ↗schräg. 1950 *ff.*

10. einen ~ hinlegen (aufs Parkett legen) = a) hervorrangend tanzen. ↗hinlegen. 1900 *ff.* – b) heftig fordernd auftreten. ↗Tanz 1. 1950 *ff.*

11. an den ~ kommen = an die Reihe kommen. 1800 *ff.*

12. jm einen ~ machen = jm energische Vorhaltungen machen. ↗Tanz 1. Seit dem 19. Jh.

13. mach' keine Tänze! = mach' keine Umschweife! gib nach! sträube dich nicht! ↗Tanz 4. Seit dem 19. Jh.

14. einen ~ auf die Diele nageln = heftig, stürmisch tanzen. 1960 *ff.*

Tanz-As *n* hervorragender Tanzkünstler. ↗As 1. 1930 *ff.*

Tanzbär *m* **1.** leidenschaftlicher Tänzer. 1870 *ff.*

2. Mann vorgerückten Alters im Bemühen um junge Mädchen. 1955 *ff., jug.*

Tanzbein *n* **1.** sich beim ~ finden = sich beim Tanzen kennenlernen. 1920 *ff.*

2. ein tüchtiges ~ haben = gern und gut tanzen. 1850 *ff.*

3. kein ~ haben = zum Tanzen kein Talent haben. 1900 *ff.*

4. das ~ schwingen = tanzen. Vielleicht studentischer Herkunft. 1850 *ff.*

Tanzbeinakrobat *m* guter Tänzer. 1960 *ff.*

Tanzbeinladen *m* Tanzlokal. 1920 *ff.*

Tanzbeinschwinger *m* Tänzer; Tanzschlager. 1960 *ff.*

Tanzboden *m* **1.** Glatze. Sie nimmt sich aus wie das Rund der Tanzfläche. Seit dem späten 19. Jh.

2. Exerzierplatz, Truppenübungsgelände. Der militärische Drill ist mit der Choreographie verwandt. *Sold* 1935 bis heute.

Tanzbrumme *f* Tanzpartnerin; Tänzerin. ↗Brumme. Berlin 1955 *ff.*

Tanzbums *m* **1.** Tanzlokal (minderwertiger Art). ↗Bums 6. 1920 *ff.*

2. Tanzerei *(abf)*. 1920 *ff.*

tanzen *v* **1.** ~, bis die Sohle bricht (qualmt) = stürmisch und ausdauernd tanzen; Twist tanzen (o. ä.). Berlin 1959 *ff, halbw.*

2. ~ lassen = einen Ball geben. Berlin seit dem späten 19. Jh.

Das runde Format des Gemäldes „Der Reigen" von Giuseppe Pelizza da Volpedo (1868–1907) verstärkt den Bildinhalt: Die horizontale Kreisbewegung der tanzenden Kinder wird in der Vertikalen wiederholt und intensiviert so den Eindruck einer in sich geschlossenen und verklärten Welt. Aus diesem Kosmos kindlicher Unschuld haben sich der Junge und das Mädchen im Vordergrund entfernt. Sie lassen die anderen tanzen, wenngleich das, was sie tun, umgangssprachlich auch dort möglich wäre (vgl. **tanzen 2.***).*

3. jn ~ lassen = a) jn züchtigen. Der Gepeinigte macht tanzende Bewegungen, um sich der Schläge zu erwehren. Vielleicht vom Kinderspielzeug hergenommen: man läßt den Kreisel tanzen, indem man ihn mit der Peitsche schlägt. Seit dem 19. Jh. – b) sich jn willfährig machen. Der Betreffende „tanzt nach der ↗Pfeife". 1900 *ff.*

Tänzer *m* den ~ abklatschen = einen Tanzenden durch Klatschen zum Tanz (Tanzpartnerwechsel) auffordern. ↗abklatschen. 1900 *ff.*

Tänzerhüften *pl* schmale Hüften. 1920 *ff.*

Tanzgaudi *f* ausgelassene Tanzvergnügung. ↗Gaudi. *Bayr* 1920 *ff.*

Tanzklappe *f* Tanzlokal mit schlechtem Ruf. ↗Klappe 5. 1910 *ff,* großstadtspr.

Tanzknüller *m* sehr beliebter Tanz. ↗Knüller. 1955 *ff.*

Tanzkörper *m* den ~ schütteln = Twist tanzen. *Halbw* 1955 *ff.*

Tanzladen *m* Tanzlokal. Leicht *abf,* da „Laden" aus „↗Kramladen" verkürzt ist. 1955 *ff.*

Tanzmaus *f* **1.** tanzfreudiges Mädchen. ↗Maus. 1950 *ff, halbw.*
2. Ballett-Tänzerin. 1920 *ff.*
3. zu Unterhaltung und Verzehr anhaltende Dame in einem Tanzlokal (Bar o. ä.). 1920 *ff.*

Tanzmäuschen *n* Ballett-Tänzerin. 1920 *ff.*

Tanzmieze *f* Ballettmädchen. ↗Mieze. 1920 *ff.*

Tanzmuffel *m* Nichttänzer. ↗Muffel. 1967 *ff.*

Tanzplatte *f* Kahlkopf. ↗Tanzboden 1; ↗Platte 3. 1900 *ff.*

Tanzsaal *m* **1.** Klassenzimmer. Anspielung auf „↗Tanz 1". 1950 *ff.*
2. Turnhalle. *Schül* 1950 *ff.*

Tanzschaffe *f* **1.** Tanzlokal. ↗Schaffe. *Halbw* nach 1950.
2. Tanz; Tanzdarbietung. *Halbw* nach 1950 *ff.*
3. zentrale ~ = sehr beliebter Tanzschlager. *Halbw* nach 1950.

Tanzscheune *f* Tanzlokal. ↗Scheune 4. 1950 *ff.*

Tanzschuppen *f* Tanzlokal. ↗Schuppen 1. 1950 *ff, halbw.*

Tanzstudio *n* Turnhalle. Anspielung auf die gymnastischen Übungen. *Schül* 1965 *ff.*

Tanzstundengerät *n* junge Tanzpartnerin in der Tanzstunde; junge Tänzerin. Versachlichung nach dem Muster von „Turngerät" o. ä.; hier wohl als „Übungsgerät" aufzufassen. 1955 *ff, stud.*

Tanztreff *m* Tanzveranstaltung. ↗Treff I 3. 1960 *ff.*

Tanzwasser *n* alkoholfreies Getränk (für Jugendliche); Sekt (für Erwachsene). 1970 *ff.*

tanzwütig *adj* leidenschaftlich gern tanzend. 1870 *ff.*

Tapergreis *m* **1.** unbeholfener alter Mann. ↗tapern. Seit dem 19. Jh.
2. ungelenker Mann, der alles verkehrt macht. 1900 *ff, ziv* und *sold.*

taperig *adj* **1.** unbeholfen, ungelenk. ↗tapern. Seit dem 19. Jh.
2. geistig nicht mehr rüstig. 1900 *ff.*

Taperigkeit *f* Unbeholfenheit. Seit dem 19. Jh.

tapern *intr* sich ungeschickt benehmen; unüberlegt handeln. Iterativum zu „tappen = ungeschickt greifen; unsicher, stolpernd gehen; im Dunkeln Halt für die Füße suchen". Seit dem 19. Jh.

Ta'pet *n* **1.** etw aufs ~ bringen = etw zur Sprache bringen. „Tapet" = Tapete" meint ursprünglich den Teppich als Wandbekleidung, dann auch den Teppich (Webteppich; Gobelin o. ä.) auf dem Beratungstisch. Beeinflußt von *franz* „mettre une question sur le tapis". 1600 *ff.*
2. etw auf dem ~ haben = a) gerade von etw reden. Seit dem 19. Jh. – b) schlagfertig sein. 1920 *ff.*
3. aufs ~ kommen = zur Sprache kommen. Spätestens seit 1700.
4. auf dem ~ sein = a) gerade besprochen werden. 1700 *ff.* – b) zur Stelle, bereit sein. Seit dem 19. Jh. – c) gesund, munter sein. Seit dem 19. Jh.

Tapete *f* **1.** bunter Kleiderstoff. Er ist gemustert wie eine farbenfrohe Tapete. 1900 *ff.*

2. Oberbekleidung. Die Tapete ist die (schmük-kende) Verkleidung der Wand. 1900 *ff.*

3. Haut des Menschen; innere Auskleidung der Leibeshöhle (Schleimhaut). 1900 *ff.*

4. graue ~ = dichter Nebel. Es ist alles Grau in Grau. *Marinespr* 1900 *ff.*

5. etw auf die ~ bringen = etw zur Sprache bringen. ↗Tapet 1. 1910 *ff.*

6. als ~ dienen = stummer Zeuge sein; nur Statist sein; keinen Tanzpartner finden. Vielleicht übernommen aus *gleichbed franz* „faire tapisserie". Sinnverwandt mit „↗Mauerblümchen". *Jug* 1955 *ff.*

7. das kommt nicht auf die ~ = das kommt nicht in Betracht; das lehne ich ab. ↗Tapet 3. 1910 *ff.*

8. zur ~ passen = a) in die Umgebung passen. Niederhessisch, 1870 *ff.* – b) in eine passende Familie eingeheiratet haben. 1870 *ff.*

9. jm die ~ ruinieren = jm das Gesicht zerkratzen. ↗Tapete 3. 1900 *ff.*

10. andere ~n sehen wollen = nicht daheim bleiben wollen; den Aufenthaltsraum wechseln wollen. 1900 *ff.*

11. die ~ wechseln = a) seinen Wohnsitz verändern; das Gasthaus wechseln; in Urlaub reisen. 1900 *ff.* – b) die Partei wechseln. 1950 *ff.* – c) die Bekanntschaft wechseln; sich von jm abwenden. 1950 *ff.*

12. jm seine ~n zeigen = jm die eigene Wohnung zeigen. 1950 *ff.*

Tapetenangst *f* Beklemmung bei einsamem Verbleiben in der Wohnung. ↗Budenangst. 1910 *ff.*

Tapetenbändiger *m* Tapezierer. Eine Abart des Tierbändigers. 1960 *ff.*

Tapetendoktor *m* Chirurg, der Schönheitsoperationen (im Gesicht) ausführt. ↗Tapete 3. Berlin 1930 *ff.*

Tapetenersatz *m* **1.** Fliegenkot an der Wand. Berlin 1870 *ff.*

2. Ungeziefer (Wanzen, Spinnen usw.) an den Wänden. Berlin 1870 *ff.*

Tapetenflunder *f* Wanze. Die Wanze ähnelt in der Form einer Flunder, und hält sich gern hinter den Tapeten auf, die sich von der Wand ablösen. 1900 *ff*, Berlin, *sächs* und *westd.*

Tapetenfritze *m* Tapetenhändler. ↗Fritze. 1870 *ff.*

Tapetenkleister *m* **1.** Teigwaren. Zu kurz gekocht, sind sie klebrig-zäh. *Sold* 1914 bis heute.

2. Marmelade. Sie ist klebrig und zähflüssig. 1914 *ff.*

3. zäh wie ~ sein = durch Anhänglichkeit lästig fallen. 1950 *ff.*

Tapetenmark *f* Reichsmark bis zur Währungsumstellung am 20. Juni 1948. Die Kaufkraft der Reichsmark war so stark gesunken, daß man die Geldscheine als Makulatur einschätzte. 1945 *ff.*

Der tapetenartige Hintergrund, vor dem sich die mit sparsamen Strichen skizzierte „Frau in Rot" des französischen Jugendstilkünstlers Paul-Elie Ranson (1862–1909), der sich auch als Schöpfer neuer Stoff- und Tapetenmuster einen Namen machte, um so deutlicher abhebt, vermag vielleicht vor Augen zu führen, was ursprünglich damit gemeint war, wenn etwas auf die Tapete gebracht werden sollte (vgl. **Tapete 5.**)

Tapetenmuster *n* laufendes ~ = Bildstörung auf dem Bildschirm. 1960 *ff.*

Tapetenwechsel *m* **1.** Lokalwechsel. 1900 *ff.*

2. Wohnungswechsel; Wohnortverlegung. 1900 *ff.*

3. Luftveränderung. ↗Tapete 11 a. 1900 *ff.*

4. Regierungsumbildung. (1920?) 1950 *ff.*

5. Firmenwechsel, Arbeitsplatzwechsel. 1950 *ff.*

6. Partnerwechsel. *Jug* 1960 *ff.*

tapfer *adv* rasch. Aus der Bedeutung „tüchtig, brav" weiterentwickelt (man schreitet tapfer aus, marschiert tapfer mit). *Südwestd* und fränkisch seit dem 16. Jh.

Tapir *m* ungeschickter junger Mann. Das Tier ist plump, kurz- und dickbeinig und hat einen langsamen Gang. Beeinflußt von ↗tapern. Vielleicht scherzhafte Abwandlung von „Tapper" (↗Tappel). 1900 *ff*, Berlin.

Tappe *f* Fußstapfe, -spur. Eigentlich die Pfote, dann der Abdruck der Pfote. 1500 *ff*.

Tappel (Tapper) *m* plumper, langsamer, ungeschickter Mann. ↗tappen. Seit dem 19. Jh.

Tappelschickse *f* Landstreicherin. ↗Schickse. „Tappeln" ist ablautende Nebenform zu „↗tippeln". 1920 *ff*.

tappelschicksig *adj* prostituierend. 1920 *ff*.

tappen *intr* intim betasten. Eigentlich soviel wie „plump zugreifen; ungeschickt auftreten". Seit dem 16. Jh.

Tapper *m* Mann, der Frauen gern anfaßt. *Vgl* das Vorhergehende. Seit dem 19. Jh, *südwestd*.

Tapperei *f* intimes Betasten. Seit dem 19. Jh.

tappig *adj* **1.** schwerfällig, ungeschickt. Tappen = plump zugreifen. Seit dem 19. Jh.
2. zudringlich gegenüber Frauen. ↗Tapper. *Südwestd* seit dem 19. Jh.

Tappigkeit *f* **1.** Ungeschicklichkeit. Seit dem 19. Jh.
2. Zudringlichkeit gegenüber Frauen. 19. Jh.

Tappschädel *m* dummer, unbeholfener Mensch. Seit dem 19. Jh.

Taps (Tappes, Tapps) *m* **1.** ungeschickter Mensch; Mensch, der Gegenstände zu Boden fallen läßt. Tappen = plump zugreifen; schwerfällig gehen. 1700 *ff*.
2. ~ ins Mus = ungeschickter Mensch. 1700 *ff*.

tapsen *intr* **1.** beim Gehen stark auftreten; plump schreiten. Iterativum zu „tappen". Seit dem 19. Jh.
2. unbeholfen zu Werke gehen. Seit dem 19. Jh.

tapsig *adj* ungeschickt, plump. ↗Taps 1. Seit dem 18. Jh.

Tapsigkeit *f* Unbeholfenheit, Ungewandtheit; Plumpheit. Seit dem 19. Jh.

Tarantel *f* **1.** wie von der ~ gestochen = wie besessen; urplötzlich. Meist auf plötzliches Auffahren bezogen. Laut Professor Dr. Rudolf Braun ist ein Tarantelbiß nicht schmerzhafter als ein Mückenstich; die Folge ist zwar eine stark schmerzende Entzündung, nie aber führt er zu jenen irren Zukkungen, die man ihm früher zugeschrieben hat. Gegen die vermeintliche Wahnsinnswirkung des Tarantelgiftes sollte das ekstatische Tanzen der Tarantella helfen. Seit dem späten 18. Jh. *Vgl franz* „être piqué de la tarentule".
2. eine ~ im Arsch haben = unruhig sitzen; ungestüm sein. 1840 *ff*.
3. dir ist wohl eine ~ in den Arsch gekrochen?: Frage an einen ungebärdigen Menschen. 1840 *ff*.
4. von einer ~ gepiekt sein = ungestüm sein. 1840 *ff*.

Tarif *m* übliches Strafmaß. Eigentlich der Gebührensatz, der Lohnsatz, das Preisverzeichnis. 1930 *ff*.

Tarif-Schönheit *f* **1.** ansehnliche Prostituierte. Ihre Schönheit kommt die Kunden teuer zu stehen. 1900 *ff*, Berlin.

2. junger Mann von ansprechendem Äußeren, der gegen entsprechend hohes Entgelt für homosexuelle Zwecke zur Verfügung steht. 1950 *ff*.

tarnen *intr* **1.** sich einer Verpflichtung, einer Verantwortung, einer Arbeit entziehen. Man macht sich unsichtbar, paßt sich in Form und Farbe der Umgebung an. 1935 *ff*, *sold* und Reichsarbeitsdienst.
2. ~, täuschen und verpissen = sich der militärischen Dienstpflicht entziehen; nachlässig Dienst tun; einen Dienst zu entziehen suchen. Der Ausdruck „Tarnen und Täuschen" ist der Zentralen Dienstvorschrift ZDv 3/11 entlehnt. Täuschen = irreführen; sich verpissen = unauffällig weggehen. *BSD* 1965 *ff*.

Tarnkappe *f* **1.** Präservativ. Analog zu ↗Überzieher. 1940 *ff*.
2. Perücke. Vor allem die Perücke eines Kahlköpfigen. Nach 1960 aufgekommen.
3. eine ~ haben = unbemerkt davongehen (davongegangen sein). 1930 *ff*.

Tartaros *m* Abort. Meint im *Griech* die Unterwelt. *Schül* 1940 *ff*.

Tarzan *m* **1.** behaarter Mann. Benannt nach dem unter Tieren im Dschungel aufgewachsenen Weißen in den Abenteuerbüchern von Edgar Rice Burroughs und den Filmen mit Johnny Weissmuller u. a.; dieser „Affenmensch" verfügt über außerordentliche Körperkräfte. 1920 *ff*.
2. Lastkraftwagen mit schwerer Kranausrüstung. Benannt nach einem Kraftmenschen, der später in Hamburg einen Kranwagendienst unter diesem Namen gründete. 1930 *ff*.
3. auf ~s Spur = Schulausflug. Geht zurück auf einen Filmtitel. 1959 *ff*.

Tarzan-Bankier *m* Verkäufer von Groschenheften. 1950 *ff*.

Täschchen *n* ~ schwenken = als Straßenprostituierte unterwegs sein. 1950 *ff*.

Täschchenschwenkerin *f* Straßenprostituierte. 1950 *ff*.

*Die Abbildung führt in die wirkliche Heimat des Dschungelhelden Tarzan, ins Kino. Eine technisierte Gesellschaft verlangt nach Inkarnationen der eigenen Aversionen gegen das, was man gemeinhin die „Segnungen der Zivilisation" zu nennen pflegt. Der Tarzan der Umgangssprache dagegen hat mit einem solchen edlen Wilden Rousseauscher Prägung kaum noch etwas zu tun. Sein Anderssein reduziert sich auf eine üppige Behaarung, die allerdings weniger an den Filmhelden selbst als an seine in Fell gekleideten äffischen Freunde denken läßt (vgl. **Tarzan 1.**). In dem Kompositum **Tarzan-Bankier**, worunter ein Verkäufer von Groschenheften und Comics zu verstehen ist, spiegelt sich, wenngleich in ironisierter Form, noch viel von dem, was diese Figur so populär gemacht hat – und zu einem guten Geschäft.*

*Wenn bei Salvador Dali die Uhren zerfließen, warum dann nicht auch Besteck oder Tassen. Umgangssprachlich hat einer, der solches imaginiert, nicht alle Tassen im Schrank (vgl. **Tasse 10.**). Alltägliche Metaphorik verlangt nach leicht durchschaubaren Symbolen: „Alle Tassen" steht für den Verstand,*

*„Schrank" für die Ordnung. Verlangt wird also die Unversehrtheit des Einzelnen (vgl. **Tasse 9.**) und dessen Einordnung in ein vorgegebenes System. Vor diesem Hintergrund sind die in vielen Haushalten anzutreffenden Geschirrschränke aus Glas von fast schon gnoseologischer Bedeutsamkeit.*

Tasche *f* **1.** weibliches Geschlechtsorgan bei Tier und Mensch. 1500 *ff.*

2. alte ~ = a) Frau *(abf).* Seit dem 18. Jh. – b) geschwätzige Frau. Seit dem 18. Jh.

3. in die eigene ~ arbeiten = als Kompagnon nur auf den eigenen Vorteil achten. 1920 *ff.*

4. ~n ausfegen (fegen) = Taschendieb sein; Taschen leeren. *Rotw* 1800 *ff.*

5. ohne ~n baden = nacktbaden. 1950 *ff.*

6. die ~n nach links drehen = beweisen, daß man kein Geld bei sich hat. 1900 *ff.*

7. tief in die ~ greifen = viel bezahlen. 1600 *ff.*

8. jn in der ~ haben = jn in seiner Gewalt haben; jm überlegen sein. Analog zu ↗Sack 46. 1500 *ff.*

9. etw in der ~ haben = ein Studium abgeschlossen haben; Erfolg eingeheimst haben; Geld eingenommen haben. Seit dem 19. Jh.

10. große ~n haben = sich gern beschenken lassen. Seit dem 19. Jh.

11. offene ~n haben = a) bestechlich sein. 1850 *ff.* – b) Berufsbettler sein. 1900 *ff.*

12. weite ~n haben = a) lieber nehmen als geben. Seit dem 19. Jh. – b) bestechlich sein. 1850 *ff.*

13. etw kennen wie die eigene ~ = etw sehr genau kennen. In der eigenen Anzug- oder Hosentasche kennt man sich genau aus. Seit dem 19. Jh. *Vgl franz* „connaître quelqu'un (quelque chose) comme sa poche".

14. leck' mich in der ~!: Ausdruck der Abweisung. Euphemismus für „leck' mich am ↗Arsch!". Vorwiegend *westd,* 1900 *ff.* Die an Polizeibeamte gerichtete Aufforderung trug 1971 der „Täterin" eine Freiheitsstrafe von vier Monaten ein: man wertete die Redewendung als Beleidigung.

15. jm auf der ~ liegen

16. jn von der ~ lossein = für jn geldlich nicht mehr sorgen müssen. 1900 *ff.*

17. in die eigene ~ lügen = zum eigenen Vorteil lügen. 1920 ff.

18. jm in die ~ lügen = jm zu Gefallen lügen. 1920 ff.

19. sich selbst in die ~ lügen = sich selbst belügen. 1920 ff.

20. sich etw von vornherein in die ~ schieben = sich etw von vornherein sichern; auf etw von vornherein Anspruch erheben. 1920 ff.

21. er ist in meiner ~ = ich beherrsche ihn. ↗Tasche 8. Seit dem 19. Jh.

22. etw in die ~ stecken = etw an sich nehmen, annektieren, entwenden. Seit dem 18. Jh.

23. jn in die ~ stecken = jm überlegen sein; sich jds bemächtigen. Analog zu ↗Sack 72. 1700 ff.

24. er kann mir in die ~ steigen!: Ausdruck der Ablehnung. „Tasche" steht euphemistisch für „Arsch". 1900 ff.

25. in die eigene ~ wirtschaften = Entscheidungen so treffen, daß man selbst den Hauptvorteil hat; für Spesen-, Diätenerhöhung eintreten. 1955 ff.

26. die ~n zunähen = geizig sein. Berührt sich mit Goethes Zeile „Mann mit zugeknöpften Taschen". 1900 ff.

Taschen-Ari f Pistole, Revolver. ↗Ari = Artillerie. 1950 ff.

Taschenbillard n ~ spielen = die Hände in den Hosentaschen halten. Anspielung auf die Berührung des Hodensacks; Billardkugel = Hode. 1900 ff, schül, stud und sold.

Taschencomputer (Grundwort engl ausgesprochen) m **1.** Rechenschieber. Schül 1965 ff. **2.** ~ in Dünnformat = für Schüler verbotene Übersetzung eines fremdsprachlichen Textes. 1965 ff.

Taschenfeitel n m kurzes Taschenmesser mit breiter Klinge; Klappmesser. ↗Feitel. Bayr und österr, 1800 ff.

Taschenfeuerzeug n in der Tasche getragene kleine Pistole. 1930 ff. Vgl angloamerikan „pocket-tinder = Taschenzünder".

Taschenflak f Revolver, Pistole. Sold 1935 bis heute.

Taschengeldpreis m niedriger Preis. 1972 ff, werbetexterspr.

Taschenkanone f **1.** Pistole. 1950 ff. **2.** Bunsenbrenner. Schül 1950 ff.

Taschenkäse m Zusammenballung aus Staub, Wollfasern usw. in der Hosen- oder Jackentasche. Käse = Wertlosigkeit. 1900 ff.

Taschenklavier n ~ spielen = die Hand in der Hosentasche halten. Anspielung auf das Fingerspiel an den Hoden. 1900 ff.

Taschenkrebs m Taschendieb(in). ↗Krebs. Rotw 1840 ff.

Taschenküche f Kochnische. Hängt zusammen mit dem Begriff „↗Westentaschenformat". 1930 ff, Berlin.

Taschenmacher m Vater von lauter Töchtern. Eigentlich der Täschner; hier bezogen auf „↗Tasche 1". Bayr seit dem 19. Jh.

Taschenmarder m Taschendieb. ↗Marder. 1950 ff.

Taschenmäuse pl Wollkrümel in der Hosen- oder Jackentasche. Durch Farbe und Weichheit erinnern sie an Mäuse. 1900 ff.

Taschenmesser n **1.** da geht einem das ~ auf!: Ausdruck des Unwillens, der Unerträglichkeit. ↗Messer 2. 1900 ff. **2.** zusammenklappen (-knicken) wie ein ~ = a) zusammenbrechen; schnell in sich zusammenfallen; ohnmächtig werden; plötzlich bettlägerig erkranken. 1600 ff. – b) sich eckig verbeugen. 1850 ff. – c) bei Widerstand schnell nachgiebig werden. 1940 ff.

Taschenpingpong n ~ spielen = die Hände in den Hosentaschen halten. Vgl ↗Taschenbillard. 1930 ff.

Taschenpopel m Wollkrümel in der Anzugtasche. ↗Popel. 1930 ff.

Taschenpuffer m kleine Pistole. ↗Puffer. Seit dem 18. Jh.

Taschentiger m Katze. Aufgefaßt als Kleinausgabe des Tigers. 1950 ff.

Taschentuch n fünfzipfeliges ~ = Hand (beim Schlagen). Berlin 1900 ff.

Taschentuchfilm m rührseliger Film. 1930 ff.

Taschenwecker m Taschenuhr. ↗Wecker. 1920 ff.

Taschenzieher m Geldbörsendieb. 1920 ff.

Taschenzorn m unterdrückter Zorn. Man ballt die Faust in der Tasche. 1933 ff.

Taschenzwiebel f Taschenuhr. ↗Zwiebel. Seit dem 19. Jh.

Taschlzieher m Geldbörsendieb. Österr 1920 ff.

Tasse f **1.** Trinkglas. Gegen 1920 in Studentenkreisen aufgekommen. **2.** Scheinwerfer. Wegen der Formähnlichkeit. 1950 ff, technikerspr. **2 a.** ~ mit Sprung = empfindliche Einbuße. 1930 ff. **3.** alte ~ = Schimpfwort. Tasse = Tassenkopf = Schädel. 1920 ff. **4.** dämliche ~ = dummer, unbeholfener Mensch. 1950 ff. **5.** müde ~ = schwungloser, energieloser Mensch. 1940 ff. **6.** trübe ~ = a) Versager, Langweiler, Einzelgänger. Trüb = nicht lebenslustig. 1920 ff, schül, stud und sold. – b) unmilitärischer Mensch. Sold 1920 bis heute. **7.** nichts davon in der ~!: Ausdruck der Ablehnung. 1955 ff. **8.** hoch die ~n!: Zuruf zum Mittrinken. Oft mit dem Zusatz: „in Afrika ist Muttertag!". ↗Tasse 1. Gegen 1920 in Berlin aufgekommen und seit dem Zweiten Weltkrieg ziv und sold sehr verbreitet.

8 a. die ~n bleiben im Schrank = man bleibt besonnen. ↗Tasse 11. 1971 *ff.*

9. seine ~ hat einen Sprung = er ist nicht recht bei Verstand. Anspielung auf geistigen Defekt. ↗Tasse 2 a. 1930 *ff.*

10. nicht alle ~n im Schrank (Spind, Schlag) haben = unsinnige Gedanken äußern; töricht handeln. In der geläufigen Redewendung „nicht alle haben = nicht alle Sinne haben" wird „alle" gern vervollständigt und veranschaulicht, etwa durch „nicht alle Tasten auf dem Klavier", „nicht alle Glaserl im Kasten". Etwa seit 1920, vorwiegend *sold* und *jug.*

11. die ~n im Schrank lassen = besonnen bleiben. Fußt auf der Vorstellung eines Wortwechsels, der zum Werfen mit Tassen ausartet, auch auf der Metapher „Porzellan zerschlagen". 1971 *ff.*

12. die ~ schwenken = zechen. ↗Tasse 1. 1930 *ff.*

13. da wackeln die ~n = da wird kräftig gezecht. Berlin 1935 *ff.*

tassen *intr* zechen. ↗Tasse 1. 1920/30 *ff.*

Tasso *m* Rufname des Hundes. 1900 *ff.*

Tastatur *f* **1.** Nervensystem. 1940 *ff.*

2. Vulva, Vagina. 1940 *ff.*

3. abgegriffene ~ = Mund mit schlechten Zähnen. 1940 *ff.*

4. jm auf die ~ fallen = jn nervös machen. ↗Tastatur 1. 1940 *ff.*

Taste *f* **1.** magische ~ = untrügliches Vorgefühl. Stammt aus der Fototechnik: eine Taste schaltet den Meßzeiger für Belichtung und Blende ein. 1939 *ff, sold* und *ziv.*

2. auf die falsche ~ drücken = eine falsche Andeutung machen. Hergenommen von der Taste des Klaviers, der Schreibmaschine o. ä. 1935 *ff.*

3. die falsche ~ erwischen = nicht sicher genug zu Werke gehen; sich irren; gegen die Anstandsregeln verstoßen. 1935 *ff.*

4. in die ~n greifen = sich aufspielen; prahlen. Vom virtuosen Klavierspiel übertragen. 1910 *ff.*

5. etw auf den ~n haben = a) vorzüglich Maschine schreiben. 1955 *ff.* – b) ein guter Klavierspieler sein. 1955 *ff.* – c) etw gründlich beherrschen. 1955 *ff.*

6. nicht alle ~n auf dem Klavier haben = nicht recht bei Sinnen sein. *Vgl* ↗Tasse 10. 1920 *ff.*

7. mächtig auf die ~n hauen = übertreiben; sich aufspielen. ↗Taste 4. 1910 *ff.*

Tastenakrobat *m* Klavierspieler, -virtuose. 1920 *ff.*

Tastendrücker *m* Soldat der Fernmeldetruppe. Er bedient die Tasten des Fernschreibers, des Funkgeräts o. ä. *BSD* 1968 *ff.*

Tastengraf *m* berufsmäßiger Klavierspieler in Gaststätten; Klaviervirtuose. 1910 *ff.*

Tastenhacker *m* Klavierspieler *(abf).* 1900 *ff.*

Tastenhäschen *n* Klavierschüler(in). 1920 *ff.*

Tastenhauer *m* Klavierspieler ohne musikalisches Gefühl. 1905 *ff.*

Tastenhengst *m* Klavierspieler. ↗Hengst 1. *Halbw* 1950 *ff.*

Tastenkitzler *m* Klavierspieler in Cafés, Bars o. ä. 1930 *ff.*

Tastenkommode *f* Klavier. 1900 *ff.*

Tastenlöwe *m* Klavierspieler, -virtuose. Wie der Löwe in der Tierfabel ist er ein König auf seinem Gebiet; auch schüttelt er sein Haar (= Mähne) wie der Löwe. Soll gegen 1850/60 Bezeichnung für Franz Liszt gewesen sein.

Tastenmatador *m* gefeierter Pianist. Gegenüber dem Klavier verhält er sich wie ein Stierkämpfer. 1920 *ff.*

Tastenquäler *m* Klavierspieler. 1920 *ff.*

Tastenschinder *m* schlechter Klavierspieler. Spätestens seit 1900.

Tastenschmuser *m* Klavierspieler, der gefühlvolle Kompositionen bevorzugt. ↗schmusen. 1960 *ff.*

Tastenschnecke *f* ungeübte Maschinenschreiberin. 1935 *ff.*

Tastentiger *m* Klavierspieler, -virtuose. ↗Klavierlöwe. 1920 *ff.*

Taster *m* **1.** Zeigefinger beim intimen Betasten. *Vgl* ↗Tastatur 2. 1920 *ff.*

2. am ~ sein = intim betasten. 1920 *ff.*

Tastsinn *m* den ~ verfeinern = intim betasten. *Halbw* nach 1950.

'Tata ('Tate, 'Tatte) *m* Vater. Kindliches Lallwort. Seit dem 17. Jh.

'tata gehen *intr* spazierengehen, ausgehen, weggehen. ↗ada 1. Kinderspr., seit dem 19. Jh.

Tatarenmeldung *f* Falschmeldung. *Vgl* das Folgende. 1860/70 *ff.*

Tatarennachricht *f* Falschmeldung, die den Geschehnissen weit vorauseilt. Aufgekommen am 30. September 1854 im Zusammenhang mit dem Fall der Festung Sewastopol: ein Tatar berichtete, die Festung sei am 30. September 1854 gefallen; tatsächlich kapitulierte sie jedoch erst am 11. September des folgenden Jahres.

Tater (Tatter) *m* **1.** Zigeuner. Meint eigentlich den Tataren. Seit dem 14. Jh.

2. Landstreicher. *Nordd* seit dem 19. Jh.

Täter *m* **1.** ~ im Frack = Wirtschaftsverbrecher. 1965 *ff.*

2. ~ mit weißem Kragen = Wirtschafts-, Finanzstraftäter. ↗Weiße-Kragen-Täter. 1965 *ff.*

Täterä'tä *n* **1.** überflüssige Umstände; Reklamegeschäftigkeit; Aufbauschung von Belanglosigkeiten. Meint schallnachahmend den Klang schmetternder Trompeten. 1914 *ff.*

2. ~ machen = zechen. Die an den Mund gesetzte Flasche ähnelt der an den Mund gesetzten Trompete; *vgl* auch „einen ↗blasen". 1930 *ff.*

taterbraun *adj* schmutzigbraun. Anspielung auf die Hautfarbe des „↗Tater 1". Seit dem 19. Jh.

Täterhandschrift *f* übliche Handlungsweise eines Verbrechers. ↗Handschrift 2. 1950 *ff.*

tätig sein den Lebensunterhalt durch Prostitution verdienen. 1950 *ff.*

Tatortbesichtigung *f* Untersuchung (geschlechtskranker) Prostituierter durch den Amtsarzt. 1925 *ff,* medizinerspr., polizeispr. und *prost.*

Tatsache *f* **1.** halbnackte ~ = Frau im Badeanzug. 1950 *ff.*

2. nackte ~n = Nacktheit; spärliches Bekleidetsein; Entblößung des Körpers. Meint eigentlich Tatsachen ohne Übertreibung, ohne Beschönigung, ohne subjektive Wertung. 1920 *ff.*

3. jn vor nackte ~n stellen = vor jm Striptease vorführen; sich vor jm unbekleidet produzieren. 1955 *ff.*

Tatsch *m* leichter Schlag; Klaps. Tatschen = leicht (mit einem klatschenden Laut) aufschlagen. 1800 *ff,* vorwiegend *oberd.*

Tatsche *f* **1.** Hand. *Frühnhd* = Tatze. Seit dem 19. Jh.

2. *pl* = ausgetretene Schuhe; selbstverfertigte Hausschuhe. Schallnachahmend für den Laut, der beim Gehen in ihnen entsteht. 1900 *ff.*

Tätsche *f* leichte Ohrfeige; leichter Schlag mit der Hand. *Vgl* ↗Tatsch. *Oberd* und *hess,* seit dem 19. Jh.

Tätsche'lei *f* Liebkosung; Streicheln; intimes Betasten. 1500 *ff.*

Tätscheler *m* Mann, der gern streichelt. Seit dem 19. Jh.

tätscheln (tatscheln, tätschen) *tr* jn liebkosend klopfen; jn betasten; jn verweichlichen. Gehört zu „tatsch", dem Schallwort für klatschende Geräusche. 1500 *ff. Vgl engl* „to touch".

Tätschel-Opa *m* würdiger alter Herr, der gern die Wangen und Arme junger Mädchen streichelt. 1900 *ff.*

tatschen *v* **1.** *intr* = von einem Fuß auf den andern fallend gehen. Schallnachahmender Herkunft. Seit dem 19. Jh.

2. *intr* = mit Händen oder Füßen ungeschickt in etw fassen oder treten. Seit dem 19. Jh.

3. *tr* = etw befühlen, anfassen. ↗Tatsch 1. 1800 *ff.*

4. *tr* = jn intim betasten. Seit dem 16. Jh.

Tatscherl *m n* leichter Schlag mit der Hand. *Österr* und *bayr.* seit dem 19. Jh.

Tatschkerl *m* sanfter Schlag mit der Hand. *Österr* seit dem 19. Jh.

Tattel (Dattel) *m* **1.** vergreister Mann; gealterter Lebensgenießer. Gehört zu „tattern = zittern". *Oberd* seit dem 17. Jh.

2. unbeholfener Mann. 1900 *ff.*

Tatter (Tatterer) *m* alter ~ = alter, gebrechlicher Mann. Seit dem 19. Jh.

Tattergreis *m* **1.** alter Mann. 1900 *ff.*

2. Altgedienter. 1965 *ff,* sold.

Tatterich *m* **1.** Zittern der Hände. Gehört zu „↗tattern" und ist aus dem Adjektiv „↗tatterig" substantiviert. Seit dem 19. Jh.

2. Zittern in der Stimme; vibrierende Stimme. 1920 *ff.*

3. alter Mann. 1920 *ff.*

tatterig *adj* zitternd, zittrig. Seit dem 17. Jh.

Tatterigkeit *f* Zittrigkeit. Seit dem 17. Jh.

Tatterjahre *pl* Greisenalter. 1900 *ff.*

tattern *intr* zittern; erschrocken sein; stottern. Lautmalender Natur; seit dem 15. Jh.

ta'tü *interj* Ausruf der Zufriedenheit. Dem Klang des Martinshorns nachgeahmt. *BSD* 1970 *ff.*

Ta'tüta'ta *n* **1.** Aufsehen. Aufgekommen im frühen 20. Jh in Nachahmung des Hornsignals, mit dem der letzte deutsche Kronprinz in seinem Auto durch die Straßen fuhr.

2. Reklameaufmachung. 1955 *ff.*

3. Tatarbeefsteak. Kellnerspr. 1960 *ff.*

Tatze *f* **1.** grobe, plumpe Hand. Von der Pfote der großen Raubtiere auf den Menschen übertragen. 1300 *ff.*

2. Zeigestab in der Schule. *Schül* 1958 *ff.*

3. Tablett. Fußt auf *ital* „tazza = Schale, Tasse". *Österr* seit dem 19. Jh.

4. *pl* = Schläge mit der flachen Hand; Schläge auf die flache Hand. *Südd* 1800 *ff, schül.*

5. alles auf der ~ haben = die höchsten Trümpfe und die anderen besten Karten in der Hand haben. Kartenspielerspr. seit dem 19. Jh.

Tatzelwurm *m* **1.** Glieder-Omnibus. Eigentlich Name eines schlangenähnlichen Fabeltieres. 1960 *ff.*

2. Wollschal von anderthalb bis zwei Meter Länge. 1968 *ff.*

tatzen *tr* jn anfassen, betasten, mit raschem Zugriff festhalten. ↗Tatze 1. Seit dem 19. Jh.

Tatzenbeutel *pl* Handschuhe; Fausthandschuhe. ↗Tatze 1. 1939 *ff,* Berlin.

Tatzenhieb *m* Ohrfeige. 1955 *ff, jug.*

Tatzenkiste *f* Klavier mit abgegriffenen Tasten. Berlin 1930 *ff.*

Tatzenkommode *f* Klavier. 1900 *ff.*

Tatzenprügel *m* Lineal, mit dem der Lehrer den Schülern auf die Finger oder in die flache Hand schlägt. *Nordd* und Berlin, etwa seit dem späten 19. Jh.

Tatzensteckerl *n* Lineal. *Vgl* das Vorhergehende. *Südd* seit dem 19. Jh.

Tatzenstock *m* Lineal. ↗Tatzenprügel. Seit dem 19. Jh.

tau *präp* denn man tau!: Aufforderung zum Anfangen, zum Zugreifen o. ä. *Niederd* „tau (to) = zu". Seit dem 19. Jh.

Tau I *m* **1.** von etw keinen ~ haben = von einer Sache nichts wissen. *Österr* 1900 *ff.*

2. vom himmlischen ~ leben = in Not leben. 1945 *ff.*

Tau II *n* **1.** in die ~e geschleudert werden = a) eine empfindliche Niederlage erleiden. Dem Boxsport entlehnt. 1930 *ff.* – b) einen geschäftlichen Rückschlag erleiden. 1930 *ff.*

2. sich in die ~e legen = sich für etw (jn) nachdrücklich einsetzen. Der Artillerist „legt sich in die Taue" (= Zugseile), um das Geschütz von der Stelle zu bewegen; auch der Matrose „legt sich in die Taue". Vielleicht spielt auch die Vorstellung mit, daß man beim sportlichen Wettkampf des Tauziehens Partei ergreift. *Sold* 1910 *ff*.

3. am gleichen ~ ziehen = denselben Zweck verfolgen wie ein anderer. Analog zu ↗Strang 5; *vgl* auch ↗Tauziehen. 1950 *ff*.

taub *adj* dümmlich; einfältig; unselbständig; schwunglos, langweilend. Von der Taubheit der Nuß übertragen auf Gehaltlosigkeit und geistige Leere. Spätestens seit 1500. Heute beliebte Halbwüchsigenvokabel.

Täubchen *n* **1.** Kosewort. Verkürzt und verniedlicht aus ↗Turteltaube. Seit dem 19. Jh.

2. Mädchen. 1900 *ff*.

3. Straßenprostituierte. Sie „flattert" umher auf der Suche nach Kunden. 1920 *ff*, Berlin.

3 a. günstiger Gelegenheitskauf. ↗Ringeltaube. 1960 *ff*.

4. ein ~ fliegen lassen = eine Zeitungsanzeige aufgeben. Hergenommen von der Taube, die Noah aus der Arche entsandt haben soll. 1960 *ff*.

Taube *f* **1.** Kosewort für eine weibliche Person. ↗Turteltaube. Seit dem 19. Jh.

2. hübsches Mädchen. 1900 *ff*.

3. durch Helfershelfer aus der Haftanstalt herausgeschmuggelter Kassiber. Geht zurück auf die Taube Noahs. 1960 *ff*.

4. frische ~ = junge Frau. *Halbw* 1960 *ff*.

5. gefüllte ~ = geschwängertes Mädchen. 1910 *ff*.

6. na erlaube, liebe ~!: Ausdruck des Widerspruchs. Berlin 1890 *ff*.

7. taube ~ = sittenstrenges Mädchen. Es bleibt taub gegenüber den Verlockungen des Mannes. 1930 *ff*.

8. ~n haben = a) Glück haben; glimpflich davonkommen. Bezieht sich vielleicht auf die „↗Ringeltaube". 1870 *ff*, *rotw*. – b) bei einer Straftat unentdeckt bleiben. 1870 *ff*, *rotw*.

9. gebratene ~n suchen = Stiche mit hoher Augenzahl zu machen suchen, um möglichst rasch die zum Gewinnen erforderliche Punktzahl zu erreichen. Die „gebratenen Tauben" sind dem Märchen vom Schlaraffenland entlehnt. Kartenspielerspr. seit dem 19. Jh.

Taubenblauer *m* Angehöriger der Schutzpolizei. Wegen der Uniformfarbe. Berlin 1960 *ff*.

Taubenklappe *f* Hosenschlitz. Eigentlich das mit einer Klappe versehene Flugloch am Taubenschlag. Hier ist die Klappe für den Penis gemeint. 1920 *ff*.

Taubenmist *m* Wertlosigkeit. 1920 *ff*.

Taubenschaß (-schiß) *m* das geht dich einen ~ an = das geht dich nichts an. 1950 *ff*, österr.

Taubenschlag *m* **1.** Hosenschlitz. ↗Taubenklappe. 1870 *ff*.

2. das ist der reinste ~ (hier geht's zu wie in einem ~) = hier gehen Leute unaufhörlich ein und aus; hier herrscht ständiges Kommen und Gehen. Übertragen von der Unruhe des Taubenschlags. 1800 *ff*.

Taubenschnabel *m* Pazifist; Friedensvermittler. Anspielung auf die Friedenstaube. 19. Jh.

Taubenstall *m* Hosenschlitz. ↗Taubenklappe. 1900 *ff*, ostd.

Taubenzüchter *m* Wehrdienstverweigerer. Er züchtet Friedenstauben. *BSD* 1965 *ff*.

Tauch-Abitur *n* Taucherprüfung. 1955 *ff*.

Tauche *f* **1.** auf ~ gehen = sich niederlegen. Übernommen von der Sprache der Unterseebootbesatzungen: verkürzt aus „auf ↗Tauchstation gehen". *Halbw* 1955 *ff*.

2. bei jm auf ~ gehen = bei jm Unterschlupf vor Verfolgung suchen/finden. 1960 *ff*.

tauchen *v* **1.** *intr* = koitieren. *Österr* 1930 *ff*.

2. *intr* = mit einem Hechtsprung den Torball abwehren. *Sportl* 1950 *ff*.

3. jn ~ = auf jn gehässige Anspielungen machen; jm Unannehmlichkeiten bereiten; jn entwürdigend behandeln; jn demütigen. Analog zu ↗dukken 1. *Österr* 1900 *ff*.

Taucher *m* **1.** Geschlechtsverkehr. ↗tauchen 1. 1930 *ff*.

2. Soldat, der sich dem Dienst zu entziehen sucht. Er taucht unter wie ein Unterseeboot. *Sold* in beiden Weltkriegen.

3. im Verborgenen lebender Staatsfeind. ↗untertauchen. 1933 *ff*.

Taucherbrille *f* von einem Schlag blau angelaufene Umgebung des Auges. 1975 *ff*, *halbw*.

Tauchstation *f* **1.** auf ~ bleiben = nicht öffentlich auftreten. Hergenommen vom Unterseeboot, das abtaucht, um beispielsweise von gegnerischen Schiffen aus nicht gesehen zu werden. 1950 *ff*.

2. auf ~ gehen = a) versenkt werden. *Marinespr* 1939 *ff*. – b) die Koje aufsuchen; zu Bett gehen. *Marinespr* 1939 bis heute. – c) sich unter einem Möbelstück, im Schrank verstecken. 1940 *ff*. – d) sich aus politischen Gründen verborgen halten. 1937 *ff*. – e) sich dem Dienst entziehen; sich unauffällig machen. *Sold* 1939 bis heute. – f) Feierabend machen. 1955 *ff*. – g) als Politiker vorübergehend nicht in Erscheinung treten. 1965 *ff*. – h) nicht zu sprechen sein; sich in Schweigen hüllen; sich nicht blicken lassen; sich verleugnen lassen. 1955 *ff*. – i) die Öffentlichkeit ausschließen. 1960 *ff*.

3. auf ~ leben (sein) = a) im Verborgenen leben; sich versteckt halten; abwesend sein. 1935 *ff*. – b) sich nicht äußern. 1955 *ff*.

Tauchvögel *pl* Marinefliegergeschwader. Anspielung auf amphibische Flugzeuge. *BSD* 1968 *ff*.

tauen *v* es taut bei ihm = er beginnt zu begreifen. Die Eisschicht um seinen Verstand beginnt zu schmelzen. Berlin 1920 *ff*.

Tauende *n* ausgefranstes ~ = Versager. Der Ausdruck veranschaulicht einen Defekt. *Schül* 1950 *ff.*

Taufakt *m* erster Geschlechtsverkehr für eine Frau. 1920 *ff.*

Taufe *f* Spielansage. Von der (Feier der) Namensgebung übertragen. Kartenspielerspr. 1900 *ff.*

taufen *v* **1.** *tr* = dem Wein (der Milch o. ä.) Wasser beimischen. Durch das Wasser wird das Getränk „christlich". 1500 *ff.*
2. *tr* = Kognak in die Bowle geben. 1950 *ff.*
3. *tr* = jn wegen unkameradschaftlichen Verhaltens mit mehrmaligem Eintauchen ins Wasser bestrafen. Hergenommen vom seemännischen Brauch der Äquator- oder Linientaufe. 1955 *ff.*
4. tauf' endlich dein Spiel! = sag' endlich, welche Farbe du spielst! ↗Taufe. Kartenspielerspr. 1900 *ff.*
5. vom Regen getauft werden = vom Regen durchnäßt werden. Seit dem 19. Jh.

taufrisch *adj* **1.** allerneuest; völlig ungebraucht (auf Gegenstände bezogen). 1820 *ff.*
2. jungmädchenhaft; in schöner, jugendlicher Natürlichkeit; unberührt; noch nicht defloriert. Seit dem ausgehenden 19. Jh.
3. unverbraucht; nicht gealtert. 1960 *ff.*
4. ~ und unvernascht = jungfräulich. ↗vernaschen. 1930 *ff.*

Taufschein *m* Einberufungsbescheid. Gilt als Bescheinigung über die Aufnahme in die militärische Gemeinschaft. *BSD* 1968 *ff.*

Taufscheinchrist *m* Christ, der nicht am kirchlichen Leben teilnimmt. Wortspiel zwischen „Taufschein" und „Scheinchrist". 1900 *ff.*

Taufscheindemokrat *m* Bürger, der einer demokratischen Partei angehört, aber kein überzeugter Demokrat ist. *Vgl* das Vorhergehende. 1960 *ff.*

Taufscheinkatholik *m* lauer Katholik. ↗Taufscheinchrist. 1920 *ff.*

taugen *v* **1.** es taugt mir = es gefällt mir, tut mir gut, ist mir bekömmlich. Taugen = tüchtig sein; brauchbar sein. *Oberd* und *hess,* seit dem 18. Jh.
2. sich ~ = sich sehr freuen. *Österr* 1960 *ff, jug.*
3. gut ist er, aber ~ tut er nichts = er ist von zweifelhaftem Charakter. Berlin, spätes 19. Jh.

tauglich *adj* gut. Eigentlich „brauchbar". *Schül* 1955 *ff, österr.*

taujung *adj* jungmädchenhaft; jungfräulich. Anspielung auf den Tau des frühen Morgens; *vgl* ↗taufrisch 2. 1950 *ff.*

tauscheln (täuscheln) *tr* tauschhandeln. Mit leichtem Anklang an „täuschen". Seit dem 19. Jh, *südd* und *hess,* auch Tirol.

tausend *num* bis ~ warten = überaus lange, endlos warten. Eigentlich „bis man bis 1000 gezählt hat". 1920 *ff.*

Tausend *m* der ~ (ei, der ~; ~ nochmal)!: Ausruf des Erstaunens und Unwillens. „Tausend" ist Hüllwort für den Teufel; wahrscheinlich verkürzt aus „Tausendkünstler". 1600 *ff.*

Tausende *interj* Aufforderung, Trumpf zu spielen. Verkürzt aus „Tausende laufen in London brotlos herum, weil sie vergessen hatten, Trumpf zu ziehen". Kartenspielerspr. 1900 *ff.*

Tausender *m* Tausendmarkschein. 1900 *ff.*

Tausendfüßler *m* **1.** Hotelportier. Er muß soviel laufen, daß zwei Füße viel zu wenig sind. Berlin 1920 *ff.*
2. auf Pfeilern ruhende Überführung einer Umgehungsstraße in Großstädten. 1955 *ff.*

Tausendguldenschuß *m* **1.** Verwundung, die die Verlegung in ein Heimatlazarett erforderlich macht. *Sold* 1914 *ff.*
2. Führungstor bei einem Fuß-, Handballspiel. *Österr* 1925 *ff.*

Tausendkerl *m* tüchtiger Mann. Analog zu ↗Teufelskerl. *Bayr* seit dem 19. Jh.

tausendprozentig *adj* gänzlich; völlig; durch und durch. Verstärkung von ↗hundertprozentig. 1955 *ff.*

'tausendsakra'ment *interj* Ausruf des Unwillens. ↗Sakrament. 1700 *ff.*

'Tausendsapper'ment *m* Schimpf-, Scheltwort. ↗sapperment. 1800 *ff.*

'Tausendsapper'menter *m* Draufgänger; tüchtiger Bursche. Seit dem 19. Jh.

Tausendsassa *m* pfiffiger Mensch; Viel-, Alleskönner. Der Hetzruf für Hunde „sa sa" wird seit 1745 durch „tausend" verstärkt, vielleicht unter Einfluß von entsprechenden Fluchwörtern oder Ausdrücken der Verwunderung. ↗Tausend. Seit dem späten 18. Jh.

Tausendsassa-Bad *n* Strand-, Seebad, in dem man leicht Damenbekanntschaften schließen kann. 1960 *ff.*

Tausendsassigkeit *f* Schlauheit, Wendigkeit. 1950 *ff.*

Tausendschönchen *n* hübsches, schlankes Mädchen. Eigentlich ein volkstümlicher Blumenname. Seit dem 15. Jh.

Tausend-Taler-Pferd *n* ein Hinterquarter (Arsch) wie ein ~ = ein sehr breites Gesäß. Seit dem 19. Jh.

Tausendzünder *m* unzuverlässiges Taschenfeuerzeug. Spöttisch behauptet man, es funktioniere erst beim tausendsten Versuch, wohingegen die Werbetexter behaupten, seine Füllung reiche für tausendmaligen Gebrauch. 1914 *ff.*

Tauwetter *n* Milderung politischer Strenge; Milderung der diktatorischen Herrschaft; nach langem Warten eintretende Verhandlungsbereitschaft. Der Ausdruck ist angeblich von Ilja Ehrenburg nach Stalins Tod (1953) geprägt worden.

Tauziehen *n* hartnäckig hin- und herwogender Streit. Der Sportsprache um 1950 entlehnt.

Taxe *f* ~ schinden = mit dem Taxi eine hohe Fahrgebühr herausfahren. ↗schinden 1. 1920 *ff.*

Taxi *n* **1.** ~ mit Blaulicht = Funkstreifenwagen der Polizei. Kraftfahrerspr. 1955 *ff.*

2. schnelles ~ = a) Taxi mit Sprechfunkanlage. 1955 *ff.* – b) Polizei-Funkwagen. Berlin 1955 *ff.*

3. laß dir ein ~ kommen = scher' dich schleunigst weg! 1935 *ff.*

Taxi-Girl (Grundwort *engl* ausgesprochen) *n* **1.** Prostituierte. Mit ihren Kunden läßt sie sich im Taxi nach Hause fahren. Mit „Taxi" kann auch das Entgelt gemeint sein. In den USA nennt man „Taxi-Girl" ein Mädchen, das sich für die Dauer eines Tanzes oder zur Unterhaltung an einem Tisch vermietet. 1950 *ff.*

2. Mädchen, mit dem man im Taxi Intimitäten austauscht. 1955 *ff.*

Taxisaboteur *m* großer Regenschirm. Mit ihm ist man auf die Dienste eines Taxifahrers nicht angewiesen. Berlin 1925 *ff.*

Taxiunternehmen *n* Kraftfahrtruppe. Aufgefaßt als ein Gewerbeunternehmen zur Personenbeförderung. *BSD* 1968 *ff.*

Taxizunft *f* die Taxifahrer. 1930 *ff.*

Taxler *m* Droschkenfahrer (mit eingebautem Taxameter); Taxifahrer. 1920 *ff, österr.*

Tea (*engl* ausgesprochen) *m* Marihuana, Haschisch. Aus dem *angloamerikan* Slang gegen 1960 übernommen.

teach-in (*engl* ausgesprochen) koitieren. Meint eigentlich eine Zusammenkunft zur Aufdeckung von Mißständen o. ä. *Halbw* 1963 *ff.*

Teamarbeit (Bestimmungswort *engl* ausgesprochen) *f* **1.** Vorsagen in der Schule; Abschreiben voneinander. 1955 *ff.*

2. Geschlechtsverkehr; Zeugung eines Kindes. 1965 *ff.*

Teamwork *n* (*engl* ausgesprochen) Klassenarbeit, bei der man voneinander abschreibt. Aus dem *Angloamerikan* übernommen gegen 1955 im Sinne von „Gruppenarbeit".

teasen (*engl* ausgesprochen) *intr* Striptease vorführen. 1960 *ff.*

Tebe *f* **1.** Hündin, Hund. ↗ Tiffe. 1900 *ff.*

2. Prostituierte, Hure. 1900 *ff.*

Tebs (Teebs, Teeps) *m* **1.** lauter Amüsierbetrieb; Ausgelassenheit; fröhlicher Lärm. Gehört wohl zu „täppisch = unbeholfen" und ist von „toben = tollen, lärmen" beeinflußt. Vorwiegend *ostmitteld* und Berlin, seit dem 19. Jh.

2. Unfug, Unsinn. Berlin 1870 *ff, jug.*

3. einen ~ machen = viel Wesens um eine Sache machen. Berlin 1920 *ff.*

tebsen *intr* **1.** lärmen, toben. *Ostmitteld,* seit dem 19. Jh.

2. in einem Amüsierbetrieb verkehren. 1900 *ff.*

-technisch *adj adv* hinsichtlich der Durchführbarkeit, der Anwendbarkeit (wohnungstechnisch, verkehrstechnisch). Eigentlich soviel wie „kunstgerecht", „fachmännisch" o. ä. Vielfach *gleichbed* mit „-mäßig". Aus der Amtssprache vor allem seit 1945 stark vorgedrungen; auch von Journalisten verschwenderisch bevorzugt.

technisch unmöglich *adj* gänzlich untauglich (auf einen Menschen bezogen). Übertragen von einem Vorhaben, das mit den Mitteln der Technik nicht zu verwirklichen ist. *Schül* 1955 *ff.*

Techte'lei *f* Flirt. Verkürzt aus dem Folgenden. 1920 *ff.*

'Techtel'mechtel *n* Liebelei; Liebschaft; Flirt. Fußt möglicherweise auf *tschech* „tlachy-machy" im Sinne von „Schwätzerei"; von da weiterentwickelt zur Bedeutung „heimliche Abmachung" und „heimliches Einverständnis". Im späten 18. Jh in Österreich aufgekommen und gegen 1830 nach Deutschland vorgedrungen.

'Techtel'mechte'lei (**'Techtel'mechtle'rei**) *f* Flirt, Liebelei. 1920 *ff.*

'techtel'mechteln *intr* flirten; eine Liebelei unterhalten. Seit dem 19. Jh.

techteln *intr* **1.** kosen, flirten. Verkürzt aus dem Vorhergehenden. 1920 *ff.*

2. ~ und mechteln = liebeln; intim betasten. Berlin 1920 *ff.*

Teck *m* Geheimpolizist; Polizeibeamter. *Vgl* das Folgende. Vielleicht aus den USA übernommen. 1950 *ff.*

Teckel *m* **1.** Polizeibeamter, Landjäger. Kann von der Hunderasse übertragen sein oder ist entstellt aus „Deckel", der Bezeichnung für die Dienstmütze des Polizeibeamten. *Rotw* 1850 *ff.*

2. krummbeiniger Mensch. Seit dem 19. Jh.

Teckelbeine *pl* krumme Beine. Seit dem 19. Jh.

Tecke'lei *f* Polizei. ↗ Teckel 1. *Rotw* 1900 *ff.*

teckelig *adj* die Füße einwärts setzend. 19. Jh.

teckeln *intr* mit nach innen gestellten Füßen, krummbeinig gehen. Seit dem 19. Jh.

Teddy *m* **1.** Mann von dicklich-weichlicher Gestalt und leicht ungelenkem Benehmen. Geht zurück auf den Teddybären (Koala), benannt nach dem amerikanischen Präsidenten Theodore („Teddy") Roosevelt (1858–1919), einem leidenschaftlichen Bärenjäger. 1920 *ff.*

2. Kosewort für den Mann. 1920 *ff.*

3. Rufname des Hundes. 1900 *ff.*

teddy *adv* sich ~ benehmen = sich ungeschickt, tölpelhaft benehmen. 1950 *ff, jug.*

Teddybär *m* ~ mit Plüschohren = gemütliche Schelte. 1935 *ff.*

Teddy-Boy *m* **1.** Halbwüchsiger. Eigentlich Bezeichnung für einen Halbwüchsigen in England, wegen der charakteristischen Kleidung im sogenannten „Eduard-Stil" (Eduard VII. wurde in der königlichen Familie „Teddy" genannt). 1950 *ff.*

2. lebenslustiger junger Mann. 1950 *ff.*

teddy-vergnügt *adj* ungeschickt-tölpelhaft. 1950 *ff, jug.*

Tee *m* **1.** Prügel, Schläge. Wohl hergenommen vom bitteren Kräutertee für Kranke in Analogie zur „bitteren ↗ Pille". Seit dem 19. Jh.

2. Gerichtsstrafe. Identifiziert mit Prügeln. Wien seit dem 19. Jh.

3. Verweis, Rüge. In volkstümlicher Auffassung ist Prügeln und Rügen dasselbe. *Österr* seit dem 19. Jh.
4. Marihuana, Haschisch u. ä. Aus dem *anglo-amerikan* Slang (↗Tea) gegen 1960 übernommen.
5. ~ mit Luft = Bier. Es ist farbähnlich mit Tee. „Luft" meint den Bierschaum, die Kohlensäure-bläschen. *BSD* 1965 *ff.*
6. ~ mit Schaum = Bier. *BSD* 1965 *ff.*
6 a. abgestandener ~ = fades Geschwätz. 1950 *ff.*
6 b. eine schöne Tasse ~ = eine arge Unannehm-lichkeit. Gern auf naßkalte Witterung bezogen, bei der eine schöne Tasse Tee (mit Rum) bevor-zugt wird. 1920 *ff, nordd.*
7. weißer ~ = Schnaps. Stammt aus der Zeit der Alkoholknappheit, als man den Schnaps der Un-auffälligkeit halber in Teetassen servierte. Seit dem Ende des Ersten Weltkriegs.
8. ~ anwerfen = Teewasser auf das Feuer stellen. Hergenommen vom Motor, der angeworfen wird. Pfadfinderspr. 1960 *ff.*
9. jm einen ~ einschenken = a) jn prügeln. ↗Tee 1. Seit dem 19. Jh. – b) jm Vorhaltungen machen. ↗Tee 3. Seit dem 19. Jh.
10. jm seinen ~ geben = jn prügeln. *Österr* seit dem 19. Jh.
11. zum ~ gebeten werden = zum Vorgesetzten beordert werden. ↗Tee 3. Berlin 1950 *ff.*
12. ihm haben sie wohl in den ~ geschissen = er ist nicht recht bei Verstand. 1920 *ff.*
13. seinen ~ haben = a) abgefertigt, hinausgewie-sen, entlassen worden sein. ↗Tee 1 *ff.* Seit dem 19. Jh. – b) übel zugerichtet worden sein. ↗Tee 1. Seit dem 19. Jh.
14. einen im ~ haben = a) nicht recht bei Ver-stand sein. ↗Tee 12. 1920 *ff.* – b) angetrunken sein. Entweder als Sonderbedeutung aus dem Vorhergehenden entwickelt, oder hinter „einen" ist „Schnaps" zu ergänzen; oder „Tee" meint den gesprochenen Buchstaben „T" als Abkürzung von „Tran", „Torkel" o. ä. 1920 *ff.*
15. du kannst dir mal ~ kochen (laß dir ~ ko-chen)!: Ausdruck der Abweisung. Wohl Anspie-lung auf einen, der Fieberphantasien hat und ei-nen normalisierenden Tee trinken sollte. Seit dem 18. Jh, *stud.*
16. auf den ~ kommen = aus einer Sache übel hervorgehen. ↗Tee 1 *ff. Stud* 1860 *ff.*
17. einen (seinen) ~ kriegen = a) barsch abgefer-tigt werden; schroff zurechtgewiesen werden. ↗Tee 13 a. Seit dem 19. Jh. – b) Prügel beziehen. ↗Tee 1. Seit dem 19. Jh. – c) bestraft werden. ↗Tee 2. *Österr* seit dem 19. Jh. – d) sich eine schwere Krankheit zuziehen. Seit dem 19. Jh.
18. ~ reiten = sich einschmeicheln. Hängt viel-leicht mit den literarischen und künstlerischen Sa-lons zusammen, in denen Tee gereicht wurde; wer „Tee ritt", ging wohl von Salon zu Salon. 1820 *ff,* Berlin.

*Der Fünf-Uhr-Tee gehört zu England wie der Nebel, die Melone und der Spleen. Eine Wendung wie „sei-nen Tee kriegen" (**Tee 17.**) hat auf den britischen In-seln wohl kaum die negative Bedeutung, die ihm im süddeutschen und österreichischen Sprachraum eigen ist. Dafür kann die große Politik verantwortlich ge-macht werden. Indien gehörte einst zum britischen Empire, wohingegen die Kaffee produzierenden Re-gionen zum Großteil unter Habsburgischer Vorherr-schaft standen. Im eher norddeutschen Raum, der schon immer eher anglophil ausgerichtet war, spielt der Tee umgangssprachlich denn auch eine ganz an-dere Rolle als südlich der Mainlinie.*

19. im ~ sein = a) sich jds Wohlwollen erfreuen. Versteht sich nach ↗Teekind. 1840 *ff*, Berlin und *nordd.* – b) betrunken sein. Tee = T = Tran, Tor-kel o. ä. ↗Tee 14 b. 1840 *ff.* – c) närrisch sein; in ausgelassener Stimmung sein. 1920 *ff.*
Teebs *m* ↗Tebs.
Teekannenbeziehung *f* Flirt. *Schül* 1960 *ff.*
Teekessel *m* dummer Mensch; Versager; Student, der studentische Vergnügungen meidet. Fußt möglicherweise auf *jidd* „kesil = Narr". *Stud* seit dem späten 18. Jh.

Teekind *n* **1.** Begünstigter; Mensch, der sich einzuschmeicheln versteht; Lieblingsschüler. Meint ursprünglich einen, den man (der Lehrer) zum Nachmittagstee einlädt. 1850 *ff,* Berlin und *nordd.* **2.** verzogenes Kind. 1870 *ff.*

Teen (*engl* ausgesprochen) *m* Jugendliche(r) zwischen 13 und 19 Jahren. Dem *angloamerikan* Slang entlehnt (*engl* „-teen = -zehn" in den Zahlwörtern von 13 bis 19). 1950 *ff.*

Teenager (*engl* ausgesprochen) *m* **1.** Halbwüchsige(r) zwischen 13 und 19 Jahren. Das Wort wurde in den dreißiger Jahren des 20. Jhs in den USA geprägt. Es grenzt die Altersstufe zwischen zwei Zahlenwerten ein (*vgl* das Vorhergehende) und macht keinen Unterschied zwischen Jungen und Mädchen. Die Bezeichnung hat nichts von jener Poesie und Galanterie, die dem Wort „Backfisch" eigen ist. 1950 *ff.* **2.** doppelter ~ = weibliche Person über 30 Jahren. 1955 *ff.* **3.** gehobener ~ = Vierzigjährige(r). 1955 *ff.* **4.** später ~ = Dame in vorgerücktem Alter, die sich wie ein junges Mädchen kleidet und benimmt. 1960 *ff.* **5.** verspäteter ~ = Frau in vorgerücktem Alter, die aber erheblich jünger erscheinen möchte. 1960 *ff.*

Tee-Nager (*dt* ausgesprochen) *m* **1.** Jugendliche(r) zwischen 13 und 19 Jahren. Das Wort macht sich scherzhaft die deutsche Silbentrennung zunutze. 1955 *ff.* **2.** Teetrinker. 1955 *ff.*

Teenager-Äquator (Bestimmungswort *engl* ausgesprochen) *m* enganliegender, breiter Jungmädchengürtel. Gleich dem Äquator teilt er den Körper in zwei Hälften. 1955 *ff, halbw.*

Teenagerbefruchtungshalle **(-schuppen)** *f* *(m)* Tanzlokal; Diskothek. *Vgl* ↗TBH. *BSD* 1960 *ff.*

Teenager-Bude *f* Jungmädchenzimmer. 1960 *ff.*

Teenager-Busen *m* Frikadelle. Formähnlich mit einer noch nicht voll entwickelten Brust. *BSD* 1968 *ff.*

Teenager-Chinesisch *n* Halbwüchsigendeutsch. ↗Chinesisch. 1960 *ff.*

Teenager-Mädchen *n* Halbwüchsige. 1960 *ff.*

Teenager-Mähne *f* wirres, langes Haar der Halbwüchsigen. ↗Mähne. 1960 *ff.*

Teenager-Reservoir (Bestimmungswort *engl,* Grundwort *franz* ausgesprochen) *n* Mädchenschule. 1960 *ff.*

Teenager-Spätausgabe *f* Frau in vorgerücktem Alter. ↗Teenager 4 und 5. 1960 *ff.*

Teenager-Spätlese *f* **1.** bejahrter Erwachsener; die Erwachsenen; die Eltern usw. Spätlese = Traubenlese nach Beginn der allgemeinen Weinernte; Kennzeichen der Spätlese-Trauben ist ihre Vollreife. 1955 *ff.* **2.** 20jähriges (und älteres) Mädchen, das sich wie eine Halbwüchsige kleidet und benimmt. 1960 *ff.*

3. ~ in Frischhaltepackung = ältliche Frau in farblos-durchsichtigem Mantel mit entsprechender Kapuze. 1972 *ff.*

Teenager-Zicke *f* Halbwüchsige *(abf).* ↗Zicke. 1960 *ff.*

teenagig (*engl* ausgesprochen) *adj* jungmädchenhaft; halbwüchsig. 1962 *ff.*

Teener (*engl* ausgesprochen) *m* Dreizehnjähriger (und älter). ↗Teen. Werbetexterspr. 1975 *ff.*

teenig (*engl* ausgesprochen) *adj* dem Geschmack von „Teenagern" entsprechend. 1975 *ff.*

Teen-Kumpel *m* guter Kamerad von Halbwüchsigen. ↗Kumpel. 1960 *ff.*

Teen-und-dreißig-Ager *m* auf jugendlich hergerichtete Vierzigjährige *(iron).* Ihr Alter beträgt „10 (↗Teen) + 30" Jahre. 1960 *ff.*

Teeny *n* (*f*) kleines Mädchen. Aus *engl* „teeny = sehr klein; winzig". Wohl auch als kosewörtliche Verkleinerungsform von „↗Teen" aufgefaßt. *Halbw* nach 1950 *ff.*

Teepott *m* dummer, unbeholfener, untauglicher Mensch. Analog zu ↗Teekessel. 1910 *ff.*

Teeps *m* ↗Tebs.

Teepüppchen *n* zierliches Mädchen. Eigentlich die kleine Puppe auf dem Teekannenwärmer, auch die kleine Sofapuppe zur Dekoration. *Halbw* 1950 *ff.*

Teer *m* **1.** im ~ sein = bezecht sein. Kann mißverstanden sein aus der üblicheren Redewendung „im ↗Tee sein" oder erklärt sich aus der Vorstellung „einen ↗kleben haben". 1910 *ff, nordd.* **2.** im ~ sitzen = sich in Not, Verlegenheit befinden. Analog zu ↗Pech. 1910 *ff.*

Teerblase *f* runder steifer Herrenhut. Er ähnelt in der Form einer Blase im Teer, ist auch (vorwiegend) schwarz. 1950 *ff.*

Teerbombe *f* steifer schwarzer Herrenhut. ↗Bombe 17. 1950 *ff.*

teeren *v* **1.** jm eine ~ = jm eine Ohrfeige versetzen. Parallel zu „jm eine ↗kleben". 1900 *ff.* **2.** die Sache ist geteert = die Sache ist abgemacht, erledigt, gut ausgeführt. Leitet sich wohl her vom Teeren als dem letzten Arbeitsgang beim Straßen- und Dachbau. 1900 *ff.* **3.** du mußt den Kragen mal wieder ~ lassen = du trägst einen schmutzigen Kragen. Weiß schimmert durch den Schmutz noch durch; aber hier wird als eigentliche Grundfarbe Schwarz vorausgesetzt: die Tatsachen werden scherzhaft auf den Kopf gestellt. Berlin 1870 *ff.*

Teerjacke *f* Matrose der Handelsmarine; Marinesoldat. Stammt aus *engl* „Jack-Tar = Hans Teer, Teer-Hans"; angelehnt an „Jacke" wegen der berufsüblichen Kleidung der Matrosen. Gegen 1840 aufgekommen.

Teerkocher *m* Tabakspfeife. *Marinespr* 1910 *ff.*

Teerspender **(-stange; -stengel)** *m* (*f*) Zigarette. *Schül* 1960 *ff.*

Der Tee-Nager ist zum einen ein entfernter Verwandter des schwäbischen Weißbeißers (vgl. **Tee-Nager 2.**)*, zum andern aber, ein sich nicht unbedingt mit diesem Getränk begnügender Jugendlicher im Alter zwischen 13 und 19 Jahren (***Tee-Nager 1.***)**. Die Werbegraphik oben spielt mit beiden Bedeutungen: Ikonographisch bürgt der Hase für die deutsche Intonation, und die oft mit Konnotationen des Jugendlichen behaftete „Boutique" steht für die mit dem Fremdwort verbundenen Assoziationen, wenngleich in diesem Zusammenhang eine Teekanne wohl angebrachter gewesen wäre (vgl.* **Teekannenbeziehung**)*.*

Teerstift *m* dick und schwarz schreibender Kugelschreiber oder Filzstift. 1955 *ff.*

Teerwasser *n* Schnaps von bräunlicher (dunkler) Farbe. *Sold* 1914 *ff.*

Teesieb *n* aus jm ein ~ machen = auf jn viele Schüsse abgeben. ↗Sieb 9. *Sold* 1939 *ff.*

Teestunde *f* Colloquium. *Stud* 1950 *ff.*

Teetassen *pl* Augen wie ~ = große, weit geöffnete Augen. Geht zurück auf „Der Soldat und das Feuerzeug" von Hans Christian Andersen. Seit dem späten 19. Jh.

Teetassenaugen *pl* weitgeöffnete Augen. 1900 *ff.*

Teewagen *m* Wagen des Trans-Europ-Express. Wegen der amtlichen Abkürzung „TEE". 1959 *ff.*

Teewinde *f* Krankenhaus. Winde = Haus *(rotw)*. Hier bekommt man Kräutertee zu trinken. *Rotw* 1880 *ff.*

teff *adv* mit jm ~ sein = mit jm entzweit sein. Fußt auf *rotw* „tewern = zanken, keifen", beeinflußt von „↗seit Teffe = (knurrende) Hündin". Berlin seit 1920.

Teffe *f* Hündin, Hund. Nebenform zu ↗Tiffe. 1900 *ff.*

Teggen *m* einen ~ haben = geistesbeschränkt sein. Teggn = Gebrechen, Fehler. *Österr* seit dem 19. Jh.

Teich *m* **1.** die See. Scherzhafte Verniedlichung. *Marinespr* 1880 *ff*, fliegerspr. 1939 *ff.*
2. der große ~ = der Atlantische Ozean. Gegen 1850 aufgekommene *iron* Wertverkleinerung.
3. in den ~ gehen = mißglücken. Analog zu ↗badengehen 2. 1900 *ff.*
4. über den ~ gehen = den Soldatentod erleiden. Nach alter mythischer Vorstellung trennt Wasser die Aufenthaltsstätte der Toten von der Welt der Lebenden (*vgl* die Styx der *griech* Mythologie). *Sold* 1939 *ff.*
5. eine Arbeit in den ~ schreiben = eine schlechte Schularbeit schreiben. ↗Teich 3. *Schül* und *stud* 1950 *ff.*
6. im ~ sein = mißraten, zerstört sein. 1900 *ff*, *schül* und *stud.*
7. da warst du noch im großen ~ = da warst du noch nicht geboren. Anspielung auf die Fabel vom Storch, der die Kinder aus dem Teich holt. 1900 *ff.*

Teig *m* da geht der ~!: Ausdruck des Erstaunens, auch der Freude über einen Erfolg. Hergenommen vom Teig, der durch Hefe als Treibmittel „(auf)geht = sich ausdehnt". 1920 *ff.*

Teigaffe *m* **1.** Bäcker. Geht wohl auf Till Eulenspiegel zurück, der statt wohlgeformter Brote lauter Teigaffen und -eulen gebacken hat. 1800 *ff.*
2. energieloser, schwächlicher, langweiliger Mann. Er ist weich wie Teig. Seit dem 19. Jh.
3. dummer, hochmütiger, putzsüchtiger Mensch. ↗Affe 1. Seit dem 19. Jh.

Teigbildhauer *m* Bäcker. Anspielung auf die Gebildbrote. Seit dem 19. Jh.

Teigbirne *f* geistige Unzurechnungsfähigkeit. Parallel zu „weiche ↗Birne". 1910 *ff.*

teigig *adj* **1.** langweilig; ungeschickt; geistig unreif. Meint soviel wie ↗unausgebacken. 1500 *ff.*
2. müde, schläfrig; nachgiebig. Seit dem 19. Jh.

Teigschuster *m* Bäcker *(abf)*. ↗Schuster. Seit dem 19. Jh.

Teigwerfer *pl* Küchenpersonal. Anspielung auf die Fertigkeit, Eierpfannkuchen o. ä. in die Luft zu werfen und (mit der Pfanne) wieder aufzufangen. *BSD* 1968 *ff.*

Die Abbildung aus einem Magazin, das vorgibt, eins für Herren zu sein, wohl auch für solche der Spezies, die durch solche Fotos angeregt werden, sich selbst ans Telefon zu hängen (**Telefon 5.**), *um dann von dem Gebrauch zu machen, was so nicht im Telefonbuch, wohl aber unter den einschlägigen Rubriken der Tageszeitungen zu finden ist* (*vgl.* **Telefonmädchen 2., Telefonnutte** *und* **Telefonstrich**). *Weniger sexistisch erscheint zunächst einmal das* **Telefonanieren**, *ein Wortspiel, das mittlerweile allerdings mancherorts bereits zu einem Geschäft mit Worten geworden ist. Denn sollte es an einem Partner mangeln, ist auch der mittlerweile für Geld zu haben. Und wenn dann der Telefondraht heiß läuft* (**Telefondraht 2.**), *so erhält diese Redensart eine damit ursprünglich nicht gemeinte Bedeutung: Hitze schlägt in eine feuchte Schwüle um.*

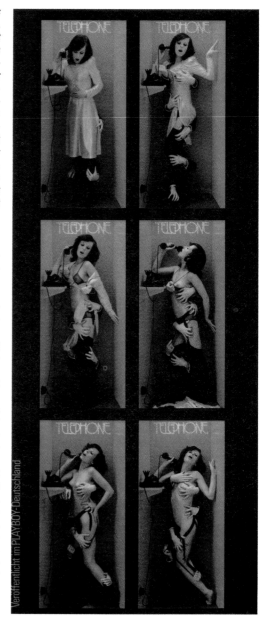

Veröffentlicht im PLAYBOY-Deutschland

Teil *m* **1.** mit verrollten ~en = a) mit verteilten Rollen. Hieraus umgestellt. 1920 *ff.* – b) zurückgeschlagen; verprügelt. ↗verrollen 1. *Sold* 1939 *ff.*
2. in ~en denken = begriffsstutzig sein. 1930 *ff.*
3. seinen ~ haben = a) betrunken sein. Teil = zuträgliche Menge. 1700 *ff.* – b) geschädigt, geprügelt, verwundet sein. 1900 *ff.*
4. der Schlag traf keinen edlen ~ = der Schlag traf nur den Kopf. Ein „edler Teil" ist in scherzhafter Auffassung das Gesäß. 1900 *ff.*
5. seinen ~ kriegen = Prügel erhalten; gerügt werden. 1900 *ff.*
Teilchen *n* leichtlebiges Mädchen; Prostituierte. Entweder gekürzte Analogie zu „↗Weibsstück" oder hergenommen von der Bezeichnung für (süßes) Backwerk im Sinne einer Leckerei für jedermann. 1930 *ff.*
Teilhaber *m* stiller ~ = a) Ungeziefer; Laus. Meint eigentlich einen Menschen, der eine Geldeinlage in ein Geschäft macht, aber nach außen nicht in Erscheinung tritt und lediglich am Gewinn beteiligt ist. Ähnlich treten auch Flöhe usw. nicht in Erscheinung, heimsen aber blutigen Ertrag ein. *Sold* 1910 *ff.* – b) Finanzamt. 1925 *ff.* – c) betrügerischer Angestellter; Angestellter, der Unterschlagungen begeht. 1925 *ff.* – d) intimer Freund der Ehefrau. 1925 *ff.*
Teilstrecke *f* auf ~ kaufen = auf Raten kaufen. Hergenommen vom Fahrkartentarif der Straßenbahnen und Omnibusse: der Fahrpreis ist nicht einheitlich, sondern nach der Zahl der Haltestellen gestaffelt. Kurz nach 1920 aufgekommen.
Teilstrecken-Akademie *f* Abendgymnasium. Wegen der beruflichen Tätigkeit am Tage erreichen die Schüler das Abitur nur Stück für Stück. 1950 *ff.*
Teilzahlungsglanz *f* prunkvolle Möbel, auf Abzahlung gekauft. 1960 *ff.*
Teilzahlungs-Hai *m* Kaufmann, der betrügerische Teilzahlungsangebote macht oder Ratenkäufer

anderweitig zu übertölpeln sucht. 1960 *ff.*
Teint (*franz* ausgesprochen) *m* **1.** lebhafter ~ = sommersprossiges Gesicht. 1920 *ff.*
2. pubertäteriger ~ = Halbwüchsigengesicht voller Hautunreinheiten (Akne). 1920 *ff.*
3. ~ in der Handtasche haben = Schminke, Puder usw. bei sich tragen. 1960 *ff.*
4. den ~ kitzeln = das Gesicht schminken. 1950 *ff.*
Teita *n* im ~ sein = fortgegangen sein. Substanti-

viert aus dem Folgenden. Seit dem 19. Jh, kinderspr.

teita gehen *intr* spazierengehen, weggehen. Kindersprachlich entstellt aus „↗tagtag gehen“. Seit dem 19. Jh.

teita sein *intr* fortgegangen sein. Seit dem 19. Jh.

Teixel *m* Teufel. Ersatzname des Teufels; ↗Deixel. 1600 *ff*.

Teke *f* junger Nichtsnutz; aufbegehrender Halbwüchsiger. Im *Ostd* Bezeichnung für ein stechendes Insekt (Zecke). 1910 *ff*, Berlin.

Telebimmel *f* Telefonglocke, Telefon. ↗Bimmel. 1950 *ff*.

Telebombe *f* attraktive, im Fernsehen auftretende Künstlerin. ↗Bombe. 1970 *ff*.

teleflunkern *intr* durch Nachrichtenbüros oder Rundfunk Lügenmeldungen verbreiten. Zusammengesetzt aus „telefonieren“ und „↗flunkern“. 1914 *ff*.

Telefon *n* **1.** Abort. ↗telefonieren 4. *Schül* 1910 *ff*.
2. Herr X. ans ∼!: Zuruf an einen enttäuschenden Sportler (Schiedsrichter). Gemeint ist die Abberufung vom Platz. Berlin 1920 *ff*.
3. mal ans ∼ gehen = den Abort aufsuchen. Verhüllende Redewendung. ↗Telefon 1. 1910 *ff*.
4. am ∼ hängen = telefonieren; viele und/oder lange Ferngespräche führen. 1915 *ff*.
5. sich ans ∼ hängen = sich zum Telefonieren anschicken. ↗Telefonstrippe 2. 1915 *ff*.
6. das ∼ läuft heiß = man telefoniert ausdauernd. Übertragen vom Heißlaufen beweglicher Maschinenteile. ↗Telefondraht. 1920 *ff*.
7. sich hinter das ∼ klemmen = jn anrufen; etw sofort durch Ferngespräch(e) zu erledigen suchen. ↗klemmen 10. 1920 *ff*.
8. per ∼ unterwegs sein = alle wichtigen Gänge fernmündlich erledigen. 1960 *ff*.

telefonanieren *intr* ein erotisch gefärbtes Telefongespräch mit einem Geschlechtspartner führen. Zusammengesetzt aus „telefonieren“ und „onanieren“. 1950 *ff*.

Telefonbesuch *m* gemütliches (ausgedehntes) Telefongespräch. 1950 *ff*.

Telefonbriefkasten *m* Deck-Telefonanschluß zur Hinterlassung von Nachrichten des Geheimdienstlers. ↗Briefkasten 4, 9 und 10. 1950 *ff*.

Telefonbuch *n* einen Kopf wie ein ∼ haben = Zahlen und Anschriften sich gut merken können. 1930 *ff*.

Telefondraht *m* **1.** der ∼ glüht = man telefoniert ausdauernd. ↗Telefon 6. 1920 *ff*.
2. der ∼ läuft heiß = man führt lange Telefongespräche. 1920 *ff*.

Telefonfaß *n* das ∼ aufmachen = telefonieren. ↗Faß 21. *Halbw* 1950 *ff*.

telefonieren *v* **1.** *intr* = sich durch Zeichen (Blicke, Gebärden) verständigen. 1920 *ff*.
2. *intr* = sich unter dem Tisch mit den Füßen verständigen. 1910 *ff*.

3. *intr* = dem Mitschüler vorsagen. 1900 *ff*.
4. *intr* = zum Abort gehen. Scherzhaft-taktvolle Umschreibung. *Vgl* ↗Telefon 3. 1910 *ff*.
5. das haben sie dir wohl telefoniert? = aus eigener Kenntnis weißt du das gewiß nicht? 1920 *ff*.
6. ∼, bis die Drähte glühen = ausdauernd telefonieren. ↗Telefondraht. 1920 *ff*.

Telefo'nitis *f* Freude an oftmaligen und ausdauernden Telefongesprächen. Als Krankhaftigkeit aufgefaßt durch die Nachahmung von Krankheitsbezeichnungen. 1930 *ff*. *Vgl* angloamerikan „telephonitis“.

Telefonjule *f* Telefonistin. ↗Jule. 1920 *ff*.

Telefonkirche *f* fernmündlich übermittelte, auf Band gesprochene Predigt. 1955 *ff*.

Telefonlied *n* Lied „Dort Saaleck, hier die Rudelsburg (und unten tief im Tale, da rauschet zwischen Felsen durch die alte, liebe Saale)“. Anspielung auf die Meldung des Fernsprechteilnehmers „hier Meyer; wer dort?“. Die Verse wurden 1845 von Hermann Allmers gedichtet und vertont. 1920 *ff*, *stud*.

Telefonmädchen *n* **1.** Telefonistin. 1920 *ff*.
2. Callgirl. 1955 *ff*.

Telefonmarder *m* Berauber von Münzfernsprechern; Mann, der ein öffentliches Fernsprechgerät stiehlt oder zerstört. ↗Marder. 1950 *ff*.

Telefonmensch *m* Fernmeldemonteur. 1955 *ff*.

Telefonnutte *f* Callgirl. ↗Nutte 1. 1955 *ff*.

Telefonpause *f* Reiseunterbrechung zwecks Notdurftverrichtung. Euphemismus. ↗Telefon 1. 1970 *ff*.

Telefon-Rowdy (Grundwort *engl* ausgesprochen) *m* Zerstörer von Fernsprechzellen. 1960 *ff*.

Telefonstrich *m* Callgirl-Wesen. ↗Strich 2. 1970 *ff*.

Telefonstrippe *f* **1.** Telefonleitung. ↗Strippe. Seit dem späten 19. Jh.
2. sich an die ∼ hängen = sich zu einem Telefongespräch anschicken. 1915 *ff*.

Telefonstrolch *m* Mann, der mittels des Fernsprechers Frauen unsittlich belästigt und beleidigt. ↗Strolch 1. 1960 *ff*.

Telefonzange *f* ausdauernd telefonierende Frau. ↗Zange. 1920 (?) *ff*.

telegähnen *intr* einem langweiligen Fernsehprogramm zusehen. Wortwitzelei mit „telegen“ und „gähnen“. 1957 *ff*.

'tele'gen *adj* wohlgebildet von Angesicht und Körperbau. Auf dem Bildschirm würde man eindrucksvoll wirken. Abgewandelt von „fotogen“. 1958 *ff*.

Telegrammkleid   **(Telegrammstilkleid)**   *n* Kleid, das oberhalb der Knie endet. Telegraphische Mitteilungen werden kurz und knapp gehalten. 1925 *ff*.

Telegraphenmast *m* mit dem ∼ winken = jm einen plumpen Wink geben. Verstärkung des „Winks mit dem Zaunpfahl“. 1920 *ff*.

Telegraphenmastbeine *pl* dürre, hagere Beine. 1950 *ff.*

Telegraphenpfahl *m* ich geh' am ~!: Ausdruck des Erstaunens. Verstärkung von „ich geh' am Stock!". 1940 *ff.*

telegraphieren *v* **1.** jm eine ~ = jm eine Ohrfeige versetzen. Vom kurzen Telegrammtext übertragen auf die rasch zuschlagende Hand. 1850 *ff.*
2. *intr* = bei Boxhieben zu weit ausholen. In Zusammensetzungen meint „tele-" soviel wie „fern, entfernt": der Hieb kommt aus weiter Ferne. 1950 *ff.*
3. das kann ich dir ~! = das rate ich dir dringend an! an deiner Stelle würde ich das beherzigen! Parallel zu „das kann ich dir ↗flüstern". *Halbw* 1950 *ff.*

Telegucke *f* Fernsehgerät. ↗Gucke. 1960 *ff.*

Telegucker *m* Fernseher. 1960 *ff.*

Tele-Hase *m* alter ~ = Mann, der seit langem im Fernsehen auftritt. ↗Hase 7. 1965 *ff.*

Tele-Kätzchen *n* nette, junge Fernsehansagerin. ↗Kätzchen. 1960 *ff.*

Tele-Knüller *m* erfolgreicher Fernsehfilm. ↗Knüller. 1970 *ff.*

Telekratie *f* häufiges Auftreten von Politikern im Fernsehen. Wortprägung von Charles de Gaulle (?). 1960 *ff.*

Telekuß *m* aus der Ferne zugeworfener Kuß (Kußhand). *Halbw* 1960 *ff.*

Tele-Macher *m* Fernseh-Programmgestalter. 1970 *ff.*

Tele-Maid *f* Fernsehansagerin. 1970 *ff.*

Telemalheur (Grundwort *franz* ausgesprochen) *n* sehr minderwertige (mißratene) Fernsehsendung. 1960 *ff*

Telemann *m* Kommentator, Nachrichtensprecher im Fernsehen. 1970 *ff.*

Telemichel *m* Hamburger Fernsehturm. Übertragen von der Bezeichnung „Michel" für den Turm der Hamburger Michaeliskirche. 1968 *ff.*

Telemieze *f* Fernsehansagerin, -künstlerin. ↗Mieze. 1960 *ff.*

'telen *intr* fernsehen. 1955 *ff, jug.*

Teleobjektiv *n* Auge. Aus der Fototechnik übertragen. *Halbw* 1960 *ff.*

Tele-Pennäler *m* Teilnehmer am Schulfernsehen. ↗Pennäler. 1965 *ff.*

Telepenne (-schule) *f* Schulfernsehen. 1965 *ff.*

Telespargel *m* Fernsehturm am Alexanderplatz in Ost-Berlin. 1966 *ff.*

Televidiot *m* leidenschaftlicher Fernseher. Zusammengesetzt aus „Television" und „Idiot" nach dem Muster von „↗Radiot". 1955 *ff.*

Televisionskerze *f* während der Fernsehsendung brennende Zimmerlampe. 1960 *ff.*

Televisionsschuhe *pl* bequeme Hausschuhe. Man trägt sie beim Fernsehen. 1960 *ff.*

telewiescherln *intr* fernsehen. Aus *engl* „television" phonetisch abgewandelt. Wien 1960 *ff.*

telewinken *intr* in die Fernsehkamera winken. 1958 *ff.*

Telewinker *m* Mensch, der in die Fernsehkamera winkt. 1958 *ff.*

Telewischen *m n* Fernsehgerät; Fernsehen. Der *engl* Aussprache von „television" nachgebildet. 1955 *ff.*

Telewischen-Kommode *f* Fernsehgerät. 1955 *ff.*

Tell *m* Rufname des Jagdhundes. Seit dem 19. Jh.

Teller *m* **1.** Schirmmütze. Verkürzt aus „↗Plattenteller 2". *BSD* 1968 *ff.*
2. schwarzer ~ = Schallplatte. 1950 *ff, halbw.*
3. jm etw auf dem ~ bringen = Vorwürfe immer von neuem wiederholen. Man serviert sie gewissermaßen bei jeder Mahlzeit. Seit dem 19. Jh.
4. das fällt vom ~!: Ausdruck der Ablehnung. 1910 *ff.*
5. nichts auf dem ~ haben = schlechten Geschäftsgang haben. Hergenommen vom Opferteller in der Kirche oder vom Teller, auf dem der Abortbenutzer eine kleine Spende niederlegt, oder vom Teller, auf dem der Kellner mehr als den Rechnungsbetrag erwartet. 1925 *ff.*
6. das kommt nicht auf den ~!: Ausdruck der Ablehnung. 1950 *ff.*
7. ~ wischen = fernsehen. Wortwitzelei auf der Grundlage von „↗Telewischen". 1957 *ff.*
8. nichts mehr vom ~ ziehen = keinen Anklang mehr finden. ↗Teller 5. 1980 *ff, jug.*

Telleraugen *pl* große, weitgeöffnete Augen. 1920 *ff.*

Tellereisen *n* **1.** einfaches Eßbesteck. Es ist das metallene Gerät zum Leeren des Tellers. 1965 *ff.*
2. *pl* = breite, plumpe Hände. Übertragen von der eisernen Falle für Füchse o. ä. 1940 (?) *ff.*

Teller-Hai *m* **1.** Bückling. Scherzhafte Übertreibung. 1900 *ff*, Berlin.
2. Rollmops. *Sold* 1910 *ff.*

Tellerlecken *n* das ist kein ~ = das ist keine leichte Sache. Analog zu „↗Zuckerlecken". 1900 *ff.*

Tellerlecker *m* **1.** Feinschmecker; Schmarotzer. 1500 *ff.*
2. Junge (gemütliche Schelte). 1920 *ff.*

Tellermann *m* Abortwärter. Am Ausgang stellt er einen Gabenteller auf. 1920 *ff*, Berlin und *mitteld.*

Tellermine *f* **1.** Kuhfladen. Wegen der Formähnlichkeit. 1950 *ff.*
2. Schirm-, Baskenmütze. *BSD* 1968 *ff.*
3. flacher runder Damenhut. Er ähnelt einem umgedrehten Suppenteller. 1960 *ff.*

Tellerputzer *m* Mensch, der seinen Teller völlig leert. 1950 *ff.*

Tellerrand *m* über den ~ blicken = die Tragweite einer Handlungsweise, die Folgen eines Tuns bedenken; nicht egozentrisch sein. Nach 1970 aufgekommen, wahrscheinlich 1972 von Bundeswirtschaftsminister Karl Schiller geprägt.

Tellerwischen *n* Fernsehen. ↗Teller 7. 1957 *ff.*

Tellerwischer *m* Fernsehzuschauer. 1957 *ff.*

telli'gent *adj* gescheit, klug. Die Vorsilbe „in-" wird als wertmindernd aufgefaßt und daher weggelassen. Seit dem frühen 20. Jh.

Telli'genz *f* Klugheit, Lebenserfahrung. 1900 *ff.*

Telstar *m* zu besonderen Ereignissen entsandter Reporter. Meint eigentlich den Nachrichtensatelliten. 1963 *ff.*

Temesvar *n* kleines, primitives Provinztheater. Benannt nach der Stadt in Ungarn im Sinne einer Provinzstadt. *Österr* Theatersprache, 1900 *ff.*

Tempel *m* **1.** Kirche. In umgangssprachlicher Verwendung gespielt-vornehm bis burschikos gemeint in Anlehnung an den biblischen Bericht. 1900 *ff.*
2. Haus, Wohnung. Aufgefaßt als Allerheiligstes. 1700 *ff.*
3. Schulgebäude. Verkürzt aus „Bildungstempel". 1950 *ff.*
4. Abort; öffentliche Bedürfnisanstalt („Rotunde"). Wegen der früher beliebten Rundbauform. 1875 *ff.*
5. Haftanstaltszelle. Wohl wegen der „stillen Einkehr". Häftlingsspr. 1970 *ff.*
5 a. ~ der Freude = Bordell. 1800 *ff.*
6. ~ des Goldes = Börse. 1950 *ff.*
7. beim ~ rausfahren = plötzlich wegeilen. 1900 *ff.*
8. zum ~ rausfliegen = unsanft, barsch hinausgewiesen werden. ⁊fliegen. Fußt wohl auf dem biblischen Bericht von der Vertreibung der Wechsler und Händler aus dem Tempel zu Jerusalem. 1870 *ff.*
9. jn aus dem ~ raushauen = jn grob hinausweisen, hinauswerfen. 1900 *ff.*
10. jn zum ~ rausjagen = jn barsch aus der Wohnung, aus dem Haus weisen. 1700 *ff.*
11. jn zum ~ rausloben = einem unsympathischen Mitarbeiter durch übertriebenes Lob den Stellenwechsel erleichtern. 1870 *ff.*
12. jn zum ~ rausschmeißen (rauswerfen o. ä.) = jn derb aus der Wohnung, aus dem Haus weisen; jm kündigen. 1600 *ff.*
13. zum ~ raussein = fortgegangen sein. 1870 *ff.*
14. sich zum ~ rausscheren = das Zimmer schleunigst verlassen. Meist in der Befehlsform gebraucht. Seit dem 19. Jh.

Tempeldiener *m* krummbeiniger ~: Schimpfwort auf einen Soldaten in unmilitärischer Haltung. Geht wohl zurück auf die Gestalt des Glöckners in dem Film „Der Glöckner von Notre-Dame" („Notre-Dame de Paris", 1956). *BSD* 1968 *ff.*

Tempeldienst *m* Kirchgang. *BSD* 1968 *ff.*

Tempelfee *f* Abortwärterin. ⁊Tempel 4. 1910 *ff.*

Tempelhure *f* Sie indische ~!: Schimpfwort. Vermutlich gilt das Wort einem Soldaten in unmilitärischer Haltung. Zusammenhängend mit der Tätigkeit von Prostituierten für Priester und Gläubige in Tempeln einiger hinduistischer Sekten. *Sold* 1935 *ff.*

Tempelhüterin *f* Abortwärterin. ⁊Tempel 4. 1910 *ff.*

Tempelkuh *f* altindische ~ = zäher Braten. Anspielung auf die „heiligen Kühe" in Indien, die nicht geschlachtet werden dürfen, sondern erst an Altersschwäche sterben. *BSD* 1965 *ff.*

tempeln *intr* sich an einem Glücksspiel beteiligen. Auf die Tischplatte wird eine tempelähnliche Skizze gezeichnet, in deren Felder die Spieler ihre Einsätze machen. Seit dem 19. Jh.

Tempeltreter *pl* flache Damenschuhe. ⁊Treter. 1960 *ff.*

Tempelweihe *f* Defloration; Hochzeitsnacht. 1960 *ff; wohl viel älter.*

Temperament *n* **1.** Temperatur. Scherzhafte Wortvertauschung. Seit dem 19. Jh.
2. vulkanisches ~ = feuriges Temperament; Leidenschaftlichkeit. 1900 *ff.*
3. das ~ geht mit ihm durch = er läßt sich nicht zügeln. Übertragen vom Pferd, das seinem Reiter nicht gehorcht. 1920 *ff.*

Temperamentsbestie *f* Mensch von unbeherrschtem Temperament. 1950 *ff.*

Temperamentsbolzen *m* **1.** temperamentvoller Mensch. ⁊Bolzen. 1950 *ff.*
2. mitreißende Sängerin, Tänzerin, Vortragskünstlerin o. ä. 1950 *ff.*

Temperamentsbombe *f* äußerst temperamentvolle Frau. ⁊Bombe 1. 1950 *ff.*

Temperamentsbrocken (-bündel) *m (n)* temperamentvoller Mensch. 1950 *ff.*

Temperamentsnudel *f* temperamentvoll-lustige Frau. ⁊Nudel 4. 1935 *ff.*

Temperamentsskala *f* Fieberthermometer. ⁊Temperament 1. 1945 *ff.*

Temperatur *f* **1.** Temperament. *Vgl* ⁊Temperament 1. *Stud* seit dem späten 19. Jh.
2. angenehme ~ = scheußliche Lage; heftiger Beschuß. Kriegsminister Albrecht Graf von Roon gebrauchte den Ausdruck bei einer Rede im Preußischen Herrenhaus 1862 im eigentlichen Sinne, etwa als „wohlwollende Gestimmtheit". Ins *Iron* verkehrt durch die Soldaten beider Weltkriege.

Temperierter *m* Homosexueller. Anspielung auf ⁊warm. 1960 *ff, schweiz.*

Tempo *n* **1.** ~! = beeil' dich! Verkürzt aus „mach' Tempo!". 1910 *ff.*
1 a. ~ bolzen = schnell fahren. ⁊bolzen. 1960 *ff.*
2. ein ~ draufhaben = a) schnell fahren. Drauf = auf dem Geschwindigkeitsmesser. 1920 *ff.* – b) es eilig haben (ohne Zusammenhang mit einem Fahrzeug). 1920 *ff.*
3. ~ draufnehmen = eine hohe Fahrgeschwindigkeit entwickeln. 1920 *ff.*
4. aufs ~ drücken = die Geschwindigkeit erhöhen. Man drückt aufs Gaspedal. 1950 *ff.*
5. ein ~ am Leibe haben = rasch fahren. Am Leibe = an sich. 1920 *ff.*
6. ein feines ~ haben = bequemen Dienst haben;

sich nicht anstrengen müssen; ohne Eile tätig sein
können. *Sold* in beiden Weltkriegen; auch *ziv*.
7. ein schlaues ~ haben = ein bequemes Leben
führen. 1920 *ff*.
8. das ~ überdrehen = die Geschwindigkeit über-
steigern. Anspielung auf die Drehzahl des Motors.
1950 *ff*.
9. hohes ~ vorlegen = sehr schnell tätig sein; Beschleunigung anstreben. 1950 *ff*.
Tempo-Bolzer *m* Langstreckenläufer, der den Re-
kord zu brechen sucht; Schnellfahrer. ↗bolzen.
1960 *ff*.
Tempo-Bolzerei *f* Streben nach Höchstgeschwindigkeit. ↗bolzen. 1960 *ff*.
Tempogesicht *n* Gesichtsausdruck des Eiligen.
1920 *ff*.
Tempomuffel *m* Autofahrer, der gemäßigtes Tempo bevorzugt. ↗Muffel 2. 1973/74 aufgekommen
mit der Geschwindigkeitsbegrenzung.
Tempo-Sünde *f* Verstoß gegen die Geschwindig-
keitsbeschränkung. ↗Sünde 1. 1965 *ff*.
Tempo-Sünder *m* Kraftfahrer, der gegen die Ge-
schwindigkeitsbestimmungen verstößt. ↗Sünder.
1965 *ff*.
tendern *intr* (langsam) gehen. Vielleicht aus „↗ti-
gern" und „schlendern" zusammengewachsen.
Andere halten Entstehung aus *franz* „tendre à =
hingehen nach" für möglich. 1910 *ff*.
Te'nente *m* Leutnant. Wörtlich aus dem *Ital* über-
nommen. *BSD* 1965 *ff*.
Tenne *f* Tanzboden, -lokal. Meint eigentlich den
festgestampften oder gepflasterten Boden für das
Getreidedreschen; analog zu „↗Scheune" und zu
„↗Schuppen". *Halbw* 1950 *ff*.
Tennenschwof *m* Tanzerei auf einem Bauernhof.
↗Schwof. 1960 *ff*.
Tennisamazone *f* (erfolgreiche) Tennisspielerin.
↗Amazone. 1920 *ff*.
Tennisball *m* Kartoffel-, Mehlkloß; Knödel;
Klops. Wegen der Formähnlichkeit; zuweilen
auch Anspielung auf die Härte. 1900 *ff*.
Tennisboy *m* **1.** Junge, der die Tennisbälle aufliest.
1900 *ff*.
2. Kasino-Ordonnanz. Sie soll so flinkfüßig sein
wie der Balljunge beim Tennisspiel. *Sold* in bei-
den Weltkriegen.
Tennishase *m* alter ~ = erfahrener Tennisspieler.
↗Hase. 1920 *ff*.
Tennismäuschen *n* Tennisspielerin. ↗Mäuschen.
1925 *ff*.
Tennisplatz *m* Glatze. 1910 *ff*.
Tennisspiel *n* ~ des kleinen Mannes = Federball-
spiel. 1955 *ff*.
Tepp *m* ↗Depp.
teppern *tr* etw mit Geräusch zerschlagen. ↗töp-
pern. Seit dem 19. Jh.
teppert *adj* ↗deppert.
Teppich *m* **1.** mit vielen Bomben belegtes Gelände-
stück; nahezu gleichzeitiger Abwurf vieler Bom-

ben auf ein begrenztes Zielgebiet. Verkürzt aus
↗Bombenteppich. *Sold* und *ziv* 1939 *ff*.
2. für eine Landung außerhalb des Flugplatzes ge-
eignete flache Wiese o. ä. Fliegerspr. 1939 *ff*.
3. Fußballrasen. 1900 *ff*.
4. ~ im Eßzimmer = Zunge. ↗Eßzimmer.
1930 *ff*.
5. fliegender ~ = a) Flugzeug. Aus der Märchen-
sammlung „Tausendundeine Nacht" übernommen. 1960 *ff*. – b) Auto. Wohl wegen der Fahrgeschwindigkeit und der guten Federung. 1960 *ff*.
6. grüner ~ = Erdboden, Landeplatz. Fallschirm-
jägerspr. 1939 *ff*.
7. auf dem ~ bleiben = a) nicht übertreiben;
sachlich bleiben; nicht überfordern; Vernunft walten lassen. Entstellt aus „Tapet", der Decke auf
dem Beratungstisch, und weiterentwickelt zur Bedeutung „Beratungsgegenstand". Auch herleitbar
von der Ringermatte: außerhalb der Matte darf
nicht gerungen werden. 1910 *ff*, von Norddeutsch-
land ausgegangen. – b) nicht leichtfertig leben.
1950 *ff*.
8. jn wieder auf den ~ bringen (holen) = jn zur
Sachlichkeit zurückführen. *Vgl* das Vorhergehende. 1970 *ff*.
8 a. auf den ~ fallen = mißlingen. Hier ist „Teppich" wahrscheinlich die Ringermatte. 1925 *ff*.
9. etw unter den ~ kehren (fegen) = etw von der
Erörterung ausschließen. 1950 *ff*.
10. mit etw auf den ~ kommen = etw zur Sprache
bringen. Teppich = Tapet. 1950 *ff*.
11. das kommt nicht auf den ~ = das kommt
nicht in Betracht; das lehne ich ab. 1920 *ff*.
11 a. auf den ~ kommen = sich zu Sachlichkeit

Wenn **Teppich** *nicht gerade als Euphemismus für
recht sonderbare oder kriegerische Landeplätze verwendet wird (vgl.* **Teppich 1., 2.**)*, bezieht sich diese
Vokabel in der Regel meist nicht auf ihr konkretes
Urbild selbst, sondern auf das* **Tapet**. *Was so gesehen nicht auf den Teppich kommt, steht also von vornherein gar nicht erst zur Diskussion (vgl.* **Teppich
11.**)*. Das Foto rechts dagegen erinnert an eine Sen-
tenz aus der Abhandlung „Über die Ehe" des deutschen Aufklärers Theodor Gottlieb von Hippel (1741–
1796): „Wehe dem Mädchen, das darum auf den
Teppich tritt, weil es Lust hat, auszuschweifen." Damit ist gemeint, daß es gut daran täte, nicht des bloßen Vergnügens wegen in den Stand der Ehe zu treten; denn die sprichwörtliche Wendung „auf den
(breiten) Teppich treten" hieß in früheren Zeiten soviel
wie heiraten. Es kann natürlich aber auch sein, daß
diese Dame schon wieder auf den Teppich gebracht
wurde (***Teppich 8.***) und jetzt auch darauf bleibt
(vgl.* **Teppich 7.**)*, sich also sachlich und gesittet benimmt, eben so, „wie es sich in einem vornehmen
Raum mit einem kostbaren Teppich gehört" (Lutz
Röhrich).*

zwingen; Vernunft annehmen. ↗Teppich 7. 1950 *ff.*

12. er kommt bei mir nicht auf den ~ = a) ich lehne seinen Besuch, seine Anwesenheit ab. 1940 *ff.* – b) er kann bei mir nichts erreichen, nichts werden. 1940 *ff.*

13. geistig unter den ~ gerutscht sein = geistesbeschränkt sein. 1950 *ff, schül.*

14. er ist zu weit unter den ~ gerutscht = er ist nicht recht bei Verstand. *Schül* 1950 *ff.*

15. jm auf den ~ scheißen = sich in guter Gesellschaft ungebührlich verhalten. 1920 *ff.*

16. etw unter den ~ schieben = etw von der Erörterung ausschließen. ↗Teppich 9. 1950 *ff.*

17. auf dem ~ sein = die günstige Gelegenheit erkennen und wahrnehmen; sich auskennen. „Teppich" meint hier entweder die Decke des Beratungstischs oder die Ringermatte. 1910 *ff.*

18. in der Mitte des ~s sein = tüchtig, besonnen sein. *Schül* 1955 *ff.*

19. jm einen ~ unterlegen = jm die Arbeit erleichtern; jm eine leichte Bewerkstelligung ermöglichen. Der Teppich unter den Füßen erscheint hier als Sinnbild der Annehmlichkeit und Bequemlichkeit; wohl vom Teppich für Ehrengäste übernommen. 1925 *ff.*

20. den ~ unter den Füßen verlieren = unsachlich werden; unvernünftige Forderungen stellen. Man gerät außerhalb der Ringermatte. 1950 *ff.*

21. jm den ~ wegziehen = jm verbürgte Rechte absprechen; jn grob schädigen. 1950 *ff.*

22. auf den ~ zurückfinden = seine Beherrschung wiedergewinnen; zur Sachlichkeit zurückkehren. 1950 *ff.*

23. jn auf den ~ zurückholen (zurückbringen) = jn zur Sachlichkeit ermahnen. 1950 *ff.*

Teppichfrisur *f* ungekämmte, wirre Haartracht. Hergenommen von unordentlich liegenden Teppichfransen. 1939 *ff.*

Teppichhändler *m* um den Preis feilschen wie ein ~ = ausdauernd um das Entgelt handeln. Anspielung auf das Feilschen der umherziehenden Teppichhändler. 1960 *ff.*

Teppichhändlergruß *m* Ehrenbezeigung mit krummen Fingern. Die „krummen Finger" sagt man „fliegenden" Teppichhändlern wegen ihrer angeblich besonders ausgeprägten Geldgier nach. *BSD* 1965 *ff.*

Teppichklopfer *m* **1.** Maschinengewehr. Schallnachahmender Herkunft. *Sold* in beiden Weltkriegen.

2. Transporthubschrauber (Bell UH-1 D). Anspielung auf das schlagende Geräusch des Hauptrotors. *BSD* 1968 *ff.*

Teppichnagel *m* Dienstgradabzeichen. Sonst „Stern" genannt. *BSD* 1968 *ff.*

Teppichpracker *m* Teppichklopfer. Pracken, bracken = mit der flachen Hand schlagen. *Österr* 1900 *ff.*

Terminjäger *m* Angestellter, der Liefer-, Berichtstermine zu überwachen hat. 1920 *ff*, industriespr.

Terminkalender *m* Vorzimmerdame. 1950 *ff.*

Terminpeitsche *f* Zwang zur Einhaltung eines festgesetzten Zeitpunkts. 1960 *ff.*

Terminvampir *m* lästiger Terminüberwacher. 1930 *ff.*

Termite *f* Aufwiegler, Hetzer. Termiten richten durch Zerstörung von Holz jeder Art oft große Schäden an. 1930 *ff.*

Terpentinonkel *m* Anstreicher; Verkäufer von Anstreicherbedarf. ↗Onkel. 1950 *ff.*

Terpentintante *f* Kunstmalerin. 1900 *ff*, Berlin.

Ter'rain (*franz* ausgesprochen) *n* das ~ sondieren = vorfühlen; Vorkenntnisse sammeln. Aus der Militärsprache im 19. Jh übernommen.

'Terrier *m* **1.** Feldgendarm; Angehöriger der Wehrmachtstreife. Eigentlich Bezeichnung für eine Hunderasse; analog zu ↗Teckel. *Sold* in beiden Weltkriegen.

2. Beamter des Sittendezernats im Straßendienst. 1950 *ff.*

3. den Gegenspieler eng deckender Spieler. *Sportl* 1950 *ff.*

'Terries *pl* territoriale Verteidigung. Verkürzt aus *engl* „territorials". *BSD* 1965 *ff.*

Ter'rine *f* beleibte Frau. Sie ähnelt der weitbauchigen Suppenschüssel. *Nordd* und Berlin. 1910 *ff.*

Terror *m* **1.** unangenehme, unter Zeitdruck stehende Arbeit. Meint eigentlich die Schreckensherrschaft. 1950 *ff.*

1 a. Streit, Unfriede, Widerstand; heftiger Widerspruch. 1960 *ff.*

2. kalter ~ = Entscheidung über die Stellenvergabe nach Maßgabe der Parteizugehörigkeit. *Österr* 1950 *ff.*

3. ~ machen = Aufregung verursachen; Aufhebens machen; Einhalt gebieten; aufbegehren. 1960 *ff.*

4. ~ schlagen = sich etw nachdrücklich verbitten. Analog zu „Lärm schlagen". 1960 *ff.*

Terr Res *f* Territoriale Verteidigung. Abkürzung von „territoriale Reserve". *BSD* 1968 *ff.*

Tertia-Abitur *n* Abgang vom Gymnasium am Ende der Unterstufe. *Schül* und lehrerspr. 1900 *ff.*

Terz *m* auf den ~ hauen (~ machen) = Streit suchen. Hier ist nordwestdeutsch „Terz = Schlag" verquickt mit „↗Deez = Kopf". Rocker 1967 *ff*, Hamburg.

Terzindianer *m* Tertianer. Hieraus erweitert mit Einfluß von „Indianer" im Sinne eines Schimpfworts. 1920 *ff.*

'Teschek *m* der ~ sein = der Benachteiligte sein. Herleitung unbekannt. *Österr* 1950 *ff.*

Test *m* **1.** Klassenarbeit. *Schül* 1960 *ff.*

2. ~ auf Mark und Knochen = sehr genaue Untersuchung. ↗Mark II. 1960 *ff.*

Testament *n* **1.** Schulaufsatz, dessen Thema vorher nicht besprochen wurde. Dabei kann mancher

Schüler „sein Testament machen", weil er den Anforderungen nicht gewachsen ist. 1935 *ff*.

2. Schulzeugnis. Für manche kommt es einer Schulverweisung gleich. 1920 *ff, schül.*

3. dickes ~ = Testament, das den (die) Erben sehr reichlich bedenkt. 1920 *ff*.

4. du kannst gleich dein ~ machen (mach' dein ~): Droh-, Warnrede. Seit dem 19. Jh.

testen *intr* flirten. Man testet die Art der Liebesgefühle. *Jug* 1970 *ff*.

Tester *m* Kopf. Fußt auf *ital* „testa = Kopf" oder meint „den Testenden" im Sinne von „das Testgerät". Wien 1940 *ff*.

Teste'ritis *f* übertriebene Wertschätzung der Meinungsbefragungen, der psychologischen Eignungsuntersuchungen usw. Die Wortbildung ahmt Krankheitsbezeichnungen nach. 1955/60 *ff*.

Testimo'nien *pl* Prüfungen in der Schule. Eigentlich soviel wie Zeugnisse; hier auf „Test" anspielend. Berlin 1960 *ff*.

Test-Lupe *f* jn unter die ~ nehmen = jn einem Test unterziehen. ↗Lupe 1. 1960 *ff*.

teuer *adj* **1.** viel Geld kostend (mein teurer Sohn; mein teures Weib). Wortspiel zwischen „kostbar" und „viel kostend". Seit dem 19. Jh.

2. vorzüglich; sehr gut. Fußt auf der Volksweisheit: was nichts kostet, ist auch nichts wert. 1960 *ff, halbw*.

3. das kostet ~ = das wird dir noch leid tun; daran wirst du dich ungern erinnern. Seit dem frühen 20. Jh.

Teuerungswelle *f* allgemeiner Preisanstieg. ↗Welle. 1955 *ff*.

Teufel *m* **1.** ~!: Ausruf des Erstaunens oder Entsetzens. Der Teufel als Widersacher Gottes, als Urheber aller menschlichen Irrungen und Wirrungen, als Verleumder und Verführer, als Fürst der Hölle usw. gilt als verabscheuenswürdige Gestalt, als Superlativ des Bösen; daher eignet er sich für Fluchwörter und Entsetzensausrufe. 1700 *ff*.

2. beim ~!: Ausruf des Unmuts. 1700 *ff*.

3. zum ~! (zum ~ nochmal!): Verwünschung. Verkürzt aus „scher dich zum Teufel!". 1600 *ff*.

4. in ~s Namen (in drei ~s Namen)!: Ausruf des Unwillens. Analog zu „in Gottes Namen". 1500 *ff*.

5. ~ noch eins!: Verwünschung. Seit dem 19. Jh.

6. ~ nochmal!: Ausruf des Unmuts. Seit dem 19. Jh.

7. alle ~!: Verwünschung (seltener: Ausdruck bewundernder Anerkennung). Seit dem 19. Jh.

8. ~ auch!: Ausdruck kräftiger Zustimmung; Ausruf zur Abwehr starker Zumutung. Wohl verkürzt aus „das täte der Teufel auch!". 1700 *ff*.

9. des ~s Gebetbuch (Gebetbuch des ~s) = Satz Spielkarten. Weil mancher durch das Kartenspiel verkommen ist. 1800 *ff*.

10. des ~s General = a) Vier-Sterne-General. Der Ausdruck fußt auf dem gleichnamigen Drama

von Carl Zuckmayer (uraufgeführt im Dezember 1946 in Zürich) oder auf dem hiernach gedrehten Film (1955) von Helmut Käutner mit Curd Jürgens in der Titelrolle. Gemeint ist hier das ausführende Organ des Oberbefehlshabers. *BSD* 1965 *ff*. – b) Oberstabsfeldwebel. Er bekleidet den obersten Unteroffiziersgrad. Anspielung auf seine Machtfülle. *BSD* 1965 *ff*. – c) Oberstudienrat, Konrektor. *Schül* 1955 *ff*.

11. ~ in Seide = a) Lehrerin. Geht zurück auf den Titel eines Romans von Gina Kaus, nach dem auch das Drehbuch für den gleichnamigen Film des Jahres 1955 (mit Lilli Palmer in der Titelrolle) geschrieben wurde. 1955 *ff*. – b) Frau des militärischen Vorgesetzten. *Sold* 1960 *ff*, *österr*.

12. des ~s Unterfutter = unverträgliche Frau; Stief-, Schwiegermutter. Das Unterfutter als Zwischenlage zwischen Tuch und Futterstoff besteht meistens aus Steifleinen, und Steifleinen ist Sinnbild der Unnachgiebigkeit und Widersetzlichkeit. Seit dem 18. Jh.

13. der arme ~ = bedauernswerter Mensch. Stammt wohl aus volkstümlichen Erzählungen vom geprellten Teufel. Jörg Wickram erzählt 1555 von einem Bauern, der beim Aufstecken einer Kerze vor Christi Bild sieht, daß man das Bild des Teufels in einen finsteren Winkel gemalt hat; voller Mitleid stellt er mit den Worten „ach, du armer Teufel!" auch vor dessen Abbild eine Kerze. Seit dem 16. Jh.

14. die grünen ~ = Fallschirmjäger. Grün ist die Uniformfarbe des Tarnanzugs, und „Teufel" steht hier anerkennend für Kampfgeist und Draufgängertum. Möglicherweise ist der Ausdruck in den USA geprägt worden. *Sold* 1939 *ff*.

15. roter ~ = Skilehrer. Wegen der roten Farbe des Pullovers und der roten Zipfelmütze. 1960 *ff*.

16. rote ~ = 1. FC Kaiserslautern. 1952 *ff*.

17. wie der ~ = sehr schnell; tüchtig (er fährt wie der Teufel; er arbeitet wie der Teufel). Verkürzt aus „↗Teufel 79". 1600 *ff*. *Vgl engl* „like the devil".

18. in einem ~ = sehr schnell. 1920 *ff*, *österr*.

19. häßlich wie der ~ = überaus häßlich. Seit dem 19. Jh.

20. müde wie der ~ = sehr müde. 1900 *ff*.

21. einen ~ ist er klug = er ist überhaupt nicht klug. „Einen Teufel" (auch „den Teufel") ist zu einer verneinenden Verstärkung geworden, wohl im Anschluß an „er fürchtet nicht den Teufel", beeinflußt von Geschichten vom geprellten Teufel. 1800 *ff*.

22. dem ~ ein Ohr abfahren = sehr schnell fahren. *Vgl* das Folgende. 1910 *ff*.

23. dem ~ ein Ohr ablügen (abrennen, abschwätzen, abschwören u. ä.) = übermäßig lügen (o. ä.) können. Geht zurück auf Volkserzählungen, in denen man mit dem Teufel um ein Ohr wettet, daß man ihn im Lügen (o. ä.) überlegen sei; am

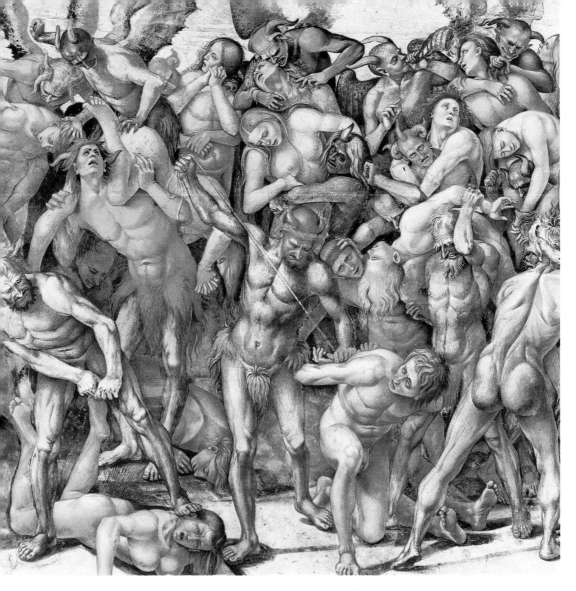

Ausschnitt aus Luca Signorellis (um 1450–1523) Fresco „Die Verdammten des Jüngsten Gerichts" in der Kathedrale von Orvieto. Der Teufel wird in vielen Religionen auch heute noch als eine reale Gestalt angesehen, wenngleich seine Erscheinungsformen sich spätestens seit Thomas von Aquin theologisch nicht mehr exakt bestimmen lassen. Ähnlich vage wie in der theologischen Wissenschaft und doch in den vielfältigsten Ausprägungen lebt dieses Fabelwesen auch in der Umgangssprache weiter. Die Abbildung kann viel- *leicht vor Augen führen, was bestimmten Redewendungen mit dieser Vokabel ursprünglich zugrunde gelegen haben mag (vgl. **Teufel 40., 52., 54., 55.**). Diese Scheinwirklichkeit des Dämonischen verbreitet aber nicht mehr die Angst und den Schrecken, die ansonsten von solchen Vorstellungen ausgehen können; denn jener verbale Antipode des Göttlichen, als der er bestimmt und auch theologisch legitimiert ist, tut manchmal Dinge, die eher zum Lachen denn zum Weinen sind (vgl. **Teufel 42.**).*

unterlegenen Teufel vollzieht man die Strafe des Ohrabschneidens. Spätestens seit 1700.

23 a. dem ~ den Schwanz abreizen = den Zahlenwert des Skatspiels so hoch wie möglich aushandeln. ↗reizen 1. 1970 *ff.*

24. das geht dich einen ~ (einen blauen ~) 'was an = das geht dich überhaupt nichts an. Seit dem 19. Jh.

25. den ~ mit Beelzebub austreiben = ein kleineres Übel beseitigen wollen, aber ein größeres wählen. Geht zurück auf Matthäus 12, 24. Seit dem 16. Jh.

26. den ~ über den Löffel balbieren = jn gründlich übervorteilen. ↗Löffel 6. 1930 *ff.*

27. vor dem Graf ~ nicht bang sein = unerschrocken sein. „Graf Teufel" war der Beiname des preußischen Generalfeldmarschalls Gottlieb Ferdinand Albert Alexis Graf v. Haeseler (1836–1919), berüchtigt für Grobheit (daher der andere Beiname „der grobe Gottlieb") und Geiz. 1870 ff.

27 a. vom ~ durch ein Sieb beschissen worden sein = Sommersprossen haben. ↗Teufel 46. Seit dem 19. Jh.

28. jn zum ~ beten = jn hinwegwünschen. Man möchte beten, daß der Teufel den Betreffenden hole. 1900 ff.

29. jn in des ~s Küche bringen = jn in eine sehr unangenehme Lage versetzen; jn unsanft behandeln. Des Teufels Küche ist die Hölle. 1700 ff.

30. sich zu etw eignen wie der ~ zum Apostel = sich zu etw überhaupt nicht eignen. 19. Jh.

31. fahren wie der ~ = ungestüm, aber sicher fahren. Seit dem 19. Jh.

32. er fragt den ~ danach = das kümmert ihn überhaupt nicht. ↗Teufel 21. 1800 ff.

33. in der Not frißt der ~ Fliegen = in der Not nimmt man mit der geringsten Gabe vorlieb. Seit dem 19. Jh.

34. dich soll der ~ frikassieren!: Drohrede. ↗frikassieren. Seit dem 19. Jh.

35. da soll mich doch der ~ frikassieren!: Ausdruck des Unwillens. Seit dem 19. Jh.

36. etw fürchten wie des ~s Urgroßmutter = etw sehr fürchten. 1900 ff.

37. etw fürchten wie der ~ das Kreuz = etw sehr fürchten. Seit dem 19. Jh.

38. etw fürchten (hassen) wie der ~ das Weihwasser = etw sehr fürchten (hassen). Seit dem 18. Jh.

39. auf ihm hat der ~ Bohnen (Erbsen) gedroschen = er ist pockennarbig (sommersprossig). 1700 ff.

40. es geht zum ~ = es geht verloren, ist nicht mehr zu retten. Wer oder was beim Teufel ist, kehrt nicht zurück. Seit dem 18. Jh.

41. zum ~ gehen = davongehen, fliehen. 1700 ff. Vgl engl „to go to the devil".

42. und wenn der ~ auf Stelzen geht = unter allen Umständen. Seit dem 19. Jh.

43. zum Graf ~ gehen mögen = vor keiner gefährlichen oder unangenehmen Unternehmung zurückschrecken. ↗Teufel 27. 1880 ff.

44. dem ~ von der Gabel gesprungen sein = im letzten Augenblick gerettet worden sein. Mit der Mistgabel hascht der Teufel nach den Seelen der Verstorbenen. 1880 ff.

45. dem ~ aus der Kiepe gehupft (o. ä.) sein = ausgelassen, lebenslustig, verschlagen sein. Der Betreffende sollte vom Teufel in die Hölle gebracht werden; aber es gelang ihm, aus der Kiepe zu springen und zu entkommen, – Grund genug, sich des Lebens zu freuen. Seit dem 19. Jh.

46. bei ihm hat der ~ durchs Sieb geschissen = er hat Sommersprossen. Derbe Veranschaulichung. Im 19. Jh aufgekommen.

47. dem ~ aus dem Sack gesprungen sein = verschlagen sein. Um dem Sack des Teufels zu entkommen, bedarf es der List. Seit dem 19. Jh.

48. dem ~ von der Schaufel gesprungen sein = knapp dem Tod entgangen sein. Entstellt aus „dem ↗Totengräber von der Schippe gesprungen sein". 1870 ff.

49. da hat der ~ Kirmes = da geht es ausgelassen, stürmisch zu. 1920 ff.

50. den ~ im Leib haben = unbeherrscht, nicht zu bändigen sein; überaus temperamentvoll sein. Fußt auf dem Glauben, der Teufel fahre in den Leib des Menschen und verursache dort jegliche seelische Absonderlichkeit. Seit dem Mittelalter. Vgl franz „avoir le diable au corps".

51. fahren, als hätte man den ~ im Leib = waghalsig fahren. ↗Teufel 31. 1950 ff.

52. den ~ im Nacken haben = unverträglich, streitlüstern sein. Meist auf eine Frau bezogen. Auf ihr reitet der Teufel. Seit dem 16. Jh.

53. den ~ für ein Eichhörnchen halten = dumm, einfältig sein. ↗Teufel 76. Seit dem 19. Jh.

53 a. etw (jn) hassen wie den ~ = etw (jn) gründlich verabscheuen. 1700 ff.

54. hol' dich der ~ (der ~ soll dich holen! hol's der ~)!: Verwünschung. Seit dem 15. Jh. Vgl engl „the devil take it".

55. hol' mich der ~: Ausdruck der Beteuerung. Der Teufel soll einen holen, wenn man die Unwahrheit sagt. Seit dem 18. Jh.

56. jn zum ~ jagen (schicken) = jn energisch hinausweisen; jn seiner Stellung entheben; jn in Unehren entlassen. 1500 ff. Vgl franz „envoyer quelqu'un au diable".

57. in des ~s Küche (Garküche) kommen = a) in eine sehr unangenehme Lage geraten. Nach mittelalterlichem Aberglauben hatte der Teufel eine Küche, in der Hexen und Zauberer am Werk waren. 1700 ff. – b) ins Gefängnis kommen. Seit dem 19. Jh.

58. auf ~ komm (he)raus = sehr stark; rücksichtslos; sehr schnell (er lügt auf Teufel komm (he)raus = er lügt viel und dreist). Fußt auf dem Glauben, der Mensch könne durch bestimmte Handlungen und Worte das Erscheinen des Teufels herbeiführen. 1700 ff.

59. das kümmert ihn einen ~ = das kümmert ihn überhaupt nicht. ↗Teufel 21. Seit dem 19. Jh.

60. sich um etw den ~ kümmern = sich um etw gar nicht kümmern. ↗Teufel 21. Seit dem 18. Jh.

61. sich den blauen ~ um etw kümmern = sich um etw nicht kümmern; etw sich nicht zu Herzen nehmen. ↗Teufel 21. Seit dem 19. Jh.

62. sich den ~ auf den Hals laden = sich erhebliche Unannehmlichkeiten zuziehen. ↗Hals 44. Seit dem 19. Jh.

63. der ~ ist los = es herrscht Zank, Ausgelassenheit. Beruht auf der Offenbarung Johannis 20, 2: Satan ist gebunden in den Abgrund geworfen worden, und erst nach 1000 Jahren wird er für kurze Zeit frei. 1500 *ff.*

64. sich aus etw nicht den ~ machen = eine Sache als belanglos einschätzen; etw nicht beherzigen. ↗Teufel 21. Seit dem 19. Jh.

65. den ~ an die Wand malen = von möglicherweise drohendem Unglück sprechen; ein Unglück durch unbedachtes Handeln oder Reden herbeiführen. Nach dem Volksglauben kann man den Teufel durch bloße Nennung seines Namens herbeiholen, auch durch Malen seines Bildes; denn das Bild ist er selber (Bildzwang). 1500 *ff.*

66. ihn hat der ~ gepackt = er ist übermütig geworden. ↗Teufel 50. Seit dem 19. Jh.

67. ihn reitet (plagt) der ~ (er ist vom ~ geritten) = er hat die Beherrschung verloren; er ist wie von Sinnen; er läßt sich von seinen Launen (Einfällen) leiten und ist nicht zurückzuhalten. Nach der Volksvorstellung setzt sich der Teufel auf den Menschen und quält ihn, vor allem als „Aufhocker" oder „Alb". Seit *mhd* Zeit.

68. der ~ scheißt immer nur auf große Haufen = wo Geld ist, kommt Geld hinzu. 1500 *ff.*

69. als sich der ~ noch in die Hosen schiß = vor sehr langer Zeit. 1900 *ff.*

70. sich um etw (jn) den ~ scheren = auf etw (jn) keine Rücksicht nehmen. ↗Teufel 21. Seit dem 18. Jh.

71. sich zum ~ scheren = sich davonmachen. ↗Teufel 40. Seit dem 17. Jh.

72. etw scheuen wie der ~ das Weihwasser = etw ängstlich (angstvoll) meiden; vor etw zurückscheuen. Alle kirchlichen Dinge sind dem Teufel verhaßt, weil sie seine Macht bannen. ↗Teufel 38. Seit dem 18. Jh.

73. darein soll der ~ schlagen (da soll der ~ dreinschlagen, dreinfahren)!: Ausruf heftigen Unwillens. Gelegentlich wird auch das Gewitter als Werk des Teufels aufgefaßt. Seit dem 19. Jh.

74. des ~s sein = unbeherrscht, ausgelassen, unbändig sein. Verkürzt aus „des Teufels Eigen sein" im Sinne von „vom Teufel besessen sein". Nach alter theologischer Lehre stehlen die zeugungsunfähigen Teufel den nächtlichen Samenerguß und lassen daraus „Kinder des Teufels" entstehen. Seit *mhd* Zeit.

75. der ~ ist im Spiel = man verliert ein vermeintlich unschlagbares Kartenspiel. Kartenspielerspr. seit dem 19. Jh.

76. der ~ ist ein Eichhörnchen = eine mit allergeringster Wahrscheinlichkeit zu erwartende Folge kann trotzdem eintreten. Eichhörnchen und Teufel sind geschwänzt. Wegen seines Schwanzes kann der Teufel auch ein Eichhörnchen sein: es ist ihm alles zuzutrauen. *Vgl* ↗Teufel 53. Seit dem 19. Jh.

77. bei (zum) ~ sein = verloren, vernichtet sein. Verkürzt aus „zum Teufel gegangen sein"; ↗Teufel 40/41. 1700 *ff.*

78. hinter etw hersein wie der ~ = etw unausgesetzt verfolgen; etw nicht aus den Augen lassen. *Vgl* das Folgende. Seit dem 19. Jh.

79. hinter etw hersein wie der ~ nach (hinter) einer (der) armen Seele (Judenseele) = etw unablässig und gierig zu bekommen suchen. Leitet sich her vom eschatologisch-apokalyptischen Motiv vom Kampf der Engel und Teufel um die Vereinnahmung der Seele. 1800 *ff.*

80. auf etw scharf sein wie der ~ auf eine arme Seele = etw hartnäckig begehren. ↗scharf 19. 1950 *ff.*

81. das ist 'ein ~ = das ist einerlei. Gemeint ist, daß es viele Teufel gibt, aber daß im Grunde der eine so arg ist wie der andere. 1800 *ff.*

82. einer ist dem andern sein ~ = man macht sich gegenseitig schwer zu schaffen; man gönnt einander keinen Vorteil. Seit dem späten 16. Jh.

83. ein Arbeiter sein wie der ~ ein Apostel = träge sein; arbeitsscheu sein. ↗Teufel 30. Seit dem 19. Jh.

84. der denkt auch, der ~ sei ein kleiner Junge = er hat wunderliche Ansichten. 1800 *ff.*

85. als der ~ noch ein kleiner Junge (Bub) war (als der ~ noch klein war) = vor sehr langer Zeit. Seit dem 19. Jh.

85 a. der ~ steckt im Detail = die Ausführung ist schwieriger als die Planung. Eine Erfahrung aus der technischen Entwicklung immer größerer und komplizierterer Maschinen o. ä.: die größten Schwierigkeiten gibt es oft bei den kleinsten Einzelheiten; das Versagen eines Teilchens kann die ganze Anlage lahmlegen. Das Sprichwort sagt, eine Kette sei stets nur so stark wie ihr schwächstes Glied, – und mit diesem treibt der sprichwörtliche Teufel sein Spiel. Etwa seit 1940.

86. den ~ tanzen lassen = ausgelassen sein; sich einen vergnügten Tag machen (weil man Geld genügend bei sich hat). Seit dem 19. Jh.

87. da schlag' Gott den ~ tot! = das sollte man nicht für möglich halten! 1800 *ff.*

88. ich werde den ~ tun = ich werde es nicht tun; ich werde mich nicht unterstehen. ↗Teufel 21. 1500 *ff.*

88 a. von etw den ~ verstehen = von etw nichts verstehen. ↗Teufel 21. 1700 *ff.*

89. ich werde Ihnen einen ~!: Ausdruck der Ablehnung. Versteht sich wie das Vorhergehende. 1950 *ff.*

90. endlich, endlich wird der ~ selbst erkenntlich: Ausruf des Kartenspielers, der endlich ein gutes Spiel bekommen hat. Das Motiv vom dankbaren Teufel ist äußerst selten. Kartenspielerspr. seit dem 19. Jh.

91. da möchte einer des ~s werden! = es ist zum Verzweifeln. ↗Teufel 74. Seit dem 19. Jh.

92. das weiß der ~ = ich weiß es nicht, frag' andere! Weil man Gottes Namen nicht mißbräuchlich verwenden soll, hilft man sich im Unmut mit dem Umweg über den Teufel, der in dämonistischer Auffassung mitsamt den Unholden Wisser des Ungünstigen ist. Seit dem 18. Jh.

93. den ~ von etw wissen = gänzlich unwissend sein. ↗Teufel 21. 1700 *ff*.

94. jn (etw) zum ~ wünschen = jn (etw) in weite Ferne wünschen. ↗Teufel 71. Seit dem 18. Jh. *Vgl engl* „to wish someone to the devil".

95. es müßte mit dem ~ zugehen, wenn ... = es müßte ein Wunder geschehen, wenn ... Seit dem 18. Jh.

Teufelholen *n* es ist zum ~ = es ist zum Verzweifeln. ↗Teufel 54. Seit dem 19. Jh.

teufeln *intr* fluchen, unflätig schimpfen. Hergenommen von der Verwendung von Fluch- und Schimpfausdrücken mit „Teufel". Seit dem 19. Jh.

'Teufels'biest *n* kräftiges Schimpfwort. *Vgl* ↗Biest 2. Seit dem 19. Jh.

'teufels'böse *adj* sehr zornig. In Schwänken äußert der betrogene Teufel seine Wut sehr drastisch. 1920 *ff*.

Teufelsbraten *m* unverschämter, überaus dreister, widerlicher Mensch. Man wünscht ihn dem Teufel zum Braten in der Hölle. Seit dem 16. Jh.

Teufelsbuch *n* Spielkarten. ↗Teufel 9. Gleichlautend im *Engl* (devil's book). Seit 1700; wohl älter.

'Teufels'ding *n* **1.** sehr unerwünschte Angelegenheit; gefährliche Sache. Seit dem 19. Jh.

2. Sprengkörper; (Zeitzünder-)Bombe; Mine o. ä. *Sold* 1939 *ff*.

Teufelsei *n* **1.** Seemine. *Marinespr* 1939 bis heute.

2. Tret-, Schützenmine. *Sold* 1939 *ff*.

3. (Eier-)Handgranate. *Sold* 1939 *ff*.

4. Fliegerbombe; Blindgänger. *Sold* 1939 *ff*.

5. Atombombe. 1945 *ff*.

'Teufels'fahrer *m* **1.** wagemutiger Rennfahrer. ↗Teufel 31. 1920 *ff*.

2. rücksichtsloser Kraftfahrer. 1919 *ff*.

3. motorisierter Fernseh-Kurier. 1965 *ff*.

'Teufels'fahrt *f* überaus schnelle, waghalsige Fahrt. 1919 *ff*.

'Teufels'fixigkeit *f* große Schnelligkeit. 1920 *ff*.

'Teufels'hitze *f* sehr große Hitze. Dergleichen soll in der Hölle herrschen. 1900 *ff*.

'Teufels'junge *m* tüchtiger, anstelliger Bursche. Seit dem 18. Jh.

'Teufels'karre (-'karren) *f (m)* Auto. ↗Karre. 1900 *ff*.

'Teufelskarus'sell *n* **1.** unentwirrbare Verquickung von wechselseitigen Abhängigkeiten. Dem „Teufelskreis" (circulus vitiosus) nachgeahmt. 1950 *ff*.

2. Sechstagerennen. Berlin 1920 *ff*.

'Teufels'kasten *m* Telefonapparat. Er kann einen quälen durch Anrufe oder Defekte. 1900 *ff*.

'Teufels'kerl *m* **1.** Bösewicht; Schimpfwort. In ihn ist der Teufel gefahren, er ist des Teufels. Seit dem 16. Jh. *Vgl engl* „a devil of a fellow".

2. sehr tüchtiger, anstelliger Mann. Sein vielseiti-

ges Können und Wissen kommt wohl daher, daß er mit dem Teufel im Bunde steht. 1600 *ff*.

'Teufels'knochen *m* Schimpfwort. ↗Knochen 5. Seit dem 19. Jh.

'Teufelskra'watt *m* Schimpfwort. ↗Krawatt. *Bayr* 1900 *ff*.

Teufelsküche *f* **1.** Chemiesaal. Wegen des „höllischen" Gestanks. *Schül* 1955 *ff*.

2. Klassenzimmer. *Schül* 1955 *ff*.

3. jn in ~ bringen. ↗Teufel 29.

4. in ~ kommen. ↗Teufel 57.

'Teufels'mädel (-'mädchen) *n* **1.** beherztes, entschlossenes, tüchtiges Mädchen. Versteht sich nach „↗Teufelskerl 2". Seit dem 19. Jh.

2. temperamentvolles, unternehmungslustiges Mädchen. Seit dem 19. Jh.

Teufelsmaschine *f* Würfelbecher. 1960 *ff*.

Teufelsmensch *n* unverträgliche weibliche Person. ↗Mensch II. Seit dem 19. Jh.

Teufelsrad *n* Rennmaschine; schweres Motorrad. 1950 *ff*.

Teufelsraum (-saal) *m* Chemiesaal. ↗Teufelsküche 1. 1955 *ff*, schül.

Teufelssaft *m* rote Tinte für die Zensierung von Klassenarbeiten. Saft = Blut. *Schül* 1960 *ff*.

'Teufels'sau *f* niederträchtige Frau. ↗Sau 1. 1920 *ff*.

Teufelsschrift *f* **1.** Schulzeugnis. Teufel haben die Noten erteilt. 1950 *ff*.

2. Klassenarbeit, -aufsatz. 1950 *ff*.

'teufels'schwer *adj* sehr schwer. Seit dem 19. Jh.

'Teufelsspek'takel *n* großer Lärm. ↗Spektakel 1. 1800 *ff*.

Teufelswagen *m* Auto. 1900 *ff*.

Teufelsware *f* Rauschgift. 1960 *ff*.

'Teufels'weib *n* **1.** tüchtige, anstellige, entschlossene weibliche Person. Seit dem 19. Jh.

2. bösartige, berechnende, zügellose Frau. Seit dem 19. Jh.

'teufels'wild *adj* sehr zornig, sehr erregt. ↗teufelsböse. Seit dem 19. Jh.

Teufelszettel *m* Schulzeugnis. ↗Teufelsschrift. *Schül* 1955 *ff*.

Teufelszeug *n* **1.** unbrauchbarer Gegenstand; schlimme Angelegenheit; Unannehmlichkeit. 1700 *ff*.

2. verführerisches Genußmittel. 1900 *ff*.

3. Rauschgift. 1970 *ff, jug*.

4. Massenvernichtungsmittel. 1970 *ff*.

Teutonengrill *m* italienische Küste mit sonnenbadenden Deutschen. 1955 *ff*.

Texashemd *n* farbenfrohes Sporthemd. Nach 1950 aufgekommen als Einfuhrartikel aus den USA.

Texashose *f* Hose mit weiten Beinen. 1950 *ff*.

Texasrohr *n* weite Hose. Meint die ungebügelte Hose nach Texanerart, wie sie aus Wild-West-Filmen bekannt ist. 1955 *ff*.

Text *m* **1.** weiter im ~! = fahre fort! mach' so weiter! Text ist der Gegenstand der Rede, in der man unterbrochen wurde, oder in der man auf Abschweifungen geriet. Mit der Redewendung kehrt man zum eigentlichen Text zurück. 1500 *ff*.

2. ~e an der Kasse!: rügende Redewendung, wenn die Sänger bei Proben zu undeutlich aussprechen, oder wenn der Schauspieler seinen Text nicht mehr weiß. Theaterspr. 1900 *ff*.

3. seinen ~ dazugeben = seine Ansicht äußern, beisteuern. 1920 *ff*.

4. einen ~ knacken = einen (Geheim-)Text entschlüsseln. Knacken = aufbrechen, gewaltsam öffnen. 1940 *ff*.

5. jm den ~ lesen = jn zurechtweisen. „Text" ist die der Predigt unterlegte Bibelstelle, dann auch die Predigt selber, vor allem die Straf- oder Rügepredigt. *Vgl* ↗Leviten. Seit dem 15. Jh.

Textil *n* mit (ohne) ~ baden = mit (ohne) Badekleidung baden. 1955 *ff*.

Textila (Textilia) *f* Verkäuferin in einem Moden- oder Wäschegeschäft. 1925 *ff*.

Textilabstinenzlerin *f* Striptease-Vorführerin; Nacktbadende o. ä. 1960 *ff*.

Textilanhänger *m* Gegner der Freikörperkultur-Bewegung. 1960 *ff*.

textilarm *adj* spärlich bekleidet. 1955 *ff*.

Textilarmut *f* spärliches Bekleidetsein. 1955 *ff*.

Textilbad *n* Badeort mit Bekleidungszwang. 1960 *ff*.

Textilbremse *f* **1.** Kleidungsstück, das den Sturz bei Glatteis dämpft. 1950 *ff, schül*. **2.** Hosenboden des Skifahrers, der die Abfahrt unterbrechen will. 1930 *ff, südd*.

textilentfremdet *adj* spärlich bekleidet; nackt. 1950 *ff*.

Textilfeind *m* Nacktbadender. 1955 *ff*.

textilfeindlich *adj* weitgehend unbekleidet. 1955 *ff*.

textilfrei *adj* **1.** nackt. 1955 *ff*. **2.** ~ baden = nacktbaden. 1955 *ff*.

Textilfreier *m* Nacktbadender. 1955 *ff*.

Textilfreiheit *f* Entblößung, Nacktheit. 1955 *ff*.

Textilfritze *m* Textilhändler. ↗Fritze. 1925 *ff*.

Textilgegner *m* Nacktbadender; Freikörperkultur-Anhänger. 1955 *ff*.

Textilia *f* ↗Textila.

Textilien *pl* **1.** junge ~ = Textilien für junge Leute. 1965 *ff*. **2.** ohne ~ = unbekleidet. 1955 *ff*. **3.** aller ~ ledig = nackt; nacktbadend. 1955 *ff*. **4.** aus den ~ fahren = sich entkleiden. 1960 *ff*.

Texti'lit *m* Angehöriger des Textileinzelhandels. Kaufmannsspr. 1955 *ff*.

Textile *f* **1.** Modenvorführerin. ↗Tille. 1925 *ff*. **2.** weibliche Person, die durch gewagte Kleidung Männer anzulocken sucht. Berlin 1928 *ff*.

textillos *adj* nackt; nacktbadend. 1955 *ff*.

Textillosigkeit *f* Nacktheit. 1955 *ff*.

textilpflichtig *adj* verpflichtet zum Tragen von Badekleidung. Journalistenspr 1960 *ff*.

Textil-Requisiten *pl* Gesamtheit der Bekleidungsstücke. 1960 *ff*.

Textilstrand *m* Strand mit Nacktbadeverbot. 1955 *ff*.

Textilverächter *m* Anhänger der Freikörperkultur-Bewegung. 1955 *ff*.

Textilvilla *f* Campingzelt. Es ist eine Villa aus textilem Baustoff. Kurz nach 1950 aufgekommen.

Text-Kulisse *f* textgerechtes Beiwerk zum Vortrag von Schlagerliedern (Palmen, Pinien, weißer Strand usw.). 1964 *ff*.

Text-Macker *m* Schlagertexter. ↗Macker. 1960 *ff*.

Thad'dädl *m* unbeholfener, willensschwacher, dümmlicher Mann. Ursprünglich Name einer Komödienfigur, volkstümlich geworden durch Anton Hasenhut (1761–1841), der am Josefstädter Theater in Wien seit 1787 tätig war. Der Name ist Verkleinerungsform von Thaddäus. *Österr* 1800 *ff*.

thad'dädeln *intr* unbeholfen zu Werke gehen. Seit dem 19. Jh, österr.

Theater *n* **1.** geräuschvolle Auseinandersetzung; Zank, Streit. In der Volksmeinung gelten das Theater, die Aufführung, die Darstellung auf der Bühne mitsamt der Sprechweise und Gebärdensprache der Schauspieler als unecht, gekünstelt und übertrieben. Was das normale Alltagsverhalten übersteigt, ist „Theater". Spätestens seit 1900.

2. Durcheinander. 1900 *ff*.

3. ~ aus dem Hut = improvisiertes Theater. ↗Hut 13. 1900 *ff*.

3 a. ~ hinter den Kulissen = der Öffentlichkeit unbekannt bleibender Zank unter den Vereinsführern. ↗Kulisse 4. 1960 *ff*.

4. ~ des kleinen Mannes = Kino. Zu „kleiner Mann" *vgl* „↗Mann 48". 1950 *ff* (1925 *ff*?).

5. ~ nach dem ~ = Gewimmel an der Kleiderablage, an der Garderobe im Theaterfoyer. 1959 *ff*.

6. das ganze ~ = das ganze Beiwerk; übertriebenes Gehabe; unnötige Umstände. 1900 *ff*.

7. 'das ~ nicht! = das kannst du mit mir nicht machen; darauf lasse ich mich nicht ein! 1920 *ff*.

8. das ist bloß ~ = das ist Verstellung, unecht, künstlich; das ist listige Vorspiegelung. 1900 *ff*.

9. um jn (etw) ein ~ machen = um jn (etw) großes Aufsehen machen; eine Sache wirkungsvoll aufbauschen. 1900 *ff*.

10. ein ~ machen (vorspielen, aufführen) = sich zum Schein aufregen; zum Schein schmollen; jm etw vorspiegeln; sich über Gebühr aufspielen. 1900 *ff*.

11. ~ machen = Unangenehmes zur Sprache bringen, ins Rollen bringen. 1940 *ff*.

12. linkes ~ machen = a) grobe Unwahrheiten sagen; sich wahrheitswidrig mit Taten brüsten. ↗link 1. 1940 *ff*. – b) unnötige Verlegenheiten heraufbeschwören. 1940 *ff*.

13. ~ spielen = sich verstellen; übertreiben; sich wirkungsvoll aufspielen. 1900 *ff*.

Ein Blick hinter die Kulissen eines Theaters zeigt, daß die dort gestaltete Wirklichkeit, auch was die materielle Gestaltung anbelangt, sich von der des Alltags losgelöst hat. Angehörigen der benachteiligten Klassen und Schichten, die mit der „Eigenart der betreffenden spezifischen Widerspiegelungsweise der objektiven Realität" (Georg Lukács) in jener Sphäre künstlerischer Weltaneignung nicht vertraut sind, müssen die dort anzutreffenden Darstellungsformen und Gesetzmäßigkeiten äußerst befremdlich, unwirklich und übersteigert vorkommen, eben nicht „normal". Der Gebrauch der Vokabel **Theater** *zeigt, daß die hier gewonnenen Erfahrungen fast nur in Form ihrer Negation ins Alltagsleben zurückströmen. Es ist dies ein Ausdruck dessen, daß, so wieder Georg Lukács, „die gesellschaftliche Notwendigkeit der Kunst . . . keine derart massiv-selbstverständlichen Wurzeln (hat)."*

Theateräpfel *pl* faule Äpfel (Tomaten, Eier) zum Bewerfen mißfälliger Künstler. *Vgl* auch ↗ veräppeln. Theaterspr., etwa seit dem ausgehenden 19. Jh.

Theater-Bösewicht *m* Schauspieler in der (gewohnten) Rolle des Bösewichts. 1700 *ff.*

Theaterdonner (-donnerschlag) *m* **1.** großartiger Bluff; aufsehenerregender Vorfall. Seit dem späten 19. Jh.
2. lautes Gezeter. 1920 *ff.*

3. Explosionen „unscharfer" Munition im Manöver. *Sold* 1939 *ff.*

Theaterdonnerwetter *n* aufsehenerregende Einleitung eines Vorfalls. 1920 *ff.*

Theaterdrache *m* Schauspielerin in der Rolle der herrischen und unerträglichen Frau. ↗ Drache. 1970 *ff.*

Theaterdurchfall *m* Mißerfolg auf der Bühne. ↗ Durchfall 2. Theaterspr. seit dem 19. Jh.

Theaterehe *f* Theatergemeinschaft unter demselben Direktor; gemeinsamer Spielplan zweier Theater. 1958 *ff.*

Theaterfeier *f* Rektoratsübergabe an der Universität. Den Aufzug der Professoren in ihren bunten Talaren, Baretts usw. halten Kritiker für theatralisch. 1930 *ff.*

Theaterfex *m* leidenschaftlicher Theaterbesucher; Mann, der sich für alles, was mit dem Theater, den Schauspielern usw. zusammenhängt, lebhaft interessiert. ↗ Fex. Seit dem 19. Jh.

Theaterfresser *m* leidenschaftlicher Theatergegner. ↗ Fresser 2. 1830 *ff.*

Theaterfritze *m* Theaterdirektor, Intendant, Dramaturg o. ä. ↗ Fritze. 1870 *ff.*

Theatergebiß *n* sehr lückenhaftes Gebiß. Zwischen zwei Zähnen befindet sich jeweils ein „Notausgang". 1960 *ff, stud.*

Theatergeneral *m* Generalintendant. 1900 *ff.*

Theatergewaltiger *m* Theaterintendant. ↗ Gewaltiger. 1950 *ff.*

Theaterhase *m* alter ~ = alter Theaterfachmann; erfahrener Schauspieler. ↗ Hase 7. Theaterspr. seit dem späten 19. Jh.

Theaterkarte *f* Angriffsbefehl. Er „berechtigt" zur Teilnahme an der geplanten Kampfhandlung. *Sold* 1939 *ff.*

Theaterklingel *f* Weckruf; Alarmsignal. Übertragen vom Klingelzeichen im Theater zu Beginn der Vorstellung oder nach der Pause. *Sold* 1935 *ff;* auch *ziv.*

Theaterkrach *m* Entzweiung unter Schauspielern, zwischen Intendant und Schauspielern o. ä. Spätestens seit 1900.

Theaterkrieg *m* Manöver. Es ist ein gespielter Krieg. 1870 *ff, sold* und *stud. Vgl engl* „mimic warfare".

Theaterlöwe *m* leidenschaftlicher Theaterbesucher. Dem „Salonlöwen" nachgebildet. 1920 *ff.*

Theatermacher *m* heuchlerischer, sich übertrieben gebärdender Mensch. ↗ Theater 10. 1900 *ff.*

Theatermensch *m* Dramaturg, Intendant o. ä. 1870 *ff.*

Theatermuffel *m* Gegner der Schauspielkunst. ↗ Muffel 2. 1970 *ff.*

theatern *intr* **1.** Liebhaberaufführungen mit mehr gutem Willen als Talent veranstalten. Etwa seit 1900.
2. Unwahrheiten vorbringen. *Sold* in beiden Weltkriegen.

3. sich übertrieben aufführen; sich aufspielen. 1910 *ff.*

4. flirten. *Halbw* 1950 *ff.*

Theater-Nutte *f* Schauspielerin mit geringem Bühnentalent, aber tüchtig in der Nutzanwendung ihrer körperlichen Reize. ↗Nutte 1. 1925 *ff.*

Theater-Olymp *m* die Galerieplätze im Theater. ↗Olymp 1. Seit dem 19. Jh.

Theaterpferd (-gaul) *n (m)* erfahrener Schauspieler. ↗Pferd 8. 1900 *ff.*

Theaterpflanze *f* Schauspielerin. ↗Pflanze 1. 1900 *ff.*

Theaterprogramm *n* Wochendienstplan am Schwarzen Brett in der Kaserne. *Sold* 1939 *ff.*

Theater-Raffael *m* Kulissen-Maler. Als Pate berufen ist der *ital* Renaissance-Maler und -Baumeister Raffael (1483–1520). Seit dem späten 19. Jh, theaterspr.

Theaterreißer *m* erfolgreiches Bühnenstück. ↗Reißer 2. Seit dem 19. Jh.

Theaterschuhe *pl* alte, zerrissene Stiefel. Sie haben „Notausgänge" für die Zehen. 1870 *ff.*

Theatersekt *m* Mineralwasser, Zitronenlimonade. Auf der Bühne wird dergleichen als Sekt-Ersatz getrunken. 1900 *ff.*

Theatersocken *pl* stark zerrissene Socken. Jeder Zeh hat seinen eigenen Ausgang. 1900 *ff.*

Theaterspielerei *f* Verstellung; übertriebene Betriebsamkeit um des vorteilhaften Eindrucks willen. ↗Theater 13. 1900 *ff.*

Theater-Täschchen *n* Wäschebeutel des Soldaten. Er wird ausgegeben vor dem Ausrücken zum „Fronttheater". *Sold* in beiden Weltkriegen. *Vgl engl* „duffle bag".

Theatertier *n* von seinem Beruf begeisterter Schauspieler. Ein Tier tut, was es instinktiv tun muß, wozu es bestimmt ist. 1960 *ff.*

Theaterziege *f* Schauspielerin *(abf).* ↗Ziege. 1920 *ff.*

Theaterzigarre *f* Kautabak. 1910 *ff.*

theatralisch *adj* übertrieben; auf vorteilhafte Wirkung bedacht; sich aufspielend; Gediegenheit vortäuschend. 1900 *ff.*

Theke *f* **1.** Richtertisch. Verkürzt aus ↗Knast-Theke. 1930 *ff.*

1 a. längste ~ Europas = Düsseldorfs Altstadt. Die Fußgängerzone weist ungefähr 220 Kneipen auf. 1975 *ff.*

1 b. schnelle ~ = Schnellimbißrestaurant. 1982 *ff.*

2. unter der ~ kaufen = unter Umgehung der Lebensmittelbewirtschaftung kaufen. Unter der Theke hält der Kaufmann die Waren für seine Stammkunden bereit. 1939 *ff.*

3. reine ~ machen = die Biergläser mit einem Schwung von der Theke schieben. Nachahmung von „reinen ↗Tisch machen". 1959 *ff.*

4. einen von der ~ wischen = am Schanktisch einen Schnaps trinken. 1930 *ff.*

theken *intr* zechen; sich betrinken. Kann mit „Theke = Schanktisch" zusammenhängen, aber auch mit „Teeke", dem blutsaugenden Insekt bei Schafen. Man ist „besoffen wie eine Teeke", nämlich wie das Insekt, das sich mit Blut vollgesogen hat. 1900 *ff.*

Thekenhalter *m* Zecher an der Wirtshaustheke (an der er sich festhält). 1900 *ff.*

Thekenhengst *m* Zecher an der Theke. ↗Hengst 1. 1920 *ff.*

Thekenhupser *m* Verkäufer. Hupsen = hüpfen, springen. Seit dem 19. Jh.

Thekentour *f* Zecherei an den Theken verschiedener Gastwirtschaften. 1950 *ff.*

Thekenturner *m* **1.** Trinker. Er hält sich an der Thekenstange und wird so zu einem Stangenturner. *BSD* 1965 *ff.*

2. Buffetier. 1965 *ff.*

Thekenzeit *f* Polizeistunde. 1950 *ff.*

Thema *n* **1.** ~ durch! = erledigt! ich will nichts mehr davon hören! Meint eigentlich die Meldung des Unteroffiziers oder Feldwebels an den aufsichtführenden Offizier, wenn der befohlene Unterrichtsgegenstand ausreichend behandelt worden ist. *Sold* seit dem ausgehenden 19. Jh.

2. ~ Eins = a) Geschlechtlichkeit; das andere Geschlecht; Verhältnis der Geschlechter untereinander o. ä. Spätestens im Ersten Weltkrieg aufgekommen und seitdem über die Soldaten und Studenten in die allgemeine Umgangssprache übergegangen. – b) (Endspiel um die) Fußball-Weltmeisterschaft. 1966 aufgekommen.

3. ~ Eins–Zwei = Liebe und Trinken. *Sold* in beiden Weltkriegen.

4. ~ Eins–Zwei–Drei = Liebe, Trinken und Essen. *Sold* 1939 *ff.*

4 a. ~ Null = unerörtertes (unerörterbares) Thema. 1981 *ff.*

5. ~ Zwei = Gespräch über Autos und Motorisierung. Gegen 1953 aufgekommen.

6. das ist für mich kein ~ = das kommt für mich nicht in Betracht. 1950 *ff.*

Theologen-Chinesisch *n* Wortschatz der Theologen. ↗Chinesisch. 1950 *ff.*

Therese *f* territoriale Verteidigung. Aus „↗Terr Res" weiterentwickelt. *BSD* 1965 *ff.*

Therme *f* ~ des kleinen Mannes = Badewanne. Etwa seit 1950, als mit dem zunehmenden Wohnkomfort auch das Badezimmer ein begehrter Raum wurde. Der Ausdruck ist möglicherweise von Italien-Urlaubern mitgebracht worden (römische Thermen).

Thermometer *n m* Flasche für Schnaps. Wegen der Alkoholfüllung des Wärmemessers. Kundenspr. 1900 *ff.*

Thermosflasche *f* **1.** runder Kirchturm ohne Spitze. Wegen der Formähnlichkeit. Solche Kirchtürme gab es seit 1943 in Deutschland in großer Zahl.

2. weibliche Person, die nach außen Kühle heuchelt, aber innerlich vor Liebesgier glüht. 1920 ff.

Thespiskarren m Wanderbühne. Benannt nach Thespis, dem Schöpfer der altgriechischen Tragödie um 540 v. Chr. Horaz („Ars poetica") berichtet von ihm, er sei mit einem Wagen umhergezogen. Theaterspr. seit dem 19. Jh.

Thir (engl ausgesprochen) m Mensch zwischen 30 und 40 Lebensjahren. Nach dem Muster von „↗Teen" und „↗Twen" gebildet (engl „thirty = dreißig"). 1960 ff.

Thomas m ungläubiger ~ = mißtrauischer Mensch. Geht zurück auf den biblischen Bericht im Evangelium Johannis 20, 24 ff. An den auferstandenen Jesus wollte Thomas erst glauben, wenn er Jesu Wundmale befühlt habe. Seit dem 16. Jh.

Thron m **1.** Nachtgeschirr, Abortsitz. Man sagt „das Kind sitzt auf dem Thron" (oder: Thrönchen). Der Thron als gesondert stehender, meist erhöhter Sitz des Herrschers entspricht in scherzhafter Auffassung dem Abortsitz, vor allem dem Sitz auf dem Nachtgeschirr oder „Töpfchen". Seit dem 18. Jh.
2. jn vom ~ kippen = eine leitende Person (eine führende Mannschaft) verdrängen, besiegen. 1950 ff.
3. der ~ wackelt = die Machtstellung ist bedroht. 1900 ff.

Thronfolger m der nächste Besucher des Aborts. ↗Thron 1. Eigentlich der nächste Anwärter auf den Thron des Herrschers. 1930 ff.

Thronrede f Gespräch auf der Feldlatrine. Sold in beiden Weltkriegen.

Thronsaal m Abortraum in der Kaserne mit zahlreichen Sitzgelegenheiten. Eigentlich der Fest- und Prunksaal mit dem erhöhten Sitz des Herrschers; hier Bedeutungswandlung im Sinne von „↗Thron 1". Sold 1910 ff.

Thus'chen n intime Freundin. Vgl das Folgende. 1900 ff, Berlin.

Thusnelda f **1.** Liebchen; intime Freundin; Soldatenhure. Die geschichtliche Thusnelda, zunächst Gattin des Cheruskerfürsten Arminius, wurde um 15 n. Chr. an die Römer ausgeliefert, war dann zuerst Geliebte des Germanicus neben dessen Frau Agrippina, sodann Hure seiner Generäle und schließlich Hure aller Vertreter der gehobenen Gesellschaft Roms. 1840 ff.
2. Hausgehilfin. 1920 ff.
3. großwüchsige, vierschrötige Frau. Als Gegenstück zur Germania aufgefaßt. 1950 ff, halbw.
4. einfältige Frau. Jug 1960 ff.
5. erstgeborenes Kind, das früher als 9 Monate nach der Hochzeit zur Welt gekommen ist. Wortwitzelei: es war „tu snell da". 1870 ff.

tibbern intr nörgeln. Nebenform zu ↗dibbern. 1935 ff.

Tibetknolle f Frikadelle. Anspielung auf Tibet,

dessen Inneres noch als unerforscht gilt. BSD 1967 ff.

Tick m **1.** närrischer Einfall; wunderliche Angewohnheit; Eigensinn. Fußt auf franz „le tic = Versessensein; seltsame Eigenheit". 1700 ff.
2. ~ unterm (hinterm) Pony = leichte Geistesstörung; harmlos-törichte Angewohnheit. Dieser „Tick" befindet sich in der Stirngegend, wo der „↗Vogel" seinen Sitz hat. Pony = ↗Ponyfrisur. 1950 ff, Berlin und westd.
3. jn einen ~ anhängen = jn für geistesgestört erklären. ↗anhängen 1. 1900 ff.
4. einen ~ in der Musik (in der Linse) haben = nicht recht bei Verstand sein. ↗Musik 4. 1950 ff.
5. einen ~ im Sender haben = törichte Ansichten äußern. Sender = Mund. 1950 ff.

Ticke f (Taschen-, Wand-, Stand-)Uhr. Schallnachahmung. 1750 ff, rotw und kinderspr.

tickeln intr an kleinen Gegenständen geschäftig werken; beim Nahen des Vorgesetzten sich vielbeschäftigt stellen. Ticken = leise berühren. 1935 ff, ziv und sold.

ticken v **1.** intr = auf dem Boden aufprallen. Verharmlosung; denn eigentlich meint „ticken" soviel wie „leicht, mit den Fingerspitzen berühren". 1950 ff.
2. intr tr = den Ball mit geringer Kraft stoßen. Sportl 1950 ff.
3. jm eine ~ = jn ohrfeigen; auf jn einschlagen. 1920 ff.
4. einen ~ = einen Raubüberfall ausführen. Das Opfer wird besinnungslos geschlagen und beraubt. 1950 ff.
5. bei ihm tickt es (bei ihm ticken sie) = er ist nicht recht bei Verstand. Der im Kopf befindliche Mechanismus arbeitet nicht lautlos. 1950 ff.
6. einen ~ = onanieren. 1950 ff.
7. nicht richtig ~ = a) nicht normal sein; unsinnige Behauptungen aufstellen. ↗ticken 5. 1960 ff. – b) widersinnige Befehle erteilen. BSD 1965 ff. – c) nicht richtig funktionieren; geschäftliche Einbußen erleiden; nicht die volle Leistung erbringen. 1960 ff.
8. du tickst wohl nicht ganz sauber? = du bist wohl von Sinnen? 1960 ff.
9. die tickt nicht mehr = die Flasche ist leer. „Ticken", eigentlich auf das Geräusch der Uhr bezogen, meint hier soviel wie „ein Lebenszeichen von sich geben". Halbw 1960 ff.
10. die ~ nicht mehr = diese Karten befinden sich nicht mehr im Stoß. Kartenspielerspr. 1960 ff.
11. wissen, wie einer tickt = wissen, wes Geistes Kind einer ist. Ticken = merken, verstehen, reagieren. 1960 ff.

Ticker m **1.** närrischer Einfall; vorübergehende Geistestrübung. Gelegentlich auch auf den guten Einfall bezogen. Meint den einzelnen wunderlichen Gedanken auf Grund eines „Ticks". 1900 ff.

2. Fernschreiber mit Vollautomatik. Aus dem *Engl* übernommen. 1930 *ff.*

tickern *intr tr* fernschreiben. ↗Ticker 2. 1930 *ff.*

ticki-tacki an Birni = leichter geistiger Defekt. Italianisierung von „↗ticktick an Birne". Fliegerspr. 1939 *ff.*

ticksch *adj* auf jn ∼ sein = jm grollen. „Tiksch" ist aus „tückisch" zusammengezogen. 1870 *ff*, *nordd*, Berlin und *ostmitteld.*

tickschen *intr* grollen. *Vgl* das Vorhergehende. 1870 *ff.*

ticksen *intr* eine wunderliche Angewohnheit haben. ↗Tick 1. 1950 *ff.*

Ticktack I *f* **1.** Uhr. Schallnachahmung im Kindermund. Seit dem 19. Jh.

2. Herzschlag; Blutkreislauf. 1920 *ff.*

Ticktack II *m* Mann mit Holzbein. Beim Aufstoßen des Holzbeins entsteht der Laut „tack". 1920 *ff.*

Tick-tack-Quiz *n* taktische Besprechung. Übernommen vom Namen des durch viele Jahre von Fritz Benscher geleiteten Fernsehquiz. Wortspielerisch mit „Taktik" in Verbindung gebracht. 1965 *ff*, *BSD.*

Tick'tick *m* ∼ an Birne = Geistesbeschränktheit, Dummheit. Bei „Ticktick" klopft man an die Schläfe oder auf die Stirn, um anzudeuten, daß es sich um einen „Holzkopf" handele (in dem der Holzwurm tickt). ↗Birne. 1920 *ff.*

tick'tick sein (ticke-'ticke sein; tick'tick an Birne sein) nicht recht bei Verstand sein. 1920 *ff.*

Tief *n* **1.** Leistungsschwäche. Dem Wetterbericht entlehnt. *Sportl* 1960 *ff.*

2. das ∼ überwinden (aus dem ∼ rausfinden) = nicht länger Verlierer bleiben. *Sportl* 1960 *ff.*

tief *adv* ∼ drinsitzen (drinstecken o. ä.) = stark verschuldet sein. Man sitzt tief in der „↗Kreide" oder im „↗Dreck". Seit dem 19. Jh.

Tiefblick *m* interessanter ∼ = Blick ins großzügige Dekolleté. 1920 *ff.*

Tiefblödelei *f* leeres Geschwätz in vermeintlich tiefschürfender Form. ↗blödeln. 1935 *ff.*

'tief'blödsinnig *adj* überaus nichtssagend. Berlin nach 1945.

Tiefbohrer *m* **1.** Homosexueller. Gegen 1906/08 in Berlin aufgekommen im Zusammenhang mit Skandalprozessen.

2. Psychologe, Psychiater. 1925/30 *ff.*

'tief'braun *adj* überzeugt nationalsozialistisch. ↗braun. 1933 *ff.*

Tiefdrucksystem *n* schlechte politische Aussichten. Stammt aus dem Wortschatz der Meteorologie. 1960 *ff.*

Tiefenboy *m* **1.** Psychologe, Tiefenpsychologe. 1950 *ff.*

2. Werbefachmann. 1955 *ff.*

Tiefendoktor *m* Psychiater. 1925/30 *ff.*

Tiefenheini *m* **1.** Tiefenpsychologe; Psychiater. 1950 *ff.*

2. Werbepsychologe; Meinungsforscher. 1950 *ff.*

Tiefenperspektive *f* Blick ins weite Dekolleté. 1920 *ff.*

Tiefflieger *m* **1.** Mücke; Moskito. Wie Tiefflieger fliegen sie ihr Opfer an. *Sold* 1941 *ff* (Wolchow-Gebiet).

2. geistiger ∼ = geistesbeschränkter Mensch; Klassenschlechtester. Er taugt nicht für geistige Höhenflüge. *Sold* 1935 bis heute; *schül* und *stud.*

Tiefgang *m* **1.** Vermeidung von Oberflächlichkeit; reiches Innenleben; Innerlichkeit. Eigentlich der unter Wasser befindliche Teil des Schiffes. 1950 *ff.*

2. Dekolleté. Es reicht tief abwärts. 1955 *ff.*

3. mit (geistigem) ∼ = geistig anspruchsvoll. 1950 *ff.*

4. auf ∼ getrimmt sein = ernste Themen ernst abhandeln. 1950 *ff.*

tiefgefroren *adj* lange vor der Veröffentlichung in Bild und Ton aufgezeichnet. Von der Gefriertechnik übernommen. 1965 *ff.*

tiefgekühlt *adj* **1.** gefühlskalt, abweisend, unnahbar. 1935 *ff.*

2. geschlechtliche Unempfindlichkeit vorspiegelnd. 1950 *ff.*

3. tiefdekolletiert. 1925/30 *ff.*

tiefgestaffelt *adj* **1.** übertrieben, erlogen. Meint eigentlich „mit weiten Zwischenräumen hintereinander aufgestellt". *Sold* 1939 *ff.*

2. übermäßig breit dargestellt, aber praktisch undurchführbar. 1939 *ff*, *sold.*

Tiefkühlbaby (Grundwort *engl* ausgesprochen) *n* aus künstlicher Befruchtung hervorgegangenes Kind. 1960 *ff.*

Tiefkühlblondine *f* unnahbare Blondine. ↗tiefgekühlt 1. 1935 *ff.*

Tiefkühl-Charme (Grundwort *franz* ausgesprochen) *m* Anmut eines zurückhaltenden Menschen; Gefühlskälte. 1950 *ff.*

Tiefkühlsarg *m* Tiefkühltruhe. 1950 *ff.*

Tiefkühltruhe *f* leidenschaftsloser Mensch. 1950 *ff.*

Tiefschlag *m* **1.** schwerer geschäftlicher Verlust; schwerwiegende Ehrenkränkung; empfindlicher Schicksalsumschwung; folgenschwere Niederlage. Stammt aus der Boxersprache (Schlag unter die Gürtellinie). 1920 *ff.*

2. einen ∼ einstecken = eine Niederlage hinnehmen. 1920 *ff.*

3. jm einen ∼ verpassen (versetzen) = jn in seinem Selbstbewußtsein kränken; jn in seinen Erwartungen enttäuschen; jds Vorhaben zum Scheitern bringen. 1950 *ff.*

Tiefschläger *m* **1.** Beleidiger. ↗Tiefschlag 3. 1950 *ff.*

2. geistiger ∼ = Dummer. *Schül* 1970 *ff.*

Tiefschrauber *m* Pessimist. Er schraubt seine Erwartungen tief: er erwartet nicht viel. 1939 *ff*, *sold* und *ziv.*

'tief'schwarz *adj* **1.** katholisch bis zur Unduldsamkeit gegenüber anderen Glaubensmeinungen. ↗schwarz 1. Seit dem 19. Jh.
2. ~ sehen = überaus pessimistisch sein. ↗schwarzsehen. 1940 *ff*.

Tiefseeforscher *m* **1.** Psychiater, Tiefenpsychologe. Er forscht in den Tiefen der menschlichen Seele wie der Ozeanograph in den Tiefen des Meeres. 1920 *ff*.
2. Gynäkologe. 1940 *ff*.

Tiefseeforscherschule *f* Marine-Unterwasserwaffenschule. *BSD* 1968 *ff*.

Tiefseeforschung betreiben das Geschlechtsglied des Partners mit dem Mund berühren; fellieren. *Halbw* 1955 *ff*.

Tiefseeschnitzel *n* Bratfischschnitte; Fischfilet. Es ist wie ein Schnitzel geformt und zubereitet. *BSD* 1968 *ff*.

Tiefseich *m* geistloses Geschwätz. ↗Seich 2. 1920 *ff*.

Tiefstapelei *f* Unterbewertung; Selbstunterschätzung. Das Gegenteil zur Hochstapelei. 1920 *ff*.

tiefstapeln *intr* weniger scheinen wollen als der Wirklichkeit entsprechend; bescheidener leben als nötig; durch geflissentliche Verharmlosung zu trügen suchen. Als Gegenwort zu „hochstapeln" gegen 1920 aufgekommen.

Tiefstapler *m* **1.** übermäßig bescheidener Mensch; Mensch, der sein Können unterbewertet. 1920 *ff*.
2. Soldat, der sich nicht, seiner Körpergröße entsprechend, weit genug vorn im Glied einreiht. Er macht sich kleiner, als er ist. *Sold* 1939 *ff*.

Tiefstaplerfuß *m* auf ~ leben = Pessimist sein; die Lage für schlimmer halten, als sie ist. Abwandlung von „auf großem ↗Fuß leben". 1930 *ff*.

Tieftaucher *m* geistiger ~ = sehr empfindsamer, nachdenklicher, tiefschürfenden Gedanken nachhängender Mensch. *Halbw* 1955 *ff*.

Tiegel *m* Tabakspfeife. Wegen der Formähnlichkeit. 1920 *ff*.

Tier *n* **1.** Draufgänger. Übertragen vom ungezähmten, unbezähmbaren Tier der Wildnis. *BSD* 1965 *ff*.
2. Soldatenausbilder. Vom Tier übertragen im Sinne von „gefährlich, bissig" o. ä. *BSD* 1965 *ff*.
3. häßliches Mädchen. Vom dicken, plumpen Tier übertragen. 1900 *ff*.
4. einflußreicher Mann. Hergenommen vom großen, stattlichen Tier. 1700 *ff*.
5. ~ in Dosen = Fleischkonserven. *BSD* 1968 *ff*.
6. armes ~ = bedauernswerter Mensch. „Arm" hat hier die Bedeutung „unglücklich". Seit dem 18. Jh.
7. berühmtes ~ = berühmte Persönlichkeit. 1900 *ff*.
8. feines ~ = vornehmer Mensch. 1900 *ff*.
9. großes (hohes) ~ = hochgestellter Würdenträger; ehrfurchtgebietende Amtsperson; berühmter,

erfahrener und hochgeehrter Mensch. Mit dem Ausdruck meinte man im 16. Jh den vornehmen, stutzerhaften, aber innerlich leeren Menschen, danach den Wichtigtuer. Die heutige Bedeutung setzte sich im 18. Jh durch, – vielleicht beeinflußt von der Phädrus-Fabel vom Frosch, der sich aufbläst, um die Größe eines Ochsen zu erreichen.
9 a. gutes ~ = umgänglicher Mensch. 1900 *ff*.
10. höheres ~ = Mensch in sehr verantwortungsvoller Stellung. 1870 *ff*.
11. höchstes ~ = wichtigste Amtsperson; Leiter einer Abordnung. 1900 *ff*.
12. mittelgroßes ~ = mittlerer Beamter; nicht besonders einflußreiche Person. 1900 *ff*.
13. das arme ~ haben = sich in gedrückter Stimmung befinden; sich bittere Vorwürfe machen; mit sich und allem unzufrieden sein. Das „arme Tier" ist der „↗Kater", und die Stimmung ist der „↗Katzenjammer". Seit dem 19. Jh, *niederd* und *rhein*.
14. das arme ~ kriegen = schlechte Laune bekommen; mit sich und allem unzufrieden werden; Handlungen oder Unterlassungen bereuen. *Vgl* das Vorhergehende. *Rhein* und *westf*, seit dem 19. Jh.

Tierarzt *m* Militärarzt. Tierärzte gelten als grob. *BSD* 1958 *ff*.

Tierbändiger *m* **1.** Rekrutenausbilder. Er gilt als Dompteur. *Sold* 1900 *ff*.
2. Lehrer. 1950 *ff*.

Tierchen *n* **1.** *pl* = Ungeziefer. Seit dem 18. Jh.
2. jedes ~ hat sein Pläsierchen (jedem ~ sein Pläsierchen) = jedermann hat an irgendetwas seine harmlose Freude, und das soll man ihm gönnen. Wahrscheinlich übernommen vom gleichlautenden Titel der 1887 erschienenen Liedersammlung von Edwin Borman und Adolf Oberländer.

Tierfabrik *f* Massentierhaltung. 1960 *ff*.

Tierfreund *m* ein ~ sein = a) auf Gewaltanwendung verzichten; Kraftproben nicht schätzen; Milde walten lassen. Der Betreffende betrachtet die Menschen als unvernünftige Tiere und läßt sie seine geistige Überlegenheit nicht spüren; er übt weder Härte noch Vergeltung. Etwa seit dem ausgehenden 19. Jh, vorwiegend *schül* und *stud*. – b) den Teller nicht leeren. Von den Speiseresten werden die Tiere ernährt. *BSD* 1965 *ff*.

Tiergarten *m* **1.** Exerzierplatz. Dort werden wilde Tiere besichtigt, vorgeführt, abgerichtet usw. *Sold* in beiden Weltkriegen.
2. Soldatenheim. Dort halten sich wilde Tiere „in Freiheit gezähmt" auf. *BSD* 1968 *ff*.
3. Schule. 1950 *ff*.
4. Herrgott, wie groß ist dein ~! = wieviele dumme (merkwürdige) Menschen es doch gibt auf dieser Welt! 1870 *ff*.
5. was hat der liebe Gott für einen wunderlichen (sonderbaren) ~! = was gibt es doch für eigenartige Menschen! 1870 *ff*.

Die Illustration des französischen Zeichners Grand-ville (d. i. Ignace Isidore Gérard, 1803–1847) steht in einem engen Zusammenhang mit dessen Ausspruch: „Es brechen so viele tierische (vgl. **tierisch**) *Leiden-schaften beim Menschen aus, daß man an unserer Verwandtschaft nicht zweifeln kann." Beides, Bild und Wort, treffen, wenngleich dort weniger scharf pointiert, auch auf den größten Teil der rhetorischen Fauna zu: Umgangssprachlich erscheint der auf man-cherlei Art mehr oder weniger stark maltraitierte Mensch als bloße Kreatur, er wird wieder zum Tier (vgl.* **Tierquälerei 1.–3., Tierschau**) *und derjeni-ge, der ihm solches antut, so nur folgerichtig zum* **Tierquäler**.

Tier-Imitator *m* Kürschner. Ein Scherzausdruck: aus Fellen von Haustieren imitiert er Felle von seltenen Arten; oder er verkleidet mittels Fellen Menschen als Tiere. 1930 *ff.*

tierisch *adj* **1.** unübertrefflich, schwungvoll. Ver-allgemeinert aus „↗bärig", „↗elefantös" o. ä. 1970 *ff, jug.*
2. ~er Ernst. ↗Ernst.
3. *adv* = sehr. 1970 *ff.*

Tierkörperverwertungsanstalt *f* (Kasernen-) Küche. Eigentlich die Anstalt, in der Tierkadaver verwertet werden, die für die menschliche Ernäh-rung nicht geeignet sind. *BSD* 1965 *ff.*

tierlieb *adj* pelztragend (auf Frauen bezogen). Iro-nie. 1955 *ff.*

Tiermusterkollektion *f* **1.** Zoologischer Garten. Aus dem Kaufmannsdeutsch (Musterkollektion des Geschäftsreisenden) übernommen. Berlin 1900 *ff.*
2. Rekrutenabteilung. *Vgl* ↗Tiergarten. *Sold* 1910 *ff.*

Tierquäler *m* **1.** Soldatenausbilder. Man unterstellt ihm, daß er die ihm anvertrauten „Tiere" vorsätz-lich quält. *Sold* in beiden Weltkriegen.
2. Tierarzt. 1960 *ff.*
3. Lehrer. 1950 *ff, schül.*

Tierquälerei *f* **1.** Turnunterricht. 1950 *ff.*
2. Klassenarbeit. 1950 *ff.*
3. Prüfung in der Schule. 1950 *ff.*

Tierschau *f* Schulfeier. Eigentlich die Vorführung dressierter Tiere (als welche sich die Schüler emp-finden). 1950 *ff.*

Tierschnulze *f* rührselige Tiergeschichte (im Film) o. ä. ↗Schnulze 1. 1960 *ff.*

Tierschutzgebiet *n* Mädchenschule. Im Tier-schutzgebiet dürfen Tiere nicht gejagt werden: vor der Pforte der Mädchenschule endet die Jagd auf die Mädchen. 1960 *ff.*

Tierschutzschnulze *f* anspruchslos-rührselige Schilderung aus dem Bereich des Tierschutzes. ↗Schnulze 1. 1955 *ff.*

Tierschutzverein *m* im ~ sein = nachsichtig, ge-duldig sein; auf Gewaltanwendung verzichten. ↗Tierfreund a. 1920 *ff.*

Tiffe *f* **1.** Hündin. Nebenform zu *niederd* „Tewe", *ndl* „teef", dänisch „taeve", alles in der Bedeu-tung „Hündin". Nördlich der Mainlinie, seit dem 14. Jh.
2. liederliche Frau; Straßenprostituierte. Seit dem 14. Jh.
3. zänkische Frau. Seit dem 19. Jh.

tifteln *v* ↗tüfteln.

Tiger *m* **1.** Geschäftsreisender. ↗tigern 1. Seit dem 19. Jh.
2. weibliche Person. Analog zu ↗Katze. 1960 *ff, jug.*
3. ungestümer, unbändiger Junge. *Halbw* 1960 *ff.*
4. sanft wie ein ~ = geheuchelt freundlich, aber plötzlich angriffslustig. Analog zu ↗katzen-freundlich. 1935 *ff.*
5. einen ~ im Bauch haben = sich austoben wol-len; unternehmungslustig sein. 1960 *ff.*
6. den ~ im Tank haben = sehr leistungsfähig sein. Geht zurück auf den Werbefeldzug der Esso-AG. für den Kraftstoff „Esso Extra". Die Auffor-derung „Pack den Tiger in den Tank!" stammt von dem nordamerikanischen Werbefachmann Emery T. Smyth. Seit April 1965.

Die Abbildung „Nachtfahrende auf Tigerkatze"
(Schleswiger Dom, um 1300) links neben der Anzeige
für den Kraftstoff „Esso Extra", mit dem man sich,
wie die Werbestrategen verkündeten, einen Tiger in
den Tank packe (**Tiger 6.**), zeigt, daß selbst der beste
Einfall nicht davor gefeit ist, daß auch ein anderer ihn
haben könnte. Der Werbespruch ging in die Umgangssprache ein, die aber, was naheliegt, nicht nur
den freilebenden Tiger kennt (vgl. **Tiger 3.**, **5.**). Auf
den seiner Freiheit beraubten und in ein zu enges Ge-
hege gesperrten Tiger bezieht sich das Verb **tigern**,
wenn damit ein ruheloses Hin- und Hergehen benannt
wird (**tigern 2**). Auch die Bezeichnung eines Geschäftsreisenden als Tiger dürfte, ungeachtet der Ety-
mologie, damit in einem engen Zusammenhang stehen (vgl. **Tiger 1.**, **tigern 1.**).

Tigerer m Geschäftsreisender. ↗tigern 1. Seit dem
19. Jh.
Tigerin f von ihrem Beruf leidenschaftlich erfüllte
Schauspielerin. 1955 ff.
tigern intr **1.** wandern, reisen, marschieren. Fußt
möglicherweise auf rabbinisch „th'gar = auf
Handel ziehen". Seit dem 19. Jh, kundenspr. und
sold.
2. ruhelos hin- und hergehen. Hergenommen vom
typischen Verhalten des Tigers im Käfig. 1920 ff.
3. schleichen, heranschleichen. Nach Katzenart.
1940 ff.
4. sich um etw bemühen. Österr 1950 ff.
Tigerpisse f Whisky. Der Urin des Tigers ist dunkel gelb-braun gefärbt. 1955 ff.

Tigertöter m Erzähler unglaublicher Erlebnisse;
Prahler. 1910 ff.
Tigertour f ein besonders lautes, aus völliger Stille
zu hörendes Schnarchen. 1947 ff.
Tiktak f Taktik (spött.). Keine bloße Verdrehung,
sondern beeinflußt von „↗Tick 1". Offizierssspr.
1870 ff.
Tiktaker m Taktiker. Vgl das Vorhergehende.
1870 ff.
tilgern intr langsam gehen. Wahrscheinlich zusammengesetzt aus „tigern" und „pilgern". 1920 ff.
Tille (Tilla) f **1.** Prostituierte. Nebenform zu
„↗Tülle" im Sinne von „äußeres Ende des weiblichen Harnorgans". Rotw 1547 (in der Form
„Dille") bis heute: vorwiegend prost.
2. einfältige Frau. Wahrscheinlich als Kurzform
aus den Vornamen Mathilde oder Ottilie entstanden. 1920 ff.
3. Mädchen. Anspielung auf das weibliche Geschlechtsorgan; ↗Tille 1. Halbw 1960 ff.
Tillenvater m Beamter des Sittendezernats. ↗Til-
le 1. Hamburg 1965 ff, prost.
time (engl ausgesprochen) Geld. Nach der sprichwörtlichen Redewendung „Zeit ist Geld".
↗Zeit 1. 1920 ff.
Timefriend (engl ausgesprochen) m Gelegenheitsfreund; Mann für kurzfristige Liebesabenteuer.
1960 ff.
Time-out (engl ausgesprochen) n Schulferien.
Schül 1960 ff.
Timo'schenkos pl **1.** Gamaschen. Benannt nach
dem russischen Marschall Semjon Timoschenko,

der 1940 die finnische Verteidigungslinie durchbrach und 1941 zunächst die russische Westfront und anschließend die Südfront befehligte. Verkürzt aus ↗Timoschenko-Socken. *BSD* 1965 *ff*.
2. Knöchelbinden. *BSD* 1965 *ff*.
Timo'schenko-Socken *pl* **1.** kurze Infanteriegamaschen; Segeltuchgamaschen. *Sold* 1942 *ff*.
2. Schnürschuhe (mit Socken). *BSD* 1965 *ff*.
Timpe *f* Café, kleines Lokal; Bar. *Niederd* „Timpe = Ecke, Zipfel, Endchen"; bezieht sich im engeren Sinne auf ein Ecklokal. Berlin und *nordd*, 1920 *ff*.
timpelig *adj* **1.** kleinlich, geziert. Verkürzt aus „↗trübetimpelig" und beeinflußt von „zimperlich". *Niederd, rhein* und *schles*, 1850 *ff*.
2. unentschlossen, einfältig; mißgestimmt. *Niederd, rhein* und *schles*, 1850 *ff*.
3. umständlich. *Schles* 1850 *ff*.
Timpen *m* einen im ~ haben = leicht bezecht sein. Meint soviel wie „Zipfel, Ecke, Spitze", in der Baukunst auch das Giebelfeld und von da übertragen den Kopf. Vorwiegend *niederd* seit 1700.
Tingelbruder *m* Kabarettist o. ä. ↗tingeln. 1920 *ff*.
Tingeldame *f* Kabarettistin; weibliche Person, die auf Kleinkunstbühnen auftritt. 1920 *ff*.
Tinge'lei *f* anspruchslose Kabarettkunst o. ä. ↗tingeln. 1920 *ff*.
Tingelmädchen *n* junge Varieté-Künstlerin. 1920 *ff*.
tingeln *intr* **1.** auf Kleinkunstbühnen auftreten; auf Tournee gehen. Verbum zu ↗Tingeltangel. 1900 *ff*, Berlin.
2. als Modenvorführerin tätig sein. 1950 *ff*.
'Tingel'tangel *n* Singhalle zweifelhaften Charakters; Konzertcafé. Schallnachahmend für die Musik mit Beckenschlag und Schellenbaum. Berlin 1840 („Caffeehäuser, in denen leichte Frauenzimmer singen") bis heute.
Tingeltangeldame *f* Varieté-Künstlerin o. ä. 1920 *ff*.
'Tingeltange'lei *f* anspruchslose Varietékunst. 1920 *ff*.
tingeltangelhaft *adj* anspruchslos in Bezug auf Varieté-Vorführungen. 1933, Carl von Ossietzky („Weltbühne").
Tingeltangelmädchen *n* junge Varieté-Künstlerin. 1920 *ff*.
tingeltangeln *intr* auf Kleinkunstbühnen auftreten; mit der Wanderbühne über Land ziehen. 1870 *ff*.
Tingeltangelstar *m* gefeierter Varieté-Künstler; beliebte Varieté-Künstlerin. 1920 *ff*.
Tingeltangeltante *f* auf einer Kleinkunstbühne auftretende Künstlerin. 1920 *ff*.
Tingeltangelteuse (Endung *franz* ausgesprochen) *f* Darstellerin auf einer Kleinkunstbühne. 1870 *ff*.
Tingeltruppe *f* Kleinkunstbühnengruppe; umherziehende Theatertruppe. 1948 *ff*.

Tingler *m* umherziehender Kleinkünstler. 1950 *ff*.
Tinglerin *f* Künstlerin, die vorwiegend auf Kleinkunstbühnen auftritt. 1950 *ff*.
Tinnef *n (m)* **1.** minderwertige Ware. Fußt auf *jidd* „tinneph = Kot, Unrat". Seit dem frühen 19. Jh, *rotw* und kaufmannsspr.
2. Lüge. In der Umgangssprache wird „Lügen" mit Verunreinigung durch Kot gleichgesetzt; *vgl* ↗bescheißen. 1930 *ff*.
3. ~ mit Lakritzen = besonders aufgemachter Schund. „Lakritzen" steht hier für eine freundliche Verschönerung des minderwertigen Gegenstands. 1900 *ff*.
Tini *n* Mädchen. ↗Teeny. *Halbw* 1955 *ff*.
Tinte *f* **1.** Ungelegenheit, Widerwärtigkeit, Notlage. Als gefärbte Flüssigkeit steht Tinte hier in Analogie zu „↗Dreck", „↗Patsche" u. ä. 1500 *ff*.
1 a. Malzkaffee. Häftlingsspr. 1970 *ff*.
2. alles hohle ~ = Redewendung, wenn einer merkt, daß alles Vorspiegelung ist. Das Gemeinte ist eine Redensart in gefälliger Form, aber von nichtigem Inhalt; es ist „Tintendeutsch" ohne Gehalt. 1960 *ff*, BSD.
3. rote ~ = Blut. *Rotw* 1930 *ff*.
4. klar wie (dicke) ~ = völlig einleuchtend. Der Zusatz ist *iron* gemeint. Laut Mitteilung von Dr. Horst Gravenkamp führt Arthur Schopenhauer die Redewendung auf das *Franz* zurück: „c'est clair comme la bouteille à l'encre". Seit dem frühen 19. Jh.
5. jn in die ~ bringen = jn in Ungelegenheiten bringen. ↗Tinte 1. Seit dem 19. Jh.
6. die ~ ist eingetrocknet: Redewendung, mit der man die Schreibfaulheit entschuldigt. 1920 *ff*.
7. jn in die ~ führen = jn ins Unglück bringen; an jds Unglück schuldig sein. ↗Tinte 1. Seit dem 18. Jh.
8. in die ~ geraten (fallen, kommen) = in eine unangenehme, schlimme Lage geraten. ↗Tinte 1. 1700 *ff*.
9. jm aus der ~ helfen = jm aus der Ungelegenheit aufhelfen. 1800 *ff*.
10. die ~ nicht halten können = dem Drang zu dichten nicht widerstehen können; den Drang verspüren, über alles und jedes (ein Gedicht) zu schreiben; lange Zeitungsaufsätze (Leserbriefe) von minderer Güte schreiben. Solch ein Drang ist ebenso stark wie der Harndrang. Seit dem 18. Jh.
10 a. aus der ~ kommen = sich aus einer mißlichen Lage befreien. Seit dem 19. Jh.
11. jn in die ~ reinreiten = jn in eine üble Lage versetzen. ↗Tinte 1; ↗reinreiten 1. 1800 *ff*.
12. du hast wohl ~ gesoffen?: Frage an einen, der Unsinn schwätzt. Hat nichts mit der Schreibtinte zu tun, sondern mit dem „vino tinto" (= schwerer Rotwein), den die Rheinbundtruppen 1808 in Spanien kennenlernten; unverdünnt durfte man ihn nicht trinken, weil er zu rasch betrunken machte. Etwa seit 1830.

13. mit roter ~ schreiben = ein Verlustgeschäft machen. Debetzahlen werden in der Buchführung rot gekennzeichnet. 1920 *ff.*

14. in die ~ segeln = in eine böse Lage geraten. ↗Tinte 1. 1900 *ff.*

15. sich in die ~ setzen = sich in eine unangenehme Lage bringen; einem folgenschweren Irrtum erliegen. Seit dem 19. Jh.

16. in der ~ sitzen (sein, stecken) = sich in schlimmer Lage befinden. ↗Tinte 1. 1500 *ff.*

17. in der dicken (dicksten, allerdicksten) ~ sitzen = sich in sehr übler Lage befinden. *Sold* in beiden Weltkriegen.

18. jn in der ~ sitzen lassen = jds Notlage nicht berücksichtigen. Seit dem 19. Jh.

19. sich mit ~ waschen = ein Vergehen mit der Straftat anderer zu entschuldigen suchen. Berlin 1870 *ff.*

20. jn aus der ~ ziehen = jm aus der Verlegenheit helfen. Seit dem 19. Jh.

21. sich aus der ~ ziehen = sich aus einer üblen Lage befreien. Seit dem 19. Jh.

Tintenblei *m* Tinten-, Kopierstift. ↗Blei I. 1900 *ff, schül* und bürospr.

Tintenburg *f* 1. Bürogebäude. Dort verteidigt man seine Stellung mittels Tinte. 1920 *ff*
2. Schule. 1960 *ff, schül.*

Tintendeutsch *n* Amts-, Bürosprache; Kaufmannssprache; im schriftlichen Gebrauch erstarrtes, stark formelhaftes Deutsch. 1870 *ff.*

Tintenfaß *n* steifer, runder schwarzer Herrenhut. Der Hut ähnelt in Form und Farbe dem Tintenfaß. 1950 *ff.*

Tintenfäßler *m* Schüler der Unterstufe. Wohl weil er erst mit dem Füllfederhalter schreiben muß, ehe er den Kugelschreiber o. ä. verwenden darf. 1960 *ff.*

Tintenfisch *m* 1. Zeitungsschreiber; Büroangestellter; Buchhalter; Schreibstubendienstgrad. Der Tintenfisch sondert eine dunkle Flüssigkeit ab und entzieht sich in ihrem Schutz dem Zugriff. Berlin 1870 *ff.*
2. Tintenstift. 1920 *ff.*

Tintenfresser *m* 1. Schriftsteller, Schreiber. 1850 *ff.*
2. Schreibstubendienstgrad. 1870 *ff, sold.*
3. Schulanfänger. 1920 *ff.*
4. Löschblatt. 1900 *ff.*

Tintenkleckser *m* 1. Schriftsteller, Journalist. 1800 *ff.*
2. Büroangestellter. 1800 *ff.*
3. Schreibstubendienstgrad. *Sold* 1914 bis heute.
4. Schüler der Unterstufe; Schulanfänger. 1950 *ff.*

Tintenknecht *m* 1. Schriftsteller. Seit dem 18. Jh.
2. Soldat, der in der Schreibstube Dienst tut. 1870 *ff.*

Tintenkopf *m* Neger. *Halbw* 1955 *ff.*

Tintenkopfzahn *m* Negerin. ↗Zahn 3. *Halbw* 1955 *ff.*

Tintenkuli *m* Journalist; Schriftsteller; Büroangestellter. ↗Kuli. Das Wort soll 1891 von Maximilian Harden geprägt worden sein.

Tintenkulikorps *n* Gesamtheit der Zeitungsschreiber; Presseleute. 1910 *ff.*

Tintenlecker *m* 1. Schriftsteller. 1870 *ff.*
2. Büroangestellter; Schreiber. 1870 *ff.*
3. Schreibstubendienstgrad. *Sold* 1870 *ff.*

Tintenpalast *m* Bürogebäude. 1950 *ff.*

Tintenpatzer *m* Schüler der zweiten Grundschulklasse. ↗Patzer 2. *Bayr* und *österr,* 1950 *ff.*

Tintenpfropfen (-proppen) *m* Zylinderhut. Er hat die Form eines Korken und ist schwarz wie Tinte. Seit dem späten 19. Jh, vielleicht von Schülern ausgegangen; Berlin, Hamburg u. a.

Tintenpisser *m* 1. Schriftsteller, Büroangestellter. „Pisser" ist *abf* Bezeichnung für einen männlichen Berufstätigen. 1870 *ff.*
2. Schreibstubensoldat. *Sold* 1870 bis heute.

Tintenscheißer *m* 1. Gelehrter. Da er beruflich mit Tinte umgeht, nimmt man an, er werde auch auf dem Abort Tinte von sich geben. ↗Blackscheißer. Seit dem 15. Jh.
2. Schriftsteller. Seit dem 15. Jh. *Vgl franz* „chieur d'encre".
3. Beamter; Lehrer. Seit dem 19. Jh.
4. Buchhalter, Büroangestellter u. ä. Seit dem 19. Jh.

Tintenschlecker *m* 1. Schriftsteller. ↗Tintenlecker. 1850 *ff.*
2. Büroangestellter, Beamter, Buchhalter o. ä. 1800 *ff, oberd.*
3. Lehrer. *Schül* seit dem 19. Jh.
4. Schüler. 1945 *ff, oberd.*

Tintenschmiede *f* Dienstzimmer. 1920 *ff.*

Tintenschnecke *f* 1. kleinlicher Beamter. Vor lauter Enggeistigkeit kommt er mit seiner (Schreib-)Arbeit nur langsam voran. Berlin 1920 *ff.*
2. Buchhalter. 1920 *ff.*

Tintenspion *m* 1. Büroangestellter; Schreibstubensoldat. Er kann in aktenkundigen Privatangelegenheiten spionieren. *Sold* seit dem späten 19. Jh bis heute. *Vgl engl sold* „dash-watcher".
2. Zeitungsreporter. 1920 *ff.*

Tintenstrolch *m* Journalist, Reporter. ↗Strolch 1. Seit dem ausgehenden 19. Jh.

Tintentripper *m* Soldat, der unentwegt Briefe oder Karten nach Hause schreibt. Bei ihm tröpfelt die Tinte wie bei der Geschlechtskrankheit der Eiter. *Sold* in beiden Weltkriegen.

Tintinger *m* der ~ sein = der Betrogene sein. Wohl aus „in der ↗Tinte sitzen" personifiziert. *Österr* und *schles,* seit dem 19. Jh.

Tip *m* 1. heißer ~ = sehr aussichtsreicher Erfolgshinweis. Aus *engl* „tip" gegen Ende des 19. Jhs übernommen. 1950 *ff.*
2. steiler ~ = sehr erfolgversprechender Hinweis. ↗steil. 1950 *ff.*
3. jm einen ~ geben = jn auf eine Gewinnaus-

sicht, auf einen Vorteil hinweisen. Kaufmannsspr. seit dem ausgehenden 19. Jh.

4. der ~ wackelt = man ist sich seiner Wette nicht sicher. 1950 *ff.*

Tipfel- ↗Tüpfel-.

Tipgeber *m* Mann, der auf Erfolgsaussichten aufmerksam macht. ↗Tip 3. 1920 *ff.*

Tippdame *f* Stenotypistin, Chefsekretärin. ↗tippen 2. 1919 *ff.*

Tippe *f* **1.** Ausflug, Wanderung, Wochenendreise. Gehört zu ↗tippeln 1. *Halbw* 1955 *ff.*
2. Party. Gehört zu ↗tippen 1; entweder anspielend auf leichtes Berühren beim Tanz oder auf intimes Betasten. *Halbw* 1955 *ff.*

Tippel *m* **1.** Marsch. ↗tippeln 1. *Sold* 1950 *ff*, *schweiz.*
2. Beule. ↗Dippel.

Tippe'lant *m* Landstreicher. ↗tippeln 1. 1950 *ff*, kundenspr.

Tippelbruder *m* **1.** auf Wanderschaft befindlicher Handwerksbursche; bettelnder Landstreicher; Nichtseßhafter. ↗tippeln 1. Seit dem späten 19. Jh.
2. Wanderer. 1930 *ff.*
3. Infanterist; Angehöriger einer Fußtruppe. *Sold* 1939 *ff.*
4. Karten-, Falsch-, Glücksspieler. ↗tippeln 3. 1900 *ff.*

Tippe'lei *f* **1.** Gesellenwandern. 1870 *ff.*
2. Landstreichertum; Landstreicherei. 1870 *ff.*
3. Ausflug, Wanderung, Ausmarsch. *Sold* und wandervogelspr. 1900 *ff.*

Tippelgeld *n* Zulage für Beschäftigte, die beruflich lange Wege zu gehen haben. 1950 *ff.*

Tippe'line *f* Straßenprostituierte. ↗tippeln 1. Doch *vgl* auch ↗tippen 4. 1920 *ff*, Berlin.

Tippelkamerad *m* Kamerad eines Landstreichers. 1950 *ff.*

Tippelkunde *m* wandernder Handwerksbursche. ↗Kunde 1. 1900 *ff.*

Tippelmädchen *n* junge Straßenprostituierte. 1920 *ff*, Berlin.

Tippelmieze *f* Straßenprostituierte. ↗Mieze. 1950 *ff.*

tippeln *intr* **1.** auf der Landstraße gehen; marschieren. Entweder Häufigkeitsform zu „tupfen = mit der Spitze (des Fußes) leicht berühren" oder zusammengewachsen aus „trippeln" und „tippen" (= leicht anstoßen und anbetteln). *Rotw* seit dem frühen 19. Jh; nach 1850 *sold.*
2. wandern. 1900 *ff.*
3. sich an einem Glücksspiel beteiligen; kartenspielen. Erklärt sich aus „mittippeln" im Sinne von „mitgehen" (nämlich beim Bieten). *Rotw* und offiziersspr. seit 1900.

tippeln gehen *intr* als Straßenprostituierte tätig sein. 1920 *ff.*

Tippelschickse *f* **1.** Landstreicherin; Begleiterin eines Landstreichers; Straßenprostituierte.

↗Schickse. Seit dem späten 19. Jh, *rotw* und *sold.*
2. Stenotypistin. „Tippen" ist hier scherzhaft zu „tippeln" entstellt. 1920 *ff.*

Tippelschuhe *pl* Wanderschuhe. 1920 *ff.*

Tippelschwester *f* Landstreicherin; „Stadtstreicherin". Das weibliche Gegenstück zum „↗Tippelbruder". 1900 *ff.*

Tippeltille *f* Landstreicherin niedrigster Art. ↗Tille 1. Kundenspr. 1870 *ff.*

Tippel-Tip *m* Hinweis auf eine lohnende Wanderung. ↗Tip 1. 1960 *ff.*

Tippeltour *f* auf ~ gehen = Wandergewerbetreibender sein. 1900 *ff*, kaufmannsspr.

Tippel-Tramp (Grundwort *engl* ausgesprochen) *m* Handwerksbursche, der Autofahrer anhält und um unentgeltliche Mitnahme bittet. ↗trampen. 1950 *ff.*

tippen *v* **1.** *tr intr* = leicht berühren. *Niederd* und *mitteld* Form für *hd* „tüpfen = mit einer (Finger-) Spitze leicht und kurz berühren". 1500 *ff.*
2. *tr intr* = mit der Schreibmaschine schreiben. 1900 *ff.*
3. *intr* = wetten; in der Lotterie spielen; sich für eine Gewinnaussicht entscheiden. ↗Tip 1. Seit dem ausgehenden 19. Jh.
4. *intr* = koitieren. Tippen = leicht berühren; leicht stoßen. Stoßen = koitieren. *Rotw* seit dem frühen 19. Jh.
5. *intr* = in kurzen Intervallen bremsen. Das Bremspedal wird mehrmals nur ganz kurz angedrückt, sofort wieder losgelassen und neuerlich betätigt. Im Gegensatz zur (blockierenden) Vollbremsung hält dieses Verfahren den Wagen lenkbar in der Fahrspur. Kraftfahrerspr. 1950 *ff.*
6. an etw nicht ~ können = mit etw nicht aufnehmen können; der Unterlegene sein. Analog zu „an etw nicht rühren können". Seit dem 19. Jh, *niederd.*
7. da ist nicht dran zu ~ = das ist unanfechtbar; das steht unerschütterlich fest. Seit dem 19. Jh.

'Tipp'ente *f* **1.** Stenotypistin. Aus „Tippende" entstellt. 1920 *ff.*
2. lahme ~ = Stenotypistin ohne die erforderlichen Fertigkeiten. *Vgl* „lahme ↗Ente". 1955 *ff.*

Tipper *m* Wettender; Toto-, Lottospieler. ↗tippen 3. 1920 *ff.*

Tippe'rei *f* **1.** Maschineschreiben; Maschinegeschriebenes. ↗tippen 2. 1910 *ff.*
2. Lotterie-, Totowesen. ↗tippen 3. 1950 *ff.*

Tipperin *f* Stenotypistin. ↗tippen 2. 1900 *ff.*

tippern *intr* die Bremse nur kurz andrücken und gleich wieder loslassen. ↗tippen 5. Kraftfahrerspr. 1950 *ff.*

Tipper-Penne *f* Handelsschule. ↗Penne; ↗tippen 2. *Schül* 1960 *ff.*

Tippfehler *m* **1.** Fehler beim Maschineschreiben. 1900 *ff.*
2. irrige Ansicht; falsche Vermutung. 1970 *ff.*

Tippflegel *m* Mann, der vor einem Älteren nicht

den Hut lüftet, sondern nur lässig mit einem Finger den Hutrand berührt. 1950 *ff.*

Tippfräulein *n* Stenotypistin, Schreibdame. ↗tippen 2. 1900 *ff.*

Tippklavier *n* Schreibmaschine, Fernschreiber. ↗Schreibklavier. 1910 *ff.*

Tippler *m* **1.** Landstreicher. ↗tippeln 1. Kundenspr. 1900 *ff.*
2. Wanderer. 1900 *ff.*
3. Mann, der an den Haustüren bettelt. 1900 *ff.*
4. Karten-, Falsch-, Glücksspieler. ↗tippeln 3. 1900 *ff.*

Tippmädel (-mädchen) *n* junge Stenotypistin. 1900 *ff*, nördlich der Mainlinie.

Tippmamsell *f* **1.** (ältere) Stenotypistin. 1900 *ff*, gemeindeutsch.
2. Maschinengewehrschütze; Maschinengewehr. *Sold* in beiden Weltkriegen.
3. Funker, Telgraphist. Er bedient die Funktaste ähnlich wie die Stenotypistin die Schreibmaschinentasten. *Sold* 1930 *ff.*

Tippmaschine *f* Stenotypistin (vor allem die bejahrte, unleidliche, gegenüber jüngeren Kolleginnen herrschsüchtige). 1930 *ff.*

Tippmaus *f* junge Stenotypistin. ↗Maus. 1920 *ff.*

Tippmieze *f* Stenotypistin. ↗Mieze. *Schül* 1960 *ff.*

Tippmöse *f* Stenotypistin. Hier ist „↗Tippöse" gekreuzt mit „↗Möse 1". 1930 *ff.*

Tippöse *f* Stenotypistin. Französiert aus „↗tippen 2". 1905 *ff.*

Tipp-Piano *n* Schreibmaschine, Fernschreiber. *Vgl* ↗Tippklavier. 1950 *ff.*

Tippschein *m* ↗Tipschein.

Tippse (Tipse) *f* Stenotypistin. Meint vor allem eine ohne die erforderlichen Fertigkeiten (Zehnfingersystem). Entweder verkürzt aus dem unechten *franz* „tippeuse" oder entstanden aus „↗tippen" mit Anhängung der Endung „-se" (Schickse o. ä.). 1905/10 *ff.*

Tippsenraum *m* Schreibstube. *BSD* 1968 *ff.*

Tippsenschule *f* **1.** Fernmeldeschule der Bundeswehr. *BSD* 1968 *ff.*
2. Handelsschule. *Jug* 1960 *ff.*

tipptopp *adj* ↗tiptop.

Tipptöse *f* Stenotypistin. Französierte Form ohne *franz* Vorbild. 1910 *ff.*

Tippwanze *f* Stenotypistin *(abf)*. 1940 *ff.*

Tippzettel *m* ↗Tipzettel.

Tipschein *m* Wettschein. ↗tippen 3. 1900 *ff.*

Tipse *f* ↗Tippse.

Tipster *m* Verkäufer sicherer Gewinnaussichten auf Rennbahnen. Aus dem *Engl.* Spätestens seit 1900, turfspr.

Tipste'rei *f* Rennwettbetrug. 1900 *ff.*

Tips-Trulle *f* Stenotypistin. ↗Tippse; ↗Trulle. 1955 *ff*, Berlin.

tipsy *adj* **1.** bezecht. Aus *engl* „tipsy = angeheitert"; *vgl ndl* „tipsie". 1920 *ff.*
2. verrückt. 1920 *ff.*

3. nett; von angenehmem Wesen und Aussehen. Geht nicht auf das *Engl* zurück; wahrscheinlich mit *engl* Endung verkürzt aus „↗tiptop". Berlin 1955 *ff*, jug.

Tipsy *f* **1.** Stenotypistin. Koseform aus ↗Tippse. 1950 *ff.*
2. nettes junges Mädchen. ↗tipsy 3. Berlin 1955 *ff*, jug.

tip'top (tipp'topp) *adj adv* einwandfrei, tadellos, hervorragend. Stammt aus dem *engl* „tip" und „top" bezeichnen die Spitze, hier also die „Spitze der Spitze". Etwa seit der Mitte des 19. Jhs. „Tiptop" hieß 1864 das Bier der Berliner Brauerei Happoldt.

Tiptopfräulein *n* Modenvorführerin. Berlin 1910 *ff.*

Tipzettel (Tippzettel) *m* Wettschein. ↗Tip 1; ↗tippen 3. 1900 *ff.*

Tirach *m* Bezirk, in dem einer betteln darf. Fußt auf *jidd* „derech = Weg". 1900 *ff.*

tirachen *tr* jn anbetteln, erpressen. *Vgl* das Vorhergehende. 1900 *ff*, *prost.*

Tiroler *m* Untersuchungstisch (-stuhl) des Gynäkologen. Herleitung unbekannt. Seit dem frühen 19. Jh, *prost.*

tirren gehen *intr* flüchten, weglaufen. Übernommen in Westdeutschland aus *franz* „tirer le chausson = Reißaus nehmen". Wohl von den napoleonischen Truppen zu Beginn des 19. Jhs hereingetragen.

Tisch *m* **1.** der grüne ∼ = wirklichkeitsfremdes Theoretisieren; Beschlußfassung ohne Anhörung der Betroffenen. Von der grünen Decke auf dem Beratungstisch übertragen. Seit dem 19. Jh.
1 a. Herr Ober, die kleinen ∼e bitte!: Redewendung, wenn einem vom Eßtisch etwas zu Boden fällt. 1900 *ff.*
2. krummer ∼ = Tisch, an dem betrügerisches Glücksspiel gespielt wird. ↗krumm 2. 1950 *ff.*
3. unter dem ∼ = heimlich; nur für Eingeweihte; nur für Stammkunden. Unter dem Ladentisch versteckt der Kaufmann die Ware, die er nur besonderen Kunden zukommen lassen will. 1939 *ff.*
4. einen ∼ abräumen = eine Bank „sprengen". Tisch = Spieltisch. ↗abräumen 4. 1910 *ff.*
5. etw am grünen ∼ besprechen (etw vom grünen ∼ aus regeln o. ä.) = etw theoretisch besprechen, regeln, ohne die wirklichen Verhältnisse zu berücksichtigen. ↗Tisch 1. Seit dem 19. Jh.
6. Geld auf den ∼ blättern = Geldscheine auf den Tisch legen; bezahlen. ↗Blatt 3. 1920 *ff.*
7. auf dem ∼ bleiben = während der Operation sterben. Medizinerspr. 1920 (?) *ff.*
8. eine Frage bleibt auf dem ∼ = eine Angelegenheit ist noch nicht abschließend erörtert; eine allseits befriedigende Lösung ist noch nicht gefunden. Seit dem 19. Jh.
9. etw auf den ∼ bringen = etw zur Sprache bringen. Seit dem 19. Jh.

Blumen sagen oft mehr als Worte, seien die nun geschrieben oder gesprochen. Auf der Abbildung oben liegt ein Strauß roter und rosafarbener Nelken auf einem Tisch, gedacht wohl für die junge Dame, die allerdings eher den Eindruck erweckt, als wolle sie reinen Tisch machen (**Tisch 24.**). Diese Redewendung leitet sich von der lateinischen Metapher ,,tabula rasa" her (vgl. Stichwortartikel), deren Plural – tabullae rasae – von Ovid (43 v. Chr.– 18 n. Chr.) in seiner ,,Ars Amatoria" benützt wird. Diese Textstelle läßt dann wieder willkürlich an die Szene auf dem oben wiedergegebenen Foto denken: ,,Wachs in geglätteten Täfelchen, laß die Furt dir erproben/Wachs als Boten vorangehen dem eigenen Wunsch. Mag es Schmeichelgetön und verliebt sich stellende Worte/Zu ihr tragen und nicht geizen mit Bitten und Flehn. Bitten bewegten Achill, daß er Hektor dem Priamus schenkte/Und ein bittendes Wort besänftigt den zornigen Gott. Gibt ihr Versprechungen auch. Was können Versprechungen schaden."

10. etw vom ~ bringen = einen Streitfall bereinigen. Tisch = Beratungstisch, Gerichtstisch. 1920 ff.

11. es fällt unter den ~ = es bleibt unerörtert; es wird nicht beachtet; es wird nicht verwirklicht. Vom Speisetisch auf den Beratungstisch übertragen. Seit dem 19. Jh.

12. etw unter den ~ fallen lassen = auf eine Sache nicht eingehen; etw nicht nochmals erwähnen. Seit dem 19. Jh.

13. ~ fängt = die aufgeworfene Karte darf nicht zurückgenommen werden. Skatspielerspr. seit dem 19. Jh.

14. etw vom (unter den) ~ fegen (kehren) = etw von der Verhandlung ausschließen; eine Sache nicht zur Erörterung zulassen. 1920 ff.

15. es geht über ~ und Bänke = es geht ausgelassen her. Von den Mäusen hergenommen, die sich frei tummeln, sobald die Katze und die Herrschaft aus dem Hause sind. Seit dem 19. Jh.

16. durch den ~ gewachsen sein = völlig veraltet sein. Übernommen aus der Barbarossa-Sage; *vgl* Friedrich Rückerts Gedicht „Der alte Barbarossa" (1813). Nach dem Ersten Weltkrieg aufgekommen, als der Bart zum Sinnbild veralteter Ansichten und Gewohnheiten wurde.

17. auf den ~ hauen (schlagen) = a) energisch fordernd auftreten. Zur Bekräftigung der Forderung schlägt man mit der Faust auf den Tisch. Seit dem 19. Jh. – b) prahlen. Der Betreffende prahlt wohl mit seinem Reichtum und „haut" zum Beweis sein Geld auf die Tischplatte oder ist dermaßen temperamentvoll, daß er übermütig mit der Hand auf die Tischplatte schlägt. *Österr* 1945 *ff*.

18. auf den ~ hauen, daß die Rosinen aus dem Kuchen fallen (fliegen) = energisch seinen Standpunkt behaupten. 1950 *ff*.

18 a. jm etw plump auf den ~ hauen = jn plump benachrichtigen, bedrohen; etw grob vorbringen. 1970 *ff*.

19. eine Sache unter dem ~ kochen (handeln) = eine Sache insgeheim aushandeln, ehe man sie an die Öffentlichkeit bringt. Übertragen von der Verständigung mit den Füßen unter dem Tisch. 1950 *ff*.

20. es kommt auf den ~ = es kommt zur Sprache. Gemeint ist der Beratungstisch. Seit dem 19. Jh.

21. das kommt nicht auf den ~!: Ausdruck der Ablehnung. 1920 *ff*.

21 a. etw vom ~ kriegen (bekommen) = über etw abschließend verhandeln. Seit dem 19. Jh.

22. Geld auf den ~ legen = zahlen. Seit dem 19. Jh.

23. etw auf den ~ legen = etw offenbaren, öffentlich bekanntgeben. Der Kartenspielersprache entlehnt. 1900 *ff*.

23 a. es liegt auf dem ~ = es ist zur Bekanntgabe fertiggestellt; es ist beantragt, aber noch nicht entschieden. 1960 *ff*.

24. reinen ~ machen = aufräumen; einen Mißstand beseitigen; klare Verhältnisse schaffen. Hergenommen vom Arbeits- oder Werktisch, den man aufräumt, wenn die Arbeit beendet ist. Die Redewendung fußt auf der *lat* Metapher „tabula rasa" (man tilgt die Schriftzeichen auf der Schreibtäfelchen, um neue einritzen zu können). Seit dem 19. Jh. *Vgl franz* „faire table nette".

24 a. etw vom ~ nehmen = über etw nicht länger verhandeln. Seit dem 19. Jh.

25. jn unter den ~ reden = jn nicht zu Wort kommen lassen; jn erfolgreich beschwatzen. Übertragen vom Zechen: man „trinkt" den anderen „unter den Tisch". *Schül* 1960 *ff*.

26. jm auf den ~ scheißen = jm grob die Meinung sagen; jn entwürdigend anherrschen. 1950 *ff*.

27. unter dem ~ sein = seinen Einfluß verloren haben. Man nimmt von dem Betreffenden keine Kenntnis mehr wie von einer Speise, die unter

den Tisch gefallen ist; oder der Betreffende sucht unter dem Tisch Schutz wie ein Haustier. 1950 *ff*.

28. vom ~ sein = kein Verhandlungsgegenstand mehr sein; abschließend verhandelt worden sein. ↗Tisch 10. 1920 *ff*.

29. weg vom ~ sein = der Unterlegene sein. Man ist vom Beratungs- oder Speisetisch ausgeschlossen worden. 1950 *ff*.

30. unter dem ~ sitzen = kleinlaut sein. Das Haustier verkriecht sich unter den Tisch. 1950 *ff*. *Vgl* dazu den Sagvers: „,Ich bin der Herr im Haus', sagte der Mann und saß unter dem Tisch."

31. jn unter den ~ trinken (saufen) = beim Zechgelage mehr trinken können als der andere, der schließlich betrunken unter den Tisch sinkt; jn durch fortwährendes Zuprosten betrunken machen. Spätestens seit 1700.

32. etw vom (unter den) ~ wischen = etw als unwichtig, unzutreffend behandeln; etw überstimmen. 1920 *ff*.

33. jn über den ~ ziehen = a) dem Gegner eine hohe Niederlage bereiten. Hergenommen vom Knaben, den man mit dem Oberkörper über den Tisch legt, um ihn aufs Gesäß zu prügeln. Prügel sind in der Umgangssprache *gleichbed* mit Niederlage. Kartenspielerspr. 1900 *ff*. – b) jn verulken. 1920 *ff*. – c) jn täuschen, übervorteilen, übertölpeln. 1920 *ff*.

Tischbein *n* sich hinter dem ~ verstecken können = überaus schlank sein. 1920 *ff*.

Tischdame *f* weibliche Person, die in Lokalen Männer zur Bestellung teurer Getränke verführt und ihnen dabei Gesellschaft leistet. Eigentlich an festlicher Tafel die Dame zur Rechten des Herrn. 1920 *ff*.

tischeln *intr* **1.** behaglich schmausen. Seit dem frühen 20. Jh.

2. bei Tisch eine angeregte Unterhaltung führen. 1910 *ff*.

tischen *intr* zu Mittag essen; warme Verpflegung fassen; tafeln. Eigentlich „zum Essen sich an einem Tisch niederlassen". Seit dem 15. Jh.

Tischfahrplan *m* Tischordnung. 1930 *ff*.

Tischfrau *f* **1.** weibliche Person, die in einer Bar den männlichen Gast unterhält und gegen Entgelt auch zum Geschlechtsverkehr bereit ist. 1955 *ff*.

2. Callgirl. 1955 *ff*.

Tischgeld *n* Geldbetrag, den die Prostituierte vom Kunden für das Dabeisitzen am Tisch erhält. 1960 *ff*, *prost*.

Tischler *m* grüner ~ = peinlich genauer Beamter. ↗Tisch 1. 1900 *ff*.

Tischlermeister *m* ~s Töchterlein = Mädchen ohne ausgeprägte Körperformen. Es ist „hinten wie ein Brett und vorn wie ein (Fenster-)Laden". *Österr* 1920 *ff*.

Tischquatscher *pl* Leute, die sich im Fernsehen an einem Tisch unterhalten; Gesprächsrunde. 1955 *ff*.

Tischtuch *n* das ~ entzweischneiden = ein freundschaftliches (verwandtschaftliches, eheliches) Verhältnis aufheben. Geht zurück auf einen alten sinnbildlichen Brauch bei Ehescheidungen. 1500 *ff.*

Titelbildmädchen *n* fotogenes Mädchen. 1950 *ff.*

Titelblattschönheit *f* hübsches, aber nichtssagendes Gesicht. 1950 *ff.*

Tite'ritis *f* Titelsucht. Man faßt sie als krankhaft auf; daher Anlehnung an die auf „-itis" endenden Krankheitsbezeichnungen. 1920 *ff.*

titelgeil *adj* titelsüchtig. ↗geil. *BSD* 1965 *ff.*

Titelgesicht *n* durch Titelseiten von Illustrierten bekanntgewordenes Gesicht. 1950 *ff.*

titelieren *tr* eine Frau an sich drücken. Tarnausdruck zu „↗Titte 1". 1920 *ff*, Berlin.

Tite'litis *f* Titelsucht. ↗Titeleritis. 1920 *ff.*

Titelmädchen *n* Mädchenfoto als Titelbild einer Illustrierten. 1950 *ff.*

Titelverteidiger *m* sich erneut zur Wahl stellender Bundeskanzler (-präsident). Aus der Sportsprache entlehnt. 1965 *ff.*

Titi (Titti, Ditti) *n* kleines Kind. Gehört zu „↗Titte 1" oder spielt an auf „Tidde = Knabenpenis". Seit dem 19. Jh.

Titostan *Ln* Jugoslawien. Benannt nach Staatschef Josip Broz Tito (1892–1980) in Anlehnung an Ländernamen wie „Hindustan", „Pakistan" o. ä. 1950 *ff.*

Titsche *f* **1.** Tunke. ↗titschen 1. Vorwiegend *ostmitteld*, seit dem 19. Jh.
2. jn in die ~ führen (bringen) = jn in eine schlimme Lage versetzen. Analog zu ↗Sauce 1. Seit dem 19. Jh.

titscheln *intr tr* tauschhandeln. Bezieht sich ursprünglich auf den Tausch der bei Kindern beliebten Klicker (Murmeln). „Titsch" ist Schallwort für das Aneinanderstoßen von Klickern. 1900 *ff.*

titschen *v* **1.** *tr intr* = eintauchen, eintunken. Nebenform zu „tatschen, tätscheln". Vorwiegend *ostmitteld*, 1600 *ff.*
2. *tr* = etw leicht berühren. *Ostmitteld* und *rhein*, seit dem 19. Jh.
3. *tr* = jn ohrfeigen. ↗Tatsch. *Ostmitteld*, seit dem 19. Jh.
4. *tr* = jn rügen. *Ostmitteld*, seit dem 19. Jh.
5. *intr* = mit kleinen, flachen Steinen über die Wasseroberfläche werfen. 1900 *ff*, gemeindeutsch, kinderspr.
6. *intr* = genüßlich trinken. Meint eigentlich das Anstoßen mit den Gläsern. 1900 *ff, ostmitteld* und *rhein*.

titschkerln *intr* flirten; koitieren. Ablautende *österr* Nebenform von „↗tätscheln". 1910 *ff.*

Titte *f* **1.** Brustwarze; Frauenbrust. *Niederd* Form von *hd* „Zitze". *Vgl ndl* „tiet". Seit dem 15. Jh.
2. Energieloser. Schüler meinen, er trinke noch an der Mutterbrust. 1900 *ff, jug.*

3. ~ im Beutel = Trockenmilchpulver. *Sold* 1939 *ff.*

4. heiße ~ = a) üppig entwickelter Busen. Von ihm geht eine geschlechtlich aufreizende Wirkung aus. 1955 *ff.* – b) liebesgieriges junges Mädchen. Heiß = geschlechtlich leidenschaftlich. 1955 *ff, halbw.*

5. kniefreie ~n = sehr tiefes Dekolleté. Von der Kürze des Frauenrocks übertragen auf die Kürze des Kleideroberteils. Berlin 1920 *ff.*

6. linke ~ = Mensch, dem nicht zu trauen ist. ↗link. *Marinespr* 1970 *ff.*

6 a. schlaffe ~ = Energieloser, Versager. 1970 *ff.*

7. tote ~ = Versager; untauglicher Soldat. Eigentlich die tote Brust, nämlich die eingefallene, welke Brust, die keine Milch mehr gibt. *BSD* 1968 *ff.*

8. nichts auf der ~ haben = a) mittellos sein. Übertragen vom Begriff „keine Milch geben". 1900 *ff, nordd* und Berlin. – b) energielos, schwunglos, untauglich sein. 1900 *ff.*

9. jm die ~ halten = jn ausnutzen, verulken. 1910 *ff.*

10. es schmeckt wie ~ = es schmeckt sehr gut. Seit dem späten 19. Jh, *nordd; vorwiegend sold* und *stud.*

11. es schmeckt wie ~ mit Ei = es schmeckt besonders gut. „Mit Ei" ist ein beliebter Zusatz zu Ausdrücken, die etwas Vorzügliches meinen. *Nordd* 1920 *ff, stud.*

12. schwach auf der ~ sein = mittellos sein. ↗Titte 8. 1900 *ff.*

13. jm an die ~n tippen = jm zu nahe treten (nicht nur auf Frauen bezogen). 1900 *ff.*

Tittelchen (Tüttelchen) *n* **1.** Pünktchen. Verkleinerungsform von „↗Titte 1". 1700 *ff.*
2. kein (nicht um ein) ~ = nichts. 1700 *ff.*

Tittenbeschau *f* tiefdekolletierte Damenbluse. 1920 *ff.*

Tittenclown *m* geschlechtlich unerfahrener Mann. 1935 *ff, sold* und *schül.*

Tittenficker *m* kinderloser Ehemann. Man vermutet, daß er nicht den normalen Geschlechtsverkehr vollzieht. ↗ficken. *Sold* 1935 *ff.*

Tittenhalter *m* **1.** Büstenhalter. 1910 *ff*, gemeindeutsch ohne das *oberd* Gebiet.
2. zärtlicher Liebhaber. 1920 *ff.*

Tittenheber *m* **1.** Büstenhalter. 1920 *ff.*
2. Schönheitsoperateur. 1920 *ff.*

Tittenheini *m* Frauenheld. ↗Heini. 1950 *ff, halbw.*

Tittenkaltschale *f* **1.** sehr weites Dekolleté. Kaltschale = kühle Suppe. Der Anblick des Dekolletés ist wohl ebenso angenehm wie der Geschmack der kühlen Obstsuppe. Berlin 1950 *ff.*
2. Schönheitswettbewerb weiblicher Personen. Berlin 1950 *ff.*

Tittenkind *n* **1.** Säugling. ↗Titte 1. 1900 *ff.*
2. verzogenes, verwöhntes Kind. 1900 *ff.*

Tittenknilch *m* verweichlichter, unsoldatischer Mann. ↗Knilch. *BSD* 1960 *ff.*

Tittenkran *m* Präparat, das angeblich zu einem stattlichen Busen verhilft. Der Kran hebt Lasten. Handelsvertreterspr., etwa seit 1920 *ff.*

Tittenkumpel *m* Homosexueller. Umschreibung von „↗Busenfreund". 1955 *ff, halbw.*

Tittenlili *f* nettes Mädchen mit üppig entwickeltem Busen. Der Name „Lili" ist von der vollbusigen Zeichen-Figur in der „Bild-Zeitung" entlehnt. 1956 *ff, halbw.*

'Tittenpo'lente *f* Sittendezernat der Kriminalpolizei; weibliche Angehörige der Sittenpolizei. ↗Polente. Berlin 1920 *ff, prost.*

Tittenpolka *f* Striptease. 1960 *ff.*

Tittensack *m* 1. Büstenhalter. 1920 *ff.*
2. Brustbeutel. *Sold* 1955; wohl älter.

Tittenschoner *m* Büstenhalter. 1920 *ff.*

Tittenschwungpalast *m* Tanzlokal; Lokal mit Mädchenbetrieb. *Vgl* ↗TSP. *BSD* 1965 *ff.*

Tittenspeise *f* Schlemmermahl. ↗Titte 10. 1910 *ff, nordd.*

Tittenspion *m* Sittenpolizeibeamter. 1920 *ff.*

tittenträchtig *adj* mit einem üppigen Busen ausgestattet. 1950 *ff.*

Tittentüte *f* weibliche Person. *Halbw* 1960 *ff.*

Tittenvertrieb *m* Mädchenhandel. 1945 *ff.*

Tittenwerk *n* üppiger Busen. Seit dem 17. Jh.

Titti *n* ↗Titi.

Titu'lar-Kaffee *m* 1. Ersatzkaffee. Er nennt sich Kaffee, ist aber keiner. Gegen 1917 aufgekommen und bis heute geläufig.
2. koffeinfreier Kaffee. 1950 *ff.*

titulieren *tr* jn mit Schimpfwörtern belegen. Seit dem 19. Jh.

Tituskopf *m* Frisur, bei der das Haar nach rückwärts hochgekämmt ist. Die „coiffure à la Titus" trug der *franz* Schauspieler Talma 1791 in der Rolle des Brutus. 1800 *ff.*

tjüs *interj* ↗adschüß.

To (Tö); Töchen (Tö-Tö) *f; n* Abort. Verkürzt aus „Toilette". 1900 *ff.*

Toaster (*engl* ausgesprochen) *m* Flammenwerfer. Eigentlich der Brotröster. *BSD* 1965 *ff.*

Tobak *m* Tabak. Fußt auf *engl* „tobacco". 1600 *ff.*

tobakig *adj* hausbacken, häuslich. Meint entweder „veraltet" im Sinne von „↗Anno Tobak" oder spielt an auf die Tabakspfeife, deren Benutzung manchem altertümlich vorkommt oder die man für ein Requisit des Lebens daheim, des Feierabends ansieht. 1960 *ff.*

Tobe *f* 1. Wut, Wutschrei. Neuwort zu „toben = seine Wut äußern". 1950 *ff, jug,* Berlin.
2. verhaltene ~ = gedämpfter Wutschrei; leises Murren. 1950 *ff, jug,* Berlin.
3. eine ~ loslassen = einen Wutschrei ausstoßen. 1950 *ff, jug,* Berlin.
4. eine ~ starten = wütend werden; toben. Berlin 1950 *ff, jug.*

Tobebude *f* Zimmer daheim, in dem die Kinder nach Herzenslust toben dürfen. 1970 *ff.*

toben *intr* eilen, umherjagen. Eigentlich soviel wie „rasen = von Sinnen sein". *Stud* seit dem 19. Jh.

töben *intr* ↗töwen.

Tobias 6, 3 Zuruf an den Gähnenden, der die Hand nicht vor den Mund hält. In der genannten Bibelstelle heißt es: „vor dem erschrak Tobias und schrie mit lauter Stimme und sprach: ‚O Herr, er will mich fressen!' ". Seit dem 19. Jh, wohl von Theologiestudenten aufgebracht.

Toches (Doches) *m* Gesäß. Fußt auf *jidd* „tachas = der Hintere; das Untere"; *vgl* auch *griech* „thokos". 1700 *ff.*

Tochesriecher *m* derbes Schimpfwort auf einen würdelosen Liebediener. Seit dem 18. Jh.

Tochter *f* 1. Mädchen (gönnerhafte Anrede). 1300 *ff, südwestd.*
2. Töchter des Landes = die jungen Mädchen des Bürgerstandes. Fußt auf 1. Moses 34, 1. Seit dem 19. Jh.
3. ~ der Luft = Flugzeugstewardeß. 1955 *ff.*
4. meiner Mutter ~ = ich (wenn es sich um eine weibliche Person handelt). Scherzhafte Umschreibung. Seit dem 19. Jh.
5. meines Vaters ~ = ich. Seit dem 19. Jh.
6. goldene ~ = Tochter eines Millionärs. 1900 *ff.*
7. die höheren Töchter = Gymnasiastinnen, Lyzeumsschülerinnen. Eigentlich die Schülerinnen der höheren Töchterschule. Die erste Schule dieser Art wurde 1802 in Hannover als „Städtische höhere Töchterschule" gegründet. In Berlin gab es 1866 eine „Privatschule für höhere Töchter". 1850 *ff.*
8. überreife ~ = trotz angestrengter Bemühungen noch immer unverheiratete Tochter. Seit dem späten 18. Jh.
9. ausgehen, um die Töchter des Landes zu besehen = a) sich nach einer Heiratskandidatin umsehen. ↗Tochter 2. Seit dem 19. Jh. – b) bei einem Kartenspiel, in dem die Damen die höchsten Trümpfe sind, durch Ausspielen kleiner Trümpfe den Besitzer der höchsten Trümpfe zu ermitteln suchen. Kartenspielerspr. seit dem 19. Jh.

Töchterchen (-lein) *n* Mann mit mädchenhaften Gesichtszügen. Berlin 1800 *ff.*

Töchterschule *f* Höhere ~ = Frauenhaftanstalt; Haftanstalt für weibliche Jugendliche. ↗Tochter 7. *Rotw* 1900 *ff.*

Tochus *m* ↗Toches.

Tochuskriecher *m* würdelos schmeichelnder Mann. Analog zu „↗Arschkriecher". Seit dem 18. Jh.

Tod *m* 1. dem ~ sein Geschäftsreisender = bleich aussehender Mann. 1910 *ff; sold* in beiden Weltkriegen.
2. ~ auf Urlaub = hagerer Mann. ↗Leiche 8. 1920 *ff.*
3. ausführlicher ~ = weitschweifig geschildertes Sterben eines Menschen. 1935 *ff, kritikerspr.*
4. elastischer ~ = Bühnendarstellung eines Ster-

benden, der noch lange Monologe hält. Kritikerspr. 1850 *ff.*

5. der große ~ = etwas sehr Langweiliges. Meint eigentlich das tatsächliche Sterben; hier analog zu „↗todlangweilig" (↗Tod 25). *Halbw* 1955 *ff.*

6. grüner ~ = Spinat. Er ist kein beliebtes Soldatenessen und wird nach Meinung der Soldaten zu oft gereicht. Man kann ihn „auf den Tod nicht ausstehen" o. ä. (↗Tod 26). *BSD* 1968 *ff.*

7. der nasse ~ = Tod durch Ertrinken. Seit dem 19. Jh.

8. trockener ~ = Tod ohne Blutvergießen (Hinrichtung durch den Strang, auf dem elektrischen Stuhl o. ä.). Entlehnung aus dem *Angloamerikan?* 1920 *ff.*

9. der weiße ~ = Tod in Eis und Schnee. 1920 *ff.*

10. ~ und Teufel = jedermann; viele Leute; alles Mögliche (ich habe Tod und Teufel gefragt; Tod und Teufel habe ich gelesen). Die Formel „Tod und Teufel" beruht auf dem Umstand, daß beide als Beherrscher der Hölle gelten. Seit dem 18. Jh.

11. mit allem ~ und Teufel = mit allem Zubehör. Seit dem 19. Jh.

12. auf ~ und Leben arbeiten = aus Leibeskräften arbeiten. Seit dem 19. Jh.

13. sich den ~ an den Hals ärgern = sich sehr ärgern. Seit dem 19. Jh.

14. aussehen wie der (lebendige) ~ = sehr elend aussehen; leichenblaß sein; abgemagert sein. In der bildenden Kunst ist der Tod meist von hagerer Gestalt. Seit dem 19. Jh.

15. aussehen wie der ~ von Basel = bleiche Gesichtsfarbe haben. Hergenommen von der Darstellung des Todes (des Totentanzes) an der Kirchhofsmauer des Predigerklosters zu Basel. Seit dem 19. Jh, aber wohl viel älter (15. Jh?).

16. aussehen wie der ~ auf Laatschen = schlecht aussehen. „Tod auf Laatschen" hieß bei den Soldaten des Ersten Weltkriegs die Gasgranate: sie detonierte gedämpft. ↗Laatschen = Pantoffel. 1920 *ff.*

17. aussehen wie der ~ von Ypern = bleich, erschöpft aussehen. Hergenommen von der Figur des Todes in der Hauptkirche von Ypern in Belgien (Westflandern) in Erinnerung an die Pestepidemie von 1349. Etwa seit dem 19. Jh.

18. was nicht unmittelbar zum ~ führt, macht nur noch härter: *iron* Redewendung nach Art von Durchhalteparolen. *BSD* 1965 *ff.*

19. sich zu ~e fummeln = sich arg abmühen. ↗fummeln. 1920 *ff.*

20. er wird einen leichten ~ haben = er ist dumm. Der Sterbende gibt seinen Geist auf; wer nicht viel Geist aufzugeben hat, stirbt leichter. 1920 *ff.*

21. etw auf den ~ hassen = etw überaus hassen. Seit dem 18. Jh.

22. etw zu ~e hetzen = etw zerreden. Seit dem 19. Jh.

23. du kriegst den ~!: Ausruf des Erschreckens.

*Jener „Baum des Todes und des Lebens" (1481) des vor allem als Buchmaler hervorgetretenen Berthold Furtmayer ist natürlich der Baum der Erkenntnis im sagenhaften Garten Eden. Seit dem Sündenfall, dem Genuß der Früchte dieses besonderen Baumes, ist, wie es umgangssprachlich heißt, der Tod umsonst – obgleich man ihn doch mit dem Leben bezahlen muß (vgl. **Tod 37.**). Sprache versinkt hier in einen bodenlosen Tiefsinn, der allerdings jenen, die diese Wendung in den Mund nehmen, gottseidank nur selten bewußt sein dürfte. „Die Produktion der Leiche ist", so schreibt Walter Benjamin in seiner Abhandlung über den Ursprung des deutschen Trauerspiels, „vom Tode her betrachtet, das Leben." Der **Todesbaum**, der an jeder Straße steht, schlägt dagegen weniger tiefe Wurzeln.*

Man kann sich zu Tode erschrecken (Herzschlag!). Berlin seit dem 19. Jh.

24. du kriegst den ~ in beide Waden!: Ausruf der Überraschung, des Erschreckens. Bezieht sich eigentlich auf den Wadenkrampf. Berlin und Hamburg seit dem frühen 19. Jh.

24 a. sich zu ~e lachen = hellauf lachen; des Lachens kein Ende finden. 1500 *ff.*

25. sich zu ~e langweilen = sich sehr langweilen. *Vgl* ↗totlangweilen. Seit dem 19. Jh.

26. etw (jn) in (für, auf) den ~ nicht leiden (ausstehen) können = etw (jn) durchaus nicht leiden können; sich mit etw (jm) nicht befreunden können. „In den Tod nicht" hat sich zu einer starken Verneinung entwickelt, etwa im Sinne von „beim besten Willen nicht". 1700 *ff.*

27. der ~ naht = das Spiel ist nicht mehr zu gewinnen. Kartenspielerspr. seit dem 19. Jh.

28. ihn hat der ~ auf die Schippe genommen = er ist dem Tode nahe. „Schippe" meint eigentlich die Schaufel des Totengräbers. *Sold* 1939 *ff.*

29. jn zu ~e pflegen = jds Tod verbrecherisch herbeiführen. 1900 *ff.*

30. sich zu ~e quälen = hart arbeiten. Seit dem 19. Jh.

31. jn zu ~e quatschen = auf jn anhaltend einreden, bis er nachgibt; jn beschwatzen. 1930 *ff.*

32. etw zu ~e reiten = a) etw so lange und weitschweifig erörtern, bis es zerredet ist. 1880 *ff.* – b) etw durch oftmalige Verwendung wirkungslos machen. 1920 *ff.* – c) ein literarisches Motiv bis zum Überdruß wieder und wieder gestalten. 1950 *ff.*

33. sich zu ~e schaffen = sich überanstrengen. Seit dem 19. Jh.

34. sich zu ~ schämen = sich sehr schämen. Seit dem 19. Jh.

35. er ist gut nach dem ~ zu schicken (er ist gut, den ~ zu holen) = er ist sehr langsam; er bleibt lange aus. Hätte er den Tod herbeizuholen, ließe er mit seiner Saumseligkeit den Zurückbleibenden noch viel Zeit zum Leben. 1500 *ff.*

36. das ist mein ~ = durch diesen Stich werde ich zum Verlierer. Kartenspielerspr. seit dem 19. Jh.

37. umsonst ist der ~ – und der kostet das Leben = „umsonst" gibt es nichts. Der Tod kommt ohne Bestellung; aber man bezahlt ihn mit dem Leben. Seit dem 19. Jh.

37 a. ~ und Teufel in Bewegung setzen = nichts unversucht lassen. ↗Tod 10. Seit dem 18. Jh.

38. sich zu ~e siegen = trotz vieler gewonnener Schlachten schließlich die Waffen strecken müssen. *Sold* und *ziv* jeweils seit der zweiten Hälfte beider Weltkriege geläufig geworden.

39. dem ~ von der Schippe gesprungen (gehopst) sein = dem Tod mit Mühe entgangen sein; sich im letzten Augenblick in Sicherheit gebracht haben. Fußt auf der Vorstellung vom personifizierten Tod mit der Grabschaufel in Anlehnung an den Totengräber mit der Schaufel. *Vgl* ↗Tod 28. *Sold* 1870 *ff*; auch *ziv* (vor allem im Zusammenhang mit gefährlichen Berufen).

40. etw in (auf) den ~ vergessen = etw völlig vergessen. ↗Tod 26. Seit dem 18. Jh.

41. sich zu ~e verwalten = für die Verwaltung mehr Geld ausgeben, als durch Steuern vereinnahmt wird. Vom Bund der Steuerzahler aufgebrachtes Schlagwort. 1965 *ff.*

42. etw auf den ~ nicht wollen = etw durchaus nicht wollen. ↗Tod 26. Seit dem 19. Jh.

43. sich des ~es wundern = sich sehr wundern; sehr erstaunt sein. Seit dem 19. Jh.

44. das ist ihm auf den ~ zuwider = das ist für ihn unausstehlich. ↗Tod 26. Seit dem 19. Jh.

tod- als erster Bestandteil einer meist doppelt betonten Zusammensetzung hat den Sinn einer Verstärkung; wohl übernommen von Ausdrücken wie „sicher wie der Tod", „zum Sterben müde" u. ä. Der Tod als das Schlußereignis des Lebens drückt sinnbildlich ein Äußerstes aus. 1700 *ff.*

'tod'anständig *adj* grundehrlich; sehr aufrichtig; äußerst großzügig. Seit dem 19. Jh.

'tod'echt *adj* verbürgt unverfälscht; unbedingt aufrichtig; sehr zuverlässig. 1900 *ff.*

'tod'ehrlich *adj* sehr redlich. Seit dem 19. Jh.

Todel *m* ↗Dodel.

Todesbäume *pl* Bäume an beiden Seiten der Landstraße; Alleebäume. Sie sind tödliche Hindernisse für denjenigen, der von der Fahrbahn abkommt und dem sie den Weg aufs freie Feld verstellen. 1962 *ff.*

Todesengel *m* Mikrosender, Abhörgerät. 1933 aufgekommen mit der Bespitzelung verdächtiger Landsleute und seitdem geläufig in der Spionage und der Spionage-Abwehr. Das Abhörgerät gilt als Vorbote des Todes.

Todeskammer *f* Chemiesaal. Anspielung auf die giftigen Dämpfe. Vielleicht eine weiterlebende Erinnerung an die Konzentrationslager. *Schül* 1960 *ff.*

Todesreiter *m* Motorradfahrer. 1925 *ff.*

Todessitz *m* **1.** Platz neben dem Fahrersitz in Personenkraftwagen. Bei heftigen Zusammenstößen ist der Fahrgast auf diesem Platz besonders stark gefährdet. Der Ausdruck scheint um 1930 in der Automobilpresse aufgekommen zu sein und sich vor allem nach 1950 in allen *dt* und *österr* Landschaften verbreitet zu haben. Wegen seiner düsteren Anschaulichkeit und Knappheit halten viele ihn nicht mehr für umgangssprachlich. **2.** Mitfahrersitz auf dem Motorrad. 1950 *ff.*

Todesstäbchen *n* Zigarette. ↗Stäbchen. Beim Aufkommen der Vokabel im Ersten Weltkrieg wurden Ersatzstoffe verwendet, die mit Tabak kaum etwas zu tun hatten. Nach dem Ersten Weltkrieg drängte sich – vor allem in Sportlerkreisen – der Gedanke an die gesundheitsschädigende Wirkung des Nikotins auf.

Todesstoß *m* entscheidender Stich beim Kartenspiel, auf Grund dessen der Spieler verliert. Kartenspielerspr. seit dem 19. Jh.

Todessturz *m* Der ~ vom Nachtkonsölchen: fingierter Buchtitel. 1940 *ff.*

Todesurteil *n* **1.** schlechtes Schulzeugnis. Es entscheidet über Versetzung/Nichtversetzung oder bedeutet gar Entlassung von der Schule. 1920 *ff.* **2.** Einberufungsbescheid. *BSD* 1965 *ff.* **3.** Heirat; Heiratsantrag. Das Junggesellenleben geht zu Ende. *BSD* 1965 *ff.*

Todeszelle *f* **1.** Klassenzimmer während einer Klassenarbeit. Eigentlich die Zelle, in der der Verbrecher bis zur Vollstreckung des Todesurteils verbleibt. 1930 *ff.*
2. ~ 222 = a) Lehrerzimmer. Geht zurück auf den Titel eines Films. *Schül* 1958 *ff.* – b) Wachlokal. *BSD* 1970 *ff.*

'tod'froh *adj präd* sehr glücklich. 1950 *ff.*

'tod'gut *adj* herzensgut; von edler Gesinnung; überaus hilfsbereit. 1700 *ff.*

'tod'langweilig *adj* sehr langweilig; einschläfernd. *Vgl* ↗Tod 25. Seit dem 19. Jh.

tödlich *adj* **1.** unhaltbar; nicht abwehrbar. *Sportl* 1950 *ff* (Fußball, Tennis u. a.).
2. überaus langweilig; kein Interesse weckend. *Jug* 1950 *ff.*

'todmo'dern *adj* sehr modern; äußerst modisch. 1900 *ff.*

'tod'müde *adj* sehr müde. Seit dem 18. Jh. *Vgl engl* „tired to death".

'tod'richtig *adj* völlig richtig; untrüglich. 1920 *ff.*

'tod'schick (tot'schick) *adj* sehr elegant; äußerst vorteilhaft gekleidet. Seit dem späten 19. Jh. *Vgl engl* „to be dressed to kill".

'tod'schwach *adj* langweilig, schwunglos. *Schül* 1960 *ff.*

'tod'sicher *adj* ganz bestimmt; unbedingt zuverlässig. Seit dem 19. Jh.

todsinnig *adj* verrückt; um den Verstand bringend (auf progressive Musik bezogen). Leitet sich her von „tödlicher Schwachsinn" o. ä. *Schül* 1965 *ff.*

'tod'sterbens'krank *adj* schwerkrank. Seit dem 19. Jh.

'tod'sterbens'übel *adv* der Ohnmacht nahe. 1800 *ff.*

Todsünde *f* eine ~ wert sein = so schön sein, daß man wegen dieses Menschen oder mit ihm eine der Todsünden begehen könnte. Seit dem 19. Jh.

'tod'traurig *adj* sehr traurig. 1900 *ff.*

'tod'übel *adj adv* speiübel; ohnmächtig. 1900 *ff.*

'tod'unglücklich *adj* sehr unglücklich. Seit dem 19. Jh.

'tod'wichtig *adj* überaus wichtig. 1900 *ff.*

töfen *intr* ↗töwen.

toff *adj* gut, nett; gut gekleidet; wohlschmeckend; leistungsfähig. Stammt aus *jidd* „tow = gut"; *vgl* ↗dufte 1. Seit dem späten 18. Jh aus dem *Rotw* – wahrscheinlich über Berliner Vermittlung – in den Wortschatz der jungen Leute übergegangen.

Toffel (Töffel) *m* unbeholfener Mann; geistig anspruchsloser Mann. Entweder Abkürzung des Vornamens Christoffel (*vgl* ↗Stoffel) oder herzuleiten von „Toffel = Pantoffel", bezogen auf einen Pantoffelträger (= unbeholfen Schreitender). 1700 *ff.*

toffelig *adj* unbeholfen. *Vgl* das Vorhergehende. Seit dem 19. Jh.

toffeln *intr* langsam, ungeschickt gehen; schlurfen. ↗Toffel. Seit dem 19. Jh.

toffen *intr* langsam gehen; schlendern; langsam arbeiten. *Vgl* das Vorhergehende. 1900 *ff.*

toffig *adj* nett, eindrucksvoll, gut gekleidet. Erweitert aus ↗toff. *Halbw* 1955 *ff.*

'Töff'töff *n* Auto. Kinderspr. Klangnachahmung des Hupentons, vielleicht auch des Motorengeräuschs. Um 1900 aufgekommen und trotz Verdrängung der Gummiballhupe noch heute geläufig.

toft (tofte, tofft, toffte) *adj* **1.** gut, schön, angenehm; sehr eindrucksvoll; tüchtig. Nebenform zu ↗toff. *Rotw* seit 1835; später *halbw*; vorwiegend im *Westf* verbreitet.
2. kameradschaftlich. *BSD* 1965 *ff.*

togg-'togg sein nicht recht bei Verstand sein. Nebenform zu ↗Ticktick. Mit „togg (oder: tock)" gibt man den Laut des Pochens wieder. 1920 *ff.*

Toiletta *f* Abortwärterin. Berlin 1870 *ff.*

Toilettenartikel *m* Stück Abortpapier. Eigentlich ein Gegenstand zur Körperpflege. Zu „Toilette" *vgl* „↗Toilettenscheißhaus". *Sold* 1941 (Afrikakorps); *jug* 1955 *ff.*

Toilettenbriefkasten *m* Versteck im Abort für den Täuschungszettel des Schülers. 1950 *ff.*

Toilettenergebnis *n* Ergebnis 0 : 0 eines Fußballspiels. Anspielung auf ↗Null-Null. *Sportl* 1960 *ff.*

Toilettenfinger *m* der kleine Finger. Man benutzt ihn zum Reinigen von Nase und Ohr: mit ihm macht man Toilette. Wien 1920 *ff, stud.*

Toilettenjahrgang *m* Geburtsjahrgang 1900. Die Abkürzung „00" der Jahreszahl 1900 erinnert an die Beschriftung der Aborttüren in Hotels u. a. 1918 *ff.*

Toilettenmann *m* Abortwärter. 1920 *ff.*

Toilettenmeldung *f* Lügenmeldung; Gerücht. Parallel zu ↗Latrinenparole. 1940 *ff, sold.*

Toilettenpapier *n* Schulzeugnis mit schlechten Noten. Gemilderte Analogie zu „↗Arschwisch 2". 1950 *ff.*

Toiletten-Revolutionär *m* Bürger, der seinen Unmut nur im Abort (an der Abortwand) äußert und vor der Öffentlichkeit schweigt. 1966 *ff.*

Toilettenscheißhaus *n* Abort mit Wasserspülung. „Scheißhaus" ist jeglicher Abort ohne Wasserspülung, wohingegen der Zusatz „Toilette" die vornehmere Abart zum Ausdruck bringt. *Sold* 1939 *ff.*

Toilettentaucher *m* Klempner. Er reinigt den verstopften Abort-Abfluß. *Jug* 1930 *ff.*

Toilettentieftaucher *m* **1.** Klempner. *Vgl* das Vorhergehende. 1950 *ff.*
2. Schimpfwort. *Schül* 1975 *ff.*

'toi-'toi-'toi *adv (interj)* glücklicherweise; auf gut Glück; viel Glück (wünsche ich dir!). Mit dem dreimaligen „toi" wird das Ausspucken klanglich nachgeahmt. Nach altem Aberglauben übt man durch dreimaliges Ausspucken eine dämonenbannende Kraft aus. Spätestens seit 1900.

Tokus *m* Gesäß. Nebenform zu ↗Toches. Aus dem

Rotw umgangssprachlich geworden. Seit dem frühen 19. Jh. *Gleichbed* und gleichlautend im *Ndl*.

Töle *f* **1.** Hündin; Hund *(abf)*. Fußt vielleicht auf *niederd* „Döl (Dol) = Vertiefung; kleine Grube", anspielend auf das weibliche Geschlechtsorgan. 1600 *ff*, nördlich der Mainlinie.

2. liederliche Frau; Prostituierte. Bezeichnungen für die Hündin sind gleichzeitig fast immer auch Bezeichnungen für die Prostituierte. Seit dem 19. Jh.

3. Mädchen *(abf)*. 1900 *ff*.

4. Homosexueller. ↗tölen 2. Seit dem 19. Jh, *prost*.

tölen *intr* **1.** Unterhaltung in unflätigstem Ton führen. Berlin 1959 *ff*.

2. weibisch reden (auf Homosexuelle bezogen). 1900 *ff*, *niederd*.

toll *adj adv* **1.** gut, bewundernswert, herrlich; sehr schön; eindrucksvoll; tüchtig o. ä. Eigentlich soviel wie „irr", dann auch „ausgelassen, lärmend" und schließlich „über das übliche Maß hinausgehend" und daher zu superlativer Geltung gelangt. So schon im Mittelalter; heute vorwiegend *jug*.

2. ausgelassen. 1600 *ff*.

2 a. echt irre ~ = unübertrefflich. ↗echt; ↗irr. *Jug* 1970 *ff*.

3. *adv* = sehr. Seit dem 19. Jh.

4. ~ und voll sein = (sehr) bezecht sein. 1500 *ff*.

5. wie ~ = sehr schnell; sehr lebhaft; aus Leibeskräften (er lief wie toll; das Wasser kocht wie toll). 1800 *ff*.

6. auf etw ~ sein = auf etw versessen sein; nach etw heftig verlangen. Seit dem 19. Jh.

Tollack *m* tölpelhafter, unbeholfener Mann. Entstanden aus „toll" mit einer *slaw* Endung. *Bayr* 1900 *ff*.

Tolle *f* **1.** Haarschopf; gebauschte Locke; wirre Frisur. Verwandt mit „Dolde = Pflanzenkrone". 1700 *ff*.

2. tolle ~ = „Beatle"-Frisur. 1960 *ff*.

tollen *intr* ausgelassen spielen; sich wild gebärden; ungestüm laufen und springen. Auf „toll = unsinnig" beruhend. Seit dem 15. Jh.

'toll'günstig *adj* sehr preiswert. Werbetexterspr. 1970 *ff*.

Tollhauskirsche *f* besonders ungebärdiger Patient einer Nervenheilanstalt. Zusammengesetzt aus „Tollhaus" und „Tollkirsche". 1950 *ff*.

'toll'hübsch *adj* sehr hübsch. ↗toll 3. 1950 *ff*.

Tolli'tät *f* Seine ~: Anrede an „Prinz Karneval". Entstanden aus „toll = närrisch" und „Majestät". 1900 *ff*, Köln.

Tollkiste *f* Nervenheilanstalt. Seit dem 15. Jh.

Tollkopf *m* **1.** jähzorniger Mensch. 1700 *ff*.

2. eigensinniger Mensch. Seit dem 19. Jh.

tollköpfig *adj* eigensinnig. Seit dem 19. Jh.

Tollpatsch (Tolpatsch) *m* ungeschickter, tölpelhafter Mensch. Stammt aus *ung* „talpas = breitfüßig", einem Scheltadjektiv auf die ungarischen

Fußsoldaten, der keine Schuhe trug, sondern lediglich mit Schnüren befestigte Sohlen. Im 18. Jh unter Einfluß von „Tölpel" und „patschen" zur heutigen Bedeutung weiterentwickelt.

tollpatschen *intr* unbeholfen handeln. *Vgl* das Vorhergehende. Seit dem 19. Jh.

Tollpatscherei *f* Ungeschicklichkeit. 1920 *ff*.

tollpatschig *adj* tölpelhaft, plump. Seit dem 18. Jh.

Tollpatschigkeit *f* Unbeholfenheit, Ungelenkheit, Plumpheit. 1800 *ff*.

Tollpunkt *m* ↗Dollpunkt.

'toll'schick *adj* sehr elegant gekleidet. ↗schick. 1920 *ff*.

'toll'selig *adj* überglücklich. 1960 *ff*.

Tolpatsch *m* ↗Tollpatsch.

Tomate *f* **1.** Kopf. Wegen der Rundform und der (gelegentlichen) Rötung. 1910 *ff*.

1 a. gerötete Nase. 1960 *ff*.

2. Fußball. *Schül* 1950 *ff*.

3. Eierhandgranate. *Sold* 1914 bis heute.

3 a. rotes Leuchtspurgeschoß; roter Feuerwerkskörper. 1939 *ff*.

4. *pl* = Hoden. Die Tomaten nennt man auch „Liebesäpfel", und mit „Äpfeln" bezeichnet man die Hoden. *Sold* 1935 *ff*.

5. faule ~ = Versager. *Jug* nach 1945.

6. geplatzte ~ = durch einen Schlag verletztes Auge, dessen Umgebung (fast) ganz zugeschwollen und blutverschmiert ist. Boxerspr. 1925 *ff*.

7. miese ~ = unsympathischer Mensch. ↗mies 1. 1935 *ff*.

8. treue ~ = gemütliche Anrede an einen Kameraden. 1920 *ff*, *ziv*; 1939 *ff*, *sold*.

9. treulose ~ = unzuverlässiger Mensch, der Zusagen nicht einhält; Wortbrüchiger o. ä. Nach einer Deutungsweise leitet sich der Ausdruck von den vielen Mißerfolgen des Tomatenanbaus im letzten Drittel des 19. Jhs her. Möglich ist auch die Annahme einer getarnten Fortführung des Begriffs „perfides Albion"; denn „Albion" ist England, und der englische Soldat ist uns seit dem Boxeraufstand 1900/01 als „Tommy" geläufig. Seit den frühen 20. Jh.

10. unreife ~ = lebensunerfahrener, ratloser Mensch. Er ist noch „↗grün". 1950 *ff*.

11. rot anlaufen wie eine ~ = das Aufsteigen des Ärgers sichtlich zu erkennen geben. 1920 *ff*.

12. er ist mit dem Fahrrad nach Italien, um die ~n rot anzustreichen: Antwort auf die Frage, wo sich jemand aufhält. *BSD* 1965 *ff*.

13. ~n auf den Augen haben = a) übernächtigt aussehen; noch nicht ganz wach sein. Die Umgebung der Augen ist noch gequollen. 1920 *ff*. – b) etw übersehen; etw nicht sehen. 1920 *ff*, *schül, stud* und *sold*.

14. ~n auf der Brille haben = dumm sein. Das Blickfeld ist verengt. 1950 *ff*, *jug*.

15. ~n in den Ohren (Ohrwascheln) haben =

schwerhörig sein; absichtlich nicht hören. Der Schmutz in den Ohren wird zum Tomatenbeet. 1935 *ff*.

15 a. er hat ein Gesicht wie eine ~, – nicht so rot, aber so matschig = er hat ein feistes Gesicht. 1965 *ff, jug*.

16. mit ~n handeln = sich irren; trügerische Vorstellungen hegen. Der Tomatenanbau ist bei uns meist mit einem Risiko verbunden, und reife Tomaten faulen rasch. 1960 *ff*.

17. ~n verkaufen = erröten. 1950 *ff, schül*.

18. zur ~ werden = erröten. 1950 *ff*.

Tomatenkopf *m* hochroter Kopf. ↗Tomate 1. 1920 *ff*.

Tom-Mix-Laden *m* Zeitschriftenkiosk. Anspielung auf die vielgelesenen „Tom-Mix"-Hefte. 1950 *ff, jug*.

Tommy *m* **1.** britischer Soldat; Engländer. 1837 aufgekommen im Zusammenhang mit einem kleinen Taschenbuch; es enthielt eine Tabelle der Ausrüstungsgegenstände, die die *engl* Soldaten selbst bezahlen mußten; zum besseren Verständnis waren die Militärverwaltung als Lieferant und ein angenommener Soldat Thomas Atkins als Empfänger der Ausrüstung genannt. Dieser Name wurde in der Kurzform „Tommy" volkstümliche Bezeichnung für den *engl* Soldaten. Bei uns etwa seit 1900 (seit dem Boxeraufstand in China) verbreitet.

2. britisches Flugzeug. *Sold* und *ziv* 1939 *ff*.

3. zahmer ~ = Blindgänger *engl* Herkunft. *Sold* in beiden Weltkriegen.

Ton *m* **1.** wildgewordene Töne = moderne Tanz-, Schlagermusik. Kurz nach 1945 aufgekommen.

2. noch 'ein ~, und . . .: Aufforderung zum Verstummen unter Androhung von Tätlichkeiten. Seit dem ausgehenden 19. Jh, Berlin, Köln, Wien u. a.

3. den ~ abschalten = a) sprachlos sein. Der Rundfunk- und Fernsehtechnik entlehnt. 1955 *ff*. – b) vor Erkältung und Heiserkeit kein Wort mehr hervorbringen. 1955 *ff*.

4. andere Töne anschlagen = energischer werden; seine Forderungen erhöhen. Von der Stimmgabel übernommen. 1935 *ff*.

5. Töne ausspucken = sich äußern. 1950 *ff*.

5 a. voll auf ~ gehen = mit Hingabe Musik hören; in Musik schwelgen. *Halbw* 1970 *ff*.

6. jetzt geht es aus einem anderen ~ = jetzt wird es ernst; jetzt hört das angenehme Leben auf. Man wechselt die Tonart. 1900 *ff*.

7. hast du Töne? (hat der Mensch Töne?; hat man da noch Töne?): Ausdruck der Verwunderung und Überraschung, der Verständnislosigkeit. Der Staunende bringt keinen Ton mehr heraus, er ist ton- (sprach-)los. Seit dem späten 19. Jh, gemeindeutsch und (seit 1938) *österr*.

8. nicht alle Töne auf der Flöte (Zither) haben = nicht recht bei Verstand sein. 1920 *ff*.

9. einen ~ am Leibe haben = ungebührlich, hochfahrend, herrisch reden. Die gewählte Tonlage (Tonart) klingt unpassend, unschön, allzu schrill. Seit dem 19. Jh.

10. einen falschen ~ haben = nicht völlig aufrichtig sein. 1900 *ff*.

11. schöne falsche Töne haben = in liebenswürdiger Weise unaufrichtig sein. 1920 *ff*.

12. hohe Töne im Kopf haben = überheblich sein. Übertragen von der Kopfstimme. 1900 *ff, westd*.

13. große Töne kotzen = prahlen. „Große Töne" sind die scheinbar gewichtigen Worte, und „kotzen" meint derb „von sich geben". 1920 *ff*.

14. den ~ mitzusingen wissen = sich anzupassen wissen. 1920 *ff*.

15. red' keine Töne! = sprich keinen Unsinn! *Schül, stud* und arbeiterspr. 1900 *ff*.

16. rede nicht soviel Töne! = komm' zur Sache! schwätze nicht! 1920 *ff*.

17. dicke (große) Töne reden (machen, schwingen o. ä.) = prahlen; sich aufspielen. ↗Ton 13. 1910 *ff*.

18. einen ~ riskieren = dreist, unverschämt reden. *Vgl* „eine ↗Lippe riskieren". 1890 *ff*.

19. dicke (mächtige o. ä.) Töne riskieren = sich aufspielen; seine (vermeintliche) Wichtigkeit hervorheben. ↗Ton 17. 1920 *ff*.

20. dicke (große) Töne spucken = stark prahlen; mehr scheinen wollen als sein. *Vgl* ↗Bogen 11. 1910 *ff, schül, stud* und *sold*.

21. der ~ stimmt = die zum Gewinnen des Spiels notwendige Punktzahl ist erreicht. Der Spieler klopft scherzhaft mit dem Päckchen seiner Stiche auf die Tischkante und hält die Karten horchend ans Ohr wie eine Stimmgabel. Kartenspielerspr. 1910 *ff*.

22. die Töne verlieren = verstummen; sprachlos sein. ↗Ton 7. 1890 *ff*.

Tonarmleuchter *m* Schallplattenansager. Zusammengesetzt aus „Tonarm" und „↗Armleuchter". 1960 *ff*.

Tonart *f* **1.** Rede-, Ausdrucksweise. Der Musiklehre entlehnt. 1870 *ff*.

1 a. sich in allen ~en ausschweigen = kein Wort äußern. 1870 *ff*.

2. die ~ kennen = sich nicht beschwatzen lassen; Schlagworten mißtrauen. 1910 *ff*.

3. in derselben ~ singen = mit jm übereinstimmen; jm beipflichten. Seit dem späten 19. Jh.

Tonband *n* **1.** Abortpapierrolle. Analog zu „↗Filmrolle"; beeinflußt von „↗Tonhalle 1". *BSD* 1965 *ff*.

2. das ~ abnudeln = das Tonband abspielen. Nudeln = rollen; abnudeln = abrollen. 1960 *ff*.

tonbandeln *intr tr* auf Tonband aufnehmen; die Tonbandaufnahme vorführen. 1970 *ff*.

Tonbandjäger *m* Mann, der Gespräche anderer mittels Tonband abhört. 1960 *ff*.

Tonbandkonserve *f* Tonbandaufnahme. ↗Konserve. 1950 *ff.*

Tonbandsalat *m* Gewirr von Tonbändern. ↗Salat 1. 1955 *ff.*

Tonbank *f* Wirtshaustheke; Ladentisch. Fußt auf mittel-*niederd* „tonen = zeigen": auf der Theke zeigt der Gastwirt oder Kaufmann seine Waren. *Nordd* 1800 *ff.*

Tönchen *n* fast lautlos entweichender Darmwind. ↗Böhnchen. 1900 *ff.*

tönen *v* 1. etw ~ = einen Laut von sich geben; etw von sich hören lassen; anmaßend sich äußern; etw laut, feierlich verkünden. 1800 *ff.*

2. etw ~ = etw auseinandersetzen; etw mit wenigen Worten klarmachen. *Sold* und *ziv* 1935 *ff.*

3. *intr* = zechen. Entweder hergenommen vom Anstoßen mit den Gläsern oder Krügen oder analog zu „einen ↗blasen", „einen ↗schmettern", „einen ↗zwitschern" o. ä. Spätestens seit 1900.

4. groß (dick, laut) ~ = sich aufspielen; übertriebene Behauptungen aufstellen. ↗Ton 17. 1910 *ff.*

Tonfilmrolle *f* Abortpapierrolle. ↗Tonband; ↗Tonrolle; ↗Filmrolle. *BSD* 1965 *ff.*

Tongalgen *m* Mikrofonausleger. ↗Galgen 2. 1920 *ff.*

Tongut *n* Schallplatten, Tonbänder u. ä. Eigentlich Bezeichnung für Töpferwaren (Steingut). 1960 *ff.*

Tonhalle *f* 1. öffentliche Bedürfnisanstalt; Kasernen-Latrine. Eigentlich die Konzerthalle. Anspielung auf die Nebengeräusche des Kotens. 1910 *ff*, *sold* und *ziv*. (1967 hieß so ein Wagen im Düsseldorfer Rosenmontagszug. „Tonhalle" heißt in Düsseldorf das Konzertgebäude.)

2. Musikzimmer in der Schule. 1950 *ff*, *schül.*

3. offene ~ = Gesäß, After. 1940 *ff.*

Tonhölle *f* Musikzimmer in der Schule. Unmusikalische Schüler erleiden dort Höllenqualen. 1950 *ff.*

Toni *m* blauer ~ = Monteuranzug. *Vgl* „blauer ↗Anton". „Toni" ist Kurz- und Koseform des männlichen Vornamens Anton. *BSD* 1965 *ff.*

Tonkiste *f* 1. Klavier, Harmonium. 1910 *ff.*

2. Rundfunkgerät. 1930 *ff.*

Tonkonserve *f* Schallplatte, Tonband. ↗Konserve. 1950 *ff.*

Tonkulisse *f* Geräuschuntermalung einer Hörfunksendung. ↗Geräuschkulisse 1. Rundfunkspr. 1930 *ff.*

Tonkunstladen *m* 1. Konservatorium; Philharmonie. 1920 *ff.*

2. Schallplattengeschäft. 1920 *ff.*

Tonmensch *m* Toningenieur. Technikerspr. 1930 *ff.*

Tonmöbel *n* Klavier; Musiktruhe; Fernsehgerät. 1950 *ff.*

Tonmühle *f* Tonbandgerät. Technikerspr. 1950 *ff.*

Tönnchen *n* hervorragender Könner. Analog zu ↗Faß 6. *Halbw* 1955 *ff.*

Tonne *f* 1. Schiff. Verkürzt aus „Bruttoregistertonne". Außerdem steht „Tonne" als Behälter in

Analogie zu „↗Eimer" und „↗Pott". *Marinespr* 1939 *ff.*

2. breites Gesäß. 1960 *ff.*

3. Schultornister, -tasche. Wohl wegen des schweren Gewichts der Bücher und Utensilien. *Schül* 1940 *ff.*

4. Rucksack des „Hamsternden". 1918 *ff.*

5. beleibter Mensch. Vorausgegangen sind seit dem 16. Jh Vergleiche des menschlichen Körpers mit der Tonne. 1700 *ff.*

6. Könner von Rang. Analog zu ↗Faß 6. Nach 1900 aufgekommen; 1950 *ff*, *halbw.*

7. wandelnde ~ = beleibter Mensch. *Vgl* ↗Tonne 5. Seit dem 19. Jh.

8. dick wie eine ~ = beleibt. 1700 *ff.*

9. schlank wie eine ~ = sehr schlank. Scherzhaft entstellt aus „schlank wie eine Tanne". 1900 *ff.*

9 a. voll wie eine ~ = volltrunken. *Vgl* ↗Tonne 13. 1920 *ff.*

10. über der (die) ~ gebügelt sein = nach außen gebogene Beine haben. Krummbeinigkeit ist hiernach die Folge unzweckmäßigen Bügelns. Seit dem frühen 20. Jh.

11. die Beine über eine(r) ~ getrocknet haben = nach außen gewölbte Beine haben. *Vgl* das Vorhergehende. 1910 *ff*, Berlin und *mitteld.*

12. über die ~ quatschen = weitschweifig reden. Der „Gesprächsfaden" verläuft nicht geradlinig. 1943 *ff.*

13. ~n versenken = sich betrinken. *Sold* 1939 *ff.*

Tonnenbrause *f* Sprudelwasser vom Faß. Berlin 1920 *ff.*

Tonnengewölbe *n* sehr üppiger Busen. Der Architektur entlehnt. 1950 *ff.*

Tonnengorilla *m* Müllwerker. Anspielung auf die Kraft, die das Heben der Mülltonnen erfordert. 1950 *ff*, Berlin.

Tonnensauce (Grundwort *franz* ausgesprochen) *f* Einheitssauce. Sie wird in „Tonnen = Kanistern" fertig ausgeliefert. 1974 *ff*, werbetexterspr.

Tonpirat *m* Mann, der unberechtigt und heimlich musikalische Aufführungen auf Tonband aufnimmt. 1965 *ff.*

Tonsalat *m* 1. Stimmengewirr im Lautsprecher; Gewirr von Tönen. 1930 *ff.*

2. Musikstück aus verschiedenen Musikstilen. 1950 *ff.*

Tonscheibe *f* Schallplatte. 1955 *ff.*

Tonschusterei *f* Musikzimmer in der Schule. ↗schustern 1. 1950 *ff.*

Tonspucker *m* Transistorgerät. *Halbw* 1960 *ff.*

Tonstudio *n* Musikzimmer in der Schule. Dem Rundfunkwesen entlehnt. 1950 *ff.*

Tontaube spielen = schnellen Dienst haben. „Tontauben" werden in schneller Folge abgefeuert: der Schütze kommt nicht zur Ruhe. *BSD* 1960 *ff.*

Tonwarenfabrik *f* Schallplattenfirma. Eigentlich die Keramikfabrik. Hier Wortspielerei mit „Ton = Klang" und „Ton = Tonerde". 1950 *ff.*

Tonzieher *m* Ziehharmonikaspieler. 1880 *ff*.

Tonzimmer *n* Musikzimmer in der Schule. 1960 *ff*.

Tootsch (Totsch) *m* Unbeholfener; einfältiger Mensch. Nebenform zu „Tatze = plumpe Hand". Seit dem 19. Jh, *schles, rhein,* Zürich.

top *adj* **1.** unübertrefflich. Fußt auf *engl* „top = Spitze; höchster Grad". *Halbw* 1955 *ff*.
2. aktuell. Das Betreffende ist eine Neuigkeit oder Errungenschaft höchsten Grades. *Halbw* 1955 *ff*.
3. ein Kleidungsstück sitzt ~ = ein Kleidungsstück hat einen hervorragenden Sitz. Modenkatalogspr. 1975 *ff*.

topaktuell *adj* hochmodisch. Werbetexterspr. 1970 *ff*.

Top-Boy (Grundwort *engl* ausgesprochen) *m* modisch gekleideter Junge. Modenkatalogspr 1965 *ff*.

Topf *m* **1.** Spielkasse; Kasse zur Aufnahme der Einsätze der Spieler. ↗Pott I 8. Seit dem 19. Jh.
2. Abort. Verkürzt aus „Nachttopf". 1920 *ff*.
3. Zylinder des Motors. Wegen der Formähnlichkeit. Fliegerspr. 1935 *ff*.
4. Stahlhelm. Vorausgegangen sind die Bedeutungen „Helm" und „Tschako". *Sold* 1917 bis heute.
5. topfförmiger Damenhut. 1920 *ff*.
6. Glas, Maßkrug. Eigentlich ein Flüssigkeitsmaß für Wein und Bier; dann auch soviel wie „Bierseidel". *Stud* seit dem späten 19. Jh.
7. Vagina. Versteht sich nach dem geschlechtlichen Sinnbildpaar „Topf und Deckel". 1950 *ff*.
8. unschönes Mädchen. Sein Körper hat keine ausgeprägten Rundungen. 1960 *ff, halbw*.
9. jm den ~ aufdecken = jm Fehler und Verstöße vorhalten. Fußt auf dem Bild, daß man den Deckel vom Topf abnimmt, aus dem es dann dampft (*vgl* ↗Dampf 37 *ff*). 1920 *ff*.
9 a. zu jedem ~ gibt es den passenden Deckel (jeder ~ bekommt – findet – seinen Deckel) = für jede weibliche Person gibt es den passenden Mann. „Topf" und „Deckel" als volkstümliches Sinnbildpaar von Mann und Frau. ↗Topf 7. 1900 *ff*, wenn nicht älter.
10. in einen falschen ~ greifen = sich irren. Wohl der Küchenpraxis entlehnt. 1910 *ff*.
11. jm in den ~ gucken = jn beaufsichtigen, kontrollieren. ↗topfgucken. Seit dem 19. Jh.
12. einen ~ auf dem Feuer haben = etw planen. Man bereitet etwas vor. 1950 *ff*.
13. kleine Töpfe haben auch Ohren = kleine Kinder hören zu; Warnung vor lauschenden Kindern. 1700 *ff*.
14. den ~ am Kochen halten = a) einen Plan weiterverfolgen. 1950 *ff*. – b) die Familie über wirtschaftlich schwere Zeiten hinwegbringen. 1950 *ff*.
15. in vielen Töpfen kochen = auf vielen Gebieten tätig sein. 1950 *ff*.
16. komm gut auf den ~ (aber brich nicht den Henkel ab)! = viel Glück! viel Erfolg! Gemeint ist der Nachttopf. 1950 *ff*, Berlin.
17. alles in einen ~ werfen = Verschiedenartiges

gleichbehandeln. Abgewandelt aus „alles in einem Topf kochen". Seit dem 19. Jh.
18. zerschlagen sein wie ein alter ~ = völlig abgespannt, entkräftet sein. „Zerschlagen" meint eigentlich „zertrümmert", hat aber auch die übertragene Bedeutung „erschöpft" (alle Glieder schmerzen, als habe man sie zerschlagen). 1900 *ff*.
19. aus einem ~ wirtschaften = in einer eheähnlichen Gemeinschaft eine gemeinsame Kasse führen. 1975 *ff*.

Topfavorit *m* aller Voraussicht nach als unbesiegbar geltender Wettkämpfer. *Sportl* 1965 *ff*.

topfbehelmt *adj* einen Hut in Topfform tragend. 1950 *ff, journ*.

Töpfchen (Topferl) *n* Nachtgeschirr. Seit dem 19. Jh, kinderspr.

Töpfchenwirtschaft *f* Verteilung des Steueraufkommens zwischen Bund, Ländern und Gemeinden; Finanzausgleich. 1955 *ff*.

'topf'eben *adj* völlig flach (auf ein Gelände bezogen). Es ist flach wie die Grundfläche eines Topfes. Seit dem 19. Jh.

töpfeln *tr* das kleine Kind auf das Nachtgeschirr setzen. ↗Töpfchen. 1950 *ff*.

topfen *intr* **1.** koten. ↗Topf 2. 1955 *ff* (1920?).
2. koitieren. ↗Topf 7. 1950 *ff*.

Topfen *m* **1.** Unsinn. Meint eigentlich den Quark; analog zu ↗Quark 1. *Bayr* und *österr* 1900 *ff*.
2. Minderwertiges. *Halbw* 1945 *ff*, österr.

'Topfen'neger ('Topfn'neger) *m* bleichgesichtiger, nicht sonnengebräunter Mensch. Die Hautfarbe ist weiß wie Quark. *Österr* 1920 *ff*.

Töpfer *m* ungeschickter, umständlicher Junge; Dummer. Meint entweder einen, der durch sein unbeholfenes Benehmen Töpfe zertrümmert, oder gehört zu „↗tapern". 1900 *ff*.

Topfgeschenk *n* Geschenk unter Eheleuten. Der Beschenkte leitet es vom Wirtschaftsgeld her, der Schenkende bezeichnet es als vom Munde abgespart. 1930 *ff*, Berlin und Umgebung.

topfgucken *intr* aus Neugierde sich in die Angelegenheiten anderer einmischen und die Wahrnehmungen verbreiten; sich um Dinge kümmern, die einen nichts angehen; private Dinge öffentlich zur Sprache bringen. *Vgl* das Folgende. Seit dem 19. Jh.

Topfgucker *m* unangebracht neugieriger Mensch. Eigentlich einer, der sich (unbefugt) um Küchenangelegenheiten kümmert. Mit vielen mundartlichen Varianten: „Pöttenkieker" *(niederd)*, „Döppegucker, Dippegucker" *(hess)* usw. Spätestens seit dem 18. Jh.

'Topfgucke'rei *f* unangebrachte Neugierde bezüglich Angelegenheiten, die einen nichts angehen. Seit dem 19. Jh.

topfguckerig *adj* unangebracht neugierig. Seit dem 19. Jh.

Topfhut *m* Damenhut mit ziemlich hohem Kopf (und ohne Krempe). Formähnlich mit einem umgestülpten (Blumen-)Topf. ↗Topf 5. 1920 *ff*.

topfig *adj* sehr schlecht; minderwertig. ↗Topfen 2. *Österr* 1955 *ff*, *schül.*

'top'fit *adj* volleistungsfähig. ↗top 1; ↗fit. 1950 *ff*, *halbw* und *sportl.*

Topflappen *m* **1.** Eierpfannkuchen. Beide sind hinsichtlich der Biegsamkeit verwandt. 1910 *ff.*
2. *pl* = schlaffe Hängebrüste. 1960 *ff.*
3. ~ aufspannen = horchen. Die Ohrmuscheln sind ähnlich biegsam wie Topflappen. *Halbw* 1960 *ff.*
4. er hat wohl eins mit dem ~ (über-)gekriegt?: Frage angesichts eines Dummen. Der Schlag mit dem Topflappen gegen den Kopf hat eine leichte Geistestrübung bewirkt. 1900 *ff.*

Top-Form *f* **1.** höchste Leistungsfähigkeit. ↗top 1; ↗Form 1. *Sportl* 1950 *ff.*
2. zur ~ auflaufen = sich im Leistungsvermögen steigern. 1950 *ff.*

Topfrechnen *n* Kochen unter dem Gesichtspunkt der Sparsamkeit. Dem „Kopfrechnen" nachgebildet. 1970 *ff.*

Topfschuß *m* Abschuß eines Tieres zwecks Nahrungsbeschaffung. *Sold* in beiden Weltkriegen.

Topfschwenker *m* zum Krankenhausdienst eingeteilter Wehrdienstverweigerer. *Vgl* ↗Pißpottschwenker. *Sold* 1965 *ff.*

Top-Hemd *n* sehr elegantes Hemd. ↗top 1. Modenmacherspr. 1960 *ff.*

Top-Hosteß *f* Prostituierte mit Luxuswohnung. ↗Hosteß. 1970 *ff.*

Top-Job (Grundwort *engl* ausgesprochen) *m* sehr einträgliche, wenig anstrengende Beschäftigung. ↗top 1; ↗Job. 1960 *ff.*

Top-Klasse *f* Spitzenkönner; Rang der Besten. 1960 *ff.*

Top-Knüller *m* hervorragendes Kaufangebot. Werbetexterspr. 1970 *ff.*

Top-Kondition *f* hervorragende Leistungsfähigkeit und Kampfmoral (Mannschaftsgeist). *Sportl* 1960 *ff.*

Top-Leute *pl* Spitzenkönner. ↗top 1. 1960 *ff.*

Top-Mädchen *n* sehr attraktive Prostituierte. 1960 *ff.*

Top-Mann *m* überlegener Könner. 1960 *ff.*

Top-Modell *n* **1.** Spitzenmodell. Werbetexterspr. 1960 *ff.*
2. sehr attraktive Prostituierte. Weil sich Prostituierte gern verschleiernd als „Fotomodell" anbieten. 1970 *ff.*

'top'modisch *adj* hochmodisch. ↗top 2. Werbetexterspr. 1960 *ff.*

Topos *pl* Topographietruppe. Hieraus verkürzt. *Sold* 1965 *ff.*

topp *adj* tüchtig. ↗top 1. 1950 *ff.*

Topp *m* **1.** Zylinder des Motors. ↗Topf 3. Fliegerspr. 1935 *ff.*
2. Galerie im Theater. Meint eigentlich die Mastspitze von Segelschiffen, den Mastkorb, den Ausguck. Seit dem späten 19. Jh, *sächs.*

3. *pl* = Schuhe; Kommißstiefel; Fußballstiefel o. ä. Übertragen vom stiefelförmigen Trinkgefäß. Spätestens seit 1900.
4. auf dem ~ sein = sich nicht übervorteilen lassen; seinen Vorteil zu wahren wissen. „Topp" meint entweder den Mastkorb oder den Abort, analog zu „auf dem ↗Trichter sein". 1920 *ff.*
5. schief auf dem ~ sitzen = geistig nicht normal sein. *Vgl* das Vorhergehende. 1960 *ff.*

Töpperfest *n* Polterabend. *Vgl* das Folgende. 1840 *ff*, Berlin.

töppern *tr intr* (irdenes) Geschirr zerbrechen. Topp = irdener Topf; also soviel wie „Töpfergeschirr zertrümmern". Berlin, nord-*ostd* und *sächs,* seit dem 19. Jh.

Toppsau *f* sittlich verkommener Mensch; Hure schlimmster Art. Meint eigentlich die schmutzige Sau in einem Wasserloch, einer Suhle. Auf den Menschen übertragen, ist einer gemeint, der äußerlich und auch moralisch in die Wäsche gehört. Gegen 1820 unter Prostituierten aufgekommen; übernommen von Soldaten und Studenten.

Top-Renner *m* hochmodisches, leichtverkäufliches Kleidungsstück. ↗Renner; ↗top 1. 1980 *ff*, werbetexterspr.

'top'sauber *adj* sehr sauber. ↗top 1. 1950 *ff.*

'top'schick *adj* äußerst elegant. ↗schick. Werbetexterspr. 1970 *ff.*

Top-Talent *n* sehr befähigter Könner. *Sportl* 1960 *ff.*

Top-Zehn *pl* die zehn führenden Schlagerlieder. Übersetzung von *engl* „Top-Ten". 1980 *ff.*

Top-Zeit *f* Schulferien. ↗top 1. 1965 *ff.*

Tor *n* **1.** das goldene ~ = der siegentscheidende Tortreffer; einziger Tortreffer. *Sportl* 1950 *ff.*
2. das ~ sauberhalten = jeden Torball abwehren. *Sportl* 1950 *ff.*
3. ein ~ schießen = a) einen Tortreffer erzielen. *Sportl* 1920 *ff.* – b) als Zeuge oder Anwalt dem Angeklagten einen Vorteil verschaffen. 1950 *ff.*
4. ins eigene ~ treffen = sich selbst oder seinen Gesinnungsgenossen schaden. Der Sportsprache entlehnt. 1955 *ff.*

Torbogenkatarrh *m* Erkältung, die man sich beim zärtlichen Abschiednehmen von einem Mädchen im Hauseingang zuzieht. 1962 *ff.*

Torbomber (Torebomber) *m* Fußballspieler, der viele unhaltbare Tortreffer erzielt. ↗Bomber 11. *Sportl* 1920 *ff.*

Törchen *n* **1.** Tortreffer *(abf).* *Sportl* 1950 *ff.*
2. Vagina. Die Eingangspforte zum „Paradies". 1900 *ff.*

Tordurst *m* Wille zum Sieg; Vorsatz zu guter Leistung. Vom Fußballsport übernommen. 1955 *ff.*

Torefabrik *f* ↗Torfabrik.

Torero *m* Spanier. Eigentlich der Stierkämpfer. *Halbw* 1960 *ff.*

Toresschluß *m* kurz vor ~ = a) im letzten Augenblick; noch gerade zur rechten Zeit. Stammt aus der Zeit, als man feindliche Überfälle in der Nacht befürchtete und daher die Stadttore am Abend schloß. Seit dem 18. Jh. – b) kurz vor den Wechseljahren. 1900 *ff*.

Torf *m* **1.** Kommißbrot. Wegen der äußerlichen Ähnlichkeit mit einem Torfziegel, wegen der dunkelbraunen Färbung und wegen des Geruchs. *Sold* in beiden Weltkriegen. **2.** Karte, die keinen Punkt zählt. Torf ist an Heizkraft geringer als Kohle und steht daher sinnbildlich für Minderwertigkeit. Kartenspielerspr. 1870 *ff*. **3.** Wertlosigkeit. 1870 *ff*. **4.** Geld. Fußt vielleicht auf *jidd* „teref = Beute" und bezieht sich also ursprünglich auf Taschendiebstahl. *Rotw* seit dem frühen 19. Jh. **5.** Diebesbeute; Gegenstand des Diebstahls. *Vgl* das Vorhergehende. Seit dem 19. Jh. **6.** ~ mit Aas = mit Wurst o. ä. belegte Brotschnitte. Wurst gilt *abf* als „Aas" (= verendetes Tier). *Sold* 1914 *ff*. **7.** ~ mit Salbe = mit Schmalz oder Margarine bestrichene Brotscheibe. ↗Torf 1. Der Aufstrich gilt als weiße Salbe. *Sold* in beiden Weltkriegen; auch arbeiterspr. **8.** klar wie ~ = völlig einleuchtend *(iron)*. 1870 *ff*, Berlin und *nordd*. **9.** nicht für ~! = unter keinen Umständen! Torf = Geld. Berlin seit dem ausgehenden 19. Jh. **10.** ~ baggern = homosexuell verkehren. 1935 *ff*. **11.** mit ~ handeln = einen Fehlschlag erleiden; erfolglos spekulieren. ↗Torf 2. 1900 *ff*, Berlin, Neumark u. a. **12.** unter den ~ kommen = sterben; den Soldatentod erleiden; begraben werden. *Sold* in beiden Weltkriegen; auch *ziv*. **13.** ~ stechen = homosexuell verkehren. 1935 *ff*.

Torfabrik *f* Fuß-, Handballmannschaft, die sehr viele Treffer erzielt. *Sportl* 1950 *ff*.

Torfdrücker *m* Taschen-, Gelegenheitsdieb. ↗Torf 4. „Drücker" ist aus „trecken = ziehen" entstanden. *Rotw* seit dem frühen 19. Jh.

torfen *intr* **1.** Brot essen. ↗Torf 1. *Sold* in beiden Weltkriegen; auch arbeiterspr. **2.** schlafen; unaufmerksam sein. Leitet sich wohl her von der Torfstreu als Bettunterlage für kleine Kinder. *Sold* seit dem frühen 20. Jh bis heute; auch arbeiterspr.

Torfeuerwerk *n* langanhaltender heftiger Angriff auf das gegnerische Tor. *Sportl* 1950 *ff*.

Torfkähne *pl* große, ausgetretene Schuhe. ↗Kahn 8. 1870 *ff*.

Torfkopf (-kopp) *m* unaufmerksamer, benommener Mensch; Viel-, Langschläfer. ↗torfen 2. 1900 *ff*, nordd.

Torfstecher *m* **1.** Homosexueller. ↗Torf 10 und 13. 1935 *ff*. **2.** Mensch, der anrüchige Geschäfte betreibt. *Vgl* ↗Torf 4 und 5. Nach 1945 aufgekommen.

Torfstich *m* homosexueller Verkehr. 1935 *ff*.

Torheini *m* Torwart. ↗Heini. *Sportl* 1950 *ff*.

Torhunger *m* Wunsch nach vielen Tortreffern. *Sportl* 1950 *ff*.

torhungrig *adj* versessen auf Tortreffer. *Sportl* 1950 *ff*.

Torhüter *m* **1.** *pl* = Filzläuse bei der Frau. ↗Törchen 2. 1914 *ff*. **2.** *sg* = auf die Unschuld seiner heranwachsenden Tochter bedachter Vater. 1925 *ff*. **3.** Portier eines Vergnügungslokals. 1925 *ff*.

Torjäger *m* Spieler, der viele Tortreffer erzielt. *Sportl* 1950 *ff*.

Torkanone *f* Fußballspieler mit sehr vielen Tortreffern. ↗Kanone 4. *Sportl* 1950 *ff*.

Torkel *m* **1.** unerwartetes Glück. Fußt auf der Vorstellung vom Glückstaumel, auch vom Wankelmut des Glücks. Analog zu ↗Dusel 2. Seit dem 19. Jh. **2.** dummer, ungeschickter Mann. Anspielung auf unsicheren Gang. *Südd*, 1900 *ff*. **3.** Branntwein. Meint eigentlich die Kelter, dann das gekelterte Getränk und schließlich den daraus destillierten Alkohol. 1900 *ff*. **4.** Alkoholrausch. Von der Drehbewegung der Kelter übertragen auf die Drehwirkung des Rausches. 1800 *ff*.

Torke'lei *f* **1.** allgemeines Bezechtsein; Trinkgelage. ↗torkeln 1. 1940 *ff*, sold. **2.** zur ~ auffordern = zu einem Zechgelage einladen. *Sold* 1940 *ff*.

torkeln *intr* **1.** viel Schnaps trinken; zechen. Von der taumelnden Wirkung zurückgebildet auf die Ursache. Seit dem 19. Jh. **2.** es torkelt = es glückt. ↗Torkel 1. Seit dem 19. Jh.

Torkeltage *pl* **1.** Trinkperiode eines „↗Quartalsäufers". 1900 *ff*. **2.** die Haupttage der Karnevalswoche. 1910 *ff*.

Tor-Konto *n* Zahl der erzielten und der erhaltenen Tortreffer. *Sportl* 1950 *ff*.

Torlawine *f* schnelle Aufeinanderfolge von Tortreffern. *Sportl* 1950 *ff*.

Tormaschine *f* Angriffsreihe mit vielen Tortreffern. *Sportl* 1950 *ff*.

Tor-Nase *f* Gespür für einen Tortreffer. ↗Nase 60; vgl ↗Torriecher. *Sportl* 1970 *ff*.

Tornetzschoner *pl* Fußballmannschaft, die keinen Tortreffer erzielt. Spottwort. *Sportl* 1960 *ff*.

Tornister *m* **1.** Buckel. 1900 *ff*. **2.** nicht alle im ~ haben = nicht recht bei Verstand sein. *Rhein* 1920 *ff*.

tornisterblond *adj* rötlich (von den Haaren gesagt). Hergenommen von der Fellfarbe der äußeren Tornisterklappe beim Militär. Berlin 1870 *ff*.

Tornisterkind *n* Kind eines Berufssoldaten. Mit jedem Garnisonwechsel ist der Schulwechsel verbunden. 1964 *ff*.

torpedieren *tr* **1.** eine Angelegenheit zum Schei-

tern bringen; befohlene Ausführungen verhindern. Übertragen vom Abfeuern eines Unterwas-
sergeschosses. Seit dem ausgehenden 19. Jh.
2. jm ein Klistier setzen, einen Einlauf geben.
1914 *ff*.

Torpedierung *f* Vereitelung eines Vorhabens.
1920 *ff*.

Torpedo *m* **1.** Vereitelung eines Plans; Gegenbefehl. ↗ torpedieren 1. 1914 *ff*.
2. dunkle Zigarette. Verkürzt aus „↗ Lungentor-
pedo". *BSD* 1965 *ff*.
3. anal eingeführter Kunststoffbehälter für Geld
oder Kassiber. Häftlingsspr., 1970 *ff*.

Torpedo-Kaffee *m* sehr dünner Kaffeeaufguß.
Die Bohnen hat man mit einem Torpedo hin-
durchgeschossen. *BSD* und *Halbw* 1965 *ff*.

Torpedo-Mixer *m* Torpedomechaniker. ↗ Mixer.
Marinespr 1939 *ff*.

Torpolster *n* Vorsprung an Tortreffern. *Sportl*
1965 *ff*.

Torregen *m* große Zahl von Tortreffern. *Sportl*
1950 *ff*.

Torriecher *m* Spieler, der eine günstige Gelegenheit zu einem Tortreffer erfühlt. ↗ riechen; ↗ Tor-
Nase. *Sportl* 1950 *ff*.

törrisch *adj* taub. Gehört zu „der Tor": Taube galten früher als dumm. *Bayr* und *österr*, seit dem
16. Jh.

Torschluß *m* kurz vor ~. ↗ Toresschluß.

Torschlußpanik *f* **1.** eifriges Bemühen einer älteren Ledigen, noch einen Ehemann zu finden.
↗ Toresschluß 1. 1900 *ff*.
2. Stimmung der kinderlosen Frau vor den Wechseljahren. 1900 *ff*.
3. Angst vor unerwartet rasch eintretendem Ende.
1935 *ff*.

Torschuß *m* Torball. ↗ Schuß 9. *Sportl* 1920 *ff*.

Torschußkanone *f* durch viele Tortreffer bekannter Fußballspieler. ↗ Kanone 4. 1930 *ff*.

Torschütze *m* Spieler, der einen Tortreffer erzielt
hat. *Sportl* 1920 *ff*.

Torschützenkönig *m* Fußballspieler, der die meisten Tortreffer erzielt hat. 1950 *ff*.

Torschützenliste *f* Liste, in der die Spieler mit
den meisten Tortreffern verzeichnet sind. *Sportl*
1950 *ff*.

Torsegen *m* hohe Zahl von Tortreffern. ↗ Segen.
Sportl 1950 *ff*.

Torso *m* schwachkonturiger ~ = energieloser, lei-
stungsschwacher Mensch. Der Betreffende ist nur
ein Bruchstück von Mensch, noch dazu mit
schwer erkennbaren Umrissen. *Schül* 1955 *ff*.

Tort *m* jm den ~ antun (jm etw zum ~ antun) = jn
kränken. Aus *franz* „tort = Unrecht, Verdruß".
Etwa seit 1700.

Törtchen *n* Freundin. Als Leckerei aufgefaßt.
1950 *ff*.

Torte *f* Freundin; hübsches Mädchen. *Vgl* das Vorhergehende. *Halbw* 1950 *ff*.

Tortelette *f* kleiner, niedriger Damenstrohhut. Er
ähnelt einem Obsttörtchen. 1950 *ff*.

Tortenfee *f* hübsche Kellnerin im Café. 1950 *ff*.

Tortenheber *pl* siamesische ~ = Halbschuhspan-
ner. Sie ähneln in der Form einem Tortenheber.
„Siamesisch" spielt auf die Zusammengehörigkeit
an: sie bilden ein Paar. *BSD* 1968 *ff*.

Torteningenieur *m* Konditor. 1920 *ff*.

Torten-Nager *m* Tortenesser(in). Dem „↗ Tee-
Nager" nachgebildet. 1960 *ff*.

Tortenschachtel *f* freistehender Rundbau.
1960 *ff*.

Torturkammer *f* Klassenzimmer. *Schül* 1960 *ff*,
österr.

Torwart *m* den ~ markieren = ins Leere, vor sich
hinträumen. Anspielung auf den Torwart, der in
einem Spiel gegen eine schwache Mannschaft getrost unaufmerksam sein kann. *Sold* 1939 *ff*.

Torwartkatze *f* weiblicher Torwart beim Handballspiel. 1965 *ff*.

Torwirbel *m* Erzielung mehrerer Tortreffer in kurzer Zeit. ↗ Wirbel. *Sportl* 1950 *ff*.

Toscanini *m* Polizeibeamter auf der Straßenkreuzung bei der Verkehrsregelung. Seine Armbewe-
gungen lassen an einen Dirigenten denken, hier
an Arturo Toscanini (1867–1957). 1960 *ff*.

tosen *intr* eilen. Übernommen vom tosenden Sturm
oder von tosenden Wassermassen. Seit dem späten 19. Jh.

tot *adj* **1.** jn ~ und lebendig fragen = jn aufs ge-
naueste ausfragen. 1900 *ff*.
2. jn ~ und lebendig reden = auf jn beharrlich
einreden; ein Schwätzer sein. 1900 *ff*.
3. ~ sein = a) mittellos, ohne Geld sein. In geldli-
cher Hinsicht ist man bewegungsunfähig wie ein
Gestorbener. *Vgl* ↗ stier. Seit dem späten 19. Jh,
kartenspielerspr., kundenspr. und *prost*. – b) erschöpft sein. 1900 *ff*.
4. halb ~ sein = übermüdet sein. 1900 *ff*.
5. du bist ~: Redewendung auf einen Versager. Er
ist genauso wenig brauchbar und nützlich wie ein
Toter. *BSD* 1965 *ff*.
6. der ist ~ und läßt grüßen: Redewendung unter
Kartenspielern, wenn der Gegner eine hohe Karte
nutzlos opfert. Stammt aus Goethes „Faust I":
„Ihr Mann ist tot und läßt Sie grüßen". Kartenspielerspr. 1870 *ff*.
7. wer ist ~?: Frage, wenn man etwas nicht verstanden hat oder sich an einem Gespräch beteiligen will. *Nordd* und Berlin, 1830 *ff*.
8. da möchte ich nicht ~ sein = da möchte ich
nicht immer leben müssen. Zur Herleitung *vgl*
„↗ begraben 4". Seit dem 19. Jh.

total *adj adv* **1.** außerordentlich. Hergenommen
vom Begriff „völlig" im Zusammenhang mit seltenen Ereignissen (totale Sonnenfinsternis; Total-
ausverkauf, Totalschaden o. ä.). *Halbw* 1965 *ff*.
2. ~ vergammelt = Territoriale Verteidigung.
Deutung der Abkürzung „TV". *BSD* 1965 *ff*.

Der besondere Reiz des Bildes „Tod und Totengräber" (um 1895/1900) von Carlos Schwabe liegt im Sujet: Der Totengräber selbst wird während seiner Arbeit vom schwarzen Todesengel überrascht (vgl. **Totengräber 2.**). *Umgangssprachlich wird auch der Pionier, der, und das beruht wohl auf einem unfreiwilligen schwarzen Humor, an seinem ebenfalls schwarzen Kragenspiegel zu erkennen ist, zum Totengräber* (**Totengräber 1.**). *In Friedenszeiten ist es insbesondere der Mediziner, der mit dem Totengräber unter einer Decke steckt* (**Totengräber 3.**). *Doch auch der Totengräber selbst ging in die Literatur ein. In der berühmten „Totengräberszene" des Hamlet (V. 1.) stellt der erste der das Grab der Ophelia aushebenden Arbeiter die Frage: „Wer baut fester als der Maurer, der Schiffsbaumeister oder Zimmermann?" Die Antwort gibt er selber: „Der Totengräber. Die Häuser, die er baut, währen bis zum Jüngsten Tag."*

Totaldekolleté *n* Nacktheit. 1955 *ff.*

Totalfall *m* äußerst dummer Mensch. Er ist ein Fall von totaler Idiotie. *Sold* 1935 *ff*; auch handwerkerspr.

Totalisator *m* Schiedsrichter bei sportlichen Wettkämpfen. Er soll und muß alles („total") sehen, vor allem die Unregelmäßigkeiten. „Totalisator" bezeichnet eigentlich Buchungsschalter und Rechenstelle für Pferdewetten. 1920 *ff.*

Totalschaden *m* **1.** Tod. Eigentlich ein völliger Sachschaden, der keine Instandsetzung mehr zuläßt. Im Zweiten Weltkrieg aufgekommen, *sold* und *ziv*.
2. einen ~ haben = völlig verrückt sein. Der Sachschaden ist hier ein geistiger Defekt. *Schül* 1950 *ff.*

Totalverblöder *m* Fernsehgerät. Gehässige Deutung der Abkürzung „TV" für „Television". 1955 *ff.*

totarbeiten *refl* angestrengt arbeiten. Seit dem 19. Jh.

totärgern *refl* sich sehr ärgern (auch: sich halb totärgern; sich halbtot ärgern). Seit dem 18. Jh.

totballern *tr* jn erschießen. ↗ballern. *Sold* in beiden Weltkriegen.

totbleiben *intr* verunglücken, sterben. Seit dem 14. Jh.

totbrüllen *tr* jn überschreien, nicht zu Wort kommen lassen. 1920 *ff.*

Tote *pl* **1.** von den ~n auferstehen = a) aus dem Rausch erwachen und sich aufrichten. 1900 *ff.* – b) nach Verbüßung einer Haftstrafe zurückkehren. 1950 *ff.*
2. wieder auferstanden von den ~n?: Frage an einen, dem man nach längerer Krankheit wieder begegnet. 1900 *ff.*
3. laß ~n ruhen!: Aufforderung an den Kartenspieler, außer dem letzten Stich keine früheren anzusehen. Kartenspielerspr. seit dem 19. Jh.

Töte *f* Handfeuerwaffe; Pistole. Substantivbildung zu „töten". Im Ersten Weltkrieg bei den Soldaten aufgekommen und dort bis heute geläufig geblieben, auch beim *österr* Bundesheer und unter Verbrechern bzw. bei den Verfassern von Kriminalromanen und -spielen.

töten *tr* **1.** einen Schüler vor der Versetzung scheitern lassen; einen Schüler zum vorzeitigen Schulabgang bestimmen. Lehrerspr. 1920 *ff.*
2. jn moralisch ~ = jn durch Aufdeckung einer geheimen Schuld oder eines Vergehens moralisch erledigen. 1920 *ff.*
3. einen Ball ~ = einen Ball abfangen, unschädlich machen; einen Tortreffer vereiteln. *Sportl* 1950 *ff.*
4. ein Buch (o. ä.) ~ = ein Buch (o. ä.) in die Liste der jugendgefährdenden Schriften (usw.) aufnehmen. 1950 *ff.*
5. eine Flasche ~ = eine Flasche leertrinken. Rockerspr. 1970 *ff.*

Totenbein *n* gebackenes Schinkenröllchen. Soll aus dem *Engl* stammen. 1960 *ff, schül.*

Totengräber *m* **1.** Pionier. Auch er gräbt in der Erde und wird bei der Anlegung von Massengräbern eingesetzt. Bei der Wehrmacht und in der Bundeswehr hat er schwarze Kragenspiegel. *Sold* seit dem späten 19. Jh bis heute.
2. dem ~ von der Schippe (Schaufel) gesprungen (gehopst) sein = mit knapper Not dem Tode entgangen sein. Eine grimmig-scherzhafte Vorstellung: der Betreffende war dem Totengräber schon überantwortet, als er unverhofft wieder zu Kräften kam und am offenen Grab der Schaufel sprang. Berliner Variante: „da bin ich Jrieneisen nochmal von der Schippe gehopst" (Grieneisen ist der Name eines Berliner Beerdigungsinstituts). 1900 *ff.*
3. mit dem ~ unter einer Decke stecken = Arzt sein. Selbstironische Ärztevokabel seit dem 19. Jh.
4. dem ~ auf der Schaufel stehen = dem Tod verfallen sein. ↗Totengräber 2. 1900 *ff.*

Totenhut *m* Zylinderhut. Man trägt ihn bei Beerdigungen. 1900 *ff.*

Totenkammer *f* Ausstellungsraum für minderwertige Kunstwerke; Raum für die Aufbewahrung unverkaufter Gemälde. Sie gelten als „gestorben" im Sinne von „endgültig abgetan". 1890 *ff.*

Totenkommission *f* **1.** Gesamtheit der Prüfer beim Examen. Seit dem späten 19. Jh, *stud.*
2. Ärzteausschuß für Fronttauglichkeitsprüfung. In grimmiger Auffassung suchen sie die Anwärter auf den Soldatentod aus. *Sold* in beiden Weltkriegen.

Totenlicht *n* schlechte Beleuchtung. 1900 *ff.*

Totenschein *m* **1.** Erkennungsmarke des Soldaten. Eigentlich die ärztliche Bescheinigung über den Eintritt des Todes, dann auch die Urkunde über die Verleihung eines meist bei Erreichung der Altersgrenze verliehenen Ehrenzeichens und schließlich das Militärehrenzeichen, die hohe Kriegsauszeichnung. *Sold* seit dem späten 19. Jh.

2. Einberufungsbescheid. Er bescheinigt den zivilen Tod. *BSD* 1965 *ff.*

3. Wehrpaß. *BSD* 1965 *ff.*

Totenschild *n* Erkennungsmarke des Soldaten. *BSD* 1965 *ff.*

Totenvogel *m* **1.** Pessimist. Eigentlich der volkstümliche Name des Waldkauzes, dessen Ruf den baldigen Tod eines Menschen ankündigen soll. 1939 *ff.*

2. langweiliges Mädchen. Es langweilt einen zu Tode. *Halbw* 1960 *ff.*

3. Brathähnchen o. ä. Es ist ein toter Vogel. *BSD* 1965 *ff.*

4. für Abstürze berüchtigter Flugzeugtyp. *BSD* 1960 *ff.*

Totenzettel *m* lügen wie ein ~ = dreist lügen. 1900 *ff.*

Toter *m* **1.** alter Mann. Als vermeintlich nutzloser Bürger wird er herzlos den Gestorbenen zugezählt. 1955 *ff.*

2. der Schnaps (die Suppe u. ä.) weckt einen Toten auf = der Schnaps (o. ä.) ist herzhaft stark, wärmt durch und durch. 1920 *ff.*

3. sie fürchtet ein ~ = sie hat ein widerwärtiges Wesen. *Bayr* 1900 *ff.*

4. und sie trugen einen Toten hinaus: Redewendung der Gegner, wenn der Spieler das Karten- oder Kegelspiel verloren hat. Fußt auf Lukas 7, 12 (Jüngling von Nain/Naim). Kartenspieler- und keglerspr., 1870 *ff.*

5. einen Toten spielen = infolge eines Unfalls oder einer Regelwidrigkeit regungslos auf dem Sportplatz liegen. *Sportl* 1950 *ff.*

totfragen *tr* jm Fragen über Fragen stellen. 1920 *ff.*

totfressen *v* sich an etw ~ können = etw mit größtem Appetit essen. 1900 *ff.*

totfreuen *refl* sich sehr freuen. Seit dem 18. Jh.

totfuttern (totfüttern) *tr* **1.** jm das Gnadenbrot geben. Seit dem 19. Jh.

2. Altenteiler bis an ihr Lebensende mit allen Erfordernissen versorgen; den Altenteiler so verpflegen, daß sein Ableben beschleunigt wird. Seit dem 19. Jh.

Totgeburt *f* Schimpfwort auf einen Versager. 1920 *ff.*

totgehen *intr* sterben. Entwickelt nach dem Muster von „entzwei gehen": man geht (kommt) zu Tode. Seit dem 19. Jh.

tothaben *tr* jn für tot erklärt haben; jds Toterklärung erreicht haben. 1940 *ff.*

tothauen *tr* jn totschlagen. Seit dem 16. Jh.

totheulen *refl* sehr heftig weinen. ↗heulen. Seit dem 19. Jh.

totkaufen *refl* bei Glücksspielen die höchstzulässige Augenzahl überschreiten und dadurch sofort verlieren. Seit dem 19. Jh.

totkriegen *v* nicht totzukriegen sein = a) kerngesund, unverwüstlich sein. Seit dem 19. Jh. – b) nicht überflügelt, nicht übertrumpft werden können. 1900 *ff.*

totlachen *v* **1.** sich ~ = herzhaft lachen; ausdauernd lachen. Zusammengewachsen aus „sich zu Tode lachen"; *vgl* ↗Tod 24 a. Seit dem 18. Jh.

2. sich halb ~ = kräftig lachen. „Halb tot" ist „mehr tot als lebendig". Seit dem 18. Jh.

3. es ist zum ~ = es ist überaus erheiternd. Seit dem 19. Jh.

4. es ist nicht zum ~ = es ist höchst unerfreulich. Seit dem 19. Jh.

totlangweilen *refl* sich sehr langweilen. *Vgl* ↗Tod 25. 1900 *ff.*

totmachen *tr* **1.** töten. Seit dem 18. Jh.

2. eine Sache zu Ende bringen. Juristenspr. 1920 *ff.*

3. mach' tot!: Aufforderung an den Mitspieler, den Gegner zu übertrumpfen. Kartenspielerspr. 1900 *ff.*

totmischen *refl* es hat sich schon mal einer totgemischt: Redewendung, wenn einer die Karten zu lange mischt. Kartenspielerspr. seit 1900.

totmopsen *refl* sich sehr langweilen. ↗mopsen. Seit dem 19. Jh.

Toto *n* auf ~ sein = seinen Vorteil zu wahren wissen. Hergenommen von Leuten, die die Toto-Ergebnisse laufend verfolgen und daraus Schlüsse für den eigenen Wettschein ziehen. 1948 *ff.*

Totoergebnisse *pl* Zeugnisnoten. Der Schüler betrachtet sie nicht als verdient, sondern als Zufallsprodukte. 1955 *ff.*

Toto'ist *m* Totospieler. 1950 *ff.*

Toto'rit *m* Totospieler. Er hat die „↗Totoritis". 1960 *ff.*

Toto'ritis *f* Leidenschaft des Toto-Spielens. Nachahmung von Krankheitsbezeichnungen (Bronchitis, Diphtheritis o. ä.). Aufgekommen kurz nach 1950 als Titel einer Berliner Günther-Neumann-Revue sowie als Kölner Karnevalslied.

totquatschen *tr* über eine Sache solange reden, bis eine weitere Erörterung sich erübrigt oder Überdruß eintritt. ↗quatschen 2. 1900 *ff.*

totquietschen *refl* schrill lachen. Seit dem 19. Jh.

totrackern *refl* körperlich sich sehr anstrengen. ↗rackern. Seit dem 19. Jh.

totreden *tr* über etw ausdauernd reden; etw zerreden; jm an Beredsamkeit überlegen sein. 1900 *ff.*

totreiten *tr* etw durch stete Wiederholung wirkungslos machen. 1880 *ff.*

totsaufen *v* **1.** jn ~ = jn sinnlos betrunken machen; jn „unter den Tisch trinken". 1900 *ff.*

2. sich ~ = sich sinnlos betrinken; sich zu Tode trinken. Seit dem 19. Jh.

Totsch *m* ↗Tootsch.

totschaffen *refl* schwer, ohne Unterbrechung arbeiten. 1900 *ff.*

Totschaffer *m* überfleißiger Mensch (auch *iron*). 1900 *ff.*

totschämen *refl* sich sehr schämen. Seit dem 19. Jh.

totscheißen *refl* an Ruhr erkrankt sein. 1914 *ff*.

totschießen *v* es ist zum ~ = a) es ist sehr zum Lachen. *Vgl* ↗schießen 13. Seit dem 19. Jh. – b) es ist zum Verzweifeln. 1800 *ff*.

totschlagen *v* du kannst mich ~ (und wenn du mich totschlägst): Beteuerung, daß man das Gemeinte nicht weiß und nicht besitzt. Selbst bei Androhung des Totschlags ändert sich hieran nichts. Seit dem 19. Jh.

Totschläger *m* **1.** Hartwurst. Sie ist so hart, daß man mit ihr jn totschlagen könnte. *Sold* 1939 bis heute.

2. jm das Profil mit dem ~ nachziehen = jn kräftig prügeln. Drohrede. 1950 *ff*.

totschleppen *refl* schwer tragen. Seit dem 19. Jh.

totschreien *refl* hellauf lachen. Seit dem 19. Jh.

totschrumpfen *refl* immer mehr Mitglieder verlieren und sich am Ende auflösen müssen (von einem Verein, einer Partei o. ä. gesagt). 1950 *ff*.

totschuften *refl* sehr angestrengt arbeiten. ↗schuften 1. Seit dem 19. Jh.

totschwätzen *tr* ununterbrochen auf jn einreden; jn durch Geschwätz entkräften. 1900 *ff*.

totschweigen *tr* eine Person oder Sache überhaupt nicht mehr erwähnen. 1870 *ff*.

'tot'sicher *adj* falsche Schreibung für „↗todsicher".

totsiegen *refl* Schlachten um Schlachten gewinnen und am Ende dennoch den Krieg verlieren. *Sold* und *ziv* in, zwischen und nach beiden Weltkriegen verbreitet.

totsingen *refl* solange singen, bis die Zuhörer das Interesse verlieren. 1960 *ff*.

totsparen *refl* übertrieben sparsam leben. 1920 *ff*.

totstellen *refl* uninteressiert tun. 1920 *ff*.

totsterben *intr* sterben. Seit dem 19. Jh, kinderspr.

totsuchen *v* sich nach etw ~ = angestrengt nach etw suchen. 1900 *ff*.

tottanzen *refl* leidenschaftlich gern tanzen; bis zur Erschöpfung tanzen; solange tanzen, bis das Interesse der Zuschauer schwindet. 1870 *ff*.

totteilen *refl* zu seinen Ungunsten teilen. Seit dem 19. Jh.

totweinen *refl* anhaltend weinen. 1800 *ff*.

Toujoursle (*franz* ausgesprochen; daher auch „Tuschurle" geschrieben) *n* fast stets funktionierendes Feuerzeug. Aus *franz* „toujours = immer". 1914 *ff*.

Tour *f* **1.** die übliche Handlungsweise; die übliche Erklärung; die übliche Redewendung; die übliche Ausrede o. ä. Stammt aus *franz* „tour = Wendung, Streich, Kniff" (tour de cartes = Kartenkunststück). Seit dem späten 19. Jh.

2. Art des Geschlechtsverkehrs. 1870 *ff*.

3. Kundensuche durch Straßenprostituierte. Tour = Reise, Weg. 1900 *ff, prost*.

4. ~ de Lukull = Gang von Schlemmerlokal zu Schlemmerlokal. Anspielung auf das üppige Leben des Lucius Licinius Lucullus (117–57 v. Chr.), wie es Plutarch beschrieb. Berlin 1960 *ff*.

4 a. ~ von der Stange = Urlaubsreise nach der Zusammenstellung durch ein Tourismus-Unternehmen. ↗Stange 8. 1980 *ff*.

5. alte ~ = altbekannte, unveränderliche Art des Vorgehens. 1870 *ff*.

6. bequeme ~ = bequeme Handlungsweise. 1920 *ff*.

7. billige ~ = einfaches, einfallsloses Vorgehen. 1920 *ff*.

8. auf die deutliche ~ = ohne Umschweife; geradeheraus. 1910 *ff*.

9. diskrete ~ = schicklich-verschwiegene Handlungsweise. 1900 *ff*.

10. doofe ~ = Vorspiegelung von Dümmlichkeit. 1935 *ff*.

11. dumme ~ = a) Ausrede; scheinbar einfältiges Verhalten; vermeidbares Mißgeschick. 1920 *ff*. – b) Lust, Streiche und Torheiten zu begehen. 1920 *ff*.

12. falsche ~ = Homosexualität. ↗Tour 2. 1870 *ff*.

13. faule ~ = unredliches Verhalten. ↗faul 1. 1900 *ff*.

14. feine ~ = Höflichkeit; geschickte Handlungsweise; vornehmes Verhalten. 1920 *ff*.

15. auf die feine ~ = vornehm; verblümt; jegliche kränkende Wirkung vermeidend. 1920 *ff*.

16. fromme ~ = geheuchelte Frömmigkeit; Frommtun aus Zweckmäßigkeitsgründen. 1920 *ff*.

17. gerade ~ = ehrliche Handlungsweise; Vorgehen im Rahmen des Erlaubten. 1920 *ff*.

18. auf gerade ~ = ohne Perversität. 1920 *ff*.

19. halbkrumme ~ = Unredlichkeit kleineren Ausmaßes. ↗krumm 2. 1950 *ff*.

20. harte ~ = rücksichtsloses Vorgehen; Brutalität. 1935 *ff*.

21. heilige ~ = vorgetäuschter Halt an der Religion; Scheinheiligkeit. 1950 *ff*.

22. auf die kalte ~ = infolge einer Lücke im Gesetz; rechtlich unangreifbar. *Vgl* „auf kaltem ↗Weg". 1920 *ff*.

23. kesse ~ = schnippisches, herausforderndes Auftreten. ↗keß. 1950 *ff*.

24. auf kleiner ~ = mit betrügerischer Absicht. 1960 *ff*.

25. krumme ~ = Unredlichkeit; listiger Umweg; Betrug, Urkundenfälschung o. ä. ↗krumm 2. 1930 *ff*.

25 a. lahme ~ = Schwunglosigkeit. *Jug* 1960 *ff*.

26. linke ~ = anrüchige Handlungsweise. ↗link 1. 1930 *ff*.

27. lose ~ = lockeres Führen beim Tanzen. 1920 *ff*.

27 a. miese ~ = unschöne, niederträchtige Handlungsweise. ↗mies 1. 1920 *ff*.

28. milde ~ = gütliche Regelung. 1910 *ff*.

29. ruhige ~ = bequemer Dienst ohne besondere Vorkommnisse. *Sold* 1939 *ff.*

30. sanfte ~ = a) bequemer Dienst ohne Antreibung. *Sold* 1939 *ff.* – b) gewinnendes Bitten; Schmeichelei; Verhalten, das niemanden verletzt. 1920 *ff.*

31. schiefe ~ = Unredlichkeit; Sittenlosigkeit. ↗schief 1. 1920 *ff.*

32. schräge ~ = Betrügerei. ↗schräg 1. 1935 *ff.*

33. auf die stille ~ = unauffällig. 1920 *ff.*

34. süße ~ = flehentliches Bitten; gütliches Zureden zwecks Übertölpelung; Verlockung; freundliche Wahrheitsentstellung. ↗süß. Spätestens seit 1920.

35. traurige ~ = gespieltes Traurigsein. 1950 *ff.*

36. vornehme ~ = vornehmes, großzügiges Verhalten. 1920 *ff.*

37. weiche ~ = geschmeidige Taktik; Versöhnlichkeit; Einschmeichelung; Verständigungsbereitschaft; milde Menschenbehandlung. 1935 *ff.*

38. in 'einer ~ = ohne Unterbrechung. Gemeint ist eigentlich der Reiseweg ohne Unterbrechung. Seit dem 19. Jh.

39. auf vollen ~en arbeiten = angestrengt tätig sein. Tour = Umdrehungs-, Drehzahl von Maschinen. 1920 *ff.*

40. jn auf ~en bringen = jn antreiben; ermuntern, anregen; jn aufregen. Aus der Maschinentechnik übertragen. 1920 *ff.*

40 a. etw auf ~en bringen = eine Sache vorantreiben. 1920 *ff.*

41. eine ~ drehen = koitieren. ↗Tour 2. 1900 *ff.*

42. die scharfe ~ einschalten = streng vorgehen; eine Razzia veranstalten. 1950 *ff.*

43. auf ~ gehen = a) auf Einbruch ausgehen. Analog zu „↗Fahrt 3". 1920 *ff.* – b) als Straßenprostituierte auf Männerfang gehen. ↗Tour 3. 1920 *ff.* – c) sich vom Elternhaus lösen. 1975 *ff.*

44. auf ~en gehen = sich beeilen. Tour = Drehzahl der Maschine. 1920 *ff.*

45. seine ~ haben = seinen üblichen Anfall von Wunderlichkeit (Verrücktheit o. ä.) haben; im Affekt handeln. Verkürzt übernommen aus *franz* „tour de folie" oder „tour d'esprit". Seit dem 19. Jh.

46. etw auf ~en halten = etw in Gang halten. Tour = Drehzahl der Maschine. 1920 *ff.*

47. auf ~en kommen = a) in gute, mitreißende Stimmung geraten; ins Plaudern geraten; Glück beim Kartenspielen haben. 1910 *ff.* – b) energisch werden; sich in Wut reden. 1910 *ff.* – c) seine volle Leistungskraft erreichen. *Sportl*, musikerspr. u. a., 1920 *ff.*

48. jm auf die schräge ~ kommen = im Verkehr mit jm nicht die üblichen Umgangsformen beachten. ↗schräg 7. 1950 *ff.*

49. seine ~ kriegen = von seiner üblichen Laune gepackt werden; zu wunderlichem Verhalten übergehen. ↗Tour 45. Seit dem 19. Jh.

50. etw auf die laue ~ kriegen = etw entwenden. „Lau" meint hier den geringeren Grad von Straffälligkeit, auch die einfache Art der Durchführung. 1939 *ff.*

51. auf vollen ~en laufen = überaus beschäftigt sein. ↗Tour 39. 1920 *ff.*

52. mit hundert (tausend) ~en reden = schnell sprechen; beredt sein. Der Maschinentechnik entlehnt. 1914 *ff.*

53. eine ~ (auf eine ~) reisen = ein bestimmtes Vorgehen beibehalten. ↗Tour 1. 1935 *ff.*

54. eine ~ (auf eine ~) reiten = immer auf dieselbe Weise handeln. ↗reiten 1. 1935 *ff.*

55. krumme ~en reiten = unredlich, listig handeln. ↗krumm 2. 1930 *ff.*

56. jn auf ~ schicken = eine Frau zur Straßenprostitution anhalten. ↗Tour 3. 1920 *ff.*

57. auf ~ sein = a) zu einem Einbruch unterwegs sein. ↗Tour 43. 1920 *ff.* – b) als Straßenprostituierte Kunden suchen. ↗Tour 3. 1920 *ff.*

58. mit seinen Gedanken auf ~ sein = geistesabwesend sein. Tour = Reise. 1900 *ff.*

59. auf ~en sein = a) in bester, ausgelassener Stimmung sein. ↗Tour 47. 1910 *ff.* – b) wütend sein. 1910 *ff.*

60. auf vollen ~en sein = anhaltend Glück beim Kartenspielen haben. 1910 *ff*, kartenspielerspr.

61. auf harte ~ spielen = Skat spielen mit Kontra und Re usw. 1935 *ff*, kartenspielerspr.

62. die verrückte ~ spielen = sich verrückt stellen; Irresein heucheln. *Sold* 1939 *ff.*

63. jm die ~ vermasseln = jds Plan vereiteln. ↗vermasseln. Seit dem 19. Jh, verbrecherspr., *sold, schül, stud*, kaufmannsspr. und *prost.*

64. es mit der spaßigen ~ versuchen = etw ins Lächerliche ziehen. 1960 *ff.*

touren *intr* sich auf Gastspielreise befinden. Verbal entwickelt aus „Tour" oder „Tournee". 1950 *ff.*

Tourenfex *m* leidenschaftlicher Wanderfreund. ↗Fex. 1920 *ff.*

Tourgigant *m* Radrennfahrer. ↗Gigant der Landstraße. „Tour" bezieht sich auf „Tour de France" o. ä. 1920 *ff.*

Touristenfledderer *m* Übervorteiler von Urlaubsreisenden. ↗fleddern 1. 1960 *ff.*

Touristengrill *m* Badestrand (in südlichen Ländern). 1960 *ff.*

Touristenlatein *n* irrtümliche Vorstellung von fremden Ländern, Sitten und Gebräuchen. ↗Latein 2. 1960 *ff.*

Touristenlawine *f* Urlauberstrom. 1960 *ff.*

Touristenrenner *m* sehr beliebtes Urlaubsziel. ↗Renner. 1960 *ff.*

Touristen-Rollbahn *f* Autobahn München–Salzburg. Sie ist eine der meistbefahrenen Autobahnstrecken Europas, besonders in der Urlaubszeit. 1960 *ff.*

Touristenrummel *m* Betriebsamkeit der (um die) Urlauber. ↗Rummel. 1965 *ff.*

Touristenschwemme *f* Urlauberstrom; Andrang der Urlaubsreisenden. 1955 *ff*.

Touristensilo *m* Großhotel. 1960 *ff*.

Touristenspektakel *n* Sehenswürdigkeit für Urlaubsreisende. 1960 *ff*.

Touristentränke *f* Massenlokal. 1978 *ff*.

Touristenweide *f* Campingplatz. 1955 *ff*.

Touristin *f* Prostituierte. ↗Tour 2 und 3. *Schweiz* 1900 *ff*.

Tourneekoller *m* Gereiztheit unter Künstlern auf Tournee. ↗Koller. 1960 *ff*.

'tout'schnurz *adv* völlig gleichgültig. Durch *franz* „tout" = ganz, gänzlich; alles" verstärktes „↗schnurz". *Stud* 1945 *ff*, Berlin.

töwen (töben, töfen) *intr* warten. Ein *niederd* Wort seit dem 14. Jh.

Trab *m* **1.** zum ~ ansetzen = energisch, eilig vorgehen. Trab = Laufen in schreitender Bewegung. 1900 *ff*.
2. auf dem ~ bleiben = rüstig bleiben; seiner Beschäftigung weiterhin nachgehen. 1920 *ff*.
3. jn auf (in) ~ bringen = jn antreiben, zurechtweisen; jm Ordnung (Eile) beibringen; jn nötigen, zu tun, was sich gehört. Seit dem 19. Jh, nördlich der Mainlinie.
4. jn auf den ~ bringen = jn auf den Schub bringen; jn über die Landesgrenzen abschieben. 1900 *ff*.
5. es bringt mich in (auf) ~ = das Abführmittel wirkt stark und anhaltend. 1950 *ff*.
5 a. jn aus dem ~ bringen = jds Gewohnheiten stören. Seit dem 19. Jh.
6. am ~ gehen = Straßenprostituierte sein. *Österr* 1950 (?) *ff*, *rotw*.
7. jn auf dem (in) ~ halten = jm keine Ruhe gönnen. 1900 *ff*.
8. jm auf den ~ helfen = jn antreiben. Seit dem 19. Jh.
9. auf den ~ kommen = über die Landesgrenze abgeschoben werden. ↗Trab 4. 1900 *ff*.
10. ~ laufen (machen) = sich beeilen. Seit dem 19. Jh.
11. jm ~ machen = jn antreiben. 1900 *ff*.
12. sich auf den ~ machen = aufbrechen, abmarschieren. 1900 *ff*.
13. auf (auf dem) ~ sein = unterwegs sein; tätig sein; aus Geschäftsgründen sich sehr anstrengen; seinen Vorteil zu wahren wissen. Seit dem 19. Jh.
14. wieder auf dem ~ sein = wieder gesund sein. 1900 *ff*.
15. in ~ sein = es eilig haben; sich nicht aufhalten lassen. 1900 *ff*.

Tra'banten *pl* lärmende, mutwillige Kinder; Kinderschar. Fußt auf *tschech* „drabant = Krieger zu Fuß", dann auch soviel wie „Gefolge, Dienerschaft". Seit dem frühen 19. Jh auf Kinder bezogen.

Tra'banten-Orden *m* Ordensauszeichnung für das Gefolge eines führenden Staatsmanns. 1960 *ff*.

Trabe machen eilen. „Trabe" (*f*) ist neues Substantiv zu „traben". 1960 *ff*, *halbw*.

traben *intr* **1.** gehen; eilig laufen. ↗Trab 1. Seit dem 14. Jh.
2. dienstbeflissen sein. 1900 *ff*.
3. als Straßenprostituierte auf Männerfang ausgehen. Die „↗Pferdchen" traben. 1900 *ff*.
4. Streifendienst machen. Polizeispr. 1950 *ff*.

Traber *m* Amtsbote, Bürodiener. Eigentlich das Trabrennpferd. Berlin 1920 *ff*.

Traberin *f* Straßenprostituierte. ↗traben 3. *Österr* 1950 (?) *ff*, *rotw*.

Traberklops *m* deutsches Beefsteak aus Pferdefleisch. *Sold* und *ziv* 1914 *ff*.

Trabrennen *n* ~ des kleinen Mannes = Wettfliegen der Brieftauben 1955 *ff*.

trab'trab *adv* schnell. 1900 *ff*.

Trab'trab *n* Pferdefleisch. 1910 *ff*.

Tracht *f* **1.** Prügel (Tracht Prügel). „Tracht" ist die Menge, die man auf einmal tragen kann. 1700 *ff*.
2. Uniform. Meint eigentlich die Kleidung einer bestimmten (Epoche oder) Volksgruppe, die Landestracht, auch die Kleiderpracht. *Sold* 1939 bis heute.

Trachtengruppe *f* **1.** Bundeswehr (*abf*). Meint eigentlich die Volkstanzgruppe o. ä. in stilistisch einheitlicher Kleidung. 1955 *ff*, *BSD*.
2. Halbwüchsigenbande in einheitlicher Kleidung. 1960 *ff*.
3. Norddeutsche ~ (~ Nord- oder Ostsee) = Bundesmarine. *BSD* 1960 *ff*.

Trachtenrock *m* Uniformrock. ↗Tracht 2. *Sold* 1939 bis heute.

Trachtenschuhe *pl* Halbschuhe. Sie sind Bestandteil vieler Volkstrachten. *BSD* 1960 *ff*.

Trachtenverein *m* **1.** Bundeswehr. Ein Verein, dessen Mitglieder einheitliche Kleidung tragen. *BSD* 1960 *ff*.
2. Territoriale Verteidigung. Deutung der Abkürzung „TV". *BSD* 1960 *ff*.
3. Norddeutscher ~ = Bundesmarine. *BSD* 1960 *ff*.

Trachtler *pl* Gebirgsjäger. Seine Uniform erinnert an die Jägertracht. *BSD* 1960 *ff*.

Traditionsdirne *f* Prostituierte, die auf die Einhaltung der herkömmlichen Sitten und Gebräuche unter ihresgleichen hält. 1964 *ff*.

Traditionsmeierei *f* kleinbürgerliche Pflege von Traditionen. Der „↗Vereinsmeierei" nachgebildet. 1955 *ff*.

Traditionstrottel *m* Bürger, der *trad* Lebens- und/oder Umgangsformen aufrechterhält. ↗Trottel. 1955 *ff*.

Tra'gant *m* schlechter Schauspieler. Zusammengesetzt aus „Tragöde" und „Komödiant". Theaterspr. 1900 *ff*.

tragen *v* **1.** ein Theaterstück (einen Film) ~ = einem Theaterstück (o. ä.) durch hervorragende Leistung (als Hauptdarsteller/in) zur Publikumswir-

Die holländischen Käseträger, die nun wirklich
schwer zu tragen haben, spielen allerdings nur in der
Umgangssprache eine tragende Rolle (vgl. **Rolle
16.**). Hieran zeigt sich wieder einmal, daß wer zum
Tragen kommt, damit noch nicht unbedingt etwas
zum Tragen bringt (vgl. **tragen 2.**), zumal dies
oft auch nicht vom Gewicht, sondern von den Umständen abhängt. „Erlauben Sie, daß ich Sie endlich
von Ihren Lasten befreie, Madame, und sie Ihnen auf
ihr Zimmer trage!" – hofiert der Hochstapler Felix

Krull, dessen Abenteuer der gleichnamige Roman von
Thomas Mann (1875–1955) schildert, die reiche Frau
Houpflé, um dann später, in der Nacht und unter
Duldung der Eigentümerin, ganz andere Dinge da-
vonzutragen. „Du hast mir bei weitem nicht alles gestohlen. Da, im Eckschränkchen, in der oberen Lade
zur Rechten liegt der Schlüssel zu meiner Kommode.
Darin findest du unter der Wäsche allerlei. Auch Bargeld ist da. Schleich herum mit Katzentritten im Zimmer und mause."

kung verhelfen. Gehört zu der theaterspr. Metapher von der „tragenden Rolle". 1900 ff.
2. etw zum ~ bringen = einer Sache Tragfähig-
keit geben; etw erfolgreich durchsetzen. Meint eigentlich „es so weit bringen, daß ein Geschäft
sich trägt (= ohne Zuschüsse auskommt)". Wohl
vom Schwimmen hergenommen. 1933 aufgekommen; vorwiegend seit 1955 verbreitet.
3. zum ~ kommen = glücken; verwirklicht werden; entscheidend ins Gewicht fallen. 1933 ff.
4. man trägt wieder Geschichte (Kind) = Bemühungen um ein Geschichtsverständnis sind an der
Tagesordnung (man wünscht wieder Nachwuchs).
Aufgekommen um 1975 in Nachahmung der Mo-
denkatalogsprache („man trägt wieder Krawatte").
Träger *m* ~ der goldenen Lenkstange = Liebediener. Er ist ein „↗Radfahrer", der sich die ihm ge-
mäße Trophäe „erdienert" hat. Fliegerspr.
1939 ff.

tragilächerlich *adj* weinerlich humorvoll. Aus
„tragikomisch" entwickelt mit dem Nebensinn
des Unzulänglichen. 1930 ff.
tragisch *adj* **1.** etw nicht ~ nehmen = sich etw
nicht zu Herzen nehmen; etw nicht allzu ernst
nehmen. Bezog sich anfangs nur auf die Tragödie
im Sinne einer Ausgewogenheit von Schuld und
Sühne; von daher außerhalb des Theaters weiterentwickelt zur Bedeutung „schwerwiegend". Spätestens seit 1800. *Vgl franz* „prendre quelque chose au tragique".
2. das ist nicht weiter ~ = das ist nicht schlimm;
das hat keine schlimmen Folgen. 1900 ff.
Tragödie *f* **1.** sehr schlechter Schauspieler. Er tritt
nicht nur im Trauerspiel auf, sondern ist selber
ein Trauerspiel. Theaterspr. 1900 ff.
2. aus etw eine ~ machen = einen Vorfall zu einem sehr ernsten Ereignis aufbauschen. 1920 ff.
Tragödienbeine *pl* nach innen gewölbte Beine.
↗Bein 17. 1900 ff.

Trail (*engl* ausgesprochen) *m* **1.** auf ~ gehen = auf Stadturlaub gehen. *Engl* „trail = Spur, Fährte"; *engl* „to trail = Wild aufspüren". Anspielung auf die Verfolgung von Mädchen. *BSD* 1968 *ff.*
2. auf long ~ sein = fahnenflüchtig sein. Als eine Art langen Urlaubs aufgefaßt. *BSD* 1968 *ff.*

Trainer (*engl* ausgesprochen) *m* Rekrutenausbilder. Eigentlich der Leistungssportlehrer. *BSD* 1965 *ff.*

Trainerkanone *f* tüchtiger Trainer von Sportlern. ↗Kanone 4. 1930 *ff.*

trainieren *v* mit dem Maßkrug (o. ä.) ~ = zechen. 1950 *ff.*

Trainingskloster *n* Sportler-Trainingslager ohne Frauen. *Sportl* 1955 *ff.*

Traki *m* Traktor. Hieraus kosewörtlich verkürzt. *Österr* 1960 *ff,* kinderspr.

trakig *adj* langweilig; schwerfällig; geistig nicht rege. Aus *schwed* „tråkig = langweilig". Wohl von deutschen Soldaten eingeschleppt. 1945 *ff.*

traktieren *tr* jn schikanieren. Eigentlich soviel wie „bewirten". Seit dem 19. Jh.

Traktor *m* der ~ humpelt = man verfolgt Hirngespinste; auch Ausdruck der Verwunderung. Man hält eine Sache für möglich, die technisch unmöglich erscheint. *Vgl* auch „mein ↗Hamster bohnert". 1960 *ff, halbw* und *BSD.*

Trall *m* **1.** Spaß, Belustigung, Unsinn. Verkürzt aus dem Kehrreim „trallala" des deutschen Lieds, beeinflußt von „Drall = kreisende Bewegung". Seit dem ausgehenden 19. Jh, vorwiegend *schül, stud* und künstlerspr.
2. einen ~ haben = nicht recht bei Verstand sein. Um mimisch anzudeuten, daß einer nicht recht bei Sinnen sei, deutet man mit dem Zeigefinger eine kreisende Bewegung an der Schläfe oder auf der Stirn an. 1890 *ff.*
3. ~ machen = Unsinn machen. 1900 *ff.*
4. mach' keinen ~! = handle nicht töricht! unterlaß' das! 1900 *ff.*

Tralla *m* **1.** Stumpfsinn; Narretei. *Vgl* ↗Trall 1. 1900 *ff, stud;* 1939 *ff, sold.*
2. es ist (zum) ~ = es ist verloren. Leitet sich wohl her von Geld, das man für Tanzvergnügen o. ä. ausgegeben, „verjubelt" hat. 1920 *ff.*

Trallala *n m* **1.** Unsinn, Albernheit. ↗Trall 1. 1900 *ff.*
2. lustige Begebenheit. 1920 *ff.*
3. Betriebsamkeit. 1920 *ff.*
3 a. Schlagersingsang. 1930 *ff.*
3 b. Musikunterricht in der Schule. 1965 *ff.*
4. vornehm-kindisches Benehmen. 1950 *ff.*
5. ~ mit Fransen = unechtes Gehabe. 1950 *ff.*
6. einen ~ im Bauch (Kopf) haben = nicht recht bei Verstand sein. 1910 *ff, schül* und *sold.*
7. im ~ sein (einen ~ haben) = betrunken sein. 1920 *ff.*

Trallala-Film *m* anspruchsloser Film. 1955 *ff.*

Trallala-Fratz *m* junge Sängerin anspruchsloser Schlagerliedchen. ↗Fratz. 1955 *ff.*

trallala gehen *intr* verloren gehen. ↗Tralla 2. 1900 *ff.*

Trallala-Gemüt *n* harmlose Gestimmtheit ohne Sinn für Ernst. Über den Ernst trällert man hinweg. 1955 *ff.*

trallala machen *intr* ausgelassen sein; ohne Ernst sein; flirten; sich ausgelassen amüsieren. ↗Trallala 1. 1950 *ff.*

Trallala-Sängerin *f* Sängerin anspruchsloser Schlagerliedchen. 1955 *ff.*

Trallala-Schlager *m* anspruchsloses Schlagerliedchen. 1955 *ff.*

trallala sein 1. verrückt sein; nicht ernst zu nehmen sein. ↗Trallala 1. 1900 *ff.*
2. nervlich erschöpft sein. 1914 *ff.*

Trallbock *m* Spaßmacher. ↗Trall 1. Zusammenhängend mit dem mutwillig-lustigen Springen der Schafe. 1900 *ff, schül.*

Traller *m* leichte Geistesgestörtheit; wunderliche Angewohnheit. ↗Trall 1. *Nordd, ostd* und *mitteld,* seit dem 19. Jh.

Trallerkasten *m* Nervenheilanstalt. 1910 *ff.*

Trällerkasten *m* Plattenspieler. *Jug* 1960 *ff.*

Trällerkopf (-kopp) *m* Schlagersänger. *Jug* 1960 *ff.*

Trällern *n* Musikunterricht. *Schül* 1960 *ff.*

Trällerraum (-saal) *m* Musikzimmer in der Schule. 1960 *ff.*

Trällerscheibe *f* Schallplatte. *Jug* 1960 *ff.*

Trällerstunde *f* Musikunterrichtsstunde. *Österr* 1930 *ff, schül.*

trallig *adj* leicht verrückt. ↗Trall 1. 1850 *ff.*

Tralljen *pl* Gefängnis, Arrest. Geht zurück auf *franz* „traille = Gitterstab; Gitter". Seit dem frühen 19. Jh.

Tralljenbeiß *n* Haftanstalt. ↗Beiß. 1900 *ff.*

Tralljenkasten *m* Haftanstalt. 1900 *ff, sold* und *ziv.*

Tram *f* Straßenbahn. Verkürzt aus ↗Trambahn. 1890 *ff.*

Trambahn *f* Straßenbahn. Nachbildung von *engl* „tramway = Schienenbahn". 1890 *ff, bayr.*

Trambahner (Trambahnler) *m* Straßenbahnschaffner, -führer. 1900 *ff.*

tramhappet (-hapert) *adj* betäubt; schlaftrunken; traumverloren; blöde. „Tram = Traum"; „happet (hapert)" steht mundartlich für „häuptig". *Bayr* und *österr,* spätestens seit 1800.

Trampadour *m* **1.** Landstreicher; Mann, der bettelnd (singend) eine Gegend durchzieht. Zusammengesetzt aus „trampen = schwer auftreten" und „Troubadour"; vielleicht im Gefolge von Giuseppe Verdis Oper „Der Troubadour" (1853) entstanden. „Troubadour = fahrender Sänger im Mittelalter". 1900 *ff.*
2. Mann, der Autofahrer um unentgeltliche Mitnahme bittet. ↗trampen 2. 1955 *ff.*

Trampe *f* **1.** schwerer Schuh. ↗trampen 1. 1900 *ff.*
2. plumper Fuß. 1900 *ff.*

3. Straßenbahn. Anspielung auf die Schwerfälligkeit der Straßenbahn im Vergleich mit schienenfreien Verkehrsmitteln; beeinflußt von „↗Trambahn". *Halbw* 1955 *ff.*

Trampel *m f n* schwerfällig, plump gehender Mensch. ↗trampeln 1. Seit dem 17. Jh.

Trampelage (Endung *franz* ausgesprochen) *f* dicke Beine. 1965 *ff.*

Trampelfritze *m* Radfahrer. ↗Fritze. 1910 *ff.*

Trampelkonzert *n* allgemeine Mißfallensbekundung mit den Füßen. 1965 *ff.*

Trampelloge (Grundwort *franz* ausgesprochen) *f* Galerie im Theater oder in sonstigen Veranstaltungsräumen; Stehplatz im Zirkus. Die Inhaber solcher Plätze zollen auch durch Trampeln Beifall. *Schül* und *stud* seit dem ausgehenden 19. Jh.

Trampeln *pl* derbe Schuhe. ↗trampeln 1. 1900 *ff.*

trampeln *v* **1.** *intr* plump, schwer auftreten. Iterativum zu „↗trampeln 1". Seit dem Mittelalter.
2. *intr* radfahren. Vielleicht unter Einfluß von „treten" aus „↗strampeln" verkürzt. 1900 *ff.*
3. *intr* die Bühnenrolle zu energisch spielen. Theaterspr. 1900 *ff.*
4. auf jm ~ = jn streng rügen; jn die Überlegenheit spüren lassen. Seit dem 19. Jh.
5. jn ~ = jn im Preis (im Lohn) drücken. 1920 *ff.*
6. jn ~ = jn erpressen, nötigen. *Vgl* „↗treten = mahnen". 1900 *ff.*
7. jn ~ = jn betrügen. Seit dem 19. Jh.

Trampelpfad *m* **1.** durch häufige Benutzung allmählich entstandener, schmaler Fußpfad. 1900 *ff.*
2. ~ der Liebe = Kurpromenade o. ä. 1920 *ff.*
3. ~ des Massenverkehrs = vielbefahrene Autobahnstrecke. 1955 *ff.*
4. ~ der Sünde = Straße, auf der die Prostituierten nach Kunden suchen. Berlin 1920 *ff.*

Trampel-PS *n* Fahrrad. ↗trampeln 2. *Sold* 1939 *ff.*

Trampeltier *n* **1.** schwerfällig, plump gehender Mensch. Eigentlich Bezeichnung für das zweihöckrige Kamel (nicht für das einhöckrige Dromedar). Seit dem 16. Jh.
2. langsam tätiger Mensch. 1900 *ff.*
3. ~ Gottes = Mensch, dem alles mißlingt. Man sagt, Gott selbst „trample auf ihm herum"; aber vermutlich ist von der Gleichung „Roß Gottes = Esel = dummer Mensch" auszugehen. 1900 *ff.*

Trampelwerk *n* dicke Beine. „Werk" meint den Mechanismus (Mühlwerk, Uhrwerk usw.). 1965 *ff.*

trampen *intr* **1.** (*dt* ausgesprochen) plump gehen; schwer auftreten; mit den Füßen stampfen. Lautmalender Herkunft. 1300 *ff.*
2. (*dt* oder *engl* ausgesprochen) Autofahrer anhalten und um unentgeltliche Mitnahme bitten; mit Hilfe kostenloser Fahrt in fremden Autos weite Strecken zurücklegen. Fußt auf *engl* „tramp = Landstreicher, Wanderer". Von unentgeltlichen Fahrten der „tramps" auf den frühen Eisenbahnen (vor allem Nordamerikas) berichten zahlreiche Abenteuerromane. 1920 *ff.*

Tramper *m* **1.** schwer, unbeholfen auftretender Mensch; schwerfälliger Mann. ↗trampen 1. Seit dem 19. Jh.
2. Mensch, der Autofahrer um Mitnahme bittet. ↗trampen 2. 1920 *ff.*
3. Einzelgänger. *Schül* 1955 *ff.*
4. *pl* = Schnürschuhe; kräftiges Schuhwerk. Man kann darin fest und sicher auftreten. 1900 *ff.*

Trampfahrt (Bestimmungswort meist *engl* ausgesprochen) *f* unentgeltliche Fahrt in einem Auto, dessen Fahrer man um Mitnahme gebeten hat. ↗trampen 2. 1920 *ff.*

Trampgeselle (Bestimmungswort meist *engl* ausgesprochen) *m* junger Mann, der unentgeltlich in einem Auto mitfährt. Dem „Wandergesellen" nachgebildet. 1950 *ff.*

Trampler *m* **1.** schikanöser Ausbilder. ↗trampeln 4. *BSD* 1960 *ff.*
2. Trickbetrüger. ↗trampeln 7. 1900 *ff.*

tramplig *adj* ungeschickt, schwerfällig. ↗trampeln 1. Seit dem 19. Jh.

Tramp-Reise (Bestimmungswort *engl* ausgesprochen) *f* Reise in einem Auto, dessen Fahrer einen unentgeltlich mitnimmt. ↗trampen 2. 1950 *ff.*

trampsen *intr* schwerfällig gehen; schwer auftreten. Fußt auf ↗trampen 1. Seit dem 19. Jh, *nordd*, Berlin und *westd*.

Tramptour (*engl* ausgesprochen) *f* kostenlose Reise im Auto eines Fremden. 1920 *ff.*

Tran *m* **1.** den ~ anvisieren = sich der Volltrunkenheit nähern. „Tran (Dran)" meint eine geringe Menge alkoholischen Getränks, etwa im Sinne von „Träne = Tropfen". Andererseits ist „Tran" das Fischfett, und wer in Tran tritt, gerät ins Torkeln. Auch kann das Einfetten der Stiefel mit dem „Ölen" der Gurgel verglichen sein. Seemannsspr. 1900 *ff.*
2. in ~ getreten haben = bezecht sein. Seit dem frühen 19. Jh, *nordd* und Berlin.
3. einen im ~ haben = betrunken sein. 1950 *ff*, *stud.*
4. im ~ sein = a) betrunken sein. Seit dem frühen 19. Jh. Ursprünglich *nordd*, heute gemeindeutsch und *österr.* – b) unaufmerksam, gedankenlos, verträumt, langsam sein. Seit dem frühen 19. Jh.

Tränchenrolle *f* rührselig stimmende Bühnen-/ Filmrolle. 1955 *ff.*

Träne *f* **1.** Tropfen; geringfügige Menge Flüssigkeit; geringfügiger Schluck; schlecht eingeschenktes Glas. 1800 *ff*, gemeindeutsch.
2. wehleidiger, weichlicher Mensch; Energieloser. Seit dem 19. Jh.
3. langsam handelnder Mensch; langweiliger Mensch; Versager. Seit dem 19. Jh, vor allem *schül, sold* und arbeitersprachl.
4. Klassenwiederholer. 1950 *ff.*
5. ~ im Knopfloch = geheuchelte Rührung; Rührseligkeit. ↗Träne 13. Seit dem ausgehenden 19. Jh, *schül* und *stud.*

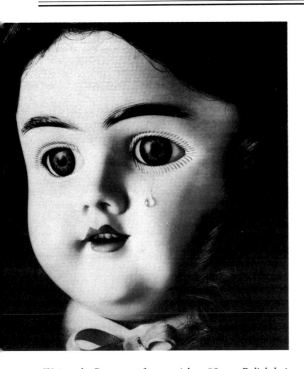

*Weinende Puppen erfreuen sich größerer Beliebtheit als weinende Menschen. Wenn die zu Tränen werden, gelten sie entweder als wehleidig und weichlich (vgl. **Träne 2.**) oder langsam und langweilig (vgl. **Träne 3., 9.**). Sie sind ganz einfach Versager (vgl. **Träne 4., 6.**) oder spekulieren, indem sie auf die Tränendrüse drücken (**Tränendrüse 4.**), auf das Mitleid (**Träne 19.**) oder Mitgefühl anderer. Wirkliche, eigentliche Tränen kennt die Umgangssprache kaum. Es ist dies wohl ein Ausdruck dessen, daß die Schwäche oder auch die emotionale Regung, die damit sichtbar werden, sich mit dem, was die Gesellschaft, ihre Ordnung und ihre Zwänge, dem einzelnen Individuum abverlangt, nicht vertragen, und wenn, dann nur in ironisierter oder exaltierter Form (vgl. **Träne 13.**).*

6. blutige ~ = völliger Nichtskönner. ↗blutig 1. *Sold* 1930 *ff.*

7. hinterletzte ~ = sehr dumme weibliche Person. Ihre Dummheit ist so grenzenlos, daß man zu ihrer Charakterisierung auf den Endbegriff „letzt" scherzhaft noch „hinterletzt" folgen läßt. 1955 *ff*, *halbw.*

8. müde ~ = energieloser Mensch; Phlegmatiker. 1930 *ff.*

9. trübe ~ = langweiliger Mensch; Versager. Über „↗Träne 1" analog zu „trübe ↗Tasse". 1950 *ff.*

10. mit einer ~ im Knopfloch und einer Nelke (Rose) im Auge = entmutigt; zu Tränen gerührt. ↗Träne 13. 1900 *ff.*

11. mit einer zerquetschten ~ im Knopfloch = voller Rührseligkeit; in weicher Stimmung. ↗Träne 13. 1920 *ff, schül.*

12. sich ~n abquetschen = gewaltsam Tränen herauspressen. 1920 *ff.*

12 a. ich breche gleich in ~n aus = Rührung überkommt mich *(iron).* 1960 *ff.*

13. danken mit einer ~ im Knopfloch = gerührt danken *(iron).* Im ausgehenden 19. Jh unter Schülern und Studenten verdreht aus „danken mit einer Träne im Auge und einer Nelke im Knopfloch".

14. über etw zu ~n gerührt sein = an etw keinen Gefallen finden; Schadenfreude verspüren. 1900 *ff.*

15. ~n in den Augen haben = etw mit gespieltem Bedauern ablehnen. 1950 *ff.*

16. mir kommen die ~n = ich bin gerührt *(iron).* 1950 *ff.*

17. ihm laufen die ~n kreuzweise den Rücken (den Buckel, den Wanst) runter = er schielt stark. Eine bildhafte berlinische Prägung aus dem späten 19. Jh.

18. ~n lockermachen = geheuchelte Tränen vergießen. 1920 *ff.*

19. ~n melken = Mitleid hervorzurufen trachten; durch Hervorhebung trauriger Lebensumstände des Verstorbenen das Trauergefolge zum Weinen bringen. 1900 *ff.*

20. eine ~ nehmen = Alkohol zu sich nehmen. ↗Träne 1. 1900 *ff.*

21. ganz ~ sein = wehleidig, weinerlich sein. 1920 *ff.*

22. auf den ~n spazieren gehen = mitleidige Gemüter antreffen. *Vgl* ↗Kahn 13. 1961 *ff.*

22 a. da steigen einem ja die ~n unter den Schädel: Ausdruck geheuchelter Anteilnahme. 1975 *ff.*

23. eine lange ~ weinen = harnen. *Sold* 1939 bis heute.

tranen *intr* langsam, saumselig zu Werke gehen; unaufmerksam sein. Verbal zu ↗Tran 4. 1900 *ff,* vorwiegend *nordd* und *ostmitteld.*

Tränenarie *f* Reuebezeigung unter reichlichem Tränenvergießen. Entstammt der Theatersprache unter Bezug auf eine unter Weinen gesungene Arie. 1950 *ff, halbw.*

Tränenbüchlein *n* Zeugnisheft. *Schweiz* 1960 *ff.*

Tränendrücker *m* anspruchsloser Film mit vielen rührseligen Szenen. Die Handlung „drückt" auf die Tränendrüsen. 1950 *ff.*

Tränendrüse *f* **1.** Schauspielerin, die bei Bedarf herzhaft zu weinen versteht. Wahrscheinlich aufgekommen im Zusammenhang mit den Leistungen der Filmschauspielerin Maria Schell. 1955 *ff.*

2. leicht zu Tränen neigende weibliche Person. 1955 *ff.*

3. an die ~n appellieren = gerührte, weinerliche Stimmung hervorzurufen suchen. 1955 *ff.*

4. auf die ~ drücken = Mitleid wachzurufen suchen; rührselig predigen. Seit dem ausgehenden 19. Jh, gemeindeutsch und *österr.*

5. die ~n reizen (massieren, strapazieren) = rührselig singen, predigen o. ä. 1955 *ff.*

Tränendrüsendrücker *m* Schlagersänger. ↗Tränendrüse 4. *Jug* 1970 *ff.*

Tränendrüseneffekt *m* auf das Gemüt zielende Roman- oder Filmhandlung. 1930 *ff.*

Tränendrüsenmassage *f* anhaltende Beeinflussung des Gemüts. 1950 *ff.*

tränendrüsentreibend *adj* Tränen entlockend. 1950 *ff.*

tränendrüsig *adj* rührselig. 1960 *ff.*

Tränenfaß *n* **1.** bei geringstem Anlaß Tränen vergießende weibliche Person. 1900 *ff.*

2. weichlicher, energieloser Mensch. 1900 *ff.*

Tränengas *n* **1.** rührseliges Bühnen-, Filmstück. 1925 *ff.*

2. ~ geben = weinen. 1950 *ff.*

Tränengeschichte *f* rührselige Geschichte. 1950 *ff.*

Tränenkaninchen *n* leicht zu Tränen geneigter Mensch. 1920 *ff.*

Tränenkiste *f* rührselige Bühnen-, Film-, Romanhandlung. ↗Kiste 1. 1950 *ff.*

Tränenkloß *m* zum Weinen neigender Mensch. ↗Kloß 2. 1900 *ff.*

Tränenknüppel *m* Tränengasstab. 1963 *ff.*

Tränenlied *n* rührseliges Lied. 1920 *ff.*

Tränenliese *f* leicht zum Weinen neigende weibliche Person. Seit dem 19. Jh.

Tränenmasche *f* zweckdienlicher, geschäftsträchtiger Einsatz von Rührseligkeit; Produktion rührseliger Filme o. ä. ↗Masche 1. 1950 *ff.*

Tränenmelker *m* Mensch, der Tränen der Rührung hervorzulocken versteht. ↗Träne 19. 1900 *ff.*

Tränenorgie *f* überreichliches Vergießen von Tränen der Rührung. 1950 *ff.*

Tränenpeter *m* Junge, der sehr leicht ans Weinen gerät. Seit dem 19. Jh.

Tränenpresse *f* auf rührselige Berichte eingestellte Zeitschrift. 1955 *ff.*

Tränenpumpe *f* rührseliges Bühnenstück o. ä. Seit dem frühen 19. Jh (Heinrich Heine 1822).

Tränensack *m* **1.** wehleidiger, energieloser Mensch. 1920 *ff.*

2. Versager. 1935 *ff.*

3. ABC-Schutzmaskenbehälter. Anspielung auf Tränengas. *BSD* 1965 *ff.*

4. *pl* = Wülste unter den Augen. Seit dem 19. Jh.

Tränenschinken *m* rührseliger Roman (Film, Schlager o. ä.). ↗Schinken. 1950 *ff.*

Tränenschleusen *pl* die ~ öffnen sich = man beginnt, heftig zu weinen. 1955 *ff.*

Tränensuse *f* **1.** rasch zu Tränen gerührte Frau. Seit dem 19. Jh.

2. ängstlicher, energieloser Mann. 1935 *ff, sold.*

tränensusig *adj* weinerlich. 1900 *ff.*

Tränensusigkeit *f* Weinerlichkeit. 1900 *ff.*

Tränentier *n* **1.** leicht zum Weinen neigender Mensch. Durch „Tränen-" verdeutlichte Variante zu „armes ↗Tier". Seit dem späten 19. Jh, gemeindeutsch.

2. langsamer, energieloser, langweiliger Mensch. 1900 *ff, sold* und *halbw.*

3. Versager. 1900 *ff.*

4. dummer Mensch. 1900 *ff.*

5. unaufmerksamer Mensch. 1900 *ff.*

Tränentomate *f* Zwiebel. Beide sind formähnlich; die Zwiebel reizt die Tränendrüsen. 1930 *ff.*

tränentriefend *adj* sehr gefühlvoll. 1960 *ff.*

Tränentute *f* leicht zum Weinen neigender, langweiliger Mensch. Beeinflußt von ↗Trantute. 1920 *ff.*

Tränenzwiebel *f* **1.** Frau, die rasch Tränen vergießt. 1910 *ff.*

2. trauriges Lied. 1920 *ff.*

tränerig *adj* wehleidig. 1930 *ff.*

Tranflöte *f* langweiliger, unaufmerksamer, benommener Mann. Wohl Anspielung auf den inaktiven Penis; ↗Flöte 1. ↗tranig. 1900 *ff.*

Tranfritze *m* **1.** langsam handelnder, verträumter, langweiliger Mensch. ↗Tran 4 b. Seit dem 19. Jh, vorwiegend *nordd* und *mitteld.*

2. Fischhändler. Berlin 1900 *ff.*

Tranfunzel *f* **1.** schwach brennende Lampe. Eigentlich die mit Tran gespeiste Lampe; ↗Funzel. Seit dem 19. Jh.

2. langweiliger, langsam tätiger Mensch. Vom trüben Lichtschein übertragen auf trübe Sinne. 1900 *ff.*

tranfunzelig *adj* **1.** trübe leuchtend. 1900 *ff.*

2. schläfrig, benommen, schwunglos. 1900 *ff.*

Trangeruch *m* alkoholisierter Atem. ↗Tran 1. 1900 *ff.*

tranig *adj* benommen, trübselig, geistesabwesend; langweilig; schwerfällig. ↗Tran 4 b. 1800 *ff.*

tränig *adj* dumm. ↗Träne 3. 1920 *ff.*

Tränke *f* **1.** Schwimmbecken, -bad. Meint eigentlich den Dorfweiher als Viehtränke. *Schül* 1950 *ff.*

2. Wirtshaus; großes Bierlokal. 1910 *ff.*

'Tran'kloß *m* langweiliger, langsam tätiger Mensch. ↗Kloß. Spätestens seit 1900, *schül* und *sold.*

'tran'klößig *adj* langweilig; langsam tätig. 1900 *ff.*

'tran'klüterig *adj* lustlos, melancholisch. *Niederd.* „klüterig" = *hd* „klößig". 1900 *ff.*

'Tran'kopf *m* unaufmerksamer, langweiliger, gleichgültiger Mensch. ↗Tran 4 b. 1900 *ff.*

Tranlampe *f* langweiliger, schwungloser, geistig schwerfälliger Mensch. Analog zu ↗Tranfunzel. 1890 *ff.*

Tranliese *f* langweilige, energielose weibliche Person. Seit dem 19. Jh.

Tranmütze *f* unaufmerksamer, kaum tatkräftiger Mensch. Beeinflußt von „↗Schlafmütze". 1920 *ff.*

Tranpeter *m* schwungloser Mann. Seit dem 19. Jh.

Tranpott *m* langweiliger, träger Mensch. Eigentlich

der Topf zur Aufbewahrung von Tran; hier beeinflußt von „↗tranen". *Nordd* und *westd*, 1870 *ff*.

Trans (Transe) *f* fremdsprachliche Übersetzungshilfe für träge Schüler. Verkürzt aus *engl* „translation". 1900 *ff, schül*.

Transi *m* **1.** Transvestit. 1980 *ff*.
2. (auch *n*) Transistorgerät. *Jug* 1970 *ff*.

Transieder *m* langweiliger Mensch. Dem „↗Leimsieder" nachgebildet. 1950 *ff*.

Transistorialrat *m* Pfarrer, der im Fernsehen das „Wort zum Sonntag" spricht. Zusammengesetzt aus „Transistor" und „Konsistorialrat". Fernsehreporterspr. 1968 *ff*. (Mitgeteilt von Reinhard Albrecht.)

translatschen *tr* einen Text in eine andere (aus einer anderen) Sprache übersetzen. Fußt auf *engl* „translation". *Schül* 1955 *ff*.

transparent *adj* **1.** durchgeschwitzt, verschwitzt. Scherzhaft aus „transpiriert" entstellt. 1910 *ff*.
1 a. etw ~ machen = etw durchschaubar, erkennbar machen; etw der Öffentlichkeit zugänglich machen. 1960 *ff*.
2. für jn ~ sein = von jm nicht beachtet, absichtlich übersehen werden. Gewissermaßen sieht der eine durch den anderen hindurch. 1950 *ff*.

Transparen'titis *f* übertriebene Verwendung von Spruchbändern mit politischen Parolen, Werbetexten usw. Im Sinne einer krankhaften Erscheinung aufgekommen mit der NS-Zeit und nach 1945 beibehalten in Ost und West.

Transpirierer *m* dicker Wollpullover. 1925 *ff*.

Transpirierpedale *pl* Schweißfüße. *Sold* 1914 *ff*.

Transplantation *f* fremdsprachliche Übersetzung. Aus *engl* „translation" entstanden, wohl unter Einfluß der aufsehenerregenden Herz- und Nierenverpflanzungen seit 1968. *Schül* 1969 *ff*.

Tranportarbeiter-Musik *f* ernste Musik. Umschreibung für „schwere Musik" oder „getragene Musik". *BSD* 1965 *ff*.

Transportbulle *m* Angehöriger des Nachschubwesens. ↗Bulle 1. *Sold* 1939 *ff*.

Transuse *f* langweiliger, energieloser, geistig schwerfälliger Mensch. Meint eigentlich eine langweilige weibliche Person namens Susanne. ↗Tran 4 b. Seit dem 19. Jh.

transusig *adj* energielos, langweilig, begriffsstutzig. 1900 *ff*.

Transusigkeit *f* Schwerfälligkeit; Unaufmerksamkeit. 1900 *ff*.

Trantiegel *m* langweiliger, unaufmerksamer Mann. ↗Tran 4 b. *Ostmitteld* 1900 *ff*.

Trantonne *f* träger, langsam tätiger Mensch. 1930 *ff*.

Trantute (-tüte) *f* **1.** energieloser, temperamentloser Mensch. Wohl übertragen von einer Kindertrompete aus Ölpapier o. ä.: sie kann wehklagend klingen. Seit dem ausgehenden 19. Jh, Berlin und *ostmitteld*.
2. weinerliche Frau. 1900 *ff*.

trantutig *adj* wehleidig, energielos, schwunglos, langweilig. 1900 *ff*.

Tranwal *m* Margarine. Anspielung auf Walöl. *BSD* 1968 *ff*.

Trapez *n* **1.** etw aufs ~ bringen = etw zur Sprache bringen. Scherzhaft entstellt aus „etw aufs ↗Tapet bringen". Seit dem ausgehenden 19. Jh, *schül, stud* und *sold*.
2. kommt nicht aufs ~!: Ausdruck der Ablehnung. Das Gemeinte ist indiskutabel. 1890 *ff, schül, stud* und *sold*.
3. es ist auf dem ~ = es wird erörtert. 1900 *ff*.

trapft *adj* benommen, schwunglos, ohne Angriffsgeist; blödsinnig. Zusammengezogen aus *bayr* „derrapft". Rappen, rapfen = hastig greifen. *Bayr* 1900 *ff*.

trappeln *intr* kartenspielen. Geht zurück auf die ältesten europäischen Spielkarten (carta di Trappola), die aus Italien kamen. 1900 *ff*.

Trapper *m* Soldat, der dazu ausgebildet wird, im Krieg mit atomaren Waffen zu überleben. Stammt aus dem *Angloamerikan* und meint dort den Fallensteller, den Pelztierjäger. *BSD* 1965 *ff*.

Trapperschinken *m* Büchsenfleisch. *Marinespr* 1914 *ff*.

Trapp'trapp *n* **1.** Pferd; Pferdefleisch. Eigentlich schallnachahmend für das Pferdegetrappel. *Vgl* auch ↗Trabtrab. 1870 *ff*.
2. besser ~ als Miau-Wauwau! = lieber Pferdefleisch als Katzen- oder Hundefleisch. *Sold* 1939 *ff*.

trapsen *intr* zu Fuß gehen; eilen. Iterativum zu *niederd* „trappen = treten" (mit Ausfall des m zu „↗trampen 1" gehörig). Kann auch Iterativum zu „↗traben 1" sein. 1900 *ff*.

Tra'ra *n* **1.** lärmendes Aufsehen; geräuschvolles Beiwerk. Schallnachahmung des Klangs von Horn und Trompete, dann wegen der Lautstärke zur Geltung von „Lärm" und „Drum und Dran" gelangt. Seit dem 19. Jh.
2. dreistöckiges ~ = übertrieben starker Lärm; allzu lautstarke Gemütsäußerung. 1955 *ff, jug*.
3. aus (um) etw ein ~ machen = um etw Aufsehen machen; eine Sache aufbauschen. 1900 *ff*.

Traradio *n* Transistorgerät. Zusammengewachsen aus „Trans" und „Radio". *Schül* 1965 *ff*.

Tratsch *m* **1.** Schneematsch. ↗tratschen 1. Vorwiegend *oberd*, seit dem 19. Jh.
2. leeres Gerede; Geschwätz. ↗tratschen 3. 1700 *ff*.
3. Flirt. *Schül* 1960 *ff*.

Traschbabe *f* schwatzsüchtige Frau. ↗Baba 2. *Schles* 1900 *ff*.

Tratschbabenverein *m* Frauenverein. *Schles* 1900 *ff*.

Tratschblatt (-blättchen) *n* Lokalzeitung. *Österr* 1900 *ff*.

Tratschbude *f* Frauenzusammenkunft. *Österr* 1920 *ff*.

Tratsche (Tratschen) *f* geschwätziger Mensch, der über andere gehässig spricht. ↗tratschen 3. 1700 *ff.*

tratschen *intr* **1.** in Nassem gehen, waten. Schallnachahmend wie „↗klatschen", „↗patschen" u. ä. *Oberd* seit dem 19. Jh.
2. heftig regnen. Lautmalend für das geräuschvolle Auftreffen von Wasser. *Hess* seit dem 19. Jh.
3. schwatzen; breit reden; ein Gerede machen. Vom Klatschen und Aufspritzen des Wassers übertragen. 1600 *ff.*
4. unbedachte Äußerungen tun; ausplaudern; verraten. Dieselbe Doppelentwicklung wie bei „↗klatschen". 1800 *ff.*

Tratscher *m* Plauderer, Gesprächspartner; Ohrenbläser. ↗tratschen 3. 1600 *ff.*

Tratsche'rei *f* Geschwätz; mißgünstige Unterhaltung. 1800 *ff.*

Tratscherin *f* Schwätzerin. Seit dem 19. Jh.

Tratschgeschichte *f* mißgünstiges Gerede über fremde Leute. 1900 *ff.*

Tratschhaus *n* Mehrparteien-Miethaus, in dem viel über die Mitbewohner getuschelt wird. 1900 *ff.*

tratschig *adj* **1.** morastig. ↗tratschen 1. Seit dem 19. Jh.
2. geschwätzig. ↗tratschen 3. Seit dem 18. Jh.

Tratschliese *f* schwatzhafte Person. Seit dem 19. Jh.

Tratschmaul (Trätschmaul) *n* Schwätzer. Seit dem 19. Jh.

'tratsch'naß *adj* völlig durchnäßt. ↗tratschen 2. Seit dem 19. Jh, *hess* und *rhein*.

Tratschregen *m* starker Regen. ↗tratschen 2. Seit dem 19. Jh, *hess* und *rhein*.

Tratschspalte *f* Zeitungsspalte mit Berichten aus dem Leben bekannter Persönlichkeiten. 1950 *ff.*

Tratschtante *f* Schwätzer(in). 1900 *ff.*

Tratschweib *n* Schwätzerin, Ohrenbläserin. 1900 *ff.*

Tratschwetter *n* anhaltendes Regenwetter. ↗tratschen 1. Seit dem 19. Jh. *Bayr* und *österr*.

tratzen (trätzen) *tr* jn necken, ärgern. Ablautende Nebenform zu „↗triezen" oder verwandt mit „trotzen, trutzen". Seit *mhd* Zeit.

Tratzer *m* Mann, der andere neckt, reizt o. ä. *Bayr* und *österr*, 1500 *ff.*

Tratze'rei *f* Neckerei. 1930 *ff*, *bayr*.

Tratzler *m* Mensch, der einen anderen neckt (reizt). ↗tratzen. *Schweiz* 1900 *ff.*

Traube *f* irre ~ = sehr großes Gefolge. Fußt auf der Vorstellung von den dichtgedrängten Trauben. 1950 *ff.*

Traubenprickel *m* Sekt. Die Kohlensäurebläschen „prickeln". 1960 *ff.*

Traubensaft *m* hochkarätiger ~ = Wein. ↗hochkarätig 5. *BSD* 1965 *ff.*

trauen *v* trau, Revue, wem! = trau, schau, wem! Wortwitzelei mit „schau" und „Schau". 1920 *ff.*

Trauer *f* **1.** ~ blasen = trüben Gedanken nachhängen. Hergenommen vom Choralblasen zu Ehren Verstorbener. *Südd,* 1900 *ff*; wohl viel älter.
2. in ~ gehen = zur Zeit keine Freundin haben. „In Trauer geht" eigentlich, wer einem Toten nachtrauert und Trauerkleidung trägt. *Halbw* nach 1945.
3. ~ haben (tragen) = a) schmutzige Fingernägel haben. Scherzhafte Bezeichnung. *Vgl* ↗Trauerrand. 1870 *ff*. – b) Ärger bekommen. Berlin 1950 *ff.*
4. seine ~ weiden = sein Unglück zur Schau tragen, um Mitleid zu erregen oder sich interessant zu machen. Die Wendung ist wohl durch die „Trauerweide" mit ihren niederhängenden Zweigen angeregt. 1900 *ff.*

Trauerblatt *n* unerfreuliches Schulzeugnis. 1960 *ff*, *schül*.

Trauerbraten *m* üppiger Leichenschmaus. 1910 *ff.*

Trauerbuxen *pl* zu kurze Hosen. *Vgl* ↗halbmast 3. 1900 *ff*, *nordd*.

Trauerdach *n* schwarzer Regenschirm. 1950 *ff.*

Trauerfahne *f* **1.** schmutziges Taschentuch. 1900 *ff.*
2. sehr schmutziges Hemd. *Sold* in beiden Weltkriegen.
3. Alkoholdunst eines Menschen, der an einer Beerdigungsgesellschaft teilgenommen hat. ↗Fahne. 1920 *ff.*
4. Berufskleidung des Leichenbestatters. 1900 *ff.*

Trauerfähnrich *m* Angestellter eines Bestattungsinstituts. ↗Trauerfahne 4. 1900 *ff.*

Trauerfall *m* . . . sonst gibt's in deiner Familie einen ~!: Drohrede. 1950 *ff.*

Trauerflöte *f* wehleidiger Mensch. Anspielung auf die klagenden Flötentöne. *Vgl* aber auch „↗Tranflöte". 1920 *ff.*

Trauerfunzel *f* trüb brennende Lampe. ↗Funzel. 1870 *ff.*

Trauergottesdienst *m* Schulabschlußprüfung. Dazu trägt man der Feierlichkeit halber dunkle Kleidung. 1950 *ff.*

Trauerhaut *f* Trauerkleidung; schwarze Kleidung. 1940 *ff.*

Trauerklopsgesicht *n* trübseliger, bedrückter, etwas dümmlicher Gesichtsausdruck. *Vgl* das Folgende. Berlin 1920 *ff.*

Trauerkloß *m* verdrossener Mensch. ↗Kloß. Gemeindeutsch, ohne Bayern, seit dem 19. Jh.

trauerklößig *adj* bedrückt, benommen, schwunglos, temperamentlos. Seit dem 19. Jh.

trauerklötig (-klötrig) *adj* niedergeschlagen, bedrückt, langweilig. „klötig" ist *niederd* Entsprechung zu *hd* „klößig". Seit dem 19. Jh.

Trauerklotz *m* **1.** energieloser, mutloser Mann. 1920 *ff*, *sold*.
2. großer Spielverlust. Glücksspielerspr. 1950 *ff.*

Trauerlappen *m* energieloser Mensch. Lappen = Mann ohne Tatkraft. 1920 *ff.*

Trauerlatte *f* mißmutiger, wehleidiger, energieloser Mensch. Latte = großwüchsiger, hagerer Mensch. 1850 *ff.*

Trauermädchen *n* Prostituierte, die von den Männern abgelehnt wird. Sie ist das Gegenteil von „Freudenmädchen". 1955 *ff.*

Trauermarsch *m* **1.** Einrücken in die Kaserne. Man marschiert in trauriger Stimmung. *BSD* 1965 *ff.*
2. den ~ blasen = traurig gestimmt sein; klagen, jammern. 1920 *ff.*

Trauernagel *m* schmutziger Fingernagel. ↗Trauerrand 1. 1870 *ff.*

Trauerparade *f* Kontrolle der Sauberkeit der Fingernägel. Kadettenspr. 1900 *ff; sold* in beiden Weltkriegen.

Trauerpinie *f* **1.** unmilitärischer Soldat. Hergenommen von dem auf Friedhöfen in Südeuropa gern angepflanzten Ziergehölz. Es ist ein Baum, der nur durch Veredelung gedeihen kann, in freier Natur hingegen nicht lebensfähig ist. 1910 *ff.*
2. wehleidige Frau. 1910 *ff.*

Trauerplatte *f* von schwarzem Haarkranz umgebene Glatze. ↗Platte 3. 1935 *ff.*

Trauerrand *m* **1.** schmutziger Fingernagel. Übertragen von der schwarzen Umrandung der Todesanzeigen. 1870 *ff.*
2. Schmutzrand. 1870 *ff.*
3. *pl* = dunkle „Ringe" unter den Augen. 1920 *ff.*

Trauersack *m* trauertragende Frau mit tief herabhängendem Schleier. 1920 *ff.*

Trauerspiel *n* **1.** traurige Lebensumstände; bittere Armut o. ä. Von der Tragödie übernommen. 1920 *ff.*
2. schlechte Spielkarten in der Hand. Kartenspielerspr. 1900 *ff.*
3. jämmerlicher Anblick; schlechter Ausgang einer Sache. 1920 *ff.*
4. schlechtes Fußballspiel. *Sportl* 1950 *ff.*

Trauerstaat *m* Trauerkleidung. ↗Staat 1. 1900 *ff.*

Trauertonne *f* Zylinderhut. Formähnlich mit einer kleinen Tonne; er ist schwarz und wird meist bei Beerdigungen getragen. Nördlich der Mainlinie, 1900 *ff.*

Trauerweide *f* **1.** betrübter, wehleidiger Mensch. Bekannt als Friedhofsbaum mit hängenden Zweigen. Herabhängendes steht sinnbildlich für Mutlosigkeit (man „läßt den Kopf hängen"). 1900 *ff.*
2. Sentimentale (als Bühnenrolle). Theaterspr. 1900 *ff.*
3. Mädchen, das man nur in Ermangelung reizvollerer Partnerinnen zum Tanz auffordert. *Halbw* nach 1945.
4. über die Glatze gekämmte (schüttere) Haarsträhnen. Auf dem Untergrund der hellen Kopfhaut nehmen sie sich aus wie Trauerweidenzweige vor dem Hintergrund des Himmels. 1920 *ff.*
5. struppiger Schnurrbart (à la Friedrich Nietzsche). 1900 *ff.*

6. Mädchen mit strähnig herabfallendem Haar. 1960 *ff.*
7. geschwächter Penis. 1910 *ff.*
8. wie eine ~ dastehen = alles hängen lassen (Haare, Arme usw.). 1920 *ff.*

Trauerzeit *f* Niedergeschlagenheit nach dem Geschlechtsverkehr. Eigentlich die von der Sitte vorgeschriebene Zeitspanne, in der man Trauerkleidung trägt. 1900 *ff.*

Traum *m* **1.** ~ von Abendkleid (o. ä.) = wunderschönes Abendkleid (o. ä.). Es ist so schön, wie man es eigentlich nur im Traum erleben kann. 1900 *ff.*
2. ~ aus der Ampulle = Rauschgift in flüssiger Form. 1960 *ff.*
3. ~ auf Bestellung = Hypnose. 1955 *ff.*
4. ~ einer Jungfrau = Bockwurst. Wegen Formähnlichkeit mit dem Penis. 1900 *ff.*
5. ~ meiner schlaflosen Nächte = Geliebte(r); Mädchen (Mann), das (den) man sich nicht schöner, lieber und netter wünschen kann; Sehnsuchtsziel. 1910 *ff, stud.*
6. ~ des Soldaten = Zivilist. *BSD* 1965 *ff.*
7. blonder ~ = angebetete Blondine. Bezog sich anfangs auf die Filmschauspielerin Lilian Harvey, die 1931 in dem Film „Ein blonder Traum" die Hauptrolle spielte. *Schül* und *stud* 1931 *ff.*
8. feuchter ~ = Traum mit unfreiwilligem Spermaerguß. 1935 *ff.*
9. violetter ~ = Lysergsäurediäthylamid (LSD). Bei durch Rauschgift erzeugten Halluzinationen fließen „Rot- und Blauträume" meist zu violetter Grundtönung zusammen. 1960 *ff, halbw.*
10. weißer ~ = weißes Brautkleid. *Vgl* ↗Traum 1. 1900 (?) *ff.*
11. aus der ~! ↗aus II 1.
12. an etw nicht im ~ denken = etw weit von sich weisen. Nicht einmal im Traum ließe man sich auf derlei ein. Seit dem 19. Jh.
13. das fällt mir nicht im ~ ein!: Ausdruck der Ablehnung. Was einem nicht einmal im Traum einfiele, ist in wachem Zustand gänzlich unmöglich. 1700 *ff. Vgl engl* „I would not dream of it".
14. ein schöner ~ geht zu Ende: Redewendung des Kartenspielers, wenn die Niederlage des Gegners unausbleiblich ist. Der Ausdruck soll sich auf die letzten Worte des Marschalls Moritz von Sachsen auf dem Sterbebett (30. November 1750) beziehen. Kartenspielerspr. 1870 *ff.*
15. einen salzigen ~ gehabt haben = sehr durstig sein. 1900 *ff.*
16. auf etw nicht im ~ kommen = an etw auf keinen Fall denken. 1920 *ff.*
17. jn ins Land (Reich) der Träume schicken = jn durch „Knockout" besiegen. Gegen 1920 aus der Sprache englischer Sportreporter übernommen.

Traumangebot *n* überaus günstiges Angebot. Dergleichen kann man sich gemeinhin nur erträumen. 1960 *ff.*

'Traum'arsch *m* Unaufmerksamer. ↗Arsch 2. 1960 *ff.*

Traumauto *n* Auto, wie man es sich nicht schöner vorstellen kann. Übersetzt aus *angloamerikan* „dream car". 1955 *ff.*

Traumbeförderer *m* Lysergsäurediäthylamid (LSD). *Halbw* 1965 *ff.*

Traumbeine *pl* schöngeformte Beine. 1960 *ff.*

Traumberuf *m* ersehnter, mit Illusionen reichlich ausgestatteter Beruf. 1950 *ff.*

Traumbeutel *m* energieloser, unaufmerksamer, temperamentloser Mann. Beutel = Hodensack. 1900 *ff.*

Traumboot *n* blaues ~ = Polizeiwagen. „Traumboot" übersetzt *engl* „dream-boat". Die Vokabel wurde 1963 in Gießen in einem Obdachlosenasyl gehört.

Traumboy *m* junger Mann, der den Traumvorstellungen eines jungen Mädchens entspricht. *Halbw* 1960 *ff.*

Traumbuch *n* 1. Notizbuch des Lehrers; Schülerkalender. Meint eigentlich das Buch mit Traumdeutungen. 1920 *ff.*
2. unaufmerksamer Mensch. 1900 *ff, ostmitteld.*

Traumdroge *f* Rauschgift. Es beschert Träume aller Art. *Halbw* 1955 *ff.*

Traumehe *f* glückliche Ehe ohne materielle Sorgen. 1960 *ff.*

träumen *f* 1. das hätte er sich nicht ~ lassen = das hätte er nie erwartet. Das Gemeinte übertrifft alle geheimen, nur im Traum verwirklichten Wünsche. 1700 *ff.*
1 a. *intr* = unter Rauschgifteinwirkung stehen. ↗Traumdroge. 1960 *ff.*
2. süß ~ = angenehm träumen. ↗süß. Seit dem 19. Jh.
3. träume süß!: Gute-Nacht-Wunsch. Seit dem 19. Jh.

Traumessen *n* Marihuana. *Halbw* 1955 *ff.*

Traumfabrik *f* 1. Filmatelier, -gesellschaft; Filmwesen; Filmkunst. Der Ausdruck soll um 1930 von Ilja Ehrenburg geprägt worden sein. *Vgl engl* „dream-factory".
2. Lysergsäurediäthylamid (LSD). *Halbw* 1955 *ff.*

Traumfabrikant *m* Filmindustrieller; Leiter einer Filmherstellungsfirma; Drehbuchverfasser; Filmregisseur. 1930 *ff.*

Traumfick *m* geträumter Geschlechtsverkehr. ↗Fick. Seit dem ausgehenden 19. Jh.

Traumfigur *f* vollkommene Körpergestalt. 1960 *ff.*

Traumflöte *f* langsamer, wenig lebenstüchtiger Mensch. *Vgl* ↗Tranflöte. Berlin 1870 *ff* (auch in der Form „Droomflöte").

Traumflötigkeit *f* 1. Unaufmerksamkeit, Achtlosigkeit. 1900 *ff.*
2. Mangel an gegenwartsnaher Einstellung. 1920 *ff.*

Traumfrau *f* ideale weibliche Person. Ähnlichen *engl* Zusammensetzungen nachgebildet. 1950 *ff.*

Traumfußball *m* ideales Fußballspiel. *Sportl* 1960 *ff.*

Traumgage (Grundwort *franz* ausgesprochen) *f* ungewöhnlich hohes Künstlerhonorar. 1955 *ff.*

Traumgesäß *n* ideal geformtes Gesäß einer weiblichen Person. 1960 *ff, journ.*

Traumgeschenk *n* überaus schönes (teures, kostbares) Geschenk. *Halbw* 1950 *ff.*

Traumgespielin *f* Geschlechtspartnerin mit Idealfigur. „Gespielin" übersetzt *engl* „play-girl". 1960 *ff, journ.*

Traumgift *n* Rauschgift. 1950 *ff.*

traumhaft *adj adv* unglaublich schön. 1955 *ff.*

traumhappert *adj* benommen, schlaftrunken. ↗tramhappet. *Bayr* seit dem 19. Jh.

Traumhaus *n* ideal gebautes Haus (in schöner landschaftlicher Lage). 1955 *ff.*

Traumhochzeit *f* prunkvolle Hochzeit. 1955 *ff.*

Trau-mich-nicht *m* zaghafter Mensch. Ein Satzname. 1930 *ff.*

Traumjahrgang *m* Weinjahrgang mit hohen Mostgewichten. 1955 *ff.*

Traumjob *m* reizvolle, angenehme Tätigkeit mit hohem Verdienst. ↗Job. 1955 *ff.*

Traumkapsel *f* Luxusauto mit allem erdenkbaren Komfort. 1950 *ff.*

Traumkarriere *f* beneidenswerte berufliche Laufbahn eines Künstlers (Wissenschaftlers o. ä.). 1955 *ff.*

Traumkloß *m* Träumer. ↗Kloß. 1930 *ff.*

Traumkutsche *f* Auto, das höchsten Ansprüchen gerecht wird. 1955 *ff.*

Traumlade *f* Träumer; unaufmerksamer, schwungloser, träger Mensch. Berlin 1870 *ff.*

Traumland *n* 1. jn ins ~ schicken = jn niederboxen. Aus dem *angloamerikan* Sportlerwortschatz übersetzt. 1920 *ff.*
2. im ~ sein (weilen) = niedergeboxt worden sein; besinnungslos sein. 1920 *ff.*

Traumliebespaar *n* ideales Liebespaar. 1955 *ff.*

Traummädchen *n* Mädchen, wie man es sich schöner und liebenswerter nicht denken kann. 1955 *ff, journ.*

Traum-Mann *m* idealer Mann (aus der Sicht der Frau). 1955 *ff.*

Traummännleingeschichten *pl* erzähle mir keine ~! = belüge mich nicht! „Traummännlein" sind in Träumen erscheinende Zwerggestalten (Wichtel, Gnomen), die Wunder wirken können. *Österr* 1950 *ff.*

Traummodell *n* einzigartiges Modellkleid. ↗Traum 1. 1955 *ff.*

Traumnote *f* beste Leistungsnote; höchste Punktrichterwertung. 1955 *ff, schül* und *sportl.*

Traumpaar *f* beliebte Künstler, die (in den Augen des Betrachters) ein ideales Liebes- und Ehepaar abgäben. 1930/35 *ff.*

Traumpartie *f* idealer (sehr wohlhabender) Ehepartner. ↗Partie. 1955 *ff.*

Charakteristikum des Traums ist nach Sigmund Freud, „daß er dem wachen Seelenleben fremd und unverständlich entgegentritt". Übertragen auf die Umgangssprache scheint dies allerdings nur auf jene Komposita zuzutreffen, mit denen ein einfacher Gegensatz zu „aufmerksam" ausgedrückt werden soll (vgl. **Traumarsch, Traumbeutel**). Ansonsten aber wird hier, wie auch das oben wiedergegebene Foto nahelegen kann, zumeist mit offenen Augen geträumt; „Traum" steht in fast allen Fällen nur für den Superlativ (vgl. u. a. **Traumbeine, Traumboy, Traumfrau, Traumhaus**). Für diese recht handfesten Träume aber gilt, was Freud zufolge Eigenschaft eines jeden „manifesten" Traums ist: Was in ihm „zentral steht und mit großer sinnlicher Intensität auftritt", ist eine „Verdichtung" dessen, „was in den Traumgedanken peripherisch lag und nebensächlich war." Und insofern fungiert Traum hier letztendlich nicht nur als bloßer Superlativ, eher schon als Symptom, als Ausdruck eines Kompromisses nämlich, der auf der Verinnerlichung bestehender Normen basiert, denen so, durch die Idealisierung dessen, was möglich ist, gleichsam das Placet gegeben wird.

Traumpelz m schöner, kostbarer Pelz. 1955 ff.

Traumpreis m erschwinglicher Preis. Werbetexterspr. 1965 ff.

Traumpuppe f hochgespannten Erwartungen entsprechendes Mädchen. ↗ Puppe. Halbw 1955 ff.

Traumreise f 1. Reise in ferne Länder, Kontinente („Welten"). 1955 ff.
2. Rauschgiftrausch. ↗ Trip. 1960 ff.

Traumrolle f begehrte Bühnenrolle. 1950 ff.

Traumschaffe f herrliches Ereignis. ↗ Schaffe 2. 1950 ff.

Traumschäse f Liege. „Schäse" geht zurück auf franz „chaiselongue". Halbw 1960 ff.

Traumschaukel f 1. Hängematte. In ihr läßt sich gut träumen. 1940 ff.
2. Häftlingsbett. Ironie. Durch einstige Insassen des Konzentrationslagers Sachsenhausen nach 1945 verbreitet.
3. Luxusauto. 1955 ff.
4. Rauschgift. Halbw 1960 ff.

Traumschiff n Auto nach Wunschvorstellung. Halbw 1955 ff.

Traumschlitten m Luxusauto. ↗ Schlitten. 1955 ff.

Traumschuß *m* sehr seltener Tortreffer. ↗Schuß 9. *Sportl* 1955 *ff.*

Traumstengel *m* Marihuana-Zigarette. ↗Stengel. *Halbw* 1960 *ff.*

Traumstoff *m* Rauschgift. ↗Stoff. 1955 *ff.*

Traumsuse *f* träumerisch, schwärmerisch veranlagte weibliche Person; einfältiger Mensch. ↗Suse. *Vgl* auch ↗Transuse. 1900 *ff,* Berlin.

Traumtanz *m* Hingabe an Hirngespinste. Leitet sich her vom schwerelosen Tanzen im Traum (während man in wachem Zustand ein schlechter Tänzer ist). Spätestens seit 1939.

Traumtänzer *m* Mensch, der Vorstellungen hegt, die nicht zu verwirklichen sind. *Vgl* das Vorhergehende. Scheint nach 1933 aufgekommen zu sein.

'Traumtänze'rei *f* wirklichkeitsfremde Weltverbesserei. 1933 *ff.*

Traumtochter *f* überaus schöne und liebe Tochter. 1955 *ff.*

Traumtor *n* besonders glücklich erzielter Tortreffer. *Sportl* 1955 *ff.*

Traumtute *f* unaufmerksamer Mensch. ↗Tute; ↗Trantute. 1900 *ff.*

Traumvase *f* Nachtgeschirr. 1900 *ff,* nördlich der Mainlinie.

Traumvilla *f* herrliche, herrschaftliche Villa. 1955 *ff.*

Traumwagen *m* 1. kostspieliges Auto mit jeder erdenklichen Annehmlichkeit. Stammt aus *angloamerikan* „dream car". 1955 *ff.*
2. Auto, dessen Fahrer einen Fremden unentgeltlich und möglichst weit mitnimmt. 1955 *ff.*

Traumwetter *n* ungetrübtes Urlaubswetter. 1965 *ff.*

Traumzeugnis *n* Schulzeugnis mit sehr guten Noten. 1970 *ff.*

Traumzigarette *f* Marihuana-Zigarette o. ä. 1950 *ff.*

Traumzimmer *n* Zimmereinrichtung, die höchsten Erwartungen gerecht wird. 1965 *ff,* werbetexterspr.

traun fürwahr *interj* Ausdruck der Bejahung oder Bekräftigung. Als stehende Wendung übernommen aus der Odyssee-Übersetzung von Johann Heinrich Voß (1781); der Ausdruck fußt auf *mhd* „entriuwen = in Treuen". *Schül* seit dem 19. Jh bis heute.

traurig *adj* 1. schlecht, minderwertig, langweilig; untüchtig. Vom Begriff „beklagenswert" weiterentwickelt zur Bedeutung „jämmerlich" und „grundschlecht". Seit dem späten 19. Jh.
2. ~ für die Hinterbliebenen: Redewendung auf die Verlierer beim Kartenspiel o. ä. Kartenspielerspr. 1870 *ff.*
3. ~, aber wahr = bedauerlich, aber unabänderlich. Vielleicht dem Bänkelsang entlehnt. 1870 *ff.*
4. damit sieht es ~ aus = das ist nicht vorhanden. 1900 *ff.*
5. etw ~ raushaben (weghaben) = etw vorzüglich

meistern. „Traurig" gibt die Stimmung der Unterlegenen wieder: es ist traurig für uns, daß er es so gut kann. Spätestens seit 1900, Berlin; *sold* 1905 *ff.*

Trautchen *m n* Langsamfahrer. Er hat nur wenig „↗Traute". 1935 *ff.*

Trautchenfahrer *m* Langsamfahrer. 1935 *ff.*

Traute *f* 1. Mut, Zutrauen. Substantiv zu „sich trauen = sich vermessen; wagen". Berlin und *ostd* seit dem späten 19. Jh.
2. Braut; Jungvermählte. Traut = lieb, behaglich, vertraut. Berlin, 1910 *ff.*

Trauzeuge *m* ernst wie ein ~ = sehr ernst und würdevoll. 1950 *ff.*

Trebe *f* 1. auf ~ gehen = sich dem Fürsorgeheim, dem Elternhaus o. ä. entziehen; ohne festen Wohnsitz leben. Nach 1965 auf der Grundlage von „↗trefe" weiterentwickelt. Vielleicht schon um 1920 in Berlin geläufig.
2. auf ~ sein = aus der Familie o. ä. entwichen sein. 1965 *ff.*

Trebebraut *f* dem Elternhaus entwichenes Mädchen. 1965 *ff.*

Trebegänger (Treber) *m* dem Elternhaus, dem Fürsorgeheim o. ä. entwichener Jugendlicher. Berlin 1920 *ff;* wiederaufgelebt um 1970.

Trebegängerhaus (Trebehaus) *n* von der zuständigen Behörde angemietetes Haus, in dem Jugendliche, die dem Elternhaus entwichen sind, gemeinsam mit Gleichgesinnten leben. 1970 *ff.*

treben (trebengehen) *intr* sich dem Elternhaus entziehen und mit Gleichgesinnten zusammenleben. Berlin 1920 *ff.*

Treber *m* ↗Trebegänger.

Trebernlaus *f* beleibte, gemeine weibliche Person. Eigentlich das mit Trebern (= Rückständen beim Keltern, Brauen und Kochen) gemästete Mutterschwein. *Bayr* 1900 *ff.*

Trebling *m* Jugendlicher auf Flucht vor dem Elternhaus. *Vgl* ↗Trebe 1. 1970 *ff.*

Treck *m* Wanderzug. ↗trecken. *Niederd,* 14. Jh.

Treckbüdel (Treckebüdel, Treckbeutel) *m* Ziehharmonika. Büdel = Beutel; Balg; ↗trecken 1. 1900 *ff,* niedersächsisch.

Treckdings (Treckedings) *n* Ziehharmonika. ↗Dings; *vgl* dazu das Folgende. 1900 *ff.*

trecken *v* 1. *tr* = ziehen. Schon seit *mhd* Zeit. Herleitung ungesichert.
2. *intr* = mit Hab und Gut flüchtend das Land durchziehen. Im 19. Jh aus den Niederlanden entlehnt; *ndl* „trekken = mit dem Ochsenkarren wandern"; anfangs nur auf die Buren in Südafrika bezogen; etwa seit 1940 auch auf europäische Binnenwanderungen ausgedehnt, vor allem auf die Vertreibung der Deutschen aus den Ostgebieten des Deutschen Reiches.

Trecker *m* ich glaube, mein ~ humpelt: Ausdruck der Verwunderung, auch des Zweifelns. *Vgl* ↗Traktor. 1960 *ff, halbw* und *BSD.*

Trecksack *m* Ziehharmonika. „Sack" ist aus „Dudelsack" übernommen und meint den Balg, der „getreckt = gezogen" wird (↗trecken 1). *Marinespr* seit dem ausgehenden 19. Jh; auch wandervogelspr.

trefe (treife) *adj* **1.** unrein; gestohlen. Geht zurück auf *jidd* „trepho = unrein"; weiterentwickelt zur Bedeutung „unehrlich, verdächtig, gestohlen". *Rotw* 1750 *ff*.
2. ~ gehen = unter ungünstigen Bedingungen auf der Flucht sein. *Rotw* 1950 *ff*.
3. jn ~ machen = jn einer Tat überführen. *Rotw* seit dem 19. Jh.
4. nicht ~ stehen = nicht überführt werden können. *Rotw* seit dem 19. Jh, Berlin.

Treff I *m* **1.** schneller, wohlgezielter Hieb; schwerer Schlag; Fähigkeit zu treffen. Seit *mhd* Zeit.
2. Verletzung; Verwundung. Treff = Treffer. Seit *mhd* Zeit.
3. Treffpunkt; Stelldichein; Begegnung. Eigentlich das Zusammentreffen. Spätestens seit 1900; möglicherweise anfangs *rotw*.
4. guter Griff beim Auswählen; glücklicher Zufall. *Rhein* 1900 *ff*.
5. Rufname des Hundes. Er ist wohl treffsicher im Zupacken. Seit dem 19. Jh.
6. blinder ~ = Verabredung mit unbekannter Person. 1930 *ff*.
7. guter ~ = glückliches Zusammentreffen; Glücksfall. 1900 *ff*.
8. seinen ~ abkriegen = verwundet werden. ↗Treff 2. Seit dem 19. Jh.
9. seinen ~ haben = sich durch eine Äußerung getroffen fühlen; eine Abfuhr erlitten haben. Man ist (wie) von einem Schuß getroffen. 1900 *ff*.
10. sich den ~ holen = a) (plötzlich) erkranken. Die Krankheit erhält man wie einen heftigen Schlag (Hexenschuß o. ä.). 1900 *ff*. – b) sich eine Geschlechtskrankheit zuziehen. 1930 *ff*.

Treff II *n* **1.** ~ ist dicker als Pik = „Treff" gilt in der Bewertung mehr als „Pik"; eine „Treff"-Karte sticht die entsprechende „Pik"-Karte. Übertragen von der sprichwörtlichen Redensart: „Blut ist dicker als Wasser". Kartenspielerspr. seit dem 19. Jh.
2. dastehen wie Treff-Sieben = verblüfft, ratlos sein; das Nachsehen haben. *Vgl* ↗Pik-Sieben 1. 1900 *ff*.

Treffe *f* **1.** Verabredung, Zusammenkunft, Stelldichein; Treffpunkt. Berlin 1950 *ff, jug*.
2. eine ~ machen = ein Stelldichein verabreden. Berlin 1950 *ff, jug*.

Treffen *n* ~ der Fußtritte = unfaires Fußballspiel. Weniger der Ball und mehr die Beine des Gegners werden getroffen. *Sportl* 1960 *ff*.

treffen *v* wir ~ uns nochmal woanders!: Drohrede, mit der man die handfeste Auseinandersetzung auf später und andernorts aussetzt. Spätestens seit 1900.

Treffer *m* **1.** Ejakulation. Analog zu ↗Schuß 3. Seit dem 19. Jh.
2. ~ ins Schwarze = treffende Bemerkung; erfolgreiche Unternehmung. „Das Schwarze" ist die Zielscheibenmitte. 1900 *ff*.
3. billiger ~ = Glücksfall; Zufallstreffer. „Billig" besagt, daß man zu dem Erfolg nichts (oder nur wenig) beigetragen hat. 1900 *ff*.
4. einen ~ landen = im richtigen Augenblick ein treffendes Wort sagen. 1920 *ff*.
5. einen ~ mittschiffs landen = koitieren (vom Mann gesagt). Stammt aus der Marinesprache, vor allem aus dem Wortschatz der Unterseeboot-Besatzungen. ↗Treffer 1. 1935 *ff*.

trefflich *adj* ~ schön singt unser Küster: Redewendung unter Kartenspielern, wenn Treff Spielfarbe wird oder mit einer Treffkarte getrumpft wird. Ausmalende Fortführung der Ansage „Treff". Seit dem 19. Jh.

Treibauf *m* lebhafter Mensch. Eigentlich Bezeichnung für den Gärstoff; hier sachverwandt mit „↗Stehaufmännchen". *Bayr* 1900 *ff*.

Treibaufnudel *f* lebenshungriges Mädchen mit übertriebenen Erwartungen. ↗Nudel 4. 1950 *ff*.

treiben *v* **1.** es mit jm ~ = mit jm geschlechtlich verkehren. Treiben = sich mit etw beschäftigen. *Vgl* auch „sein Spiel mit jm treiben", anspielend auf das Liebesspiel. Seit dem 19. Jh.
2. damit kann man ihn ~ = damit kann man ihn vergraulen, ihm das Verbleiben verleiden. *Vgl* ↗jagen 2. Seit dem 19. Jh.

Treiber *m* **1.** Zuhälter. Verkürzt aus ↗Sautreiber 1. Seit dem 19. Jh.
2. Soldatenausbilder. ↗Sautreiber 2. *BSD* 1965 *ff*.
3. Lehrer. Wohl von der Tätigkeit des Jagdhelfers übertragen. 1950 *ff*.
4. Mitglied des Prüfungsausschusses. 1950 *ff, schül*.

Treibhauskind *n* aus künstlicher Befruchtung entstandenes Kind. 1975 *ff*.

Treibhauspflanze *f* zartes, empfindliches Mädchen. 1950 *ff*.

Treibriemen *m* Koppel; abgewetztes Koppel. Eigentlich der Riemen, der die Kraft vom Treibrad auf andere Räder überträgt. *Sold* 1939 bis heute.

Treibstoff *m* **1.** Abführmittel. Eigentlich der Betriebs-, Kraftstoff für Verbrennungsmotoren. 1900 *ff*.
2. die Geschlechtskraft förderndes Mittel. 1920 *ff*.
3. alkoholisches Getränk, das geschlechtliche Hemmungen beseitigt. 1920 *ff*.
4. chemischer ~ = Weckamine o. ä. 1960 *ff*.

treife ↗trefe.

Tremens (Tremenz) *m* einen im ~ haben = leicht betrunken sein. Herzuleiten von „Delirium tremens". 1900 *ff*.

'Tremoli *n* mit jm ein ~ haben = mit jm Last, Umstände haben. Fußt wahrscheinlich auf „dremmeln = durch Zureden drängen" in Verbindung mit „tribulieren = plagen; durch Bitten lästig fallen", das Ganze angeglichen an den musikersprachlichen Begriff „Tremolo" im Sinne schnell schwankender Tonhöhe. Etwa seit dem ausgehenden 19. Jh.

trennen *intr* koitieren. Leitet sich her von der Vorstellung des Spaltens, auch des Auftrennens einer Naht. Anfangs in der Bedeutung „deflorieren". Hängt möglicherweise auch mit der jüdischen Sitte der Beschneidung zusammen. 1900 *ff*, wahrscheinlich *österr* Herkunft.

Trentsch *m* Klecks, Unreinlichkeit. ↗trentschen. *Bayr* seit dem 19. Jh.

Trentschen (Trentschn, Trenschn, Treanschen) *f* Mund; Hängelippe; mürrischer Gesichtsausdruck. Fußt auf dem Folgenden und ist dadurch Analogie zu „Flunsch". *Bayr* und *österr*, seit dem 19. Jh.

trentschen *intr tr* verunreinigen, beklecksen. Nasalierte Nebenform zu „↗tratschen 1 u. 2". *Bayr* und *österr*, seit dem 19. Jh.

trenzen *intr* **1.** geifern. Versteht sich wie das Vorhergehende. *Oberd* 1500 *ff*.
2. weinen, schreien. *Bayr* 1500 *ff*; auch *hess*.

Trenzer *m* **1.** Kleinkindern vorgebundenes Mundtuch. ↗trenzen 1. *Oberd* seit dem 19. Jh.
2. zum Weinen neigender Mensch. ↗trenzen 2. Seit dem 19. Jh.

Trenze'rei *f* Weinen, Stöhnen. *Bayr* seit dem 19. Jh; *hess*.

Trenzerl *n* Kinderlätzchen. ↗trenzen 1. *Bayr* und *österr*, seit dem 19. Jh.

Treppchen *n* **1.** ein ~ tiefer gehen = den Abort aufsuchen. Leitet sich her von der Anlage des Aborts im Treppenhaus zwischen den Stockwerken. Seit dem 19. Jh.
2. jm vor das ~ scheißen = jn prellen, übertölpeln. „Treppchen" meint die kurze Treppe vor dem Hauseingang. Verunreinigung mit Kot ist *gleichbed* mit Betrug und Übervorteilung; ↗bescheißen. 1960 *ff*.

Treppe *f* **1.** hautenge ~ = sehr schmale Treppe. „Hauteng" ist hier von der Modensprache übertragen auf die Architektur. 1960 *ff*.
2. auf halbe ~ gehen = den Abort aufsuchen. ↗Treppchen 1. Seit dem 19. Jh.
3. die ~ rauffallen (nach oben fallen; hochfallen) = nach Entlassung aus der Stellung einen besseren, angenehmeren Posten erhalten. Der Degradierte fällt auf der Stufenleiter der Dienstränge und Amtsstellungen zurück; ist mit der Degradierung letztlich eine Verbesserung verbunden, faßt man es scherzhaft als ein Hinauffallen auf. Seit dem frühen 19. Jh (Heinrich Heine 1840).
4. die ~ runterfallen = degradiert werden. Seit dem 19. Jh.
5. die ~ runtergefallen sein = frisch die Haare geschnitten haben. Beruht auf der grotesken Vorstellung, daß beim Hinunterfallen die Treppenstufen

wie Schere oder Messer gewirkt haben. Wird gelegentlich auch im Sinne von „↗Treppe 7" aufgefaßt und erklärt. Seit dem 19. Jh.
6. die ~ runterfliegen = fristlos entlassen werden. ↗fliegen 1. 1900 *ff*.
7. ~n schneiden = das Haar in unschönen Abstufungen schneiden. Seit dem 19. Jh.

Treppengast *m* Hausierer, Bettler. Den Teller Suppe verzehrt er im Treppenhaus. Kundenspr. 1900 *ff*.

Treppengeländer *n* **1.** gemahlenes ~ im Gehirn haben = sehr dumm sein. „Gemahlenes Treppengeländer" ist Paniermehl. 1900 *ff*.
2. mit gemahlenem ~ vermengte Scheiße im Gehirn haben = überaus dumm sein. *Sold* 1900 *ff*. Wohl Ausbilderjargon.

Treppenläufer *m* Hausierer, Handelsvertreter. 1910 *ff*.

Treppenlaus *f* Handelsvertreter, der von Wohnungstür zu Wohnungstür, treppauf und treppab geht. Er gilt als lästiges Ungeziefer, von dem man nur mit Mühe frei wird. 1925 *ff*.

Treppenreflex *m* Wutsteigerung durch eigene Schimpfrede. Man steigert sich stufenweise in seiner Wut. Wird heute „Eskalation" genannt. *Sold* in beiden Weltkriegen, vor allem mit Bezug auf die Vorgesetzten.

Treppenschleicher *m* **1.** Einschleichdieb. *Rotw* 1862 *ff*.
2. Handelsvertreter. 1920 *ff*.

Treppenschmeißer (-stürzer) *m* hochprozentiges alkoholisches Getränk. Es macht sich unangenehm bemerkbar, wenn man aus warmem Zimmer ins Treppenhaus oder auf die Gartentreppe tritt. *BSD* 1965 *ff*.

Treppenterrier *m* **1.** Hausierer; Handelsvertreter, der an der Wohnungstür vorspricht. „Terrier" soll Entstellung aus „Terchener = Bettler" sein. 1900 *ff*.
2. Hauswart; Postbote; Mann, der viele Treppen geht. 1900 *ff*.
3. Hausarzt. 1975 *ff*.

Treppenwitz *m* verspätete Erkenntnis; kluger Einfall, der zu spät kommt. Übersetzung von *franz* „esprit d'escalier" im Sinne eines guten Einfalls, der leider erst dann kommt, wenn man nach vergeblicher Audienz bereits auf der Treppe steht. Nach 1850 aufgekommen.

Tresen *m* Schanktisch, -theke; Banktheke. Geht zurück auf *lat* „thesaurus = Schatz" und bezieht sich auf die Geldschublade im Ladentisch, auch auf die Ladenkasse. Vorwiegend *westf*, auch *hess* u. a., seit dem 19. Jh.

Tresor *m* **1.** Vagina. ↗Schatztruhe 2. 1870 *ff*.
2. Busenausschnitt; Mieder. Kann als vorübergehender Aufbewahrungsort für Geldscheine dienen. 1950 *ff*.
3. verschlossen wie ein ~ = unzugänglich; wortkarg; schweigsam. 1950 *ff*.

4. einen ~ anknabbern = einen Tresor aufzubrechen suchen. 1920 *ff.*

5. einen ~ knacken = einen Panzerschrank aufbrechen und ausrauben. ↗knacken. 1920 *ff.*

Tresorknacker *m* **1.** Tresoreinbrecher. 1920 *ff.*

2. *pl* = Panzerabwehr. *BSD* 1965 *ff.*

Tresorknackerei *f* Tresoreinbruch. 1920 *ff.*

Tresorschein *m* Heiratsurkunde. Sie berechtigt zum Öffnen der „Schatzkammer". ↗Tresor 1. 1900 *ff.*

Tresorschlüssel *m* Penis. ↗Tresor 1. 1900 *ff.*

Tresse *f* Schaum auf dem Glas Bier. Er ähnelt (in der Seitenansicht) einer weißen Litze. 1860 *ff.*

Tretauto *n* einem Auto nachgebildetes Kinderspielzeug. Es wird über eine Tretkurbel angetrieben. 1950 *ff.*

Tretbiene *f* Radfahrer(in). Wegen des „Bienenfleißes". 1960 *ff.*

Tretbrief *m* dringende schriftliche Mahnung. ↗treten 2. 1850 *ff.*

treten *v* **1.** jn ~ = jm heftig zusetzen; jn quälen, überstreng behandeln. Man behandelt den Betreffenden mit Fußtritten. Seit dem 18. Jh.

2. jn ~ = jn wegen einer Geldschuld mahnen; jn um Geldzuwendung angehen; jn drängen, antreiben. Man tritt ihm auf die Schuhspitze, um ihm einen heimlichen, aber unmißverständlichen Wink zu geben, oder man tritt ihn ins Gesäß, um ihn anzutreiben. *Stud* seit dem ausgehenden 18. Jh.

3. jn ~ = jn erpressen. Euphemismus im Munde von Verbrechern. 1900 *ff.*

4. jn ~ = koitieren. Von den Vögeln hergenommen. 1920 *ff.*

5. nicht zum ~ = gedrängt voll (bezogen auf Verkehrsmittel, auf Tanzflächen o. ä.). 1900 *ff.*

Treter *m* **1.** Vorgesetzter, der Untergebene schikaniert (aber Höhergestellte hofiert). ↗treten 1. Kann aber auch über den „Pedaltreter" den „↗Radfahrer" meinen. *BSD* 1965 *ff.*

2. *pl* = Schuhe, Stiefel. Im späten 19. Jh aufgekommen.

3. *pl* = Beine, Füße. Kundenspr. 1835 *ff.*

Trete'rei *f* Aufforderung, geliehenes Geld zurückzugeben. ↗treten 2. Seit dem 19. Jh.

Treterporsche *m* Fahrrad. Scherzhafte Wertsteigerung. *Halbw* 1960 *ff.*

'Tret'esel *m* Fahrrad. Zum Unterschied vom „↗Benzinesel" muß dieses Fahrzeug getreten werden. 1890 *ff.*

Tretgefühl *n* Annäherung an ein junges Mädchen. ↗treten 4. 1900 *ff.*

Trethaus *n* Abort. Wo man „austritt". 1950 *ff.*

Tretkarre *f* Fahrrad. ↗Karre. 1910 *ff.*

Tretling *m* Fußball. 1930 *ff.*

Tretmaus *f* junge Radfahrerin. ↗Maus. 1920 *ff.*

Tretmine *f* **1.** leicht aufbrausender Vorgesetzter. Die Mine explodiert bei leichtem Darauftreten. *Sold* 1939 *ff.*

2. Kothaufen, Kuhfladen. Sie sind formverwandt, und wer unversehens hineintritt, braust auf. *Sold* 1939 *ff.*

2 a. heikle Aufgabe; bedenkenerregende Vereinbarung. Man läuft Gefahr, in eine „Falle" zu geraten. 1970 *ff.*

3. eine ~ legen = im Freien koten. *Sold* 1939 bis heute.

Tretmotorfritze *m* Radfahrer. ↗Fritze. 1920 *ff.*

Tretmühle *f* **1.** eintönige, gleichmäßig abwechslungslose Tätigkeit; Arbeitsplatz mit immer derselben Arbeit; der Alltag. Meint eigentlich das Mühlrad, das nicht durch Wasser betrieben wird, sondern durch ein Tier oder einen Menschen, der im Innern des Radgangs fortwährend auf der Stelle tritt. Spätestens seit 1800.

2. Schule. 1920 *ff.*

3. Fahrrad. Auch diese „Mühle" wird durch Tretbewegungen in Gang gesetzt. 1910 *ff.*

4. Ergometer; Zimmerfahrrad als Trainingsgerät. 1975 *ff.*

Tre'toir (Endung *franz* ausgesprochen) *n* **1.** Bürgersteig. Aus „Trottoir" halb eingedeutscht. 1900 *ff.*

2. Stehabort. Aus „Pissoir" gemildert durch die Vorstellung „wo die Männer austreten". 1900 *ff.*

'Tretomo'bil *n* **1.** Fahrrad. Eine Vokabel, die mit dem Automobil in Wettbewerb zu treten sucht. 1920 *ff.*

2. zwei parallel miteinander verbundene Fahrräder mit einer Autokarosserie. Gegen Ende 1973 aufgekommen mit der vorübergehenden Einführung des Sonntagsfahrverbots.

'Tretomo'biler *m* Radfahrer. 1920 *ff.*

'Tretomobi'list *m* fauler ~ = Radfahrer mit Hilfsmotor. 1920 *ff.*

Tretroß *n* Fahrrad. Dem „↗Benzinroß" und dem „↗Dampfroß" an die Seite gestellt. 1920 *ff.*

Tretsport *m* Fußballsport. Die Vokabel läßt es absichtlich offen, ob nur der Ball getreten wird oder auch der Gegner. *Sportl* 1950 *ff.*

Treu *m* Rufname des Hundes. 1900 *ff.*

treu *adj* **1.** ~ und brav = bieder, genau, ordnungsgemäß. „Treu" bezieht sich auf die Leistungserwartung und „brav" auf den Gehorsam, den Pflichteifer. 1900 *ff.*

2. du bist ~! = du bist wunderlich, naiv, töricht! Weiterentwickelt aus „treu = verläßlich, zuverlässig" zur Bedeutung „vertrauensvoll, gutmütig" und schließlich zu „leichtgläubig, einfältig". Seit dem ausgehenden 19. Jh.

'treu'deutsch *adj adv* **1.** in herkömmlicher Weise. Meint eigentlich „deutscher Sitte getreu". 1920 *ff.*

2. wunderlich im Wesen. Anspielung auf eine gewisse Versponnenheit, die man dem Deutschen zum Vorwurf macht oder als Nationaleigenschaft wertet. 1920 *ff.*

'treu'doof *adj* naiv, einfältig; zum eigenen Schaden aufrichtig. 1920 *ff* (1890?), vorwiegend *schül, stud* und *sold*.

No 245.

Üb immer Treu und Redlichkeit!

Der oben wiedergegebene antisemitische Stich aus der Mitte des 19. Jahrhunderts greift ein seit dem Mittelalter weit verbreitetes Vorurteil gegen die Juden auf, denen man vorwarf, Gold- und Silbermünzen in betrügerischer Absicht zu beschneiden. Das Motto „Üb immer Treu und Redlichkeit" ist also ironisch gemeint, doch fällt dieser Vorwurf der Scheinheiligkeit auf den zurück, der ihn erhebt. Gleiches gilt für die „uneheliche Treue" (**Treue**), worunter eine dauerhafte Liaison zu verstehen ist.

Treue *f* uneheliche ~ = lange währendes Verhältnis eines Ehemannes mit einer und derselben Geliebten. 1920 *ff*.

Trevira *f* Mädchen, das mehrere intime Beziehungen unterhält. Kann die Leichtigkeit des modernen Kunststoffs als Vorbild haben („leichtes" Mädchen) oder hängt zusammen mit *lat* „tres viri = drei Männer". 1960 *ff, halbw*.

tribulieren *tr* jn quälen, necken; jm hart zusetzen. Fußt auf *mittellat* „tribulare = pressen, bedrängen". Seit dem 13. Jh.

Tribunat *n* Elternbeirat. Meinte im alten Rom das Amt eines (von der Plebs gewählten) Volksvertreters. 1950 *ff*.

Tribüne *f* ~ des kleinen Mannes = Apfelsinenkiste als Podest des Zuschauers bei Karnevalszügen o. ä. 1960 *ff*.

Tribünenschmuck *m* Rennfahrerbraut o. ä. 1930 *ff*.

Tribünensport *m* Teilnahme an sportlichen Veranstaltungen als Zuschauer von der Tribüne aus. *Sportl* 1955 *ff*.

Trichinen *pl* Läuse o. ä. Eigentlich schmarotzende Fadenwürmer im Fleisch. Kundenspr. 1900 *ff; sold* 1914 *ff*.

Trichinenbeschau *f* Schönheitswettbewerb. Der „Fleischbeschau" nachgebildet. 1920 *ff*.

Trichinenbeschauer *m* Preisrichter bei einem Schönheitswettbewerb. 1920 *ff*.

Trichinendoktor *m* **1.** Arzt für Haut- und Geschlechtsleidende. Die Trichinen gelten hier (fälschlich) als die Erreger von Geschlechtskrankheiten. 1870 *ff, sold* und *prost*.
2. Amtsarzt, der die amtlich zugelassenen Prostituierten allwöchentlich zu untersuchen hat. 1870 *ff, sold* und *prost*.

trichinenfrei *adj* nicht anstößig. Vom Fleisch geschlachteter Tiere übertragen auf die Sittlichkeit. 1910 *ff*.

Trichinenkrematorium *n* Desinfektionsraum; Entwesungsstation. 1914 *ff*.

Trichinenschau *f* Gesundheitsbesichtigung. *BSD* 1965 *ff*.

Trichinenspucker *m* Mensch, der stark hustet. Meint eigentlich den Lungenkranken: die Trichinen sind hier mit den Tuberkelbakterien gleichgesetzt. 1914 *ff*.

Trichinensucher *m* Internist. 1910 *ff*.

Trichi'nist *m* Internist; Facharzt für Blut- und Darmkrankheiten. *Sold* 1914 *ff; ziv* 1920 *ff*.

trichinös *adj* **1.** anstößig; zotig. *Vgl* ↗ trichinenfrei. 1910 *ff*.
2. geschlechts-, tripperkrank. 1910 *ff*.

Trichter *m* **1.** Mund, Kehle (zum Eingießen von Flüssigkeiten, vorwiegend alkoholischer Art). 1910 *ff*.
2. Abort. Das Abortbecken verjüngt sich nach un-

ten und ähnelt dadurch einem Trichter. Seit dem 17./18. Jh.

2 a. Schule. ↗trichtern. 1950 *ff.*

2 b. Klassenzimmer. 1950 *ff.*

3. jn auf den ~ bringen = jm etw begreiflich machen; jn auf einen guten Gedanken bringen. Derb gemeint ist, daß man einen auf den Abort bringt, ihn also zu einer gedeihlichen Tat anregt. Seit dem 19. Jh.

4. das hat bei ihm keinen ~ = das kann er nicht verstehen. Kann sich sowohl vom Abort herleiten als auch vom „Nürnberger Trichter". 1920 *ff.*

5. jm auf den ~ helfen = jn in eine aussichtsreiche Lage versetzen. Erklärt sich nach „↗Trichter 3". Seit dem 19. Jh.

6. auf einen ~ kommen = einen Einfall haben. Seit dem 19. Jh.

7. mit etw auf den (richtigen) ~ kommen = etw zutreffend beurteilen; eine Sache richtig einschätzen, ergründen; eine Sache zu guter Vollendung bringen. Analog zu „↗Stuhl 17". Angeblich seit dem 17./18. Jh.

8. auf einen anderen ~ kommen = eine andere Entscheidung treffen. 1920 *ff.*

9. wie kommst du auf 'den ~? = wie bist du auf diesen Gedanken gekommen? 1900 *ff.*

10. den ~ raushaben = sich zu helfen wissen. 1920 *ff.*

11. auf dem (richtigen) ~ sein = richtig auffassen; die richtige Folgerung ziehen; richtig handeln. 1900 *ff.*

12. etw in den ~ wirbeln = koten. ↗Trichter 2. *BSD* 1965 *ff.*

Trichterbude *f* Schul-, Hochschulgebäude. Zur Herleitung *vgl* „↗eintrichtern". 1960 *ff.*

Trichterer *m* Lehrer. ↗trichtern. Seit dem 19. Jh.

Trichtergeräte *pl* Lehrmittel. *Schül* 1960 *ff.*

trichtern *intr* Lehrer sein. ↗eintrichtern 1. Seit dem 19. Jh.

Trichterprolet *m* Infanterist; Frontsoldat. Anspielung auf Minen- und Granattrichter. *Sold* in beiden Weltkriegen.

Trichterzimmer *n* Klassenzimmer. ↗trichtern. 1950 *ff.*

Trick *m* **1.** ~ 7 mit Anschleichen = besonders kniffliger Trick. 1950 *ff.*

2. ~ 17 = üblicher (anspruchsloser) Trick; leicht durchschaubarer Trick. 1950 *ff.*

3. ohne ~ und Toupet = völlig aufrichtig. Aufgekommen kurz nach 1965, als die Mode der Haarersatzteile wiederkehrte.

4. fauler ~ durchschaubarer Trick. ↗faul 1. 1950 *ff.*

Trickfilm *m* militärische Scheinbewegung; vorgetäuschter Angriff o. ä. *Sold* 1935 *ff.*

Trickkiste *f* **1.** Trickreichtum. 1950 *ff.*

2. aus der ~ erzählen = Lebenserfahrungen mitteilen. 1950 *ff.*

3. in die ~ greifen = eine List anwenden. 1950 *ff.*

Trickler *m* Kartenspieler, dessen Täuschungsversuche durchschaut werden. Kartenspielerspr. 1920 *ff.*

Trick-Nassauer *m* Mann, der sich durch einen Trick Freibier verschafft. ↗Nassauer. 1939 *ff.*

Tricks *m* Kunstgriff, List. Die Mehrzahl als Einzahl. 1914 *ff.*

tricksen *intr* **1.** listig handeln; trickreich spielen; vorspiegeln; täuschen. *Sportl,* kartenspielerspr. u. a. 1950 *ff.*

2. in der Schule täuschen. *Schül* 1950 *ff.*

Trickser *m* **1.** gewitzter Mann. 1950 *ff.*

2. täuschender Schüler. 1950 *ff.*

Trickse'rei *f* Anwendung von List. 1950 *ff.*

'trico-'traco ('tricko-'tracko) *interj* **1.** ein Ablenkmanöver begleitender Ausruf, bei dem das Opfer um Brieftasche oder Geldbeutel beraubt wird. Dem Wort „Tricktrack = Puffspiel" nachgebildet mit Einfluß von „Trick" und „trecken = ziehen". 1950 *ff.*

2. ~ in Baracko (barakko) = a) Geschlechtsverkehr mit einer Italienerin. Italienisierung von „Tricktrack = Puffspiel"; *vgl* ↗Puff I 5. *Sold* 1939 *ff.* – b) Italiener (sehr *abf*). 1935 *ff.*

tricky *adj* listenreich, ränkevoll. Aus dem *Engl* um 1970 übernommen.

Trieb *m* **1.** Spaziergang im Heimschulpark. Meint eigentlich das Treiben des Viehs auf die Weide; auch die Herde Vieh, die getrieben wird. 1950 *ff.*

2. grüner ~ = Hang zur Natur, zum Wald, zu Pflanzen usw. 1950 *ff.*

3. bei ihm ist der zweite ~ eingeschossen = im vorgerückten Alter erwacht nochmals sein Geschlechtstrieb. ↗Johannistrieb. 1900 *ff.*

4. keinen ~ haben = lustlos, ohne Interesse sein. 1970 *ff, jug.*

Triebleben *n* **1.** Gefräßigkeit. Fußt auf der volkstümlichen Vorstellung von Hunger und Liebe als den beiden Grundtrieben des Menschen. ↗knistern 3. *Sold* 1939 *ff.*

2. das ~ knistert = die Geschlechtslust macht sich bemerkbar. ↗knistern 3. *Sold* 1939 *ff.*

Triebmechanismus *m* Sucht, sich über Belanglosigkeiten übermäßig aufzuregen. Man empfindet es als eine unwillkürliche Reaktion. *Sold* 1939 *ff.*

Triebtier *n* übereifriger Mensch. Trieb = Dienstbeflissenheit. *BSD* 1965 *ff.*

Triebwagen *m* Auto, in dem intime Beziehungen gepflegt werden. Eigentlich der Motorwagen der Straßenbahn. Hier Anspielung auf den Geschlechtstrieb. 1930 *ff.*

Triebwerk *n* Geschlechtsglied, -organ. Technisierung der Anatomie. 1920 *ff.*

Triefel *m* dummer Mensch. Gehört zu „triefeln = drehen"; *vgl* ↗verdreht. *Nordd* und *mitteld,* 1900 *ff.*

triefeln *intr* zanken; anzügliche Bemerkungen machen. Triefeln = drehen; weiterentwickelt zur Bedeutung „kritisch hin- und herwenden, bis Anlaß zum Nörgeln gefunden wird". *Bayr* 1900 *ff.*

triefen *v* vor Liebenswürdigkeit ~ = unecht, übertrieben freundlich sein. Triefen = tropfen, tröpfeln. 1920 *ff.*

Triefklüsen *pl* Augenentzündung. ⁊Klüsen. *BSD* 1965 *ff.*

Triefnase *f* Schimpfwort. Eigentlich die schleimtriefende Nase. 1920 *ff.*

Triefträne *f* langweiliges, schwungloses Mädchen. ⁊Träne 3. 1965 *ff, halbw.*

Triel *m* **1.** hängende Unterlippe. ⁊trielen 1. 1500 *ff, oberd.*

2. Mund. *Oberd* seit dem 15. Jh.

3. Geifer. *Schwäb* seit dem 19. Jh.

trielen *intr* **1.** geifern; Speichel aus dem Mund fließen lassen; rinnen. Wohl von „tröpfeln (triefeln)" beeinflußt. *Oberd* 1700 *ff.*

2. langsam tätig sein; zögern; umständlich reden. Wohl Nebenform zu „⁊trödeln". *Oberd* seit dem 19. Jh.

Trieler *m* **1.** hängende Unterlippe; Mund. Seit dem 19. Jh.

2. Geifernder o. ä. ⁊trielen 1. Seit dem 19. Jh.

3. Mundtuch für kleine Kinder. Vorwiegend *schwäb,* seit dem 19. Jh.

4. langsamer, langweiliger Mensch. ⁊trielen 2. *Südwestd* seit dem 19. Jh.

Triesel *m* **1.** Spielkreisel der Kinder. ⁊trieseln 1. *Nordd* 1700 *ff.*

2. Taumel. ⁊trieseln 2. 1700 *ff,* Bremen, Berlin u. a.

3. dummer Mensch. 1900 *ff.*

trieselig *adj* benommen, verwirrt; schwindelig im Kopf; ängstlich, ratlos. *Vgl* das Folgende. *Nordd* 1700 *ff.*

trieseln *intr* **1.** kreiseln. Gehört zu „drillen, drallen = im Kreis drehen". 1700 *ff, nordd* und *westd.*

2. taumeln. 1700 *ff.*

triezen (trietzen) *tr* **1.** jn quälen, drängen, schikanieren. Gehört zu *nordd* „Tritze = Rolle, Winde": der schuldig gewordene Matrose wurde früher mit einem Seil unter den Armen unter die Rahe gehißt; im Mittelalter wurden Verbrecher auf Wippgalgen in die Höhe gezogen. Sachverwandt mit ⁊aufziehen. Seit dem 18. Jh, vorwiegend nördlich der Mainlinie.

2. jn zur Arbeit antreiben. Seit dem 19. Jh.

3. jn abrichten, drillen. *Schweiz* 1920 *ff.*

'Trieze'rei *f* Quälerei. Seit dem 19. Jh.

triezerig *adj* quälerisch, schikanös. 1900 *ff.*

Trigo *f* Trigonometrie. Hieraus verkürzt. 1930 *ff.*

Trikini *m* **1.** Damenbadeanzug, bestehend aus einem Höschen und zwei freitragenden, getrennten Haftschalen. Dem „⁊Bikini" nachgebildet. 1964 *ff.*

2. erdachte Bademode für Herren: Zylinderhut, Krawatte und Socken. Wien 1964 *ff.*

Trikotbremse (Bestimmungswort *franz* ausgespro-

chen) *f* Festhalten des gegnerischen Fuß-, Handballspielers am Trikot. 1980 *ff.*

Trill *m* Korn-, Eichel-, Malzkaffee. ⁊Trüll. *Ostmitteld* 1900 *ff.*

trillen *v* **1.** jn ~ = jn prügeln. ⁊drillen.

2. *intr* = eine Freiheitsstrafe verbüßen. Gehört zu „drillen = Fäden ziehen; zwirnen" und bezieht sich auf die Beschäftigung der Häftlinge mit Matten- und Korbherstellung. 1870 *ff.*

Triller *m* **1.** Gefängnis. *Vgl* das Vorhergehende. 1900 *ff.*

2. Nervenheilanstalt. *Vgl* das Folgende. 1900 *ff.*

3. ~ unterm Pony = Dümmlichkeit. Der „Triller" ist der Vogellaut, das Vogelgezwitscher; daher Anspielung auf „einen ⁊Vogel haben". „Pony" meint die „⁊Ponyfrisur". 1920 *ff.*

4. einen ~ haben = nicht recht bei Sinnen sein. *Vgl* das Vorhergehende. 1870 *ff,* vorwiegend Berlin.

Trillergirl *n* Sängerin minderer Güte; Chansonette, Soubrette. Dem „Tillergirl" nachgebildet mit Einfluß von „trillern = Triller singen". 1920 *ff.*

trillerig *adj* geistesgestört. ⁊Triller 3. Berlin 1900 *ff.*

Trillerin *f* Sängerin. 1920 *ff.*

Trille'rine *f* Schlagersängerin. 1920/30 *ff.*

Trillerkopf (-kopp) *m* Mensch, der zu lockeren Streichen aufgelegt ist. ⁊Triller 3. 1900 *ff,* Berlin.

trillern *v* **1.** *intr* = vor Freude jauchzen. 1900 *ff.*

1 a. *intr* = koitieren. 1920 *ff.*

2. einen ~ = ein Glas Alkohol zu sich nehmen. Analog zu ⁊zwitschern: der Trinker ist guter Laune und zum Pfeifen und Singen aufgelegt. Auch setzt er das Glas an die Lippen wie eine Trillerpfeife. 1920 *ff.*

3. jm eine ~ = jm eine Ohrfeige versetzen. Gehört zu der Vorstellung „⁊Backpfeife". 1870 *ff.*

4. bei ihm trillert es wohl = er ist verrückt. Der „⁊Vogel" im Kopf macht sich durch Trillern bemerkbar. Seit dem 19. Jh, Berlin.

'Triller'oma *f* ältliche Schlagersängerin. *Jug* 1965 *ff.*

'Triller'opa *m* ältlicher Schlagersänger. *Jug* 1965 *ff.*

Trillerraum (-zimmer) *m* (*n*) Musikzimmer in der Schule. *Schül* 1960 *ff.*

Trilli *m* **1.** modischer, kapriziöser Damenhut. Gehört zu „Triller = leichte Verrücktheit". „Trilli" ist zusammengezogen aus „tirili", womit man den Gesang der Lerche wiedergibt: man hat also einen „⁊Vogel". 1925 *ff.*

2. einen ~ haben = nicht ganz bei Verstand sein. *Vgl* das Vorhergehende. 1920 *ff, stud.*

Trillidach *n* Damenschirm (der vornehmlich der Gefallsucht dient). Er ist das Dach für „⁊Trilli 1". 1925 *ff.*

Tril'lirium 'Clemens *n* Säuferwahn. Entstellt aus „Delirium tremens" mit Einfluß von „⁊Triller 4". 1920 *ff,* Berlin.

trilli sein nicht ganz bei Sinnen sein. Zusammengezogen aus der Tonfolge „tirili" der Lerche: man hat einen „↗Vogel im Kopf". 1920 *ff, stud.*

Trimm *m n* **1.** das Unterseeboot in ~ bringen = das Unterseeboot in Gleichgewichtslage bringen. *Engl* „trim = vorteilhafte Schwimmlage; Gleichgewichtslage; schmucker Zustand". *Marinespr* in beiden Weltkriegen.

2. jn gut im ~ haben = jn gut ausgebildet, gut angeleitet haben. *Marinespr* 1935 *ff.*

3. ein Schiff in ~ halten = ein Schiff in Ordnung halten. *1900 ff.*

Trimmbude (Trimm-dich-Bude) *f* Turnhalle. ↗trimmen 2. 1965 *ff.*

Trimm-dich-Center *n* Turnhalle. 1965 *ff, schül.*

Trimm-dich-fit-Halle *f* Turnhalle. *Schül* 1965 *ff.*

Trimm-dich-fit-Raum *m* Turnhalle. *Schül* 1965 *ff.*

Trimm-dich-Halle *f* Turnhalle. *Schül* 1965 *ff.*

Trimm-dich-Kapelle *f* eifrige Tanzkapelle. *Schül* 1970 *ff.*

Trimm-dich-Pfad *m* Kasernenhof. *Sold* 1970 *ff.*

Trimm-dich-Raum *m* Turnhalle. *Schül* 1965 *ff.*

Trimm-dich-Saal (-Salon, -Saloon, -Schuppen) *m* Turnhalle. *Schül* 1965 *ff.*

trimmen *v* **1.** jn ~ = jn abrichten, einexerzieren, schulen. Stammt aus *engl* „to trim = putzen, ordnen, aus-/herrichten" und ergibt in der Seemannssprache die Bedeutung „in sachgemäße Ordnung bringen". 1935 *ff.*

2. *refl* = schlaffe Muskeln stählen; Fettansatz durch sportliche (gymnastische) Betätigung zum Verschwinden bringen. Gegen 1965 aufgekommen und vor allem in der Form „trimm dich! (trimm dich fit!)" volkstümlich geworden.

3. *intr tr* = koitieren. Als sportliche Betätigung aufgefaßt. 1965 *ff.*

Trimmer *m* Amateursportler aus gesundheitlichen Gründen. 1965 *ff.*

Trimmpfad *m* Waldweg mit den verschiedensten Sportgeräten o. ä. 1965 *ff.*

Trimmplatz *m* Kasernenhof. *BSD* 1965 *ff.*

Trimm-Saal *m* Turnhalle. *Schül* 1965 *ff.*

Trimmschuppen *m* Turnhalle. 1970 *ff.*

Trimm-Urlaub *m* Urlaub mit Körpertraining. 1971 *ff.*

'Trimoli *n* **1.** heftiger Beschuß vor einem Großangriff. Übernommen aus der Musikersprache: „Tremolo" ist die mehrfache Wiederholung eines Tons in rascher Folge oder das ununterbrochene Auf- und Abschwingen der Tonhöhe. *Sold* in beiden Weltkriegen.

2. ausgelassene, vergnügte Feier; geräuschvolle Angelegenheit; Krach. 1914 *ff.*

Trina (Trine) *f* **1.** unbeholfene, schwerfällige weibliche Person. Verkürzt aus den beliebten Vornamen Katharina oder Christine. Steht ersatzweise für „Frau". Seit dem 18. Jh.

2. langweiliges Mädchen. *Halbw* 1955 *ff.*

3. Prostituierte niedersten Grades. Im Hinter-

grund steht wahrscheinlich der Begriff „Latrine". Seit dem späten 18. Jh, Berlin; vorwiegend *rotw.*

4. dumme ~ = dumme weibliche Person. ↗Trina 1. Seit dem späten 18. Jh.

Trinenlokal *n* Lokal, in dem Prostituierte und Transvestiten verkehren. ↗Trina 3. 1950 *ff, prost.*

trin'kabel *adj* trinkbar; angenehm zu trinken. Scherzhafte Latinisierung oder Französierung. *Stud* 1900 *ff.*

Trinkbares *n* irgendein Getränk. 1850 *ff, stud.*

Trinke *f* Trinkgefäß. Ursprünglich das bestimmte Maß eines Getränks. *Halbw* 1955 *ff.*

trinken *v* **1.** es trinkt sich von selbst = es ist ein vorzügliches Getränk. 1900 *ff.*

2. trink' langsam! = laß' dir Zeit! überhaste nichts! Fußt auf der Lebensweisheit: „wer langsam trinkt, begießt sich nicht"; woraus erfahrene Leute die Abwandlung formulieren: „wer langsam trinkt, wird auch besoffen". Hier vom Trinken auf andere Vorgänge übertragen. 1920 *ff.*

3. mit mir trinke ich am liebsten!: Redewendung eines Trinkers, dem niemand zuprostet. 1920 *ff.*

Trinkerasyl *n* Wirtshaus. Dem „Obdachlosenasyl" nachgeahmt. Steht vielleicht in einer der vielen Possen von David Kalisch (1820–1872). Spätestens seit 1900.

trinkfest *adj* ~ und arbeitsscheu = mehr den Trunk als die Arbeit liebend. Wahlspruch ausdauernder Trinker. 1950 *ff.*

trinkfreudig *adj* mit hohem Kraftstoffverbrauch. Vom fröhlichen Zecher auf den Kraftfahrzeugmotor übertragen. 1960 *ff.*

Trinkgeld *n* **1.** Kleinigkeit; kleine Beigabe; geringe Summe; geringes Honorar. Das neuerdings „Bedienungsgeld" genannte „Trinkgeld" stellt im Verhältnis zur Summe des Verzehrs nur einen kleinen Betrag dar. 1850 *ff.*

2. besseres ~ = geringe Gage. 1900 *ff.*

3. dickes ~ = reichliches Bedienungsgeld. 1920 *ff.*

4. fürstliches ~ = sehr reichliches Bedienungsgeld. ↗fürstlich. 1920 *ff.*

Trinkgeld-Arie *f* großartig-eindrucksvolle Handbewegung des Kellners beim Platzanweisen. Er gebärdet sich wie ein Opernsänger und hält dabei die Hand auf. 1965 *ff.*

Trinkgeldgymnastik *f* Verbeugungen, Eilfertigkeit usw. des Kellners. 1930 *ff.*

Trinkgeldhöhle *f* Gastwirtschaft, Bar o. ä. Eine Abart der „Räuberhöhle". 1930 *ff.*

Trinkgeldjäger *m* Portier, Kellner u. ä. 1880 *ff.*

Trinkgeldmuffel *m* Gast, der kein Bedienungsgeld gibt. ↗Muffel. 1965 *ff.*

Trinkgeldpfoten *pl* breite Hände. ↗Pfote. 1920 *ff.*

Trinkgeldpolitik *f* Bestechlichkeit der Politiker. 1870 *ff.*

Trinkgeldschinder *m* Gast, der kein Bedienungsgeld gibt. ↗schinden. 1900 *ff.*

Trinkgeldschwätzer *m* Mensch, der durch Hervorhebung seiner eigenen Untadeligkeit und durch Verleumdung anderer sich Ansehen und materielle Vorteile erwerben will. 1950 *ff.*

Trinkhand *f* rechte Hand. Bei Linkshändern ist es die Linke. 1950 *ff.*

Trinkkumpan *m* Zechgenosse. ↗Kumpan. Gemilderte Variante zu „↗Saufkumpan". 1950 *ff.*

Trinkwurst *f* Wurst mit einem Wassergehalt bis zu 80 Prozent. 1940 *ff.*

Trio *m* **1.** Tripper, Gonorrhöe. Eine Tarnbezeichnung. Gleichlautend im *Engl.* 1870 *ff,* vorwiegend *sold* und *stud.*
2. elektrischer ~ = Tripper. Wortwitzelei: er benötigt täglich 1 Kilo Watte (Kilowatt). 1935 *ff, sold.*

Trip *m* **1.** Flug. Fußt auf *engl* „trip = Reise, Fahrt, Ausflug". *BSD* 1965 *ff.*
2. aufgeputschter Zustand nach Rauschgiftzuführung; Dauer der Bewußtseins- und Verhaltensänderung durch Rauschmittelgenuß. Aus dem *Angloamerikan* übernommen. 1967 *ff.*
3. Rauschgiftdroge, -packung. 1968 *ff.*
4. Tripper. Tarnende Verkürzung. 1955 *ff.*
5. auf einen ~ gehen = a) auf Reisen gehen. 1960 *ff.* – b) sich in einen Drogenrausch versetzen. 1967 *ff.*
6. auf ~ sein = unter Rauschgifteinwirkung stehen. 1967 *ff.*
7. auf einen (einem) ~ sein = an etw starkes Interesse haben. *Vgl* ↗abfahren 11. *Jug* 1970 *ff.*
8. einen ~ werfen (schmeißen) = sich mittels Drogen in einen Rauschzustand versetzen. 1969 *ff.*

Tripo'loge (Trippo'loge) *m* Arzt für geschlechtskranke Männer. ↗Trip 4. *BSD* 1965 *ff.*

Trippel-Boulevard (Grundwort *franz* ausgesprochen) *m* Promenierstraße der Prostituierten. Berlin 1950 *ff.*

Trippelbruder *m* Landstreicher; „Gammler" o. ä. Durch „trippeln" umgeformt aus „↗Tippelbruder". 1950 *ff.*

Trippeldame *f* Straßenprostituierte. ↗trippeln 3. 1950 *ff.*

Trippelgetto *n* Bezirk, in dem Straßenprostituierte tätig werden dürfen. ↗trippeln 3. 1950 *ff.*

trippe'lieren *tr intr* jn durch Bitten quälen; jm schwer zusetzen. Nebenform zu ↗tribulieren. 1870 *ff.*

Trippelmädchen *n* junge Straßenprostituierte. ↗trippeln 3. 1950 *ff.*

Trippe'line *f* Ballett-Tänzerin. Sie macht Trippelschritte, trippelt auf den Zehenspitzen. 1900 *ff,* Berlin.

trippeln *intr* **1.** mit kleinen Schritten tanzen. 1920 *ff.*
2. arbeitslos umherziehen. 1950 *ff.*
3. Straßenprostituierte sein. 1950 *ff.*

Trippelzeiger *m* Sekundenzeiger. 1950 *ff.*

Tripper *m* Blumenkohl. Wegen Ähnlichkeit im Aussehen mit Symptomen der Geschlechtskrank-

heit. *Vgl* auch umgekehrt „↗Blumenkohl 3". 1920 (?) *ff.*

Tripperbeschaffungsamt *n* Bordell. *BSD* 1965 *ff.*

Tripperempfangsstation *f* Bordell. *BSD* 1965 *ff.*

'Tripper'mary (*engl* ausgesprochen) *f* geschlechtskranke weibliche Person. *BSD* 1965 *ff.*

trippern *intr* an Gonorrhöe leiden. Spätestens seit 1900.

Tripperpeitsche *f* Sanitätssoldat. Anspielung auf die Sanierungsspritze. *BSD* 1965 *ff.*

Tripperspritze *f* **1.** Maschinengewehr. *Sold* 1914 bis heute.
2. 2-cm-Flak. *Sold* 1940 *ff.*
3. Gewehr. *BSD* 1965 *ff.*

Tripperspritzenrichtkanonier *m* Sanitätssoldat. *BSD* 1965 *ff.*

Tripperwasser *n* Mineralwasser. Tripperkranke müssen Alkohol und Kaffee meiden. *BSD* 1965 *ff.*

Trippler *m* Spaziergang; Wanderung; kurzer Weg. *Vgl* ↗trippeln 1. 1950 *ff.*

Tripse *f* Chefsekretärin auf Geschäftsreise mit ihrem Chef. Zusammengesetzt aus „↗Tipse" und *engl* „to trip = reisen". 1960 *ff.*

Trips'trill I *On* fingierter Ortsname. Dort denkt man sich die Narren wohnhaft. „Trips-" hängt ablautend wohl mit „↗tratschen 1" zusammen; „-trill" gehört zu „drillen, drallen = drehen, zwirnen" und spielt an auf die Spinntätigkeit der Geisteskranken in geschlossenen Anstalten. Seit dem 15. Jh.

Trips'trill II *m* langsamer, unbeholfener Mensch. Seine Wesensart steht unter dem Einfluß von Geistestrübung. *Vgl* das Vorhergehende. Seit dem 19. Jh.

tri'schaken *v* ↗drischaken.

Tri-Trop *m* Tripper. Dem Namen eines Fruchtgetränks zum Verdünnen nachgebildet mit Einfluß von „tröpfeln". *BSD* 1968 *ff.*

tritscheln *intr* **1.** schwatzen; ausplaudern; gehässige Reden führen. Iterative Nebenform zu „↗tratschen". Vorwiegend *bayr,* seit dem 19. Jh.
2. langsam, schwunglos arbeiten. Hat auch die Nebenbedeutung „Darmwinde entweichen lassen" und ist daher Analogie zu „↗rumferzeln". Seit dem 19. Jh.

Tritschler *m* **1.** Schwätzer. *Bayr* seit dem 19. Jh.
2. schwunglos Arbeitender. Seit dem 19. Jh, *bayr.*
3. Zauderer; Langsamfahrer. *Bayr* seit dem 19. Jh.

'Tritsch'tratsch *n m* Geschwätz; zweckloses Geplauder. Schallnachahmender Natur, beruhend auf den *gleichbed* Verben „↗tritscheln" und „↗tratschen". *Österr* seit dem 19. Jh.

Tritt *m* **1.** Schuldenanmahnung. ↗treten 2. *Stud* seit dem 19. Jh.
2. ~ ins Alphabet = Tritt gegen den Hodensack. ↗Alphabet. 1939 *ff.*
3. ~ in (vor) den Arsch = Kündigung, Entlassung, Schulverweisung. 1700 *ff.*

3 a. ~ ins Fettnäpfchen = Unschicklichkeit. ↗Fettnäpfchen. 1900 *ff.*

4. ~ in den Hintern = schwere Abfuhr; fristlose Entlassung. 1700 *ff.*

4 a. ~ ins Kreuz = boshafter Verbalangriff; heftige Kritik. 1900 *ff.*

5. ~ vors Schienbein = empfindliche Kränkung. 1950 *ff.*

5 a. jn aus dem ~ bringen = jds gewohnte Ordnung stören; in jds Gedankengang störend eingreifen. 1900 *ff.*

6. ~ fassen = erfolgreich sein; gut ins Geschäft kommen. Vom Marschieren „ohne Tritt" geht man über zum Gleichschritt. 1910 *ff.*

7. jm einen ~ geben = a) jn in seiner Stellung entheben; den Umgang mit jm abbrechen. Seit dem 19. Jh. – b) jn an eine Geldschuld erinnern. ↗treten 2. Seit dem 19. Jh.

8. jm einen ~ in den Arsch geben = jn rücksichtslos entlassen. 1700 *ff.*

9. sich selber einen ~ in den Hintern (o. ä.) geben = sich ermannen; seine Bedenken zurückstellen. *Sold* 1939 *ff.*

10. falschen ~ haben = a) gegenteiliger Meinung sein. Man hält mit den anderen nicht denselben Schritt ein. 1920/30 *ff.* – b) homosexuell sein. 1930 *ff.*

11. einen ~ haben = bezecht sein. Meint wohl den falschen Tritt und das Torkeln. 1900 *ff.*

12. einen im ~ haben = betrunken sein. 19. Jh.

13. jm auf den ~ helfen = jn zur Eile antreiben. Man verhilft ihm zum Gleichschritt mit den anderen. 1900 *ff.*

14. aus dem ~ kommen = a) nicht länger übereinstimmen. 1920/30 *ff.* – b) in Schwierigkeiten geraten; Mißerfolg erleiden. Seit dem 19. Jh. – c) moralisch absinken; in der Leistung nachlassen. 1900 *ff.*

15. in ~ kommen = erfolgreich werden. ↗Tritt 6. 1910 *ff.*

16. einen ~ kriegen = a) unsanft aus dem Zimmer (aus dem Haus) gewiesen werden. 1840 *ff.* – b) in Unehren entlassen werden. 1840 *ff.*

17. einen ~ in die Fläche kriegen = angeherrscht, bestraft werden. Fläche = Sitzfläche, Gesäß. 1910 *ff.*

18. es schmeckt wie ein ~ vom Esel = es ist äußerst verabscheuungswürdig. ↗Eselstritt. 1900 *ff.*

19. aus dem ~ sein = nicht mehr wettbewerbsfähig sein; nicht mithalten können. Seit dem 19. Jh.

20. im ~ sein = a) bezecht sein; in der Trunkenheit Unternehmungslust entwickeln. Tritt = Torkelgang des Betrunkenen. Seit dem 19. Jh, nördlich der Mainlinie. – b) volle Leistungskraft entfalten. 1910 *ff.*

21. nur einen ~ vor den Arsch wert sein = nichts taugen. 1840 *ff.*

22. seelisch den ~ verlieren = das innere Gleichgewicht, die Beherrschung verlieren. 1935 *ff.*

23. den ~ wechseln = beim Kartenspiel die Spielweise ändern. Kartenspielerspr. seit dem 19. Jh.

Trittbrett *n* **1.** Schuh. Meist in der Mehrzahl: Trittbretter (Trittbrettln). 1940 *ff.*

2. ~ fahren (auf dem ~ mitfahren) = als Schwächerer es mit dem Stärkeren halten. ↗Trittbrettfahrer 1. 1970 *ff.*

3. aufs ~ springen = sich einer Entwicklung anschließen. 1970 *ff.*

Trittbrett-Christ *m* aus der Kirche ausgetretener Christ, der dennoch die Vorteile seiner früheren Kirchenzugehörigkeit wahrnimmt. 1950 *ff. Vgl* das Folgende.

Trittbrettfahrer *m* **1.** Nutznießer ohne Eigenleistung. Der Betreffende fährt bei einem öffentlichen Verkehrsmittel auf dem Trittbrett mit, ohne eine Fahrkarte zu lösen, und kommt zum selben Ziel wie die zahlenden Fahrgäste. Gegen 1935 aufgekommen. Etwa seit 1955 auf die Nichtgewerkschaftsmitglieder bezogen, die bei Tarifvereinbarungen dieselben Vorteile genießen wie die organisierten Arbeitnehmer.

2. Fahrer eines Volkswagens. Das Auto hat ein Trittbrett. 1950 *ff.*

3. kleinerer, weniger bedeutender (unmaßgeblicher) Bündnispartner. 1965 *ff.*

4. Helfershelfer bei einer Straftat. 1965 *ff.*

5. Nutznießer einer Erpressung oder Entführung; vorgeblicher Lösegeldempfänger. 1977 *ff.*

Trittchen *pl* **1.** Schuhe, Stiefel. Treten = den Fuß aufsetzen. 1800 *ff, rotw* und *sold.*

2. Kinderschuhe; kleine Schuhe. Seit dem 19. Jh.

3. die ~ abwetzen = a) sich um etw sehr bemühen. 1914 *ff.* – b) rasch davongehen; fliehen. *Sold* 1914 *ff.*

Trittesel *m* Fahrrad. ↗Tretesel. 1930 *ff, sold.*

Trittling *m* Schuh, Stiefel. *Rotw* 1500 *ff; sold* 1870 *ff.* Vorwiegend *oberd* mit Ausstrahlung nach Thüringen und Westfalen.

Trittmeinsohn *m* Fahrrad. Aus dem Imperativsatz entwickeltes Substantiv. *Österr* 1920 *ff.*

Trittoir (*franz* ausgesprochen) *n* **1.** Bürgersteig. ↗Tretoir. Berlin 1900 *ff.*

2. Stehabort. ↗Tretoir. Berlin 1900 *ff.*

Trittsport *m* Fußballsport. ↗Tretsport. *Sportl* 1950 *ff.*

Triumph *f* ~ der Chemie = chemisch zusammengesetzte Nahrungsmittel, Getränke u. ä.; Kunstwein. 1950 *ff, stud.*

Triumphbogenbeine *pl* nach außen gebogene Beine. 1870 *ff,* Berlin.

Trivi *m* Bühnenstück (Roman, Film) mit vielen anspruchslos rührseligen Szenen. Verkürzt aus „trivial". 1962 *ff.*

Trizo'nesien *Ln* die von den drei westlichen Alliierten besetzte Bundesrepublik Deutschland. Volkstümlich geworden durch ein Kölner Karnevalslied („Wir sind die Eingeborenen von Trizonesien"; Text von Karl Berbuer, Musik von Kurt

Feltz). Der Ländername ist an „Indonesien" angelehnt. 1947 *ff.*

trocken *adj* **1.** mager; dürftig. Hergenommen von der Brotschnitte ohne Belag („trockenes Brot"): man faßt sie als dürftig auf. Berlin 1900 *ff.*
2. hager. Der Betreffende wirkt wie ausgedörrt. 1920 *ff.*
3. mittellos; ohne Geld. Man ist nicht „flüssig". 1950 *ff.*
4. spröde; langweilig; nicht lebensfrisch. Im 19. Jh aufgekommen im Zusammenhang mit dem Begriff der „trockenen Wissenschaft".
5. durstig. Kehle und Gaumen sind trocken. 1900 *ff.*
6. vom Alkohol entwöhnt. Man ist „trockengelegt" im Sinne der Prohibition. 1900 *ff.*
6 a. nicht mehr drogenabhängig. 1975 *ff.*
7. wortkarg; nicht viele Worte machend. 19 Jh.
8. geizig. Hängt zusammen mit der Redewendung „einen trockenen ↗Daumen haben". Seit dem 19. Jh.
9. wuchtig und genau gestoßen (geworfen o. ä.). Fußt auf der Vorstellung vom trockenen Gewitter oder vom Blitz aus heiterem Himmel. *Sportl* 1950 *ff.*
9 a. ohne Zugang zum Meer. 1970 *ff.*
10. ~ leben = Alkohol meiden. 1900 *ff.*
11. ~ reden = eine Unterhaltung ohne Getränke führen. Seit dem 19. Jh.
12. etw ~ runterwürgen = Bier (Bowle) ohne einen Weinbrand trinken. 1920 *ff.*
13. nur ~ schlucken können = überaus erstaunt sein. Dem Betreffenden „bleibt die ↗Spucke weg". 1950 *ff.*
14. ~ sein (sitzen) = kein alkoholisches Getränk vor sich stehen haben. 1600 *ff.*
14 a. ~ singen = ohne Instrumentalbegleitung singen. 1900 *ff.*
15. ~ werden = sich einer Alkoholentziehungskur unterziehen. 1900 *ff.*
16. etw ~ wohnen = gegen geringe Miete eine feuchte Neubauwohnung bewohnen. Seit dem 19. Jh, Berlin.
Trockendauer *f* Zeit der Verbüßung einer Freiheitsstrafe. Man ist ohne Alkoholika und „sitzt auf dem ↗Trockenen". 1950 *ff.*
Trockendock *n* **1.** Lazarett; ausgedehnter Lazarettaufenthalt. Eigentlich ein Dock, das nach dem Hereinholen des reparaturbedürftigen Schiffs ausgepumpt wird, bis der Kiel auf den Stapelklötzen ruht und trocken zugänglich ist. In ähnlicher Weise dem gewohnten „Element" entzogen und gründlich reparaturbedürftig ist der stationäre Kranke. Auch bekommt er keinen Alkohol zu trinken (↗trocken 10 und 14). *Sold* in beiden Weltkriegen, nicht nur *marinespr. Vgl engl* „drydock".
2. Arrestzelle. *Sold* in beiden Weltkriegen.
'Trocken'ei *n* **1.** künstlich entnommener Samen ei-

nes männlichen Tiers für die Zwecke künstlicher Besamung. 1955 *ff.*
2. Mannessamen für Zwecke der künstlichen Befruchtung. 1955 *ff.*
Trockenes *n* **1.** auf dem Trockenen sein (sitzen) = a) in arger Verlegenheit sein; mittellos sein; sich nicht zu helfen wissen. Hergenommen von einem Schiff, das auf eine Sandbank aufgelaufen oder an Land gezogen ist. Seit dem 18. Jh. *Vgl franz* „être à sec". – b) im Stich gelassen werden. 1920 *ff.* – c) ledig sein; keinen Ehepartner finden. Seit dem 19. Jh. – d) ein leeres Glas vor sich stehen haben; nichts zu trinken haben. ↗trocken 14. 1800 *ff.* – e) keinen Kraftstoff mehr haben. 1930 *ff.* – f) kein Leitungswasser haben. 1970 *ff.*
2. im (auf dem) Trockenen sein = sich in guter Lage befinden. Man ist vor dem Regen sicher. Seit dem 18. Jh.
Trockenflotte *f* Handelsflotte eines Landes ohne Zugang zum Meer. ↗trocken 9 a. 1970 *ff.*
Trockenfurzer *m* eingebildeter Mensch; Prahler; Versager. Stammt wahrscheinlich aus *franz* „pète-sec" = steifer Kerl, der trockene Befehle erteilt". Seit dem späten 19. Jh.
Trockengast *m* Gast, der nichts trinkt. 1900 *ff.*
Trockenhaarwäsche *f* heftige Zurechtweisung. Versteht sich aus „jm den ↗Kopf waschen". 1920 *ff.*
Trockenhaube *f* Damenhut in Topfform. Er ähnelt dem Haartrockenapparat im Frisiersalon. 1925 *ff.*
Trockenkammer *f* Haftanstalt. Eigentlich die Kammer, in der man Wäsche zum Trocknen aufhängt; hier Anspielung auf den Entzug von Alkoholika. 1950 *ff.*
Trockenklo *n* Abort ohne Wasserspülung. ↗Klo. 1920 *ff.*
Trockenkrieg *m* Manöver. Es verläuft ohne Blutvergießen. *Sold* 1935 bis heute.
Trockenkursus *m* **1.** theoretischer Unterricht. Vom Schwimmen hergeleitet: alle Bewegungen, die später im Wasser ausgeführt werden sollen, werden vorher an Land geübt. 1920 *ff.*
2. Ausbildung an der Marineschule. 1960 *ff.*
3. Entziehungskur in einer Trinkerheilanstalt. 1930 *ff.*
trockenlegen *tr* **1.** einen Neuling genau einweisen. Übertragen von der Behandlung des Säuglings. 1900 *ff.*
2. jn mit Trockenkost ernähren. Aufgekommen 1951 in Berlin im Zusammenhang mit der Blockade durch die Sowjets.
3. jn einer Alkoholentziehungskur unterwerfen. 1900 *ff.*
3 a. jm den Alkoholausschank untersagen. 1975 *ff.*
4. jm die Zufuhr von Rauschgift sperren. 1920 *ff.*
5. Hansi (o. ä.) ~ = harnen (auf Knaben bezogen). 1920 *ff.*

6. laß dich ∼! = werde du erst einmal erwachsen, um mitreden zu können! 1900 *ff.*

Trockenlegung *f* Sperrstunde für Gastwirtschaften. 1920 *ff.*

Trockenmieter *m* ↗Trockenwohner.

Trockenmist *m* Krüllschnitt-Tabak. Formähnlich mit durcheinanderliegenden, beschmutzten Strohteilchen. *BSD* 1965 *ff.*

Trockenperiode *f* Monate geringen Einkommens. Übernommen von der Bezeichnung für die Zeitspanne ohne Regen. 1960 *ff.*

Trockenrasierer *m* Mikrofon. Es ähnelt dem Rasierapparat und wird gleich ihm nahe an den Mund gehalten. Rundfunkspr. 1970 *ff.*

Trockenschlacht *f* Felddienstübung. ↗Trockenkrieg. *Sold* 1935 *ff.*

Trockenschnee *m* jm ∼ in den Arsch pusten = jm schmeicheln; sich bei jm einschmeicheln. Trockenschnee = Puder. *Vgl* „jm ↗Puderzucker in den Arsch blasen". *Sold* 1935 *ff.*

Trockentanzen *n* Tanzen ohne Musik. 1954 *ff.*

Trockenwäsche *f* Verabreichung heftiger Prügel, ohne daß Blut vergossen wird. ↗waschen. 1950 *ff.*

Trockenwohner (-mieter) *pl* Bewohner von Neubauwohnungen, ohne Miete (in der üblichen Höhe) zahlen zu müssen. ↗trocken 16. Berlin 1850 *ff.*

Troddel *f* Penis. Eigentlich Bezeichnung für eine Quaste (am Seitengewehr, Säbel o. ä.); hier bezogen auf die Vorstellung von Hängendem und Baumelndem. 1910 *ff.*

Troddelappell *m* militärärztliche Untersuchung auf Geschlechtskrankheiten. *Vgl* das Vorhergehende. *Sold* in beiden Weltkriegen.

Troddelparade *f* (Reihen-)Untersuchung auf Geschlechtskrankheiten. ↗Troddel. *Sold* in beiden Weltkriegen.

Trödel *m* der ganze ∼ = das alles *(abf)*. Eigentlich der Handel mit gebrauchten Gegenständen. Seit dem 19. Jh.

Trödelbuxe *f* langsamer Mensch. ↗trödeln 1. *Niederd* 1900 *ff.*

Trödelei *f* Verkaufsmesse für alte Gegenstände; „Flohmarkt". 1965 *ff.*

Trödelfritze *m* langsamer Mann; begriffsstutziger Mann. ↗trödeln 1; ↗Fritze. Seit dem 19. Jh.

Trödelgans *f* langsame weibliche Person. ↗Gans. Seit dem 19. Jh.

Trödelheini *m* langsamer, zaudernder Mensch. ↗Heini. 1920 *ff.*

trödelig *adj* langsam, zögernd. ↗trödeln 1. Seit dem 19. Jh.

Trödeligkeit *f* Langsamkeit. Seit dem 19. Jh.

Trödelliese *f* langsam tätige weibliche Person. Seit dem 19. Jh.

trödeln *intr* **1.** langsam handeln; zögern; schlendern. Hergenommen vom Handel mit gebrauchten Sachen im Sinne eines mühsamen, langsamen Geschäfts. ↗trudeln 1. Seit dem 15. Jh.

2. Posten stehen. In der Auffassung der Soldaten heißt das soviel wie „sich mit unnützem Zeug abgeben". *BSD* 1965 *ff.*

3. beim Trödler, in einem Antiquitätengeschäft, auf dem „Flohmarkt" einkaufen. 1955 *ff.*

Trödelphilipp *m* langsamer, schwungloser Mann. Dem „↗Zappelphilipp" nachgeahmt. 1870 *ff.*

Trödelsuse (-trine) *f* langsam tätige weibliche Person. ↗Suse; ↗Trina. Seit dem 19. Jh.

Trödelwelle *f* allgemein aufkommendes, (vorübergehend) weit verbreitetes Besitzinteresse an Antiquitäten. ↗Welle. 1960 *ff.*

Trödler *m* langsamer Mensch. ↗trödeln 1. Seit dem 19. Jh.

Trog *m* **1.** Kochgeschirr; Eßschüssel; Eßtisch. Eigentlich der Napf für das Viehfutter. 1900 *ff.*

2. Bett. Analog zu „↗Molle". *Sold* in beiden Weltkriegen.

3. an den ∼ gehen = zum Essen gehen. 1900 *ff.*

Trogferkel *n* Schimpfwort. Wohl auf einen, der sich beim Essen ungesittet benimmt. 1950 *ff.*

Trogsau *f* Schimpfwort. *Vgl* das Vorhergehende. 1950 *ff.*

Tröle *f* Gelegenheitsfreundin. Gehört wahrscheinlich zu „trölen, trolen = wälzen, rollen" und spielt auf den Geschlechtsverkehr an. 1955 *ff*, *halbw.*

Troll *m* Rufname des Hundes. Eigentlich der Kobold in nordischen Volksmärchen und -sagen. 1900 *ff.*

Trollo *m* **1.** einfältiger Mensch. Fußt auf „Troll = grober, starker Kerl" und ist beeinflußt von „trillen = drehen; verdreht, närrisch sein". 1950 *ff.*

2. intimer Freund einer Halbwüchsigen. ↗Tröle. *Halbw* 1955 *ff.*

Trommel *f* **1.** dicker Leib; Leib einer Schwangeren. Seit dem 19. Jh.

2. Ohrenbläserin. Versteht sich nach „↗eintrommeln". 1950 *ff.*

3. alte ∼ = alte Frau. Seit dem 19. Jh.

4. die ∼ anhaben = schwanger sein. Seit dem 19. Jh.

5. jm eine ∼ anhängen = jn schwängern. Seit dem 19. Jh.

6. mit einer ∼ gehen = schwanger sein. Seit dem 19. Jh.

7. auf die ∼ hauen = a) prahlen. ↗Pauke 14 e. 1900 *ff.* – b) sich übergebührlich empören; stark übertreiben. 1900 *ff.*

8. für jn (etw) die ∼ rühren = für jn (etw) öffentlich eintreten. 1920 *ff.*

Trommelbauch *m* dicker Bauch. Seit dem 19. Jh.

Trommelbube *m* Propagandist. ↗Trommel 8. 1950 *ff.*

Trommelchen *n* Halbzylinderhut. 1920 *ff.*

Trommelfell *n* **1.** Knabengesäß. ↗trommeln 2. 1905 *ff.*

2. einen Satz neue ∼e anfordern: Redewendung des Soldaten nach lautem Abfeuern. *BSD* 1965 *ff.*

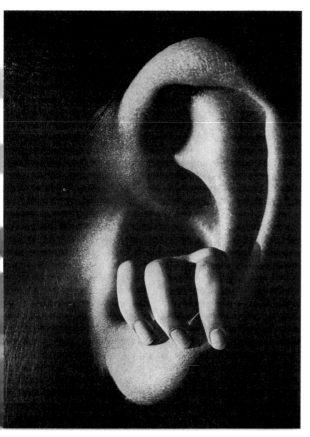

Das Trommelfell bildet die Grenze zwischen dem äußeren und dem Mittelohr. Seine „unregelmäßige, trichterähnliche Form und die ungleichmäßige Spannung des Trommelfells erlauben ihm Schwankungen als Reaktion auf alle möglichen Töne" (S. L. Rubinstein). Wird diese Membrane zerstört oder in ihrer Wirkung beeinträchtigt, erleidet das Gehörsempfinden einen schweren Schaden. Die Umgangssprache rekurriert auf diese wichtige Funktion des Trommelfells und sieht in ihm den Hauptleidtragenden aller störenden oder zu lauten Geräuscheinwirkungen. Recht euphemistisch wird dies manchmal sogar als Massage empfunden (vgl. **Trommelfellmassage**, **Trommelfellmasseur**). *Gut daran ist in einem solchen Falle derjenige, der ohnehin schwach auf dem Trommelfell ist (*Trommelfell 5.*), oder ein besonders dickes sein eigen nennen kann (vgl.* **Trommelfell 4.**). *Beiden Redensarten ist indes noch eine andere Konnotation zu eigen, bei der die Komponente des Nicht-Könnens zugunsten der des Nicht-Wollens zurücktreten muß. Da die Ursachen also woanders zu suchen sind hilft es in diesem Falle wohl auch nicht, wenn einer solchen auf beiden Ohren tauben Person das Trommelfell ausgewrungen wird (vgl.* **Trommelfell 3.**).

3. das ~ auswringen = die Ohren waschen. *Sold* 1935 *ff.*

4. ein dickes ~ haben = nicht hören; nicht hören wollen; nicht gehorchen wollen. 1870 *ff.*

5. schwach auf dem ~ sein = a) schwerhörig sein. 1870 *ff.* – b) nicht verstehen wollen. Berlin 1870 *ff.*

Trommelfellmassage *f* **1.** anhaltender Lärm. 1955 *ff.*

2. hochmoderne, lautstark vorgetragene Tanzmusik. 1955 *ff.*

Trommelfellmasseur (-quäler) *m* Schlagersänger mit lautstarkem, kreischendem Vortragsstil. 1955 *ff.*

Trommelfellschinder (-verletzer, -zerstörer) *pl* Musikinstrumente. *Jug* 1965 *ff.*

Trommelfeuer *n* **1.** Aufeinanderfolge hörbar entweichender Darmwinde. Hergenommen aus dem Militärischen: Die Einschläge folgen so schnell und pausenlos aufeinander wie bei einem Trommelwirbel. 1870 *ff. Vgl franz* „pétarade".

2. Reihenfolge der Geschlechtsakte. *Prost* 1960 *ff.*

Trommelflegel *m* Werbefachmann. ↗trommeln 5. Kaufmannsspr. 1950 *ff.*

trommeln *intr* **1.** kartenspielen. Die Karten werden laut auf die Tischplatte geschlagen. 1900 *ff.*

2. prügeln. Das Gesäß als Trommelfell und der Rohrstock als Trommelschlegel. 1870 *ff.*

3. fortwährend schießen. ↗Trommelfeuer. 1914 *ff.*

4. koitieren. Als Beschießung aufgefaßt. ↗Schuß. Seit dem 19. Jh.

5. für jn (etw) ~ = für jn (etw) werben. ↗Trommel 8. 1920 *ff.*

Trommelschläger *m* Werbefachmann; Propagandist. *Vgl* das Vorhergehende. 1950 *ff.*

Trommelstöcke *pl* **1.** Finger. 1910 *ff.*

2. ihm zittern die ~ = er hat Angst. *Sold* 1939 *ff.*

Trommelwasser *n* Alkohol. Der den Soldaten beider Weltkriege geläufige Ausdruck spielt darauf an, daß die Artillerie vor dem Angriff der Infanterie auf die feindliche Stellung „trommelt" (↗trommeln 3); zur Förderung des Muts der Angreifer wurde dann „Trommelwasser" ausgegeben.

Trommelzeichen geben dem Mitschüler vorsagen. Hergenommen von der Buschtrommel der Eingeborenen im alten Afrika. 1950 *ff.*

Trommler *m* **1.** Propagandist; Aufwiegler. 1930 *ff* (Hindenburg über Hitler).

2. Großsprecher; Prahler. ↗Trommel 7. 1950 *ff,* halbw.

Trompete *f* **1.** Frau mit lauter Stimme; unwirsche Ehefrau. Seit dem 18. Jh.

2. schwatzhafte Frau. Was sie erfahren hat, vor allem über die Mitmenschen, „trompetet" sie aus. 1900 *ff.*

3. Nase. Heftiges Schneuzen klingt wie ein Trompetenstoß. 1900 *ff.*

4. After. Anspielung auf laut entweichende Darmwinde. 1900 *ff.*

5. Penis. Analog zu ↗Flöte 1. 1900 *ff.*

6. die ~ blasen = fellieren. 1900 *ff.*

7. mit jm aus derselben ~ blasen = jm beipflichten. Analog zu „ins selbe ↗Horn stoßen". Seit dem 19. Jh.

8. die falsche ~ blasen = für eine aussichtslose (falsche) Sache eintreten. 1930 *ff.*

9. die große ~ führen = erheblichen Redeschwall entwickeln; „starke" Worte gebrauchen. Seit dem 19. Jh.

10. ~ spielen = fellieren. 1900 *ff.*

11. in die ~ stoßen = Mißstände lautstark vor der Öffentlichkeit brandmarken. 1930 *ff.*

trompeten *intr* **1.** laut reden. Seit dem 19. Jh.

2. Alkohol trinken; zechen. Ursprünglich auf die Flasche bezogen, die man wie eine Trompete an die Lippen setzt. 1900 *ff.*

3. einen Darmwind hörbar entweichen lassen. ↗Trompete 4. 1900 *ff.*

4. sich laut schneuzen. ↗Trompete 3. Seit dem 19. Jh.

5. Mitschuldige benennen. Analog zu „↗singen", zu „↗verpfeifen". 1900 *ff.*

Trompetenärmel *m* zum Handgelenk hin sich weitender Ärmel des Frauenkleids. Wegen der Formähnlichkeit. 1920 *ff.*

Trompetenbacken *pl* Pausbacken. 1800 *ff.*

Trompetengemüse *n* Zwiebelgemüse. Es verursacht Blähungen. ↗trompeten 3. 1900 *ff.*

Trompetenhose *f* Hose mit nach unten sich weitenden Beinen. 1963 *ff.*

Trompetenrock *m* zum unteren Saum hin breiter zugeschnittener Frauenrock. 1960 *ff.*

Trompetenschnitt *m* Hosenzuschnitt mit nach unten sich weitenden Beinen. 1963 *ff.*

Trompetenstimme *f* unangenehme, durchdringende Stimme. ↗Trompete 1. 1900 *ff.*

Trompeter *m* **1.** Mann mit durchdringender Stimme. 1900 *ff.*

2. Mann, der Darmwinde laut abgehen läßt. 1900 *ff.*

Trompeterblech *n* Schmuck aus Messing o. ä. Trompeter sind bei Volksfesten u. ä. vielfach mit allerlei Metallketten, Ehrenzeichen usw. behangen. Außerdem glänzen Trompeten goldfarben. 1950 *ff, halbw.*

Trompetergesicht *n* pausbäckiges Gesicht. *Vgl* ↗Trompetenbacken. 1700 *ff,* Berlin.

Trompetersuppe *f* Hülsenfrüchtesuppe. Wegen der hörbar entweichenden Darmwinde. 1900 *ff.*

Trompetertisch *m* Tisch, an dem nicht die vornehmen (die zu ehrenden) Gäste Platz nehmen. An diesem Tisch saßen früher die Musikanten. Seit dem 19. Jh.

Trom'petolo'gie *f* Musikunterricht, -schule o. ä. 1950 *ff, österr.*

Tropf *m* **1.** einfältiger Mensch. Gehört zu „Tropfen

= geringe Menge", weiterentwickelt zur Bedeutung „Geringes" und „Minderwertiges". Seit dem 15. Jh.

2. am ~ hängen (an den ~ kommen) = eine Infusion erhalten; künstlich ernährt werden. Medizinerspr. 1950 *ff.*

Tröpfchen *n* **1.** hervorragender Wein. Lobend bezeichnet man ihn mit dem *dim* Kosewort. Seit dem 19. Jh.

2. scharfe ~ = hochprozentige alkoholische Getränke. 1950 *ff.*

Tröpfchenfrühling *m* feuchtwarmer, verregneter Frühling. Es tropft vom Himmel und aus der Nase. 1966 *ff.*

Tropfdödel *m* Tripper. ↗Dödel. *BSD* 1965 *ff.*

Tröpfelapparat *m* verschnupfte Nase. Scherzhafte Technisierung. Seit dem frühen 20. Jh.

Tröpfelbier *n* abgestandenes Bier; Bierrest im Glas. 1900 *ff.*

tröpfeln *v* wie tröpfelst du mich, du Dauerle!: spöttische Redewendung des (gespielten) Mitleids. Verdreht aus „wie dauerst du mich, du (armes) Tröpfle!". *Südwestd* 1920/30 *ff.*

Tropfen *m* **1.** ein fremder ~ im Blut = Trumpfkarte, die eine ausgespielte Karte (in Fehlfarbe) trumpft. Übernommen aus Goethes „Egmont" (1788). Kartenspielerspr. seit dem 19. Jh.

2. auserlesener (edler, guter) ~ = hervorragender Wein. Seit dem 19. Jh.

3. ~ einnehmen (seine ~ nehmen) = einen Schnaps (oder mehrere) zu sich nehmen. Meint eigentlich die vom Arzt vorgeschriebenen Medizintropfen. Seit dem späten 19. Jh.

4. das ist ein ~ auf den heißen Stein = das ist ein völlig unbedeutender Umstand; das ist viel zu wenig; das ändert an der Sache nichts. 1800 *ff.*

tropfen *v* es tropft = es kommt in kleinen Beträgen zusammen. 1900 *ff.*

Tropfenausschnitt (-dekolleté) *m (n)* Kleiderausschnitt in Tropfenform. 1965 *ff.*

Tropfenfänger *m* **1.** Präservativ. Meint eigentlich den Tropfenfänger an der Kaffeekanne. 1900 *ff.*

2. Damenschlüpfer; Slip. 1964 *ff.*

3. Bettvorleger. Bei Verwendung des Nachtgeschirrs fängt er die Tropfen auf. 1920 *ff, stud.*

4. Langbinder. Dem Suppenesser dient er als Kinderlätzchen. *BSD* 1965 *ff.*

5. kleiner (Schnurr-)Bart. Er fängt die Tropfen aus der Nase oder dem Mund auf. Spätestens seit 1900.

6. Regenschirm. 1950 *ff.*

Tropfenspender *m* **1.** Schnupfennase. Eigentlich Bezeichnung für ein Küchengerät bei der Zubereitung von Mayonnaise o. ä. 1910 *ff.*

2. Geschlechtskranker. 1914 *ff.*

Tropfenzähler *m* Nase. Vom Arzneifläschchen übertragen. 1900 *ff.*

Tröpferlschule *f* Volksschule. „Tröpferl" ist Verkleinerungsform von „↗Tropf". *Österr* 1950 *ff.*

tröpferlweise *adv* in geringer Anzahl nacheinander (die Gäste trafen tröpferlweise ein). *Bayr* 1900 *ff*.

Tropfloch *n* Prostituierte. „Tropf-" spielt auf Samentropfen an; *vgl* ↗Loch 18. Berlin 1960 *ff*.

Tropfsteinhöhle *f* **1.** feuchte Wohnung. Meint eigentlich die Höhle, in der aus tropfendem, kalkreichem Wasser eiszapfenähnliche Gebilde entstanden sind. Berlin 1870 *ff*.
2. Schnupfennase. 1939 *ff*.
3. Mund mit schlechten Zähnen. 1939 *ff*.
4. Stehabort für Männer. 1930 *ff*.

Trophäenjäger *m* Ordenslüsterner. Orden und Dienstauszeichnungen sind für ihn Siegeszeichen, als sei er ein Jäger oder Sportler. *BSD* 1965 *ff*.

Tropi *f* ledige Mutter. Abkürzung von „trotz Pille". 1965 *ff*.

Troß-Bulle *m* Angehöriger des Nachschubs. ↗Bulle 1. *Sold* 1939 *ff*.

Troßgerücht *n* unverbürgte Nachricht. *Sold* 1939 *ff*.

Trost *m* nicht bei ~e sein = nicht bei Verstand sein; von Sinnen sein. „Trost" meint den Zuspruch und bezieht sich hier auf einen, bei dem kein Zuspruch hilft. 1700 *ff*.

Trostautomat *m* Geistlicher. Ein Spottwort auf unpersönliches, auswendig gelerntes Trostspenden. *Sold* in beiden Weltkriegen.

Trostbonbon *n* tröstende Nachricht. Eigentlich das Zuckerwerk, das man einem enttäuschten Kind zu naschen gibt. 1950 *ff*.

Trostbriefabteilung *f* Abteilung (einer Behörde), die die Ablehnung eines Gesuchs dem Antragsteller höflich mitteilt und ihn auf spätere gesetzliche Regelung vertröstet. 1959 *ff*.

trösten *v* denn sie wollen getröstet werden: Redewendung der Schüler bei Nichtversetzung. Geht zurück auf den (der Bibel entlehnten) *dt* Titel eines Buches von Alan Paton („Denn sie sollen getröstet werden"; 1952 verfilmt). 1959 *ff*.

Tröster *m* **1.** Schnaps, Schnapsflasche. 1840 *ff*.
2. intimer Freund der Ehefrau. 1900 *ff*.
3. Prügelstock, *Iron* Bezeichnung. 1800 *ff*.
4. Schnuller. 1850 *ff*.
5. Daumen (bei Säuglingen). 1850 *ff*.
6. Penis. Seit dem 19. Jh.
7. (altes) Buch. *Stud* seit dem 17. Jh.
8. Kaffee. Seit dem 19. Jh.
9. Tabakspfeife. Seit dem 19. Jh.
10. gärender Apfelwein. Er tröstet bei Stuhlverhärtung. 1960 *ff*.
11. süßer ~ = a) in Zucker oder Sirup gewälzter Schnuller. 1880 *ff*. – b) intimer Freund der Ehefrau; Liebhaber einer Witwe. 1900 *ff*.

Trösterchen *n* Leckerei, die man einem (Kind) gibt, damit er (es) etwas verschmerzt; Entschädigung für eine Enttäuschung. 1920 *ff*.

Trösternummer *f* rührseliges Schlagerlied. ↗Nummer 23 b. 1955 *ff*.

Trostpflaster (-pflästerchen) *n* **1.** Entschädigung für einen Verlust oder einen entgangenen Gewinn; mildernde Maßnahme. Ein kleines Geschenk, eine Leckerei o. ä. soll die seelische „Verwundung" überdecken. 1900 *ff*.
2. finanzielles ~ = geldliche Entschädigung für erlittenes Unrecht; Abfindungssumme. 1950 *ff*.

Trostpille *f* Umstand oder Bemerkung tröstlicher Art. 1920 *ff*.

Trostpreis *m* Erinnerungsmedaille; militärisches Ehrenzeichen; Kriegsverdienstkreuz. Die Soldaten sagen, man erhalte dergleichen, ohne daß ein besonderes, auszeichnungswürdiges Verdienst vorliegt. Bei Verlosungen ist die Zahl der Trostpreise wesentlich größer als die der Hauptgewinne. *Sold* 1939 *ff*.

Tröte *f* **1.** Kehle, Schlund, Luftröhre. Fußt auf *gleichbed niederd* „drote"; *vgl engl* „throat". Seit dem 19. Jh.
2. Kindertrompete; Blasinstrument. Seit dem 19. Jh.
3. Trompete im Jazz. *Halbw* 1950 *ff*.
4. es ist ihm in die falsche ~ geraten = er hat sich verschluckt. ↗Tröte 1. 1900 *ff*.

tröten *intr* **1.** trompeten, blasen. ↗Tröte 2. Seit dem 19. Jh.
2. laut schallend sprechen. Analog zu ↗trompeten. Seit dem 19. Jh.
3. schmetternd singen. *Halbw* 1950 *ff*.

Trott *m* alteingewurzelte Gewohnheit; energielose, gelangweilte Lebens- und Handlungsweise; freudloser Alltag. Fußt auf *ahd* „trotton", *mhd* „trotten" als Intensivum zu „treten". Man spricht von „Trott", wenn einer einen Fuß gemächlich vor den anderen setzt. Zur Sache *vgl* auch „↗Tretmühle". Seit dem späten 18. Jh.

Trottel (Troddel) *m* **1.** schwachsinniger, einfältiger Mensch; Mensch ohne Tatkraft. Iterativum zu „trotten = treten" im Sinne von „mit kurzen Schritten gehen", wie es auf den täppischen Gang des Schwachsinnigen zutrifft. Aus dem *Österr* um 1833 vorgedrungen.
2. akademisch gebildeter ~ = weltfremder Akademiker. 1900 *ff*.
3. leichter ~ = ungefährlicher Geisteskranker. 1900 *ff*.

Trottelbeförderung *f* Regelbeförderung der Beamten. Diese Beförderung zu erreichen, bedarf keiner besonderen Geistesgaben oder Anstrengungen. 1960 *ff*.

Trottelbox *f* einfach zu bedienender Fotoapparat (Box). *Österr* 1930 *ff*.

Trottelchen *n* Frau, die sich von ihrem Mann alles gefallen läßt. *Österr* 1900 *ff*.

Trotte'lei *f* Ungelenkheit, Dümmlichkeit. 1900 *ff*.

trottelhaft *adj* energielos; völlig unselbständig; wie ein Schwachsinniger. 1920 *ff*.

Trottelhaftigkeit *f* Energielosigkeit; Schwachsinn. 1920 *ff*.

trottelig *adj* schwachsinnig; energielos; unselbständig. Seit dem 19. Jh.

Trotteligkeit *f* Geistesbeschränktheit; Mangel an Tatkraft. Seit dem 19. Jh.

Trottelklub *m* Hilfsschule. 1960 *ff, schül.*

Trottelparagraph *m* Verordnung, die die einem Beamten drohenden Nachteile bei Minderleistung betrifft. § 38 lautet: „Bleiben die Leistungen eines Beamten hinter dem billigerweise zu fordernden Maß zurück, so soll die oberste Dienstbehörde entsprechend dem Mindermaß seiner Leistungen 1) ihm das nach den Dienstaltersstufen des Besoldungsrechts vorgesehene Aufsteigen im Gehalt in jeder Dienstaltersstufe bis zu zwei Jahren versagen" usw. (Gesetz- und Verordnungsblatt für Berlin; 8. Jahrgang; Nr. 53 vom 4. August 1952). 1937 *ff.*

Trottelpoker *m* Rummy, Rommé. *Iron* gekennzeichnet als Kartenspiel für Schwachsinnige. Wien und Berlin, 1920 *ff.*

Trottelschule *f* Hilfsschule. 1960 *ff, schül.*

Trotteltarock *m* Rummy; Rommé. ↗Trottelpoker. Wien 1920 *ff;* Berlin 1935 *ff.*

Trottelzug *m* zweiter Zug der Hauptschule. Er sieht keinen fremdsprachlichen Unterricht vor und ersetzt die frühere Volksschuloberstufe. *Österr* 1960 *ff, schül.*

Trotteuse *(franz* ausgesprochen) *f* Straßenprostituierte. Trotten = schlendern. ↗Trottöse. 1920 *ff.*

Trottoir *(franz* ausgesprochen) *n* jn aufs ∼ schicken = jn zur Straßenprostitution anhalten (zwingen). 1900 *ff, prost.*

Trottoiradel *m* Halbwelt *(abf).* 1910 *ff.*

Trottoirbeleidiger *m* **1.** Polizeibeamter auf Streifengang. Sein Erscheinen betrachten Halbwüchsige in Gaggenau 1968 als Beleidigung für den Bürgersteig.
2. *pl* = Stiefel o. ä.; unbequeme, unzweckmäßige Damenschuhe. 1965 *ff, halbw* und *BSD.*

Trottoirbiene *f* junge Straßenprostituierte. ↗Biene 3. 1950 *ff.*

Trottoirfasan *m* auffallend gekleidete Frau in der Stadt. Anspielung auf das prächtige Federkleid des (männlichen) Goldfasans u. a. 1950 *ff.*

Trottoir-Gesäß *n* Tische und Stühle auf dem Bürgersteig vor einem Café. Gesäß = Sitzgelegenheit. Berlin 1955 *ff.*

Trottoirgewerbe *n* Straßenprostitution. 1950 *ff.*

Trottoirkosmetiker *m* Straßenkehrer. *Vgl* ↗Parkettkosmetik. 1975 *ff.*

Trottoirpflanze *f* Straßenprostituierte. 1950 *ff.*

Trottoirschleicher *m* Fußgänger. 1955 *ff.*

Trottoirschwalbe *f* Straßenprostituierte. ↗Bordsteinschwalbe. 1960 *ff.*

Trottöse *f* Straßenprostituierte. ↗Trotteuse. 1920 *ff.*

Trotzfotze *f* beischlafunwillige, frigide Frau. ↗Fotze 1. 1940 *ff.*

Trotzköpfchen *n* nicht erigierender Penis. Trotzen = nicht anschwellen. 1900 *ff.*

Troubadour *m* Schlagersänger. 1950 *ff.*

Troyer *m* **1.** mit Ärmeln versehenes wollenes Unterhemd des Seemanns. Hängt möglicherweise mit dem Namen der *franz* Stadt Troyes zusammen, in der viele Trikotwarenfabriken ansässig sind. *Marinespr* 1900 *ff.*
2. jm etw unter den ∼ jubeln = a) jm Vorhaltungen machen. ↗unterjubeln. *Marinespr* 1939 *ff.* – b) jn belügen, übertölpeln. *Marinespr* 1939 *ff.*
3. einen unter den ∼ jubeln = ein Glas Alkohol zu sich nehmen. *Marinespr* 1939 *ff.*
4. einer einen unter den ∼ jubeln = koitieren. *Marinespr* 1939 *ff.*

'Trubbeldi'mut *m* rauschendes Fest. Zusammengesetzt aus *franz* „trouble = Unordnung, Unruhe" und *franz* „moût = Weinmost". *Nordd* und Berlin 1955 *ff.*

trübe *adj* **1.** fahl-einfarbig. 1950 *ff.*
2. undurchschaubar. *Halbw* 1955 *ff.*
3. dümmlich; schwach, matt; energielos, langweilig. Vom getrübten Blick übertragen auf Geistestrübung. *Halbw* 1955 *ff.*
4. für etw ∼ sehen = etw als wenig erfolgversprechend beurteilen. 1950 *ff.*

trubeln *intr* **1.** ein ausgelassenes Fest feiern. *Franz* „trouble = Unruhe" entwickelte sich im späten 19. Jh zur Bedeutung „lebhaftes Durcheinander; lebhaftes Treiben". Man spricht vom „Trubel" des Faschingsballs.
2. es trubelt mich nicht = es betrifft, berührt, interessiert mich nicht im ausgelassenen Treiben. 1950 *ff.*

Trübetümpel (-tümpel) *m* Energieloser; Mißgestimmter. Der trübe Tümpel ist ein trübes Wasserloch, ein trüber Kolk. Von da übertragen zur Kennzeichnung eines trübseligen Menschen. Im frühen 19. Jh aufgekommen, wahrscheinlich in Schlesien und von dort nord- und westwärts gewandert.

trübetümpelig *adj* trübselig, melancholisch; mißgestimmt; matt. Seit dem 19. Jh.

Trübling *m* **1.** Pessimist; unfroher Mensch. Trübe = trübselig, melancholisch. *Sold* 1935 *ff; halbw* 1955 *ff.*
2. Nichtskönner; ungeschickter Mensch. 1935 *ff.*

Trübsal *f* **1.** ∼ blasen = melancholisch gestimmt sein; jammern, klagen. ↗Trauer 1. 1700 *ff.*
2. ∼ schwitzen = unfrohen Gedanken nachhängen. „Schwitzen" deutet wohl auf Weinen hin. 1900 *ff.*
3. ∼ spinnen = der Trauer nachgeben. ↗spinnen 1. 1850 *ff.*

Trübsalbläser *m* Pessimist; mißmutiger, unfroher Mensch. ↗Trübsal 1. 1900 *ff.*

Trücherl *n* ↗Truhe.

Trucker *(engl* ausgesprochen) *m* Lastzugfahrer. Aus dem *Angloamerikan* übernommen. 1970 *ff.*

Trudelbecher *m* Würfelbecher. ↗trudeln 2. Seit dem 19. Jh.

Trudeljunge *m* Bierfahrer. ↗trudeln 2. Berlin 1950 *ff.*

trudeln *intr* **1.** gehen; schlendern; sich langsam entfernen. Nebenform zu „trollen = gehen, rollen; schwerfällig sich bewegen". *Nordd* seit dem 19. Jh.

2. würfeln, rollen, kollern. Aus dem Vorhergehenden weiterentwickelt zur Bedeutung „langsam drehen", „langsam rollen lassen", verwandt mit „tründeln, tröndeln = kugeln, wälzen". 1800 *ff.*

3. in engsten Gleitflugspiralen (abwärts) fliegen. Fliegerspr. in beiden Weltkriegen.

4. ins ∼ geraten = leichtsinnig werden; auf die schiefe Bahn geraten; unsicher werden; wirtschaftlichen Rückgang erleiden. 1935 *ff.*

Truhe (Trücherl) *f (n)* **1.** Bett. Wegen der Formähnlichkeit. *Vgl* auch ↗Kiste 12. 1920 *ff.*

2. Vagina. Verkürzt aus ↗Schatztruhe. 1840 *ff,* Berlin und Wien.

3. weibliche Person. Seit dem 19. Jh.

4. Prostituierte. 1920 *ff, österr.*

5. die ∼ sprengen = vergewaltigen. 1840 *ff,* Berlin und Wien.

Trüll *m* dünner Kaffeeaufguß; schlechtes, fades Getränk. Gehört zu „truddeln = tröpfeln"; *vgl* ↗Tröpfelbier. 1700 *ff.*

Trulla (Trulle) *f* schwerfällige, füllige weibliche Person; unordentliche Frau, Mädchen *(abf).* Fußt auf „trollen = gehen, rollen; schwerfällig sich bewegen". Seit dem 18. Jh.

Trülle *f* große Kaffeekanne. Meint vor allem die dickbauchige und ist daher aus dem Vorhergehenden zu erklären. *Nordd* seit dem 19. Jh.

Trüller *m* Penis. Gehört zu „trollen = wälzen, walzen" und spielt auf die walzenförmige Form an. Seit dem 19. Jh.

trullern (trüllern) *intr* harnen (auf Männer bezogen). *Vgl* das Vorhergehende. 1900 *ff.*

Trumm *n (m)* **1.** Stück, Bruchstück, Endstück. Eigentlich das dicke Endstück, der Holzklotz, der Baumstumpf. Im *Hd* nur in der Mehrzahlform „Trümmer" geläufig; *ahd* und *mhd* „drum = Endstück". Vorwiegend *oberd* und *mitteld,* seit dem 14. Jh.

2. großer, starker Mann; untersetzter Mann. Analog zu ↗Klotz. *Oberd* seit dem 19. Jh.

3. langer (langes) ∼ = großwüchsiger, kräftiger Mann. *Oberd* seit dem 19. Jh.

4. in einem ∼ = zusammenhängend; in einem. Fußt auf der Vorstellung vom Baumstumpf, der noch das Wurzelwerk an sich hat. 1900 *ff.*

Trümmer *m* **1.** Tortreffer beim Fuß- oder Handballspiel. Meint im Sinne von „Trumm = Baumstumpf" den mit größter Kraft unhaltbar ins Tor getretenen (geworfenen) Ball. *Sportl* 1955 *ff.*

2. Ehe-, Frauenfeind. Vielleicht ist er ein Über-

bleibsel aus vergangenen „Ehekriegen". *Halbw* 1950 *ff.*

Trümmerblume *f* Weidenröschen. Im Zweiten Weltkrieg volkstümlich geworden, als nach der Bombardierung der Städte das Weidenröschen auf den Trümmergrundstücken prächtig gedieh.

Trümmerdohle *f* langweiliges Mädchen. Man faßt es auf als einen wenig reizvollen Vogel. *Vgl* ↗Trümmermädchen 2. Doch ist „Dohle (Dole)" auch der unterirdische Abzugsgraben, wodurch Analogie zu „Vagina, Vulva" möglich erscheint. *BSD* 1965 *ff.*

Trümmerfrau *f* **1.** bei der Trümmerbeseitigung tätige Frau. Spätestens 1945 aufgekommen, als dem Wiederaufbau die Trümmerbeseitigung vorausging. Ein Denkmal der Trümmerfrau steht in Berlin.

2. ältere weibliche Person, deren beste Jahre schon weit zurückliegen. Im Vergleich mit ihrer Vergangenheit ist sie nur noch ein Bruchstück ihrer selbst. 1955 *ff.*

3. betagte Prostituierte. 1950 *ff.*

Trümmermädchen *n* **1.** Mädchen, das in Trümmergrundstücken aufwächst oder beim Wiederaufbau hilft. 1945 *ff.*

2. unsympathisches Mädchen. Als Mädchen, wie es sich der Halbwüchsige wünscht, ist es „Bruch" (= Ausschußware). 1960 *ff, halbw.*

Trümmerwurm *m* Archäologe. 1950 *ff.*

Trumpe *f* **1.** Mensch, der sich ungewöhnlich dumm anstellt. Verquickt aus „Trum, Trump = dickes Endstück" und „trampen, trampeln = schwerfällig auftreten". *Sold* in beiden Weltkriegen.

2. plumpe weibliche Person. ↗Trommel 1. Seit dem 19. Jh.

3. weibliches Geschlechtsorgan. ↗trommeln 4. 1870 *ff.*

Trumpel *f* beleibte, plumpe Frau. ↗Trommel 1. Seit dem 19. Jh.

Trumpf *m* **1.** dicker ∼ = hohe Trumpfkarte. Kartenspielerspr. seit dem 19. Jh.

2. satter ∼ = sehr befähigter Könner. ↗satt. 1955 *ff, halbw.*

3. einen ∼ ausspielen = entschlossen gegen jn auftreten; im Wortgefecht siegen. Diesen „Trumpf" kann der andere nicht „stechen". Seit dem 19. Jh.

4. den letzten ∼ ausspielen = mit einer bisher zurückgehaltenen, entscheidenden Äußerung den Gegner besiegen. Seit dem 19. Jh.

5. einen ∼ draufgeben (draufsetzen) = eine derbe Antwort geben; das letzte Wort haben; mit einem Fluchwort bekräftigen. Man übertrumpft den Gegner. 1700 *ff.*

5 a. noch einen ∼ im Ärmel haben = eine wichtige Mitteilung noch zurückhalten. 1960 *ff.*

6. alle Trümpfe in der Hand haben = alle Vorteile für sich haben; von niemandem benachteiligt werden können; überlegen sein. 1800 *ff.*

7. die Trümpfe jagen = Trümpfe ausspielen, damit die Gegenspieler ihre Trumpfkarten abgeben müssen. Kartenspielerspr. seit dem 19. Jh.

8. alle Trümpfe auf den Tisch legen = alle entscheidenden Gedanken offenbaren. 1900 ff.

9. ~ schlagen = Trumpf ausspielen. Zur Bekräftigung ihrer Bedeutung schlägt mancher Spieler die Trumpfkarte kräftig auf die Tischplatte. Kartenspielerspr. seit dem 19. Jh.

10. ~ sein = das meiste gelten; den Ausschlag geben. Seit dem 19. Jh.

11. ~ ist die Seele vom Spiel: Ausruf des Kartenspielers, der mit einem kleinen Trumpf einen Stich mit hoher Augenzahl einheimst. Seit dem 19. Jh.

Trumpf-As sein unübertrefflich sein; der Hauptkönner sein. 1920 ff.

Trumpfbruder m leidenschaftlicher Kartenspieler. 1900 ff.

Trumpf-Dicker m Trumpf-As. Kartenspielerspr. 1900 ff.

trumpfen v **1.** intr = durch eine schwerwiegende Erwiderung die Äußerung des Vorredners entkräften. Der Kartenspielersprache entlehnt. Seit dem 19. Jh.

2. jn ~ = jn anherrschen, zurechtweisen. Mit Trumpfkarten ist man der gewichtigere Spieler. Seit dem 19. Jh.

3. miteinander ~ = koitieren. Man macht ein „↗Spielchen"; vgl auch „↗stechen 3". Seit dem 19. Jh.

Trumpfkarte f **1.** überlegener Könner. 1920 ff.

2. besonders vorteilhafte Ware. Werbetexterspr. 1965 ff.

3. eine ~ ausspielen = einen gewichtigen Einwand vorbringen. 1920 ff.

4. alle ~n in der Hand haben = über die gewichtigeren Beweisgründe verfügen. ↗Trumpf 6. 1800 ff.

Trunsche (Truntschel) f ungepflegte ältere Frau; beleibte, unbeholfene Person. Mit Nasalinfix zu „↗Trutschel" gehörig. Seit dem 19. Jh.

Truppe f **1.** ~ Arsch = Mannschaften. ↗Schütze 2. BSD 1965 ff.

2. grüne ~ = Bundesgrenzschutz. Wegen der grünen Uniformfarbe. 1951 ff.

3. einer von der schnellen ~ sein = rasch handeln; ein Heißsporn sein. ↗Kamerad 12. Sold 1939 ff.

4. leichte ~n = Gesamtheit der Prostituierten. 1700 ff.

Truppenjesus m Militärpfarrer. ↗Jesus. BSD 1965 ff.

Truppenschleifstein m Truppenübungsplatz. ↗Schleifstein. Sold seit dem späten 19. Jh.

Truppenübungsplatz m Wehrmachtbordell o. ä. ↗Truppe 4. Sold 1939 ff.

Truppenvergnügungsplatz m Truppenübungsplatz. Ironie. BSD 1965 ff.

Truppenzebra n Hauptgefreiter. ↗Zebra. BSD 1965 ff.

Truthahn m **1.** aufgeblasener ~ = überelegant gekleideter Mann. 1920 ff.

2. aufgeblasen wie ein ~ = dünkelhaft. Vgl ↗Frosch 19. 1920 ff.

Truthahn-Vegetarier m Rohköstler, der Geflügel nicht für Fleisch ansieht. 1959 ff.

Trutsch m schläfriger, schwerfälliger, schwachsinniger, gutmütig dummer Mann. Gehört zu „trotten = plump gehen". Seit dem 19. Jh.

Trutsche (Trutschn) f dümmliche, geziert-alberne, schwerfällig gehende weibliche Person. Vgl das Vorhergehende. Seit dem 19. Jh.

Trutschel (Trutscherl) n dickliche weibliche Person gutmütigen Charakters; ältliche Ledige. Gehört entweder zu „trotten = schwerfällig gehen" oder ist Koseform von Gertrud. Auch mhd „trut = lieb (traut)" kann eingewirkt haben. 1500 ff. Von Oberdeutschland ausgegangen und bis ins Mitteld vorgedrungen.

trutschelig adj schwunglos, langweilig. 1900 ff.

trutschig adj einfallslos; streng; überaus bieder. 1900 ff.

Tschach m große Anstrengung. Fußt vielleicht auf ital „ciacciare = sich viel zu schaffen machen". Österr, 1900 ff.

tschak interj Ausruf des Erstaunens. Geht zurück auf die ital Interjektion „ciacche" in der Bedeutung „plumps", „knacks". Österr 1950 ff, jug.

Tschakerl n **1.** Pferd. Herleitung unbekannt. Österr 1900 ff.

2. weibliche Person. Österr 1900 ff.

Tschapperl n dummer, naiver, zu seinem Schaden gutmütiger Mensch; unbeholfener Mensch; Liebchen. Geht vielleicht zurück auf tschech „čapek = Ungeschickter". Österr und bayr, seit dem 19. Jh.

Tschapperlwasser n Mineralwasser, Limonade. Als Getränk für die Einfältigen aufgefaßt. 1900 ff, österr und bayr.

tschari gehen intr weggehen. Entlehnung aus dem Tschech. Österr seit dem 19. Jh.

tschari sein intr weggegangen, verloren, verdorben, verspielt sein. Österr seit dem 19. Jh.

tschau interj auf Wiedersehen! Fußt auf ital „ciao", einer venezianischen Dialektform des ital „schiavo = Diener", analog zu österr „Servus". Österr spätestens seit 1900; heute gemeindeutsche Halbwüchsigensprache.

tschäule sein intr weg, verloren sein. Nebenform zu „↗tschari sein". Österr seit dem 19. Jh.

Tschecherl n kleines Café; kleines Wirtshaus. Das äußerlich an „Tschechen" angelehnte Wort fußt wahrscheinlich auf kundenspr. „schecher = Bier" und auch soviel wie „Wirt". Die Vokabel scheint im späten 19. Jh in Österreich, vor allem in Wien aufgekommen zu sein. Ein Lexikograph bemerkt 1905: „Unter Tschecherl verstand man auch ein kleines Kaffeehaus ohne Billard und später ein

Bologneser Tuchhändlermatrikel aus dem Jahre 1339. Auch die Umgangssprache kennt den Reisenden in Sachen Tuch (vgl. **Tuchreisender**), doch ist dessen Aktionsradius und Verhandlungsspielraum sehr begrenzt. Tuch selbst meint entweder das Bett (**Tuch 1., 4.**) oder aber einen Menschen, der, charakterlos oder nur leichtsinnig, sich wie eine aus solchem Stoff gefertigte Fahne immer nach dem Wind dreht (**Tuch 2., 3.**). Die Vokabel **Tuchfühlung** schließlich, mit ihrem Ineinssetzen von Nahkampf und geschlechtlicher Annäherung, drückt ein recht sonderbares Verhältnis beiden Sphären gegenüber aus.

Lokal mit Mädchenbedienung ... Etwas Entehrendes liegt eigentlich in dem Worte ... nicht."

tschechern *intr* zechen. Fußt auf *jidd* „schecher = berauschendes Getränk; Bier". *Österr* seit dem 19. Jh.

Tschemm *m* Gangart. Geht wahrscheinlich zurück auf *engl* „to shamble = watscheln, torkeln". *Halbw* 1955 *ff*.

Tscheß *n m* Zeugnisnote „Ungenügend". Fußt auf *tschech* „schestak = Sechser", vielleicht beeinflußt von *franz* „chaise = Sessel" mit Anspielung auf die sesselähnliche Form der Ziffer 4. *Österr* 1920 *ff*.

tschick *adj* **1.** gefährlich, anrüchig; häßlich; böse, arg. Leitet sich her von *zigeun* „tsik = Kot, Schmutz". *Österr* und *bayr*, 1920 *ff*.
2. das ist ~ = das ist wertlos. *Österr* und *bayr*, 1920 *ff*.

Tschick *m* **1.** Zigarettenrest; Zigarrenendstück; Kautabak; Zigarette. Geht zurück auf *ital* „cicca" oder *franz* „chique", beides in der Bedeutung „Kautabak"; wohl beeinflußt von dem Laut, der beim Auswerfen des Speichels zwischen den Zähnen entsteht. *Österr* 1800 *ff*, anfangs *rotw*; später auch in Südwestdeutschland geläufig. 1945 ist das Wort auch im *Nordd* bekannt.
2. angesoffen wie ein ~ = volltrunken. Fußt auf der Vorstellung vom Zigarrenendstück, das in der Gosse liegt und anschwillt. *Österr* 1920 *ff*.
3. einen ~ köpfen = ein Zigarettenendstück auflesen oder an einer Zigarette die Glimmstelle abstreifen und den Rest aufbewahren. *Österr* 1910 *ff*.

Tschick-Arretierer *m* Aufklauber von Zigarettenendstücken. *Österr*, spätestens seit dem Ersten Weltkrieg.

Tschick-Bude *f* Schulabort. Wo die Schüler rauchen. *Österr* 1930 *ff*.

tschicken *intr* **1.** Tabak kauen. ↗ Tschick 1. *Österr*, *schwäb* und *schweiz*, 1800 *ff*.
2. Zigarettenendstücke sammeln und rauchen. *Österr* 1910 *ff*.
3. essen. Weiterentwickelt aus der Bedeutung „Tabak kauen". *Schül* 1955 *ff*.

Tschicker *m* Aufklauber und Raucher von Zigarren- und Zigarettenendstücken. ↗ Tschick 1. *Österr* 1900 *ff*, *rotw*.

Tschim'bum und Tra'ra *n* laute Reklame; Geschäftigkeit der Werbefachleute. Mit „Tschimbum" ahmt man den Becken- und Paukenschlag nach; „Trara" gibt den Klang von Trompete und Horn wieder. Spätestens seit 1955 (1933?).

Tschin *f* schlechteste Zeugnisnote. Stammt aus *ital* „cinque = fünf". *Schül* 1950 *ff*.

Tschi'nelle *f* Ohrfeige. „Tschinellen" (nach *ital* „Cinelli") sind die Becken als Schlagzeuge im Orchester. *Österr* 1920 *ff*.

'Tschingdarassa'bum *n* geräuschvolles Beiwerk. Schallnachahmung von Becken- und Paukenschlag, überhaupt von dem vielen Schlagzeug einer Militärkapelle. 1900 *ff.*

Tschingge (Tschinke) *m* (in der Ostschweiz arbeitender) Italiener. Geht zurück auf *ital* „cinque = fünf". Entweder betrachtet man die Italiener als fünfte Volksgruppe (Sprachgruppe) in der Schweiz, oder der Ausdruck spielt an auf die fünf Finger der Hand, mit der die Italiener lebhaft zu gestikulieren verstehen. Auch ist „Cinque" die Fünf-Rappen-Münze. 1900 *ff.*

tschintschen *intr tr* handeln; halblautere Geschäfte machen. Geht zurück auf *engl* „to change = wechseln, umtauschen", entlehnt durch deutsche Kriegsgefangene in England seit 1940 oder durch Seeleute.

Tschin-tschin *n* Geld. Schallnachahmend für den Klang der Münzen. *Österr* 1930 *ff.*

tschö (tchö) *interj* Abschiedsgruß. Verkürzt aus *franz* „adieu". Seit dem 19. Jh.

Tschoch I *m* schwere Arbeit. Nebenform zu ↗ Tschach. *Österr* 1920 *ff.*

Tschoch II *n* kleines Café; Lokal minderen Ranges. Gehört zu ↗ Tschecherl. *Österr* (Wien) 1900 *ff.*

tschöchen (tschö-chen) *interj* Abschiedsgruß. Verkleinerungsform zu ↗ tschö. *Westd* 1900 *ff.*

Tschocher *m* **1.** Schwerarbeit. ↗ Tschoch I. *Österr* 1920 *ff.*
2. Trinker, Zecher. ↗ tschechern. *Österr* 1900 *ff.*

Tschocherl (Tschöcherl) *n* kleines Café. Nebenform zu ↗ Tschecherl. Wien 1900 *ff.*

tschöchern *intr* schwer arbeiten. ↗ Tschoch I. *Österr* 1900 *ff.*

Tschuche *m* ↗ Tschusch.

Tschugger *m* Polizeibeamter. ↗ Schucker. *Schweiz* seit dem 19. Jh.

Tschugge'rei *f* Polizei. *Schweiz* seit dem 19. Jh.

tschuldigen *v* entschuldigen. In der Aussprache werden der erste und der zweite Buchstabe meist verschluckt, weil sie unbetont bzw. schwachbetont sind. 1900 *ff.*

Tschuldigung *f* Entschuldigung. 1900 *ff.*

Tschumpes (Tschumpus) *m* Haftanstalt; Militär-, Polizeiarrest. Geht zurück auf die türkische Bezeichnung für das vergitterte Haremsfenster. *Österr* 1900 *ff.*

Tschunkerl *n* Ferkel. Geht zurück auf *tschech* „čunka = Sau". Wien 1900 *ff.*

Tschusch (Tschusche, Tschuche) *m* ausländischer Arbeiter aus dem Osten und Südosten; Südslawe, Slowene u. a. Aus dem Russischen übernommen. *Österr* seit 1950.

tschüß (tschüs, tjüs) *interj* Abschiedsgruß. ↗ atschüß. Seit dem 19. Jh.

tü *adv präd* verrückt. ↗ Tüttelitü. *Sold* 1940 *ff*; *halbw* 1950 *ff.*

'tubaken *v* jm eine ~ = jm eine Ohrfeige versetzen; jn prügeln. ↗ vertobaken. 1900 *ff.*

Tube *f* **1.** auf die ~ drücken = a) jm durch nach-

drückliche Mittel etw abgewinnen; jn durch Tränen mitleidig, gebefreudig stimmen; durch geschickte Effekte das Theaterpublikum beeinflussen; auf der Bühne übertrieben spielen. Hergenommen von der Tube Schminke; analog zu „dick ↗ auftragen". Theaterspr. 1920 *ff.* – b) der Maschine erhöhte Leistung abfordern; die Geschwindigkeit erhöhen. Tube = Vergaserdüse. 1920 *ff*, kraftfahrerspr. – c) Pistolenschüsse abfeuern; das Maschinengewehr bedienen. *Sold* 1939 *ff.* – d) etw vorantreiben, beschleunigen; die Aktivität anfeuern. 1920 *ff*, *sportl* und *sold.* – e) sich hart anstrengen. 1920 *ff.* – f) sich ausleben; sich keinen Lebensgenuß entgehen lassen. 1920 *ff.*
2. zuviel auf die ~ drücken = sich überanstrengen. 1920 *ff.*
3. auf die ~ steigen (treten) = die Fahrgeschwindigkeit erhöhen. 1930 *ff*, kraftfahrerspr.

Tubenschönheit *f* kosmetische Herrichtung eines (unansehnlichen) Gesichts. 1955 *ff.*

Tuberkel *m* scharf wie ein ~ = geschlechtlich leicht erregbar; liebesgierig. *Vgl* das Folgende. 1920 *ff.*

Tuberkeltrieb *m* durch Tuberkulose gesteigerter Geschlechtstrieb. 1920 *ff.*

tubern *intr* spucken. Eigentlich soviel wie „an Tuberkulose leiden"; von da verallgemeinert zu „Auswurf haben". Wien 1940 *ff*, *schül.*

Tübs *On* Tübingen. In Studentenkreisen nach 1950 aufgekommene Abkürzung.

Tuch *n* **1.** Bett. ↗ Tuch 4. 1920 *ff.*
2. leichtes (leichtsinniges) ~ = Mensch, der unbekümmert in den Tag hineinlebt. Wohl Anspielung auf die sprichwörtliche Fahne im Wind. *Südwestd* 1800 *ff.*
3. schlechtes ~ = charakterloser Mann. *Südwestd* 1900 *ff.*
4. ins ~ gehen = schlafengehen. Tuch = Bettuch. 1920 *ff.*
5. das ist für ihn ein rotes ~ = das erregt ihn sehr; das bringt ihn in Wut. Wird hergeleitet von der Reaktion des Stieres auf das rote Tuch, das man ihm beim Stierkampf vorhält; auch der Truthahn reagiert so. Die rote Farbe wurde zum Sinnbild, obwohl nachweislich nicht sie, sondern das Flattern des Tuches die Angriffslust weckt. Im Laufe des 19. Jhs aufgekommen.

Tuchfühlung *f* **1.** Nahkampf. Meint im Militärischen das Berühren mit den Ärmeln bei der im Glied stehenden Truppe. *Sold* in beiden Weltkriegen.
2. enges Umschlungensein; gedrängtes Beisammensitzen; nahes Beisammensein; Tanzen Körper an Körper. 1920 *ff.*
3. intime Beziehung zu einer Person des anderen Geschlechts. 1914 *ff.*
4. in ~ bleiben = die Verbindung persönlich oder brieflich aufrechterhalten. Erweiterung von „in Fühlung bleiben". 1950 *ff.*

5. auf ~ gehen = a) eng an jn heranrücken. 1920 *ff*. – b) sich anbiedern; in nähere Bekanntschaft zu jm treten. 1920 *ff*. – c) eng aneinandergeschmiegt tanzen. 1920 *ff*.

6. ~ nehmen = a) sich in einen Nahkampf einlassen. *Sold* in beiden Weltkriegen. – b) näher an jn heranrücken; langsam nähere Bekanntschaft anknüpfen. 1920 *ff*.

7. auf ~ tanzen = eng aneinandergeschmiegt tanzen. 1920 *ff*.

8. die ~ mit jm verlieren = die Verbindung mit jm verlieren, abbrechen o. ä. 1920 *ff*.

Tuchfühlungnahme *f* Flirt. Zusammengesetzt aus „Tuchfühlung" und „Fühlungnahme". 1955 *ff*.

Tuchreisender *m* Billardball, der, ohne einen anderen zu berühren, auf dem Tuch läuft. Eigentlich der Geschäftsreisende in Tuchen; hier wortwitzelnde Anspielung auf die Bespannung des Billardtisches. 1870 *ff*.

Tuck *m* **1.** boshafter Streich. Seit *mhd* Zeit, verwandt mit „Tücke".

2. kurze, schnelle Bewegung. Meint im Mittelalter den kurzen, schnellen Schlag. Seit dem 15. Jh.

3. ein kleines Stück; ein bißchen. *Nordd* 1900 *ff*.

4. Wirrknoten im Haar oder Gewebe. Gehört zu „tucken = zucken = ziehen, zusammenziehen" (etwa wie man ein Loch notdürftig zusammenzieht). 1900 *ff*.

5. jm einen ~ antun = jm einen boshaften Streich spielen; jn kränken. ↗Tuck 1. Seit dem 19. Jh.

Tück *m* auf jn einen ~ haben = jm grollen. Tuck, Tück = Hinterlist; Groll. 1900 *ff*.

Tucke *f* **1.** weibliche Person *(abf)*. Fußt auf dem Lockruf der Hühner. ↗Huhn. *Westd* seit dem 19. Jh.

2. weibischer Mann; Homosexueller. Seit dem frühen 20. Jh.

Tückebold *m* Heimtücker. 1700 *ff*.

tuckeln *intr* **1.** langsam fahren. Schallnachahmend für das Motorgeräusch. 1900 *ff*.

2. Motorrad fahren. 1920 *ff*.

3. homosexuell verkehren; als Mann sich weibisch benehmen. Gehört zu „↗Tucke 2": Anspielung auf den „weiblichen" Typ des Homosexuellen. Seit dem frühen 20. Jh.

4. unlautere Geschäfte machen; tauschhandeln. Fußt auf „Tücke = Hinterlist". 1918 *ff*.

tucken *v* jm eine ~ = jn ohrfeigen, schlagen; jm einen Rippenstoß versetzen. ↗Tuck 2. Seit dem 19. Jh.

Tuckerboot *n* durch Maschinenkraft bewegtes Boot. *Vgl* das Folgende. 1920 *ff*.

tuckern *v* **1.** *intr* = ein gleichmäßig stoßendes (pochendes) Geräusch hervorbringen. Lautmalend für das Geräusch des Bootsmotors, auch des Treckers o. ä. 1870 *ff*.

2. einen ~ = ein alkoholisches Getränk zu sich nehmen. Verkürzt aus ↗verkasematuckeln. 1940 *ff*.

3. es tuckert = langsam erreicht man die zum Gewinnen erforderliche Punktzahl. Übertragen von der langsamen Geschwindigkeit des Treckers o. ä. Kartenspielerspr. 1900 *ff*.

Tucke-Tucke-Kneipe *f* gemütliche Gaststätte am Wasser mit Bootssteg. ↗tuckern 1. Berlin 1920 *ff*.

Tuckhuhn *n* **1.** Huhn. Kindersprachlich nach dem Lockruf des Huhns. 1700 *ff*.

2. dümmlicher Mensch. ↗Huhn. Hühner gelten als dumm. Seit dem 19. Jh.

tücksch *adj* trotzig, zornig; übelnehmerisch; heimlich bösartig. Zusammengezogen aus „tückisch". Seit dem 19. Jh.

tückschen *intr* schmollen, grollen. Verbal zum Vorhergehenden. *Sächs* und Berlin, seit dem 19. Jh.

Tückschnabel *m* Ohrenbläser, Zuträger; Verräter. Sein Mund ist „↗tücksch". 1900 *ff, nordd*.

Tuddel *m* langsamer, umständlicher Mensch. ↗tütern. *Niedersächs* seit dem 19. Jh.

Tüdde'lei *f* umständliche Sache; umständliche Handlungsweise. ↗tütern. *Westd* seit dem 19. Jh.

Tüddelgreis *m* alter Mann. Er ist langsam und umständlich. 1900 *ff*.

tüddelig (tüdelig, tüttelig, tuddelig) *adj* **1.** umständlich, ungeschickt, benommen, verwirrt, langsam. ↗tütern. *Niedersächs* seit dem 19. Jh. Stark verbreitet durch Fernsehübertragungen aus dem Hamburger Ohnsorgtheater.

2. hausbacken, enggeistig. *Westd* 1900 *ff*.

Tüddelkram *m* störende, lästige Sache. *Nordwestd* seit dem 19. Jh.

tüddeln (tüdeln, tuddeln, tutteln) *intr* sich mit unwichtigen Dingen beschäftigen. ↗tütern. *Nordwestd* seit dem 19. Jh.

tüdelütü'tü sein ↗Tüttelitü.

tüdern *intr* ↗tütern.

Tue'rei *f* Ziererei; Unaufrichtigkeit aus Albernheit; unnatürliches Benehmen. *Vgl* „sich ↗tun". Seit dem 19. Jh.

tuerig *adj* übertrieben sittsam. Seit dem 19. Jh.

Tuff *m f n* vergnügliche, ausgelassene Feier. Entweder entlehnt aus *engl* „tough = hart, fest, kräftig" oder abgewandelt aus „↗toff". Berlin 1955 *ff, halbw*.

Tuffe *f* unsympathisches Mädchen. Nebenform zu „↗Tiffe". 1914 *ff, halbw* und *sold*.

Tüffeln *pl* Schuhwerk ohne Fersen. Aus „Pantoffeln" gekürzt. 1900 *ff*.

Tüftelarbeit *f* mühselige Kleinarbeit. ↗tüfteln. Seit dem 19. Jh.

Tüftelbart *m* **1.** leidenschaftlicher Bastler. ↗tüfteln. 1910 *ff*.

2. Mensch, der alles umständlich prüft und überlegt, ehe er einen Entschluß faßt. 1910 *ff, sold* in beiden Weltkriegen.

3. langweiliger Mensch. 1910 *ff*.

Tüfte'lei *f* kleinliche Arbeitsweise. Seit dem 19. Jh.

Tüftelfritze *m* Mensch, der gerne Arbeiten ausführt, zu denen Feingeschick und Geduld erforderlich sind. ↗ Fritze. Seit dem 19. Jh, *mitteld* und *westd.*

Tüftelheini *m* geduldiger Bastler. ↗ Heini. 1940 *ff.*

tüftelig *adj* mit viel mühsamer Kleinarbeit verbunden; kleinlich, schwierig; heikel. ↗ tüfteln. Seit dem 19. Jh.

Tüftelkopf (-meier) *m* Bastler. „Meier" hat sich aus dem weitverbreiteten Familiennamen weiterentwickelt zur neutralen Bedeutung „Mann" oder „Handelnder". 1920 *ff.*

tüfteln (tifteln) *intr* eine kleinliche, mühsame Arbeit mit viel Ausdauer verrichten; sehr lange und genau an einer Sache arbeiten; grübeln. Hängt vielleicht zusammen mit „Tüpfelchen = Pünktchen" oder mit „tippen = leicht mit den Fingerspitzen berühren". 1750 *ff.*

Tüftler *m* erfindungsreicher Kopf; geduldiger Feinarbeiter; übergenauer Mensch. Seit dem 19. Jh.

Tugend *f* der ~ frönen = geschlechtlich enthaltsam leben. 1955 *ff, halbw.*

Tugendbold *m* sittenstrenger Mann. Seit dem 19. Jh.

Tugendburg *f* Ledigenwohnheim. Die Bezeichnung rührt daher, daß Personen des anderen Geschlechts keinen Zutritt haben. 1958 *ff*, Nürnberg.

Tugendfutteral *n* Mantel, der alle Körperformen verhüllt. 1955 *ff.*

Tugendhirt *m* Sittenwächter; Moralhüter. 1920 *ff.*

Tugendkalb *n* junge sittsame Schülerin. Die Sittsamkeit scheint ihr als Torheit ausgelegt zu werden; denn „Kalb" meint den einfältigen Menschen. 1870 *ff.*

Tugendlamm *n* sittsames Mädchen. 1920 *ff.*

Tugendleine *f* Damengürtel. Griffe oder Einblicke lüsterner Männer finden hier ihre Grenze: die Tugend liegt wie der Hund an der Leine. 1925 *ff.*

Tugendmeier *m* Moralprediger. ↗ Tüftelmeier. Seit dem 19. Jh.

Tugendmoppel *m* Musterschüler. Moppel = Mops: der Schüler ist ein braver, folgsamer Hund. 1920 *ff, schül.*

Tugendpfadfinder(in) *m (f)* Fürsorger(in), Bewährungshelfer(in). Zusammengesetzt aus „Tugendpfad" und „Pfadfinder". 1900 *ff.*

Tugendpinsel *m* übertrieben sittsamer Mensch. ↗ Pinsel 5. 1950 *ff.*

Tugendproppen (-pfropfen) *m* tugendhafter Mensch. Hat er mit der Tugend die Lebenslust verpfropft? 1870 *ff.*

Tugendprotz *m* Mensch, der sich seiner Sittenstrenge rühmt. ↗ Protz. 1870 *ff.*

Tugendrose *f* sittsame Frau mit prüder Lebensart. Meint eigentlich die Goldene Rose, eine päpstliche Auszeichnung für hochgestellte Persönlichkeiten des öffentlichen Lebens. 1900 *ff.*

Tugendschnecke *f* schämige weibliche Person. Bei Bedrohung der Tugend verkriecht sie sich wie die Schnecke in ihr Haus. 1950 *ff.*

Tugendseuche *f* übertriebene Enthaltsamkeit; übertriebene moralische Anwandlung. 1950 *ff.*

Tugendspiegel *m* sehr sittsamer Mensch. 1880 *ff, schül.*

Tugendtrottel *m* unfroh-sittenstrenger Mann. ↗ Trottel 1. 1950 *ff.*

Tugendtulpe *f* tugendhafte, schamhafte weibliche Person. Variante zu „Unschuldslilie". 1930 *ff.*

Tugendtunte *f* übertrieben, unfroh sittsame Frau. ↗ Tunte. 1870 *ff.*

Tugendweib *n* brave, folgsame, tugendhafte Schülerin. 1880 *ff.*

tüld *adj* benommen, betäubt, verwirrt. Gehört zu *österr* „Tull = Rausch" (wohl verwandt mit „toll"). *Österr* 1800 *ff.*

Tülle *f* 1. äußeres Ende des weiblichen Harnorgans. Eigentlich der Ausguß an Kannen. 1800 *ff.*
2. Halbwüchsige mit geringen charakterlich-sittlichen Vorzügen. *Halbw* 1950 *ff.*
3. Prostituierte; intime Freundin. ↗ Tille 1. 1800 *ff*, Berlin, Frankfurt am Main u. a., *prost.*
4. olle ~ = liederliche Frau. Berlin 1900 *ff.*
5. tofte ~ = nettes, sympathisches Mädchen. ↗ toft. *Halbw* nach 1950 *ff.*

tulli (tuli) *adj präd* schön, gut, großartig, in Ordnung. Zusammenhängend mit dem Freudenausruf „↗ dulliäh" o. ä.? *Österr* 1900 *ff.*

Tüllkrause *f* Vorhautverengung. Etwa soviel wie ein gekräuselter Kannenausguß. *Sold* und *ziv* 1914 bis heute.

Tüllmaus *f* Tänzerin im Tüllkleid. ↗ Maus. 1920 *ff.*

Tülpchen *n* Prostituierte. Fußt auf der Vorstellung des zusammengehörigen Paars Tulpe und Tulpenstengel (Vagina und Penis). 1930 *ff.*

Tulpe *f* 1. wunderlicher, dümmlicher Mensch; Versager. Entstellt aus „Tölpel". Gemeindeutsch seit dem späten 19. Jh.
2. Bierglas mit langem Stiel. Es ähnelt der Becherform der Tulpenblüte. 1600 *ff*, vorwiegend nördlich der Mainlinie.
3. unbeständiges Mädchen, das oft den Freund wechselt. ↗ Tülpchen. Berlin 1950 *ff, halbw.*
4. im Wind umgestülpter Regenschirm. Er sieht dann wie ein Tulpenkelch aus. 1840 *ff*, Berlin, Leipzig, Wien.
5. gerötete Nase; Stülpnase. 1840 *ff.*
6. Uringlas. Krankenhausspr. 1940 *ff.*
7. trübe ~ = unfähiger Mensch; überheblicher Mann. Trübe = undurchsichtig, unklar, matt. „Tulpe" spielt wohl auf Hochnäsigkeit an. *Sold* 1935 *ff.*
8. ~ tun = sich unwissend stellen; Unwissen heucheln. ↗ Tulpe 1. 1900 *ff.*

tulpen *intr* Bier trinken. ↗ Tulpe 2. Seit dem 19. Jh, *nordd.*

Tulpennase *f* große gerötete Nase. ↗ Tulpe 5. Seit dem 19. Jh.

Tulpenstengel *m* 1. erigierter Penis. ↗ Tülpchen. 1910 *ff.*

Sssst - - - Da ist er. Unser Jüngster auf neuen Wegen. Von München nach Amsterdam (daher der Name „Rembrandt"). Und zurück. Liebt die Morgenstunde: 7 Uhr 27 ab München. Sssst - - - Augsburg, Ulm, Stuttgart - - - stop: besonders Stuttgart! Erstmalig TEE-Station.

Weiter grüne Welle: Mannheim, Köln, mittags im Ruhrgebiet (Hallo, Manager, Sie verlieren keinen Arbeitstag!).

Sssst - - Emmerich, Utrecht. 16 Uhr 36 in Amsterdam. Pünktlich zur „heure bleue".

Prost. Prost. Auf Rembrandt. Den alten Namensvetter. Und „den Jüngeren".

Rembrandt der Jüngere

*Hätte der Graphiker nicht jene beiden Tulpen ins Bild gesetzt, die hier unter „von Tulpe zu Tulpe" verstanden werden sollen, wäre eine Fehlinterpretation dieses Slogans wohl nicht auszuschließen. Schließlich wendet diese Anzeige sich ja in erster Linie an Manager oder solche, die sich dafür halten, und da diesen Herrschaften in der Regel ein klarer Kopf und ein in Maßen distinguiertes Verhalten abverlangt wird, wäre denen die Nachbarschaft einer Person, die bei Tulpe in erster Linie an Hopfen und Malz denkt und so – von Tulpe zu Tulpe – ein Bier nach dem andern leert (vgl. **Tulpe 2.**, **tulpen**), sicher nicht sehr willkommen. Im übrigen zeugt die Anzeige von einer mangelnden Kenntnis bayrischer Trinkgewohnheiten.*

2. geknickter ~ = mit einer Geschlechtskrankheit behafteter Penis. 1910 *ff.*

3. jm mit dem ~ winken = jm einen feinen Wink geben. Seit dem 19. Jh.

Tummel *m* **1.** ausgelassene Geselligkeit. Gehört zu „tummeln = lärmen; sich schnell bewegen; sich im Kreis hin- und herbewegen". Seit dem 19. Jh.

2. Akoholrausch. Tummeln = taumeln. 1700 *ff.*

tummeln *refl* sich beeilen; sich lebhaft bewegen. Verwandt mit „taumeln". Seit dem 15. Jh.

Tümpel *m* **1.** Nordsee. Bagatellisierung zu einer Wasserlache oder einem kleinen Weiher. *Marinespr* 1900 *ff.*

2. Schwimmbad. 1960 *ff, schül.*

Tümpelkröte *f* **1.** freches Mädchen. ↗Kröte. *Schles* 1920 *ff.*

2. blau wie eine ~ = im Gesicht blau angelaufen. *Schles* 1920 *ff.*

tümpeln *tr* **1.** jn im Wasser hochheben und niederstoßen. 1900 *ff*, kadettenspr.

2. jn gefügig machen; jn heftig rügen. Man taucht ihn in ein Wasserloch ein und läßt ihn nicht eher frei, bis er nachgibt. 1955 *ff, halbw*, Berlin.

tun *v* **1.** als Hilfszeitwort in Verbindung mit einem Verbum (er tut gehen, tut schlafen, tut essen, tut arbeiten). Diese Konstruktion, in der Umgangssprache sehr häufig, dient zur Umschreibung der betreffenden Verbformen (geht, schläft, ißt, arbeitet). Schon in *mhd* Zeit; häufiger seit dem 15. Jh.

2. ~ (es jm ~) = koitieren. Analog zu ↗machen 8. 1500 *ff. Vgl engl* „to make".

3. jm etw ~ = jm etw geben, reichen, leihen (tu mir ein Butterbrot!). Seit *mhd* Zeit.

4. einen ~ = Alkohol zu sich nehmen. Gekürzt aus „einen trinken tun". 1900 *ff.*

5. es nicht mehr lange ~ = bald sterben. 17. Jh.

6. mit jm zu ~ haben = mit jm verkehren (auch geschlechtlich). Seit dem 18. Jh.

7. es mit jm zu ~ kriegen = mit jm Ungelegenheiten bekommen. 1700 *ff.*

8. tu nicht so! = verstell' dich nicht! bleib' bei der Wahrheit! Verkürzt aus „tu' nicht so, als wärst du ein anderer!" oder „tu' nicht so, als entspräche dies deiner Art!". 1700 *ff.*

9. ~ als ob = sich verstellen; etw vorspiegeln. Man „tut, als ob" man reich wäre = man täuscht Reichtum vor; man „tut, als ob" man fleißig wäre = man täuscht Fleiß vor. Seit dem 19. Jh.

10. man tut, was man kann = man gibt sich Mühe nach besten Kräften. Gern als blasierte Erwiderung auf eine Anerkennung verwendet. Seit dem 19. Jh.

11. es tut's = es reicht aus. 1900 *ff.*

12. da tut sich was = da geht etwas vor sich; da bereitet sich etwas vor; da gibt es viel zu sehen. Tun = geschehen. 1850 *ff.*

13. ~ = reisen; sich begeben (in diesem Jahr tun wir nach Italien). Analog zu ↗machen 38. Seit dem 19. Jh.

14. du solltest mal etwas für dich ~ = du scheinst nicht recht bei Verstand zu sein. Meint eigentlich den Rat, für die Gesundheit zu sorgen. Berlin und *mitteld*, 1900 *ff.*

15. tu, was du nicht lassen kannst: Redewendung, wenn man einen gewähren lassen muß, ohne es für richtig zu halten. 1850 *ff.*

16. sich tun = a) sich anmaßend aufführen; sich aufspielen. Verkürzt aus „sich wichtig tun". Seit dem 19. Jh. – b) sich zieren. Man „tut sich albern". Seit dem 19. Jh.

17. nicht wissen, wohin man jn ~ soll = nicht wissen, wer jd ist, obwohl man ihn zu kennen glaubt. ↗hintun. Seit dem 19. Jh.

Tun *n* dickes ~ = viel Arbeit (unter Zeitdruck). *Halbw* 1960 *ff.*

Tünbüdel *m* Dummschwätzer. ↗tünen; Büdel = Beutel (= Hodensack = Mann). *Nordwestd* seit dem 19. Jh.

Tünbüde'lei *f* dummes Geschwätz. Seit dem 19. Jh.

Tünche *f* Schminke; Make-up. Meint eigentlich den Wandanstrich, das auf die Oberfläche Aufgetragene. 1920 *ff.*

tünchen *refl* sich schminken. 1920 *ff.*

Tünche'rei *f* Make-up. 1920 *ff.*

tünen *intr* dummschwätzen; lügen. *Niederd* Entsprechung zu *hd* „zäunen", hier im Sinne von „allerlei in die Erzählung einflechten". 1800 *ff*, nordwestdeutsch.

Tunichtviel *m* arbeitsscheuer Mann. Aus einem Imperativ entstandener Satzname. 1920 *ff.*

Tunix *f* politische Verweigerungshaltung von Berliner Jugendlichen. Gegen 1977/78 aufgekommen aus der Zusammensetzung von „tun" und „nix" (= nichts).

Tunke *f* **1.** Notlage, Unannehmlichkeit o. ä. Analog zu ↗Sauce. Seit dem 19. Jh.

2. in die ~ kommen = in Ungelegenheiten geraten. 1900 *ff.*

3. in der ~ sitzen = in arger Bedrängnis sein; sich in Not (in einer Notlage) befinden. 1900 *ff.*

tunkeln *intr* **1.** verbotene Geschäfte machen; tauschhandeln. Hängt zusammen mit „dunkel"; vgl ↗schwärzen. 1939 *ff.*

2. geheime Verabredung treffen. 1939 *ff.*

tunken *v* **1.** jn ~ = jn ins Wasser tauchen. Seit dem 19. Jh.

2. jn ~ (jm eine ~) = jm einen heftigen Schlag versetzen; jn heftig prügeln; jn anherrschen. Versteht sich nach dem Vorhergehenden in Analogie zu „↗tümpeln 2". Seit dem 19. Jh.

3. jn ~ = jm böse mitspielen. Seit dem 19. Jh.

4. jn ~ = jn bestrafen. Analog zu ↗eintauchen. *Bayr* 1950 *ff.*

5. *intr* = ein Schläfchen machen. Wohl hergenommen vom Kopf, den der Schläfer sinken läßt, so daß es aussieht wie ein Tauchen. Vorwiegend *oberd*, seit dem 19. Jh.

6. *intr* = sich in Träumerei verlieren. Seit dem 19. Jh.

Tünkram *m* dummes Geschwätz; Unsinn; Belanglosigkeit. ↗tünen. Nordwestd. seit dem 19. Jh.

Tunnel *m* **1.** in einen dunklen (langen) ~ geraten = einem ungewissen Schicksal entgegensehen; nicht wissen, wie eine Sache enden wird. 1970 *ff.*

2. das Ende des ~s kommt in Sicht = die Spanne der Ungewißheit geht zu Ende. ↗Tunnel 5. 1970 *ff.*

3. aus dem ~ rauskommen = einer Schwierigkeit Herr werden. 1970 *ff.*

4. kein Ende des ~s sehen = die Entwicklung pessimistisch beurteilen; eine Maßnahme noch nicht als wirksam erkennen. 1970 *ff.*

5. das Licht am Ende des ∼s sehen = eine Entwicklung nimmt endlich die erhoffte, erfreuliche Wendung. Aus dem *Engl* übersetzt: „to see the light at the end of the tunnel." 1970 *ff.*

6. etw findet im ∼ statt = die Entwicklung verläuft noch in völliger Ungewißheit. 1970 *ff.*

Tunnel-Eule *f* Untergrundbahn. „Eule" heißt auch der Handfeger. Die Untergrundbahn „fegt" durch den Tunnel. 1950 *ff*, Berlin.

Tunnelgürtel *m* Damengürtel, der teilweise durch eine breite Stoffhülle verdeckt ist. Der Gürtel führt wie eine Eisenbahnstrecke stellenweise durch einen Tunnel. 1950 *ff.*

Tunnelnudeln *pl* Hohlnudeln, Makkaroni. 1900 *ff*, *südwestd.*

Tunnelspätzle *pl* Makkaroni. *Schwäb* 1920 *ff.*

Tünnes *m* Spaßmacher. Fußt auf dem Vornamen Antonius. Bekannt geworden als eine der führenden Witzfiguren Kölns, vor allem durch die Kölner Witzsammlungen der „Kölschen Krätzcher". Seit dem 19. Jh.

Tunte *f* **1.** verzärtelte, langweilige Person; ältere unordentliche Frau; energieloser, unmilitärischer Mann. ↗tunteln. Seit dem 19. Jh, *niedersächs.*

2. Frau zwischen dreißig und fünfzig Jahren. 1950 *ff*, Wortschöpfung des Textileinzelhandels.

3. unsympathisches, unansehnliches Mädchen. *Halbw* 1955 *ff.*

3 a. intime, feste Freundin. *Jug* seit 1965.

4. „weiblicher" Typ des Homosexuellen; Homosexueller in Frauenkleidung. Seit dem 19. Jh, *prost.*

5. Lesbierin. 1950 *ff, prost.*

6. feige ∼ = unkameradschaftliche Mitschülerin. ↗feige 1. *Schül* 1950 *ff.*

Tunte'lei *f* Umständlichkeit, Unentschlossenheit; Zwecklosigkeit. ↗tunteln. *Nordwestd,* 1700 *ff.*

tuntelig *adj* **1.** langsam im Denken und Handeln; umständlich. Seit dem 19. Jh.

2. verzärtelt; zimperlich. Seit dem 19. Jh.

tunteln *intr* **1.** zögern; langsam sein; zimperlich zu Werke gehen. Nasalierte Nebenform zu „↗tüddeln". *Nordwestd* und Berlin, seit dem 17. Jh.

2. die Zeit mit Nichtigkeiten verschwenden. Seit dem 19. Jh.

3. als Homosexueller sich weibisch aufführen. ↗Tunte 4. 1920 *ff.*

tunten *intr* als „weiblicher Typ" homosexuell verkehren. ↗Tunte 4. Seit dem 19. Jh, *prost.*

Tuntenball *m* Tanzveranstaltung unter Homosexuellen. 1930 *ff.*

Tuntentoilette *f* Abortraum, in dem sich junge Männer zu homosexueller Betätigung anbieten. 1920 *ff.*

tuntig *adj* **1.** unbeholfen; träge; schwunglos. ↗tunteln 1. Nordwestdeutsch seit dem 19. Jh.

2. verzärtelt; weibisch (wenn auf Homosexuelle bezogen). ↗Tunte 4. 1900 *ff.*

Tupf *m* Betrugsopfer; Übertölpelter; Dummer.

Hängt zusammen mit einem Schlag auf den Kopf (euphemistisch als ein „Tupfen" ausgegeben), durch den das Opfer betäubt wird und leicht zu übervorteilen ist. ↗betuppen. *Österr* 1900 *ff.*

2. Kleingeld, Münze. Tupf = Tüpfel = Pünktchen. Dient hier zur Kennzeichnung der Geringwertigkeit. *Rotw* 1900 *ff.*

3. Geschlechtsverkehr. ↗tupfen 3. Seit dem 19. Jh.

Tüpfel *m* den ∼ aufs i setzen = etw bis in die kleinste Kleinigkeit ausführen, fertigstellen; jm etw genau auseinandersetzen. Tüpfel = Punkt. Seit dem 19. Jh.

Tüpfelchen *n* **1.** sehr kleines Stück. Eigentlich das Pünktchen, der kleine Farbtupfen. 1900 *ff.*

2. ∼ auf dem i = kleiner Umstand, der eine Sache vervollkommnet. 1800 *ff.*

3. bis aufs ∼ = bis in alle Einzelheiten; genau nach Vorschrift. Seit dem 19. Jh.

4. da fehlt kein ∼ auf dem i = da fehlt nicht die geringste Kleinigkeit. Seit dem 19. Jh. *Vgl franz* „il n'y manque pas un iota".

5. das ∼ auf dem i nicht vergessen = sehr gewissenhaft sein. 1900 *ff.*

Tüpfelhuber *m* kleinlicher Mensch. *Südd* 1900 *ff.*

tüpfelig *adj* sehr gewissenhaft; übergenau. 1900 *ff.*

tüpfeln *tr* betasten. Iterativum zu „tupfen = berühren". Seit dem 16. Jh.

Tüpfelscheißer (Tüpfleinscheißer) *m* Pedant. *Oberd* 1900 *ff.*

tupfen *tr* **1.** jn prügeln, ohrfeigen. Tupf = Punkt, Stoß. Seit dem 19. Jh.

2. jn stechen. Seit dem 19. Jh.

3. koitieren. Analog zu ↗stechen. Vorwiegend *oberd,* seit dem 19. Jh.

4. jn überflügeln. Tupfen = schlagen, den Feind besiegen. *Bayr* 1900 *ff.*

Tupfer *m* **1.** kleine Menge. 1900 *ff.*

2. Stich, Stoß. Seit dem 19. Jh.

3. Penis. ↗tupfen 3. Seit dem 19. Jh, *oberd.*

4. Geschlechtsverkehr. *Oberd* seit dem 19. Jh.

Tupferl *n* **1.** Betrogener. Verkleinerungsform von ↗Tupf 1. *Österr,* 1900 *ff.*

2. Geliebte; intime Freundin. ↗tupfen 3. *Österr* 1900 *ff.*

3. Prostituierte. *Österr* 1900 *ff.*

tupsen *tr* leicht anstoßen. Iterativum zu ↗tupfen. Seit dem 19. Jh.

Tür *f* **1.** Klappe an der Klapphose; Hosenschlitz. Seit dem 19. Jh.

2. ∼ mit dem herzigen Ausschnitt = Aborttür. Der „herzige Ausschnitt" ist der herzförmige Ausschnitt, der früher an den Aborttüren auf dem Lande üblich war und teilweise noch heute Sitte ist. 1900 *ff.*

3. ∼ mit Herz (Herzerl) = Aborttür. *Vgl* das Vorhergehende. Seit dem 19. Jh, *bayr* und *österr.*

4. hinter ∼n ohne Klinke = im Gefängnis. 1950 *ff.*

5. zwischen ~ und Angel = schnell, hastig; unvorbereitet; gerade beim Verlassen des Zimmers; unter der Haustür, beim Weggehen. 19. Jh.

6. vor der ~ abladen = den Beischlaf kurz vor der Ejakulation abbrechen. *Vgl* ↗Haustür. 1900 *ff*.

7. jm die ~ zu etw aufstoßen = jm den Zugang zu etw öffnen; jds beruflichen Werdegang entscheidend fördern. 1950 *ff*.

8. jm die ~en aushängen = a) jn vertreiben; jm das Verweilen verleiden. Geht zurück auf die alte Sinnbildhandlung der Friedloserklärung. 1900 *ff*. – b) jm einen bösen Streich spielen; jn ernstlich schädigen. 1900 *ff*.

9. die ~ dichtmachen = die Tür schließen, absperren. 1900 *ff*.

10. ~en eindonnern = energisch, leidenschaftlich auftreten. Mit Getöse tritt man zur Tür herein. 1930 *ff*.

11. jm die ~ einlaufen = jn oft besuchen und mit Bitten belästigen. Seit dem 19. Jh.

12. offene ~en einlaufen (einrennen) = auf keinerlei Widerstand stoßen; für seinen Plan volle Unterstützung finden. ↗Tür 20. Seit dem 19. Jh.

13. jm die ~en einrennen = jm mit Hausbesuchen lästig fallen. Seit dem 19. Jh.

14. mit ihm kann man ~en einrennen = er ist sehr dumm. Der Begriffsstutzige hat eine dicke Knochendecke, so daß man ihn als Rammbock verwenden kann. 1840 *ff*.

15. mit der ~ ins Haus fallen = Unangenehmes ohne Vorbereitung und ohne Umschweife berichten. Gemeint ist, daß einer die Tür nicht ordnungsgemäß öffnet, sondern sie einstürmt. Seit dem 16. Jh.

16. mit jm vor die ~ gehen = sich mit jm prügeln. Rocker 1967 *ff*.

17. vor der eigenen ~ kehren (fegen) = sich um seine eigenen Angelegenheiten kümmern. Fußt auf dem Sprichwort: „Jeder kehre vor seiner Tür; er findet Dreck genug dafür" (= davor). Seit dem 19. Jh.

18. er kriegt müde ~en = ihm fallen die Augen vor Müdigkeit zu. 1950 *ff*.

19. sich eine ~ offenhalten = stets auf einen Ausweg bedacht sein; stets so vorgehen, daß man ungehindert den Rückzug antreten kann; auf eine Ablehnung mit einem anderen Vorschlag erwidern. Seit dem 19. Jh.

20. gegen offene ~en rennen = sich auf Widerstände gefaßt machen, die gar nicht bestehen. ↗Tür 12. Seit dem 19. Jh. *Vgl franz* „enfoncer des portes ouvertes".

20 a. da ist die ~!: Aufforderung wegzugehen, das Zimmer (die Wohnung) zu verlassen. 19. Jh.

21. jn vor die ~ setzen = jn entlassen; jm die Wohnung kündigen; jn aus dem Haus weisen. *Vgl* „jm den ↗Stuhl vor die Tür setzen". Seit dem 19. Jh.

22. zwischen ~ und Angel sitzen = ratlos sein. Seit dem 19. Jh.

23. es steht vor der ~ = es ist in Kürze zu erwarten; es steht bevor. 1900 *ff*.

24. anders geht die ~ nicht zu = anders ist es nicht zu bewerkstelligen. Hergeleitet von einer Tür, die klemmt: um sie zu schließen, muß man die Kraftanstrengung, den Lärm, die Hobelspäne o. ä. in Kauf nehmen. 1935 *ff*.

25. ach, du kriegst die ~ nicht zu!: Ausdruck der Verwunderung. Man staunt darüber, daß einer nicht imstande ist, die Tür zu schließen; entweder hat sie sich gekrümmt, oder der Riegel paßt nicht in die Halterung, oder man hat gar eine Drehtür im Sinn. *Jug 1925 ff*.

26. mach die ~ von außen zu!: Aufforderung an einen, sich zu entfernen. Seit dem 19. Jh.

27. jm die ~ vor der Nase zumachen (zuknallen, zuschlagen) = dicht vor jm die Tür schließen. ↗Nase 15. 1600 *ff*.

28. machen Sie Ihre ~ zu, sonst trägt Ihnen jemand etw hinein (nicht daß Ihnen jemand etw hineinträgt)!: Redewendung an einen, der vergißt, die Wohnungstür zu schließen. 1930 *ff*.

29. die ~ zuschlagen = aus Empörung die Verbindung gänzlich abbrechen. 1920 *ff*.

30. schlag die ~ zu, dann kannst du deine Stoppeln eliminieren!: Rat an einen Unrasierten. *Schül 1955 ff*.

Turban *m* Kopfschützer. Wegen Ähnlichkeit mit der orientalischen Kopfbedeckung. *BSD 1965 ff*.

Türchen *n* kleine Reise, kleiner Ausflug. Scherzhafte Verkleinerungsform zu „Tour". Seit dem 19. Jh, *westd*.

Türdrücker *m* Mann, der die Zulassung von Besuchern zu hochgestellten Persönlichkeiten überwacht. Zur Herleitung *vgl* „↗Drücker 29". 1950 *ff*.

Turfkaroline *f* Prostituierte, die auf Rennplätzen Kunden sucht. 1920 *ff*, *österr*.

Türfüllung *f* die ~ eintreten = deflorieren. 1900 *ff*.

Türk *m* Rufname des Hundes. 1900 *ff*.

Türke *m* **1.** eingedrillte Besichtigungsübung; bis zum Überdruß Wiederholtes. Leitet sich möglicherweise her von der türkischen Begräbnisstätte, „die sich bis zum Jahre 1866 auf der Tempelhofer Feldmark, dem späteren Grundstück der Franzer-Kaserne, befand. Das umliegende Gelände wurde in der ersten Hälfte des 19. Jhs mit Vorliebe zur Einübung von Gefechten für die Besichtigung benützt. Da das Türkengrab dabei eine gewisse Rolle spielte, so mag die Bezeichnung ‚Türke' für eingeübte Besichtigungsgefechte in den allgemeinen Sprachgebrauch übergegangen sein" (Transfeldt). *Vgl* auch ↗Türke 5.

2. *pl* = durch Retusche oder Fotomontage verfälschte Fotos; erfundene Geschichten; betrügerische, falsche Angaben; Publikumsirreführung. 1950 *ff*.

3. *sg* = Hotelportier. Das Wort ist mit gedehntem „ü" zu sprechen; denn der Betreffende steht an der „Tür". Wortwitzelei. 1910 *ff*.

4. heller ~ = Haschischart. 1960 *ff*.

5. einen ~n bauen = a) Unwahres für wahr ausgeben; etw vortäuschen; eine oft geprobte Übung als spontane Originalleistung vorführen; ein Täuschungsmanöver vollführen. Hängt (möglicherweise mittelbar) zusammen mit dem Schachautomaten des Wolfgang von Kempelen aus dem Jahre 1768: vor dem Kasten saß eine lebensgroße, in orientalische Gewänder gehüllte Puppe, weswegen man den Apparat „der Türke" nannte (in ihm saß ein kleinwüchsiger Schachmeister). Das Geheimnis dieses vermeintlichen Roboters lüftete erst 1838 Edgar Allan Poe. Die Redewendung ist erst seit dem späten 19. Jh bezeugt, vorwiegend *sold* und theaterspr. – b) Ehrenbezeugungen vollführen. 1920 *ff*, *sold*.

6. fluchen wie ein ~ = kräftig fluchen; unflätig schimpfen. Wohl hergeleitet von lebhaften Äußerungen auf Türkisch, die man wegen ihrer Unverständlichkeit kurzerhand für Flüche hält. 1700 *ff*.

7. haust du meinen ~n, haue ich deinen ~n! = wie du mir, so ich dir! Moderne Variante zu „↗Jude 9". 1950 *ff*.

8. jm einen ~n vorsetzen = jn mit einer angeblichen Improvisation täuschen. ↗Türke 5. 1920 *ff*.

Turkel *m* **1.** unerwartetes, unverdientes Glück. ↗Torkel. Seit dem 19. Jh.

2. Taumel, Rausch; Verblendung; Irresein. Seit dem 19. Jh.

türken *v* **1.** etw ~ = etw vortäuschen; etw dem Echten betrügerisch nachgestalten; etw entgegen der Wahrheit für echt ausgeben. ↗Türke 5. 1920 *ff*.

2. die Meldung ist getürkt = die Meldung ist frei erfunden oder mit erfundenen Einzelheiten durchsetzt. *Journ* 1950 *ff*.

Türkenbeutel *m* Tragetasche. ↗Türkenkoffer. 1980 *ff*.

Türkenblut *n* **1.** schwerer, sehr dunkler Rotwein. Seit dem 19. Jh.

2. Sekt (Schaumwein), mit Rotwein gemischt. 1920 *ff*.

Türkenkoffer *m* Tragetasche. Wegen der Beliebtheit bei türkischen Gastarbeitern und deren Angehörigen. 1980 *ff*.

Türkenmusik *f* Syphilis. ↗Musik 23. Seit dem 19. Jh.

Turkey (*engl* ausgesprochen) *m* **1.** Rauschgift türkischer Herkunft. 1975 *ff*.

2. auf ~ kommen = an Rauschgift-Entzugserscheinungen leiden. *Engl* „turkey = Truthahn". Der erregte Truthahn flattert. 1977 *ff*.

Türklinke *f* **1.** Tabakspfeife. Wegen der Formähnlichkeit. *Halbw* 1965 *ff*.

2. einer gibt dem anderen die ~ in die Hand = viele sprechen nacheinander vor. 1920 *ff*.

3. einander die ~ aus der Hand nehmen = zur Tür hereintreten, deren Klinke ein anderer gerade losläßt. 1920 *ff*.

4. ~n putzen = als Bettler oder Hausierer von Wohnungstür zu Wohnungstür gehen; Bittbesuche abstatten. ↗Klinke 6. Seit dem 19. Jh.

5. bei ihm wird die ~ nicht kalt = viele sprechen bei ihm vor. 1920 *ff*.

Türklinkenputzer *m* Bettler (Hausierer), der von Tür zu Tür geht. ↗Türklinke 4. Seit dem frühen 19. Jh.

Türklopfer *m* **1.** Bettler. 1900 *ff*.

2. Handelsvertreter, der von Wohnungstür zu Wohnungstür geht. 1900 *ff*.

Türknochen *m* Portier vor Hotels, Tanzlokalen, Bars usw. ↗Knochen 5. Berlin 1900 *ff*.

Turko *m* Türke; türkischer Gastarbeiter. Übernommen aus dem *Ital* und *Span*. *Halbw* 1960 *ff*.

türlich *adv* selbstverständlich. Verkürzt aus „natürlich" wegen der Schwachtonigkeit der ersten Silbe. 1900 *ff*.

Türlschnapper *m* **1.** Hauswart, Portier. Er läßt die Haustür auf- und zuschnappen. Wien 1900 *ff*.

2. Parkplatzwart. Wien 1950 *ff*.

Turm *m* **1.** Hochfrisur. 1955 *ff*.

2. eigenes Zimmer. Etwa im Sinne von „↗Burg" o. ä. zu verstehen. Kann auch auf den Gefängnisturm zurückgehen oder auf den „Elfenbeinturm" (↗Turm 5). *Halbw* 1955 *ff*.

3. Hotelzimmer. Ganovenspr. 1970 *ff*.

4. dufter ~ = nettes Zimmer; angenehmes Mietzimmer bei sittlich großzügigen Leuten. ↗dufte. 1955 *ff*, *halbw*.

5. elfenbeinerner ~ = a) Abkehr von der Alltagswirklichkeit. ↗Elfenbeinturm. 1900 *ff*. – b) Bündnislosigkeit; Nichtzugehörigkeit zu einem politischen Pakt. 1955 *ff*.

6. einen vom ~ blasen = einen Schnaps an der Theke trinken. ↗blasen 6. 1850 *ff*.

7. gut vom ~ blasen können = gut reden können. Anspielung auf das Choralblasen vom Kirchturm aus. 1900 *ff*.

8. jetzt wird vom ~ geblasen = beim Kartenspiel wird Trumpf gefordert. Leitet sich her von dem auf dem Turm geblasenen Fanfarensignal zu Beginn eines Festes. Kartenspielerspr. 1870 *ff*.

9. einen vom ~ hauen = onanieren. Turm = erigierter Penis. *Halbw* 1950 *ff*.

10. Kennst du die Mehrzahl von ~?: Ausdruck der Abweisung. Die Mehrzahl von „Turm" lautet „Türme"; kleingeschrieben bedeutet „türme" soviel wie „geh weg!"; ↗türmen. *Jug* um 1880/90. *sold* 1914 *ff*.

11. im elfenbeinernen ~ sitzen = sich von der Alltagswirklichkeit ausschließen. ↗Elfenbeinturm 1. 1900 *ff*.

Turmbau *m* Hochfrisur. ↗Turm 1. 1955 *ff*.

türmen *intr* **1.** entspringen, fliehen. Die Herleitung ist umstritten. Im Neuhebräischen gibt es „tharam

= entfernen". Kundenspr. „türmen = wandern, weiterwandern" kann auf „turmen, turmeln = taumeln" zurückgehen, aber auch auf das Wandern „von Ort zu Ort = von Kirchturm zu Kirchturm". Meir Fraenkel (Tel Aviv) verweist den Verfasser auf „stürmen" mit Fortfall des s-Anschlags. Im ausgehenden 19. Jh aufgekommen im *Rotw;* später auch *sold.*
2. sich der Dienstpflicht zu entziehen suchen. *BSD* 1965 *ff.*

Türmer *m* **1.** Entsprungener; Überläufer; Feigling. 1885 *ff.*
2. Dieb, der Opfer sucht (und anschließend wegläuft). 1890 *ff,* Berlin.

Turmfrisur *f* Hochfrisur. ↗ Turm 1. 1955 *ff.*

'turm'hoch *adj adv* sehr hoch (er ist ihm turmhoch überlegen; an Rang steht er turmhoch über ihm). Analogiesteigerung zu ↗ haushoch. Beliebte Sportlervokabel. 1900 *ff.*

Turmkaserne *f* Wohnhochhaus auf schmaler Grundfläche. 1925 *ff.*

Turmschaden *m* einen ~ haben = nicht recht bei Verstand sein. Variante zu „↗ Oberstübchen", „↗ Dachschaden". 1870 *ff.*

Turmspitze *f* **1.** eine ~ für einen Zahnstocher ansehen = betrunken sein. 1700 *ff.*
2. ich haue dich, daß du eine ~ für einen Zahnstocher ansiehst!: Drohrede. Berlin 1890 *ff.*

Turmstützer *m* Mensch, der zu spät zum Gottesdienst kommt und unter dem Turm stehenbleibt. 1960 *ff,* theologenspr.

Turn (*engl* ausgesprochen) *m* **1.** Flug. *Engl* „turn = Drehung, Wendung, Kursänderung". *BSD* 1960 *ff.*
2. Abteilung; Teil einer Gruppe. *Engl* „turn = regelmäßige Abwechslung bei Ausübung einer Pflicht; Arbeitsschicht"; *vgl* auch *engl* „it is my turn = ich bin an der Reihe". *BSD* 1965 *ff.*
3. Rauschgifttrausch. Analog zu „↗ Trip". 1965 *ff.*

turnen I *intr* **1.** tollen; sich ausgelassen, übermütig bewegen, tummeln. Bezieht sich ursprünglich auf die Leibesübungen; von da weiterentwickelt zu „klettern, balancieren". 1850 *ff.*
2. sich geschickt hindurchwinden. 1870 *ff.*
3. mit jm ~ = koitieren. Analog zu „↗ klettern" u.ä.; *vgl* „↗ Leibesübung = Geschlechtsverkehr". 1910 *ff.*
4. ein „Farbenspiel" mit Aufheben der beiden Karten im Skat machen. Aus „tournieren" abgewandelt. Skatspielerspr. 1880 *ff.*

turnen II (*engl* ausgesprochen) *v* **1.** *intr* = Haschisch (o. ä.) rauchen. ↗ Turn 3. 1965 *ff.*
2. *tr* = begeistern, anregen. *Vgl* ↗ anturnen II. 1955 *ff.*

Turnerseife *f* Magnesia. *Sportl* und *schül* 1900 *ff.*

Turnfieber *n* Muskelschmerzen nach anstrengender körperlicher Arbeit. 1920 *ff.*

Turnfloh *m* junge, kleinwüchsige, hervorragende Turnerin. 1976 *ff.*

Turnküken *n* junge Turnschülerin, Gymnastikschülerin. 1965 *ff.*

Turnpauker *m* Turnlehrer. ↗ Pauker. *Schül* 1870 *ff.*

Turnstuhl *m* ~ für Ratentrinker und Bar-Zahler = Barhocker. 1960 *ff.*

Türöffner *m* **1.** Mann, der die Aufnahme von Verbindungen zu einflußreichen Personen ermöglicht. 1960 *ff*
2. fester Freund eines Mädchens. Tür = Vagina. *Jug* 1970 *ff.*

Türschwellenkind *n* Findelkind. Unerkannt hat man es fremden Leuten auf die Türschwelle gelegt. 1920 *ff.*

Turtel *f* Geliebte; intime Freundin. Verkürzt aus „↗ Turteltaube". 1910 *ff.*

Turte'lei *f* Liebelei. *Vgl* das Folgende. 1920 *ff.*

turteln *intr* **1.** verliebt tun; kosen. Die Turteltauben gelten in volkstümlicher Sicht als mustergültig verliebte Lebewesen. Seit dem 19. Jh.
2. unecht vertraut sprechen. 1950 *ff.*

Turteltaube *f* **1.** Geliebte; Ehefrau. ↗ turteln 1. Seit dem 19. Jh.
2. wie die ~n schäkern = verliebt kosen. Seit dem 19. Jh.

Turteltaubenglück *n* **1.** Verlobungszeit. 1900 *ff.*
2. Flitterwochen. 1900 *ff.*

Turteltaubenspiel *n* Flirt. 1925 *ff.*

turteltaubig *adj* verliebt. 1950 *ff.*

Tusch *m* **1.** Prahlerei, Lüge. Aufgefaßt als leerer Schall. Seit dem 19. Jh.
2. trügerischer Schein; Äußerlichkeit. Hier vielleicht beeinflußt von „Tusche = falscher Anstrich". Seit dem 19. Jh.
3. Belanglosigkeit, Kleinigkeit. Sie ist nicht mehr wert als flüchtiger Schall. Seit dem 19. Jh, *oberd.*
4. Beleidigung, Herausforderung. ↗ tuschieren 1. *Stud* seit dem späten 18. Jh.

Tuschelpropaganda *f* heimlich geflüsterte Nachrichtenübermittlung. *Vgl* ↗ Flüsterpropaganda. 1933 *ff.*

tuschen *v* jm eine ~ = jn ohrfeigen, prügeln. Geht zurück auf *franz* „toucher = berühren". 1700 *ff.*

tuschieren *tr* **1.** jn beleidigen; jds Ehre verletzen. Aus *franz* „toucher = berühren". 1700 *ff, stud.*
2. jn prügeln. ↗ tuschen. *Österr* seit dem 19. Jh.

Tuschkasten *m* **1.** Schminkdose. Tuschen = Farben auftragen. 1890 *ff.*
2. stark geschminkte Frau. 1900 *ff.*
3. in einen ~ gefallen = geschmacklos geschminkt. 1900 *ff.*

Tusmatiker *m* Student der Technischen Universität Berlin, der in seiner freien Zeit bezahlte Dienste aller Art ausführt. Gegen 1950 aufgekommen als Abkürzung von „Telefonieren, und Studenten machen alles" oder aus „TU-Studenten machen alles" mit Anfügung der beiden letzten Silben von „Mathematiker" o. ä.

Tussi (Tussy) *f* Mädchen; feste Freundin. Aus

„Thusnelda" kosewörtlich entwickelt gegen 1920; allgemein seit 1975.

Tut *m* Tutanchamun. 1980 anläßlich der Ausstellung (in Berlin, Köln, München u. a.) aufgekommene Abkürzung.

Tütchenkrämer *m* Gemischtwarenhändler, Kleinkaufmann o. ä. Er verkauft tütenweise. 1870 *ff*, *mitteld*.

Tute *f* **1.** Signalhorn, Trompete; Blasinstrument jeder Art. Eigentlich das Blashorn. Schallnachahmender Herkunft. 1800 *ff*.
2. Vagina. Als Behältnis aufgefaßt (Tüte). Seit dem 19. Jh.
3. Frau mittleren Alters. 1900 *ff*.
4. blöde ~ = Schimpfwort auf eine (ältere) weibliche Person. 1920 *ff*.
5. lange ~ = Teleobjektiv einer Kamera. 1950 *ff*, technikerspr.

tute *adv* gleichgültig. Stammt aus dem *Franz*, entweder aus „tout égal" oder aus „toute la même chose". 1900 *ff*.

Tüte *f* **1.** Polizeibeamter. Verkürzt aus ↗Hurratüte. 1920 *ff*.
2. Blasinstrument. Nebenform zu ↗Tute 1. Seit dem 18. Jh.
3. wunderlicher Mensch; langweiliger, unselbständiger Mensch; unmilitärischer Mann. Ist über schallnachahmendes Wort „Tüte" Analogie zu „↗Pfeife 1" oder fußt auf der Vorstellung von der aufgeblasenen Tüte, die nur Luft enthält. 1900 *ff*, vorwiegend Berlin und *sächs*.
4. Stahlhelm. Verkürzt aus ↗Hurratüte. *BSD* 1965 *ff*.
5. Hut. Sonderentwicklung aus dem Vorhergehenden. 1965 *ff*.
6. Präservativ. 1930 *ff*.
7. alte ~!: Anrede unter Halbwüchsigen. 1955 *ff*.
8. geplatzte ~ = Verrücktheit. 1930 *ff*.
9. lahme ~ = langsamer Mensch. 1950 *ff*, *jug*.
10. müde ~ = langweiliger Mensch. 1950 *ff*, *jug*.
11. traurige ~ = Versager, Schwächling. 1950 *ff*.
12. volle ~ = vollschlankes Mädchen. 1950 *ff*, *halbw*.
13. nicht in die ~!: Ausdruck der Ablehnung. Leitet sich her von der Tüte, in die der Verkäufer wohl etwas mit hineinpacken will (einen faulen Apfel o. ä.), das man nicht kaufen will. 1870 *ff*, Berlin u. a.
14. das findet sich in der letzten ~ = am Ende wird alles klar (aufgeklärt). *Hess* seit dem 19. Jh.
15. aus der ~ gehen (geraten) = außer sich geraten; sich sehr verwundern. Man „platzt vor Wut" o. ä. *Vgl* ↗Tüte 20. Seit dem 19. Jh.
16. in die ~ gucken = bei einer Verteilung unberücksichtigt bleiben. Tüte, Tute = Röhre; daher analog zu „in die ↗Röhre gucken". Berlin und *sächs*, 1900 *ff*.
17. in die ~ kacken = in einen Papierbeutel erbrechen. 1930 *ff*.

18. ~n kleben (drehen, machen) = Gefängnisinsasse sein. Hergenommen von einer *trad* Beschäftigung der Sträflinge. 1870 *ff*.
19. das kommt nicht in die ~ = das kommt nicht in Betracht. ↗Tüte 13. 1870 *ff*, Berlin und *ostmitteld*.
20. aus der ~ sein = fassungslos, verwirrt sein. „Tüte" steht hier für das Äußere eines Behältnisses und in übertragener Bedeutung für „Fassung" oder spielt an auf die Bedeutung „Haube, Haarbund". *Vgl* auch ↗Tüte 15. *Niederd* seit dem 19. Jh.
21. in die ~ pusten = in ein Alkoholteströhrchen blasen. ↗Pustetest. 1960 *ff*.

tute'gal *adv* gleichgültig. Stammt aus *franz* „tout égal". 1900 *ff*.

Tütekessel *m* Pfeifkessel. Tüte = Pfeife, Flöte. 1900 *ff*.

tütelig *adj* ↗tüddelig.

tüteln *intr* zechen. ↗tuten 2. 1900 *ff*.

tuten *v* **1.** *intr* = ins Horn stoßen; Signal blasen. Lautmalender Natur. *Niederd* seit dem 14. Jh.
2. einen ~ = ein Glas Alkohol trinken. Analog zu „einen ↗blasen". 1870 *ff*.
3. *intr* = fellieren. 1910 *ff*.
4. sie haben getutet = durch den letzten Stich hat der Spieler sein Spiel verloren. Hergenommen vom Blasen zum Zapfenstreich. Kartenspielerspr. seit dem 19. Jh.
5. von ~ und Blasen keine Ahnung haben = von einer Sache nichts wissen; dumm sein. Wer vom Tuten und Blasen nichts versteht, taugt nicht einmal zum Nachtwächter, der bloß ins Horn zu stoßen hat: sein Horn gibt nur einen einzigen Ton von sich. Im 18. Jh aufgekommen.

tüten *intr* als Fluggast in einen (dafür vorgesehenen) Beutel erbrechen. 1930 *ff*.

Tütendreher *m* **1.** Lebensmitteleinzelhändler; Kleinkaufmann. Er verkauft seine Waren in Tüten, die er aus Papierbogen selbst dreht. Seit dem 18. Jh.
2. Strafgefangener. ↗Tüte 18. 1870 *ff*.

Tütenfest *n* Lustbarkeit der Einzelhändler. Berlin 1955 *ff*.

Tütengesäß *n* moderner Sessel mit spitz zulaufendem Fuß und kelchförmiger Ausladung nach oben. In seiner Form erinnert er an eine Tüte. Gesäß = Sitzgelegenheit. Berlin 1960 *ff*.

Tütenkleber *m* Strafgefangener. ↗Tüte 18. 1870 *ff*.

Tütenkloß *m* langweiliger, schwungloser junger Mann. ↗Tüte 3; ↗Kloß 2. *Sächs* 1920 *ff*.

Tütenmacher *m* Strafgefangener. ↗Tüte 18. 1870 *ff*.

Tuter *m* Bläser. ↗tuten 1. 1800 *ff*.

tüterig *adj* **1.** wunderlich, seltsam; umständlich. ↗tütern 1. *Nordd* seit dem 19. Jh.
2. wirr, aufgeregt; durcheinander. Seit dem 19. Jh.
3. unbeholfen, kleinlich. Seit dem 19. Jh.

Tüterigkeit *f* Unbeholfenheit, Abständigkeit. Seit dem 19. Jh.

tütern *v* **1.** *intr tr* = in Unordnung bringen, verwirren; umständlich zu Werke gehen; zwecklos hin- und herreden. Gehört zu *nordd* „Tüter = Knoten, Verschlingung", weiterentwickelt zur Bedeutung „Unordnung". Seit dem 18. Jh.
2. *intr* = Ausreden gebrauchen; Ausflüchte machen; unaufrichtig sein. *Nordwestd* 1900 *ff.*
3. *intr* = flirten. 1900 *ff.*

Tuti *m* Tutanchamun. Kosewörtliche Form der Abkürzung „ ↗Tut". 1980 *ff.*

tutig *adj* **1.** wunderlich, treuherzig, naiv; harmlos. ↗Tüte 3. 1900 *ff.*
2. albern, langweilig, weitschweifig. 1900 *ff.*
3. spröde, unzugänglich; geschlechtlich abweisend. 1900 *ff.*

Tutigkeit *f* langweiliges, schwungloses Vorgehen. 1900 *ff.*

tutschen *intr* **1.** saugen. Meint eigentlich „an der ↗Tutte saugen"; auch schallnachahmender Natur (*vgl* ↗lutschen 1). Berlin 1830 *ff.*
2. an etw genüßlich (langsam) trinken. Berlin 1830 *ff.*
3. zechen. Berlin 1830 *ff.*

Tutte *f* Brust. Ablautform von ↗Titte. Seit *mhd* Zeit.

Tuttel *n f* Brustwarze. Ablautende Verkleinerungsform von „ ↗Titte". *Bayr* und *österr*, seit dem 13. Jh.

Tüttelchen *n* bis aufs ~ = bis in die kleinste Kleinigkeit. Soviel wie „Pünktchen". *Vgl* ↗Tüpfelchen. 1850 *ff.*

Tuttelfetzen (-halter) *m* Büstenhalter. ↗Tuttel. *Österr* 1920 *ff.*

Tütteli'tü ('Tüddelütü'tü) *m* einen ~ haben = leicht verrückt sein; närrisch sein. Schallnachahmung des Vogelgezwitschers mit Anspielung auf „einen ↗Vogel haben". 1910 *ff*, *niederd.*

tütteli'tü sein nicht recht bei Verstand sein. 1910 *ff*, *niederd.*

Tuttelklammer (-spanner, -spreizer) *f* Büstenhalter. ↗Tuttel. *Österr*, 1920 *ff.*

Tutti *n* Busen. ↗Tutte. *Halbw* 1950 *ff.*

tutti *adj adv* **1.** gut, schön, in Ordnung. Stammt aus *ital* „tutto = ganz, völlig". *Österr* 1940 *ff.*
2. auf ~ gehen = es auf eine Liebschaft mitsamt Koitus abgesehen haben. *Vgl* „aufs Ganze gehen". 1960 *ff.*

Tuttifrutti *n* Jungmädchenbrust. Meint eigentlich die Süßspeise mit Früchten, hier beeinflußt von ↗Tutte. *Halbw* 1950 *ff.*

tuttmähm'schoß *adv* gleichgültig. Aus *franz* „toute la même chose". Seit dem 18. Jh, *südd* und Berlin.

'tuttmähmschoße'gal *adv* völlig gleichgültig. *Vgl* das Vorhergehende. 1900 *ff.*

tutto kaputto (tutti kaputti) *adv* völlig erschöpft. Italianisierung. 1920 *ff.*

Tü'tü *m* **1.** närrischer Mensch. Verkürzt aus ↗Tüttelitü. 1910 *ff.*
2. Homosexueller. Er gilt als unzurechnungsfähig. 1915 *ff*, *ziv* und *sold.*
3. kurzer Tanzrock der Ballerina. Fußt auf *franz* kinderspr. „tutu = Popo". Der Tanzrock bedeckt das Gesäß nicht völlig. 1900 *ff.*

Tü'tügreis *m* bejahrter Homosexueller. ↗Tütü 2. 1920 *ff.*

TÜV (gesprochen wie geschrieben) *m* **1.** Musterung, Gesundheitsbesichtigung. Amtliche Abkürzung von „Technischer Überwachungsverein". Auf das Militärische übertragen gegen 1960, *BSD.*
2. Staatliches Gesundheitsamt als ärztliche Kontrollstelle der Prostituierten. 1960 *ff*, *prost* und medizinerspr.
3. Begutachtung durch Psychologen, Psychiater o. ä. Häftlingsspr. 1970 *ff.*
4. Schulaufnahmeprüfung. *Schül* 1965 *ff.*
5. Rassehundeprüfung. 1970 *ff.*
6. Schönheitsfarm. 1975 *ff.*

TÜV-Karte *f* Prostituiertenausweis mit amtsärztlichem Unbedenklichkeitsvermerk. 1960 *ff.*

TÜV-Mädchen *n* zugelassene Prostituierte. 1960 *ff.*

Tuwat *f* Hausbesetzung u. ä. durch Berliner Jugendliche. 1981 aufgekommen als Gegenwort zu „ ↗Tunix".

TV-Boß *m* Fernsehintendant, -abteilungsleiter. „TV" ist allgemein gebräuchliche Abkürzung von *engl* „television = Fernsehen; ↗Boß 1. 1960 *ff.*

Twen *m* **1.** junger Mann (junges Mädchen) vom 20. Lebensjahr an. Verkürzt aus *engl* „twenty = 20". Stammt als Begriff jedoch nur scheinbar aus dem *Engl*; ist in Wirklichkeit eine Erfindung der deutschen Modeindustrie. 1955 *ff.*
2. Kleidungsstück für eine(n) Zwanzigjährige(n). 1955 *ff.*
3. ausgedienter ~ = Dame über 30 Jahren. 1960 *ff.*
4. gehobener ~ = männliche oder weibliche Person, die ihr drittes Lebensjahrzehnt längst hinter sich hat. 1960 *ff*, *halbw.*

twen'esk *adj* einem (einer) Zwanzigjährigen entsprechend. ↗Twen 1. 1962 *ff.*

Twenkumpel *m* Kamerad zwischen 20 und 30 Jahren. ↗Kumpel. 1960 *ff.*

Twennie *f* Zwanzig- bis Neunundzwanzigjährige. 1960 *ff.*

twennig *adj* auf Leute im dritten Lebensjahrzehnt bezogen (zugeschnitten; passend). 1960 *ff.*

tweno'gen *adj* dem Lebensstil der Zwanzigjährigen entsprechend. Gebildet nach dem Muster von „fotogen, telegen" o. ä. 1960 *ff.*

Twen-Shop *m* Bekleidungskammer. *Engl* „shop = Geschäft, Modegeschäft". *BSD* 1965 *ff.*

Twenspeck *m* Dicklichkeit zwischen dem 20. und 30. Lebensjahr. Dem „ ↗Babyspeck" nachgebildet. 1960 *ff.*

Twenty *f m* **1.** junge Dame (junger Mann) vom

Typ ist eine Vokabel, die sowohl Menschen als auch Waren charakterisiert. Wenngleich letzteres in der Umgangssprache nicht vorkommt, so zeugt der Gebrauch dieses Wortes aber dennoch von einem weit verbreiteten Phänomen, das man durchaus „Technokratie der Sinnlichkeit" nennen könnte. Erscheinen und Aussehen werden inszeniert.

zwanzigsten Lebensjahr an. Das Wort ist in dieser Bedeutung in England unbekannt. 1955 *ff.*
2. doppelter ~ = Vierzigjährige(r). 1955 *ff.*
Twen-Zeit *f* drittes Lebensjahrzehnt. 1955 *ff.*
Twiggy *m f* 1. flachbrüstiges Mädchen; hagerer Mensch. Fußt auf dem „Künstlernamen" des 1966 bekannt gewordenen, damals 17jährigen *engl* Mannequins Leslie Hornby. Diese „Twiggy" (wörtlich soviel wie „Zweigchen") war der Typ des „Knabenmädchens". *BSD* 1968 *ff.*
2. unschönes Mädchen. Es entspricht nicht dem Schönheitsideal der üppigen Körperformen. *BSD* 1968 *ff.*
3. modernes Mädchen. *BSD* 1968 *ff.*
Twistheini *m* 1. leidenschaftlicher Twist-Tänzer. 1961/62 *ff.*
2. leichtlebiger junger Mann. 1962 *ff.*

Twis'titis *f* leidenschaftliche Lust am Twist-Tanzen. Die Wortbildung spielt auf den Eindruck der Krankhaftigkeit an. 1962 *ff.*
Twistjongleur (Grundwort *franz* ausgesprochen) *m* Schiffsmaschinist. Twist = baumwollenes Garn; Gewebtes, Geflochtenes; daher auch soviel wie „Putzwolle". Mit ihr hantiert der Maschinist. Auch bezeichnet „Twist" den Kautabak; im Maschinenraum herrscht strengstes Rauchverbot, aber Kauen ist erlaubt. *Marinespr* 1900 *ff.*
Twistschuppen *m* Tanzlokal. ↗Schuppen 1. 1962 *ff.*
Typ *m* 1. Mann; junger Mann; Freund eines jungen Mädchens. (Dativ und Akkusativ *sg:* Typen.) Meint soviel wie „Urgestalt, Vorbild": er entspricht dem Typ, den man sich vorgestellt hat. *Halbw* nach 1950.
2. Einzelgänger. Verkürzt aus „wunderlicher Typ" o. ä. *Halbw* 1955 *ff.*
3. arbeitsscheuer ~ = Soldat auf Zeit. Zeitsoldaten sind in den Augen der anderen faul; sie werden Zeitsoldat, um nicht viel arbeiten zu müssen. 1965 *ff.*
4. bedienter ~ = nervöser, geistesbeschränkter Mensch. ↗bedient. *Halbw* 1960 *ff.*
5. beknackter ~ = dummer Bursche. ↗beknackt. *Halbw* 1955 *ff.*
5 a. beschissener ~ = unsympathischer, unkameradschaftlicher Mensch. *Jug* 1965 *ff.*
5 b. blinder ~ = Einzelgänger. *Schül* 1965 *ff.*
5 c. cooler ~ = sympathischer Mensch; fester Freund. ↗cool 2. *Jug* 1965 *ff.*
6. dufter ~ = kameradschaftlicher, hilfsbereiter, charaktervoller Mensch. ↗dufte 1. 1960 *ff*, *halbw*.
7. feiner ~ = gut aussehender junger Mann. *Halbw* 1955 *ff.*
8. fester ~ = intimer Freund, der treu zu seinem Mädchen steht. 1960 *ff*, *halbw*.
8 a. fieser ~ = unsympathischer Mensch. ↗fies. 1960 *ff.*
8 b. flotter ~ = unternehmungslustiger, leichtlebiger Mensch. ↗flott. 1960 *ff.*
9. gefitzter ~ = gewandter Bursche; umgänglicher, anstelliger Kamerad. ↗gefitzt. *Sold* 1939 *ff*; *halbw* 1950 *ff.*
10. geschaffter ~ = Mensch, der sich lächerlich gemacht hat; junger Mann, den man von gemeinsamen Unternehmungen ausschließt. ↗geschafft sein. *Halbw* 1960 *ff.*
11. heißer ~ = leidenschaftlicher Mensch. 1955 *ff.*
12. irrer ~ = a) hervorragender Kamerad. ↗irr. *Halbw* 1960 *ff.* – b) hervorragender Könner. *Halbw* 1960 *ff.* – c) hochmodisch gekleideter junger Mann. *Halbw* 1960 *ff.*
13. kaputter ~ = a) Mensch, der sich außerhalb der herrschenden Gesellschaft stellt. *Halbw* 1960 *ff.* – b) Versager. *Halbw* 1960 *ff.* – c) Rauschgiftsüchtiger, der sich gesundheitlich zugrunde ge-

richtet hat. 1970 *ff*. – d) unkameradschaftlich handelnder Mensch. *Jug* 1965 *ff*.

14. klammer ~ = langweiliger, geistloser Mensch. ↗klamm. *Halbw* 1950 *ff*.

15. lahmer ~ = unsympathischer, schwungloser Partner. ↗lahm. *Halbw* 1950 *ff*.

16. letzter ~ = unsympathischer, charakterloser Mensch. ↗Letztes 2. *Halbw* und musikerspr. 1950 *ff*.

17. linker ~ = unsympathischer Mensch, vor dem man sich in acht nehmen muß. ↗link. *Halbw* nach 1950.

17 a. lockerer ~ = umgänglicher Mensch. ↗lokker 1. 1960 *ff*.

17 b. mieser ~ = unsympathischer, vertrauensunwürdiger Mensch. ↗mies 2. 1960 *ff*.

17 c. müder ~ = energieloser, schwungloser Mensch. 1970 *ff*.

18. oller ~ = unsympathischer Partner. ↗oll. *Halbw* 1950 *ff*.

19. satter ~ = a) beleibter Mensch. *Schül* 1950 *ff*. – b) hervorragender Könner. ↗satt. *Halbw* 1950 *ff*.

20. scharfer ~ = Mädchenheld. ↗scharf 4. *Schül* 1955 *ff*.

21. schneller ~ = moderner Mann von Welt. ↗schnell. 1960 *ff*.

21 a. starker ~ = sympathischer Mann. ↗stark. *Jug* 1965 *ff*.

21 b. toller ~ = sehr sympathischer Junge. *Jug* 1960 *ff*.

22. trauriger ~ = langweiliger Mensch. *Halbw* 1950 *ff*.

23. hallo, ~!: Begrüßungsruf. *Halbw* 1950 *ff*.

24. das ist nicht mein ~ = das ist nicht mein Geschmack. „Mein Typ" meint eigentlich das Innere und Äußere eines Menschen, in dem sich die eigenen Wunschvorstellungen verkörpern. 1900 *ff*.

25. dein ~ wird verlangt (gefragt) = man verlangt nach dir. Stammt wahrscheinlich aus dem Bordellmilieu: „Typ" ist diejenige Prostituierte, die den Wünschen des Kunden entspricht. 1910 *ff*.

26. dein ~ wird hier nicht verlangt (ist hier nicht gefragt): Aufforderung zum Weggehen. 1910 *ff*.

Type *f* **1.** sonderbarer Mensch. Eigentlich wie „↗Marke" und „↗Sorte" Sammelbezeichnung für Waren derselben Art, der gleichen Herkunft. *Vgl engl* „poor type = armseliges Gebilde von Mensch". Seit dem späten 19. Jh.

2. einfältiger, dummer Bursche. 1920 *ff*.

3. billige ~ = untüchtiger Mensch; charakterlich wenig wertvoller Mensch. Müßte man ihn kaufen, wäre nur ein niedriger Preis zu zahlen. 1930 *ff*.

4. drollige ~ = lustiger Mensch; Spaßmacher. 1920 *ff*.

5. dufte ~ = gut aussehendes Mädchen. ↗dufte 1. *Halbw* 1950 *ff*.

5 a. fiese ~ = vertrauensunwürdiger Mensch. ↗fies. *Jug* 1960 *ff*.

5 b. flotte ~ = lebenslustiger Mensch. 1960 *ff*, *jug*.

5 c. irre ~ = hervorragender Mensch. ↗irr 1. 1950 *ff*.

5 d. kaputte ~ = ältlicher, untauglicher, verlebter Mensch. ↗kaputt. 1950 *ff*.

6. klasse ~ = tüchtiger, kameradschaftlicher Mensch. ↗klasse 1. 1920 *ff*.

7. letzte ~ = abstoßender Mensch; Mensch, mit dem man nichts zu tun haben will. ↗Letztes 2. 1950 *ff*.

7 a. linke ~ = niederträchtiger Mensch. ↗link. 1970 *ff*.

8. miese ~ = unsympathischer, charakterloser Mensch. ↗mies. 1920 *ff*.

9. nette ~ = angenehmer, lebenslustiger, umgänglicher Mensch. 1920 *ff*.

10. schräge ~ = unzuverlässiger, nicht vertrauenswürdiger, heimtückischer Mensch. ↗schräg 1. 1950 *ff*.

typen *tr* **1.** etw (jn) fotografieren. Type = Abbildung, Abdruck. Seit dem ausgehenden 19. Jh, Berlin und *sächs*.

2. etw abzeichnen. 1920 *ff*.

Typeuse (Typöse) *f* Stenotypistin, Schreibdame. Im Wortstamm anglisierte Schreibung von „↗Tippöse". Seit dem frühen 20. Jh, Berlin und *ostd*.

Typheuse (*franz* ausgesprochen) *f* Stenotypistin. *Vgl* das Vorhergehende. Die phonetische Entstellung wie im Folgenden wirkt abwertend. 1920 *ff*.

Typhus *m* das ist nicht mein ~ = das ist nicht mein Geschmack; das ist nicht die Art Mensch, mit der ich umgehen mag. Scherzhaft entstellt aus „↗Typ 24". 1920 *ff*.

Typi *f* Stenotypistin; Chefsekretärin und Chefgeliebte. Nach 1950 aufgekommen.

Typin *f* Mädchen. Weibliches Gegenstück zu „↗Typ 1". *Halbw* 1955 *ff*.

Typistin *f* Stenotypistin (*abf*). 1910 *ff*.

Typöse *f* ↗Typeuse.

Typteuse (*franz* ausgesprochen) *f* Stenotypistin. 1920 *ff*.

Tyras *m* Rufname eines (großen) Hundes. Übernommen von Bismarcks Benennung seiner deutschen Dogge. Seit dem 19. Jh.

tz („te-zet" gesprochen) **1.** bis zum tz = bis zur äußersten Grenze; bis zum Ende; völlig. In den alten Fibeln, überhaupt im früheren Alphabet war „tz" der letzte Buchstabe. 1870 *ff*.

2. mit tz: Verulkung häufig vorkommender Familiennamen, um einen Unterschied zu konstruieren (Meyer mit tz; Müller mit tz; Lehmann mit tz). Berlin 1870 *ff*; *sold* in beiden Weltkriegen. Noch heute oft zu hören.

tztztz (gesprochen wie geschrieben) *interj* Ausruf des Unwillens, des Mißvergnügens. Schallnachahmung für den Schnalzlaut der Zunge. Häufig in den „Comics" nach 1948.

u. A. w. g. Der noch heute verbreiteten Abkürzung für „um Antwort wird gebeten" wurden umgangssprachlich verschiedene Deutungen beigelegt, die vielfach noch jetzt geläufig sind. Zum Beispiel:
1. und Austern werden gegessen (und Austern wie gewöhnlich). Geht zurück auf die Zeit König Friedrich Wilhelms III. von Preußen (1797–1840).
2. und abends wird geprügelt. *Jug* 1933 *ff.*
2 a. und abends wird gespeist. 1870 *ff.*
3. und abends (um achte) wird getanzt. 1800 *ff.*
4. und abends wird gevögelt. ↗vögeln 1. 1935 *ff, sold* und *ziv.*

u. k. k. Ausruf großen Selbstbewußtseins. Abgekürzt aus „uns kann keiner" (Berlin: keener). 1890 *ff.*

u. T. für die Stammkundschaft bereitgehalten. Abkürzung von „unter der Theke" oder „unterm Tisch" (Ladentisch); ein mit Beginn des Zweiten Weltkriegs im Zusammenhang mit der Lebensmittelbewirtschaftung aufgekommener Geheimausdruck. Die Abkürzung als solche ist allerdings 40 Jahre älter und bezog sich auf die „Ufa-Theater" (U. T.-Lichtspiele).

u. T.-Ware *f* an bevorzugte Kunden heimlich veräußerte Ware. *Vgl* das Vorhergehende. 1939 *ff.*

U. v. D. feindliches Beobachtungsflugzeug (in der Nacht). Morgens und abends erschien es zu einer bestimmten Zeit mit der Regelmäßigkeit eines „Unteroffiziers vom Dienst". *Sold* 1939 *ff.*

Übel *n* empfindliches ∼ = Gummiknüppel. Aufgekommen gegen 1930 bei politischen Straßen- und Saalschlachten in Berlin.

übel *adj adv* **1.** nicht ∼ = recht ansehnlich; ganz nett. Ausdruck eingeschränkter Anerkennung. Seit dem 18. Jh.
2. es ist nicht so ∼, wie es einem danach werden kann = es ist mittelmäßig, einigermaßen erträglich. Wortspiel mit „übel = schlecht" und „übel = Brechreiz verursachend". 1890 *ff,* Berlin.

Übelnemesis *f* unverträgliche, grollende, schmollende Ehefrau. Zusammengesetzt aus „übelnehmen" und „Nemesis" (= Göttin der Rache in der *griech* Mythologie). 1950 *ff.*

über'achseln *tr* jm mit Nichtachtung begegnen. *Vgl* „jn über die ↗Achsel ansehen". 1930 *ff.*

über'arschen *tr* jn auf das Gesäß schlagen. ↗Arsch 1. 1920 *ff.*

'Überbau *m* üppiger Frauenbusen. Er ist ein überragender Vorbau. 1955 *ff.*

'Über-Be'diene *f* Veranstaltung Halbwüchsiger, bei der es ausgelassen zugeht. ↗Bediene. *Halbw* 1955 *ff.*

'überbekommen *tr* von etw angewidert werden. Verkürzt aus „von etw Überdruß bekommen". 1900 *ff.*

'überbelichtet *adj* **1.** sehr klug; mit trockenem Wissen vollgestopft. Übertragen von der fotografischen Aufnahme mit zu langer Belichtungszeit. 1930 *ff.*
2. sehr dumm; verrückt. 1930 *ff.*
3. bezecht, volltrunken. 1930 *ff.*

'überbleiben *intr* **1.** übrigbleiben. Seit dem 14. Jh.
2. keinen Mann zum Heiraten finden. 19. Jh.

'Überbleibsel *n* Bundeswehrangehöriger, der bereits der Wehrmacht des Dritten Reiches angehört hat. *BSD* 1955 *ff.*

'überbraten *v* jm einen (eine) ∼ = a) jm einen heftigen Schlag versetzen; auf jn einen Schuß abfeuern. Hergenommen aus der Küchenpraxis: Fleisch überbraten = gebratenes Fleisch nochmals kurz braten. Im Zweiten Weltkrieg bei den Soldaten aufgekommen; *jug* 1950 *ff.* – b) jm eine Strafe (Strafverschärfung) auferlegen. *Sold* 1939 bis heute. – c) jm eine heftige Abfuhr erteilen; jn peinlich bloßstellen. 1938 *ff.* – d) einen Kartenspieler gründlich besiegen. 1925 *ff.* – e) dem Fußballgegner eine schwere Niederlage beibringen. *Sportl* 1950 *ff.* – f) jn übervorteilen; jn zu einem überflüssigen Kauf beschwatzen; jn belügen. 1938 *ff.* – g) koitieren. *Sold* 1925 *ff.*

'Überbrett *n* üppiger Busen. Eigentlich das Pultbrett mit überstehendem Rand. *Vgl* ↗Brett 3 *ff.* 1890 *ff.*

'Überbrettl *n* **1.** Korsett zur Verhüllung eines schwach entwickelten Busens. Unter Anlehnung an das Vorhergehende übernommen vom Namen des von Ernst von Wolzogen 1901 in Berlin gegründeten Kabaretts. Seit dem frühen 20. Jh.
2. stark entwickelter Jungmädchenbusen. 1910 *ff.*

über'dacht *part* nicht ganz ∼ sein = nicht recht bei Verstand sein. Der Betreffende hat einen „↗Dachschaden 1". 1900 *ff.*

'überdestillieren *intr* sich aufregen; die Fassung verlieren. Meint eigentlich „in einen anderen Aggregatzustand übergehen"; von da weiterentwickelt zur Bedeutung „aus dem natürlichen Zustand geraten". Wohl von „↗überkochen" beeinflußt. 1935 *ff.*

Überdruck herrscht auf solchen Bohrinseln zunächst einmal nur unterhalb der Wasseroberfläche; doch führen die harten Arbeitsbedingungen auch bei denen, die diese Maschinerie bedienen, dazu, daß sich da etwas anstaut, das später ein Ventil finden muß (vgl. **Überdruck 1., 2., Überdruckventil**), *denn ansonsten drohen dem, der diesen Druck nicht aushält, ganz andere Konsequenzen (vgl.* **Überdruck 3.**). *Seiner Psyche ergeht es wie einem Gefäß, das zu starkem Druck ausgesetzt ist: Sie wird zerstört.*

über'drehen *v* **1.** *intr* = die Fassung verlieren. Man überdreht Schraube und/oder Mutter, wenn man sie so fest anzieht, daß die Gewindeführung ausreißt. 1920 *ff.*
2. etw ~ = etw übertreiben. 1920 *ff.*
3. sich nervlich ~ = die Nerven überanstrengen. 1920 *ff.*

über'dreht *adj* überspannt; voll unsinniger Gedanken; voller Standesdünkel; übersteigert. 1920 *ff.*

Über'drehtheit *f* Überspanntheit; Übertreibung; Lust an Übertreibungen. 1920 *ff.*

'Überdruck *m* **1.** ~ im Kessel = Temperamentsausbruch. Der Maschinentechnik entlehnt. 1950 *ff.*
2. ~ haben = angetrunken sein. *Marinespr* 1900 *ff.*
3. zuviel ~ haben = verrückt, geistesgestört sein. 1900 *ff.*

'Überdruckventil *n* Prostituierte. Sie ist das Ventil für den unbefriedigten Geschlechtstrieb. 1930 *ff.*

'über'dufte *adj* überaus hervorragend. ↗dufte 1. *Halbw* 1935 *ff.*

übereinanderkommen *v* mit jm ~ = sich mit jm verfeinden. Übernommen von einer Rauferei oder vom Ringen. 1800 *ff.*

übereinandersein *intr* sich streiten. *Vgl* das Vorhergehende. Seit dem 19. Jh.

'überessen *v* sich etw ~ = den Appetit auf etw verlieren. 1500 *ff.*

über'fahren *tr* **1.** jn übervorteilen, mundtot machen. Man „fährt ihm über den Mund". Auch kann man ihn mit Worten „anfahren" und der Überlegene bleiben. 1925 *ff.*
2. eine Sache nicht zur Sprache kommen lassen. Übertragen vom Überfahren eines Straßenverkehrszeichens. 1950 *ff.*
3. jn tadeln. Man „fährt ihm über den Mund". 1925 *ff.*
4. gegenüber jm einen Vorsprung erringen; dem Gegner keine Erfolgsmöglichkeit mehr lassen; jn im Wettkampf überlegen besiegen. 1925 *ff.*
5. jn im Fahren überholen. 1925 *ff.*
6. jn von hinten ~ = jn heimtückisch übertölpeln. 1940 *ff.*

überfahren sein nicht recht bei Sinnen sein. Man ist „vom ↗Leierkasten überfahren". 1910 *ff.*

Über'fahrtour *f* Überrumpelung. ↗Tour 1. 1925 *ff.*

Über'fahrung *f* Außerachtlassung fremden Willens. ↗überfahren 1. 1925 *ff.*

'Überfall *m* **1.** Überfallkommando der Kriminalpolizei. 1920 *ff*.

2. unangemeldeter Besuch (meist von vielen Personen). Meint eigentlich den unerwarteten Angriff, dann auch die Heimsuchung. Seit dem 19. Jh.

über'fallen *tr* jn unangemeldet besuchen. *Vgl* das Vorhergehende. Um 1500 aufgekommen; wiederaufgelebt im 19. Jh.

über'firnissen *tr* etw leicht ~ = etw vortäuschen; einen Mangel oberflächlich beheben. Firnis = Schutzanstrich. 1935 *ff*, *sold*.

'Überflieger *m* besonders tüchtiger Mensch; hochbezahlter Mensch; klassenbester Schüler. Meint eigentlich den Vogel, der anderen an Geschwindigkeit überlegen ist. 1820 *ff, schül, stud* und arbeiterspr.

'Überfluß *m* ~ an Mangel = Mittellosigkeit. Scherzhafte Umschreibung. 1910 *ff*.

'Überflußmangel *m* außerordentlich niedriger Lebensstandard. ↗Mangel I. 1900 *ff*.

über'fordern *tr* **1.** jm einen höheren Preis abverlangen als üblich. 1900 *ff*.

2. jds Leistungsfähigkeit über Gebühr beanspruchen; von jm mehr fordern, als er vermag oder versteht. 1920 *ff*.

'Überform *f* in ~ sein = den bisherigen Leistungsstand übertreffen. ↗Form 1. *Sportl* 1930 *ff*.

über'frachten *tr* etw übermäßig ausschmücken, mit Redensarten, mit Zahlenangaben o. ä. überladen. Man belädt es mit zuviel Fracht. 1950 *ff*.

über'fragen *tr* jm übergebührlich viele Fragen stellen; jm Fragen stellen, die er nicht beantworten kann. Im frühen 19. Jh aufgekommen, wahrscheinlich im *südwestd* Raum.

über'fressen *refl* **1.** mehr essen, als nötig und bekömmlich ist. Seit dem 18. Jh.

2. sich an jm (etw) ~ = des langanhaltenden Umgangs mit einem Menschen (einer überreichlich genossenen Speise) überdrüssig werden. 1900 *ff*.

über'freuen *refl* so heftige Vorfreude empfinden, daß man beim Eintreffen des Erhofften keine rechte Freude mehr aufbringt. 1920 *ff*.

'übergedreht sein nicht recht bei Verstand sein. Von der Uhrfeder hergenommen. Analog zu „überspannt sein". 1920 *ff*.

'übergeigen *v* jm einen ~ = jn übervorteilen. ↗geigen 1. 1920 *ff*.

'übergeschafft *adj* ausgezeichnet. ↗geschafft 1. *Halbw* 1950 *ff*.

'übergestern *adv* vorgestern. Seit dem 19. Jh.

'Übergewicht *n* das ~ verlieren = das Gleichgewicht verlieren. Eigentlich „das Übergewicht bekommen". Berlin 1900 *ff*.

übergewichten *tr* einen Vorfall überbewerten. ↗gewichten. 1970 *ff*.

'überhaben *tr* **1.** jn (etw) ~ = einer Person oder Sache überdrüssig sein. Verkürzt aus „übergegessen haben"; ↗überessen. Seit dem 19. Jh.

2. etw ~ = etw übrig haben; etw erübrigt haben. Hieraus verkürzt. Seit dem 18. Jh.

3. etw ~ = ein Kleidungsstück übergezogen haben. Hieraus verkürzt. Seit dem 19. Jh.

4. für etw (jn) nichts (viel, wenig) ~ = zu etw (jm) keine (geringe, große) Neigung verspüren. Überhaben = im Übermaß besitzen. Seit dem 19. Jh.

'überhalten *tr* jm überhöhte Preise abverlangen. Verkürzt aus „übermäßig viel einbehalten". *Österr* 1950 *ff*.

'Überhammer *m* Allerbestes. ↗Hammer 4. 1960 *ff*.

'Überhang *m* ~ haben = in betrunkenem Zustand das Gleichgewicht verlieren. 1900 *ff*.

'Überhänger *m* Seekranker; Mensch, der sich erbricht. Er hängt mit dem Oberkörper über die Reling. *Marinespr* 1900 *ff*. *Vgl engl* „hangover".

über'haps *adv* flüchtig; ungefähr; aufs Geratewohl. Verkürzt aus „überhaupts" im Sinne von „ohne die einzelnen Häupter zu zählen" und weiterentwickelt zu „im ganzen". *Österr* seit dem 19. Jh.

über'haspeln *tr* etw übereilt zum Abschluß bringen. Haspeln = von der Spule abwickeln. 1920 *ff*.

über'haupt *adv* ~ und so = eigentlich; und so weiter. 1900 *ff*.

über'haupts *adv* überhaupt; im ganzen. ↗überhaps. *Bayr* seit dem 19. Jh.

'Überhebe *f* Tanzfigur, bei der der Tänzer seine Partnerin über die Schultern hebt. *Halbw* 1955 *ff*.

über'heben *tr* jn übertölpeln; jn beim Kauf überfordern. Man erhebt von ihm übermäßig viel Geld. 1920 *ff*, *österr* und *rhein*.

über'hirnt sein überspannt sein; von Sinnen sein. *Oberd* seit dem 19. Jh.

'überhocken *intr* über die Polizeistunde hinaus im Wirtshaus sitzen. *Schweiz* 1900 *ff*.

'Überhöckler *m* Übertreter der Polizeistunde. *Schweiz* 1900 *ff*.

über'holen *tr* jn überprüfen. Lehnübersetzung aus *engl* „overhaul = gründlich nachsehen und instandsetzen"; aus der Seemannssprache in die Kraftfahrersprache übergegangen. *Sold* 1939 *ff*.

Über'holfimmel *m* Bestreben, schneller zu fahren als der Vordermann. ↗Fimmel. 1950 *ff*.

Über'holschwein *n* Kraftfahrer, der beim Überholen die Windschutzscheibe des überholten Autos beschmutzt. 1960 *ff*.

Über'holspur-Bummelant *m* Langsamfahrer auf der Überholspur. ↗Bummelant. 1960 *ff*.

Über'holsünder *m* Kraftfahrer, der die Überholvorschriften nicht beachtet. ↗Sünder. 1960 *ff*.

über'holt *adj* leicht ~ = alt (auf ein Kraftfahrzeug bezogen). Euphemismus. 1950 *ff*.

'überholzen *v* jm einen ~ = a) jm einen Schlag versetzen. ↗holzen. 1920 *ff*. – b) jn übertölpeln. Man betäubt ihn wohl durch einen Stockschlag auf den Kopf und kann ihn dann leicht übervorteilen. *Sold* 1939 *ff*.

über'hören *v* das möchte ich überhört haben =

das möchte ich nicht gehört (nicht verstanden) haben; denn andernfalls müßte ich eingreifen. 1900 ff, jug.

über'hudeln tr etw übereilt erledigen; etw überstürzen. ↗hudeln. Oberd seit dem 19. Jh.

über'husten tr eine Stimme funk- oder fernsehtechnisch durch Husten unverständlich machen. Rundfunkspr. 1960 ff.

'Über-Irze f überaus eindrucksvolles Mädchen. Herleitung der „Irze" unbekannt. Vielleicht beeinflußt von „irr = unübertrefflich" oder (und) von Circe, der Zauberin aus der Odyssee. Auch Verkürzung aus „Überirdische" erscheint möglich. Halbw 1955 ff.

'überjährig adj nicht mehr begattungsfähig. Stammt aus der Viehzucht: überjähriges Vieh wird geschlachtet. 1900 ff.

'überkan'didelt adj überspannt; übertrieben; überheblich; üppig; verrückt. ↗kandidel. Seit dem späten 19. Jh (für 1898 als „augenblicklich sehr modern" gebucht), Berlin und nordd.

'überkariert adj unnatürlich, verschroben. ↗kariert. 1950 ff.

über'karren tr jn über-, niederfahren. ↗Karre 1. Sold 1939 ff.

über'kaufen refl **1.** mehr kaufen als geplant. 1870 ff.
2. beim Zukauf neuer Karten die bestimmte Punktzahl überschreiten. Kartenspielerspr. 1870 ff.
3. zuviel bezahlen. 1870 ff.

über'kleistern tr etw unkenntlich machen. Hergenommen von der Tapete, die man über eine schadhafte Stelle klebt. 1950 ff.

'überkochen intr aufbrausen; vor Spannung außer sich geraten. ↗kochen 1. Seit dem letzten Drittel des 19. Jhs.

'überkriegen tr **1.** etw ~ = einer Sache überdrüssig werden. ↗überhaben 1. 1900 ff.
2. einen ~ = auf den Kopf geschlagen werden. 1900 ff.
3. etw ~ = ein Kleidungsstück überziehen können. 1900 ff.

über'kümmelt adj volltrunken. ↗kümmeln. 1900 ff, ziv; sold in beiden Weltkriegen.

über'kurbelt adj durch Überarbeit nervös. Analog zu ↗überdreht. 1910 ff.

'überlassen tr etw übriglassen. Seit dem 19. Jh.

Über'lauerer m Auffassungsgabe. Vgl das Folgende. Österr 1940 ff, jug.

über'lauern tr **1.** etw erkennen, verstehen. Wohl soviel wie „durch Beobachtung ergründen". Österr 1940 ff, jug.
2. jn betrügen, übertölpeln. 1940 ff, österr.

'Überläufer m **1.** unfreiwilliger Spermaerguß. 1910 ff.
2. Zecher, der sich erbricht. Sold 1939 ff.
3. vor Kriegsende fertiggestellter, erst nach Kriegsende vorgeführter Film. 1955 ff.

4. in der Deutschen Demokratischen Republik gedrehter Film, der auch in der Bundesrepublik Deutschland gezeigt wird. 1970 ff.

'überlegen v **1.** sich einen ~ = ein Glas Alkohol zu sich nehmen. Analog zu „sich einen an die ↗Brust nehmen". Bayr 1900 ff.
2. tr = jn übers Knie legen und prügeln. 1800 ff.

Über'legenheit f haushohe ~ = sehr große Überlegenheit. ↗haushoch. 1920 ff.

Über'lieferung f **1.** mündliche ~ = das Küssen. 1900 ff.
2. mündliche ~en sammeln = sich oft küssen lassen. 1900 ff.

über'luchsen tr jn überlisten. ↗luchsen. 1900 ff.

über'mangeln tr über jn hinwegfahren. Eigentlich „mit der Mangel Wäsche glätten", dann auch soviel wie „mit der Dampfwalze über etw fahren". Kraftfahrerspr. 1930 ff.

über'maulen tr jn niederschreien. Seit dem 18. Jh.

'Überminuten pl mehr oder minder kurze Zeit, die Lehrlinge über die festgesetzte Arbeitszeit hinaus arbeiten. Lehrlinge dürfen keine Überstunden machen. 1955 ff.

'Übermut m das sagst du in deinem jugendlichen ~ = das ist unbedacht gesprochen; du bist dir der Tragweite deiner Worte nicht bewußt. 1870 ff.

über'nachten intr wollen wir hier ~?: Frage an einen, der sich zu lange aufhält. 1920 ff.

Über'nachtungsbescheinigung f amtliche ~ = Heiratsurkunde. BSD 1965 ff.

über'nasern tr etw ergründen, verstehen, begreifen. Man „steckt die Nase in etw", wenn man sich etw geistig anzueignen sucht. 1940 ff, österr.

'übernehmen tr eine ~ = koitieren (vom Mann gesagt). 1920 ff, vorwiegend österr.

über'nehmen v **1.** jn ~ = jn überlisten, überreden, verleiten. Meint eigentlich „übermäßig viel abnehmen" und „überwältigen". Vorwiegend oberd, seit dem 14. Jh.
2. etw ~ = vom Mitschüler absehen, abschreiben. Euphemismus für „plagiieren". 1950 ff.
3. refl = zuviel essen; sich betrinken. Man nimmt über das Maß des Bekömmlichen hinaus Speise und (oder) Trank zu sich. Seit dem 19. Jh.

über'paukt adj durch übertriebenes Lernen verwirrt. ↗pauken 4. 1900 ff, schül.

über'pennen v etw ~ = etw verschlafen. ↗pennen. 1950 ff.

'über'prähyper'super'too (Endsilbe engl ausgesprochen) adv ganz hervorragend. Zusammengesetzt aus Verhältniswörtern von superlativischer Geltung: „über(groß)", „prä(valent)", „hyper(troph)", „super(gescheit" o. ä.) und engl „too = (all)zu; überdies; sehr, außergewöhnlich, ungemein". Jug 1950 ff, österr.

über'probt sein durch Proben überanstrengt sein. Theaterspr. 1920 ff.

über'protzen intr die Prunksucht anderer überbieten. ↗Protz. 1920 ff.

über'pudern *tr* einen Nachteil unkenntlich machen. Vom Schminken übertragen. 1950 *ff*.

Über'raschung *f* dicke ~ = große Überraschung. 1920 *ff*.

Über'raschungsbombe *f* die ~ platzen lassen = eine überraschende Mitteilung machen. 1962 *ff, journ*.

Über'raschungsheft *n* Zeugnisheft. 1960 *ff, schül*.

'überreif *adj* in höherem Lebensalter; altjüngferlich. Vom Obst übertragen. 1965 *ff*.

über'reißen *v* **1.** etw ~ = etw verstehen, ergründen. Das Gemeinte reißt man zu sich herüber, indem man es sich geistig aneignet. *Österr* 1920 *ff*. **2.** *intr* = den Stadturlaub überschreiten. Man überzieht den festgesetzten Zeitpunkt. *Österr, sold* 1920 *ff*.

über'rennen *v* sich nicht ~ lassen = sich nicht übertölpeln lassen; seinen Standpunkt wahren. Jn überrennen = jn im Laufen anstoßen und zu Boden werfen; über den am Boden Liegenden hinwegeilen. 1930 *ff*.

über'rieseln *v* es überrieselt mich kalt = mich schaudert; ich bin heftig erschrocken. 19. Jh.

über'ringeln *tr* **1.** etw ergründen, verstehen. Man geht listig und geschmeidig vor, wie man es sich von einer Schlange vorstellt. Vorwiegend *oberd*, 1920 *ff*. **2.** jn überraschen, auf frischer Tat ertappen. *Österr* 1920 *ff*. **3.** jn beschwatzen, übertölpeln. *Vgl* auch *gleichbed* „↗einwickeln 1". *Österr* 1920 *ff*.

über'rollen *v* **1.** jn übervorteilen, überrumpeln, überreden, zum Schweigen bringen; jds Meinung absichtlich nicht beachten. Hergenommen vom Überrollen eines Hindernisses oder Widerstands: den Gegner überrollen = über die Stellungen des Gegners hinaus vorrücken. 1920 *ff*. **2.** jn besiegen; jn überflügeln. *Sportl* 1950 *ff*. **3.** eine zunächst abweisende Person zum Geschlechtsverkehr bewegen. 1930 *ff*. **4.** jn völlig für sich einnehmen. 1935 *ff*. **5.** sich ~ lassen = widerstandslos seinem Schicksal erliegen. 1950 *ff*.

über'runden *tr* jn überflügeln; jds Können überbieten; den Verfolgern zuvorkommen. Vom Radsport übernommen: man überholt den Mitbewerber um eine Runde. 1920 *ff*.

'überrutschen *tr* koitieren. 1920 *ff*.

'Überrutscher *m* Geschlechtsverkehr. 1920 *ff*.

über'salzen *adj* stark übertrieben. ↗gesalzen 1. 1950 *ff*.

'Überschaffe *f* großartige Leistung. ↗Schaffe 2. *Jug* 1965 *ff*.

'Überschallkörper *m* besonders schöne Gestalt eines Mädchens. Eigentlich ein Flugkörper, der sich schneller als der Schall bewegt. *Halbw* 1955 *ff*.

'Überschallzahn *m* besonders eindrucksvolles, temperamentvolles Mädchen. ↗Zahn 3. *Halbw* 1955 *ff*.

'Überscheiße *f* sehr mißliche Lage; äußerst große Mißlichkeit. Verstärkung von ↗Scheiße. 1900 *ff*. *Vgl engl* „that's tough shit".

über'schlafen *tr* eine Entscheidung aussetzen. Man läßt eine Nacht darüber vergehen. Seit dem späten 19. Jh.

über'schlagen *refl* sich übereilen. Von (sehr schnell ablaufenden) Turnübungen hergeleitet. 1900 *ff*.

'Überschmock *m* Zeitungsschreiber, der jede kleine Be- oder Gegebenheit wahrnimmt, um darüber aufgebauschte Berichte zu schreiben. ↗Schmock. 1900 *ff, journ*.

'Überschmus *m* übersteigertes, unerträgliches Geschwätz; plumpe Schmeichelrede. ↗Schmus. 1955 *ff*.

'überschnappen *intr* **1.** verrückt werden. Ursprünglich vom Türschloß gesagt, auch von der Stimme: man gerät über die vorgesehene Sperre, über das Maß des Üblichen, des Gewohnten hinaus. 1700 *ff*. **2.** sehr hochmütig werden. 1900 *ff*.

über'schnoren (über'schnören) *tr* jn beschwatzen. ↗schnoren. *Südwestd* 1900 *ff*.

'Überschnulze *f* überaus rührseliges, für Rührseligkeit mustergültiges Machwerk. ↗Schnulze 1. 1955 *ff*.

'Überschußmaterialaufseher *m* Müllwerker. Berlin 1955 *ff*.

'überschwappen *intr* **1.** über den Tellerrand hinausgehen. Schwappen = zitternd sich hin- und herbewegen (schallnachahmend für den Aufprall der Wellen o. ä.). Seit dem 16. Jh. **2.** sich erbrechen. 1920 *ff*.

'Überseeheini *m* Mann aus Übersee. ↗Heini 1. 1944 *ff*.

'übersehen *v* sich etw ~ = etw bis zum Überdruß sehen. 1870 *ff*.

'übersein *intr* **1.** jm ~ = jm überlegen sein. Hieraus verkürzt. Seit dem 19. Jh. **2.** das ist mir über = a) dessen bin ich überdrüssig. ↗überhaben 1. Seit dem 19. Jh. – b) das habe ich übrig. ↗überhaben 2. Seit dem 18. Jh.

Über'setzung *f* **1.** große ~ = Langbeinigkeit. Übernommen von der Bewegungsübertragung zwischen Rädern: das bewegende Rad ist größer als das bewegte. 1900 *ff*. **2.** kleine ~ = Kurzbeinigkeit. 1900 *ff*. **3.** mit kleiner ~ = ohne Hast. 1900 *ff*.

'Übersicht *f* gedrängte ~ der letzten acht Tage = Resteessen. Kadettenspr. 1870 *ff*.

'Übersichtiger *m* vermeintlich überaus kluger Mensch. 1900 *ff*.

'übersitzen *intr* über die Polizeistunde hinaus im Wirtshaus sitzen. 1900 *ff*.

'Übersoll *n* überaus üppiger Busen. Soll = pflichtgemäßer Bestand; schuldige Arbeitsleistung. 1950 *ff* übernommen vom Begriff „Arbeitssoll" der DDR.

Über'spanntenpenne *f* Kunsthochschule. ↗ Penne 1. In volkstümlicher Meinung sind die Schüler „überspannt" (= übertrieben; verrückt). 1960 *ff*, *stud*.

über'spielen *v* 1. *intr* = die Bühnenrolle übertrieben gestalten. Man geht im Aufwand der Darstellung über das der Rolle zukommende Maß hinaus. Theaterspr. 1900 *ff*.
2. *tr* = einen Bühnenkollegen nicht zur Geltung kommen lassen; jm die Pointen vorwegnehmen; jds Bühnenrolle besser spielen, als er (sie) selbst es vermag. Theaterspr. 1900 *ff*.
3. *tr* = schlauer zu Werke gehen als ein anderer. Der Sportlersprache entlehnt. 1920 *ff*.
4. *tr* = die Wirkung einer Sache entscheidend beeinträchtigen. Das Gemeinte spielt man so oft, bis man seiner überdrüssig wird. 1935 *ff*.

'überspönig *adj* leicht verrückt. Hergenommen vom Holz, das wegen schräger Faserung oder wegen vieler Astknorren nicht (von Hand) gehobelt werden kann. Eigentlich soviel wie „wider den Span". *Niederd* seit dem 19. Jh.

'überständig *adj* bejahrt; lebenslustiger als dem Alter entsprechend. Bezieht sich eigentlich auf das schlachtreife Vieh. 1900 *ff*.

'Überstunde *f* 1. Nachexerzieren. Eigentlich die über die vorgeschriebene Arbeitszeit hinausgehende Arbeitsstunde. *Sold* 1910 bis heute.
2. Ausrede des von der Arbeit spät heimkehrenden Ehemannes. 1930 *ff*.
3. Strafstunde des Schülers. 1930 *ff*.
4. ~n kloppen = Überstunden leisten. Übernommen vom *sold* Begriff „↗ Griffe kloppen". 1950 *ff*.
5. ~n schinden = Überstunden machen; sich zu Überstunden drängen. ↗ schinden 1. 1920 *ff*.

über'teufeln *tr* jn übervorteilen. Fußt auf dem Schwankmotiv vom geprellten Teufel. 1700 *ff*.

über'timpeln *tr* ↗ übertümpeln.

über'tragen *tr* vom Mitschüler abschreiben. Meint eigentlich die Übersetzung in eine andere Sprache. 1960 *ff*.

über'tragen *adj* alt, verlebt. Hergenommen vom Kleidungsstück, das man über die übliche Zeit hinaus getragen hat. 1700 *ff*, bayr und *österr*.

Über'tragener *m* kriegsgedienter Offizier. Von der Buchführung übernommen: in den Geschäftsbüchern überschreibt man die Schlußsumme von der einen Seite auf die nächste. *BSD* 1965 *ff*.

Über'treibling *m* Mensch, der zu Übertreibungen neigt. 1963 *ff*.

'übertrinken *v* sich etw ~ = ein Getränk nicht länger trinken mögen. 1900 *ff*.

über'trumpfen *tr* jn mit Worten oder Leistungen überbieten. Stammt aus der Kartenspielersprache. 1700 *ff*.

über'tümpeln (über'timpeln) *tr* jn überlisten, betrügen. *Vgl* „↗ dümpeln" und „↗ betimpeln". Seit dem 19. Jh.

über'tun *refl* sich überanstrengen; sich zuviel zumuten. Seit dem 19. Jh.

'Übervater *m* Alleskönner. 1973 *ff*.

über'wältigend *adj* nicht ~ = nicht hervorragend; mittelmäßig. Das Gemeinte übermannt einen nicht, bringt einen nicht aus der Fassung. 1900 *ff*, *schül*, *stud*, lehrerspr. u. a.

'überwarten *tr* so lange auf etw warten müssen, daß man das Warten leid wird und sich über das Eintreffen des Erwarteten schließlich nicht mehr freuen kann. 1930 *ff*.

'überwerden *v* das wird mir über = ich werde dessen überdrüssig. ↗ überhaben 1. Seit dem 19. Jh.

'überwichsen *v* jm ein paar ~ = jn prügeln. ↗ wichsen. 1920 *ff*.

über'wintern *v* 1. bei jm ~ = den Besuch bei jm übergebührlich ausdehnen. 1870 *ff*.
2. wollen Sie hier ~?: fragende Aufforderung zum Weggehen. 1939 *ff*, sold.

Über'wintern *n* juristisches ~ = Verbüßung der Freiheitsstrafe in den Wintermonaten. 1950 *ff*.

über'witschen *refl* sich schminken. *Niederd* „witschen = kalken, weißen". 1950 *ff*.

'Überwucht *f* geistige ~ = anerkannte Geistesgröße; besonders kluger Mann. ↗ Wucht. 1925 *ff*.

über'wuzelt *adj* ältlich, verlebt. ↗ verwuzelt. *Österr* 1920 *ff*.

'überzählen *v* jm ein paar ~ = jn prügeln. Man zählt die Hiebe. 1900 *ff*.

'Überzahn *m* 1. sehr nettes Mädchen; Idealfreundin. ↗ Zahn 3. *Halbw* 1955 *ff*.
2. steiler ~ = sehr gut aussehendes junges Mädchen. ↗ steil. *Halbw* 1955 *ff*.

Über'zeugung *f* 1. ~ von der Stange = allgemeine, unpersönliche Überzeugung. ↗ Stange 8. 1958 *ff*.
1 a. seine ~ an der Garderobe abgeben = nicht überzeugungstreu sein. Hergenommen von der Abgabe der Überkleidung an der Theatergarderobe. 1975 *ff*.
2. seine ~ wechseln wie sein Hemd = ohne feste Überzeugung sein; seine Meinung nach der augenblicklichen Lage richten; Opportunist sein. 1900 *ff*.

Über'zeugungstäter *m* Mensch, der aus Überzeugung handelt. 1955 *ff*.

'überziehen *v* 1. jm ein paar ~ = jm ein paar Schläge versetzen; jm auf den Kopf schlagen. Ursprünglich auf den Degen des Fechters bezogen, dann auch auf Rutenschläge. Seit dem 19. Jh.
2. jm eins ~ = jm sehr ernste Vorhaltungen machen. Rügen und Prügeln gibt die Umgangssprache mit denselben Vokabeln wieder. 1920 *ff*.

über'ziehen *v* 1. *tr* = etw wahrnehmen, verstehen. Man zieht es geistig zu sich herüber. *Österr* 1920 *ff*.
2. die Kiste ~ = mit dem Flugzeug einen zu großen Steigwinkel nehmen. Man zieht den Steuerknüppel zu stark an. Fliegerspr. 1935 *ff*.

'**Überzieher** *m* **1.** (~ ohne Ärmel) = Präservativ. Seit dem 19. Jh, *rotw* u. a.
2. Kopfschützer. *BSD* 1965 *ff*.
3. Schlag, Hieb. ↗überziehen 1. Seit dem 19. Jh.
4. Prügelstock. ↗überziehen 1. Seit dem 19. Jh.

über'zogen sein überzeugt sein. Scherzhafte Abwandlung, als läge „überziehen" zugrunde. Oft auch mit dem Nebensinn der übermäßigen Selbsteinschätzung. Seit dem frühen 19. Jh, vielleicht in Berlin aufgekommen.

Überzug *m* Präservativ. 1900 *ff*.

über'zupft *adj* alt, verlebt (auf eine weibliche Person bezogen). ↗zupfen. *Österr* 1920 *ff*.

U-Boot *n* **1.** im Verborgenen lebender Staatsfeind. Er „taucht unter" wie das Unterseeboot. 1933 aufgekommen.
2. Schallplattenrückseite mit einem weniger beliebten Musikstück. Es kommt selten oder nie an die Oberfläche. 1955 *ff*.
3. *pl* = ungewöhnlich lange Schuhe. *Sold* 1939 *ff*.
4. ~ fahren = sich als Staatsfeind verstecken. 1933 *ff*.
5. ein Schiff zum ~ machen = ein Schiff versenken. 1917 *ff*.
6. jn zum ~ machen = a) jn unter den Tisch trinken. 1925 *ff*. – b) jn verschwinden lassen. 1925 *ff*.
7. saufen wie ein ~ = sehr viel trinken. Das U-Boot muß „geflutet werden" (= viel Wasser in seine Tanks aufnehmen), um tauchen zu können. 1939 *ff*.
8. ~ spielen = a) unerkannt untertauchen; im Verborgenen leben. 1933 *ff*. – b) vom Mitschüler, aus einer Übersetzung o. ä. abschreiben. 1970 *ff*, *schül*.
9. wegtauchen wie ein ~ = spurlos verschwinden. 1970 *ff*.

U-Bootfahrer *m* **1.** im Verborgenen lebender Staatsfeind. 1933 *ff*.
2. Student, der sich in der Masse der Studierenden versteckt und kein freies Wort wagt. *Stud* 1960 *ff*.

U-Bootfahrerbart *m* seit langem nicht rasiertes Gesicht. *Sold* 1939 *ff*.

U-Bootkitt *m* Käse in Tuben. Er ist eine kittähnliche Masse und gehört zur Verpflegung der U-Bootbesatzung. *BSD* 1965 *ff*.

U-Bootpäckchen *n* Arbeitsanzug der U-Bootbesatzung. ↗Päckchen. *Marinespr* 1939 *ff*.

U-Bootweide *f* Erholungsheim für die U-Bootmannschaft während der Werftliegezeit. Weide = Weideplatz für Vieh. *Marinespr* 1939 *ff*.

übrigbleiben *intr* **1.** ledig bleiben; keinen Ehepartner finden. Seit dem 19. Jh.
2. bleib übrig!: Abschiedswunsch in der Zeit der Bombardierung der deutschen Städte. Gemeint ist „bleib' am Leben!". 1940 *ff*.

übrige *pl* die übrigen lassen bitten = die restlichen Stiche sind für mich! Kartenspielerspr. 1900 *ff*.

übrighaben *v* für jn etw ~ = jn sympathisch finden. Man hat für ihn Interesse übrig. 19. Jh.

Übung *f* **1.** ~ für Ehebett = Nahkampf. ↗Nahkampf 1. *Sold* 1939 *ff*.
2. gymnastische ~ = Geschlechtsverkehr. 1920 *ff*.
3. die leichteste ~ machen = koitieren. *Schül* 1965 *ff*.

Übungsarbeit (-aufgabe) *f* Strafarbeit des Schülers. Euphemismus. 1930 *ff*.

Übungsgelände *n* weibliche Person, bei der man Liebespraktiken lernt. Vom *milit* Begriff übertragen. *Sold* 1939 *ff*.

Übungsopfer *n* Wildbret. Angeblich ist es bei der Felddienstübung versehentlich erlegt worden. *BSD* 1965 *ff*.

Übungsplatz *m* quer durch den ~ ↗quer 8.

Üchse *f* **1.** Vagina, Vulva. Eigentlich die Achselhöhle. Sie ähnelt dem Frauenschoß. 1900 *ff*.
2. weibliche Person. 1900 *ff*.

Udel *m* Polizeibeamter *(abf)*. Eigentlich „Uhl, Uul = Eule". ↗Eule 5. Nordwestdeutsch und *ostd*, 1900 *ff*.

Ufa *f* Arbeitsamt. Abkürzung der Scherzbezeichnung „Universität für Arbeitslose". Eigentlich Kurzname der Berliner Universum-Film AG (bis 1945) und Nachfolgegründungen seit 1955. 1930 *ff*.

Ufer *n* **1.** vom anderen (nicht von diesem) ~ sein = homosexuell sein. 1935 *ff*.
2. aus den ~n treten = aufbrausen. Von der Überschwemmung übertragen. 1920 *ff*.
3. üppig über die ~ treten = beleibt werden. 1930 *ff*.

uff *interj* Ausruf der Erleichterung. Schallnachahmung für das kurze Geräusch, das beim Ausstoßen von Luft aus dem Mund entsteht. 18. Jh.

Uffz *m* Unteroffizier. Fußt auf der amtlichen Abkürzung. *BSD* 1960 *ff*.

Uffzgi *pl* Schularbeiten. Etwa soviel wie „Aufgegebenes". *Schweiz* 1920 *ff*.

uhaa *interj* Lautwiedergabe des Gähnens. Durch die „Comics" gegen 1950 beliebt gewordene „Füllung" der „Sprechblasen".

Uhr *f* **1.** rund um die ~ = zwölf Stunden lang; 24 Stunden lang; Tag und Nacht. Übersetzt aus *engl* „around the clock". Der Stundenzeiger umkreist einmal das Zifferblatt. Seit dem ausgehenden 19. Jh; sehr beliebt seit 1945.
2. seine ~ ist bald abgelaufen = er lebt nicht mehr lange. Geht zurück auf Schillers Drama „Wilhelm Tell", IV 3 (1804). 1880 *ff*.
3. für ihn ist die ~ abgelaufen = er ist erledigt, hat keine Erfolgsaussichten mehr. 1900 *ff*.
4. rund um die ~ arbeiten = täglich in drei Schichten arbeiten. ↗Uhr 1. 1950 *ff*.
5. die ~ aufziehen = a) ein Glas Alkohol zu sich nehmen; die Branntweinflasche nachfüllen. Fußt auf der Vorstellung vom Menschen als technischem Mechanismus. 1900 *ff*. – b) onanieren o. ä. 1920 *ff*, *prost*. – c) koitieren. 1920 *ff*. – d) den Schleim in die Nase ziehen. 1920 *ff*.

Die Präsentation dieser Uhr läßt vermuten, daß sie, wie auch der löchrige Käse in ihrer unmittelbaren Nachbarschaft, aus jenem Lande stammen, dessen drittes Wahrzeichen, der armbrustbewehrte Wilhelm Tell, im gleichnamigen Drama Friedrich Schillers (1759–1805) dem Reichsvogt Hermann Gessler wie folgt droht: „Mach deine Rechnung mit dem Himmel, Vogt / Fort mußt du, deine Uhr ist abgelaufen" (**Uhr 2.**). *Doch während jene Uhr noch Sinnbild des menschlichen Lebens insgesamt ist, steht das oben abgebildete Chronometer nur noch für eine bestimmte Lebensart. Man will nicht zu denen gehören, die nie eine goldene Uhr gewinnen werden* (*vgl.* **Uhr 8.**).

6. die ~ geht richtig = die Voraussage bewahrheitet sich; die Sache ist in Ordnung. 1920 *ff.*

7. rund um die ~ geöffnet sein = Tag und Nacht geöffnet sein. 1950 *ff.*

8. dabei ist keine goldene ~ zu gewinnen = das verlohnt nicht die Mühe. In manchen Wettbewerben ist eine goldene Uhr der Preis für den Sieger. 1930 *ff.*

9. die ~ geht nach = er merkt zu spät, was andere längst wissen. 1920 *ff.*

10. rund um die ~ schlafen = zwölf Stunden schlafen. ↗ Uhr 1. Seit dem ausgehenden 19. Jh.

11. wissen, was die ~ geschlagen hat = die Folgen genau kennen; sich über den Stand der Angelegenheit nicht täuschen. ↗ Glocke 18. Seit dem 16. Jh.

Uhrendoktor (Uhrdoktor) *m* Uhrmacher. „Krankt" eine Uhr, macht er sie wieder heil. Seit dem 19. Jh.

Uhrheber *m* Taschendieb, der vorwiegend Uhren stiehlt. Wortspielerei: er hebt die Uhr aus der Tasche. 1900 *ff.*

Uhrian *m* Uhrmacher. Wortspiel mit „Urian = Teufel". 1930 *ff.*

Uhrmacher *m* schlechter Flugzeugführer. Wenn er „abtrudelt", geht er in Drehungen nieder und bewegt sich wie ein Uhrzeiger im Kreise. Fliegerspr. 1939 *ff.*

Uhrmacherei *f* schlechte fliegerische Leistung. Fliegerspr. 1939 *ff.*

Uhrmacherlandung *f* schlechte Flugzeuglandung. Fliegerspr. 1939 *ff.*

Uhu *m* **1.** Nachtbomber. Der Uhu ist ein Nachttier. *Sold* 1939 *ff.*

2. Schimpfwort. Meist mit der Vorstellung der Häßlichkeit verbunden. Die beiden u im Namen klingen an Unheimliches, Furchteinflößendes an. 1910 *ff.*

3. unschön gekleidetes Mädchen. *BSD* 1965 *ff.*

3 a. blöder (greislicher, schiecher) ~ = Schimpfwort auf einen unsympathischen Menschen (von abstoßendem Aussehen). Vorwiegend *bayr* und *österr,* seit dem späten 19. Jh.

4. ~ am Arsch haben = den schicklichen Zeitpunkt zum Weggehen nicht finden. Hergenommen von dem Alleskleber „Uhu" der Firma H. und M. Fischer in Bühl / Baden. 1955 *ff.*

5. ~ am Hintern haben = das Klassenziel nicht erreichen. *Vgl* das Vorhergehende. *Schül* 1960 *ff.*

Uhumännchen *n* Klassenwiederholer. Er klebt an seinem Stuhl fest. *Schül* 1960 *ff.*

ui'jeh *interj* Ausruf des Schreckens. ↗ je. Seit dem 19. Jh.

uklig *adj* komisch; wunderlich, drollig. Zerspielt aus „ulkig". *Schül* 1910 *ff.*

Ulbricht-Kreuz *n* kreuzförmiger Lichtreflex auf der Restaurantkugel des Ost-Berliner Fernsehturms. Anspielung auf den ehemaligen Staatsratsvorsitzenden der DDR, Walter Ulbricht. 1969 *ff.*

ulen *intr* sich erbrechen. Schallnachahmend für die Würgelaute. Seit dem 16. Jh.

Ulk *m* militärischer Unterricht. Aufgefaßt als lustige Veranstaltung. *BSD* 1965 *ff.*

Ulkbruder *m* Spaßmacher. 1900 *ff.*

ulkig *adj* sonderbar (auf Personen und Sachen bezogen). Eigentlich soviel wie „lächerlich, scherzhaft". Weiterentwicklung wie bei „↗komisch". Seit dem ausgehenden 19. Jh.

Ulkkanone *f* erfahrener Spaßmacher. ↗Kanone 4. 1950 *ff.*

Ulknudel *f* Spaßmacher(in). ↗Nudel 16. 1920 *ff.*

Ulkvogel *m* Spaßmacher. Dem „Spaßvogel" nachgebildet. 1920 *ff.*

Ullige *pl* Schüler der Unterstufe; Schulanfänger. Ullig = sehr klein. *Westd* 1900 *ff.*

Ulm *On* um ~ und um ~ rumwandern = durch Ausspielen bestimmter Karten die Kartenverteilung bei den Gegnern zu ermitteln suchen. Hängt zusammen mit der Schnellsprechübung „in Ulm und um Ulm und um Ulm herum". Kartenspielerspr. 1900 *ff.*

ülmen *intr* rauchen; viel rauchen. *Vgl* das Folgende. 1900 *ff.*

Ulmer *m* Tabakspfeife. Leitet sich her von der Bergulme, aus deren Holz die Pfeifen bevorzugt hergestellt werden. Seit dem 19. Jh.

Ulrich *Vn* den Heiligen ~ anrufen (~ rufen, sagen) = sich erbrechen. Schallnachahmender Herkunft (*vgl* ↗ulen) und in der Folge zu einem Hehlausdruck erweitert. Um 1500 *ff,* wohl von Studenten ausgegangen.

ulrichen *intr* sich erbrechen. *Vgl* das Vorhergehende. Seit dem 19. Jh.

Ultimo *n* 1. Dienstzeitende und Entlassung aus der Bundeswehr. Meint eigentlich das Monats- oder Jahresende. *BSD* 1960 *ff.*
   2. bei mir ~, darauf kannst du lange warten: Ausdruck der Ablehnung. Berlin 1920 *ff.*

ultra *adj präd* hochmodern. Aus dem *Lat* übernommen im Sinne von „über das Maß hinaus; äußerst". *Halbw* 1950 *ff,* Wien.

ultramarinblau *adj* volltrunken. Verstärkung von ↗blau 5. 1900 *ff.*

ultramariniert *adj* völlig bezecht. 1850 *ff.*

Ultra'minus-Schaffe *f* unterdurchschnittliche Leistung. Ultraminus = äußerst minderwertig. ↗Schaffe 1. *Halbw* 1955 *ff.*

ultraschlicht *adj* überaus schlicht; übermäßig bescheiden. 1955 *ff.*

ultraschrill *adj* unübertrefflich. ↗schrill 1. 1980 *ff.*

ultrastark *adj* sehr eindrucksvoll; hervorragend; äußerst gediegen. ↗stark 1. 1980 *ff.*

Ulx *m* Klassenschlechtester. Zusammengezogen aus *lat* „ultimus = Letzter". 1900 *ff, schül.*

um *präp* ~ . . . rum = ungefähr, gegen (um Weihnachten rum; um 10 Mark rum). Verstärkung von „um". Seit dem 19. Jh.

umärmeln *tr* 1. jn umarmen. Hieraus zerspielt aus

Ulk und Gefühlsscheu. Im ausgehenden 19. Jh von Berlin ausgegangen.
   2. mit jm raufen; in einen Nahkampf verwickelt sein. *Sold* in beiden Weltkriegen.

Umärmelung *f* 1. Umarmung. 1900 *ff.*
   2. Nahkampf; Ringkampf. *Sold* in beiden Weltkriegen.

Umarmung *f* betrügerische Umarmung eines Fußgängers, dem dabei die Brieftasche oder der Geldbeutel geraubt wird. 1920 *ff.*

umballern *tr* jn niederschießen. ↗ballern. *Sold* 1914–1945.

umbammeln *tr* etw umhängen (ein Kleidungsstück, ein Schmuckstück o. ä.). ↗bammeln. Seit dem 19. Jh.

umbauen *tr* 1. einen Aufsatz ~ = einen Aufsatz ändern, neu schreiben. ↗bauen. 1920 *ff, schül.*
   2. eine Mannschaft ~ = die Aufstellung einer Sportmannschaft ändern. *Sportl* 1955 *ff.*
   3. die Regierung ~ = das Kabinett umbilden. 1920 *ff.*

umbehalten *tr* ein Kleidungsstück nicht ablegen (Mantel, Kragen o. ä.). Seit dem 19. Jh.

umbetten *tr* 1. einen Beamten versetzen. Anspielung auf die volkstümliche Vorstellung vom schlafenden Beamten und vom „↗Beamtenfriedhof". 1965 *ff.*
   2. den Leichnam eines Beamten beerdigen. 1970 *ff.*

umbiegen *tr* koitieren. Man bringt den Partner aus der Senkrechten in die Waagerechte, oder man bricht den Abwehrwillen. 1930 *ff.*

umblasen *v* 1. ihn kann man ~ = er ist sehr dünn und schwächlich. Seit dem 19. Jh.
   2. zum ~ sein = hager, schwächlich sein. 19. Jh.

Umbrella *m* Regenschirm. Fußt auf *franz* „ombrelle = Sonnenschirm". 1700 *ff.*

umbringen *v* 1. *tr* = jn auf dem Heimweg begleiten. „Um-" hat hier die Bedeutung „zurück, in die entgegengesetzte Richtung"; *vgl* ↗umgehen 2. 1900 *ff.*
   2. ein Gerücht ~ = einem Gerücht die Grundlage entziehen. Umbringen = töten. 1935 *ff.*
   3. sich ~ = sich leidenschaftlich gebärden; sich übermäßig aufregen. Man gebärdet sich wie auf der Bühne, als wolle man Selbstmord verüben. 1870 *ff.*
   4. sich für jn ~ = sich für (um) jn sehr bemühen. 1900 *ff.*
   5. nicht umzubringen sein = unverwüstlich sein (auf Personen und Sachen bezogen). 1850 *ff.*

umbuddeln *tr* etw umgraben. ↗buddeln 1. Seit dem 19. Jh.

umbügeln *tr* etw abändern, in gefälligere (publikumswirksamere, moralisch unanfechtbare) Form bringen. Mit Bügeln beseitigt man Unebenheiten, erreicht man eine gefälligere Form. 1955 *ff.*

umbuhen *tr* jn mit lauten Mißfallensäußerungen bedenken. ↗buh. 1960 *ff.*

umdeichseln *tr* etw umändern. ↗deichseln. 1850 *ff*.

umdrahen *intr* unbeschwert, ausgelassen leben; die Nacht durchschwärmen. ↗drahen 1. *Österr* seit dem 19. Jh.

'Umdrahe'rei *f* Leben in Sorglosigkeit. *Österr* seit dem 19. Jh.

'umdrehen *v* **1.** *tr* = jds Gesinnung ändern; jn überreden, zur politischen Gegenseite überzugehen; aus einem Feind einen Mitarbeiter machen. Vom Schneider übertragen, der ein Kleidungsstück wendet. *Vgl* ↗umkrempeln 3. 1930 *ff*.
2. *tr* = den Geheimagenten einer fremden Macht für den eigenen Geheim- oder Spionagedienst gewinnen. 1942 *ff*.
3. einen Zeugen ~ = einen Zeugen zu einer wahrheitswidrigen Aussage veranlassen. 1935 *ff*.
4. *intr* = ein Geständnis widerrufen. Man vollzieht mit der Aussage eine Kehrtwendung. 1950 *ff*.
5. viele Mark ~ = einen hohen Umsatz erzielen. Kaufmannsspr. 1950 *ff*.

Um'drehung *f* eine ~ mehr machen = sich etwas mehr beeilen. Umdrehung = Drehzahl. 1900 *ff*.

umeseln *tr* etw unnötigerweise umändern und dadurch verschlechtern. ↗Esel 1. 1900 *ff*.

Umfall *m* **1.** plötzliche Meinungsänderung; Treubruch; Parteiwechsel o. ä. Umfallen = nicht aufrecht bleiben. Politikerspr. 1929 *ff*.
2. Wechsel der Studienrichtung. 1960 *ff*, *stud*.

Umfall-Ehe *f* Frühehe. Man hat keine Frühehe eingehen wollen, ist aber „umgefallen", als das Mädchen schwanger wurde. *Halbw* 1955 *ff*.

umfallen *intr* **1.** seine Meinung (Gesinnung) plötzlich ändern; nicht zu seiner früheren Äußerung stehen; den Glauben, die Partei wechseln; die Zeugenaussage widerrufen. ↗Umfall 1. 1500 *ff*.
2. ein Geständnis ablegen; Mittäter benennen. Man bricht sein Schweigen. 1900 *ff*.
3. sich schlafen legen. Vor Müdigkeit fällt man in die Waagerechte. 1900 *ff*.
4. fallen Sie um! = hinlegen, hinwerfen! *Milit* Kommando. *Sold* 1939 *ff*.
5. ich will gleich ~ und tot sein! (ich will gleich tot ~!): Ausdruck der Beteuerung. 1870 *ff*.

Umfaller *m* **1.** Gesinnungswechsler; Wortbrüchiger; Mensch, dessen Ansichten durch die jeweilige Lage bestimmt sind. 1900 *ff*.
2. Geständnis. ↗umfallen 2. 1920 *ff*.
3. sportliche Niederlage. *Sportl* 1950 *ff*.

Umfallstation *f* Unfallstation. Scherzhafte Abwandlung. Berlin 1910 *ff*.

Umfallwehr *f* Kolonne des Rettungsamts. Berlin 1900 *ff*.

umficken *tr* **1.** etw abändern; Befehle rückgängig machen. Meint eigentlich die Geschlechtsumwandlung. *Stud* und *sold* 1800 *ff*.
2. etw umtauschen, eintauschen, wechseln; etw gegen Besseres heimlich umtauschen. *Sold* seit dem späten 19. Jh.

3. laß dich ~!: Rat an einen Törichten. 1870 *ff*.
4. laß dich vom Gemeindebullen (o. ä.) ~!: Rat an einen, der unsinnige Behauptungen aufstellt. 1939 *ff*, *sold* und *ziv*.

Umficker *m* Mann, der die Anordnungen anderer widerruft. ↗umficken 1. 1900 *ff*.

umfliegen *intr* umfallen. ↗fliegen 6. 19. Jh.

umflort *adj* **1.** betrunken. Anspielung auf die umflorten, unklaren Blick. 1900 *ff*.
2. geistesgestört; geschlechtlich abartig. 1900 *ff*.

umfrisieren *tr* etw betrügerisch abändern; etw schwer wiedererkennbar machen. ↗frisieren 1. 1933 *ff*.

umfummeln *tr* etw umändern. ↗fummeln. Seit dem 19. Jh.

umfunktionieren *tr* einen Gegenstand für einen Zweck verwenden, für den er nicht gedacht ist; einer Sache eine neue, ursprünglich nicht vorgesehene Funktion geben. Stammt aus dem Wortschatz der Theaterkritiker (1920 *ff*); später verbreitet bei der Außerparlamentarischen Opposition, bei den Linksextremisten, den anti-konservativen Studenten u. ä. 1960 *ff*.

'umfurzen *tr* ihn furze ich um!: Redewendung eines Kraftmenschen über einen Schwächling. ↗furzen. *Sold* und *ziv* 1939 *ff*.

um'gackern *tr* einen Mann umwerben. Vom Verhalten des gackernden Huhns übertragen. 1950 *ff*.

Umgang *m* die Schraube hat den ewigen ~ = die Schraube ist ausgeleiert, läßt sich endlos weiterdrehen, ohne zu greifen. Umgehen = rundgehen. 1920 *ff*.

umgebaut sein homosexuell veranlagt sein. 1940 *ff*.

umgebrungen *part* umgebracht. ↗gebrungen. Seit dem 19. Jh.

Umgebung *f* Kleidung. Sie umgibt den nackten Körper. *Halbw* 1970 *ff*.

umgefallen *part* er ist ~ und ausgelaufen: Antwort auf die Frage, wo jemand ist. Übertragen vom Behälter mit Flüssigkeit. *BSD* 1968 *ff*.

'umgehen *intr* **1.** einen Umweg gehen; ein Umweg sein. Seit dem 18. Jh.
2. zurückgehen; umkehren; den Rückweg (Rückzug) antreten. Seit dem 19. Jh.
3. es geht um = die Mittel reichen zum Lebensunterhalt. Man kommt rund um den Lohnzahlungszeitraum aus. 1900 *ff*, *oberd*.
4. das geht um = das ist zu bewältigen; das geht vonstatten; das ist erträglich. Analog zu „es geht rund". *Südd* 1900 *ff*.

umgekehrt *adv* **1.** ~ essen (frühstücken) = sich erbrechen. 1900 *ff*, *stud*, *sold* und *schül*.
2. ~ wird ein Schuh draus!: Redewendung, wenn einer eine Sache völlig verkehrt anfängt oder eine Begebenheit gänzlich falsch berichtet. Leitet sich vielleicht her von der Notwendigkeit, den unfertigen Schuh zu wenden, wenn eine Innennaht vorgenommen wurde. Seit dem 17. Jh.

umgekrempelt sein 1. im Wesen und Verhalten völlig verändert sein. Übertragen vom Ärmel oder Hosenbein (o. ä.), deren Inneres man nach außen kehrt. 1840 *ff.*
2. verrückt sein. 1900 *ff.*

umgerührt *adj* verwirrt, durcheinander. Aus der Küchenpraxis übernommen. 1900 *ff.*

umgeschnallt haben tief dekolletiert sein; einen üppigen Busen haben. ↗umschnallen. 1955 *ff.*

umgeschnappt sein verrückt sein. ↗überschnappen 1. *Österr* seit dem 19. Jh.

um'glucken *tr* jn umsorgen. ↗glucken 1. Seit dem 19. Jh.

umgucken *refl* sich sehr wundern; sich getäuscht sehen. Analog zu „das Nachsehen haben". Seit dem 19. Jh.

umhaben *v* **1.** etw ~ = etw umgelegt haben; etw um Leib, Hals o. ä. tragen. Verkürzt aus „umgelegt haben" oder „umgehängt haben". Seit dem 18. Jh.
2. nichts um- und anhaben = dürftig gekleidet sein. „Umhaben" bezieht sich auf den Mantel o. ä., „anhaben" auf Anzug und Kleid. Seit dem 19. Jh.

umhacken *tr* eine Frau beischlafwillig machen. ↗hacken. 1950 *ff.*

Umhängebart *m* Vollbart. Stammt aus der Theatersprache und meint dort den künstlichen Bart als Bestandteil der Maske. 1920 *ff.*

umhängen *v* **1.** sich einen ~ = sich betrinken. Geht wohl zurück auf die im 18. Jh bezeugte Redensart „sich einen Bart machen = sich betrinken", wobei „Bart" wohl auf den Bierschaum anspielt. *BSD* 1965 *ff.*
2. jm eine ~ = jn ohrfeigen, schlagen. Der Abdruck der Hand bleibt auf der Wange, der Betreffende trägt ihn wie ein Schmuckstück. *Österr* 1940 *ff*, *schül* und *rotw*.

Umhänger *m* **1.** Vollbart. ↗Umhängebart. 1910 *ff.*
2. Halskette o. ä. *Halbw* 1955 *ff.*

umhätscheln *tr* jn umsorgen, verwöhnen, verzärteln. ↗hätscheln. 1970 *ff.*

umhauen *v* **1.** *tr* = einen Baum fällen; jn zu Boden werfen. 1500 *ff.*
2. es haut einen um = es schlägt einen nieder, wirft einen zu Boden, trifft einen tödlich. *Sold* in beiden Weltkriegen.
3. das haut mich um!: Ausdruck großer Überraschung. Das Ereignis ist so „umwerfend", daß man den Boden unter den Füßen verliert. Seit dem ausgehenden 19. Jh, *jug* und *sold*.
4. sich ~ = schlafen gehen. Man begibt sich in die Waagerechte. 1920 *ff.*
5. nicht umzuhauen sein = sich nicht erschüttern lassen; standfest bleiben. 1930 *ff.*

Umhauer *m* hochprozentiger Schnaps. Er wirft einen um, wenn man nicht trinkfest ist. *Sold* 1930 *ff.*

umhosen *refl* sich umziehen. *Stud* 1900 *ff.*

Umkate'rei *f* Umänderung, Umräumung. *Vgl* das Folgende. Seit dem 19. Jh.

umkatern *tr* etw umändern, von Grund auf umbauen, umräumen. Analog zu ↗umficken 1. Seit dem 19. Jh.

Umkaterung *f* Umänderung, Umräumung, Umbau. 1920 *ff.*

umkegeln *v* **1.** *tr* = etw umwerfen (ein gefülltes Glas, eine Flasche o. ä.). Ursprünglich auf die Kegelkugel bezogen. Seit dem 19. Jh.
2. *intr* = umfallen. Seit dem 19. Jh.

umkieken *refl* sich sehr wundern; einem Verlust nachtrauern. ↗umgucken. Seit dem 19. Jh.

Umkipp *m* **1.** Früh-, Fehlgeburt. ↗umkippen. *Nordd* 1900 *ff.*
2. das Umfallen. 1900 *ff.*
3. Meinungsänderung; Partei-, Glaubenswechsel o. ä. Analog zu ↗Umfall. 1930 *ff.*

umkippen *intr* **1.** umfallen, umschlagen; ohnmächtig zusammenbrechen. ↗kippen. Seit dem 18. Jh, *nordd*.
2. nicht zu seinen Worten stehen; seine Gesinnung wechseln. ↗umfallen 1. 1840 *ff.*
3. die Beherrschung verlieren. 1950 *ff.*
4. ein Geständnis ablegen; Mittäter benennen. Der Geständige bricht endlich sein Schweigen. ↗umfallen 2. 1920 *ff.*
5. eine Früh-, Fehlgeburt haben. Von der Viehzucht übernommen; *vgl* ↗verwerfen. 1830 *ff.*

Umklammerungsübung *f* Tanz mit Umfassen. Stammt vielleicht aus dem *Milit* oder aus der Ringersprache. *Halbw* 1950 *ff.*

umklappen *intr* **1.** nachgeben; seinen Widerstand aufgeben. Analog zu ↗umfallen 1. Seit dem 19. Jh.
2. zur Gegenpartei übergehen; desertieren. 1910 *ff.*
3. nach langer Weigerung ein Geständnis ablegen. ↗umfallen 2. 1910 *ff.*
4. ohmächtig werden. ↗umkippen 1. Seit dem 19. Jh.

'umkluften *tr refl* umkleiden. ↗Kluft 1. *Rotw* 1800 *ff.*

umknallen *v* **1.** *intr* = hart zu Boden fallen. Seit dem 19. Jh.
2. *tr* = jn niederschießen. ↗knallen 5. *Sold* seit dem späten 19. Jh.
3. *tr* = jn überlegen besiegen. *Sportl* 1950 *ff.*

umknicken *v* **1.** *intr* = seine Meinung ändern; sich vom Gegenteil überzeugen lassen. Man weicht von der geraden, aufrechten Richtung ab. 1900 *ff.*
2. *tr* = jn veranlassen, zur Gegenpartei überzugehen; einen Agenten umstimmen. 1920 *ff.*

umkrempeln *v* **1.** etw ~ = etw durchwühlen, ausräumen, gründlich verändern. Hergenommen vom Drehen der Innenseite nach außen. 1900 *ff.*
2. jn ~ = jn an militärische Zucht und Ordnung gewöhnen; jm die richtige Dienstauffassung beibringen. *Sold* in beiden Weltkriegen.

3. jn ~ = jds Meinung völlig ändern; jn vom Gegenteil überzeugen; jm eine andere Lebensauffassung beibringen. 1900 *ff.*

4. sich ~ = die Karten offen auf den Tisch legen. Kartenspielerspr. 1900 *ff.*

5. im ~ = im Handumdrehen. 1830 *ff.*

Umkrempelung *f* völlige Umänderung; Richtungsänderung der Lebensauffassung. 1900 *ff.*

umkriegen *tr* etw zum Fallen bringen (die Kegel mittels der Kugel). Seit dem 19. Jh.

umlassen *tr* ein Kleidungsstück nicht ablegen. Verkürzt aus „umgelegt lassen". Seit dem 19. Jh.

Umlauf *m* **1.** nicht in ~ sein = eine Freiheitsstrafe verbüßen. *Vgl* das Folgende. 1930 *ff.*

2. jn aus dem ~ ziehen = a) jn zu einer Freiheitsstrafe verurteilen. Übertragen von alten Münzen oder schadhaften Banknoten, die man aus dem Umlauf zieht. 1930 *ff.* – b) jn unschädlich machen; jn ermorden. Kriminalromanspr. 1950 *ff.*

umlegen *v* **1.** etw ~ = ein jagdbares Tier zur Strecke bringen. Man bringt es aus der Senkrechten in die Waagerechte und legt es auf die Strecke. 1900 *ff.*

2. jn ~ = jn erschießen, töten, totschlagen; einen politischen Mord verüben; jm den Genickschuß geben. 1910 *ff*, sold und verbrecherspr.

3. jn ~ = jn betrunken machen. *Sold* in beiden Weltkriegen; auch *ziv.*

4. jn ~ = jn durch Bestechung gewinnen. Mit Bestechungsmitteln bringt man ihn zu Fall. 1930 *ff.*

5. jn ~ = im Ringen dem Gegner eine Schulterniederlage beibringen. 1900 *ff.*

6. jn ~ = jn durch einen Boxhieb, durch einen Schlag auf den Kopf, durch einen Tritt gegen den Leib kampfunfähig machen. 1900 *ff.*

7. jn ~ = den Gegenspieler zu Fall bringen. Fußballspielerspr. 1950 *ff.*

7 a. jn ~ = den Fernsprechteilnehmer von einer falschen Verbindung trennen und mit der richtigen Stelle verbinden. Gedacht ist an das „Umlegen = Umschwenken" eines Hebels o. ä. 1920 *ff.*

8. eine ~ = eine Frau beischlafwillig machen, zum Beischlaf zwingen. 1910 *ff.*

9. sich ~ = a) sich schlafen legen. 1910 *ff.* – b) Selbstmord verüben. 1920 *ff.*

Umleger *m* Frauenheld. ↗umlegen 8. 1930 *ff.*

umliegen *intr* zu Bett liegen. ↗umlegen 9. 1910 *ff.*

umlümmeln *tr* jn durch Überfahren töten. ↗Lümmel 1. 1972 *ff.*

ummachen *intr* **1.** sich schlafen legen. 1920 *ff.*

2. Bankrott machen. 1920 *ff, hess.*

ummähen *v* **1.** Leute ~ = Menschen mit einer Maschinengewehrgarbe erschießen. *Sold* in beiden Weltkriegen.

2. jn ~ = jn zu Fall bringen. Fußballerspr. 1960 *ff.*

ummodeln *tr* **1.** etw ~ = etw ändern, umräumen. Model = Gestalt, Form. 1900 *ff.*

2. jn ~ = jn umstimmen. 1900 *ff.*

ummuddeln *tr* etw ändern. Aus dem Vorhergehenden abgewandelt durch Vokalkürzung. Berlin 1900 *ff.*

umnageln *tr* jn zu Fall bringen. Gemeint ist, daß der Betreffende wie ein umgeschlagener Nagel liegt. *Sportl* 1955 *ff.*

umnebelt *adj* bezecht, benommen, geistesgetrübt. ↗benebelt. 1920 *ff.*

umnieten *tr* **1.** jn erschießen, töten, umbringen. Das Nietloch ist die Einschußstelle. *Sold* 1939 *ff.*

2. jn brutal niederschlagen. Kriminalromanspr. 1950 *ff.*

3. jn brutal niedertreten. Fußballspielerspr. 1950 *ff.*

4. jn überfahren. Kraftfahrerspr. 1955 *ff.*

5. eine Frau ~ = eine Frau vergewaltigen; eine Frau beischlafwillig machen. 1950 *ff.*

umorganisieren *tr* einen schlechteren oder entbehrlichen Gegenstand gegen einen besseren und nützlicheren heimlich umtauschen. ↗organisieren. *Sold* 1939 *ff*; *ziv* 1945 *ff.*

umpolen *tr* **1.** etw umändern; Äußerungen abändern, wie es gerade nützlich erscheint. Hergenommen von der Elektrizitätslehre: man vertauscht die Pole. 1935 *ff.*

2. jds Denkweise, Lebensgewohnheiten o. ä. völlig verändern. 1950 *ff.*

Umpoler *m* Studienwechsler. *Stud* 1950 *ff.*

Umpolung *f* Änderung der bisherigen öffentlichen Meinung; Wandel der politischen Zielrichtung; Stilwandel. 1955 *ff.*

umpuppen *v* **1.** *intr refl* = die Zivilkleidung gegen die Häftlingskleidung tauschen. Puppen = eine Spielpuppe an- und ausziehen. 1900 *ff*, rotw.

2. *intr refl* = die Zivilkleidung gegen die Uniform tauschen; den Militärdienst antreten. *Sold* in beiden Weltkriegen.

3. *intr refl* = die Uniform ab- und die Zivilkleidung anlegen. *Sold* 1918 und 1945 *ff.*

4. sich ~ = sich umziehen. 1910 *ff.*

Umpuste *f* Pistole, Revolver. *Vgl* das Folgende. Kriminalromanspr. 1960 *ff.*

umpusten *v* **1.** jn ~ = jn erschießen. ↗pusten. *Sold* in beiden Weltkriegen; *ziv* 1945 *ff.*

2. sonst puste ich dich um!: Drohrede. 1950 *ff.*

3. zum ~ sein = dünn und schwächlich sein. ↗umblasen 1. Seit dem 19. Jh.

umputzen *tr* jn umbringen, erschießen. ↗wegputzen. *Sold* in beiden Weltkriegen.

umquasseln *tr* jn beschwatzen, umstimmen. ↗quasseln. 1970 *ff.*

umrasieren *tr* jn so anstoßen, daß er stürzt. Rasieren = leicht streifen. 1950 *ff.*

umrobben *v* den Platz (o. ä.) ~ = auf die Ellenbogen gestützt, kriechend einen Platz umkreisen. ↗robben. *Sold* 1914 bis heute.

umrubeln *tr* West-Geld in Ost-Währung umtauschen. Rubel ist die russische Währungseinheit. Leipzig 1969 *ff.*

umrühren *intr* Ordnung schaffen. Aus der Küchenpraxis übernommen. 1900 *ff*, *österr*.

umrüsten *intr* den Wandel der Kleidermode mitmachen; vom kurzen Rock auf den knöchellangen übergehen (o. ä.). 1970 *ff*.

Umrüstung *f* Übergang von der „↗Mini-" zur „↗Maxi-"Mode. 1970 *ff*.

umsäbeln *tr* 1. jn ∼ = jn zu Boden werfen (durch Beinstellen oder Umrennen). Der Betreffende fällt wie von einem Säbelhieb getroffen. 1935 *ff*; auch *sportl*.
2. einen Baum ∼ = einen Baum fällen. Seit dem 19. Jh.

umsacken *intr* ohnmächtig zusammenbrechen; niederstürzen. Wie ein schlaffer Sack fällt man in sich zusammen. 1950 *ff*.

umsatteln *intr* 1. das Studium, die Religion, die Partei, die Berufstätigkeit, die Arbeitsstelle wechseln. Hergenommen vom Reiter, der das Pferd wechselt und seinen Sattel auf das neue Pferd legt. Seit dem 16. Jh, vorwiegend *stud*.
2. seine Meinung ändern; eine Äußerung zurücknehmen. Seit dem 19. Jh.

Umsattelung *f* Studien-, Religions-, Gesinnungswechsel. 1600 *ff*.

Umsattler *m* Studien-, Berufswechsler o. ä. 1900 *ff*.

Umsatz *m* das ist kein ∼!: Zuruf an den Verlierer im Kartenspiel. Kartenspielerspr. 1900 *ff*.

Umsatzrenner *m* Ware, die den Umsatz beträchtlich steigert. ↗Renner 5. 1960 *ff*.

Umsatzschleuder *f* Würfelbecher. Würfler heben den Umsatz des Gastwirts, indem sie viele Runden auswürfeln. 1960 *ff*.

Umsatzstratege *m* Marktforscher o. ä. 1960 *ff*.

um'säuseln *tr* jn umschmeicheln, mit schönen Worten verlocken. ↗säuseln. Seit dem 19. Jh.

umschalten *intr* 1. von einem Gedanken zum anderen übergehen; den Gesprächsgegenstand wechseln; sich auf eine neue Tatsache einstellen. ↗schalten 1. 1920 *ff*.
2. die Mannschaftsaufstellung, die Spielweise ändern. *Sportl* 1950 *ff*.

Umschaltung *f* Übergang zu einem anderen Gesprächsstoff. 1920 *ff*.

Umschaudame *f* Straßenprostituierte. Sie sieht sich nach Interessenten um. *Schweiz* 1950 *ff*.

Umschlag *m* 1. *pl* = Prügel. Übertragen vom Umschlag auf einem schmerzenden Körperteil. Seit dem 19. Jh.
2. es hat mir fast den ∼ gegeben = ich bin fast umgefallen. 1920 *ff*.
3. einen ∼ haben = eine Früh-, Fehlgeburt haben. Von der Viehzucht übernommen. Seit dem 18. Jh.
4. ∼ machen = von einem gemeinsamen Vorhaben zurücktreten; frühere Angaben widerrufen. ↗umfallen 1. Seit dem 19. Jh.
5. jm einen ∼ machen = jm in den Rücken fallen. 1920 *ff*.
6. jm kalte (trockene) Umschläge machen = jn

prügeln, züchtigen. ↗Umschlag 1. Seit dem 19. Jh.

Umschlaghafen *m* ∼ des Jenseits = Operationssaal. Eigentlich der Hafen, in dem Waren von einem Beförderungsmittel auf/in ein anderes umgeladen werden. Im Operationssaal kann man vom Diesseits zum Jenseits „umgeladen" werden. Medizinerspr. 1930 *ff*.

Umschlaghandel *m* Eheanbahnungsinstitut. *Vgl* das Folgende. 1920 *ff*.

Umschlagplatz *m* 1. ∼ für (der) Gefühle = Lokal, in dem die Geschlechter Annäherung suchen. 1920 *ff*.
2. ∼ der Liebe = Prostituiertenwohngegend; Stadtbezirk, in dem die kontrollierten Straßenprostituierten tätig werden dürfen; Nachtbar o. ä. 1950 *ff*.

um'schleimen *tr* jm würdelos liebedienern. ↗schleimen. 1910 *ff*, *sold* und *ziv*.

Umschmeiße *f* Rücktritt von einem gemeinsamen Unternehmen. ↗umschmeißen 2. Berlin 1955 *ff*, *jug*.

umschmeißen *v* 1. etw ∼ = etw umwerfen. ↗schmeißen 1. Seit dem 16. Jh.
2. etw ∼ = einen Plan ändern; ein Vorhaben abbrechen. Seit dem 19. Jh.
3. jn ∼ = jn beschwatzen. Man redet so lange auf ihn ein, bis er seine aufrechte Haltung aufgibt. 1900 *ff*.
4. jn ∼ = jds Ausreden widerlegen; jn einer Straftat überführen. 1900 *ff*.
5. jn ∼ = eine weibliche Person vergewaltigen. Verstärkung von ↗umlegen 8. 1870 *ff*.
5 a. jn ∼ = jds politischen Sturz herbeiführen. 1800 *ff*.
6. das schmeißt einen um = das raubt einem die Besinnung; das macht einen bestürzenden (sehr großen) Eindruck; das macht einen betrunken. Seit dem 19. Jh.
7. *intr* = umgeworfen werden; umfallen. Seit dem 19. Jh.
8. *intr* = Bankrott machen. Kaufmannsspr. seit dem 19. Jh.
9. *intr* = die Arbeit niederlegen; die Mitarbeit einstellen. 1900 *ff*.
10. *intr* = widerrufen; ein Geständnis zurücknehmen; ein Versprechen nicht halten. 1910 *ff*.
11. eine Früh-, Fehlgeburt haben. Von der Viehzucht hergenommen. ↗verwerfen. Seit dem 19. Jh.
12. durch einen falschen Ton die musikalische Aufführung stören; die Tonfolge verlieren. Theaterspr. seit dem späten 19. Jh.
13. eine Szene gründlich verderben. Theaterspr. 1870 *ff*.

Umschmeißer *m* 1. Geständnis nach langer Verweigerung; Widerruf eines Geständnisses. 1910 *ff*.
2. hochprozentiger Schnaps. ↗umschmeißen 6. 1930 *ff*.

umschmeißerisch *adj* sehr eindrucksvoll. ↗um-schmeißen 6. *Jug* 1965 *ff.*

umschmieren *intr* in geschlechtlicher Hinsicht ärgerniserregend leben. ↗schmieren 8. „Um" meint „mal hier, mal dort". *Österr* 1900 *ff.*

Umschmiß *m* **1.** Widerruf; Treubruch; Gegenbefehl; Bruch eines Versprechens. 1910 *ff.*
2. Mißgeschick. 1900 *ff, österr.*
3. Bezechtheit, Volltrunkenheit. ↗umschmeißen 6. 1900 *ff, österr.*

umschnallen *intr* **1.** sich ankleiden (auf die Frau bezogen). Aus dem Soldatenleben übernommen: der Soldat schnallt das Koppel um. 1950 *ff.*
2. sich einen ~ = sich betrinken. Analog zu ↗umhängen 1. *BSD* 1965 *ff.*

'umschneiden *intr* Umschweife machen. Entwikkelt als Gegensatzausdruck zu „den Weg abschneiden". *Südd* seit dem 19. Jh.

um'schnüffeln *tr* jn bespitzeln. ↗schnüffeln. 1920 *ff.*

'umschusseln *tr* etw in der Hast umwerfen. ↗schusseln. 1900 *ff.*

um'schwänzeln *tr* jn übereifrig bedienen. ↗schwänzeln 1. Seit dem 19. Jh.

'umschwenken *intr* die Gesinnung ändern; sich der Gegenpartei anschließen. Schwenken = die Richtung ändern. 1920 *ff.*

'Umschwenkung *f* Richtungsänderung der Politik; Parteiwechsel o. ä. 1920 *ff.*

umsehen *refl* sich sehr wundern; schmerzlich enttäuscht sein. ↗umgucken. Seit dem 19. Jh.

umsein *v* **1.** das ist um = das ist ein Umweg. 1700 *ff.*
2. er ist um = er ist zurückgekehrt. Seit dem 19. Jh.
3. es ist um = es ist geronnen, verdorben, ungenießbar. Verkürzt aus „umgehen" oder „umschlagen": Essig „schlägt um", wenn er die Säure verliert; Wein „schlägt (kippt) um", wenn er sich in der Flasche trübt. Seit dem 19. Jh.

umsetzen *intr* **1.** eine Liebschaft in Heirat verwandeln. Fußt auf der Vorstellung des Umpflanzens. 1925 *ff.*
2. aus einer Liebschaft geldliche Vorteile ziehen. Geht zurück auf den kaufmännischen Begriff „Ware umsetzen = Ware verkaufen". 1925 *ff.*

Umsiedlung *f* Entführung. Tarnausdruck. 1960 *ff.*

umsonst *adv* **1.** etw ~ kaufen = etw stehlen. Hehlausdruck. Umsonst = kostenlos. 1900 *ff.*
2. etw ~ kriegen = etw stehlen. 1900 *ff.*

umsonstig *adj* kostenlos, unentgeltlich. Berlin 1870 *ff.*

'umspannen *intr* die Meinung, die Absicht ändern. Man spannt die Pferde vor einen anderen Wagen (andere Pferde vor den Wagen). Seit dem 19. Jh.

'umspringen *intr* mit jm ~ = jn rücksichtslos behandeln; wissen, wie man jn zu behandeln hat. „Um" meint „umher; in den verschiedenen Richtungen". Seit dem 19. Jh.

Umstandsbier *n* dunkles Bier. Man empfiehlt es Schwangeren. 1950 *ff.*

Umstandsbrötchen backen sehr umständlich zu Werke gehen. *Westd* 1930 *ff.*

Umstandsdeutsche *pl* Deutsche, die eine umständliche Redeweise bevorzugen. 1960 *ff.*

Umstandsfritze *m* umständlicher Mensch. ↗Fritze. 1850 *ff.*

Umstandsgürtel *m* Leibbinde. *BSD* 1965 *ff.*

Umstandskasten *m* umständlicher Mensch. „Kasten" ist wohl aus „↗Verstandskasten" gekürzt. Seit dem späten 19. Jh.

Umstandskleid *n* **1.** Uniform mit allem Zubehör bei außerordentlichen Gelegenheiten. Eigentlich das weite Kleid für die Schwangere. *Sold* in beiden Weltkriegen.
2. weites Meßgewand. 1920 *ff.*

Umstandskommissar *m* umständlicher Mensch. Meint eigentlich den umständlich zu Werke gehenden Beamten. 1850 *ff.*

Umstandskrämer (-kramer) *m* umständlicher Mensch. Meint ursprünglich den übergenauen Kaufmann. Seit dem 19. Jh.

Umstandskrämerei *f* umständliche Handlungsweise. Seit dem 19. Jh.

umstandskrämerisch *adj* umständlich. Seit dem 19. Jh.

Umstandsmeier *m* umständlicher Mensch. Der weitverbreitete Familienname Meier (Meyer, Maier, Mayer) ersetzt „Mann". *Österr* 1900 *ff.*

Umstandsmensch *m* umständlicher Mensch. Seit dem 19. Jh.

Umstandspeter *m* umständlicher Mann. Seit dem 19. Jh.

umstecken *intr* seine Meinung ändern. Übertragen vom Umpflocken auf der Weide, vom Umsetzen der Stecknadeln an einer unfertigen Näharbeit o. ä. Seit dem 19. Jh, *österr.*

'umstehen *intr* **1.** sterben, krepieren. Stehen = bewegungslos verharren. *Oberd* 1600 *ff.*
2. verderben; zugrunde gehen. *Bayr* 1600 *ff.*

Umsteigedroge *f* stärkeres Rauschgift, zu dem man nach dem bisher leichteren übergeht. ↗umsteigen 5. 1969 *ff.*

Umsteigeehe *f* geplante Neuvermählung, deren Partner feststeht, ehe die bisherige Ehe geschieden ist. Man steigt um wie von einem Verkehrsmittel in das andere. 1960 *ff.*

Umsteigemonat *m* Monat, in dem (im Jahresüberblick) die meisten Kraftfahrzeug-Ab- und -Anmeldungen erfolgen. 1959 *ff.*

umsteigen *intr* **1.** Gesinnung (Studium, Beruf, Partei, Religion, Arbeitsstelle, Partner o. ä.) wechseln. Hergenommen von den öffentlichen Verkehrsmitteln, die man an einer Kreuzungsstelle wechselt. 1930 *ff.*
2. den Freund (die Freundin) wechseln. *Halbw* 1955 *ff.*
3. desertieren. *Sold* 1940 *ff.*

4. aus dem Takt kommen. Musikerspr. 1950 *ff.*

5. von einem leichteren zu einem stärkeren Rauschgift übergehen. 1969 *ff.*

6. auf etw ~ = von einer Sache ablassen und zu einer anderen übergehen. 1930 *ff.*

Umsteiger *m* **1.** Partei-, Studien-, Berufswechsler o. ä. 1930 *ff.*

2. Mann, der sein Kraftfahrzeug verkauft (in Zahlung gibt) und sogleich ein neues erwirbt. 1959 *ff.*

3. Rauschgiftsüchtiger, der von schwächeren zu stärkeren Drogen übergeht. 1969 *ff.*

4. Umsteigefahrschein. 1900 *ff.*

Umstellwut *f* leidenschaftliches Bestreben, immer wieder die Wohnungseinrichtung umzustellen. 1920 *ff.*

umstellwütig *adj* an oftmaliger Umgruppierung der Möbel leidenschaftlich interessiert. 1920 *ff.*

umstoßen *tr* **1.** jn besuchen. Analog zu ↗überfallen. 1870 *ff.*

2. jn absichtlich übersehen; jn nicht kennen wollen. 1910 *ff.*

3. jn zu einer Meinungsänderung bewegen. 1930 *ff.*

4. nach langer Weigerung ein Geständnis ablegen; eine Aussage widerrufen. 1950 *ff.*

umstülpen *tr* jn der Gegenpartei abspenstig machen; einen Spion für die Gegenspionage gewinnen. Übertragen vom Drehen der Innenseite nach außen (Hut, Ärmel o. ä.); ↗umdrehen 2. 1935 *ff.*

umtakeln *refl* sich umkleiden. ↗auftakeln. 1900 *ff.*

umtaufen *tr* jn (etw) umbenennen. Seit dem 19. Jh.

Umtausch *m* Wechsel des Ehepartners. Aufgefaßt als Umtausch einer nicht zusagenden Ware. 1955 *ff.*

Umtauschteufel *m* weibliche Person, die umzutauschen pflegt, was immer man ihr schenkt. 1920 *ff.*

'Umtausch'welle *f* Gewohnheit des Umtauschs der Weihnachtsgeschenke bei den Einzelhändlern. ↗Welle. 1970 *ff.*

umtopfen *v* **1.** etw ~ = etw anders darstellen, verändern, verbessern (der Schüler topft seinen Aufsatz um). Hergenommen vom Umtopfen der Topfpflanzen. *Jug* 1955 *ff.*

2. sich ~ = eine andere Wohnung beziehen. Man „verpflanzt" sich. 1960 *ff.*

umtreiben *v* **1.** es treibt ihn um = er ist von innerer Unruhe erfüllt; es läßt ihm keine Ruhe. Übertragen von den Gespenstern und Wiedergängern, die nach volkstümlicher Vorstellung keine Ruhe finden. Um = hierhin und dorthin; in den verschiedensten Richtungen. 1900 *ff.*

2. *intr* = ausgelassen spielen; umherspringen, umherlaufen, klettern usw. 1900 *ff.*

Umtrieb *m* Betriebsamkeit, Geschäftigkeit. Man treibt sich selber hin und her. Seit dem 19. Jh.

umtriebig *adj* betriebsam, geschäftig. Seit dem 19. Jh, *südwestd.*

Umtrunk *m* maßvoller ~ = Zechgelage. Wortspie-lerei mit „maßvoll = mäßig" und „Maß-voll (↗Maß I)" im Sinn von „literweise". Kann auch als Beschönigung aufgefaßt werden. 1935 *ff.*

umtuerisch *adj* fleißig, arbeitswillig. ↗umtun 2. *Bayr* seit dem 19. Jh.

umtun *v* **1.** etw ~ = ein Kleidungs- oder Schmuckstück umlegen, umhängen. Seit dem 19. Jh.

2. sich nach etw ~ = sich um etw bemühen; viele Wege machen, um etw zu bekommen, zu erreichen; geschäftig sein. Eigentlich soviel wie „sich um eine Sache bewegen". 1700 *ff.*

'umvögeln *tr* **1.** etw ~ = ein Kleidungsstück ändern, passend machen. Analog zu ↗umficken. 1900 *ff, stud* und *sold.*

2. Besseres heimlich gegen Schlechteres umtauschen. *Sold* seit dem späten 19. Jh.

3. laß dich ~!: Rat an einen Törichten. 1870 *ff,* vorwiegend *oberd.*

Umweltidiotie *f* Mangel an Wahrnehmungsvermögen für alltägliche Dinge. 1930 *ff.*

Umweltmuffel *m* Mensch, der sich um seine Umgebung, um die Rechte der Nachbarn o. ä. nicht kümmert. ↗Muffel. 1972 *ff.*

Umweltschmutzer *m* langsam fahrendes, viel Lärm und Gestank verbreitendes Auto. 1972 *ff.*

Umweltsünde *f* (Einzelfall von) Umweltverschmutzung. ↗Sünde. 1972 *ff.*

Umweltsünder *m* Landschafts-, Luft-, Wasserverschmutzer u. ä. 1972 *ff.*

Umweltverpester (-verschmutzer) *pl* Tabakwaren. *Jug* 1970 *ff.*

Umwerfe *f* sympathisches, äußerst anziehendes Mädchen. Es macht einen „umwerfenden" Eindruck. *Vgl* ↗umschmeißen 6; ↗umwerfen 4. *Halbw* 1955 *ff.*

umwerfen *v* **1.** *intr* = Bankrott machen. Kaufmannsspr. seit dem 19. Jh.

2. *intr* = in der Rede steckenbleiben. Seit dem 18. Jh.

3. es wirft einen um = es raubt einem die Besinnung, macht einen betrunken. ↗umschmeißen 6. Seit dem 19. Jh.

4. jn ~ = auf jn einen unwiderstehlichen Eindruck machen. 1920 *ff.*

5. jn ~ = jn vergewaltigen. 1935 *ff.*

6. nicht umzuwerfen sein = nie die Beherrschung verlieren. Seit dem 19. Jh.

umwerfend *adj* **1.** höchst eindrucksvoll. 1920 *ff.*

2. *adv* = sehr, überaus. 1920 *ff.*

Umwerfer *m* hochprozentiger Schnaps. ↗umwerfen 3. 1930 *ff.*

umwursteln *tr* etw unordentlich umbinden (Schlips, Halstuch o. ä.) Es sieht aus wie ein wurstähnliches Gebinde. 1910 *ff.*

umziehen *intr* **1.** ein anderes Wirtshaus aufsuchen; mit allem gerade Notwendigen in ein anderes Zimmer gehen. 1900 *ff.*

2. dreimal umgezogen ist so gut wie einmal abgebrannt: übertreibende Redensart angesichts der

Die berühmte Seejungfrau von Kopenhagen: Vom sauren Regen und verschmutzten Ostseewasser bis aufs Skelett zerfressen. Ausdrücke wie **Umweltschmutzer**, **Umweltsünde** *oder* **Umweltsünder** *entstanden zu einem Zeitpunkt, da das Bewußtsein über die Bedrohung unserer natürlichen Umwelt unter immer breiteren Bevölkerungsschichten allmählich einen größeren Stellenwert erhielt. Im selben Jahr 1972 erschien auch die weltweit großes Aufsehen erregende Studie über „Die Grenzen des Wachstums", die, auch wenn sich über die dort aufgezeigten Lösungsmöglichkeiten streiten läßt, doch immerhin aufzeigte, daß der Mensch die Natur nicht beherrschen dürfe wie ein imperialer Herrscher sein Reich und auch die Wirkungen seines Eingreifens den Intentionen, die ihm zugrunde liegen, völlig entgegengesetzt sein können.*

Beschädigungen und Verluste, die ein Umzug mit sich bringen kann. Wahrscheinlich Übersetzung eines Ausspruchs von Benjamin Franklin (1706–1790). Seit dem 19. Jh.
3. dreimal umgezogen ist so gut wie einmal ausgebombt: moderne Variante des Vorhergehenden. 1945 *ff.*

um'zirzen *tr* jn umschmeicheln. ⁊bezirzen. 1920/30 *ff.*

Umzug *m* Kleiderwechsel. Kann ohne Nebensinn als Substantiv zu „sich umziehen" aufgefaßt werden, aber auch als Anspielung auf die Langwierigkeit des Vorgangs. 1955 *ff.*

umzügeln *intr* umziehen. *Schweiz* 1900 *ff.*

unabgebrüht *adj* (noch) erfüllt von Träumen und Idealen. ⁊abgebrüht. 1971 *ff.*

unangenehm werden grob, streitlüstern werden. Es wird für den anderen unangenehm, wenn der Betreffende sich zu strenger Rüge oder zu Handgreiflichkeiten hinreißen läßt. Seit dem späten 19. Jh, *schül, stud,* lehrerspr. und *sold.*

unangespitzt *adv* ich ramme dich ~ in den Erdboden!: Drohrede. ⁊ungespitzt. 1900 *ff.*

unanständig *adv* ~ reich = übermäßig reich. Durch „anständige" Arbeit wird man 'so reich nicht. 1920 *ff.*

unappetitlich *adj* nicht liebreizend. Seit dem 19. Jh.

Unart *f* (auch mit dem natürlichen Geschlecht) ungezogenes Kind. 1800 *ff.*

unauffindbar *adj* etw ~ machen = etw stehlen; Lebensmittel entwenden und sofort aufessen. *Sold* 1939 *ff.*

unausgebacken *adj* charakterlich unfertig; geistig nicht gereift; zu jung für etw. ⁊ausgebacken. 1700 *ff.*

unausgebacken sein sich nicht wohl fühlen; kränkeln. *Österr* 1900 *ff.*

unausgegoren *adj* geistig unreif; noch in der Entwicklung befindlich. Übertragen vom noch nicht abgeschlossenen Gärvorgang. 1900 *ff.*

Unaussprechliche *pl* Hosen, Unterhosen o. ä. Gegen 1830/40 aufgekommen nach dem *engl* Vorbild „the inexpressibles".

Unaussprechlicher *m* Gesäß. Dem Vorhergehenden nachgebildet, etwa um 1850/60.

Unband *m n* ungezogenes, ausgelassen tobendes Kind. Es ist nicht zu bändigen. Seit dem 19. Jh.

unbedarft *adj* harmlos, ahnungslos; geistig anspruchslos; naiv; unbedeutend; nebensächlich. Unbedarft ist, wer „ohne Bedarf = anspruchslos" ist. Hier auf das Geistige übertragen. Seit dem 19. Jh, *niederd.*

Unbedarftheit *f* geistige Anspruchslosigkeit. Seit dem 19. Jh.

unbedient *adj* schlecht, minderwertig. ⁊bedient. *Halbw* 1955 *ff.*

unbedingt *adv* nicht ~ = nicht vorbehaltlos; durchaus nicht (man ist von etw nicht unbedingt beglückt). Stark abgeschwächte Superlativgeltung, fast bis zur Bedeutung „nichtig, wertlos". 1900 *ff.*

unbegossen *part* dieses Ereignis darf nicht ~ bleiben = dieses Ereignis soll tüchtig gefeiert werden. ⁊begießen 1. 1900 *ff, stud.*

unbegreiflich sein ziemlich begriffsstutzig sein. Eigentlich soviel wie „unfaßbar"; hier von der

Passiv- zur Aktivform umgekehrt im Sinn von „nicht begreifend". Seit dem frühen 20. Jh.

unbehauen *adj* plump, ungesittet. Soviel wie „unbearbeitet, roh, im Naturzustand". 1900 *ff*.

unbehütet *adj* ohne Hut. Ein sprachlicher Spaß. ↗behüten. 1900 *ff*.

unbeleckt *adj* unerfahren; unbekümmert um Erfahrung. *Vgl* ↗Kultur 3 und 4. Seit dem 19. Jh.

unbeleckt sein von etw ~ = auf einem Gebiet keinerlei Erfahrung haben. Seit dem 19. Jh.

unbelichtet *adj* geistesbeschränkt. Stammt aus der Fototechnik. 1920 *ff*.

unberufen *adv* **1.** glücklicherweise; ohne sein (mein) Dazutun. Eigentlich soviel wie „ohne es berufen zu wollen" im Sinne von „ohne das Unheil herbeiziehen zu wollen". Eine alte Aberglaubensregel besagt, man solle von glücklichen Lebensumständen nicht sprechen, weil man sonst die schadenstiftenden Dämonen auf sich aufmerksam mache. Seit dem 19. Jh.
2. ~ toi-toi-toi!: Verstärkung des Vorhergehenden. ↗toi-toi-toi. 1900 *ff*.

unbeschränkt dämlich *adj* hochgradig dümmlich. ↗dämlich 1. 1930 *ff*.

unbeschrieben *adj* der Öffentlichkeit kaum bekannt. ↗Blatt 11. 1950 *ff*.

unbeschrieen *adv* glücklicherweise. Analog zu ↗unberufen 1. *Vgl* ↗beschreien. Seit dem 19. Jh.

unbetamt *adj* **1.** unbegabt, untüchtig. ↗betamt. 1900 *ff*.
2. in schlechten Verhältnissen lebend. 1900 *ff*.

unbetucht *adj* unvermögend. ↗betucht 4. 19. Jh.

unbezahlbar sein überaus tüchtig sein. 1900 *ff*.

unbürokratisch *adj und adv* schnell und ~ = schnell und ohne kleinliche Bedenken. Stets auf einen Verwaltungsakt bezogen, der wegen Eilbedürftigkeit die strenge Einhaltung der Vorschriften und Verordnungen absichtlich vermeidet. Der Ausdruck beinhaltet zugleich eine Schelte auf die Langsamkeit und Umständlichkeit behördlichen Vorgehens. Gegen 1968/70 aufgekommen.

uncool (Grundwort *engl* ausgesprochen) *adj* minderwertig, untauglich, unsympathisch, einzelgängerisch. ↗cool. *Halbw* 1965 *ff*.

und *konj* **1.** und?: Gegenfrage, wenn man den Zusammenhang, die Pointe eines Witzes o. ä. nicht verstanden hat. Etwa soviel wie „und wie geht es weiter?". Seit dem 19. Jh.
2. und und und: und so weiter. Seit dem 19. Jh.

Und *n* da ist ein ~ bei = da gibt es noch eine Schwierigkeit, einen Nachteil. Die Erklärung ist noch nicht abgeschlossen, eine wichtige Fortsetzung steht noch aus. Seit dem 19. Jh.

undemokratisch werden dem Einberufungsbescheid nachkommen. Wehrdienst ist vermeintlich mit Demokratie unvereinbar. *BSD* 1960 *ff*.

undeutlich sprechen Darmwinde laut entweichen lassen. Es sind unartikulierte Laute. *Marinespr* in beiden Weltkriegen.

undicht sein 1. einen Darmwind entweichen lassen. 1900 *ff*.
2. sein Wasser nicht halten können; Bettnässer sein; als Hund nicht stubenrein sein. 1900 *ff*.
3. anvertraute Geheimnisse nicht für sich behalten; nicht verschwiegen sein. 1700 *ff*.
4. politisch unzuverlässig sein. 1920 *ff*.
5. nicht ganz bei Verstand sein. ↗dicht 1 e. 1900 *ff*.

undicht werden Angst bekommen. Anspielung auf Harn- oder Kotabgang in die Hose. *Sold* 1939 *ff*.

undoof *adj* nicht ~ = recht interessant. Litotes: die gleichzeitige Verwendung von „nicht" und „un-" im Sinne einer doppelten Verneinung dient zur gesteigerten Bejahung. Hinzu kommt hier scherzhafte Sinnverkehrung des Grundworts. 1930 *ff*, *schül*.

undufte *adj* **1.** unangenehm, unfreundlich, unpassend; nicht vertrauenerweckend; übel. ↗dufte 1. *Halbw* 1955 *ff*.
2. nicht ~ = hochwillkommen; nicht unpassend. Litotes. *Halbw* 1955 *ff*.

undumm *adj* nicht ~ = recht vernünftig; ziemlich gescheit; sehr gescheit. Litotes mit scherzhafter Sinnverkehrung; *vgl* ↗undoof. *Jug* 1900 *ff*.

uneben *adj* nicht ~ = angenehm, brauchbar, verläßlich, tüchtig. Eben = gerade, glatt; uneben = holperig, unglatt. Litotes. Seit dem 17. Jh.

'unego *adj präd* kameradschaftlich. ↗ego. 1970 *ff*, *jug*.

uneigentlich *adv* entgegen der ursprünglichen Absicht. „Eigentlich" hat man dies und das tun wollen; aber „uneigentlich" hat man es unterlassen. 1920 *ff*.

unerhört *adv* sehr; überaus (er ist ein unerhört guter Sportler). 1900 *ff*.

unfair (Grundwort *engl* ausgesprochen) *adj* unkameradschaftlich. ↗fair. *Schül* 1950 *ff*.

Unfall I *m* **1.** ungewollte Schwängerung. ↗Unfall-Ehe. 1920 *ff*.
2. einen ~ bauen = einen Unfall herbeiführen. ↗bauen. 1920/30 *ff*.

Unfall II *f* Unfallversicherung. Hieraus verkürzt. Kaufmannsspr. 1900 *ff*.

Unfall-Ehe *f* Frühehe. Man ist die Ehe wegen Schwangerschaft eingegangen; die Schwängerung gilt als „Verkehrs-, Betriebsunfall". *Halbw* 1955 *ff*.

Unfäller *m* Verkehrsteilnehmer, der einen Unfall verursacht hat. 1950 *ff*.

Unfallopfer *n* ledige Mutter; Kind einer Ledigen. Beide sind Opfer eines „↗Verkehrsunfalls". 1955 *ff*.

Un-Fan (Grundwort *engl* ausgesprochen) *m* Mensch, der sich in den Bräuchen und Anschauungen der modernen Jugend nicht auskennt; Erwachsener, der moderne Musik und Schlager ablehnt. ↗Fan. *Halbw* 1950 *ff*.

unflott *adj* **1.** verdorben (auf Speisen bezogen). ↗flott 1. 1950 *ff, jug.*

  1 a. unsympathisch. *Schül* 1920 *ff.*

  2. nicht ~ = anerkennenswert; ziemlich gut; nett; ziemlich lebenslustig. Litotes. ↗flott 2. Seit dem frühen 20. Jh, vor allem *schül* und *stud.*

unfrankiert *adj* ledig. Vom Postwesen hergenommen. 1955 *ff.*

unfrisiert *adj* ohne amtliche Zensur verbreitet; nicht auf politische oder sittliche Tunlichkeit überprüft. ↗frisieren. 1900 *ff.*

ungar *adj* nicht genügend durchdacht; nicht voll durchführbar. ↗gar. 1950 *ff.*

ungebleut *adj* ohne geprügelt zu sein. ↗bleuen. 1500 *ff.*

ungeblitzt *adj* unfotografiert. Blitzen = mit Blitzlicht fotografieren. 1950 *ff.*

ungebrannt *adj* ~e Asche ↗Asche 4.

ungebraucht *adj* noch nicht defloriert. ↗fabrikneu. *Halbw* nach 1950 *ff.*

ungebügelt *adj* ungeschlacht, grob. 1900 *ff.*

ungedient sein gerichtlich nicht vorbestraft sein. Leitet sich her von der Ableistung des Wehrdienstes: nach Soldatenmeinung muß der „anständige" Soldat wenigstens einmal mit Arrest bestraft worden sein, und angeblich ist kein „Gedienter" ohne Arrest ausgekommen. 1840 *ff.*

ungegoren *adj* charakterlich unfertig; geistig nicht gereift. ↗unausgegoren. 1900 *ff.*

ungeheuer *adv* sehr; außerordentlich. Meint eigentlich „schreckerregend wegen Größe oder Menge". Seit dem 18. Jh.

ungehobelt *adj* roh, grob im Benehmen. Leitet sich her von der rauhen Sitte der Studenten und Zünfte, die Neulinge einer schweren Aufnahmeprüfung zu unterwerfen, bei der sie mit Hobel, Säge und Zange geschliffen und gezwackt wurden. *Vgl lat* „erudire = bilden", *franz* „poli = höflich", *engl* „unpolished = unhöflich". 1500 *ff.*

ungeil *adj* **1.** langweilig, unausstehlich, widerlich. ↗geil 6. *Jug* 1965 *ff.*

  2. nicht ~ = sympathisch. Litotes. *Halbw* 1965 *ff.*

ungeknifft *adj* charakterlich aufrichtig; unbescholten. Man ist makellos wie ein glatter Bogen Papier. 1920 *ff.*

ungelogen sein etw ~ lassen = etw Zweifelhaftes nicht behaupten wollen; vor einer unwahren Aussage zurückschrecken. Stammt laut Büchmanns „Geflügelte Worte" aus dem Witzblatt „Ulk" von Siegmund Haber, 1873 *ff.*

Ungemach *n* Arrestzelle. Hehlwörtlich aus „un-" und „Gemach" im frühen 20. Jh aufgekommen.

ungenießbar *adj* mißvergnügt, gereizt, unzugänglich, unverträglich. Übertragen von unschmackhafter oder verdorbener Speise. 19. Jh.

Ungenossener *m* eingeschenkter, aber noch nicht verzehrter Schnaps. 1920 *ff.*

ungepanscht *adj* unvermischt, unverdünnt. ↗panschen. Seit dem 19. Jh.

Ungerechtigkeit *f* schreiende ~ = unerträgliche, besonders folgenschwere Ungerechtigkeit. Versteht sich nach „↗Himmel 39". Seit dem 19. Jh.

ungereimt *adj* unverständlich, widersprüchlich, verkehrt, falsch; töricht. ↗Reim. Seit dem 15. Jh.

Ungereimtheit *f* Unverständlichkeit; Widersprüchlichkeit. Seit dem 19. Jh.

ungerochen *part* nicht ~ = nicht ungerächt; nicht ungestraft; mit Widerspruch. Das Verbum „rächen" wurde ursprünglich stark gebeugt (räche – rach – gerochen); mit dem 15. Jh setzte die heutige Beugung ein. Die Vokabel wird heute eher als scherzhaft aufgefaßt.

ungerupft *adv* **1.** ohne große Geldausgaben; ohne Verlust; ohne anzügliche Bemerkungen. ↗rupfen. 1500 *ff.*

  2. jn ~ lassen = jn nicht zu Steuerleistungen heranziehen. 1920 *ff.*

ungeschliffen *adj* grob, ungesittet. *Vgl* ↗ungehobelt. Seit dem 18. Jh.

ungeschminkt *adj* unumwunden; unentstellt. *Vgl* ↗unrasiert 1. Seit dem 19. Jh.

ungeschoren lassen *tr* jn nicht behelligen. Von der Schafschur übertragen, die zur Bedeutung „Ausbeutung" und weiter zu „Belästigung" verallgemeinert wurde. Seit dem 17. Jh.

ungespitzt *adv* **1.** ich schlage dich ~ in den Erdboden!: Drohrede. Der Kraftmensch traut sich zu, den Betreffenden wie einen stumpfen Pfahl in den Boden zu schlagen, ohne ihn vorher anzuspitzen. 1850 *ff.*

  2. ~ in den Boden sausen = mit nicht geöffnetem Fallschirm auf dem Erdboden auftreffen; mit dem Flugzeug senkrecht abstürzen. *Sold* in beiden Weltkriegen.

ungesund *adj präd* verrückt, von Sinnen. ↗gesund 9. 1800 *ff.*

ungetauft *adj* unverdünnt; unverfälscht; nicht mit Wasser gemischt. ↗taufen. Seit dem 19. Jh.

ungeteert *adj* schmutzig. Zum Verständnis *vgl* „↗teeren 3". 1920 *ff.*

ungiftig *adj* alkoholfrei. *Halbw* 1960 *ff.*

unglaublein *adj* unübertrefflich. Vielleicht zusammengesetzt aus „unglaublich" und „fein". *Halbw* 1965 *ff.*

unglaublich *adj* es ist kaum ~ = es ist unvorstellbar. *Schül* seit dem frühen 20. Jh.

Unglück *n* **1.** fassen Sie mich nicht an, sonst gibt es ein ~!: ernsthafte Warnrede. 1900 *ff.*

  2. sich ins ~ stürzen wollen = Heiratsabsichten haben. Burschikos-junggesellenhafte Redewendung seit dem frühen 20. Jh.

Unglücksboten *pl* falsche ~ = Überbringer erlogener Unglücksnachrichten. Polizeispr. 1950 *ff.*

Unglückshase (-häschen) *m (n)* unglücklicher Mensch; Mensch, der selten Glück hat. Fußt vielleicht auf dem Märchen „Der Hase und der Igel" oder auf der abergläubischen Meinung, der Hase im Angang künde Unglück an. 1870 *ff.*

Unglückshuhn *n* Mensch, dem alles zum Unglück ausschlägt. 1910 *ff.*

Unglücksrabe *m* unglücklicher Mensch; Mensch, der mit seinen Plänen und Unternehmungen meistens Unglück hat. Beruht auf der abergläubischen Vorstellung von Raben als Ankündigern von Krieg, Tod und Unheil aller Art. Seit dem 18. Jh.

Unglückssträhne *f* kurzzeitige Aufeinanderfolge von Unglücksfällen oder Mißerfolgen. ↗Glückssträhne. 1900 *ff.*

Unglückstier *n* Mensch, der oft Unglück hat. Seit dem 19. Jh.

Unglücksvogel *m* **1.** vom Unglück verfolgter Mensch. ↗Unglücksrabe. Seit dem 18. Jh. **2.** für Abstürze berüchtigter Flugzeugtyp. 1964 *ff.* **3.** abgestürztes Flugzeug. 1950 *ff.*

Unglückswurm *m n* unglücklicher Mensch; Mensch, der fast nur Mißerfolge erntet. ↗Wurm. Seit dem 19. Jh.

ungusti'ös *adj* geschmacklos, widerlich, unschmackhaft u. ä. ↗Gusto. *Österr* seit dem 19. Jh.

Ungustl *m* unsympathischer Bursche. ↗Gusto. Wien 1950 *ff, halbw.*

Unhahn *m* **1.** Nörgler; unsympathischer Mann; Erwachsener, der für die Lebensgewohnheiten der heutigen Jugend kein Verständnis hat. Er ist als „↗Hahn im Korb" nicht anzuerkennen. *Halbw* 1955 *ff.* **2.** klammer ∼ = langweiliger Erwachsener, der von der Lebensart der modernen Jugend nichts versteht. ↗klamm. *Halbw* 1955 *ff.*

unheimlich *adv* sehr (er hat unheimlich viel Geld). Aus der Bedeutung „unbehaglich, gruselig" hat sich die superlativische Steigerung entwickelt, parallel zu „↗ungeheuer", „↗furchtbar" u. ä. Gilt heute als Halbwüchsigenvokabel, war aber schon im 19. Jh geläufig.

Unhold *m* Mädchenheld. Eigentlich ein dämonisches Wesen, eine Spukgestalt, ein Scheusal o. ä. Weiterentwickelt zur Bedeutung „Sittlichkeitsverbrecher". Hier ironisch-gemütlich gemeint. *Halbw* 1950 *ff.*

unhübsch *adj* nicht ∼ = sehr hübsch. Litotes. 1920 *ff.*

Uni *f* **1.** Universität. Hieraus im späten 19. Jh verkürzt. **2.** Sonderschule für geistig behinderte Kinder. Spottwort. 1960 *ff.* **3.** Berufsschule. 1965 *ff.* **4.** Gymnasium. 1965 *ff.*

Uni-Bank *f* die ∼ drücken = Student sein. Der „↗Schulbank" nachgebildet. 1930 *ff.*

Uni-Flegel *pl* demonstrierende Studenten. Aufgekommen 1967 mit den Studentenunruhen.

Uniform *f* sich in ∼ schmeißen (werfen) = Uniform anziehen. Sich (in etw) schmeißen = sich rasch (in etw hinein)begeben. Man wirft sich die Kleidungsstücke hastig über. *Sold* 1900 bis heute.

Uniformierten-Café *n* Arrestanstalt. ↗Café 15. *BSD* 1968 *ff.*

Uniformklamotte *f* Militärschwank. ↗Klamotte 1. 1920 *ff.*

Unikum *n* Sonderling; Spaßmacher. *Lat* „unicus = einzig; vorzüglich". Seit dem 19. Jh, *stud.*

uninteressant *adj* fade, langweilig, sinn-, zwecklos. *Schül* und *stud*, 1945 *ff.*

Uniperversität *f* Universität. Sprachliche Spielerei ohne verletzenden Nebensinn. Basel 1955 *ff.*

Unisex *m* gleiche Mode für beide Geschlechter. 1960 *ff.*

Unität *f* Universität. Hieraus gegen 1920 verkürzt.

Universalflasche *f* völliger Versager. ↗Flasche 1. *Schül* und *stud* 1920/30 *ff.*

Universalidiot *m* völliger Versager; Mensch, der sich bei keiner Sache anstellig zeigt. *Schül* und *stud* 1920 *ff.*

Universalkommode *f* **1.** Soldatentornister. *Sold* 1910 *ff.* **2.** Campingbeutel. 1950 *ff.*

Universallandser *m* alter, erfahrener Frontsoldat, der allen Lebenslagen gewachsen ist. *Sold* 1939 *ff.*

Universaltunke *f* **1.** zu allen Fleischgerichten unterschiedslos gereichte Tunke. 1914 *ff.* **2.** schön klingende, aber inhaltsleere Redewendung. 1930 *ff.*

Universität *f* Gefängnis. ↗Hochschule 1. 1920 *ff.*

Universitätswanze *f* Student, der von Universität zu Universität wechselt, ohne Fuß zu fassen. 1910 *ff.*

Uni-Zahn *m* nette, kameradschaftliche Studentin. ↗Zahn 3. *Stud* 1956 *ff.*

unjüngst *adv* kürzlich. Zusammengesetzt aus „unlängst" und „jüngst". 1925 *ff, schül* und *stud.*

Unkamerad *m* unkameradschaftlicher Mensch. *Sold* und *schül* 1960 *ff.*

unkastriert *adj* ohne Filter (auf Zigaretten bezogen). *Vgl* ↗Kastrierte. *Halbw* 1950 *ff.*

Unkavalier *m* ungesitteter Mann. 1950 *ff.*

Unke *f* **1.** Pessimist; Unheilprophet. In abergläubischer Vorstellung kündigen Unke, Kauz, Eule usw. Unheil an. Volkstümlich geworden durch Gottfried August Bürgers Ballade „Lenore" und das von den Brüdern Grimm aufgezeichnete Märchen von der Unke. 1800 *ff.* **2.** unsympathisches Mädchen. Analog zu ↗Kröte. *Halbw* 1955 *ff.* **3.** Prostituierte. Aufgefaßt als Schlange (*germ* „unk = Schlange"). 1950 *ff.* **4.** alte Frau. Sie gilt als unheilverkündendes Wesen. Seit dem 19. Jh. **5.** bezecht (o. ä.) wie eine ∼ = volltrunken. Weil die Unke am und im Wasser lebt, denkt man sich, daß sie viel trinkt. Seit dem 19. Jh. **6.** saufen wie eine ∼ = ein Trinker sein. Seit dem 19. Jh.

unken *intr* Schlimmes voraussehen; Pessimist sein. ↗Unke 1. Seit dem 19. Jh.

Es hätte, alles was recht ist, natürlich auch jede andere Zigarettenreklame sein können – und so sollten aus der Tatsache, daß eben diese sich hier befindet, nicht die falschen Schlußfolgerungen gezogen werden, und das um so mehr, als es sich hierbei ja um eine Illustration zum Stichwort **Unkraut** *handelt, allerdings, und das versteht sich von selbst, nur um jenes mit ,,teuerstes der Welt" attribuierte* (**Unkraut 3.**). *Das geht, ex negativo auch aus der Gestaltung dieser Anzeige selbst hervor. Die markigen Sprüche des für eine der sogenannten Billigmarken werbenden Sympathieträgers beziehen sich nämlich auf eine vor Jahren dekretierte Erhöhung der Tabaksteuer.*

unklein *adj* nicht ~ = riesig; schwerwiegend. Litotes mit scherzhafter Sinnverkehrung. *Sold* 1939 *ff; ziv* 1945 *ff.*

unklug *adj* nichts für ~ = nichts für ungut. Hieraus zerspielt 1900 *ff.*

unkom'missig *adj* unmilitärisch; zivilistisch. ↗Kommiß 1. 1920 *ff.*

Unkosten *pl* **1.** die ~ erstatten = zurückschlagen; eine Ohrfeige erwidern; einen Gegenangriff machen. 1910 *ff; sold* 1914 *ff.*
2. stürz' dich nicht in ~! = mach' keine Komplimente! Die Komplimente gelten hier als überflüssige Aufwendungen. Berlin 1870 *ff.*
3. sich in geistige ~ stürzen = sich geistig stark

verausgaben; schwierige Überlegungen anstellen. Seit dem frühen 20. Jh.

Unkraut *n* **1.** schlechter, selbstangebauter Tabak. 1914 *ff.*
2. Marihuana. Übernommen aus *angloamerikan* ,,weed". 1960 *ff.*
3. teuerstes ~ der Welt = Tabak. 1965 (wohl erheblich älter).

Unkumpel *m* unkameradschaftlicher Mensch. ↗Kumpel. *Sold* und *schül* 1960 *ff.*

unkumpelhaft (unkumpelig) *adj* unkameradschaftlich. 1960 *ff.*

unmaniküert *adv* sich ~ benehmen = schlechte Umgangsformen haben. Von der Handpflege übernommen. 1920 *ff.*

unmaßgeblich *adj* nach meiner ~en Ansicht = nach meiner persönlichen Meinung; wenn ich in aller Bescheidenheit etwas dazu äußern darf. Redensart spöttischer Selbstverkleinerung. 1920 *ff.*

Unmensch *m* kein ~ sein = umgänglich, verträglich sein; mit sich reden lassen; auf Gewaltanwendung verzichten. Seit dem 19. Jh.

unmöglich *adj* **1.** modisch geschmacklos gekleidet; gewagt gekleidet. Diese Kleidung gilt als unmöglich für das allgemeine Schönheits- und Schicklichkeitsempfinden. 1870 *ff.*
2. gänzlich unpassend; völlig ungenügend; ohne positive Eigenschaften. Bezieht sich auf eine minderwertige Leistung. Lehrerspr. 1920 *ff.*

Unschuld als Bezeichnung für geschlechtliche Unberührtheit läßt deutlich erkennen, daß Sexualität als Delikt aufgefaßt wird. Ein „Verbrechen" begeht allerdings auch, wer sich nicht „schuldig" machen möchte. Bestraft wird beides, wobei dem einen eine allgemei-

nere Bedeutung zukommt als dem anderen. Das versteht sich nicht zuletzt daraus, daß jene als Angriff auf die männliche Eitelkeit erscheinende Form der Unschuld ohne eine genauere Spezifizierung nicht auskommt (vgl. **Unschuld 2.—4., 6.**).

unmollig *adj* **1.** unansehnlich; mager; dürr; häßlich. ↗mollig. 1935 *ff.*
2. wenig angenehm; gefährlich. 1935 *ff, sold* und *ziv.*
unmotiviert sein zu etw keine Lust haben. ↗Motivation. 1975 *ff, jug.*
Unmutiger *m* Feigling. *Sold* 1939 *ff; jug* 1945 *ff.*
unnatürlich *adv* sprechen sie schon ∼? = hat die Theatervorstellung schon begonnen? 1920 *ff*, theaterspr.
Unnennbare *pl* Hosen. Im frühen 19. Jh übersetzt aus *engl* „the unmentionables".
unnett *adj* nicht ∼ = sehr nett. Litotes. 1900 *ff*.
un-ohne das ist nicht von ∼ = das ist sehr beachtlich. ↗ohne 14. 1920 *ff*.
unpim'satisch (*dt-engl* ausgesprochen) *adj* unsympathisch. Um 1900 aufgekommen als sprachlicher Spaß.
unrasiert *adj* **1.** unverblümt; unumwunden; ungeschönt. Aus weiblicher Sicht analog zu „↗ungeschminkt". Seit dem 19. Jh.
2. ∼ und fern der Heimat = a) unter primitiven Bedingungen an der Front, im Feindesland. Entstanden als Verballhornung der Zeilen aus August von Platens Ballade „Das Grab im Busento" (1820): „Allzufrüh und fern der Heimat / mußten hier sie ihn begraben, / während noch die Jugendlocken / seine Schultern blond umgaben". *Sold* in beiden Weltkriegen. – b) unrasiert. 1950 *ff*. – c) ohne kosmetischen Komfort. 1960 *ff*.

Unrat *m* **1.** ∼ abholen = den Gegnern die möglicherweise gefährlichen Karten abfordern. Kartenspielerspr. seit dem 19. Jh.
2. ∼ wittern = Übles ahnen. Seit dem 19. Jh; weithin geläufig geworden durch den Roman „Professor Unrat" von Heinrich Mann (1905).
Unratsrat *m* Arzt für Darmleiden. 1925 *ff*.
unreif *adj* hell-, giftgrün. Anspielung auf die Färbung unreifen Obstes. Aufgekommen gegen 1945 mit der von den amerikanischen Besatzungstruppen eingeschleppten oder durch Care-Pakete bekannt gewordenen Modefarbe.
unreimisch *adj* unsinnig, töricht; übellaunig. ↗ungereimt. 1700 *ff, nordd* und *ostmitteld*.
Unreines *n* **1.** ins Unreine diskutieren = eine offene, unvorbereitete Unterhaltung führen. Unreines = Entwurf eines Schulaufsatzes o. ä., der später ins Reine übertragen wird. 1960 *ff*.
2. ein Jahr ins Unreine gemacht haben = eine Klasse wiederholen müssen. *Schül* 1900 *ff*.
3. ins Unreine reden (quatschen o. ä.) = a) natürlich, zwanglos sprechen. 1900 *ff*. – b) sich seine Worte reiflich überlegen. 1900 *ff*.
4. ins Unreine heiraten = unüberlegt heiraten. 1950 *ff*.
unrosig *adj* heikel, gefahrdrohend. ↗rosig. 1950 *ff*.
Unruhe *f* jm ∼ in die Wäsche bringen = jn geschlechtlich aufreizen. 1935 *ff*.
unrühmlichst *adv* ∼ abwesend sein = sich in Strafhaft befinden. ↗rühmlichst. 1846 *ff, Berlin*.

unsauber *adj* unaufrichtig. Analog zu ↗dreckig 1. Man spricht von „schmutzigem" Charakter. 1900 *ff*.

unschlagbar *adj* unübertrefflich. Stammt aus dem *Milit* oder *Sportl*. 1950 *ff*, *halbw*.

Unschuld *f* 1. ~ vom Lande = a) Hausgehilfin. Meint ursprünglich das naive Mädchen vom Lande in einem städtischen Haushalt. 1850 *ff*. Geläufig geworden durch die Ariette Adeles in der Operette „Die Fledermaus" von Johann Strauß (1874). – b) Schuldloser, Lebensunerfahrener. 1900 *ff*.
2. gußeiserne ~ = unnahbares Mädchen. 1900 *ff*.
3. knitterfreie ~ = Mädchen, das sich unberührt stellt oder tatsächlich unberührt ist. 1939 *ff*.
4. leckere ~ = anziehendes junges Mädchen. ↗lecker. 1920 *ff*.
5. reine ~ = naiver Mensch. 1850 *ff*.
6. schwüle ~ = geschlechtlich abweisendes Mädchen, dessen Unnahbarkeit jedoch nur geheuchelt ist. 1950 *ff*.
7. überflüssige ~ = alte Jungfer. 1960 *ff*, Berlin.
8. wie die ~ vom Lande aussehen = harmlos (leicht dümmlich) aussehen, aber verschlagen sein. Berlin 1950 *ff*.
9. sich in ~ baden = für etw nicht verantwortlich gemacht werden können. Verstärkung von „seine Hände in Unschuld waschen". 1900 *ff*, *schül*, *stud* und *sold*.
10. sich in ~ und Mandelkleie baden (waschen) = seine Schuldlosigkeit beteuern. 1900 *ff*, *schül*.
11. seine ~ leugnen = sich zu Unrecht einer Straftat bezichtigen. 1920 *ff*.
12. ~ vom Lande spielen = Einfalt vortäuschen. *Vgl* ↗Unschuld 1. Wien 1900 *ff*.

unschuldig *adj* laßt mich raus, ich bin ~!: Ausruf eines verbitterten (verzweifelten) Soldaten in der Kasernenstube, im Bunker o. ä. Eigentlich der Ausruf eines Häftlings. *Sold* 1939 *ff*.

Unschuldsbowle *f* Limonade; Himbeersaft mit Limonade. Im Vergleich mit einer echten Bowle ist dieses Getränk völlig harmlos. 1900 *ff*, *schül*.

Unschuldsengel *m* Mensch, der sich keiner Schuld bewußt ist. 1920 *ff*.

Unschuldshäschen *n* Mädchen, das schuldlos ist oder Unschuld vortäuscht. ↗Häschen. 1950 *ff*.

Unschuldskarnickel *n* Mensch, der sich unschuldig oder unwissend stellt. ↗Karnickel 1. 1920 *ff*.

Unschuldsknabe *m* 1. Mann, der (entgegen der Wahrheit) seine Schuldlosigkeit beteuert. Seit dem 19. Jh.
2. Homosexueller auf der Suche nach Kunden. Berlin 1920 *ff*.

Unschuldslamm *n* schuldloser Mensch; Mensch, der sich schuldlos stellt. Weiterentwicklung der biblischen Vorstellung von Christus als Opferlamm. Seit dem 19. Jh.

Unschuldsleugner *m* Mann, der sich einer Straftat zu Unrecht bezichtigt. 1920 *ff*.

Unschuldslilie *f* weibliche Person, die sich für schuldlos ausgibt. Die Lilie ist pflanzensinnbildlich die Blume der Unschuld und Keuschheit. 1920 *ff*.

Unschuldsstation *f* Arrestanstalt. Der Bestrafte fühlt sich zu Unrecht eingesperrt. *BSD* 1965 *ff*.

Unsein *m* laß doch den ~ sinn! = laß doch den Unsinn sein! In Westdeutschland unter Schülern gegen 1900 aufgekommen. Das Verbum „sein" lautet in der Mundart „sinn".

Uns-Hirsch *m* sehr tüchtiger, anstelliger Mitschüler; tüchtiger Bursche. „Uns" ist verkürzt aus „unsinnig" und meint hier soviel wie „sehr eindrucksvoll". ↗Hirsch. *Schül* 1950 *ff*, *schwäb*.

unsicher *adj* 1. eine Gegend ~ machen = sich in einer Gegend aufhalten. Hergenommen von Räubern o. ä., die in einer Gegend ihr Unwesen treiben. 1840 *ff*.
2. das Landvolk ~ machen = einen Ausflug aufs Land machen. 1950 *ff*.

Unsicherheitszuschlag *m* im Urteil ausgesprochene Sicherungsverwahrung nach verbüßter Strafhaft. 1950 *ff*, verbrecherspr.

unsichtbar *adj* 1. sich ~ machen = a) fliehen; davongehen. 1900 *ff*, *sold*. – b) sich nicht blicken lassen; sich verleugnen lassen. 1920 *ff*.
2. etw ~ machen = etw entwenden. ↗unauffindbar. Seit dem späten 18. Jh.
3. es hat sich ~ gemacht = es ist entwendet worden. 1770 *ff*.
4. werde ~! = verschwinde! Seit dem späten 19. Jh, wahrscheinlich *sold* Herkunft; verbreitet unter Schülern und Studenten.

Unsinn *m* 1. blühender ~ = großer Unsinn. ↗Blödsinn 2. 1833 *ff*.
2. blutiger ~ = völliger Unsinn. ↗blutig. 1920 *ff*.
2 a. bodenloser ~ = unüberbietbarer Unsinn. ↗bodenlos 1. 1900 *ff*.
3. geschwollener ~ = pathetische, aber unsinnige Worte. ↗geschwollen. 1950 *ff*.
4. höherer ~ = sehr großer Unsinn. ↗Blödsinn 6. Seit dem 19. Jh.
5. tierischer ~ = Unglaubhaftigkeit, über die man nicht lachen kann. ↗Ernst 2. 1930 *ff*.

Unsoldat *m* Soldat ohne militärische Straffheit; Soldat ohne Sinn für Wehrdienst, Krieg usw. *Sold* 1939 *ff*.

unsozial *ajd* unkameradschaftlich. ↗sozial. *Jug* 1965 *ff*.

unsteil *adj* 1. keinen vorteilhaften Eindruck erweckend. ↗steil. *Halbw* 1955 *ff*.
2. nicht ~ = gut, gekonnt; unübertrefflich. Litotes. *Halbw* 1955 *ff*.

Unsympatäter *m* unsympathischer Mensch. 1930 *ff*.

Unsympath *m* unsympathischer Mensch. 1900 *ff*.

Unsympatheter *m* unsympathischer Mensch. Gekreuzt aus „unsympathisch" und „pathetisch". 1930 *ff*.

Unsympathler (Unsympathling) *m* unsympathischer Mensch. 1960 *ff.*

unten *adv* **1.** ~ mit = mit Badehose. 1964 *ff.*

2. ~ nichts, oben nichts = sehr knapp bekleidet (auf weibliche Personen bezogen). Seit dem 19. Jh.

3. ~ ohne = a) ohne Badehose (ohne Unterteil des zweiteiligen Damenbadeanzugs). Im Gefolge von „↗ oben ohne 8" 1964 aufgekommen. – b) ohne Spikes an den Schuhen. 1975 *ff.*

4. ~ besoffen sein = bei (vermeintlich) klarem Kopf betrunken torkeln. 1920 *ff.*

Untendrunter *n* Unterkleidung. 1950 *ff.*

Untendrunter-Anzug *m* Büstenhalter und Schlüpfer. 1950 *ff.*

untendurch sein Mißachtung sich zugezogen haben; nicht mehr beachtet werden. Soll auf die *ndl* Seemannssprache zurückgehen und sich ursprünglich auf das Schiff unter Sturzseen bezogen haben, später auch auf das Scheitern gewagter Unternehmungen. Die heutige Bedeutung ist von der Gleichung „Korb = Ablehnung" (↗Korb 4) beeinflußt. Seit dem 19. Jh.

unten sein verzweifelt, verbittert sein. Analog zur Metapher „niedergeschlagen sein"; *vgl engl* „to be down". 1900 *ff.*

unterärmeln *tr* jn unterfassen; jm den Arm reichen. ↗umärmeln. Berlin 1850 *ff.*

Unterarmleutnant *m* Fahnenjunker. Er trägt auf dem Unterärmel einen Stern wie der Leutnant auf den Schulterklappen. *BSD* 1965 *ff.*

Unterbau *m* Unterkörper. Vom Untergestell eines Wagens übertragen. Seit dem 19. Jh.

unterbauen *tr* etw entwenden, unterschlagen. Stammt wohl aus der Landwirtschaft und meint dort soviel wie „bei der Feldbestellung unter die Erdoberfläche bringen; mit dem Pflug untergraben". 1910 *ff.*

unterbelichtet *adj präd* **1.** geistesbeschränkt; geistig behindert. Stammt aus der Fototechnik: die Belichtungszeit war zu kurz. Von daher übertragen auf das Geistige im Sinne eines zu schwachen Lichts des Verstandes. Seit dem frühen 20. Jh, vorwiegend *schül, stud* und *sold.*

2. ungenügend entwickelt (unterbelichtetes Interesse). 1950 *ff.*

3. ~ aussehen = übernächtigt sein. 1935 *ff.*

unterbemittelt *adj* geistig ~ = dumm. Der Betreffende gehört zu den geistig Armen. *Halbw* 1955 *ff.*

Unterbilanz *f* **1.** geistige ~ = sehr geringes Auffassungsvermögen. 1920 *ff.*

2. aussehen wie eine ~ = abgemagert, kränklich aussehen. 1920 *ff.*

unterbilanzieren *v* man unterbilanziert sich so durch = a) die Geschäfte gehen sehr schlecht. 1920 *ff.* – b) in der Einkommensteuererklärung stellt man sein Geschäft als stark konkursverdächtig hin. Finanzamtsspr. 1960 *ff.*

Unterbrecher *m* der ~ klemmt = man ist begriffs-

stutzig; man faßt falsch auf. Der Unterbrecher ist eine technische Vorrichtung, die durch wiederholtes Öffnen und Schließen von Gleichstromkreisen pulsierende elektrische Ströme erzeugt. *Halbw* 1955 *ff.*

unter'breiten *v* jm etw ~ = jm etw anbieten, reichen. Man legt ihm etw vor. *Halbw* 1955 *ff.*

unterbringen *v* jn nicht ~ können = sich an jn nicht genau erinnern. Man weiß nicht, wo man ihn in seinem Gedächtnis einordnen soll. 1920 *ff.*

unterbuddeln *v* **1.** etw ~ = etw eingraben, verscharren. ↗buddeln. 1700 *ff.*

2. sich nicht ~ lassen = sich durchsetzen. Seit dem 19. Jh.

Unterbürdung *f* **1.** Arbeitslosigkeit. Gegenwort zu „Überbürdung". 1930 *ff.*

2. Tätigkeit der Diplomaten und Politiker. Ironie. 1950 *ff.*

unterbuttern *v* **1.** jn ~ = einen Menschen in verantwortungsvoller Stellung so erniedrigen, daß er in der Masse verschwindet; jds Einfluß erheblich schmälern; jn nicht anerkennen. Ursprünglich ist gemeint, daß der Rahm im Butterfaß gestampft wird. Gegen 1860/70 in Journalistenkreisen aufgekommen.

2. etw ~ = etw zusetzen ohne Aussicht auf Rückerhalt. Vorwiegend *nordd*, 1840 *ff.*

3. etw ~ = etw bis zur Unscheinbarkeit verdrängen; etw rhetorisch erdrücken; etw vor lauter Erfolg unberücksichtigt lassen. 1920 *ff.*

4. sich nicht ~ lassen = sich nicht entmutigen lassen; nicht nachgiebig werden; seinen Standpunkt durchsetzen. 1920 *ff, nordd.*

Unterbuxe *f* Unterhose. ↗Buxe. *Niederd*, 19. Jh.

Unterdruckkammer *f* Raum für Examensanwärter. Vom technischen Begriff übertragen auf einen Raum, in dem die Examinanden sich unter dem Druck der bevorstehenden Prüfung befinden. 1950 *ff.*

unterentwickelt *adj* **1.** ohne geschlechtliche Erfahrung. Aufgekommen gegen 1950 mit dem weltwirtschaftlichen Begriff der „unterentwickelten Länder" (später „Entwicklungsländer" genannt).

2. minderwertig; sehr dürftig. *Schül* 1960 *ff.*

3. geistig ~ = dumm. *Jug* 1960 *ff.*

4. im Benehmen ~ sein = schlechte Umgangsformen haben. 1950 *ff.*

unterernährt *adj* **1.** unzulänglich, unvollkommen. Unterernährt ist, wer weit unter dem Durchschnitt ernährt ist; hier bezogen auf eine Arbeit, auf die zu wenig Sachverstand verwendet wurde. 1900 *ff.*

2. geistig ~ = ungebildet; dumm; bildungsunfähig. 1900 *ff*, vorwiegend *schül* und *stud.*

Unterernährte *pl* im Klub der ~n sein = dumm, unfähig sein. 1950 *ff, schül.*

Unterernährung *f* charakterliche ~ = Charakterlosigkeit. 1920 *ff.*

Unterform *f* geschwächtes Leistungsvermögen. ↗Form. 1965 *ff.*

Unterfutter *n* des Teufels ~ ↗Teufel 12.

Untergangsschnulze *f* rührselige Verwertung der Atomangst. ↗Schnulze 1. 1955 *ff.*

untergeärmelt gehen Arm in Arm gehen. ↗unterärmeln. Nördlich der Mainlinie, 1840 *ff.*

Untergebener *m* Schüler der Unterstufe. Erklärt sich aus der Überheblichkeit der Primaner, die die jüngeren Schüler zu allerlei Dienstleistungen heranziehen. 1950 *ff.*

Untergefreiter *m* geistiger ~ = dummer Bursche. Die Rangstufe „Untergefreiter" gibt es nicht. 1933 *ff, sold.*

untergehen *intr* **1.** besiegt werden. Hergenommen vom sinkenden Schiff und zunächst auf die militärische, dann auch auf die sportliche Niederlage bezogen: die Sportmannschaft sinkt auf dem Tabellenplatz ab. *Sportl* 1950 *ff.*
2. ohne Wirkung bleiben; kein Publikumsliebling werden; aus dem Blickfeld der Öffentlichkeit verschwinden. 1950 *ff.*

Untergestell *n* Unterkörper. ↗Unterbau. Seit dem 18. Jh.

untergewichten *tr* etw unterbewerten. ↗gewichten. 1970 *ff.*

untergründeln *intr* in der Untergrundbewegung tätig sein. 1950 *ff*

Untergrundfete *f* Keller-Party. ↗Fete. *Halbw* 1965 *ff.*

Untergrundknutsch (-knutschkram) *m* Keller-Party. ↗Knutsch. Wahrscheinlich vom *Angloamerikan* beeinflußt. *Halbw* 1945 *ff.*

Untergrundschmuse *f* Party-Keller. ↗schmusen. 1945 *ff, halbw.*

unterhaben *tr* **1.** jn untergebracht haben. Hieraus verkürzt. 1900 *ff.*
2. jm überlegen sein; jn überwältigt haben. Stammt aus der Ringersprache: der eine Ringer liegt unter dem anderen. Seit dem 17. Jh.
3. auf etw liegen oder sitzen (ich habe ein Kissen unter); etw unter einem Kleidungsstück tragen. Seit dem 19. Jh.

'unterhaken *tr* den angewinkelten Arm in den angewinkelten Arm des Begleiters legen. Berlin 1850 *ff.*

unterhalten *v* sich mit etw ~ = Aufstoßen von etw haben. 1900 *ff.*

Unterhalter *m* **1.** eiserner ~ = Spiel-, Musik-, Unterhaltungsautomat. 1930 *ff.*
2. mechanischer ~ = a) Rundfunkgerät. 1930 *ff.* – b) Grammophon; Plattenspieler. 1930 *ff.* – c) Fernsehgerät. 1955 *ff.*

Unterhaltsmuffel *m* Mann, der seiner Unterhaltspflicht nicht nachkommt. ↗Muffel. 1970 *ff.*

Unterhaltsreifen *m* Ehering der Frau. 1950 *ff.*

Unterhaltung *f* **1.** mündliche Prüfung. *Schül* 1960 *ff.*
2. ~ von der Stange = wenig einfallsreiche Unterhaltungssendung der herkömmlichen Art. ↗Stange 8. 1960 *ff.*
3. fesselnde ~ = Verhaftung. Wortspielerei mit „fesselnd = spannend" und „fesselnd = Handfesseln anlegend". 1933 *ff.*
4. körperliche ~ = Geschlechtsverkehr. 1955 *ff.*
5. mit jm eine fesselnde ~ führen = jn verhaften. ↗Unterhaltung 3. 1933 *ff.*
6. ~ haben = flirten. *Jug* 1965 *ff.*

Unterhaltungsaufgabe *f* Strafarbeit des Schülers. Man gibt sie *iron* als bloßen Zeitvertreib aus. 1960 *ff.*

Unterhaltungsbajazzo *m* Skilehrer, der seinen Beruf nur dem Namen nach ausübt und in Wirklichkeit den Skiläuferinnen nur zur Unterhaltung usw. dient. Für ihn ist es ein Spaß, und den Schülerinnen macht es Spaß. 1962 *ff.*

Unterhaltungsbombe *f* zugkräftige Varietésängerin o. ä. ↗Bombe 1. 1950 *ff.*

Unterhaltungsbomber *m* beliebter Unterhalter. ↗Bomber 5. 1950 *ff.*

Unterhaltungsboß *m* Leiter der Abteilung Unterhaltung. ↗Boß 1. 1955 *ff.*

Unterhaltungsdame *f* (zur Prostitution bereite) Tischdame in Nachtlokalen. 1960 *ff.*

Unterhaltungsexamen *n* Quiz. 1960 *ff.*

Unterhaltungskanone *f* beliebter Unterhalter. ↗Kanone 4. 1960 *ff.*

Unterhaltungsknüller *m* beliebtes Unterhaltungsstück. ↗Knüller. 1955 *ff.*

Unterhaltungskuchen *m* Gesamtheit aller üblichen Unterhaltungsmittel. 1959 *ff.*

Unterhaltungskünstlerin *f* Striptease-Vorführerin; Prostituierte in wohlhabenden Kreisen. 1955 *ff.*

Unterhaltungslektüre *f* schriftliche Urteilsausfertigung für den zur Unterhaltszahlung verurteilten Vater eines unehelichen Kindes. 1920 *ff*, juristenspr.

Unterhaltungslokomotive *f* mitreißender Unterhalter. ↗Lokomotive 1. 1960 *ff.*

Unterhaltungspapst *m* Manager im Schaugeschäft. Er hat eine unangreifbare Machtstellung. 1965 *ff.*

Unterhaltungsschnulze *f* Unterhaltungsfilm voller Rührseligkeit. ↗Schnulze 1. 1955 *ff.*

Unterhaltungsunternehmer *m* Quizmeister; Manager im Schaugeschäft 1965 *ff.*

unter'hauen *tr* etw schnell unterschreiben, ohne es durchzulesen. ↗hauen 2. Seit dem 19. Jh, *stud* und *schül.*

Unterhaus *n* **1.** Grundschule. 1960 *ff.*
2. Zweitliga *(sportl).* 1980 *ff.*

unterhenkeln *tr* (sich bei jm ~) jn unterfassen. Henkel ist der angewinkelte Arm. *Schül* und *stud*, 1900 *ff.*

Unterhitze *f* Wollustgefühle. Vom Bratofen übertragen. 1920 *ff.*

Unterhose *f* **1.** halbe ~ = Schimpfwort. Drastisches Sinnbild für eine unfertige Sache oder Person. *Schül* 1955 *ff.*

2. du hast wohl grüne ~n an?: Frage an einen, der Unsinn äußert. Grün = unerfahren. 1950 *ff.*

3. die starke ~ anhaben = sich stark fühlen; mit seinen Körperkräften prahlen. 1930 *ff*, *schül.*

4. jn bis auf die ~n entkleiden = jds Ansehen völlig untergraben. Veranschaulichung der Vorstellung von der peinlichen Bloßstellung. 1950 *ff.*

5. auf der ~ fahren = auf abgenutzten Reifen fahren. Unterhose = Leinwandunterlage. 1935 *ff*, *schül.*

6. noch hängt die ~ nicht am Kronleuchter = noch ist Hoffnung. Veranschaulichung von chaotischen Zuständen. 1939 *ff.*

7. nach alter ~ riechen = scheußlichen Geruch verbreiten. *Sold* 1940 *ff.*

8. jm die ~ runterziehen = jm alles Wissenswerte abfragen; jn einem strengen Verhör unterziehen. Meint im engeren Sinne die Entblößung des Gesäßes, weil der After als Versteck für mancherlei dienen kann. 1940 *ff*; polizeispr.; Vokabel der Spionageabwehr.

9. ich schlage dich pfundweise aus der ~!: Drohrede. 1910 *ff*, nördlich der Mainlinie.

10. nach ~ schmecken = widerlich schmecken. 1938 *ff.*

Unterhosenpartisanen *pl* Filzläuse. ↗Partisanen. *Sold* 1941 bis heute.

Unterirdische *f* Abortwärterin. Öffentliche Bedürfnisanstalten und Aborte in Lokalen befinden sich oft im Kellergeschoß. 1960 *ff.*

Unterirdischer *m* Souffleur. Theaterspr. 1820 *ff.*

'unterjubeln *v* **1.** jm etw ~ = a) jm etw vorlügen; jn mit etw übertölpeln; jm etw aufschwatzen, unterschieben, andichten. Der Zauber- oder Illusionskünstler „jubelt" einem Zuschauer einen Gegenstand „unter die ↗Weste", wobei „jubeln" die Vorstellung „mit Leichtigkeit" oder „leichten Herzens" oder „voller Schadenfreude" weckt. *Sold* 1935 *ff.* – b) jm einen entwendeten Gegenstand ins Gepäck stecken, so daß der Betreffende fälschlich verdächtigt wird; jm verdächtiges Material betrügerisch zuspielen. 1935 *ff.* – c) jm etw beibringen, verständlich machen (oft mit dem Nebensinn der Unredlichkeit). *Halbw* 1960 *ff.*

2. jm einen ~ = koitieren (vom Mann gesagt). 1935 *ff.*

3. sich etw (jn) ~ lassen = sich etw (jn) aufschwatzen lassen. 1935 *ff.*

Unterkiefer *m* **1.** hast du schon mal das Buch gelesen „Wie esse ich ohne ~?"?: Drohfrage. *BSD* 1968 *ff.*

2. mir klappt der ~ runter = ich bin sprachlos. Man staunt offenen Mundes. 1950 *ff.*

3. auf dem ~ rutschen = vom Gehen ermüdet sein. Analog zu ↗Zahnfleisch. 1930 *ff.*

4. sich den ~ verrenken = a) gierig essen. 1900 *ff.* – b) heftig gähnen. 1900 *ff*, *stud, schül* und *sold.*

unterkietig *adj* **1.** unterwühlt; hohl. *Mitteld* Variante zu *hd* „Kote = Geschwür", vor allem „ei-

ternde Stelle unter unverletzter Haut". Seit dem 19. Jh.

2. niederträchtig; unerlaubt; gesetzwidrig; höchst unangenehm. Berlin 1840 *ff.*

unter'klauen *tr* **1.** jm den Arm bieten; mit jm Arm in Arm gehen. Klaue = Hand. Seit dem 19. Jh, *nordd* und Berlin.

2. jn gefesselt oder mit rückwärts verdrehtem Arm abführen. Polizeispr. 1910 *ff.*

3. etw unsorgfältig unterschreiben. ↗Klaue 3. Seit dem 19. Jh.

unter'klecksen *tr* etw unsauber, unleserlich unterschreiben. Seit dem 19. Jh.

'unterkommen *v* es kommt ihm unter = es kommt ihm ins Gedächtnis; es fällt ihm wieder ein. Eigentlich soviel wie „Unterkunft finden". *Österr* 1900 *ff.*

'unterkriechen *intr* bei anderen Leuten bescheiden, ohne Aufwand leben; bei jm Asyl suchen. Man kriecht unter wie das Küken unter die Glucke. Seit dem 19. Jh.

unter'kriechen *tr* jm würdelos schmeicheln; jn mit Unterwürfigkeit zu umgarnen trachten. Man kriecht ihm unter das Hemd. Analog zu ↗Arsch 161. Seit dem 19. Jh; *sold* in beiden Weltkriegen.

'unterkriegen *tr* **1.** jn überwältigen, niederzwingen, besiegen. Hergenommen vom Ringersport. Seit dem 18. Jh.

2. dafür sorgen, daß einer eine Unterkunft findet; dafür sorgen, daß ein Gegenstand nicht schädlichen Witterungseinflüssen ausgesetzt ist. 1900 *ff.*

3. sich nicht ~ lassen = seinem Standpunkt treu bleiben; sein Ziel trotz aller Rückschläge verfolgen. Seit dem 19. Jh.

4. nicht unterzukriegen sein = unverwüstlich sein; unschlagbar sein; jedem Schicksalsschlag gewachsen sein. 1900 *ff.*

unter'kühlen *tr* etw leidenschaftsloser gestalten als vorgesehen. Man senkt es unter die normale Temperatur. 1910 *ff.*

unterkühlt *adj* **1.** zurückhaltend, abweisend, prüde. 1910 *ff.*

2. streng sachlich; ohne jegliche Übertreibung. 1930 *ff.*

Unterkühlung *f* Zurückhaltung; steife Förmlichkeit; Unliebenswürdigkeit; Mißgestimmtheit. 1955 *ff.*

Unterlage *f* **1.** Essen, leibliche Stärkung. Es ist die Unterlage für die Bekömmlichkeit alkoholischer Getränke. 1920 *ff.*

2. leicht zugängliches Mädchen. ↗Bettunterlage. 1933 *ff.*

3. selbstverfertigter Täuschungszettel des Schülers. 1960 *ff.*

unter'laufen *tr* einer erfolgversprechenden Entwicklung auf andere Weise zuvorkommen; einer Sache mit List gewachsen sein. Hergenommen von der Jagd: der Fasan unterläuft den Jäger = er zieht so niedrig an dem Jäger vorbei, daß dieser nicht zum Schuß kommt. *Vgl* die andere Erläuterung bei „↗unterschneiden". 1950 *ff.*

'unterlegen *tr* etw essen. ↗Unterlage 1. 1920 *ff.*

unter'legen *tr* etw lügen, vorspiegeln. Den Worten schiebt man eine andere, falsche Bedeutung unter. 1935 *ff.*

Unterleibsgymnastik *f* Geschlechtsverkehr. 1920 *ff.*

Unterleibskuchen *m* Pflaumenkuchen. ↗Pflaume 8. 1960 *ff.*

Unterleibsleiden *n* **1.** un- oder voreheliche Schwangerschaft. 1900 *ff.*
2. ein ~ auskurieren = an abgeschiedenem Ort heimlich niederkommen. 1900 *ff.*

Unterleibsobst *n* Pflaumen. ↗Pflaume 8. 1960 *ff.*

Unterleibspresse *f* Zeitungen, die der körperlichen Liebe breiten Raum geben. 1965 *ff.*

Unterleibsprosa *f* unterhaltendes Sexualschrifttum. 1960 *ff.*

unter'malen *tr* etw (säuberlich) unterzeichnen. 1900 *ff.*

Untermann *m* **1.** Kanalisationsarbeiter. Berlin 1900 *ff.*
2. Schuh. Übernommen aus der Zirkussprache als Bezeichnung für den auf dem Boden stehenden Akrobaten, der andere trägt. 1935 *ff.*
3. *pl* = warme Unterhosen. 1930 *ff*, Berlin.

untermannen *intr tr* koitieren. 1950 *ff.*

unter'mauern *tr* etw bekräftigen, noch stärker betonen. Übertragen von der Aufrichtung eines stützenden Mauerwerks. Journalistenspr. und politikerspr. 1950 *ff.*

Untermiete *f* in ~ leben = miteinander intim befreundet sein. Anspielung auf den Bereich unterhalb der Gürtellinie. *Halbw* 1955 *ff.*

Untermieter *m* **1.** Kind im Mutterleib. Es „bewohnt" den Mutterleib nur für eine bestimmte Zeit wie ein Mieter, der mit Kündigung rechnen muß. 1930 *ff.*
2. Bordellkunde nach Vorentrichtung des Entgelts. 1968 *ff.*
3. *pl* = Läuse. *Sold* 1914 bis heute.
4. einen ~ loswerden = entbinden. ↗Untermieter 1. 1930 *ff.*

unterminieren *tr* etw hintertreiben, zu vereiteln suchen. Meint eigentlich das Anbringen eines Sprengsatzes unter einer Brücke o. ä. 1910 *ff.*

untermittelkräftig *adj* stark mittelmäßig. Berlin, etwa seit 1938, *jug;* auch andernorts bekannt.

untermittelmäßig *adj* schlecht, geringwertig. 1950 *ff.*

untermittelprächtig *adj* mittelmäßig. ↗mittelprächtig. 1950 *ff*, *schül* und *stud.*

'untermogeln *tr* etw betrügerisch hinzugeben. ↗mogeln. 1960 *ff.*

Unternehmen *n* **1.** ~ Kiste = Urlaubsfahrt mit sehr altem Auto. ↗Kiste 13. Dieser und die folgenden Ausdrücke mit „Unternehmen" gehen auf die amtliche Bezeichnung für militärische Einzelaktionen, auf Manövernamen o. ä. zurück. 1955 *ff.*
2. ~ Rütli = Obstdiebstahl in unbewachtem Garten. „Rütli" spielt auf den „Rütlischwur" in Schillers Drama „Wilhelm Tell" an, in dem auch der Apfel eine wichtige Rolle spielt. 1955 *ff, jug.*
3. ~ Schlafsack = a) Montagvormittag der Schüler. Am liebsten möchten sie schlafen und sich von den Anstrengungen des Wochenendes ausruhen. Die Bezeichnung ist dem Titel eines 1955 gedrehten Spielfilms entlehnt. 1957 *ff.* – b) Montagmorgen in der Kaserne, beim Exerzieren o. ä. *BSD* 1965 *ff.*
4. mündelsicheres ~ = Sache, von deren günstigem Ausgang man überzeugt ist. ↗mündelsicher. *Sold* 1939 *ff.*

Unternehmerfigur *f* eine ~ haben = beleibt sein. 1955 *ff.*

Unternehmerhut *m* Herrenhut mit steifer Krempe; schwarzer Filzhut. Gegen 1930 aufgekommen.

Unternehmerschleuder *f* Luxusauto. ↗Schleuder 4. 1965 *ff.*

Unternehmerschreck *m* Deutscher Gewerkschaftsbund. 1965 *ff.*

Unteroffiziersventil *n* Kasernenhof. Dort können Unteroffiziere ihre Unterlegenheitsgefühle an den Untergebenen abreagieren. *BSD* 1965 *ff.*

'unterpflügen *tr* **1.** jds Einfluß entscheidend schwächen; jn degradieren; jn verdrängen. Von der Ackerbestellung übernommen. Seit dem späten 19. Jh.
2. etw aus dem Gesichtsfeld entfernen; Tatsachen vertuschen. 1950 *ff.*

Unterpfoten *pl* Beine des Menschen. ↗Pfote 1. 1920 *ff.*

Unterpumpel *m f* Unterhose. „Pumpel" ist aus „Pumphose" (weite, unförmig gebauschte Hose) entwickelt. *Bayr* 1920 *ff.*

'unterquirlen *tr* Wahrheit und Lüge geschickt miteinander vermengen. Der Küchenpraxis entlehnt. 1930 *ff.*

Unterredung *f* **1.** mündliche Prüfung. Euphemismus. 1960 *ff, schül.*
2. nützliche ~ = Vorsagen durch den Mitschüler. 1960 *ff.*

Unterricht *m* himmelskundlicher ~ = geistliche Übungen; Predigt o. ä. Die Himmelskunde, eigentlich die Astronomie, ist hier die Kunde vom Himmel als dem gedachten Wohnsitz Gottes. *BSD* 1965 *ff.*

Unterrock *m* der ~ herrscht (regiert o. ä.) = die Frau hat die Macht. Seit dem 19. Jh.

Unterrockaffäre *f* unsittliche Begebenheit. 1900 *ff.*

Unterrockskandal *m* Sittenskandal. 1960 *ff.*

Unterrocksoldaten *pl* Nachrichtenhelferinnen. *Sold* 1939 *ff.*

Unterrockstürmer *m* Sekt, Likör o. ä. Weil alkoholische Getränke geschlechtliche Hemmungen lockern und lösen können. 1940(?) *ff.*

Untersatz *m* **1.** Schiff. Aufgefaßt als Unterlage für die Beförderung von Lasten. 1910 *ff*, *marinespr*.

2. Kraftfahrzeug. 1935 *ff.*

3. *pl* = Füße. Übernommen vom Untersatz für Möbelstücke. *Sold* 1940 *ff.*

4. fahrbarer ~ = Kraftfahrzeug, Fahrrad o. ä. Übertragen von dem auf Rollen laufenden Unterbrett, auf dem das Spielzeugpferd (o. ä.) befestigt ist. 1935 *ff.*

5. fahrender ~ = Kraftfahrzeug. 1935 *ff.*

6. großer ~ = großes Schiff; Kriegsschiff. 1910 *ff.*

7. motorisierter ~ = Kraftfahrzeug. 1940 *ff.*

7 a. reitbarer ~ = Reitpferd. 1970 *ff.*

8. rollender ~ = Motorrad, Moped o. ä. 1950 *ff.*

9. schwimmender ~ = Schiff, Boot, Yacht o. ä. *Marinespr* 1939 bis heute.

'unterschaufeln *tr* etw im Wust anderer Pläne unterdrücken, aus dem Gedächtnis verlieren. Hergenommen vom Vergraben oder Pflügen; ↗unterpflügen 1. 1950 *ff.*

Unterschied *m* ~ wie Tag und Nacht = großer, wichtiger Unterschied. Seit dem 18. Jh.

unter'schneiden *intr* Fahnenflucht begehen. Hergenommen vom Unterseeboot, das unter dem Kiel eines feindlichen Kriegsschiffs hindurchtaucht und sich vor dem Angreifer in Sicherheit bringt. *Marinespr* 1939 *ff.*

Unterschüler *m* Schüler der Unterstufe. *Österr* 1950 *ff.*

Unterschuß *m* **1.** Fehlbetrag; Unterbilanz; geschäftlicher Verlust. Gegenwort zu „Überschuß". 1930 *ff.*

2. Leben in schlechten Vermögensverhältnissen, bei ungenügenden Einnahmen. 1930 *ff.*

unterschwenglich *adv* jn ~ loben = jn weniger loben als verdient. Gegenwort zu „überschwenglich". 1870 *ff.*

Unterseeboot *n* **1.** Hering, *Sold* in beiden Weltkriegen.

2. im Versteck lebender Staatsfeind. ↗U-Boot 1. 1933 *ff.*

3. Füße wie ~e = breite, lange Füße; breites, langes Schuhwerk. *Sold* in beiden Weltkriegen.

4. das geistige ~ hat einen Wackelkontakt = man gibt wunderlichen Gedanken nach. Das „geistige Unterseeboot" versinnbildlicht die Tiefsinnigkeit, das Grübeln. *Halbw* 1960 *ff.*

untersein *intr* **1.** untergegangen sein (ertrunken sein). Hieraus verkürzt. Seit dem 19. Jh.

2. eine Unterkunft gefunden haben. Verkürzt aus „untergekommen sein". 1900 *ff.*

3. jm ~ = jm unterlegen sein. Seit dem 19. Jh.

unterspickt *adj* mit wohlgerundeten Körperformen versehen; großbusig, kräftig entwickelt; vollschlank. Eigentlich „mit Speckstreifen durchzogen". 1900 *ff.*

unter'spülen *tr* **1.** jds Krisenfestigkeit beeinträchti-

gen. Fußt auf dem Bild von den Wassermassen, die einen Damm, einen Deich unterspülen. 1950 *ff.*

2. jds Standfestigkeit ~ = jn betrunken machen. 1950 *ff.*

unterspült *adj präd* geistig ~ = geistesbeschränkt. 1930 *ff.*

unterstützen *tr* dem Mitschüler vorsagen. 1965 *ff.*

Unterstützungsverein *m* ich bin kein ~: Redewendung, mit der man es sich verbittet, daß ein anderer sich auf einen stützt. Wortspielerei mit „unterstützen" in der doppelten Bedeutung „Sozialhilfe gewähren" und „als Stütze dienen". 1920 *ff.*

Untersuchung *f* Ausspielen unwichtiger Karten zwecks Ermittlung der Kartenzusammenstellung bei den Gegnern. Kartenspielerspr. 1900 *ff.*

Untersuchungsknast *m* Untersuchungsgefängnis, -haft. ↗Knast. 1920 *ff.*

Untertanen *pl* Beine, Füße; Schuhwerk. Seit dem 19. Jh.

Untertanenfabrik *f* Schule. Politisches Schlagwort seit 1850 bis heute.

Untertarifliche *f* amtlich nicht überwachte Prostituierte. 1950 *ff.*

Untertassen *pl* **1.** Schüler der Unterstufe; Schulanfänger. *Westf* 1950 *ff.*

2. Augen wie ~ = große, weit aufgerissene Augen. *Vgl* ↗Teetassen. 1900 *ff.*

3. nicht alle ~ im Schrank haben = nicht recht bei Verstand sein. ↗Tasse 10. 1950 *ff.*

'untertauchen *intr* **1.** als Verbrecher die Öffentlichkeit meiden; bei jm Unterschlupf finden. Vom Unterseeboot übernommen. 1920 *ff.*

2. als Staatsfeind im Verborgenen leben. ↗U-Boot 1. 1933 *ff.*

3. sich vor der Öffentlichkeit zurückziehen; im öffentlichen Auftreten eine Pause einlegen; sich der militärischen Dienstpflicht entziehen (zu entziehen suchen). 1955 *ff.*

4. in Zivilkleidern fliehen. *Sold* 1943 *ff.*

Untertaucher *m* **1.** Jugendlicher, der dem Elternhaus entwichen ist und mit Gleichgesinnten zusammenwohnt. 1970 *ff.*

2. im Verborgenen lebender Staatsfeind oder Bedrohter. ↗untertauchen 2. 1970 *ff.*

unter'treiben *intr tr* etw absichtlich verharmlosen, aber gleichwohl den Ernst spüren lassen; die Bedeutung einer Leistung wahrheitswidrig schmälern; bescheidener auftreten, als nach den Umständen vertretbar wäre. Gegensatz zu „übertreiben". 1900 *ff.*

Untertreibung *f* unwahre Verharmlosung; schlichtes Auftreten trotz Wohlhabenheit oder geistiger Überlegenheit. 1900 *ff.*

Untertrottel *m* Schüler der Unterstufe. ↗Trottel. 1960 *ff.*

'untertun *tr* **1.** etw ~ = ein Kleidungsstück unterziehen. Seit dem 19. Jh.

2. jn ~ = jn unterdrücken, bedrücken, bedrängen; jn zur Ordnung rufen; jm Zucht und Ordnung beibringen; jn entwürdigend anherrschen; jn schikanös einexerzieren. Fußt auf der Vorstellung, daß man einem den Kopf unter die Wasseroberfläche drückt. 1920 *ff*.

Unter-Uni *f* **1.** Gymnasium. ↗Uni. 1955 *ff*.
2. Mittelschule. 1955 *ff*.

unterwärts *adv* auf Unterleib und Unterwäsche bezüglich. 1930 *ff*.

Unterwäsche *f* **1.** auf der ~ fahren = auf abgenutzten Reifen fahren. Unterwäsche = Textileinlage der Reifen; *vgl* ↗Unterhose 5. 1935 *ff, schül*.
2. die ~ guckt raus = der Reifen ist bis auf die Leinwand abgefahren. Kraftfahrerspr. 1935 *ff*.
3. die Freunde (Freundinnen) wechseln wie die ~ = in der Freundschaft unstet sein. *Jug* 1960 *ff*.

Unterwasserkotelett *n* Fischfilet. *BSD* 1965 *ff*.

Unterwasserschuß *m* versteckter Angriff. Hergenommen vom Torpedo. 1950(?) *ff*.

Unterwasserzigarre *f* Torpedo. Wegen der Formähnlichkeit. *Marinespr* in beiden Weltkriegen.

unterwegs (unterwegens) *adv* **1.** etw ~ lassen = etw unterlassen; von einer Sache Abstand nehmen. Man läßt das Gemeinte auf halbem Wege liegen. Seit *mhd* Zeit.
2. es ist etwas ~ = ein Baby wird erwartet. Seit dem 18. Jh.

Unterweltler *m* Kanalisationsarbeiter. 1900 *ff*.

Unterwucht *f* **1.** Versager. Der Betreffende liegt weit unter dem, was man eine „↗Wucht" nennt. Berlin 1940 *ff, jug*.
2. Mädchen, das sich von gemeinsamen Unternehmungen (auch vom Beischlaf) ausschließt. *Halbw* 1950 *ff*.

unteuer *adj präd* er ist mir nicht ~ = ich bin ihm zugetan, mag ihn leiden, habe ihn gern. Litotes. 1920 *ff*.

Untier *n* **1.** roher, widerwärtiger Mensch. Meint eigentlich das reißende Raubtier. Seit dem 14. Jh.
2. unförmiges Stück; großer Gegenstand, der Furcht oder Widerwillen erregt. Seit dem 19. Jh.

Untüchtling *m* Schwächling. Er ist untüchtig. 1970 *ff, schül*.

'Untugendbold *m* ausschweifend lebender Mann. Dem „Tugendbold" scherzhaft nachgebildet. 1955 *ff*.

un-twenty *adj präd* dem Lebensstil der Zwanzigjährigen nicht entsprechend. ↗twenty. *Halbw* 1955 *ff*.

Untyp *m* unsympathischer Mensch. ↗Typ. *Halbw* 1960 *ff*.

unübel *adj präd* nicht ~ = durchaus erträglich; lobenswert, gut. Litotes mit Sinnverkehrung; *vgl* ↗undoof, ↗undumm u. ä. 1820 *ff, schül*, lehrerspr. und *stud*.

Unverbesserlicher *m* kriegsgedienter Bundeswehroffizier. Er gilt als unbelehrbar, weil die Erfahrungen des Zweiten Weltkriegs ihn eigentlich abschrecken müßten. *BSD* 1965 *ff*.

unverbogen *adj* charakterfest; sittlich geradlinig. Umschreibung für den Begriff „aufrecht". 1950 *ff*.

unverdaulich *adj* schwer erträglich; unverständlich. ↗verdauen. Seit dem 19. Jh.

unverschämt *adj adv* **1.** sehr groß; sehr genau; ganz nach Wunsch; sehr (er hat unverschämtes Glück; er hat in der Lotterie unverschämt gewonnen). Bezieht sich stets auf einen Umstand, der (in der ursprünglichen Bedeutung) den Sinn für Schicklichkeit und Maß herausfordert. 1800 *ff*.
2. sie sieht ~ gut aus = sie ist außergewöhnlich hübsch, sehr schön, überaus anziehend. 1950 *ff*.

unverschlossen *adj* dekolletiert. 1950 *ff*.

unverschollen *adj* ausgezeichnet. „Verschollen" sagt man von einem Menschen, dessen Anschrift unbekannt ist und von dem seit Jahren jegliche Nachricht fehlt. Von hier weiterentwickelt zur Bedeutung „längst vergangen". Das Gegenteil ergibt den Sinn „aktuell" und weiter die allgemeine Superlativgeltung. 1950 *ff, jug, schweiz*.

unverzwickt *adj* nicht ~ = ziemlich einfach. ↗verzwickt. Litotes mit Sinnverkehrung; *vgl* ↗undoof. 1950 *ff*.

unvorbereitet *part* ~, wie ich mich habe = unvorbereitet, wie ich bin. Scherzhafte, wohl auf einem unabsichtlichen Rednerwitz beruhende Zusammensetzung aus „ich bin unvorbereitet" und „ich habe mich nicht vorbereitet". 1900 *ff*.

Unwahrheit *f* der ~ die Ehre geben = geschickt, glaubwürdig lügen. Scherzhafte Nachahmung von „der Wahrheit die Ehre geben = aufrichtig bekennen". 1900 *ff*.

unwahrscheinlich *adj adv* **1.** unvorstellbar; geradezu unglaubhaft; bewundernswert; gut; hübsch. Meint eigentlich soviel wie „außerhalb des Gewohnten und des Vermutbaren"; hieraus zu superlativischer Bedeutung weiterentwickelt. 1920 *ff*.
2. sehr; in hohem Maße. 1920 *ff*.

Unwohlgefallen *n* sich in ~ auflösen = im Streit auseinandergehen; nach Abweisung davongehen. *Vgl* ↗Wohlgefallen. 1930 *ff*.

Unwucht *f* geistige ~ (~ im Gehirn) = Schwachsinn. Der Techniker spricht von „Unwucht", wenn bei einem rotierenden Körper die Masse unsymmetrisch verteilt ist. 1950 *ff*.

unzackig *adj* militärisch unstraff. ↗zackig. *Sold* 1910 bis heute.

Unzahn *m* unsympathisches, abweisendes Mädchen. ↗Zahn 3. *Halbw* 1955 *ff*.

Unzelmann *m* **1.** langsam, langweilig tätiger Mann. ↗unzeln 1. 1840 *ff*, Berlin und *schles*.
2. ~ machen = sich verstellen; Dummheit oder Unwissenheit heucheln; jm etw vorspiegeln. ↗unzeln 2. Kundenspr. 1840 *ff*.

unzeln *intr* **1.** mühsam, ohne rechtes Fortkommen tätig sein. „Unzel" ist Unschlitt, Talg. Aus Talg lassen sich Kerzen herstellen; aber sie sind von minderem Gebrauchswert. „Unzelmann" ist der Kerzenmacher; analog zu „↗Seifensieder 1". 1840 ff, Berlin und schles.

2. sich dumm stellen; lügen; töricht handeln. Wahrscheinlich eine Nebenform von „↗uzen". Kundenspr. 1840 ff.

Unzucht f staatliche ~ = amtlich genehmigter Bordellbetrieb. 1900 ff.

Unzuchtabwehrkanone f Jugendfürsorgerin. Entstanden nach dem Muster von „↗Sündenabwehrkanone". 1915 ff.

üppig adj adv übermütig, frech, unverschämt, dreist, ausfallend. Üppig = über das Maß hinausgehend. Hieraus weiterentwickelt zur Bedeutung „übermäßig". Seit mhd Zeit; wiederaufgelebt im 18. Jh und bis heute geläufig.

Uralter m **1.** altgedienter Soldat. Sold 1939 ff.

2. Kommandeur. ↗Alter I 2. BSD 1965 ff.

Urania-Schnitzel n sehr kleine Fleischportion. Sie ist nur mittels eines Fernrohrs der Urania-Sternwarte zu entdecken. Berlin 1920 ff.

'urassen (urrassen) tr wählerisch essen; mit etw verschwenderisch umgehen; etw als unbrauchbar behandeln. Geht zurück auf die erschlossene ahd Form „urezzan = herausessen". Oberd seit dem 16. Jh.

urblond adj von Natur blond. 1945 ff.

Urblondine f weibliche Person mit naturblondem Haar. 1945 ff.

urdoof adj sehr dümmlich. Der Betreffende ist es von Natur aus, d. h. von Geburt. 1950 ff.

üren intr grollen, nörgeln, schmollen. ↗ürig. Westd seit dem 19. Jh.

Urgroßmama f Urgroßmutter. ↗Mama. Seit dem 18. Jh.

Urgroßmutter f fette Laus. Man hält sie für die stattlich-behäbige Ahnfrau des Läusegeschlechts. Sold 1941 ff (Ostfront).

Urgroßoma f Urgroßmutter. ↗Oma. 1800 ff.

Urgroßopa (-papa) m Urgroßvater. ↗Opa; ↗Papa. Seit dem 18. Jh.

Urheber m **1.** pl = Eltern. 1920 ff.

2. mein väterlicher ~ = mein Vater. 1920 ff.

Urheberpflichten pl Unterhaltsleistungen des Vaters für das uneheliche Kind. 1920 ff.

Urian m Sonderling; wilder, ungebärdiger Bursche. Eigentlich Hehlwort für den Teufel. Seit dem 19. Jh, ostmitteld.

urig adj **1.** urwüchsig, originell. Fußt auf „Ur- = das im Anfang Vorhandene". Anscheinend vom Oberd im 19. Jh ausgegangen.

2. hervorragend. Meint eigentlich „durch Urwüchsigkeit eindrucksvoll". Halbw 1955 ff.

ürig adj mißgestimmt, gekränkt. Fußt auf mittelniederd „er, ere = zornig" (mittel-ndl „erre = wütend"), verwandt mit nhd „irre". Niederd seit dem 19. Jh.

Urigkeit f Urwüchsigkeit. ↗urig 1. Seit dem 19. Jh.

Urin m **1.** Zusammenbruch. Scherzhaft entstellt aus „Ruin". 1850 ff.

2. nach dem ~ fliegen = ohne Ortung, nach Gutdünken fliegen. Vgl das Folgende. Fliegerspr. in beiden Weltkriegen.

3. etw im ~ haben = etw zuverlässig ahnen. Steht im Zusammenhang mit Harnuntersuchungen. Früh bei der Wehrmacht aufgekommen und seit 1930 über Studentenkreise weiter verbreitet.

4. der ~ meldet einem . . . = ein deutliches Gefühl verrät einem . . . 1930 ff.

5. das ist mein ~ = das ist mein Ende; jetzt ist es um mich geschehen; das ist mein Untergang (Prüfungsversagen, Verweisung von der Schule, Mißerfolg auf der Bühne usw.). ↗Urin 1. 1850 ff, stud, sold u. a.

6. etw im ~ spüren = ein sicheres Vorgefühl haben. ↗Urin 3. 1920 ff.

7. etw aus dem ~ wissen = etw zuverlässig ahnen. 1930 ff.

Urinbolzen m Penis. ↗Bolzen 3. BSD 1965 ff.

Urine f Ruine. ↗Urin 1. Seit 1850 scherzhaft entwickelt.

Urinhosteß f Abortwärterin. 1960 ff.

Urinkanister m Harnblase. 1935 ff.

Urinlyrik f obszöne Verse (Graffiti) an Abortwänden. 1900 ff.

Urinkellner m **1.** Sanitätssoldat; männliches Pflegepersonal. Der Betreffende „serviert" die Bettflasche und „serviert" sie wieder „ab". BSD 1965 ff.

2. Zivildienstleistender. 1975 ff.

Urinkeule f Penis. ↗Keule 6. BSD 1965 ff.

Uri'noko m Urologe. Umgewandelt aus „Orinoko" (= Strom im Norden Südamerikas) mit Einfluß von „Urin". 1930 ff.

Uri'nol n **1.** Tee. Er ist farbähnlich mit dem Harn und harntreibend. Sold 1940 ff.

2. Dünnbier. 1945 ff.

uri'nös adj adv präd sehr schlecht; minderwertig; verderblich; gesetzwidrig. Spielt entweder an auf Harngeruch oder ist scherzhaft aus „ruinös" (↗Urin 1) entstellt. 1910 ff.

Urinpeitsche f die ~ leeren = harnen (vom Mann gesagt). BSD 1965 ff.

Urinprophet m **1.** Arzt. Er diagnostiziert offenbar aus dem Harn. 1820 ff. In der Bedeutung „Kenner der Notwendigkeit rechtzeitigen Harnens" 1805 durch Jean Paul belegt.

2. Apotheker. 1920 ff.

Urinschlecker m würdeloser Schmeichler. Er geht noch unappetitlicher vor als der „↗Speichellecker". BSD 1965 ff.

Urinschwenker m Sanitätssoldat. ↗Pißpottschwenker. BSD 1965 ff

Urklamotte f zugkräftiges Theaterstück, das die Zeiten überdauert. ↗Klamotte 1. Theaterspr. 1920 ff.

Urkunde f Schulzeugnis. 1960 ff, schül.

Heinrich Zilles (1858–1929) Darstellung einer mit großem Gepäck ins Grüne oder auch an einen anderen Ort ziehenden Familie vermag zu verdeutlichen, daß Urlaub nicht immer ein Vergnügen sein muß. Insbesondere die etwas älteren Herrschaften, die augenscheinlich nicht nur die Verantwortung tragen, erwecken einen Eindruck, der an so manche Bedeutungen des umgangssprachlichen Urlaubs erinnert (vgl. **Urlaub 2.**). *Die fehlende Präsenz erwachsener männlicher Familienmitglieder legt die Vermutung nahe, daß auch die betreffenden Herrschaften ihren Urlaub genommen haben dürften. Urlaub von der Ehe auf jeden Fall* (**Urlaub 6.**), *vielleicht aber auch einen auf schwedische Art* (**Urlaub 4.**).

Urkundenausgabe *f* Bestrafung. Laut Wehrdisziplinarordnung ist die Strafformel in Abschrift dem Beschuldigten auszuhändigen. *BSD* 1965 *ff*.

Urlaub *m* **1.** Freiheitsstrafe; Mittelarrest. Soldaten fassen den Freiheitsentzug seit 1900 als Urlaub vom aktiven Wehrdienst auf, auch heute noch.
2. Dienstzeit. Meint entweder den Urlaub von der zivilen Berufsausübung oder die Dienstzeit als eine andere Form von Arrest. *BSD* 1965 *ff*.
3. Schulfeier. Die Teilnehmer sind vom Unterricht befreit. 1950 *ff*.
4. ~ auf schwedische Art = Verbüßung einer Freiheitsstrafe. „Schwedische Art" spielt auf die „schwedischen ⁊Gardinen" an. 1967 *ff*.
5. ~ im Café am Eck = Arrest. ⁊Café 15 b. *BSD* 1965 *ff*.
6. ~ von der Ehe = Urlaubsreise des einen Ehepartners ohne den anderen. 1960 *ff*.
7. ~ auf Ehrenwort = a) Urlaub bis zum Wecken. Wer sich nach Zapfenstreich außerhalb der Unterkunft aufhalten will, bedarf der Zustimmung seines nächsten Disziplinarvorgesetzten. Literarischer Einfluß: Novelle „Urlaub auf Ehrenwort" von Kilian Koll. *BSD* 1965 *ff*. – b) kurzfristige

Aufhebung der Haft. 1960 *ff*.
8. ~ vom Knast = Sozialurlaub eines Häftlings. ⁊Knast. 1970 *ff*.
9. ~ auf Krankenschein = von der Krankenversicherung bezahlte Kur. 1955 *ff*.
10. ~ zum Kranzniederlegen = Hochzeitsurlaub. Eigentlich der Urlaub zwecks Teilnahme an einer Beerdigung; hier meint „Kranz" den Brautkranz und auch das Jungfernhäutchen. *BSD* 1965 *ff*.
11. ~ ohne = Urlaub auf einem Freikörperkultur-Gelände. 1965 *ff*.
12. ~ von Schlips und Kragen = Ablegung des üblichen Kleiderzwangs im Urlaub. 1925 *ff*.
13. ~ auf Staatskosten = a) Verbüßung einer Freiheitsstrafe. ⁊Staatspension 1. 1920 *ff*. – b) Teilnahme am Manöver. Man macht „im Grünen" Urlaub vom grauen Kasernen-Alltag. *BSD* 1965 *ff*.
14. ~ von der Stange = Urlaub nach den Plänen der Reiseunternehmen; nichtindividueller Urlaub. ⁊Stange 8. 1955 *ff*.
15. ~ ohne weiße Streifen = Ferien auf einem Freikörperkultur-Gelände. Weiße Streifen = ungebräunte Hautpartien. 1972 *ff*, werbetexterspr.
16. ~ bis zum Verrecken = Urlaub bis zum Wekken. Wortspiel, *marinespr* in beiden Weltkriegen.
17. ~ bei der Wache = Arrest. Wache = Arrestwache. *BSD* 1965 *ff*.
18. ~ bis zum Wecken = unaufmerksame Teilnahme am Schulunterricht. Übernommen vom *dt* Titel des 1955 unter der Regie von Raoul Walsh gedrehten Films „Battle Cry" nach dem Roman von Leon (Marcus) Uris (*dt* 1955). *Schül* 1958 *ff*.
19. ~ von der Weltlage = Erholungsurlaub ohne Zeitungen, ohne Rundfunk und Fernsehen. 1920 aufgekommen; 1958 wiederaufgelebt.
20. ~ auf Zeit = Arrest. *BSD* 1965 *ff*.
21. ~ vom Zuchthaus = Schulferien. Die Schüler sehen sich in der Rolle von Zuchthäuslern. 1950 *ff*.

22. bezahlter ~ = religiöse Einkehrtage. Die Teilnehmer erhalten Sonderurlaub unter Beibehaltung der Geld- und Sachbezüge. *BSD* 1965 *ff.*

23. nahtlos brauner ~ = Urlaub am Nacktbadestrand. *Vgl* ↗Urlaub 15. 1965 *ff.*

24. kleiner ~ = drei Tage Arrest; kurze Haftstrafe. *Sold* 1910 *ff.*

25. selbstgestrickter ~ = Urlaub nach eigenem Plan. 1960 *ff.*

26. unbewältigter ~ = Urlaub als Krankheitsursache. „Unbewältigt" kam kurz nach 1945 auf und bezog sich auf Nachwirkungen der NS-Zeit. Hiernach wurde „unbewältigt" zum Schlagwort für alles, was man innerlich nicht überwunden und verwunden hatte, und was mit den Reformbestrebungen der neuen Ära im Widerstreit stand. 1960 *ff*, medizinerspr.

26 a. unbezahlter ~ = Schulferien. *Schül* 1965 *ff.*

26 b. den ~ abliegen = die Ferienzeit am Strand verbringen. *Vgl* ↗absitzen. 1975 *ff*, werbetexterspr.

27. sein Bewußtsein geht auf ~ = er wird besinnungslos. 1960 *ff.*

28. seine Stimme geht auf ~ = er wird heiser. 1920 *ff.*

29. ~ vom Koffer haben = nach der Urlaubsreise die Berufstätigkeit wiederaufnehmen. 1955 *ff.*

30. den ~ kaputtmachen = sich im Kurort erholen; eine Badereise unternehmen; seinen Urlaub schlecht und recht verbringen. Kaputtmachen = vernichten. Hier bezogen auf Urlaubszeit und Urlaubsgeld, die beide man „kleinkriegt", ohne ungetrübte Urlaubsfreuden genießen zu können. 1955 *ff*, stud.

31. auf ~ sein = gerade nicht vorhanden sein (auf einen Gegenstand bezogen). 1940 *ff*, sold und ziv.

32. geistig auf ~ sein = geistesabwesend sein; vor sich hinträumen; nicht recht bei Sinnen sein. 1940 *ff.*

33. dein Verstand ist wohl auf ~?: Frage an einen, der nicht überlegt, was er sagt. 1940 *ff.*

34. den ~ von den Schuhen wischen = ins Berufsleben zurückkehren. Übernommen von der Redewendung „den Staub von den Schuhen wischen". 1955 *ff.*

urlauben *intr* Urlaub machen. (1920?) 1950 *ff.*

Urlaubersilo *m* Großhotel. 1970 *ff.*

Urlauberwelle *f* Ansturm der Urlaubsreisenden auf Verkehrsmittel und -straßen. ↗Welle. 1960 *ff.*

'Urlaubs'autler *m* Ferienreisender mit Auto. Autler = Autofahrer. 1965 *ff.*

Urlaubsbummel *m* Schlenderweg des Urlaubsreisenden. ↗Bummel 1. 1960 *ff.*

Urlaubs-Ehe *f* für die Dauer der Urlaubsreise geschlossene intime Gemeinschaft zweier Personen verschiedenen Geschlechts. 1930 *ff.*

Urlaubs-Ehefrau *f* weibliche Person, die der Mann im Urlaub als seine Ehefrau ausgibt. 1930 *ff.*

Urlaubsersatz *m* Nachrichtenhelferin. *Sold* 1941 *ff.*

Urlaubsfabrik *f* Reise-Unternehmen; Touristik-Organisation o. ä. 1960 *ff.*

Urlaubsgangster (Grundwort *engl* ausgesprochen) *m* Berauber von Urlaubsreisenden. 1975 *ff.*

Urlaubsgesicht *n* freundliche, entspannte Miene. 1920 *ff.*

Urlaubsinvalide *m* Urlauber, der seine Urlaubszeit nicht zweckmäßig zu nutzen weiß. 1960 *ff.*

Urlaubsjäger *m* überaus dienststeifriger Soldat. Er erstrebt Belobigung in Form von Sonderurlaub. *BSD* 1965 *ff.*

Urlaubskandidat *m* Mensch kurz vor Urlaubsantritt. 1920 *ff.*

Urlaubskapitän *m* Mann, der seinen Urlaub auf einer Yacht verbringt. 1900 *ff.*

Urlaubskater *m* Lustlosigkeit bei Wiedereingewöhnung nach dem Urlaub in den Alltag. ↗Kater 1. 1970 *ff.*

Urlaubsmarder *m* Dieb, der die Wohnungen verreister Bürger heimsucht. Er kommt als Raubtier. 1974 *ff.*

Urlaubs-Mekka *n* bevorzugtes Urlaubsziel. Übertragen vom Namen des islamischen Wallfahrtsorts in Saudi-Arabien. 1965 *ff.*

Urlaubsmuffel *m* 1. Mann, der sich am Urlaubsort nicht eingewöhnen, nicht anpassen kann. ↗Muffel 2. 1970 *ff.*
2. Mann, dem an Urlaub nicht gelegen ist. 1970 *ff.*

Urlaubsopfer *n* Mensch, der nach seiner Urlaubsreise verschiedene körperliche Beschwerden verspürt. 1965 *ff.*

Urlaubsprotz *m* Mensch, der mit seinen Urlaubserlebnissen prahlt. ↗Protz. 1935 *ff.*

Urlaubsrummel *m* Vergnügungsbetriebsamkeit von Urlaubsreisenden (für Urlaubsreisende). ↗Rummel. 1955 *ff.*

Urlaubsschuß *m* Verwundung, die den Abtransport des Getroffenen in ein Heimatlazarett erforderlich macht. *Sold* 1914 *ff.*

Urlaubsspeck *m* während des Urlaubs angesetztes Fett an Bauch und Gesäß. 1930 *ff.*

Urlaubssprache *f* mit Fremdwörtern durchsetzter Wortschatz von Leuten, die ihren Urlaub im Ausland verbracht haben. (1900 ?) 1955 *ff.*

Urlaubstreffer *m* Verwundung, die die Verlegung des Verwundeten in ein Heimatlazarett erforderlich macht. *Sold* in beiden Weltkriegen.

Urlaubswelle *f* Verkehrsstrom der Urlaubsreisenden. ↗Welle. 1960 *ff.*

Urlaubswetter-Unke *f* Meteorologe. ↗Unke 1. 1935 *ff.*

Urlaubswitwe *f* Ehefrau, die ohne ihren Mann Urlaub macht. 1960 *ff.*

Urlaubszeit *f* Fahrschulunterricht bei der Bundeswehr. Er gilt den Teilnehmern als Urlaub, weil einige Fahrschüler gefahren werden und nicht selber fahren. *BSD* 1965 *ff.*

Urlaubszigeuner *m* Campingfreund. In der Urlaubszeit hat er keinen festen Wohnsitz. 1955 *ff*.

Urne *f* **1.** Aschenbecher. 1960 *ff*.

2. komm gut in die ~, laß die Asche nicht zu heiß werden!: Redewendung an einen dummen oder untauglichen Menschen. *Halbw* 1960 *ff*.

3. der sollte gleich in die ~ huschen!: Redewendung auf einen betagten Menschen. 1970 *ff*.

Urnenhain *m* **1.** Sammlung von Siegespokalen o. ä. Eigentlich der Hain, in dem die Urnen mit der Asche der Verstorbenen aufbewahrt werden. Siegespokale haben vielfach Urnenform. Wien 1945 *ff*.

2. sieh dich um nach einem stillen Platz im ~!: Drohrede. Wien 1950 *ff*.

Urochse *m* sehr dummer Mensch. Verstärkung von ⬈Ochs 1. 1900 *ff*.

'Uroma (Ur'omama, 'Uromi) *f* Urgroßmutter. ⬈Oma. Kinderspr. seit dem 19. Jh.

'Uropa (Ur'opapa) *m* Urgroßvater. ⬈Opa. Kinderspr. seit dem 19. Jh.

Urschel *f* **1.** dumme, unbeholfene weibliche Person. Geht zurück auf den weiblichen Vornamen Ursula (Ursel). Vorwiegend *oberd, hess* und *rhein*, 1700 *ff*.

2. Schülerin einer Privatschule der Ursulerinnen. 1900 *ff*.

3. alte ~ = geistesbeschränkte Frau; unordentliches Mädchen. Seit dem 19. Jh.

4. blöde ~ = dumme weibliche Person. Seit dem 19. Jh.

5. kleine ~ = unbedeutende, geistig wenig rege weibliche Person. Seit dem 19. Jh.

urschen *tr* etw vergeuden, unsorgfältig behandeln; aus dem Vollen nehmen. Verkürzt aus ⬈urassen. *Nordd* und *ostmitteld* seit dem 19. Jh.

Ursel *f* unbeholfene, plumpe weibliche Person. ⬈Urschel. Fränkisch seit dem 19. Jh.

urst *adj* ausgezeichnet. Übernommen von der Steigerungssilbe „ur-" (urgemütlich, urkomisch u. a.). *Jug* 1979 *ff*.

urstark *adj* unübertrefflich. ⬈stark. *Schül* 1970 *ff*.

Ur'uroma *f* Ururgroßmutter. ⬈Oma. Seit dem 19. Jh, kinderspr.

Ur'uropa *m* Ururgroßvater. ⬈Opa. Seit dem 19. Jh, kinderspr.

Urviech (-vieh) *n* Naturbursche; Naturtalent; Draufgänger. ⬈Viech. Seit dem 19. Jh.

urviechisch *adj* naturburschenhaft. Seit dem 19. Jh.

Urwald *m* **1.** Schamhaare. Seit dem 19. Jh.

2. üppiges, ungepflegtes Kopf-, Barthaar. 1900 *ff*.

3. starke Brustbehaarung. Seit dem 19. Jh.

4. ~ mit Spielwiese = Glatze (in der Kopfmitte, mit Haarkranz). 1920 *ff*.

5. Benehmen wie im ~ = schlechte Umgangsformen. Leitet sich her von den für Deutsche fremden Sitten der Urwaldbewohner. *Vgl* auch ⬈Axt 2. 1900 *ff*, *sold, stud* und *schül*.

6. einen ~ abholzen = heftig schnarchen. ⬈sägen 1. 1920 *ff*.

7. jn mit etw aus dem ~ locken = mit etw (unwiderstehlichen) Anreiz auf jn ausüben. Wohl in Berlin aufgekommen. *Vgl* „dir ham se woll mit ne Mohrrübe aus'n Urwald jelockt = du bist ein Affe". 1920 *ff*.

8. nach ~ riechen = sich ungesittet benehmen. 1920 *ff*.

9. einen ~ umlegen = heftig schnarchen. ⬈sägen 1. 1920 *ff*.

Urwaldlichtung *f* Glatze (mit Haarkranz). 1945 *ff*, *stud*.

Urwaldmaggi *m* **1.** Rotwein; roter Wermutwein; Coca Cola. Die Färbung erinnert sowohl an die Hautfarbe der Urwaldbewohner als auch an die Färbung der „Maggi-Würze". Gammlerspr. und *halbw* 1965 *ff*.

2. Malzkaffee. *BSD* 1965 *ff*.

Urwaldtee *m* deutscher ~ = Kräuterteemischung. *Sold* und *ziv* in und nach beiden Weltkriegen.

Urzustand *m* im ~ sein = nackt sein. 1900 *ff*.

Usche *m* *f* Versager; dümmlicher Jugendlicher. Wohl aus „⬈Urschel" abgewandelt zur Bezeichnung einer männlichen Person. Berlin und *schles*, 1840 *ff*.

Uschi (Usche) *f* leichtes Mädchen; Prostituierte. Hängt zusammen mit den Bedeutungen von „⬈Urschel" sowie mit der Legende von Ursula und den elf Jungfrauen. 1920 *ff*, vorwiegend *sold*.

'uselig *adj* armselig; kränklich aussehend; unordentlich; abscheulich. Fußt auf *mhd* „usel = Asche, Aschenstäubchen" und spielt auf aschfahles Aussehen an. *Westd*, mittelfränkisch und *schles*, 1700 *ff*.

Ütze (Ütsche) *f* anmaßende, freche, unverträgliche weibliche Person. Eigentlich Bezeichnung für Frosch und Kröte. ⬈Kröte. Niedersächsisch und *ostmitteld*, seit dem 19. Jh.

Uz *m* Scherz, Ulk. ⬈uzen 1. Als Substantiv im 19. Jh aufgekommen.

Uzbruder *m* Spaßmacher; Mensch, der mit anderen sich gern einen Spaß erlaubt. Seit dem 19. Jh.

uzen *v* **1.** *tr* = jn necken, anführen; sich mit jm einen Scherz erlauben. Hängt vielleicht zusammen mit „Utz, Uz", einer Koseform des männlichen Vornamens Ulrich: mit „Uz" verspottet man die Narren, die Säufer usw. Schallnachahmung der Würgelaute und der unartikulierten Sprechlaute. 1500 *ff*.

2. *tr* = täuschen, prellen (der täuschende Schüler sucht den Lehrer zu prellen). *Schül* 1950 *ff*.

Uzer *m* Spaßmacher. ⬈uzen 1. Seit dem 19. Jh.

Uze'rei *f* Veralberung. Seit dem 19. Jh.

Uzvogel *m* Mensch, der sich mit anderen gern einen Scherz erlaubt. Im 19. Jh aufgekommene Variante zum „⬈Spaßvogel".

'Uz'zettel *m* Täuschungszettel des Schülers. ⬈uzen 2. 1950 *ff*.

V 3 Volkssturm. 1944/45 aufgekommen als spöttische Bezeichnung für eine weitere „Wunderwaffe" nach dem Muster von „V 1" und „V 2".

V 17 unüberbietbare Wunderwaffe. *Sold* 1944 *ff.*

V. B.   **1.** Auskundschafter von Diebstahlsgelegenheiten o. ä. Meint in der Militärsprache den vorgeschobenen Beobachter. *Rotw* 1920 *ff.*
2. Soldat, der für sich und seine Kameraden Ausschau nach Mädchen hält. *Sold* in beiden Weltkriegen.

VB Boden — Luft *m* Militärgeistlicher. Er stellt die Verbindung „Boden – Luft" (= Erde – Himmel) her. *BSD* 1965 *ff.*

Vg *m* Nichtmitglied der NSDAP. Dieser „Volksgenosse" ist aus Klugheit nicht der NSDAP beigetreten. Die Bezeichnung kam nach Kriegsende mit der „Entnazifizierung" auf.

VS *m* Volkssturm. Die amtliche Abkürzung wurde verschieden gedeutet: verdammte Schießer; vollgeschissene Strümpfe; vorsichtige Schießer. *Sold* 1942 *ff.*

VW *m* Tadel. Abkürzung von „Verweis". *Schül* 1955 *ff.*

VW-Beine *pl* kurze, krumme Beine. Die Volkswagen-Karosserie läßt den Beinen des Fahrers wenig Spielraum. 1955 *ff.*

VW-Liebchen *n* Prostituierte (Hure), die an den Geldbeutel ihres Galans nur geringe Anforderungen stellt und sich mit einem Volkswagenbesitzer begnügt. 1960 *ff, prost.*

VW-Nase *f* stark verschnupfte Nase. Hängt zusammen mit dem Werbespruch des Volkswagenwerks „läuft und läuft und läuft". 1968 *ff.*

v. z.! Ausdruck der Ablehnung. Verkürzt aus „verzichte!". Kartenspielerspr. 1890 *ff,* Berlin.

Vade'meca *f* Mitfahrerin auf dem Soziussitz; Reisegefährtin. Weibliche Form zu „Vademecum = Begleit-, Taschenbuch" aus *lat* „vade mecum = geh mit mir". *Stud* 1945 *ff.*

Vagabunden-Look (Grundwort *engl* ausgesprochen) *m* absichtlich verwahrloster Kleiderstil. ↗ Look. 1983 *ff.*

Vagabundin der Liebe *f* Straßenprostituierte. 1955 *ff.*

Vagantenbalsam *m* Schnaps. *Schweiz* 1940 *ff.*

Vagi'nalbaß *m* sehr tiefe Singstimme einer Sängerin. Die Stimme kommt aus tiefster Tiefe. 1930 *ff.*

Valentin *m* **1.** Kampfflugzeug des Typs „Starfighter". Valentin wird als Patron gegen die Fallsucht verehrt. Das anlautende V wird in Bayern wie f gesprochen und schlägt wortspielerisch die Brücke zu „fallen". Der „Starfighter" wurde berüchtigt als Flugzeugtyp mit den meisten Abstürzen in Friedenszeiten. *BSD* 1965 *ff.*
2. heute ist ~ = heute fällt einem alles aus der Hand zu Boden. *Bayr* 1920 *ff.*

Vamp (*engl* ausgesprochen) *m* Filmschauspielerin in der Rolle der Verführerin; Frau, die herzlos die Männer ausbeutet. Gegen 1925 aus dem *Angloamerikan* übernommene Abkürzung, fußend auf dem 1915 gedrehten *franz* Spielfilm „Les Vampyres" von Louis Feuillades.

Vampir *m* ~e vom Platz!: Anfeuerungsruf beim Fußballspiel. Mit den „Vampiren" sind die Spieler mit roher Spielweise gemeint. 1960 *ff.*

Van Andern *f* erbettelte Zigarette. Klingt *ndl;* gemeint ist „von anderen (erhalten)". *BSD* 1968 *ff.*

Vandalen *pl* hausen (sich benehmen) wie die ~ = rücksichtslos zerstören, verwüsten. Das ostgermanische Volk der Vandalen hat sich in der urkundlich gesicherten Geschichte nicht übler betragen als andere Völker seiner Zeit. Da aber die Vandalen 455 das christliche Rom geplündert haben, prägte 1794 der römisch-katholische Bischof von Blois (Grégoire) den Begriff „Vandalismus" als Schlagwort für sinnlose Zerstörungswut o. ä. Jene Redewendung hält sich seit dem 19. Jh.

Vanille *f* **1.** Rührseligkeit, Gefühlsüberschwang, Liebesannäherung; Liebe. Vanille-Eis und Vanille-Soße sind übliche Süßspeisen mit Vanillegewürz. Von da übertragen zu einer „süßen", mit Tränen und Rührung gewürzten Gefühlsäußerung. Die Vokabel hat einen leicht *iron* Nebensinn. *Halbw* 1910 *ff.*
2. die ganze ~ = die ganze Familie. Aus „Familie" entstellt, vielleicht weil manche Halbwüchsige die Pflege des Familienzusammenhalts wenig schätzen und sie als zweifelhafte Rührseligkeit empfinden. 1955 *ff, halbw.*
3. das ist ~ = a) das ist Schwindel; damit will man mich übertölpeln; darauf gehe ich nicht ein. 1910 *ff.* – b) das ist schwungvoll. Wohl aufgefaßt als eine Art besonderer Leckerei. *Halbw* 1950 *ff.*

Vanille-Laden *m* Eis-Salon; Kiosk (Handwagen) mit Speiseeisverkauf. 1930 *ff.*

Vanillepudding *m* das geht einem ein wie ~ = das ist eine sehr einschmeichelnde Melodie. 1950 *ff, halbw.*

*Kriegszeiten haben ihren eigenen Humor, einen recht makaber-galgenhumorigen. Äußerst peinlich dagegen wird es, wenn die offizielle Propaganda sich darin beweisen muß und Durchhalteparolen, die auch noch lustig sein sollen, unters Volk streut. Ein nun wirklich grandios mißlungener Versuch einer solchen Aktion ist auf der rechts wiedergegebenen Abbildung zu sehen. Ein Vater (vgl. **Vater 11.**) fordert da seinen Jungen auf, sich doch etwas zu ducken, denn wenn er getroffen werde oder ihm sonst etwas zustoße, bekomme es mit der Mutter zu tun, worauf der offensichtlich zwischen zwei Fronten stehende Sprößling nur zu antworten weiß, daß ihm ja dasselbe passieren könne, dann nämlich, wenn er ihr ohne ein „Eisernes Kreuz" vor die Augen treten würde. „Ach du heiliger Vater"* (**Vater 14.**), *möchte man da am liebsten ausrufen, doch fällt dem, der für das Ganze verantwortlich zeichnet (vgl. **Vater 1.**, **9.**) spätestens in solchen Situationen eben dieses Attribut und noch so manch anderer Lack ab. Umgangssprachlich stellt sich das oft komplizierte und problembefrachtete Vater-Sohn-Verhältnis ohnehin recht prosaisch dar. Von Bluts- und anderen Banden ist da recht wenig zu spüren. Hier geht es vielmehr um Dinge, die ins Blut gehen (vgl.* **Vater 9.**) *oder um die Profession dessen, ohne den der andere nur schwerlich existieren dürfte (vgl.* **Vater 23.–25.**). *Und so könnte jenes unsägliche Machwerk zur Rechten auch die Unterschrift tragen: „Dein Vater war wohl Glaser?", womit ausgedrückt werden soll, daß einer einem anderen die Aussicht nimmt, und sei's auch nur die auf den Heldentod.*

Vater und Sohn.
„Junge, deck' dich doch ein bißchen! Wenn Mutter erfährt, daß dir was passiert ist, krieg' ich's!"
„So, – und wenn ich ohne Eisernes Kreuz nach Hause komme, dann krieg' ich's!"

Vanillezahn *m* sehr nettes, anziehendes Mädchen. ↗Vanille 1; ↗Zahn 3. *Halbw* nach 1950.

Vase *f* 1. Nachtgeschirr; Urinflasche für bettlägerig kranke Männer. Verkürzt aus ↗Mitternachtsvase. 1900 *ff*.
  2. lichtscheue ~ = Nachtgeschirr. 1910 *ff*.

Vater *m* 1. der ~ vom Ganzen (vons Janze) = Urheber; Verantwortlicher; Firmeninhaber. 1900 *ff*.
  2. der ~ von dem Kind = Urheber einer Entwicklung, einer Maßnahme, einer politischen Einstellung o. ä. 1920 *ff*.
  3. ~ der Kompanie = Hauptmann. *Sold* 1914 bis heute.
  4. ~ Philipp = Arrest-, Haftanstalt. Leitet sich her von einem Unteroffizier namens Johann Philipp, der seit 1818 Arrestaufseher der Potsdamer Garnison war. *Sold* bis heute.
  5. ~ Rhein = der Rhein. Aufgekommen nach der Mitte des 18. Jhs mit dem Erwachen eines bis dahin unbekannten Naturgefühls, vielleicht durch Ludwig Christoph Heinrich Hölty („Ein Leben wie im Paradies / Gewährt uns Vater Rhein").
  6. ~ Seemann = Arrestanstalt für Seeleute. *Marinespr* 1900 *ff*.
  7. ~s Sohn (meines ~s Sohn; meinem ~ sein Sohn) = man selbst; ich (wenn es sich um eine männliche Person handelt). 1840 *ff*.
  8. ~ und Sohn = a) Coca-Cola mit Weinbrand (Rum). Geht zurück auf die gleichnamigen Bildergeschichten, die O. E. Plauen (= Erich Ohser) seit 1933 in der „Berliner Illustrierten" veröffentlichte. 1950 *ff*. – b) Bier und Kornschnaps. 1950 *ff*.
  9. ~ Staat = Regierung. Fußt auf der Vorstellung, daß die Regierung wie ein Vater für die Bürger zu sorgen hat. Wohl im späten 19. Jh aufgekommen.
  10. ~ Weiß = Winter. Kundenspr. seit dem 19. Jh.
  11. alter ~ = Altgedienter. *BSD* 1960 *ff*.
  12. ach du armer ~!: Ausruf des Erstaunens, auch des Erschreckens. Wohl entstellt aus einer Anrufung Gottes. 1920 *ff*.
  13. ach du dicker ~!: Ausruf der Überraschung. Oft in der Form: „Ach du dicker Vater, hast du dünne Kinder!". 1900 *ff*.
  14. ach du heiliger ~!: Ausruf der Überraschung, der Bestürzung. 1920 *ff*.
  15. ach du mein himmlischer ~!: Ausruf des Entsetzens oder Staunens. 1920 *ff*.
  16. kesser ~ = aktiver Typ der Lesbierin. Keß = draufgängerisch. 1920 *ff*.

17. künstlicher ~ = Samenspender für das künstlich zu erzeugende Kind. 1955 *ff.*
18. schwarzer ~ = a) unbekannter Kindesvater. Er hüllt sich in Dunkel. Berlin 1920 *ff.* – b) unehelicher Kindesvater, der sich der Unterhaltszahlung erfolgreich entzogen hat. 1920 *ff.*
19. sie hat keinen ~ = sie steht allein. Bezogen auf eine Spielkarte, die von einer Spielfarbe die einzige ist. Kartenspielerspr. seit dem 19. Jh.
20. du hast wohl einen dicken ~?: Frage an einen schwerfälligen und begriffsstutzigen Jungen. *Schül* 1950 *ff.*
21. einen doofen ~ haben = nicht recht bei Verstand sein. ↗doof. *Schül* 1950 *ff.*
22. das hilft dem ~ auf die Mutter = das ist eine kräftigende Speise. 1900 *ff.*
23. sein ~ ist Elektriker = er ist begriffsstutzig. Anspielung auf die „lange ↗Leitung". 1950 *ff, schül.*
24. dein ~ ist wohl Fußballer?: Frage an einen Jungen mit abstehenden Ohren. Wortspiel mit „abseits stehen". *Österr* 1955 *ff, jug.*
25. dein ~ ist wohl Glaser (Glaserer)?: Frage an einen, der dem Fragenden im Licht steht. Scherzhaft nimmt man an, der Glaser habe durchsichtige Kinder. Spätestens seit 1850.
Väterchen *n* **1.** ~ Frost = Frost; gefrorener Erdboden (im Stadion). An der Ostfront des Zweiten (Ersten?) Weltkriegs aufgekommen in Nachahmung der russischen Metapher von „Väterchen Zar".
2. ~ Kommerz = Handel und Wirtschaft. 1960 *ff.*
Vaterglück *n* ich nehme dir gleich das ~!: Drohrede. Anspielung auf Kastration o. ä. Rockerspr. 1967 *ff.*
Vaterland *n* **1.** das ~ ruft = der Befehl zum Antritt der Haftstrafe ist eingetroffen. Bezieht sich ursprünglich auf die Einberufung des Wehrpflichtigen. 1900 *ff.*
2. das ~ ist gerettet = der vermißte Gegenstand hat sich wiedergefunden. 1900 *ff.*
Vaterlandsduselei *f* übertriebener oder unangebrachter Patriotismus. ↗Duselei. 1910 *ff.*
Vaterlandsrummel *m* übertriebene Pflege patriotischer Gedanken. ↗Rummel. 1910 *ff.*
Vatermann *m* verheirateter Student. Berlin 1960 *ff.*
Vaterschaft *f* **1.** jm die ~ anhängen = jn als Vater benennen; jds Vaterschaft beweisen. ↗anhängen. 1900 *ff.*
2. ich kündige dir die ~!: scherzhafte Drohung des Vaters an den Sohn. 1900 *ff.*
Vaterstulle *f* große (nicht halbierte) Doppelschnitte Brot. ↗Stulle. *Nordd* 1900 *ff.*
Vatertag *m* **1.** zweiter Pfingstfeiertag *(österr);* Himmelfahrtstag *(dt);* zweiter Sonntag im Juni *(österr).* Aufgekommen bald nach 1918, als der erste Sonntag im Mai zum Muttertag erklärt wurde.

Die Feldpostkarte aus der Zeit des Ersten Weltkrieges trägt den Schriftzug „Vaterunser". Allerdings wird damit nicht in erster Linie auf das letzte Vaterunser angespielt, das einer spricht, bevor ihn der Tod ereilt (vgl. **Vaterunser 3.**)*, sondern auf das Reich, das dann kommen solle. Das unausgesprochene Motto: Durch die Hölle zum Himmelreich auf Erden, einem neuen Heiligen Römischen Reich Deutscher Nation. Ein solches verlogenes Pathos liegt dem Vaterunser der Umgangssprache fern. Das Gebet gerät hier zu einem fast schon inhaltsleeren Ritual (vgl.* **Vaterunser 5.**)*, das keinen tieferen Eindruck mehr hinterläßt (vgl.* **Vaterunser 7.**)*. Wer hingegen nicht einmal das Vaterunser beten kann, erweist sich als jemand, der von den Versuchungen dieser Welt noch nichts weiß und demzufolge auch nicht um eine Vergebung seiner Schuld zu bitten braucht (vgl.* **Vaterunser 2.**)*. Jenes Vaterunser, das man durch die Backen blasen kann (***Vaterunser 1.**)*, bezieht sich auf die Bitte „unser täglich Brot gib uns heute".*

2. Tag, an dem der geschiedene Vater seine Kinder besucht oder abholt. Zürich 1979 ff.

Vatertagssünder m Kraftfahrer, der am Himmelfahrtstag sich trotz reichlichen Alkoholgenusses ans Steuer setzt. ↗ Sünder. 1960 ff.

Vaterunser n **1.** ihm kann man das ∼ durch die Backen (Wangen) blasen (lesen) = er ist hohlwangig. Anspielung auf die Bitte des Vaterunsers „unser täglich Brot gib uns heute". Seit dem 18. Jh.

2. noch nicht das ∼ beten können = als Mädchen noch unberührt sein. Bezieht sich auf die Bitte „vergib uns unsere Schuld" sowie „führe uns nicht in Versuchung". 1870 ff.

3. sein letztes ∼ gebetet haben = dem Tode nahe sein. Seit dem 19. Jh.

4. dem katholischen ∼ gleichen = energielos sein. Im katholischen Vaterunser fehlen die Worte „denn dein ist das Reich und die Kraft und die Herrlichkeit in Ewigkeit". 1800 ff.

5. etw herbeten wie das ∼ = etw gedanken- und ausdruckslos vortragen. 1900 ff.

6. wo das ∼ 50 Pfennig kostet = in der Gaststätte. 1960 ff.

7. wie ein ∼ wirken = harmlos wirken; keinen tiefen Eindruck hinterlassen. 1950 ff.

Vau'wedes m Auto, Marke „Audi". Zusammengesetzt aus der Abkürzung „VW = Volkswagen" und „Mercedes", der Automarke der Daimler-Benz-Werke. Aufgekommen 1966 mit der Zusammenarbeit beider Automobilfabriken.

Vehemenz f Seine ∼ = leicht aufbrausender Vorgesetzter. Aufgekommen gegen 1880 als Beiname des mit „Eminenz" angeredeten Kölner Kardinals Fischer, der energisch für die christlichen Gewerkschaften eintrat. Die Bezeichnung ging später auf General Ludendorff, auf Generalfeldmarschall Model u. a. über.

Ve'hikel n Fahrzeug. Humoristisch-ironische Bezeichnung, meist auf Fahrzeuge alter Bauart bezogen. Aus lat „vehiculum" über franz „véhicule". 1900 ff.

Veilchen n **1.** blauer Fleck auf der Haut; Auge mit blaugefärbter Umgebung. 1870 ff.

2. ∼ für einen Ochsen = überaus karge Mahlzeit. 1930 ff.

3. blaues ∼ = blaugeschlagenes Auge. 1870 ff.

4. trauriges ∼ = Nichtskönner. Das Veilchen blüht im Verborgenen und kommt nur selten zur Geltung. 1900 ff.

5. blau wie ein ∼ = betrunken. ↗ blau 5. Seit dem 19. Jh.

6. blau wie tausend ∼ = volltrunken. 1930 ff.

7. die ∼ von unten besehen = im Grab liegen. Mildere Variante zu „↗ Radieschen 9". 1920 ff.

8. die ∼ blühen = es gibt blaugeschlagene Augen. 1920 ff.

9. wie ein ∼ riechen = übel riechen; stinken. Ironie. 1920 ff.

10. die ∼ von der Wurzel riechen = im Grab liegen. 1920 ff.

11. ∼ spielen = betrunken sein. ↗ Veilchen 5. 1950 ff.

12. jm ein ∼ überreichen = jm ein Auge blauschlagen. 1900 ff.

Veilchenaugen pl **1.** von tiefblauen Schatten umränderte Augen als Folge von Boxhieben o. ä. 1900 ff.

2. naiver, unschuldsvoller Blick. 1920 ff.

3. flirtende Blicke. 1920 ff.

Veilchenbeet n blau wie ein ganzes ∼ = volltrunken. Verstärkung von ↗ Veilchen 5. 1920 ff.

'veilchen'blau adj schwer bezecht. ↗ Veilchen 5. Seit dem 19. Jh.

Veilchenbukett n mehrere blaue Flecke. ↗ Veilchen 1. 1880 ff, Berlin.

Veilchenduft m Gestank. ↗ Veilchen 9. 1920 ff.

Veilchenhochzeit f Wiederkehr des Hochzeitstages nach 12 ½ Jahren. Zusammenhang unbekannt. 1970 ff.

Velours-Augen (Bestimmungswort franz ausgesprochen) pl melancholisch-müde, leicht sinnlich wirkende Augen mit langen, verschleiernden Wimpern. 1930 ff.

Venedig On **1.** nordisches ∼ = Stockholm. Wegen seiner Lage auf Inseln und Halbinsel. „Venedig des Nordens" heißen außer Stockholm auch Brügge und Leningrad. Spätestens seit 1800.

2. so spielt man in ∼!: Redewendung des Gegners, der beim Kartenspiel jeden Stich nimmt. Soll auf Machtmißbrauch gegenüber verleumdeten Personen im alten Venedig zurückgehen. Kartenspielerspr. seit dem 19. Jh.

Ventil n **1.** Schließmuskel des Afters, der Harnblase; After. 1900 ff.

2. das ∼ nachstellen = Einhalt gebieten; Zornesausbrüche dämpfen. Übertragen vom Ventil am Dampfkessel. 1950 ff.

3. jm das ∼ ölen = jn zur Eile antreiben. 1910 ff.

4. sein ∼ ist nicht dicht = er kann sein Wasser nicht halten. 1900 ff.

Ventilation f **1.** Loch im Schuh. Spätes 19. Jh.

2. Entweichen von Darmwinden; After. 1900 ff.

3. Erörterung. ↗ ventilieren. 1950 ff.

Ventilationsloch n Loch im Fußteil des Strumpfes; Loch in der Schuhsohle. 1900 ff.

Ventilator m **1.** Flugzeugpropeller. Fliegerspr. 1930 ff.

2. in seinem Kopf surrt ein ∼ = er macht sich ernsthaft (ernste) Gedanken; Gedanken kreisen in seinem Kopf. 1920 ff.

3. er dreht sich im Grab um (er rotiert im Grab) wie ein ∼ = wenn der Verstorbene dies wüßte, fände er keine Ruhe im Grab. Verstärkung von „↗ Grab 3". 1920 ff.

ventilieren tr etw erwägen, erörtern, erkunden. Um 1800 aufgekommene Nachbildung von engl „to air = eine Frage prüfen, erörtern".

*Arnold Böcklins (1827–1901) Gemälde „Die Geburt der Venus", zu dem er sich augenscheinlich von dem berühmten Gemälde Sandro Botticellis inspirieren ließ, geht auf die alte Vorstellung zurück, wonach Aphrodite, deren Eigenschaften später auch auf die römische Liebesgöttin Venus übertragen wurden, aus dem Schaum des Meeres geboren worden sei. Die Venusgestalt Böcklins verharrt in einem eigentümlichen Schwebezustand. Sie ist zum einen ein Stück Natur, strebt zum andern aber, von den Engeln zur Linken und zur Rechten fortgezogen, hinan in höhere, himmlische Sphären. Auch die griechische Mythologie unterscheidet zwischen der himmlischen Aphrodite, der Urania, und einer dem ganzen Volk gehörenden Göttin der „gemeinen" Sinnlichkeit, der Pandemos. Allein der letzteren werden auch heute noch Tempel errichtet (vgl. **Venus**, **Venustempel** usw.).*

Venus *f* **1.** ~ von Kilo = beleibte Frau. Scherzhaft umgedeutet aus „Venus von Milo" unter Verwertung der Lautähnlichkeit von „Milo" und „Kilo". 1900 *ff*.

2. ~ per Pille = Liebesmittel (Aphrodisiakum). 1950 *ff*.

3. der ~ opfern = koitieren (ejakulieren). 1920 *ff*.

Venus-Dienerin *f* Prostituierte. 1955 *ff*.

Venushöhle *f* Vergnügungslokal. 1955 *ff*.

Ve'nusierin *f* Prostituierte. 1955 *ff*.

Venuskadett *m* junger Mann mit ungestillten Geschlechtsgelüsten. 1930 *ff*.

Venusmagd *f* Prostituierte. 1955 *ff*.

Venuspickel *pl* Bläschenbildung um die Lippen (als Folge geschlechtlicher Erregung gedeutet). ↗ Pickel 1. 1950 *ff*.

Venuspriesterin *f* Prostituierte. Anspielung auf Tempelprostitution in der Antike. 1800 *ff*.

Venussonde *f* Heiratsgesuch in der Zeitung. Aufgekommen 1973 mit dem Start der ersten Versuchssonde zum Planeten Venus.

Venustempel *m* **1.** Vagina. Seit dem 19. Jh.

2. Bordell. 1900 *ff*.

Venuswimmerl *pl* Bläschen um die Lippen. *Vgl* ↗ Venuspickel. ↗ Wimmerl. *Österr* 1950 *ff*.

veraalen *tr* ein Schiff torpedieren. ↗ Aal 1. *Marinespr* seit dem frühen 20. Jh.

veraasen *v* **1.** *tr* = etw vergeuden, durchbringen. ↗ aasen 1. Seit dem 19. Jh.

2. *intr* = verderben; umkommen lassen; verenden. Hergenommen vom Wild, das infolge eines schlechten Schusses im Verborgenen verendet. Seit dem 19. Jh.

verabreichen *v* jm eine ~ = jn ohrfeigen. Seit dem 19. Jh.

verabschieden *refl* Selbstmord verüben. Rokkerspr. 1970 *ff*.

veracheln *tr* etw verzehren, für Eßwaren ausgeben. ↗ acheln. 1900 *ff*.

veramüsieren *tr* etw für Vergnügungen ausgeben; etw sinnlos vergeuden. 1920 *ff*.

Veranda *f* **1.** üppiger Busen. Analog zu ↗ Balkon. 1940 *ff*.

2. Leib der Schwangeren. 1900 *ff*.

3. sich eine ~ über die Pißbude bauen lassen = sich schwängern lassen. 1900 *ff*.

Verandakäse *m* stark riechender Käse. Man sollte ihn auf der Veranda essen. „Veranda" nannten die Soldaten auch den freien Raum vor dem Unterstand. 1914 *ff*, *sold*; später *ziv*.

verändern *refl* heiraten. Durch Heirat ändert sich der Personenstand. Seit *mhd* Zeit.

Veranstaltungsplan (-spiegel) *m* Wochendienstplan am Schwarzen Brett. Meint eigentlich die Übersicht über die kulturellen Veranstaltungen in einer Stadt. *Sold* 1939 *ff*.

Verantwortung *f* die ~ in (an) der Garderobe abgeben = unverantwortlich handeln. *Vgl* ↗ Überzeugung 1 a. 1970 *ff*.

*Anonyme Karikatur auf Wilhelmine Enke, Geliebte des wegen seiner Mätressenwirtschaft ins Gerede gekommenen preußischen Königs Friedrich Wilhelm II. (1744–1797), der sie zur Gräfin von Lichtenau machte und 1781 zum Schein mit dem Kammerdiener J. F. Fietz verheiratete. Ihre Kinder erhielten den Titel Graf oder Gräfin von Mark. Das Motive aus dem Stich „Die Versuchung des Hl. Antonius" von Jaques Callot (1592–1635) aufnehmende Spottblatt, augenscheinlich wirklich eine **Verarschung** (vgl. **verarschen 2.**), indes zeigt, daß alle Versuche, diese Liaison zu vertuschen, vergeblich waren.*

veräppeln *tr* **1.** jn verhöhnen, verspotten, veralbern. Hergenommen von den faulen Äpfeln, mit denen das Theaterpublikum früher die Schauspieler wegen schlechter Leistungen bewarf. Seit dem ausgehenden 19. Jh.
2. in der Schule täuschen. Dadurch verspottet der Schüler den Lehrer. 1950 *ff.*
3. jn prügeln. ↗ Appel 3. 1900 *ff.*
Veräppelung *f* Verhöhnung, Verspottung. ↗ veräppeln 1. 1900 *ff.*
Veräppler *m* Mann, der mit anderen seinen Scherz treibt. 1920 *ff.*
verarbeiten *tr* **1.** jn durch Falschspiel betrügen. *Rotw* seit dem 19. Jh.
2. etw glatt ~ = eine plumpe Schmeichelei wohlgefällig hinnehmen; an etw keinen Anstoß neh-

men (obwohl Anlaß gegeben ist). 1910 *ff.*
verarschen *tr* **1.** jn prügeln. ↗ Arsch 1. 1870 *ff, jug* und *sold.*
2. sich mit jm einen Spaß erlauben; jn veralbern, beschwindeln; in der Schule täuschen. Hergenommen vom leichten Klaps auf das Gesäß des kleinen Kindes; daher soviel wie „jn wie ein kleines Kind behandeln". 1900 *ff.*
Verarschung *f* **1.** Übertölpelung; Veralberung; Täuschungsversuch. ↗ verarschen 2. 1900 *ff.*
2. unerlaubter Drill. Entweder faßt man ihn als eine Art Verprügelung auf, oder man spielt an auf die Verwendung derber Wörter durch den Ausbilder. *BSD* 1968 *ff.*
3. Dienstvorschrift. Man fühlt sich durch sie veralbert. *BSD* 1968 *ff.*
verarzten *tr* **1.** jn ärztlich behandeln. 1600 *ff.*
2. jn (etw) untersuchen, in Ordnung bringen, ausbessern; jn beraten. Von der ärztlichen Behandlung übertragen auf jegliche Behandlung eines Menschen, eines Gegenstands oder einer Angelegenheit. Seit dem späten 19. Jh.
3. jn prügeln, gewalttätig behandeln. 1930 *ff.*
4. ein Mädchen ~ = mit einem Mädchen geschlechtlich verkehren; ein Mädchen vergewaltigen. 1900 *ff.*
verassern *tr* **1.** jm etw verbieten. ↗ assern. Seit dem frühen 19. Jh.
2. ein Lokal polizeilich schließen; eine Hausdurchsuchung vornehmen. 1900 *ff.*

verasten *tr* jn veralbern; jm ein Gerücht einreden. Ast = Buckel. Ein kleines Kind trägt man auf den Schultern. Daher soviel wie „jn wie ein kleines Kind behandeln". Seit dem ausgehenden 19. Jh.

verbabbeln *v* 1. *intr* = mit Geschwätz verbringen; durch Plaudern verscherzen. ↗babbeln. Seit dem 17. Jh.
2. *refl* = sich beim Sprechen irren; unbedacht eine Äußerung tun. 1600 *ff.*

Verbalakrobat (-artist; -athlet) *m* großsprecherischer Mann. 1970 *ff.*

Verbalgymnastik *f* Wortgewandtheit; opportunistische Beredsamkeit. 1970 *ff.*

verballern *v* 1. *tr* = Munition nutzlos verschießen, wirkungslos verschießen. ↗ballern 1. *Sold* seit dem späten 19. Jh.
2. *tr* = etw vergeuden, vertun, durchbringen, vertrinken. 1890 *ff.*
3. *tr* = etw veräußern. Analog zu ↗verkloppen. 1890 *ff.*
4. *tr* = jn verprügeln. Seit dem 19. Jh.
5. *tr* = schwängern. Analog zu „schießen = ejakulieren". 1800 *ff.*
6. *intr* = mit einer Frau schlafen, ohne sie befriedigen zu können. ↗verballern 1. 1900 *ff.*

verballert *adj* bestürzt, aufgeregt. Man ist wie vor den Kopf geschlagen. 1900 *ff.*

Verbal-Prügel *pl* sehr heftige Kritik. 1970 *ff.*

verbandeln *tr* Leute ~ = Leute zusammenführen, verkuppeln, verheiraten. ↗anbandeln. Seit dem 19. Jh, *oberd.*

verbandelt sein mit jm ~ = a) mit jm ein Liebesverhältnis unterhalten. *Oberd* seit dem 19. Jh. – b) zu jm gehören; mit jm in geheimem Einverständnis stehen. *Oberd* seit dem 19. Jh.

Verbandelung *f* Zusammenleben ohne Trauschein. 1960 *ff.*

Verbandsboß *m* Verbandsvorsitzender. ↗Boß 1. 1950 *ff.*

Verbandsklüngel *m* verbandsinterne Machenschaften. ↗Klüngel 1. *Sportl* 1960 *ff.*

Verbandslöwe *m* einflußreicher Verbandsfunktionär. 1960 *ff.*

Verbandstoff *m* du weißt wohl nicht, was hundert Meter ~ kosten: Drohrede. 1920 *ff, jug.*

verbaseln *tr* etw verderben, aus Vergeßlichkeit vernachlässigen, versäumen. Ein *niederd* Wort, mittel-*niederd* „basen = unsinnig reden"; mittel-*niederd* „vorbasen = von Sinnen kommen"; *ndl* „verbazen = in Verwirrung geraten". Seit dem 16. Jh.

verbaselt (verbast) *adj* verwirrt, bestürzt. *Niederd* seit dem 16. Jh.

Verbaselung *f* Geistesverwirrung. *Niederd* seit dem 19. Jh.

verbatschen *tr* jn verraten. ↗batscheln. *Bayr* 1900 *ff, schül.*

verbauchen *intr* beleibt werden. 1910 *ff,* Berlin.

verbauen *v* 1. etw ~ = eine schlechte Arbeit schreiben. ↗bauen 1. *Schül* seit dem 19. Jh.
2. sich ~ = zuviel Geld für einen Bau aufwenden. 1870 *ff.*
3. jm etw ~ = jm etw vereiteln. Dem Betreffenden wird der Weg verbaut, versperrt. 1920 *ff.*

verbauern *intr* den Sinn für Höheres und Feineres verlieren. Beruht auf der Grundvorstellung der Städter, daß der Bauer ein plumper, kaum zivilisierbarer Mensch sei. Seit dem 18. Jh.

Verbauerung *f* geistige Abstumpfung. Seit dem 19. Jh.

verbaut *adj* 1. verwachsen; mißgestaltet. Seit dem 19. Jh.
2. wunderlich. Man ist in geistiger Hinsicht falsch gebaut. *Halbw* 1955 *ff.*

verbechern *tr* etw vertrinken. ↗bechern. Seit dem 19. Jh.

verbeißen *v* sich etw ~ = sich etw versagen; etw hinnehmen, ohne aufzubegehren. Man beißt sich auf die Lippen. Seit dem 19. Jh.

verbellen *v* jn (etw) heftig kritisieren. Stammt aus der Jägersprache: der Jagdhund verbellt ein krankes, verwundetes oder verendetes Stück Wild. 1950 *ff.*

verbequemlichen *v* sich etw ~ = sich etw einfacher machen. *Sold* 1935 *ff.*

Verbeuger *m* Empfangschef in Restaurants o. ä. 1900 *ff.*

Verbeugung *f* eine erstklassige ~ hinlegen = sich formvollendet verneigen. ↗hinlegen 2. 1920 *ff.*

Verbeugungsreise (-tour, -tournée) *f* Propagandareise eines Künstlers, verbunden mit Bühnenauftritten, Autogrammgeben usw. 1955 *ff.*

Verbeugungsweg *m* Straße, die Flugzeuge als Einflugschneise dient. Das Tieffliegen der Flugzeuge veranlaßt die Fußgänger, den Kopf zur Erde zu senken, was wie eine Verbeugung aussieht. Berlin 1959 *ff.*

verbeulen *tr* jn heftig prügeln. Man schlägt so heftig zu, daß das Opfer Schwellungen davonträgt. Seit dem ausgehenden 19. Jh, nördlich der Mainlinie.

verbeult *adj* durch langes Tragen ausgeweitet (von Kleidungsstücken gesagt). Seit dem 19. Jh.

verbibbert *adj* nervös, hastig. ↗bibbern. 1900 *ff.*

verbibbich (verbibsch) *interj* Ausruf des Unwillens. Vielleicht mit „Pipi" zusammenhängend, also bedeutungsähnlich mit „↗beschissen" (?). *Sächs* 1900 (?) *ff.*

verbiegen *v* 1. etw ~ = etw wahrheitswidrig entstellen; das Sittengesetz listig umgehen. Man bringt das Gemeinte aus der geraden Richtung. Seit dem 19. Jh.
2. *refl* = sich verbeugen. 1900 *ff.*

verbient *adj* verlaust. ↗Biene 6. 1900 *ff.*

verbiestern *v* 1. jn ~ = jn verwirren, einschüchtern. Fußt auf *ndl* „bijster = verwirrt, verrückt". Seit dem 15. Jh.

2. *refl* = a) sich verlaufen; in die Irre gehen. *Niederd* 1700 *ff.* – b) starrsinnig sich in etw vertiefen. 1700 *ff.*

verbiestert *adj* verwirrt; eingeschüchtert; verdrossen; nicht bei klaren Sinnen. Seit dem 19. Jh.

verbiestert sein sich irren; sich von einem Irrtum nur schwer lösen. 1900 *ff.*

Verbiesterung *f* Einschüchterung, Verwirrung, Verstörung. Seit dem 19. Jh.

verbimsen *tr* **1.** jn verprügeln. ⁊ bimsen 2. Seit dem 19. Jh.

2. jn quälen, mißhandeln. 1900 *ff, sold* und *rotw*.

3. koitieren. ⁊ bimsen 4. 1870 *ff.*

4. etw aufessen; viel essen; Geld für Eßwaren ausgeben. ⁊ Bims I; ⁊ Bims II 1. Seit dem ausgehenden 19. Jh.

5. etw vergeuden. ⁊ Bims II 1. 1900 *ff.*

Verbindung *f* **1.** schlagende ~ = a) unglückliche Ehe. Eigentlich eine Studentenverbindung, in der Mensuren gefochten werden. 1950 *ff.* – b) Schlagzeuggruppe eines Orchesters. 1920 *ff.*

2. eine telegrafische (drahtlose) ~ herstellen = dem Mitschüler vorsagen. 1920 *ff.*

Verbindungsheini *m* Verbindungsstudent. ⁊ Heini. 1960 *ff.*

Verbindungsniveau (Grundwort *franz* ausgesprochen) *n* großsprecherisches Äußern von Allgemeinplätzen. In der Auffassung mancher Leute ist dies typisch für Verbindungsstudenten. 1960 *ff.*

Verbindungsoffizier *m* **1.** Militärarzt. Er verbindet die Wunden. *Sold* 1914 *ff.*

2. Militärgeistlicher. *Vgl* das Folgende. *Sold* 1939 bis heute.

3. ~ Boden – Luft = Militärpfarrer. Er stellt die Verbindung von der Erde zum Himmel her. *BSD* 1965 *ff.*

4. ~ Himmel – Erde = Militärpfarrer. *BSD* 1965 *ff.*

verbissen *adv* etw ~ sehen = etw engherzig, unduldsam beurteilen. *Halbw* 1970 *ff.*

verblasen *tr* **1.** etw absagen. Stammt aus der Jägersprache: ein Hornsignal zeigt das Ende der Jagd an. ⁊ abblasen 1900 *ff.*

2. Geld vertrinken. ⁊ blasen 6. 1900 *ff.*

verblatten *tr* jn verraten. Der Jäger lockt durch „Blatten" (= Pfeifen auf einem Blatt) das Wild. 1933 *ff.*

verblechen *tr* **1.** etw zu Geld machen. ⁊ Blech 2. Seit dem 19. Jh.

2. sein Geld vergeuden. 1900 *ff.*

verblenden *tr* eine Frau ~ = Heiratsschwindel begehen. Verblenden = blind machen. Der Heiratsschwindler täuscht durch äußeren Schein. 1920 *ff.*

verblendet sein in jn ~ = von jm verzaubert sein; jn sehr lieben. Seit dem 19. Jh.

verbleuen *tr* jn verprügeln. ⁊ bleuen. Spätestens seit dem 19. Jh.

verblitzen *tr* Geld rasch ausgeben. Es geht schnell wie der Blitz dahin. 1910 *ff.*

Titelbild und Titelgeschichte dieser Ausgabe des Nachrichtenmagazins „Der Spiegel" (28/1984) handeln von dem, wie insbesondere die Pädagogen klagen, überall zu beobachtenden „Sprachverfall", der in diesem unserem Lande immer mehr um sich greife: Für diese „unsäglich scheußliche Sprache" werden insbesondere die Comics, deren Lektüre dazu führe, daß „die sprachliche Ausdruckskraft auf ein unbekanntes Minimum zusammenschnurre", und das Fernsehen verantwortlich gemacht: „Hoher Fernsehkonsum, kleiner Wortschatz". Die Umgangssprache sieht dieses Problem nicht ganz so eindimensional und bringt neben der **Verblödungsröhre** *noch die* **Verblödungsanstalt** *in die Diskussion ein.*

verblödeln *v* **1.** jn ~ = sich über jn lustig machen. ⁊ blödeln. 1920 *ff.*

2. etw ~ = einer Sache ungehörigerweise die Ernsthaftigkeit nehmen. 1950 *ff.*

3. *intr* = geistig abstumpfen. 1920 *ff.*

verblödelt *adj* leicht verblödet. 1920 *ff.*

Verblödung *f* bis zur völligen ~ = bis zum äußersten. Seit dem ausgehenden 19. Jh.

Verblödungsanstalt (-heim) *f (n)* Schule. *Schül* 1960 *ff*.

Verblödungshilfen (-material) *pl (n)* Lehrmittel. *Schül* 1960 *ff*.

Verblödungsröhre *f* Fernsehgerät. 1960 *ff*.

verblubbern *intr* nach und nach aufhören, aussetzen (auf einen Motor bezogen). ↗ blubbern 5. 1939 *ff*, kraftfahrerspr.

verblühen *intr refl* sich rasch entfernen; unbemerkt verschwinden. Analog zu ↗ verduften. Seit dem frühen 20. Jh, anfangs *stud* und *schül*; 1914 *ff sold*.

verbluten *intr* eine Sache verblutet = eine Sache scheitert kurz vor ihrer Verwirklichung. Übertragen vom Sterben durch Blutverlust. 1950 *ff*.

verbocken *v* 1. *tr* = etw verderben, falsch machen. ↗ Bock 15. 1800 *ff*.
2. *intr refl* = halsstarrig werden. ↗ bocken 1. Seit dem 19. Jh.

verbockt *adj* eigensinnig, störrisch. ↗ bocken 1. Seit dem 19. Jh.

Verbocktheit *m* Eigensinn, Trotz. Seit dem 19. Jh.

verbohren *v* 1. etw ~ = etw falsch handhaben; eine schlechte Klassenarbeit schreiben. Übernommen von der Vorstellung, daß man an einer unrichtigen Stelle bohrt; weiterentwickelt zur Bedeutung „fehldenken". 1910 *ff*, *schül* und *sold*.
2. sich in etw ~ = sich in etw starrsinnig vertiefen; sich von einem Irrtum nicht freimachen. Geht auf die Handwerkersprache zurück: wenn man falsch gebohrt hat, paßt ein Werkstück nicht aufs andere. Seit dem 18. Jh.
3. einen verbohrt kriegen = beschlafen werden. ↗ bohren 7. 1900 *ff*.

verbohrt *adj* in falschen Ansichten befangen; verbissen; nicht bei klarem Verstand. ↗ verbohren 2. Seit dem 18. Jh.

Verbohrtheit *f* geistige Unzugänglichkeit; Unbelehrbarkeit gegenüber Irrtümern. Seit dem 19. Jh.

verbolzen *tr* jn verprügeln. ↗ bolzen 3. 1900 *ff*.

verbongen *tr* gegen Abgabe eines Bons ein Arbeitsgerät erhalten. *Franz* „bon = Quittung" wird wie „bong" ausgesprochen. 1930 *ff*, *arb*.

Verbonnung *f* in der ~ leben = als Zugewanderter in Bonn leben. *Iron* an „Verbannung" anklingend. *Journ* 1955 *ff*.

verbonzen *intr* in führender Funktionärsstellung hartnäckig ein Ziel verfolgen; nur noch wie ein Funktionär denken können. ↗ Bonze. 1920 *ff*.

Verbonzung *f* zunehmende Abhängigkeit von Partei-, Gewerkschaftsfunktionären; Ausbreitung des Funktionärswesens. 1920 *ff*.

verbösern *tr* einen Fehler durch einen neuen ersetzen; etw verschlechtern. Entstanden im 16. Jh nach dem Muster des „verbessern". Beliebte Lehrer- und Juristenvokabel.

Verbösserung *f* vermeintliche Verbesserung; Verschlechterung. Seit dem 19. Jh.

verboten *adv* ~ aussehen = a) geschmacklos gekleidet, geschmacklos geschminkt sein o. ä. Es läuft dem Sinn für Schönheit und Schicklichkeit zuwider und „gehört verboten". Spätestens seit 1900. *Vgl engl* „it looks forbidding". – b) mürrisch, barsch dreinblicken. 1960 *ff*.

verbrannt sein 1. in Verbrecherkreisen erkannt und bekannt sein. Versteht sich nach „sich verbrennen = sich selbst schädigen." 1900 *ff*.
2. als politischer Agent erkannt und für weiteren Einsatz unbrauchbar sein. 1940 *ff*.
3. ledige Mutter sein. *Vgl* ↗ anbrennen 1. 1950 *ff*.
4. sehr entkräftet sein. 1900 *ff*.
5. gescheitert sein (in bezug auf die polizeiliche Fahndung). 1970 *ff*.

verbrasseln *tr* 1. die Zeit mit umständlicher Arbeit vertun. ↗ brasseln. *Westd* seit dem 19. Jh.
2. etw unauffindbar verlegen. *Westd*, 19. Jh.
3. etw vergeuden. *Westd* seit dem 19. Jh.

verbraten *tr* 1. etw aufbrauchen, abnutzen, bis zur Unwirksamkeit benutzen (man „verbrät" ein literarisches Motiv, ein Thema, einen Vorschlag). Der Küchenpraxis entlehnt: zu langes oder zu starkes Braten läßt das Fleisch „verbrennen = verschmoren" und macht es ungenießbar. 1920 *ff*, literatenspr.
2. Geld leichtfertig ausgeben. 1950 *ff*.
3. jn nicht als Individuum behandeln; alle unterschiedslos behandeln; um einer vorgefaßten Meinung willen keine Differenzierungen anerkennen. 1950 *ff*.
4. jn auf einen Rollencharakter festlegen. 1950 *ff*.
5. jn erledigen, der Lächerlichkeit preisgeben. 1950 *ff*.
6. einen ~ = koitieren. 1950 *ff*.
7. einen ~ kriegen = a) verwundet werden (durch eine Feuerwaffe). Im Sinne von „↗ verbraten 1" ist die Verwundung so schwer, daß man nicht länger frontdienstfähig ist. *Sold* 1939 *ff*. – b) bestraft, gerügt werden. *Sold* 1939 bis heute.
8. sich ~ lassen = seine Individualität preisgeben. ↗ verbraten 3. 1950 *ff*.

Verbrauchsmaterial *n* Rekruten, Mannschaften. Eigentlich Sammelbegriff für Verbrauchsgüter, die entweder aufgebraucht werden oder sich nach ihrer Abnutzung nicht wiederherstellen lassen. *BSD* 1965 *ff*.

verbrechen *tr* 1. einen Roman (o. ä.) ~ = einen Roman verfassen. Scherzhaft aufgefaßt als ein straffälliges Tun. Seit dem 19. Jh.
2. wer hat das verbrochen? = wer hat das getan? wer hat das verschuldet? Verbrechen = sich schuldig machen. Seit dem 19. Jh.

Verbrecher *m* 1. ~ von Format = sehr erfahrener Verbrecher. Zu „Format" *vgl* „↗ Frau 9". 1920 *ff*.
2. ~ in weißem Kragen (mit dem weißen Kragen) = Wirtschaftsstraftäter. Gehört zu dem Vokabelkreis um die Entlehnung aus dem *engl* „white collar crime". 1960 *ff*.

3. ~ mit der weißen Weste = gepflegt auftretender Verbrecher. Die „weiße Weste" (↗Weste 12) erweckt den Anschein der Unbescholtenheit. 1960 *ff*.

4. ~ unter sich = Lehrerkonferenz. Geht zurück auf den Titel eines Spielfilms. 1958 *ff*.

Verbrecheralbum *n* **1.** Notizbuch des Hauptfeldwebels. Eigentlich das Buch mit Personenbeschreibungen und Fotografien von Verbrechern. 1925 *ff*, *sold*.

2. Klassenbuch. *Schül* 1930 *ff*.

Verbrecher-Gotha *m* Verbrecheralbum; Liste der steckbrieflich Verfolgten. „Der Gotha" ist eigentlich volkstümliche Kurzbezeichnung der 1764–1943 bei Perthes in Gotha verlegten Gothaischen Genealogischen Taschenbücher der Adelsgeschlechter. 1930 *ff*.

Verbrecherschinken *m* künstlerisch wertloser Verbrecherfilm. ↗Schinken 6. 1955 *ff*.

Verbrecherschutzgesetz *n* am 1. April 1965 in Kraft getretene neue Strafprozeßordnung. Kritiker halten sie für zu milde und sehen in ihr vorwiegend eine Regelung zum Schutz der Verbrecher. 1965 *ff*.

Verbrenne *f* Feuerbestattungsverein. Berlin 1920 *ff*.

verbrennen *v* **1.** sowas hat man früher verbrannt: Redewendung auf eine äußerlich oder charakterlich garstige Person. Anspielung auf die Hexenverbrennungen. *Jug* 1935 *ff*.

2. sich ~ = a) sich selbst schaden. Verkürzt aus „sich die ↗Finger verbrennen". 1900 *ff*. – b) sich eine Geschlechtskrankheit zuziehen. Anspielung auf den brennenden Schmerz; *vgl* ↗Schwanz 48. Seit dem 19. Jh.

3. die Observation verbrennt = die Observation mißlingt. *Vgl* ↗verbrannt sein 5. 1970 *ff*.

verbretten *tr* jn verdummen. Anspielung auf das „↗Brett vor dem Kopf". 1933 *ff*, *ziv* und *sold*.

verbrezeln *intr refl* koitieren. Anspielung auf die brezelartige Stellung. 1920 *ff*.

verbrimmt *adj* **1.** mißmutig. Nebenform zu „brummen = grollen; mißgelaunt sein". Berlin 1960 *ff*, *jug*.

2. gekränkt, verärgert. 1960 *ff*, Berlin.

verbrockt haben etw verkehrt gemacht, verschuldet haben. Etwa soviel wie „durch Bröckeln unbrauchbar gemacht haben", beeinflußt von „sich etw eingebrockt haben" und „etw verbrochen haben". *Westd* seit dem 19. Jh.

verbruddeln *tr* etw verderben, vereiteln. Kann fußen auf „verbrodeln = durch zu langes Kochen verderben" oder auf „↗prudeln". *Niederd*, 1700 *ff*.

verbrunzen *v* **1.** etw mit Harn einnässen. ↗brunzen 1. *Oberd* seit dem 19. Jh.

2. sich ~ = sich unbemerkt entfernen; weggehen. Analog zu „↗verpissen". 1920 *ff*.

ver'bubanzen *tr* **1.** etw vergeuden. Nebenform zu „verbuben = bubenhaft vergeuden", überlagert

von „Popanz = spaßige Gestalt" und „auffällige Kleidung". 1900 *ff*.

2. etw aus Unkenntnis oder Unaufmerksamkeit verunstalten, verderben. Berlin und *mitteld*, 1900 *ff*.

3. etw verlieren. 1900 *ff*.

4. jn verhöhnen, veralbern. Man behandelt ihn wie bei Faschingsumzügen die Schreckgestalten. 1900 *ff*.

verbubbeln *refl* etw unbedacht ausplaudern. ↗bubbeln. Seit dem 19. Jh, *westd*.

verbuddeln *tr* **1.** etw vergraben. ↗buddeln 1. 1700 *ff*.

2. etw durch Scharren zerwühlen. Seit dem 19. Jh.

3. etw vertrinken. ↗buddeln 4. Seit dem 19. Jh.

verbüffelt *adj* durch Lernen überanstrengt. ↗büffeln. 1900 *ff*.

verbügeln *tr* etw verderben. Übertragen von falschem Bügeln. 1930 *ff*.

ver'bumbeuteln *tr* etw vergeuden, vertun. Abgewandelt aus „↗verbumfiedeln" mit Bezug auf „Beutel = Geldbeutel" oder verkürzt aus „Lumpenbeutel = Leichtsinniger". 1900 *ff*.

ver'bumficken *tr* schwängern. Durch „↗ficken" verdeutlichtes „↗verbumfiedeln" im Sinne eines Mißgeschicks beim Geschlechtsverkehr. 1900 *ff*.

ver'bumfiedeln *tr* **1.** etw leichtfertig vergeuden. Zusammenhängend mit „Fidelfumfei = Tanzvergnügen" und „Bumfiedel = Baßgeige". *Vgl* auch „Bums = öffentliches Tanzvergnügen". Also soviel wie „bei Tanzveranstaltungen ausgeben". Gegen 1840 aufgekommen.

2. etw verderben, falsch machen, schlecht behandeln. Leitet sich wohl her von falschem Streichen auf der „Bumfiedel = Baßgeige". Seit dem 19. Jh.

3. schwängern. ↗verbumficken. Seit dem 19. Jh.

4. etw versäumen, vergessen, verlegen, verlieren. 1900 *ff*.

5. jn verprügeln. Anspielung auf den Geigenbogen als Prügelstock. 1900 *ff*.

ver'bumheien *tr* Geld durchbringen. Zusammengesetzt aus „↗verbumfiedeln" und „juchheien". *Nordd* 1920 *ff*.

verbummeln *v* **1.** *intr* = seine Zeit mit Nichtstun vergeuden; träge werden. ↗bummeln 1. Seit dem 19. Jh.

2. *tr* = Geld für liederliche Lebensweise ausgeben. ↗bummeln 3. Seit dem 19. Jh.

3. *tr* = etw vergessen, vernachlässigen, verlegen. Seit dem 19. Jh.

4. *refl* = leichtsinnig dahinleben. *Österr* 1900 *ff*.

5. *intr* = Dienst nach Vorschrift leisten. ↗bummeln 4. 1960 *ff*.

Verbummelter *m* Student mit hoher Semesterzahl ohne Abschlußprüfung. ↗verbummeln 1. Seit dem 19. Jh.

Verbummelung *f* Unterlassung aus Unachtsamkeit. 1900 *ff*.

verbumsen *tr* Geld leichtfertig ausgeben. Kann sich beziehen auf „↗Bums 6" (Geld vertanzen) und/oder auf „↗bumsen 11" (Geschlechtsverkehr). 1920 *ff*.

verbunkern *tr* etw gut verstecken. ↗Bunker. 1965 *ff, rotw.*

verbunkert sein als Staatsfeind im Verborgenen leben. ↗Bunker 11. 1940 *ff*.

verbuttern *v* 1. *impers* = vereitern. ↗buttern 4. 1900 *ff*.
2. *tr* = etw vergeuden, vertun, verderben, schlecht ausführen. Kurz nach den Freiheitskriegen aufgekommen, als man auf den großen Landgütern „Kunstbutter für das Gesinde" herstellte; hierzu wurde frischer Ochsentalg mit etwas Milch oder süßer Sahne zerrieben oder, wie der Fachausdruck lautete, „verbuttert".
3. seine Kräfte ~ = seine Kräfte leichtsinnig verausgaben. 1939 *ff*.

verchloroformieren *tr* jds Denken einschläfern; jds Willen völlig beherrschen. 1914 *ff*.

Verdacht *m* auf ~ = auf gut Glück; vorsorglich. Man nimmt einen Gegenstand an sich, weil man den Verdacht hegt, später werde man ihn nicht mehr bekommen. Von daher weiterentwickelt zur Bedeutung „für alle Fälle". 1920 *ff*.

Verdachtschöpfer *m* Vorgesetzter. Grundsätzlich verdächtigt er alle Untergebenen der Unredlichkeit, der Lügenhaftigkeit usw. *BSD* 1965 *ff*.

verdaddeln *tr* etw verschwenden. ↗daddeln. 1900 *ff*.

verdalbern *tr* jn veralbern. ↗dalbern. *Nordd* 1900 *ff*.

verdalbert *adj* unernst. 1920 *ff*.

verdammeln *tr* seine Zeit mit unnützen Dingen verbringen. ↗dammeln. 1900 *ff*.

verdammich *interj* Ausruf des Unwillens. Verkürzt aus „Gott verdamme mich!". Seit dem 19. Jh.

verdammt I *interj* **1.** Fluch- und Scheltwort. Ursprünglich vorzugsweise in kirchlichem Sinne gebraucht (zur Hölle verdammt sein); dann auch in der Bedeutung „worüber ein Verdammungsurteil ausgesprochen ist; fluchwürdig; verdammenswert". Häufig seit dem 18. Jh, andeutungsweise schon bei Martin Luther.
2. ~ nochmal (~ noch eins)!: Ausruf des Unmuts. Seit dem 19. Jh.
3. ~ und zugenäht!: Verwünschung. ↗verflucht. Seit dem 19. Jh.
4. ~ juchhe!: Ausruf des Unwillens. Durch das Anhängsel „juchhe" (= Freudenausruf) abgeschwächte Verwünschung. 1910 *ff*.

verdammt II *adj* **1.** verwünscht; höchst unangenehm. ↗verdammt I 1. Seit dem 19. Jh.
2. *adv* = sehr, völlig. Seit dem 18. Jh.
3. ~ in alle Ewigkeit: Kennwort der Schüler für die Klassenarbeit. Übernommen vom *dt* Titel des 1953 gedrehten Spielfilms „From Here to Eterni-

ty" nach dem Roman von James Jones. 1958 *ff*.

verdampfen *v* **1.** *intr refl* = davoneilen, fliehen, flüchten. Man löst sich in Dampf auf; analog zu ↗verduften. 1820 *ff*.
2. *intr* = vor Wut nahezu bersten. Weiterentwickelt aus „vor Wut kochen" u. ä. *Sold* 1935 *ff*.
3. *intr* = stark schwitzen. 1920 *ff*.
4. *tr* = Geld für Tabakwaren ausgeben. Analog zu *hd* „verrauchen". 1900 *ff*.

Verdampfung *f* bis zur kalten ~ = bis zum Überdruß; bis zum äußersten. „Bis zur Verdampfung" meint „bis zur Auflösung in Dampf"; „kalt" ist ein scherzhaft-*iron* Zusatz zur Verstärkung. *Sold* 1939 *ff*.

verdankt *adj* höchst unangenehm; verwünscht. Aus „verdammt" entstellt. *Österr* 1900 *ff*.

verdattern *tr* jn verwirren, einschüchtern. Gehört zu „dattern, tattern = zittern". Seit dem 18. Jh.

verdattert *adj* verwirrt, betroffen. Seit dem 18. Jh.

Verdatterung *f* seelische Verwirrung. Seit dem 19. Jh.

verdauen *tr* **1.** etw verstehen, geistig verarbeiten. Vom Verdauungsvorgang übertragen auf die Verarbeitung geistiger Nahrung. 1500 *ff*.
2. etw verwinden, verschmerzen. Seit *mhd* Zeit.
3. jn nicht ~ können = jn nicht ausstehen können. Der Betreffende „liegt einem schwer im Magen" wie unverdauliche oder schwerverdauliche Kost. 1800 *ff*.
4. er verdaut zehn Stunden später = er begreift sehr langsam. 1900 *ff*.
5. das ist schlecht verdaut = das ist nicht richtig begriffen worden. Seit dem 19. Jh.

Verdauung *f* **1.** Verarbeitung eines Gedankens. ↗verdauen 1. Seit dem 19. Jh.
2. gute ~! = Wunsch, einem Davongehenden auf den Weg mitgegeben. Analog zu „wohl bekomm's!". *Sold* in beiden Weltkriegen.

Verdauungsbummel *m* Spaziergang nach dem Essen. ↗Bummel. 1900 *ff*.

Verdauungsseufzer *m* heftiges Aufstoßen. 1900 *ff*.

Verdauungsstörung *f* technische Störung eines Geldautomaten. 1950 *ff*.

Verdauungszigarette *f* Zigarette nach dem Frühstück. 1920 *ff*.

Verdeckter *m* Polizeibeamter in Zivil; Angehöriger der Wehrmachtstreife in Zivil. Der Beruf ist an der Kleidung nicht erkennbar. *Rotw* seit dem 19. Jh; *sold* 1939 *ff*.

verdeppt *adj* verdummt; verblödet. ↗Depp. *Oberd* seit dem 19. Jh.

Verdeppung *f* Verblödung. *Bayr* und *österr*, seit dem 19. Jh.

verderben *v* warum es einer einzigen zuliebe mit allen anderen ~?: Gegenfrage des Junggesellen auf die Frage, warum er nicht heiratet. 1930 *ff*.

verdeubelt *adj* unangenehm; schwierig. ↗Deubel. *Niederd* seit dem 19. Jh.

verdeukert *adj* verwünscht; sehr. ↗Deuker. Seit dem 19. Jh.

verdibbern *tr* jn verraten, anzeigen. ↗dibbern 1. Seit dem 19. Jh.

Verdichtung *f* hohe ∼ = heftiges Verliebtsein. Übertragen von der Verdichtung des Luft-Gas-Gemischs im Verbrennungsmotor. 1940 *ff*, anfangs *sold*, später *halbw*.

Verdiene *f* auf die ∼ gehen = a) sich zur Arbeitsstätte begeben; eine bezahlte Tätigkeit ausüben. 1900 *ff*. – b) seinen Lebensunterhalt durch Straßenprostitution verdienen. Berlin 1960 *ff*, *prost*.

verdienen *intr* **1.** seinen Lebensunterhalt durch Betrug und Diebstahl bestreiten. Hehlausdruck seit dem frühen 19. Jh, *rotw*. **2.** ∼ gehen = als Straßenprostituierte tätig sein. 1900 *ff*. **3.** ∼ großschreiben = geldgierig sein; wuchern; überhöhte Preise fordern. Berlin 1870 *ff*.

Verdiener *m* Dieb. ↗verdienen 1. Seit dem 19. Jh, *rotw*.

Verdiener-Orden *m* an vermögende Leute verliehener Verdienstorden. 1965 *ff*.

Verdienst *m* **1.** Diebesbeute; Anteil an der Beute. Eigentlich das redlich erworbene Arbeitsentgelt (Einkommen). 1900 *ff*, *rotw*. **2.** fetter ∼ = hohes Einkommen; großer Gewinnanteil. 1900 *ff*. **3.** auf den ∼ gehen = unlautere Geschäfte machen; als Straßenprostituierte tätig sein. Seit dem 19. Jh.

ver'dimmich *interj* Ausruf des Unmuts. Nebenform von „↗verdammich". Seit dem 19. Jh.

verdodeln *tr* etw als unsinnig, lächerlich darstellen. ↗Dodel. *Oberd*, 1900 *ff*.

verdoktern *tr* Geld für Heilmittel ausgeben. ↗Doktor. Seit dem 16. Jh.

verdonnern *tr* **1.** jn zu einer Strafe verurteilen; jm etw als zwingend anraten. Fußt entweder auf „↗donnern 1" (mit donnernder Stimme verurteilen) oder (nach einem Hinweis von Siegmund A. Wolf) auf *jidd* „toan = beladen". Seit dem frühen 19. Jh, anfangs *stud*. **2.** jn derb rügen, einschüchtern. Seit dem 19. Jh. **3.** einem Fußballverein eine hohe Niederlage beibringen. ↗donnern 5. *Sportl* 1950 *ff*.

verdonnert sein bestürzt, betroffen sein. Man ist „wie vom ↗Donner gerührt". Seit dem 19. Jh.

Verdonnerung *f* Verurteilung. ↗verdonnern 1. Seit dem 19. Jh.

verdoofen *v* **1.** *intr* = geistig abstumpfen. ↗doof. 1930 *ff*. **2.** jn ∼ = jn verdummen. 1930 *ff*.

Verdoofung *f* Verdummung; geistiges Abgestumpftsein. 1930 *ff*.

verdorren *intr* **1.** das Ziel nicht erreichen. Das Gemeinte verwelkt, wird dürr, verliert an Kraft. *Sold* in beiden Weltkriegen (beispielsweise auf Granaten bezogen).

2. von Entkräftung heimgesucht werden; nicht mehr funktionieren. *Sold* in beiden Weltkriegen.

ver'dorri *interj* Ausruf des Unwillens. Vielleicht zusammengewachsen aus „verdammt" und „(Donner und) Doria". Seit dem 19. Jh.

verdösen *v* **1.** *tr intr* = (seine Zeit) mit vagen Träumereien zubringen. ↗dösen. Seit dem 19. Jh. **2.** *tr* = etw vergessen; etw aus Vergeßlichkeit unterlassen. Seit dem 19. Jh.

verdöst *adj* verträumt, benommen; nicht bei klarem Verstand. Seit dem 19. Jh.

Verdöstheit *f* Verträumtheit, Benommenheit, Schläfrigkeit. Seit dem 19. Jh.

verdötscht *adj* verwirrt, verrückt. Eine *westd* Variante des 19. Jhs zu *gleichbed* „verduttet", das aus einer Übereinanderlagerung klang- und bedeutungsähnlicher Wörter entstanden sein mag. *Vgl* „tottig = dumm, taumelig, betäubt"; *oberd* „vertutzen = vor den Kopf stoßen". ↗verdutzt.

verdrahten *tr* **1.** etw durch einen Geldbetrag gutmachen. ↗Draht 1. 1920 *ff*. **2.** jn mit Geld bestechen. 1950 *ff*.

verdrallt *adj* mißgeformt; unsachgemäß hergerichtet. Bei Deformierung der „Züge" im Lauf oder Rohr einer Schußwaffe ist die Treffsicherheit nicht mehr gewährleistet. 1920 *ff*.

Verdrängungskomplex *m* Unbehagen des Autofahrers, wenn ein anderer ihn überholen will. Fußt auf den Lehren von Sigmund Freud. 1950 *ff*, kraftfahrerspr.

verdrecksauen *tr* jn unflätig beschimpfen. Man nennt ihn eine „↗Drecksau". 1900 *ff*.

verdrecksen *v* **1.** *intr* = schmutzig werden. Seit dem 19. Jh. **2.** *tr* = etw verunreinigen. Seit dem 19. Jh.

verdrehen *refl* weggehen, entweichen. Man dreht sich um, wendet sich ab. *Rotw* 1920 *ff*.

verdreht *adj* verrückt, wunderlich, nicht ganz bei klaren Sinnen; übernächtigt. Fußt auf der Vorstellung von der verdrehten Schraube. 1800 *ff*.

verdreschen *tr* jn prügeln. ↗dreschen 1. 19. Jh.

verdrücken *v* **1.** *tr* = etw essen, aufessen, durchbringen. Man stopft es in den Mund und drückt es durch die Speiseröhre in den Magen. Seit dem späten 19. Jh, *sold* und *schül*. **2.** *tr* = etw verschwinden lassen; etw zu verbergen suchen. Man drückt den Gegenstand zur Seite und nimmt ihn unauffällig an sich. 1900 *ff*. **3.** *tr* = jm Unterschlupf gewähren; jn in der Wohnung verstecken. Ursprünglich auf Juden bezogen, später auch auf Soldaten. 1938 *ff*. **4.** einen ∼ = koitieren. Analog zu ↗Fleisch 28. 1900 *ff*. **5.** *refl* = sich heimlich entfernen. Man drängt sich hinter den Umstehenden oder an der Wand entlang zur Tür oder preßt sich durch eine schmale Öffnung. ↗drücken 10. 1900 *ff*, *sold* und *schül*.

verdruckst *adj* kleinlaut; niedergeschlagen. ↗drucksen. 1900 *ff*.

verdrückt *adj* **1.** unaufrichtig, verschlossen. Erklärt sich aus „↗drücken 2", woraus sich Analogie zu „verschlagen" ergibt. Spätestens seit 1900, vorwiegend *oberd*.
2. heimtückisch. 1900 *ff*.

Verdrückte *pl* heimlich beiseite Gebrachtes. Übernommen vom Ablegen der beiden Skatkarten. 1910 *ff, sold* und *ziv*.

Verdrückung *f* **1.** in ~ geraten (kommen) = in Bedrängnis geraten. Entweder erweitert aus „in ↗Druck geraten" oder hergenommen aus der Bergmannssprache: Verdrückung = abnehmende, spärliche Mächtigkeit eines Flözes. 1900 *ff*.
2. in ~ sein = in Not sein. 1900 *ff*.

verdruseln *tr* seine Zeit mit Nichtstun, mit unnützen Dingen verbringen. ↗druseln. *Nordd* 1900 *ff*.

Verdruß *m* **1.** Rückenverwachsung, Rückenleiden. Scherzhaft gemeint. Seit dem 19. Jh.
2. kleiner ~ = a) Buckel. 1850 *ff*, nördlich der Mainlinie. – b) voreheliche Schwangerschaft. *Vgl* ↗Buckel 23. 1900 *ff*.

Verdrußarbeit *f* Schul-, Klassenarbeit. 1960 *ff*, *schül, österr*.

Verdrußfetzen *m* Schulzeugnis. Mit schlechten Noten gefüllt, verursacht der „Fetzen Papier" Verdruß. *Österr* 1930 *ff*.

Verdrußkasten *m* **1.** Buckel. 1900 *ff*.
2. Tornister des Soldaten. *Sold* in beiden Weltkriegen.
3. Musterkoffer des Geschäftsreisenden. Kaufmannsspr. 1900 *ff*.

Verdrußkiste *f* **1.** Musterkoffer des Geschäftsreisenden. 1900 *ff*.
2. Soldatentornister. *Schweiz* 1914 *ff*.

Verdrußkoffer *m* Tornister des Soldaten. *Sold* 1914–1945.

Verdrußschuppen *m* Altbau. ↗Schuppen. 1970 *ff*.

Verdrußzapfen *m* **1.** Nase. Die verschnupfte Nase bereitet Verdruß (*vgl* auch ↗Eiszapfen 2). *Bayr* 1920 *ff*.
2. Schimpfwort auf einen unsympathischen Menschen. *Bayr* 1920 *ff*.

Verdrußzettel *m* Schulzeugnis. ↗Verdrußfetzen. *Österr* 1930 *ff*.

verdubbeln *intr* den geistigen Schwung verlieren. ↗Dubbel I 1. *Südwestd* 1900 *ff*.

verduckeln *tr* etw verbergen, verheimlichen. „Duckeln" ist Frequentativum von „ducken = tauchen", weiterentwickelt zur Bedeutung „unter die Oberfläche, außer Sichtweite bringen". *Südd, hess* und *rhein*, 1700 *ff*.

verduften *intr refl* unbemerkt weggehen; fliehen; entweichen. Man verflüchtigt sich wie der Duft einer Blume. Seit dem frühen 19. Jh. *Gleichbed engl* „to fade away".

Ver'duftikus *m* den ~ machen = verschwinden, fliehen. Angeblich ein neuer Berliner Ausdruck. 1965 *ff*.

verduhnt *adj* **1.** volltrunken. ↗duhn. *Niederd* und *ostd*, seit dem 19. Jh.
2. völlig verblödet. *Nordd*, 1900 *ff*.

ver'dummbeuteln *v* **1.** *tr* = etw vergeuden. Entstellt aus ↗verbumbeuteln. 1900 *ff*.
2. *tr* = jn als dumm behandeln. ↗Dummbeutel 1. 1900 *ff*.
3. *tr* = den Mißerfolg verschulden. 1900 *ff*.
4. *intr* = verblöden. 1900 *ff*.

verdummteufeln *tr* jn als dumm behandeln, übertölpeln. Fußt auf dem Schwankmotiv vom dummen, leicht zu prellenden Teufel. 1700 *ff*.

Verdummungsanstalt *f* Schule. 1880 *ff*, damals sozialdemokratisches Schlagwort.

Verdummungskasten (-kiste) *m (f)* Fernsehgerät. 1960 *ff*.

verdunkelt *adj* geistig ~ = geistesgetrübt. Das „Licht des Verstandes" ist abgeblendet, wie man in beiden Weltkriegen die Raumbeleuchtung nach außen unsichtbar zu machen suchte. 1950 *ff*.

Verdunklungswäsche *f* schwarze Damenunterwäsche. 1950 *ff*.

verdünnen *refl* sich davonmachen; flüchten. ↗dünnmachen 2 b. 1900 *ff*.

verdünni'sieren *refl* **1.** unauffällig davongehen. Aus dem Vorhergehenden durch Studenten weiterentwickelt mit Anlehnung an eine halbromanische Endung. 1900 *ff, stud* und *sold*.
2. sich der Dienstpflicht zu entziehen suchen. *BSD* 1965 *ff*.

verdünnt *adj* **1.** geistig ~ = leichtverständlich gemacht; auf Ungebildete zugeschnitten. Hergenommen vom Verdünnen eines Getränks für Kinder. 1920 *ff*.
2. stark ~ = ohne Können nachgeahmt; nur entfernte Ähnlichkeit erreichend. 1930 *ff*.

Verdünnung *f* bis zur ~ = bis zum äußersten; bis zum Überdruß; bis zur Verzweiflung. Hergenommen von verdünnten Getränken (o. ä.), vor allem von der Verringerung des Alkoholgehalts, wodurch Unwillen hervorgerufen wird. 1900 *ff*.

verdunsten *intr refl* davongehen. Analog zu ↗verdampfen 1; ↗verduften. Seit dem 19. Jh.

verduseln *tr* **1.** etw wegen Trunkenheit vergessen, versäumen. ↗Dusel 1. Seit dem 19. Jh, nördlich der Mainlinie.
2. sein Geld vertrinken. 1900 *ff*.

verduselt *adj* benommen, betäubt. ↗Dusel 1. Seit dem 19. Jh.

verdusseln *v* **1.** *tr* = etw aus Nachlässigkeit versäumen, vergessen. ↗Dussel 1. Seit dem 19. Jh.
2. *intr* = verdummen. Seit dem 19. Jh.

Verdusselung *f* geistige Sinnestrübung. Seit dem 19. Jh.

verdutzt *adj* verwirrt, betroffen. ↗verdötscht. Seit dem 18. Jh.

verehren *v* jm eine ~ = jm eine Ohrfeige, einen heftigen Schlag versetzen. Euphemismus. Berlin 1840 *ff*.

Verehrerrummel *m* Betriebsamkeit der Verehrer von Künstlern und Künstlerinnen. ↗Rummel. 1950 *ff.*

Verein *m* **1.** Truppenteil. Ein spöttischer Ausdruck; denn ein Verein ist ein freiwilliger Zusammenschluß; das einzelne Mitglied wird so wenig wie möglich eingeengt, und die Disziplin ist locker. *Sold* 1900 bis heute.
2. Gruppe wunderlicher Leute; Betriebsgemeinschaft; Mitarbeiterstab. 1920 *ff.*
3. ~ der Einarmigen = Zuschauerschaft, die keinen Beifall spendet. Theaterspr. 1920 *ff.*
4. ~ ehemaliger Fußgänger = Automobilklub. 1910 *ff.*
5. lahmer ~ = a) langweilige Gesellschaft; Truppe ohne Angriffsgeist. ↗lahm. *Sold* 1914 *ff; ziv* 1920 *ff.* – b) Geschäftsbetrieb ohne Schwung. 1920 *ff.*
6. müder ~ = a) militärische Einheit ohne Angriffsgeist. *Sold* in beiden Weltkriegen. – b) langweilige Schulklasse. 1920 *ff.*
7. sauberer ~ = minderwertige Gesellschaft; unzuverlässige militärische Einheit. ↗sauber 4. 1914 *ff.*
8. schlapper ~ = Gruppe ohne Disziplin. ↗schlapp 1. 1914 *ff.*
9. beim ~ sein = der Wehrmacht angehören. *Österr* 1939 *ff.*
10. das ist kein ~: Ausdruck des Unmuts über einen bestimmten Personenkreis. Den Leuten fehlt das Zusammengehörigkeitsgefühl, der Korpsgeist u. ä. *Sold* 1914 *ff; ziv* 1920 *ff.*

vereinnahmen *tr* **1.** etw entwenden; sich etw diebisch aneignen. Analog zu ↗kassieren. Seit dem frühen 20. Jh, *sold* und *schül.*
2. ein Lob (eine Rüge) hinnehmen. *Sold* 1939 *ff.*
3. jn verhaften, gefangennehmen, in seine Gewalt bringen, kapern. 1910 *ff.*
4. jn zum Militärdienst einziehen; jn in eine militärische Einheit einreihen. 1935 *ff.*

Vereinsabzeichen *n* Hoheitszeichen an der Uniform. ↗Verein 1. *Sold* 1939 *ff.*

Vereinsboß *m* Vereinsvorsitzender. ↗Boß 1. 1950 *ff.*

Vereinsbrüder *pl* unter ~n = unter Eingeweihten; unter Gleichgesinnten. 1920 *ff.*

Vereinsfürst *m* Vereinsvorsitzender. 1955 *ff.*

Vereinsgeklüngel *n* heimliche Bevorzugung von Vereinsmitgliedern. ↗Klüngel 1. 1920 *ff.*

Vereinsheini *m* Vereinsvorsitzender. ↗Heini. 1955 *ff.*

Vereinsmatratze *f* Mädchen mit häufig wechselnden intimen Freunden. ↗Matratze. *BSD* 1965 *ff.*

Vereinsmeier *m* in Vereinen überaus tätiger Mensch. Meier = Mann (wegen der Häufigkeit des Familiennamens Meier). Spätestens seit 1870 *ff.*

Vereinsmeierei *f* übertriebenes Bestreben, einen Verein ins Leben zu rufen; Vereinswesen. 1870 *ff.*

vereinsmeierisch *adj* nur das Vereinsinteresse verfolgend. 1900 *ff.*

Vereinsmeiertum *n* Vereinswesen. 1950 *ff.*

Vereinsmuffel *m* Gegner von Vereinszugehörigkeiten. ↗Muffel 2. 1968 *ff.*

Vereinsonkel *m* Vereinsmitglied; Mitglied in vielen Vereinen. 1920 *ff.*

vereisen *intr* unnachgiebig werden; eine ablehnende Haltung einnehmen. Gegensatz zu „das ↗Eis brechen". 1910 *ff.*

Vereisung *f* Zunahme der Unnachgiebigkeit, der Unzugänglichkeit. 1910 *ff.*

Vereisungstube *f* auf die ~ drücken = deutlich ablehnend werden. *Vgl* ↗Tube 1 d. 1950 *ff.*

verewigen *v* **1.** *refl* = a) einen Kothaufen hinterlassen. Gilt weithin als abergläubisches Mittel: der eigene Kothaufen soll den Verbrecher vor dem Entdecktwerden bewahren und dem Soldaten das Soldatenglück bescheren, wenigstens im Frontbereich. 1870 *ff.* – b) seinen Namen ins Gästebuch eintragen, in die Baumrinde schneiden. 1870 *ff.* – c) ein Autogramm geben. 1920 *ff.* – d) einen Darmwind abgehen lassen. 1900 *ff.* – e) etw nach eigenem Geschmack gestalten. 1960 *ff.*
2. *tr* = einen Schüler zur Strafe ins Klassenbuch eintragen. 1920 *ff.*

Verewiger *m* Eintragung ins Klassenbuch. 1950 *ff.*

Verewigung *f* **1.** Namenseintrag im Gästebuch; Namenseinritzung in die Baumrinde, in das Holz der Schutzhütte o. ä. 1870 *ff.*
2. Eintragung ins Klassenbuch. 1950 *ff.*

verfachsimpeln *intr* nur für das eigene Berufsgebiet Interesse haben. ↗fachsimpeln. 1900 *ff.*

verfangen *refl* sich verlieben. Übertragen vom Netzfischen (*vgl* ↗angeln 2) oder von Tieren (Hunden), die sich ineinander verbeißen. Seit dem 19. Jh.

Verfasser *m* **1.** Familienvater. Analog zu ↗Urheber. 1920 *ff.*
2. ~ eines Familienromans = Vater vieler Kinder. 1920 *ff.*
3. ~ eines Familien-Fortsetzungsromans = Vater sehr vieler Kinder. 1920 *ff.*

verfatzen *refl* **1.** sich entfernen. „Fatz" ist Nebenform zu „Furz". Analog zu ↗verduften. 1950 *ff.*
2. verfatz dich in die Wälder!: scher dich fort! 1950 *ff.*

verfault *adj* **1.** sehr schlecht; minderwertig; untüchtig. Entweder hergenommen von verfaultem Obst oder analog zu „↗vergammelt" oder hehlwörtlich für „verflucht". *BSD* 1965 *ff.*
2. *adv* = sehr; in hervorragender Weise. Wohl Hehlwort für „verflucht". 1900 *ff, schül, stud* und *sold.*
3. ei ~ (Ei ~)!: Ausruf mißfälliger Überraschung. Entstellt aus „ei verflucht!". Seit dem frühen 20. Jh.

Verfettung *f* seelische ~ = zunehmende Selbstsucht und Hartherzigkeit. 1955 *ff.*

verfeuern *tr* Geld leichtsinnig ausgeben. Bezieht sich wohl auf Heizzwecke, auf Munition oder Feuerwerkskörper, vielleicht auch auf Raucherwaren. 1920 *ff*.

verficken *refl* seine Kraft durch reichlichen Geschlechtsverkehr einbüßen. ↗ficken. 1900 *ff*.

verfiedeln *tr* Geld vergeuden. Wohl Anspielung auf Tanzvergnügungen oder Geschlechtsverkehr; ↗fiedeln 1. Seit dem 19. Jh.

verfilzen *refl* 1. sich verlaufen, verfahren. Meint eigentlich „filzig werden"; sich ineinanderwirren (von Haaren gesagt)". 1900 *ff*. **2.** sich in eine Sache verrennen; in die Enge getrieben werden. 1900 *ff*.

verfilzt *adj* 1. verlaust. ↗filzen 2. BSD 1965 *ff*. **2.** untereinander personell verflochten; von Gönnern und Günstlingen abhängig. ↗Filz 6. 1920 *ff*.

Verfilzung *f* personelle Verflechtung. 1955 *ff*.

verfipsen *tr* etw schlecht verrichten; etw verderben. Hergenommen vom „Fips" (= Schneider), der beim Zuschneiden den Stoff verschneidet. 1800 *ff*, *nordd* und *ostd*.

verfitzen *tr* etw verwirren. ↗fitzen 1. 1700 *ff*.

verflachsen *tr* jn necken, verspotten, verhöhnen. ↗flachsen. 1900 *ff*.

verflammen *tr* jn verprügeln. ↗flammen 2. Seit dem 19. Jh.

verflimmern *tr* etw verfilmen. ↗Flimmer-. 1920 *ff*.

Verflimmerung *f* Verfilmung. 1920 *ff*.

verflixt I *interj* 1. Ausruf des Unwillens. Hehlwörtlich entstellt aus „verflucht", wohl unter Einfluß von „Blicks = Blitz". 1800 *ff*. **2.** ~ und zugenäht!: Verwünschung. Zur Erklärung *vgl* „↗verflucht I 3". Seit dem 19. Jh. **3.** ~ juchhe nochmal!: Ausruf des Unmuts. „Juchhe" als Freudenausruf mildert die Verwünschung. 1900 *ff*.

verflixt II *adj* 1. sehr unangenehm; höchst widerwärtig. Seit dem 19. Jh. **2.** hervorragend, tüchtig. Seit dem 19. Jh. **3.** *adv* = sehr. Seit dem 19. Jh.

Verflossene (Verflossener) *f (m)* ehemalige Liebschaft. „Verflossen" wird eigentlich auf zurückliegende Zeitläufte angewandt, zusammenhängend mit der Vorstellung vom „Fluß" der Zeit. Seit dem späten 19. Jh.

verflöten *tr* einen Mittäter verraten; einen Schuldigen zur Anzeige bringen. Analog zu ↗verpfeifen. 1900 *ff*.

verflucht I *interj* 1. Ausruf des Unwillens. Eigentlich soviel wie „von Gott verflucht", dann auch „verdammenswert". ↗verdammt I 1. Seit *mhd* Zeit. **2.** ~ noch mal (~ noch eins)!: Verwünschung. Seit dem 19. Jh. **3.** ~ und zugenäht!: Ausruf des Unwillens. Die Herkunft ist umstritten. Nach einer Deutung ist auf eine *stud* Ulkreimerei zurückzugehen: „Als sie mir neulich unverblümt die Folgen uns'rer Lieb'

gesteht, / da hab' ich meinen Hosenlatz verflucht und zugenäht." (Dazu die Fortsetzung: „Doch als sie gar zu sehr geflennt, / hab' ich ihn wieder aufgetrennt.") Nach anderen Quellen lautet der Vers: „Und da fast täglich wie zum Hohn ihm Knopf um Knopf abgeht, / so hat er seinen Hosenlatz verflucht und zugenäht." Wieder andere meinen, aus den Wörtern „Zwillinge, Hosenlatz, verflucht, zugenäht" habe ein Schnellreimer einen Vers zu bilden gehabt. Seit dem 19. Jh.

verflucht II *adj* 1. widerwärtig, verabscheuenswert. ↗verdammt I 1. Seit dem 15. Jh. **2.** *adv* = sehr. 1700 *ff*.

verflüssigen *v* 1. etw ~ = a) etw zu Geld machen. 1920 *ff*. – b) Geld für Getränke ausgeben. 1920 *ff*. **2.** er hat sich verflüssigt und ist geplatzt: Antwort auf die Frage, wo jemand ist. BSD 1968 *ff*.

Verfolgungswurst *f* Hartwurst. Man fühlt sich von ihr verfolgt, weil sie zu oft vorgesetzt wird. BSD 1968 *ff*.

verfrachten *v* 1. jn ~ = jn zur Abfahrt begleiten; jn wegbringen; jn in einem vollbesetzten öffentlichen Verkehrsmittel unterzubringen suchen. Meint eigentlich „Frachtgut versenden", dann auch „Frachtgut verstauen". 1920 *ff*. **2.** sich ~ = weggehen; sich an einen anderen Ort begeben. 1920 *ff*.

verfranzen *refl* 1. sich verfliegen. ↗franzen 1. Fliegerspr. in beiden Weltkriegen und später. **2.** sich völlig verirren; einen falschen Weg einschlagen. 1920 *ff*.

verfressen I *adj* gefräßig. 1600 *ff*.

verfressen II *v* 1. etw ~ = Geld und Gut für Essen verbrauchen, verschlemmen. 1700 *ff*. **2.** sich an etw ~ = sich an etw den Magen verderben; sich an etw übernehmen. 1900 *ff*.

Verfressenheit *f* Eßgier, Gefräßigkeit. Seit dem 18. Jh.

verfrieren *v* 1. was kann uns schon ~? = welchen Schaden sollten wir dabei wohl erleiden? Vom Erfrieren von Pflanzen, Zehen o. ä. übernommen. *Sold* 1914; *ziv* 1920 *ff*. **2.** da kann mir nichts ~ = da kann mir nichts Arges geschehen. 1920 *ff*.

verfrühstücken *tr* 1. jn im Dienst hart behandeln. Eigentlich „zum Frühstück verzehren"; von daher weiterentwickelt zur Bedeutung „erledigen, fertigmachen". *Sold* 1900 *ff*. **2.** jn seiner Stellung entheben. 1933 *ff*. **3.** jn sinnlos opfern. 1940 *ff*. **4.** kurzfristige Liebesabenteuer eingehen (von Frauen gesagt). Analog zu ↗vernaschen. 1920 *ff*. **5.** etw mehr schlecht als recht verzehren. 1930 *ff*. **6.** etw nebenher aufbrauchen. 1920 *ff*.

verfuggern *tr* Ware gegen Ware tauschen; etw heimlich, auf nicht völlig einwandfreie Weise verkaufen. ↗fuggern. Vorwiegend *oberd*, seit dem 19. Jh.

Verführdame *f* Callgirl o. ä. 1920 *ff*.

Die Fotomontage auf dem Titelbild der Illustrierten „Stern" (9/1984) deutet an, daß die große Verführung, die vom Video ausgehen kann, mittlerweile auch jenen Bereich nicht ausspart, den die Umgangssprache mit dieser Vokabel meint (vgl. **Verführdame**, **Verführer** *sowie die von Führerschein und Vorführungswagen abgeleiteten Komposita* **Verführerschein** *und* **Verführungswagen**). *Während es hier jedoch recht handgreiflich zugeht, beläßt es das neue Medium beim bloßen Augenschein, zumindest am Anfang. So zitiert der „Stern" den Inhaber eines mit Video arbeitenden Eheanbahnungsinstituts: „Unsere Kunden schauen sich die Videos bei uns an, sehen das Gesicht des möglichen Partners, seine Gesten, hören seine Stimme . . . Und dann macht es vielleicht ‚klick' – oder nicht."*

Verführer *m* ~ vom Dienst = Schauspieler in der Rolle des Liebhabers. Theaterspr. 1930 *ff.*

Verführerschein *m* den ~ machen = das Auto für Zwecke des Geschlechtsverkehrs benutzen. 1955 *ff.*

Verführungswagen *m* Auto mit Schlafgelegenheit. 1950 *ff.*

ver'fumfeien *tr* **1.** etw verderben, vertun, leichtsinnig ausgeben. Gehört zu *niederd* „fumfeien = mit der Bierfiedel (Tanzgeige) zum Tanz aufspielen". Weiterentwickelt zur Bedeutung „für Tanzveranstaltungen verausgaben". Seit dem späten 16. Jh. **2.** etw unauffindbar verlegen. Seit dem 19. Jh.

verfumfiedeln *tr* **1.** etw vergeuden. ↗verbumfiedeln 1. Seit dem 19. Jh. **2.** etw verderben, falsch machen. Seit dem 19. Jh.

verfummeln *v* **1.** etw ~ = etw verderben, mißgestalten. ↗fummeln. 1900 *ff.* **2.** sich in etw ~ = sich in etw verwickeln; wirr, unüberlegt reden. 1920 *ff.*

verfuttern *tr* **1.** etw verzehren. ↗futtern. Seit dem 19. Jh. **2.** etw für die Beköstigung aufwenden. Seit dem 19. Jh.

verfüttern *tr* jn nutzlos opfern; etw sinnlos vergeuden. Spielt im *milit* Bereich auf das „↗Kanonenfutter" an, im *ziv* auf die mißbräuchliche Verwendung als Viehfutter. 1940 *ff.*

Ver'gackeierer *m* Verulker. *Vgl* das Folgende. 1920 *ff.*

ver'gackeiern (ver'gageiern) *tr* jn verulken; dem Lehrer einen Streich spielen. Hergenommen vom Huhn, das gackert, ohne ein Ei gelegt zu haben; weiterentwickelt zur Bedeutung „irreführen". Im späten 19. Jh aufgekommen; nördlich der Mainlinie verbreitet.

vergackeln *refl* sich verrechnen; sich in der Eile versehen. Erklärt sich wie das Vorhergehende. *Oberd* seit dem 19. Jh.

vergaffen *v* sich in jn ~ = sich in jn verlieben. ↗gaffen. 1500 *ff.*

vergallen *tr* **1.** jn verbittern. Wird bei ungeschicktem Ausnehmen eines Vogels oder Fisches die Gallenblase zerdrückt, wird das Fleisch bitter. 1920 *ff*, Berlin. **2.** jn reizen. ↗Galle 1. 1920 *ff.*

vergallu'pieren *refl* aus der Meinungsbefragung falsche Schlüsse ziehen. Nach 1945 aufgekommen im Zusammenhang mit dem Befragungssystem des amerikanischen Statistikers George Horace Gallup. Scherzhaft mit dem Folgenden kontaminiert.

vergalop'pieren *refl* sich in der Eile versehen; etw unbedacht ausplaudern. Vom Galoppritt übertragen. 1700 *ff.*

vergammeln *v* **1.** *intr* = verderben; verschimmeln; verkommen; durch Feuchtigkeit unbrauchbar werden. ↗Gammel I 1. Etwa seit 1900, *sold, schül* und *stud.* **2.** *tr* = die Zeit nutzlos verstreichen lassen, in Untätigkeit verbringen. ↗gammeln. 1955 *ff, stud* und *BSD.*

vergammelt *adj* **1.** faulig, schimmelig, abgestanden, verfallen; schmutzig, verkommen. ↗Gammel I 1. 1900 *ff;* von der Marine ausgegangen und verbreitet; *halbw* 1955 *ff.*

2. arbeitsunlustig. *Halbw* 1955 *ff.*

3. unter den Nachwehen des Alkoholrausches leidend. 1955 *ff.*

Vergammelung *f* Vernachlässigung. 1950 *ff.*

Vergangenheit *f* **1.** angedunkelte ~ = nicht unbescholtenes Vorleben. 1920 *ff.*

2. blütenweiße ~ = Unbescholtensein. 1920 *ff.*

3. braune ~ = das Dritte Reich; Verhalten eines Deutschen während der NS-Zeit. ↗braun 1. 1945 *ff.*

4. narbenreiche ~ = bewegtes Vorleben des Junggesellen. 1930 *ff.*

5. scharfe ~ = Vorleben mit vielen geschlechtlichen Ausschweifungen. ↗scharf 4. 1950 *ff.*

6. umfangreiche ~ = langes Vorstrafenregister. 1920 *ff.*

7. unbewältigte ~ = Nichtüberwindung der nationalsozialistischen Ideologie; Hadern mit der NS-Zeit; Nachwirkung des politisch-weltanschaulichen Vorlebens. Kurz nach 1945 aufgekommen im Zusammenhang mit der Umerziehung durch die Besatzungsmächte.

8. die ~ ausradieren = a) auswandern; einen anderen Namen annehmen und die Herkunft verschweigen. 1933 *ff.* – b) das Strafregister bereinigen; Vorstrafen löschen lassen. 1933 *ff.*

9. eine dunkle ~ haben = früher dunkelhaarig gewesen sein. Scherzausdruck. 1955 *ff.*

10. keine ~ haben = noch unberührt sein. 1920 *ff.*

11. seine ~ noch vor sich haben = das Leben zu genießen anfangen. 1950 *ff.*

12. die ~ verschrotten = Erinnerungen tilgen; pietätlos handeln. 1950 *ff.*

vergasen *tr* **1.** die Luft durch üble Gerüche verpesten. Aufgekommen im Ersten Weltkrieg mit der Verwendung chemischer Kampfstoffe.

2. ihn hat man vergessen zu ~ = er ist überaus dumm, unbrauchbar, unsympathisch. Nach 1950 aufgekommen in zynischer Erinnerung an die Vernichtungslager vor 1945.

3. bis zum ~ = bis zum Überdruß. ↗Vergasung 2. 1920 *ff.*

Vergaser *m* **1.** After, Gesäß. Der Vergaser erzeugt ein Gas-Luft-Gemisch. 1920 *ff.*

2. Magen. 1950 *ff.*

3. sich den ~ durchblasen lassen = sich der Behandlung in einer Nervenheilanstalt unterziehen. *Vgl* ↗Vergaserschaden. 1950 *ff.*

Vergaserbrand *m* Tripper. Der Penis „zerstäubt" das Sperma, und beim Tripper entsteht eine „Verbrennung" schmerzhaftester Art. *Sold* und *ziv* 1935 *ff.*

Vergaserschaden *m* einen ~ im Gehirn haben = nicht recht bei Verstand sein. Vom Defekt am Automotor übertragen auf einen geistigen Defekt. 1950 *ff, halbw.*

Vergasung *f* **1.** Luftverpestung (durch entwichene Darmwinde; durch stark riechenden Käse o. ä.). 1916 *ff.*

2. etw bis zur ~ tun = etw bis zum Überdruß tun (üben, lernen o. ä.). Aus der Physik übernommen: vergasen = sich völlig in Gas auflösen; den festen und/oder flüssigen Aggregatzustand verlassen. *Vgl* ↗vergasen 1. Kurz nach 1918 aufgekommen; *sold, schül* und *stud.*

Vergasungsanstalt (-bude, -kammer, -raum, -zimmer) *f (f, m, n)* Chemiesaal. 1955 *ff.*

vergattern *tr* **1.** jn dienstlich verpflichten; jn streng behandeln, ernsthaft ermahnen; jn zum Schweigen zwingen. Vergattern = (hinter einem Gitterzaun) versammeln, zusammenfassen. Bezogen auf die zum Wachdienst angetretenen Soldaten; sie werden ihrem herkömmlichen Befehlsbereich entzogen und den Wachvorgesetzten unterstellt. Die „vergatterte" Wache hat besondere Befehlsbefugnisse, auch gegenüber höheren Dienstgraden, und unterliegt verschärften Strafbestimmungen. *Sold* 1914 bis heute.

2. jn zu einer Strafe verurteilen. Man verbringt ihn hinter „Gatter = Gitter". 1950 *ff.*

3. Fraktionszwang anordnen. 1950 *ff.*

Vergatterung *f* **1.** Forderung nach strenger Befolgung der Vorschriften. ↗vergattern 1. *Sold* 1935 *ff.*

2. Freiheitsbeschränkung; Disziplinarstrafe. 1950 *ff.*

3. Trauung; Eheschließung o. ä. *BSD* 1965 *ff.*

vergeben sein verlobt, verheiratet sein. Eigentlich soviel wie „seine Verfügungsrechte übertragen haben". 1900 *ff.*

vergeigen *tr* **1.** etw schlecht ausführen, falsch machen, zum Scheitern bringen. Übertragen vom fehlerhaften Geigenspiel; moderne Variante zu „↗verbumfiedeln 2". Seit dem späten 19. Jh.

2. ein Geschoß ~ = ein Geschoß nutzlos abfeuern. *Sold* 1939 *ff.*

3. ein Spiel ~ = ein Skat-, Fußballspiel verlieren. 1920 *ff.*

Vergeltsgott *n* Fußleiste am Tisch. Die Leiste ist für die Füße so angenehm, daß man dem Schreiner wünscht, Gott möge ihm sein Werk vergelten. *Österr* seit dem 19. Jh.

Vergeltsgott-Sackerl *n* Klingelbeutel in der Kirche. *Bayr* 1900 *ff.*

vergenußwurzeln *tr* koitieren (vom Mann gesagt). ↗Genußwurzel. 1960 *ff.*

Vergeß *m* Vergeßlichkeit. Hieraus verkürzt. 1900 *ff.*

vergessen *tr* **1.** etw ~ liegen zu lassen = etw stehlen. Euphemismus. 1910 *ff.*

2. etw aus Versehen mit Absicht ~ = etw absichtlich unterlassen. 1900 *ff.*

3. das Bezahlen (o. ä.) ~ = Ladendiebstahl begehen. Beschönigung. 1950 *ff.*

4. das kann man ~ (kannste ~!; vergiß es!) = das ist unwichtig geworden; das ist erledigt; Ausdruck der Ablehnung. Übernommen vom *engl* „forget it". 1975 *ff.*

Sentimentalitäten kennt die Umgangssprache kaum und solche herzinniglichen Gefühle, wie sie die oben abgebildete Kitsch-Postkarte aus der Zeit um die Jahrhundertwende auszudrücken versucht, schon gar nicht. Ihre Vergißmeinnicht haben einen ausgeprägten Sinn für Tatsächlichkeiten und sind außerdem auch so leicht nicht wieder loszuwerden. Sie als Geschenk anzubieten, dürfte in der Regel mit den allergrößten Schwierigkeiten verbunden sein, was nun den Schluß nahelegt, daß die Erinnerungen, die da geteilt werden, nicht immer sehr angenehm sind (vgl. **Vergißmeinnicht 3.**). *Und in manchen Strauß, der hier geflochten wird, muß sich außerdem noch ein blaues Veilchen eingeschmuggelt haben (vgl.* **Vergißmeinnicht 1., 4., Vergißmeinnichtaugen**).*

vergewohltätigen *tr* **1.** eine weibliche Person vergewaltigen. Ein (zynischer) sprachlicher Spaß. 1920 *ff*.

2. bei studentischer „Kneipe" einen Störer des „Silentiums" zum Austrinken des Glases verurteilen. *Stud* 1950 *ff*.

Vergiftungsraum (-zelle) *m (f)* Chemiesaal. Hängt (wegen der Gasgerüche) zusammen mit Berichten über die Vernichtungslager in der NS-Zeit. *Schül* 1960 *ff*.

vergipsen *tr* **1.** jn zu einer Freiheitsstrafe verurteilen. ↗Gips 2. *Sold* seit dem späten 19. Jh bis 1945.

2. jn in die Irre führen; jn veralbern. Gipser = Tüncher. Der Begriff „übermalen" nimmt die Bedeutung „täuschen" an. Die Vokabel kann auch mit „Gips = Drill" zusammenhängen: manche Befehle beim Exerzieren kommen den Soldaten unsinnig und wie Verspottung vor. 1910 *ff*, vorwiegend *sächs; sold* in beiden Weltkriegen.

Vergißmeinnicht *n* **1.** blauer Fleck als Folge eines heftigen Hiebs. Er hält die Erinnerung an die Ursache lange Zeit wach. Seit dem 19. Jh, Berlin und Wien.

2. Vagina. 1900 *ff*.

3. uneheliches Kind. Es ist ein Andenken an seinen Erzeuger. 1900 *ff*.

4. jm ein ~ einpflanzen (pflanzen) = jm heftig ins Gesicht schlagen. Seit dem 19. Jh.

Vergißmeinnichtaugen *pl* durch einen Schlag blau angelaufene Augen samt Umgebung. Anspielung sowohl auf die Färbung als auch auf das Andenken. Eigentlich sanft-blaue Augen (Dichtersprache). 1900 *ff*.

verglatteisen *tr* jn veralbern. ↗Glatteis 2. *Sold* 1939 *ff*.

vergleichen *tr* vom Mitschüler absehen, abschreiben. Euphemismus. 1900 *ff*.

Vergleichsverfahrensraum *m* Schülerabort. Die während der Klassenarbeit ausgetretenen Schüler vergleichen dort, was jeder geschrieben hat. 1900 *ff*.

vergluckern *tr* etw vertrinken, trinken, leertrinken. ↗gluckern. 1900 *ff*.

vergnattert *adj* mißmutig. ↗gnattern. *Nordd* seit dem 19. Jh.

vergnatzen *tr* jn verärgern, durch dumme Redensarten oder Veralberungen erzürnen; jn belügen. ↗gnatzen. *Nordd* und *ostd*, seit dem 19. Jh.

vergnatzt *adj* verärgert. ↗gnatzen. *Nordd* und *ostd*, seit dem 19. Jh.

vergnettert *adj* **1.** runzlig. Nebenform zu „verknittert". Seit dem 19. Jh.

2. niedergeschlagen, mutlos. Man hat Kummerfalten im Gesicht. Berlin seit dem 19. Jh.

Vergnügen *n* **1.** ~ an und für sich = Onanie, Masturbation. 1920 *ff*.

2. mit dem dicksten ~ = mit dem größten Vergnügen. Seit dem späten 19. Jh.

3. diebisches ~ = Schadenfreude; heimliches Belustigtsein. ↗diebisch 2. Seit dem 19. Jh.

4. das nackte ~ = Freikörperkultur. 1950 *ff*.

Vergnügungsapparat *m* Penis. 1900 *ff.*

Vergnügungsbombe *f* **1.** Vergnügungssüchtiger, der voll auf seine Kosten kommt. Er „explodiert" vor Begeisterung. 1950 *ff.*
2. erfolgreiche Unterhaltungskünstlerin. ↗ Bombe 1. 1960 *ff.*

Vergnügungsdame *f* Prostituierte. 1920 *ff.*

Vergnügungsdampfer *m* leichtes Mädchen. Betont wohl den Unterschied zum „↗ Schraubendampfer". *Sold (marinespr)* in beiden Weltkriegen.

vergnügungsfaul *adj* genußübersättigt. 1959 *ff.*

Vergnügungshammer *m* Penis. ↗ Hammer 3. 1900 *ff.*

Vergnügungheim *n* Schullandheim. 1960 *ff*, *schül.*

Vergnügungskarussell *n* Vergnügungsbetriebsamkeit; Vergnügungsbetrieb mit den verschiedensten Darbietungen. Dort „geht es ↗ rund". 1965 *ff.*

Vergnügungskiste *f* großes Vergnügungsunternehmen mit mehreren Abteilungen. ↗ Kiste 1. 1925 *ff.*

Vergnügungskurven *pl* durch ausschweifendes Leben umschattete Augen. 1950 *ff.*

Vergnügungsmaschine *f* Musikautomat. 1955 *ff.*

Vergnügungsmittel *n* Mädchen. *Halbw* 1955 *ff.*

Vergnügungsort *m* Frauenschoß. 1900 *ff.*

Vergnügungspresse *f* Illustrierte Presse. 1960 *ff.*

Vergnügungsprogramm *n* Programm einer militärischen Besichtigung. Seit dem ausgehenden 19. Jh.

Vergnügungspuppe *f* leichtes Mädchen. ↗ Puppe. 1960 *ff.*

Vergnügungsrat *m* **1.** Gestalter von Geselligkeiten. Seit dem 19. Jh.
2. Bordellbesitzer. Seit dem späten 19. Jh.

Vergnügungsröhren *pl* Stereolautsprecher. 1970 *ff, halbw.*

Vergnügungsschuppen *m* Vergnügungslokal. ↗ Schuppen. *Halbw* 1955 *ff.*

Vergnügungsspenderin *f* Prostituierte. 1920 *ff.*

Vergnügungssteuer *f* **1.** Prostituiertenentgelt. 1930 *ff.*
2. die ~ hinterziehen = die Prostituierte prellen. 1950 *ff.*

Vergnügungsvieh *n* die Prostituierten. 1920 *ff.*

Vergnügungswarze *f* (weibliche) Brustwarze. 1935 *ff.*

Vergnügungswurzel *f* Penis. ↗ Wurzel. 1920 *ff.*

vergolden *tr* **1.** eine bisher mißliebige Person freundlicher schildern. 1950 *ff.*
2. den könnte (möchte) ich ~!: Ausdruck der Wut auf einen Menschen. Spielt an auf „Gold = Kot" (wegen der Farbähnlichkeit). 1945 *ff.*

Vergolder *m* Homosexueller. Anspielung auf die Penisbeschmutzung mit Kot. 1900 *ff, prost.*

Vergoldung *f* davon geht ihm die ~ nicht ab = damit vergibt er sich nichts. 1920 *ff.*

vergrätzen *tr* **1.** jn verstimmen. Fußt auf mittelniederd „vorgretten = erbittern; zur Wut reizen", dazu *bayr* „gräten = unwillig machen; verdrießen" (verwandt mit ↗ grantig). Wohl auch beeinflußt von „kratzen (es ↗ kratzt mich)". Seit dem 19. Jh.
2. jm den Aufenthalt, das weitere Verbleiben verleiden. Seit dem 19. Jh.

vergrätzt *adj* unlustig, mißlaunig; gekränkt. ↗ vergrätzen 1. Seit dem 19. Jh.

vergraulen *tr* **1.** jn durch unfreundliches Wesen zum Verlassen einer Gesellikeit bewegen. Meint eigentlich soviel wie „Angst einflößen; durch Verängstigung vertreiben". 1900 *ff.*
2. jm etw ~ = jm etw verleiden. 1900 *ff.*

vergrellt *adj* ergrimmt, zornig. Gehört zu „Groll". Nordwestdeutsch seit dem 19. Jh.

vergrunzen *intr* verschlafen. ↗ grunzen 2. 1930 *ff.*

vergrüßen *refl* sich beim Grüßen irren. Berlin 1950 *ff.*

vergucken *refl* **1.** falsch sehen; sich irren. ↗ gucken 1. Seit dem 18. Jh.
2. sich in jn ~ = jn auf den ersten Blick hin lieben; sich in jn verlieben. 1700 *ff.*

vergurgeln *tr* Geld vertrinken; etw leertrinken. ↗ Gurgel 9. 1600 *ff.*

vergurken *v* **1.** Sprit ~ = nutzlos Benzin verbrauchen. ↗ gurken 3. 1930 *ff.*
2. jm eins ~ = koitieren. ↗ Gurke 2. 1900 *ff.*

verhacken *tr* **1.** etw verderben. Analog zu ↗ verhauen. *Oberd* 1920 *ff.*
2. es ist nichts verhackt = es ist noch nicht abgeurteilt. *Österr* 1920 *ff.*

ver'hackstücken (ver'hackstückeln) *tr* **1.** etw verhandeln, besprechen, auseinandersetzen, verabreden. Hergenommen vom Zerkleinern in Hackstücke. *Niederd* seit dem 18. Jh.
2. jn prügeln. Seit dem 19. Jh.
3. jn für seine Zwecke benutzen. 1950 *ff.*
4. *tr* = jn vor Gericht bringen und verurteilen; jn demütigen, erniedrigen. 1930 *ff.*

verhaften *tr* **1.** sich etw aneignen. Man macht es dingfest. 1930 *ff.*
2. eine hohe Spielkarte übertrumpfen. Kartenspielerspr. 1900 *ff.*
3. einen ~ = ein Glas Alkohol zu sich nehmen; etw leertrinken. 1870 *ff.*

Verhaftung *f* Eheschließung. Aufgefaßt als amtliche Festnahme und Freiheitsberaubung. *BSD* 1965 *ff.*

verhageln *tr* **1.** eine schlechte Klassenarbeit schreiben. Weil es rote Striche „hagelt" (↗ hageln). 1920 *ff.*
2. jn prügeln. Es „hagelt" Hiebe. 1900 *ff.*
3. jm etw ~ = jm etw verleiden, vereiteln. Fußt auf der vernichtenden Wirkung des Hagelschlags. 1920 *ff.*
4. der Plan ist ihm verhagelt = seine Absicht hat sich als nicht durchführbar erwiesen. 1920 *ff.*

verhagelt *adv* sehr. Seit dem 19. Jh.

verhagelt sein 1. verzweifelt, verwirrt sein. ↗ verhageln 3. 1700 *ff.*

2. betrunken sein. 1900 *ff.*

3. übernächtigt, übellaunig sein; arg mitgenommen sein. 1900 *ff.*

Verhältnis *n* **1.** Liebespartner. Seit dem 19. Jh.

2. Liebschaft. Seit dem 19. Jh. Für das Jahr 1846 vermerkt Ernst Dronke: „. . . erst in neuerer Zeit in Berlin bekannt, vermutlich den Franzosen zu verdanken . . .".

3. Kümmelschnaps zum Glas Bier. Es paßt gut zusammen. 1900 *ff,* Hamburg.

4. dreckiges ~ = sittlich anrüchige Beziehungen zwischen einem Mann und einer Frau. 1870 *ff.*

5. dreieckiges ~ = Ehe zu dritt (zwei Männer und eine Frau). Volkstümlich geworden durch die *dt* Übersetzung von Henrik Ibsens Drama „Hedda Gabler" (1890).

6. geschlampertes ~ = ehebrecherisches Liebesverhältnis. ↗ geschlampert. *Bayr* und *österr,* seit dem 19. Jh.

7. kleines ~ = a) Schnaps zum Bier. ↗ Verhältnis 3. 1900 *ff.* – b) Prunelle mit Sahne. 1920 *ff.*

8. geistig über seine ~se leben = über Dinge reden, von denen man nichts versteht; den Fachkundigen vortäuschen; Unsinn schwätzen. Ohne „geistig" bezieht sich die Wendung ursprünglich auf einen, dessen Geldeinnahmen kleiner sind als seine Ausgaben. 1930 *ff.*

Verhandlungsfahrplan *m* Tagesordnung einer Verhandlung; Aufeinanderfolge von Gerichtsverhandlungen. 1950 *ff.*

verhascht *adj* rauschgiftsüchtig; durch Rauschgift entkräftet. ↗ haschen 1. 1965 *ff.*

verhaspeln *refl* **1.** beim (schnellen) Sprechen Fehler (Versprecher) machen. Hergenommen von der Haspel, die das Garn von den Spulen abwickelt; dabei können Fäden sich leicht verwirren. Seit dem 18. Jh.

2. sich verfangen. 1900 *ff.*

Verhätsche'lei *f* Verzärtelei. *Vgl* das Folgende. Seit dem 19. Jh.

verhätscheln (verhätscherln) *tr* jn verwöhnen, verzärteln. ↗ hätscheln. 1600 *ff.*

Verhätschelung *f* Verzärtelung. Seit dem 18. Jh.

Verhau *m* **1.** Unordnung, Durcheinander; Minderwertiges. Meint eigentlich das Dickicht, die Hekke; beim militärischen Drahtverhau liegen die Drähte absichtlich ungleich durcheinander. 1900 *ff, oberd.*

2. Ruine. *Bayr* 1900 *ff.*

Verhaue *f* Irrtum, Fehler; Anstandswidrigkeit. *Halbw* nach 1945.

verhauen *v* **1.** *tr* = jn verprügeln. ↗ hauen 1. 1600 *ff.*

2. *tr* = eine schlechte Schularbeit schreiben; etw verderben, schlecht ausführen. Meint eigentlich „sich im Hauen versehen", wie es beispielsweise

bei der Mensur, beim Bildhauer, beim Metzger u. a. vorkommt. Spätestens seit 1900.

3. *tr* = etw billig verkaufen. Analog zu ↗ verkloppen. 1870 *ff.*

4. *tr* = Geld durchbringen. Man schlägt das zum Vertrinken vorgesehene Geld übermütig auf die Tischplatte. 1800 *ff.*

5. was haben sie uns ~! = wie gründlich haben sie uns militärisch besiegt! Verhauen = im Krieg schlagen (1700 *ff*). Bezeichnungen für die militärische Niederlage decken sich im Umgangsdeutsch meist mit den Vokabeln für „schlagen, prügeln". 1944 *ff.*

6. sich ~ = a) sich beim Reden gröblich irren; unbedacht etwas ausplaudern; einen schwerwiegenden Fehler machen; sich verrechnen. ↗ verhauen 2. 1600 *ff.* – b) eine falsche Taste auf dem Klavier, auf der Schreibmaschine anschlagen. 1900 *ff.* – b) unauffällig davongehen. Aus der Jägersprache übernommen, wo es „sich zurückziehen" bedeutet. *Oberd* seit dem 19. Jh.

verhaut *adj* unordentlich, liederlich, verkommen. Weiterentwickelt aus der Bedeutung „verschlagen; verprügelt". *Bayr* und *österr* 1900 *ff.*

ver'heanzen *tr* jn verspotten. ↗ hienzen. *Österr* seit dem 19. Jh.

verheben *v* **1.** etw ~ = etw zurückhalten; einen Drang bezwingen. *Oberd* „heben" entspricht *nordd* „halten". *Oberd* seit dem 19. Jh.

2. verheb' dich nicht! = täusche dich nicht! überschätze dich nicht! Man traut sich zu, eine schwere Last zu heben, und „verhebt" sich dabei. 1930 *ff.*

verhecheln *tr* über einen Abwesenden mißgünstig sprechen. ↗ Hechel 2. Seit dem 19. Jh.

verheddern *v* **1.** Fäden ~ = Fäden verwirren. Hängt zusammen mit „Hede = Werg": beim Abspinnen von Werg können sich die Fäden verwirren. 1700 *ff.*

2. etw ~ = etw in Unordnung bringen. 1910 *ff.*

3. sich ~ = sich im Sprechen verwirren; sich in Widersprüche verwickeln. Seit dem späten 18. Jh, vorwiegend *nordd* und *ostd.*

4. verhedder' dich nicht mit den Beinen!: Rat an einen Langbeinigen. 1870 *ff,* Berlin, *rhein* u. a.

Verhedderung *f* Durcheinander, Verwicklung, Zerwürfnis. Seit dem 19. Jh.

verheerend *adj adv* **1.** furchtbar; sehr schlecht; geschmacklos (Frau Meyer trägt ein verheerendes Kleid; der Mann sieht verheerend aus). Ein im Ersten Weltkrieg aufgekommenes Modewort, beruhend auf Umfang und Wirkung einer Seuche; dann auch auf die verheerende Wirkung des Kriegs, einer Feuersbrunst, eines Orkans bezogen; hiernach verallgemeinert. *Sold* 1914 *ff; halbw* 1920 *ff.*

2. *adv* = sehr (es eilt ganz verheerend). 1950 *ff.*

verheimlichen *v* es läßt sich nicht länger ~ = ich muß den Abort aufsuchen. Berlin 1919 *ff.*

*„Der Ehevertrag", Stich aus der Serie „Mariage à la mode" von William Hogarth (1697–1764). In seinem Buch „Ausführliche Erklärung der Hogarthschen Kupferstiche" beschreibt Georg Christoph Lichtenberg (1742–1799) auch diese Szene: „Zur Rechten also sitzt ihr der Mann, dem sie auf die rechte Hand angetraut werden soll, und zur Linken steht ihr ein anderer, ein junger, muskulöser Matrimonial-Rat, der wirklich im Begriff ist, ein gleiches mit ihr für seine eigene Person auf die linke vorzunehmen. Der Fuchs merkte, daß dem Fräulein alles auf der Rechten ein wenig links vorkam, und öffnet daher auf der Linken sogleich die Traktate; nicht die, wozu er die Feder, aber die, wozu er die Ohren spitzt." Sicherlich täte der etwas knöcherne Herr zur Rechten der Dame gut daran, wenn er sich auch in einem umgangssprachlichen Sinne nicht verheiratete (vgl. **heiraten 1., 4.**).*

verheiraten *v* 1. sich ~ = die schickliche Zeit zum Weggehen verstreichen lassen. 1870 *ff.*

2. sich bei (mit, in) etw ~ = sich übermäßig lange und eingehend mit etw beschäftigen. 1870 *ff.*

3. nur verheiratet sein = kinderlos verheiratet sein. 1955 *ff.*

4. mit etw nicht verheiratet sein = sich (unschwer) von etw trennen können (mit dem Buch bin ich nicht verheiratet). 1850 *ff.*

5. mit der Firma (dem Beruf) verheiratet sein = übertrieben diensteifrig sein; das Privatleben vernachlässigen. 1850 *ff.*

6. sicher sind sie verheiratet, aber nicht miteinander: Redewendung auf Mann und Frau, die sich für ein Ehepaar ausgeben. 1920 *ff.*

7. schlecht verheiratet sein = mit einem Plan am Geschäftspartner scheitern; Mißerfolg erleiden; sich arg schaden. 1900 *ff.*

8. sich schön verheiratet haben = a) bösartige, schlimme Vorgesetzte haben. Bezieht sich eigentlich auf die unverträgliche Frau oder den aushäusigen Mann. 1910 *ff.* – b) in eine schwierige Lage geraten sein. 1910 *ff.*

9. schwer (streng) verheiratet sein = ein treuer Ehepartner sein; von der Ehefrau beherrscht sein. Schwer = sehr. 1900 *ff.*

10. stark verheiratet sein = eine große Familie haben. 1900 *ff.*

verheizen *tr* 1. Truppen unvernünftig und rücksichtslos einsetzen; Leute rücksichtslos überfordern. Beruht auf der Vorstellung von der Schlacht als einem großen Feuerofen, in dem die Soldaten das Heizmaterial sind. Aufgekommen im Frühjahr 1941 gelegentlich des Kreta-Unternehmens und im Spätherbst 1941 bei den Truppen im ungewöhnlich früh einsetzenden Winter vor Moskau.

2. jn strafversetzen; jn bestrafen. 1950 *ff.*

3. einen unsympathischen Menschen als Mitarbeiter dulden müssen (und entsprechend behandeln). 1955 *ff.*

4. jn ohne Rücksicht auf die Rechte der Persönlichkeit behandeln. 1955 *ff.*

5. jm eine langwierige Arbeit zumuten, die nur kurz genutzt wird. 1960 *ff.*

6. einen ~ = ein Glas Alkohol zu sich nehmen. Man sorgt für die nötige Innenwärme. 1950 *ff.*

7. sich nicht ~ lassen = auf seiner Eigenart bestehen; sich nicht auf einen Rollentypus festlegen lassen. 1955 *ff.*

8. eine Maschine ~ = eine Maschine überfordern, verschleißen. 1960 *ff.*

Verheizung *f* 1. sinnloses und rücksichtsloses Opfern und/oder Geopfertwerden in der Schlacht o. ä. ⌐verheizen 1. 1941 *ff.*

2. Entindividualisierung des Künstlers; Einebnung der Eigenart zwecks Angleichung an die Masse. 1955 *ff.*

verhenkert *adj* 1. höchst unangenehm, widerwärtig. Analog zu ⌐verteufelt; *vgl* ⌐Henker 1. 1700 *ff.*

2. *adv* = sehr, überaus. Seit dem 19. Jh.

verheult *adj* verweint. ⌐heulen. Seit dem 19. Jh.

verhext *adj* 1. verwünscht; überaus unwillkommen. Hängt mit dem Glauben an schadenstiftende Hexen zusammen. Seit dem 19. Jh.

2. es ist wie ~ = trotz redlicher Bemühung bleibt der Erfolg aus. Seit dem 19. Jh.

verhimmeln *v* 1. *tr* = jn übertrieben loben; für jn übertrieben schwärmen; jn schwärmerisch verehren. Meint eigentlich „in den Himmel versetzen", analog zu „vergöttern". Seit dem 19. Jh.

2. *intr* = vor Schmerz oder Ungeduld vergehen. ↗himmeln 2. Seit dem 19. Jh.

3. *intr* = verzweifeln. Seit dem 19. Jh.

4. *intr* = sterben. ↗himmeln 2. Seit dem 19. Jh.

Verhimmelung *f* überschwengliche Schwärmerei; übermäßige Lobeserhebung. Seit dem 19. Jh.

verhintern *tr* jm auf das Gesäß schlagen. ↗Hintern 1. 1900 *ff*.

Ver'hohnepiepe'lei *f* Verhöhnung. Seit dem 19. Jh.

ver'hohne'piepeln *tr* jn verhöhnen, verspotten; mit jm seinen Scherz treiben. Gehört wahrscheinlich zu „Hohlhippe = dünner Kuchen"; er wurde von Jungen öffentlich ausgeboten, wobei die Verkäufer frech auftraten und die Leute verspotteten. Das Schelten der „Hohlhipper" ist schon für das 16. Jh vielfach belegt. Das Wort wurde an „höhnen" angelehnt. 1800 *ff*.

Ver'hohne'piepelung *f* Verhöhnung, Verächtlichmachung. Seit dem 19. Jh.

verhökern *tr* Ware gegen Ware tauschen; etw heimlich veräußern. Hökern = auf dem Markt mit Lebensmitteln handeln, die man in der „Hukke" (= Rückentragekorb) herbeigebracht hat. Beeinflußt von „hucken, hocken = gebückt sitzen". Seit dem 19. Jh.

verholen *refl* **1.** sich erholen; langsam genesen. 1800 *ff*.

2. sich entfernen; sich einer Aufgabe entwinden. Stammt aus der Seemannssprache: das Schiff wird „verholt", wenn man es an einen anderen Liegeplatz bringt. 1900 *ff, marinespr*.

3. sich ~ lassen = sich homosexuell befriedigen lassen. 1920 *ff*.

verhöllt *interj* Ausruf des Unwillens. Analog zu ↗verteufelt. *Österr* seit dem 19. Jh.

verholzen *tr* jn verprügeln. ↗holzen 1. Seit dem 19. Jh.

verholzt *adj* verhärtet, unempfindlich, gemütsarm; unzugänglich. Analog zu „verschlagen". 1900 *ff*.

ver'hoppassen *v* **1.** etw ~ = etw verderben. Eigentlich soviel wie „durch Hüpfen zerstören". Seit dem 19. Jh.

2. sich ~ = etw durch Übereile verfehlen; sich gröblich irren. Wohl übertragen von einem zu kurzen Sprung (etwa über den Wassergraben). Seit dem 19. Jh, vorwiegend *hess* und *südwestd*.

verhopsen *v* **1.** *tr* = koitieren. Hopsen = kleine Sprünge machen. Seit dem 19. Jh.

2. *refl* = sich gröblich irren. ↗verhoppassen 2. Seit dem 19. Jh.

3. es ist verhopst gelaufen = es ist falsch gelaufen, ist an den falschen Empfänger geraten. 1950 *ff*.

verhotten *tr* eine Melodie (die eigentlich keine Jazz-Komposition ist) nach Art des „hot jazz" spielen. 1940 *ff*.

verhudeln *v* **1.** *tr* = Fäden verwirren. ↗hudeln 1. Seit dem 19. Jh.

2. *tr* = etw verderben, unordentlich herrichten. 1500 *ff*.

3. *intr* = verkommen. Hudel = Lumpen. Seit dem 19. Jh.

4. *refl* = sich in der Hast versprechen. 1900 *ff*.

5. *refl* = sich in Schwierigkeiten bringen. 1900 *ff*.

verhumpsen *tr* etw betrügerisch einhandeln. ↗behumpsen. Seit dem 19. Jh.

verhungern *v* **1.** *intr* = schlechte Spielkarten haben. Kartenspielerspr. 1900 *ff*.

2. *intr* = sein Ziel nicht erreichen (auf einen Ball o. ä. bezogen). *Sportl* 1930 *ff*.

3. *intr* = eine Steigung nicht bewältigen. Kraftfahrerspr. 1930 *ff*.

4. am Mikrofon ~ = eine (unprogrammgemäße) Pause bis zum (verspäteten) Beginn einer Reportage o. ä. mit irgendwelchen Äußerungen zu überbrücken suchen. Rundfunkspr. 1930 *ff*.

5. jn ~ lassen = a) jn absichtlich übersehen; jn nicht beachten; jn über Gebühr warten lassen. 1930 *ff*. – b) einen Spieler selten (nie) anspielen. *Sportl* 1930 *ff*.

6. ein Auto ~ lassen = ein Auto überholen. Kraftfahrerspr. 1950 *ff*.

verhungert *adj* wenig umfangreich. Analog zu „mager". 1950 *ff*.

verhunzen *tr* etw gründlich verderben. Auszugehen ist von der Schreibung „verhundsen" im Sinne von „wie einen Hund behandeln", weiterentwickelt zu „plagen, schinden". Seit dem 17. Jh.

Verhunzung *f* Verunstaltung. 1700 *ff*.

verhuscht *adj* **1.** nicht voll geistesgegenwärtig; zerstreut; nachlässig. ↗Husch 4. 1900 *ff, ostd* und *südwestd*.

2. verschüchtert, verstört. 1900 *ff*.

Verhüterli *n m* empfängnisverhütendes Mittel. Seit dem 19. Jh.

verhutzelt *adj* zusammengeschrumpft; unansehnlich. ↗Hutzel 2. Seit dem 19. Jh.

verinnerlichen *tr* etw bedenken, sich innerlich aneignen. Vom Wortschatz der Psychologen übernommen. 1970 *ff*.

verjacken *tr* jn heftig prügeln. Man klopft ihm die Jacke aus. *Vgl* „den ↗Frack verhauen" u. ä. Seit dem 19. Jh.

verjacksen *tr* jn verprügeln. „Jackse" sind Schläge auf die Jacke. *Vgl* das Vorhergehende. 1850 *ff*.

verjagen *refl* **1.** sich erschrecken. Man jagt sich selber in Angst und Schrecken. *Niedersächs*, spätestens seit 1900.

2. die Beherrschung verlieren. 1900 *ff*.

verjankern *tr* etw verschleudern, durchbringen. Janker ist die leichte Männerjacke, hier stellvertretend für Kleidung jeglicher Art. Also gibt man sein Geld für modische Kleidung aus. *Österr* 1950 *ff*.

verjeuen („jeu" *franz* ausgesprochen) *tr* sein Geld beim Glücksspiel durchbringen. *Franz* „jeu = Spiel". ↗jeuen. Seit dem 19. Jh.

verjubeln *tr* etw für Vergnügungen ausgeben. Jubeln = sich vergnügen; lustig sein. *Stud* seit dem ausgehenden 18. Jh.

verjubilieren *tr* Geld in lustigem, ausgelassenem Leben durchbringen. Seit dem 19. Jh.

verjuchen *tr* etw vergeuden, leichtsinnig verleben. Hängt mit dem Freudenausruf „juchhe" zusammen. *Stud* seit dem 19. Jh.

verjuch'heien *tr* etw für Vergnügungen ausgeben. „Juchhei" als Freudenausruf, in Tanzliedern häufig, steht neutral für Tanzbelustigung. Seit dem 19. Jh.

verjuchzen *tr* Geld lustig verleben. Juchzen = jauchzen. Seit dem 19. Jh.

verjucken (verjuckeln) *tr* sein Geld in ausgelassener Gesellschaft durchbringen. „Jucken" bezieht sich auf Tanzen und Springen; „juckeln" könnte „spazieren fahren" meinen. Seit dem 19. Jh.

verjuckstücken *tr* Geld verschwenden. „Juckstück" ist vielleicht das beischlafwillige Mädchen; *vgl* „↗jucken 4 und 5". 1967 *ff*.

ver'jujaxen *tr* etw vergeuden. Erweiterung von ↗verjuxen. *Ostd* und *westd*, 1930 *ff*.

Verjüngungskur *f* Liebesverhältnis eines bejahrten Mannes mit einer sehr viel jüngeren weiblichen Person. 1920 *ff*.

verjuxen (verjuchsen, verjucksen) *tr* **1.** Geld für leichtfertige Dinge ausgeben. Kann zu „↗Jux" gehören, aber auch zu „↗verjuchen" und zu „↗verjuchzen". Seit dem 19. Jh. **2.** etw zum Ulk gestalten. 1950 *ff*.

verkabbeln *refl* sich entzweien. ↗kabbeln 1. Seit dem 19. Jh.

verkacheln *tr* seine Zeit verplaudern. ↗kacheln 4. 1900 *ff*.

ver'kackeiern *tr* **1.** jn veralbern, betrügen. ↗vergackeiern, beeinflußt von „↗kacken". Lieblingsausdruck des letzten Königs von Sachsen. Vor allem in Ostmitteldeutschland verbreitet, seit dem 19. Jh. **2.** etw verschlechtern. Erweiterung von ↗verkakken. 1939 *ff*, *sold*.

Ver'kackeierung *f* Veralberung. 1900 *ff*.

verkacken *tr* **1.** etw schlecht, fehlerhaft ausführen. Eigentlich soviel wie „mit Kot verunreinigen", weiterentwickelt zur Bedeutung „verderben". 1900 *ff*. **2.** einen Wertgegenstand gegen Lebensmittel eintauschen. 1945 *ff*. **3.** etw auseinanderrechnen, auseinandersetzen. Entstellt aus ↗verkleckern. 1920 *ff*.

verkackt *adj* kläglich, schlecht. Analog zu ↗beschissen. 1950 *ff*, Berlin.

verkaddeln *tr* etw durch ungeschicktes Schneiden unansehnlich machen. ↗kaddeln. Seit dem 19. Jh.

verkaffern *intr* verblöden; geistig abstumpfen; schlechte Umgangsformen annehmen. ↗Kaffer 1. 1900 *ff*.

verkalben *intr* eine Fehl-, Frühgeburt haben. Aus der Viehzucht auf den Menschen übertragen. 1870 *ff*.

verkalbert *adj* unernst; verspielt (auf junge Mädchen bezogen). ↗kalbern 1. 1900 *ff*.

verkalken *intr* geistig altern; abständig werden. ↗Kalk 1. 1900 *ff*.

verkalkt sein geistig nicht mehr rege sein; abständig sein; modernen Anschauungen verständnislos gegenüberstehen. 1900 *ff*.

Verkalkung *f* Abständigkeit; geistige Vergreisung. 1900 *ff*.

verkami'sölen *tr* jn verprügeln. ↗kamisölen. Seit dem 19. Jh.

Verkappter *m* Kriminalbeamter in Zivil. Verkappt = verkleidet (in einem Kapuzenmantel). *Vgl* ↗Verdeckter. 1900 *ff*.

verkarten *v* **1.** Geld ~ = Geld beim Kartenspiel verlieren. Seit dem 19. Jh. **2.** sich ~ = sich irren; einen groben Fehler begehen. Seit dem 19. Jh.

verkaschperlt *adj* ins Schwankhafte, Alberne entstellt. ↗Kaschperl. 1920 *ff*.

verkasema'dachfenstern *tr* ein Glas Alkohol zu sich nehmen. Zusammengesetzt aus „verkonsumieren = verzehren" in Verbindung mit „Kasematte = schußsicherer Raum in alten Festungswerken; Gefängnis", anspielend auf „einen ↗verhaften = einen trinken". „Dachfenster" hängt mit Mansarde zusammen, die auch „Juchhe" heißt, woraus sich Überleitung zu „↗verjuchen = durchbringen" ergibt. 1900 *ff*.

verkasema'knispeln *tr* Alkohol trinken; das Glas leeren. „Knispeln = basteln; mit Ausdauer zuwege bringen". 1930 *ff*, vorwiegend *westd*.

verkasema'tuckeln *tr* **1.** etw trinken, austrinken, verzehren. *Vgl* die Ausführungen zu „↗verkasemadachfenstern". Das Verbum „tuckeln" ist Iterativum zu „tucken = beim Zutrinken mit den Gläsern anstoßen". 1900 *ff*, wahrscheinlich von Westdeutschland ausgegangen. **2.** etw auf die Seite schaffen; sich etw heimlich aneignen. 1930 *ff*. **3.** etw verheimlichen. 1930 *ff*. **4.** jn gefangennehmen, erledigen. 1930 *ff*. **5.** jn verprügeln. 1920 *ff*. **6.** jm etw ~ = jm etw genau auseinandersetzen. Gemeint ist gewissermaßen „kasemattensicher klarmachen". 1900 *ff*. **7.** etw verräumen, verlegen. 1920 *ff*. **8.** jn veralbern. 1930 *ff*. **9.** koitieren. „Tuckeln" ist hier wohl entstellt aus „↗duckeln". *Westd* 1900 *ff*.

verkäsen *refl* sich davonmachen. Analog zu „↗verduften" mit Anspielung auf die „Käsefüße" (= Schweißfüße) des Davoneilenden. 1940 *ff*, *ziv* und *sold*.

verkaspern *tr* jn veralbern, übertölpeln. ↗Kasper 6. 1800 *ff*.

verkäst *adj* bleich im Gesicht; von ausschweifendem Lebenswandel gezeichnet. ↗käsig. 1910 *ff.*

verkatert *adj* unter den Folgen des Alkoholrausches leidend. ↗Kater 1. 1850 *ff.*

Verkaterung *f* äußerliches und innerliches Mitgenommensein durch Alkoholmißbrauch. 1900 *ff.*

verkatschen *tr* etw falsch abschneiden, verschneiden; etw durch unsachgemäße Behandlung verderben. Gehört zu *mitteld* „Katsch = Scharte". 1900 *ff.*

Verkaufe *f* Vorführung. Bezieht sich auf die Art und Weise, wie einer etwas verkauft. Neuerdings sagt man „der Musiker verkauft Musik", „der Nachrichtensprecher verkauft Nachrichten", „der Geistliche verkauft das Wort Gottes". *Halbw* 1970 *ff.*

verkaufen *v* **1.** *intr* = wirkungsvoll auftreten und eine Darbietung gekonnt vorführen. 1950 *ff.*

2. jn ∼ = jn für einen Posten vorschlagen. 1950 *ff.*

3. jn ∼ = jn übervorteilen, prellen, hintergehen. Verkürzt aus „für ↗dumm verkaufen". 1850 *ff.*

4. jm ∼ = jm überlegen sein. 1870 *ff.*

5. jn ∼ = jn denunzieren. Hergenommen von der Anzeige um einer ausgeschriebenen Belohnung willen. Hängt wohl mit dem biblischen Judasbericht zusammen. Seit dem 19. Jh.

5 a. jn ∼ = einen Straftäter gegen eine Ablösungssumme aus der Haft entlassen und in die Bundesrepublik Deutschland abschieben. Ost-Berlin 1970 *ff.*

6. etw ∼ = Wissen, Einfälle, literarische oder filmische Stoffe bei einem anderen geschäftlich verwerten. 1950 *ff.*

7. nichts zu ∼ haben = bei einer Gesellschaft schweigsam, in sich gekehrt sein; nicht in Stimmung sein; nicht mehr weiterwissen. Übertragen vom Kaufmann, dem die Ware fehlt, um Kunden anzulocken. Seit dem 19. Jh.

8. jm etw ∼ = a) jm etw so überzeugend darstellen, daß er es glaubt und die Übervorteilung nicht bemerkt. 1935 *ff.* – b) jm etw zu verstehen geben. 1950 *ff.*

9. etw ein paar Nummern zu groß ∼ = etw stark aufbauschen, übertreiben. 1950 *ff.*

10. es verkauft sich gut = es macht großen Eindruck, ist publikumswirksam. 1950 *ff.*

11. sich ∼ = a) einen Fehlkauf tun; einen schlechten Einkauf machen. Man irrt sich beim Einkauf. Von Südwestdeutschland im späten 18. Jh ausgegangen. – b) bei Glücksspielen die höchstzulässige Augenzahl überschreiten und dadurch sofort verlieren. Seit dem 19. Jh.

12. sich ∼ können = wissen, wie man sich zu verhalten und zu kleiden hat, um im Schaugeschäft Erfolg zu haben und zu behalten. 1950 *ff.*

13. sich nicht ∼ lassen = sich nicht verdummen lassen. ↗verkaufen 3. Seit dem 19. Jh.

Verkäufer *m* eiserner ∼ = Warenautomat. 1930 *ff.*

Verkaufmich *m* Verkäufer. ↗Koofmich. 1920 *ff.*

Verkaufsbombe *f* aufsehenerregende Ware. Sie „schlägt wie eine Bombe ein". 1950 *ff.*

Verkaufsbremse *f* Verkaufserschwernis. 1955 *ff.*

Da jongliert einer mit Würfeln und einem Geldschein. Einem solchen Balanceakt ist allerdings, und sei der (Lebens-)Künstler auch noch so routiniert, meist keine allzu lange Dauer beschert. An seinem Ende steht der, wie Thomas Mann es einmal nannte, „bürgerliche Tod" dessen, dem das Vergnügen nicht zur Abwechslung, sondern zum Lebensinhalt wird. „Diese geselligen Unterhaltungen waren vorzüglich gemeint, wenn unser Hauswesen im Städtchen für verdächtig galt, und man faßte, wie mir zu Ohren kam, dabei hauptsächlich die ökonomische Sache der Seite ins Auge, indem man nämlich munkelte (und nur zu recht damit hatte), daß die Geschäfte meines armen Vaters verzweifelt schlecht stünden und daß die kostbaren Feuerwerke und Diners ihm als Wirtschafter notwendig den Rest geben müßten" (Thomas Mann, Bekenntnisse des Hochstaplers Felix Krull). Es kam dann auch so, wie es kommen mußte. Das Jubeln und Jubilieren geriet zum **Verjubeln** *und* **Verjubilieren** *oder anders, grammatikalisch besehen, durative Verben (von lat. durare = dauern) werden zu nichtdurativ-resultativen. Daß jene gesellschaftlich sanktionierte Trennung zwischen Arbeit und Vergnügen sich hier auch in der Umgangssprache widerspiegelt, und dies, wie die leicht pejorativen Anklänge dieser Vokabeln verraten, in einem durchaus positiven Sinn, legt die Vermutung nahe, daß diesen Präfigierungen (durch das Präfix ver-) eine Präfiguration zugrunde liegen könnte.*

LUDWIGS-EISENBAHN.
zwischen Nürnberg und Fürth
die erste in Deutschland.

Mit der Jungfernfahrt der „Ludwigsbahn" am 7. Dezember 1835 nahm die deutsche Eisenbahngeschichte ihren Anfang. Bei einer Reisegeschwindigkeit von maximal 35 Kilometern in der Stunde erreichte der Zug nach nur einer Viertelstunde bereits den Zielbahnhof Fürth. Obwohl die Eisenbahn auch heute noch das wohl effektivste Landtransportmittel ist, spielt sie in dem Verkehr, auf den die Umgangssprache abhebt, allerdings überhaupt keine Rolle. Hier dominieren Praxen, bei denen man die Sache selbst im Griff hat (vgl. **Verkehr 3.**, **Verkehrsbrei** *oder* **Verkehrsandrang***). Jenes eher individualistisch gefaßte Moment der Selbstbestimmung scheint sich mit dem geregelten Rhythmus des Eisenbahnverkehrs nur sehr schwer vereinbaren zu lassen. Und auch die dort gebräuchlichen Triebwagen sind jenem anderen Trieb nicht gerade förderlich und dürften umgangssprachlich sogar ein* **Verkehrshindernis** *darstellen.*

Verkaufserotik *f* **1.** homosexuelle Betätigung gegen Bezahlung. 1965 *ff.*
2. Warenanpreisung auf Messen und in Zeitungsanzeigen mittels (bildlicher Darstellung) anziehender junger Mädchen (in spärlicher Bekleidung). 1965 *ff.*
Verkaufsgenie *n* tüchtiger Verkäufer; Mann, der sogar minderwertige Ware zu verkaufen versteht. 1920 *ff.*
Verkaufsgespräch *n* Gespräch (mit) einer Prostituierten über Art, Dauer, Preis usw. des Geschlechtsverkehrs. 1930 *ff.*
Verkaufsheuler *m* gut verkäufliche Ware. ↗ Heuler 11. 1960 *ff.*
Verkaufshyäne *f* raffgierige Käuferin beim Sommer-, Winterschlußverkauf. „Verkauf" ist hieraus verkürzt. 1955 *ff.*

Verkaufskanone *f* tüchtiger Verkäufer. ↗ Kanone 4. 1920 *ff.*
Verkaufsknüller *m* Ware, die keinerlei Absatzschwierigkeiten bereitet. ↗ Knüller 1. 1955 *ff.*
Verkaufsladen *m* Handelsschule. 1960 *ff.*
Verkaufsmasche *f* Werbetrick. ↗ Masche 1. 1950 *ff.*
Verkaufsmaschine *f* Warenautomat. 1930 *ff.*
Verkaufsoffener *m* Tag, an dem die Geschäfte länger geöffnet sein dürfen als sonst vorgeschrieben. 1956 *ff* aufgekommen im Zusammenhang mit dem Ladenschlußgesetz.
Verkaufsrenner (-schlager) *m* von Kunden gern gekaufter Gegenstand. ↗ Renner. 1920 *ff.*
Verkaufszuckerl *n* erfolgreicher Film; sehr begehrte Ware. ↗ Zuckerl. *Österr* 1950 *ff.*
verkauft sein 1. ratlos, verloren sein. Verkürzt aus „↗ verraten und verkauft sein". 1900 *ff.*
2. jm ausgeliefert sein. 1900 *ff.*
3. wegen Überlastung keine weiteren Angebote annehmen können. Analog zu „↗ ausgebucht sein". Künstlerspr. 1955 *ff.*
4. mit jm ~ = mit jm betrogen, von jm übervorteilt sein. 1920 *ff.*
verkaupeln *tr* tauschhandeln. ↗ kaupeln 1. Seit dem 19. Jh.
verkegeln *tr* etw verderben; sich etw verscherzen. Stammt aus der Keglersprache. Seit dem 19. Jh.
Verkehr *m* **1.** nachehelicher ~ = gerichtliche Vermögens- oder Unterhaltsauseinandersetzung im Anschluß an die Scheidung; Rechtsstreit geschiedener Eheleute. 1950 *ff,* juristenspr.
2. jn aus dem ~ ziehen = a) jn verhaften, zu Freiheitsentzug verurteilen. Hergenommen von einem alten Verkehrsmittel (Zahlungsmittel), das nicht länger verwendbar (gültig) ist. 1920/30 *ff.* – b) jn umbringen, ermorden, erschießen. *Sold* und *ziv,* 1933 *ff.* – c) jm den Führerschein entziehen. 1960 *ff.* – d) jn seines Amtspostens entheben. 1930 *ff.* – e) jn ausweisen, über die Landesgrenze abschieben. 1950 *ff.*
3. sich selber aus dem ~ ziehen = Selbstmord verüben. 1935 *ff.*
4. aus dem ~ gezogen sein = tot sein. 1950 *ff.*
Verkehrsaffentheater *n* Verkehrschaos. ↗ Affentheater. 1960 *ff.*
Verkehrsandrang *m* Andrang im Bordell. 1910 *ff.*
Verkehrsballon *m* Präservativ. ↗ Ballon. 1950 *ff.*
Verkehrsbeamtenkörper *m* Angehörige des Sittendezernats. 1960 *ff, prost.*
Verkehrsbrei *m* Verkehrsdichte, -gewühl. 1960 *ff.*
Verkehrsbremse *f* langsam fahrendes Auto; Kraftfahrzeug mit sehr schwachem Motor; Fahrzeug der Fahrschule. Es verlangsamt die Fahrgeschwindigkeit der anderen. 1950 *ff.*
Verkehrs-Conférencier (Grundwort *franz* ausgesprochen) *m* Verkehrspolizeibeamter mit Lautsprecher an einer Straßenkreuzung. 1958 *ff,* Berlin, kraftfahrerspr.

Verkehrsdelikt n Übertragung einer Geschlechtskrankheit auf den Partner. Eigentlich der Verstoß gegen die Straßenverkehrsordnung. 1920 *ff*.

Verkehrsdirigent m Verkehrspolizeibeamter auf der Straßenkreuzung. ↗Dirigent. 1935 *ff*.

Verkehrsexpertin f Prostituierte mit Kraftwagen. 1955 *ff*.

Verkehrshindernis n **1.** Frauen-Monatsbinde. 1900 *ff*.
2. ältliche Prostituierte, die sich nicht entschließen kann, der Prostitution zu entsagen. 1905 *ff*.
3. über die heranwachsende Tochter wachendes Elternpaar. 1930 *ff*.
4. Kleinauto. *Vgl* ↗Verkehrsbremse. 1950 *ff*, kraftfahrerspr.
5. Gegenstand, der einem in der Wohnung o. ä. im Wege steht. 1960 *ff*.
6. charmantes ~ = Frau am Steuer ihres Autos. 1960 *ff*.
7. rollendes ~ = Kleinauto. ↗Verkehrshindernis 4. 1955 *ff*.

Verkehrshütchen n Präservativ. 1955 *ff*.

Verkehrskelle f Signalscheibe für die Verkehrsregelung. ↗Kelle 4. 1920/30 *ff*.

Verkehrsknubbel m Verkehrsstauung. ↗knubbeln 2. 1930 *ff*.

Verkehrskurven pl dunkle Ringe unter den Augen. Sie gelten als Folgen ausschweifenden Lebenswandels. 1910 *ff*.

Verkehrslawine f Massenandrang von Autos auf den Autobahnen. 1960 *ff*.

Verkehrslicht n rote Lampe am Bordelleingang. 1920 *ff*.

Verkehrsmittel n öffentliches ~ = Prostituierte. ↗Omnibus 1. 1910 *ff*.

Verkehrsmutti f Mutter, die sich für den Schülerlotsendienst zur Verfügung stellt. 1967 *ff*.

Verkehrsrichter m rasender ~ = Mitglied des fliegenden Verkehrsgerichts. 1959 *ff*.

Verkehrsrowdy (Grundwort *engl* ausgesprochen) m rücksichtsloser Kraftfahrer. ↗Rowdy. 1955 *ff*.

Verkehrsrüpel m rücksichtsloser Kraftfahrer. ↗Rüpel. 1955 *ff*.

Ver'kehrsrüpe'lei f Rücksichtslosigkeit von Kraftfahrern. 1955 *ff*.

Verkehrssalat m Verkehrschaos. ↗Salat. 1955 *ff*.

Verkehrssäugling m Anfänger im Kraftfahren. 1930 *ff*.

Verkehrsschilderwald m Gesamtheit der Verkehrsschilder. ↗Wald. 1950 *ff*.

Verkehrsschulung f Unterweisung im Geschlechtsverkehr. 1950 *ff*.

Verkehrsstille f Ermattung nach dem Koitus. Vom Straßenverkehr übertragen. 1930 *ff*.

Verkehrsstockung f Menstruation. 1900 *ff*.

Verkehrssünde f **1.** Vergehen gegen die Straßenverkehrsordnung. ↗Sünde 1. 1930 *ff*.
2. venerische Ansteckung durch den Geschlechtspartner. 1930 *ff*.

Verkehrssünder m **1.** Person, die, mit einer Geschlechtskrankheit behaftet, den Beischlaf ausübt. ↗Sünder. Nach deutschem Recht strafbar wegen Körperverletzung laut Reichsgesetz vom 18. Februar 1927. 1930 *ff*.
2. Sittlichkeitsverbrecher. 1930 *ff*.
3. Person, die gegen die Straßenverkehrsordnung verstößt. 1930 *ff*.
4. säumiger Alimentenzahler. 1927 *ff*.
5. Heiratsschwindler. 1955 *ff*.

Verkehrssünderkartei f Verkehrszentralregister beim Kraftfahrt-Bundesamt in Flensburg (seit 1. Januar 1958).

verkehrssündigen intr gegen die Straßenverkehrsbestimmungen verstoßen. 1965 *ff*.

Verkehrsteilnehmer m Koituspartner einer Prostituierten. Eigentlich der Teilnehmer am Straßenverkehr. 1930 *ff*.

Verkehrsteilnehmergesicht n uninteressierter, abgestumpfter Gesichtsausdruck. Hergenommen von der Miene der Teilnehmer an einer längeren Gesellschaftsfahrt: man sieht wie willenlos, wie ergeben aus. 1920 *ff*.

Verkehrstrottel m Mensch, der sich im Verkehrsleben unerfahren anstellt. ↗Trottel 1. 1935 *ff*.

Verkehrsübung f erstmaliger Geschlechtsverkehr. Hergenommen von den Lehrgängen der Polizei für Kraftfahrer, die gegen die Straßenverkehrsordnung verstoßen haben. 1950 *ff*.

Verkehrsunfall m **1.** geschlechtliche Erkrankung. 1930 *ff*.
2. ungewollte Schwangerschaft; Kind einer Ledigen. 1920 *ff*.
3. dienstliche Fehlentscheidung. 1950 *ff*.

Verkehrsunternehmer m Bordellinhaber. 1960 *ff*.

Verkehrsunterricht m Aufklärung über den Geschlechtsverkehr. Von den verkehrserzieherischen Maßnahmen der Polizei übertragen. 1958 *ff*.

Verkehrsverein m Callgirlring. Eigentlich ein Zusammenschluß zur Förderung des Fremdenverkehrs. 1960 *ff*.

Verkehrswacht f strenge Bewachung der Tochter durch ihren Vater o. ä. Berlin 1930 *ff*.

verkehrswidrig adv ~ bekleidet = vollständig bekleidet. Die Bekleidung ist dem Geschlechtsverkehr im Wege. 1968 *ff*.

Verkehrszeichensalat m Nebeneinander von widersprüchlichen Verkehrszeichen. ↗Salat 1. 1955 *ff*.

Verkehrszentrum n Stadtgegend, in der die Prostituierten ihrem Gewerbe nachgehen. 1900 *ff*, Berlin u. a.

verkehrt adv **1.** ~ atmen = Darmwinde entweichen lassen. 1900 *ff*.
2. ~ aufgestanden sein = mißmutig sein. ↗Bein 26. Seit dem 19. Jh.
3. nicht ~ sein = in Ordnung, angebracht, willkommen sein. 1920 *ff*.

Verkehrte *f* mit dem Handrücken verabreichte Ohrfeige. Die Hand wird gedreht, und die Schlagart ist weniger üblich. 1930 *ff, österr.*

Verkehrter *m* **1.** Homosexueller. 1900 *ff.*

2. Tasse Kaffee mit sehr viel Milch oder Sahne. Wien 1900 *ff.*

verkehrtrum *adv* **1.** homosexuell veranlagt. 1900 *ff.*

2. ~ essen (frühstücken) = sich erbrechen. 1900 *ff,* seemannsspr., *sold* und *stud.*

Verkehrtrumer *m* Homosexueller. ↗verkehrtrum 1. 1900 *ff.*

verkeilen *v* **1.** jn ~ = jn verprügeln. ↗keilen 1. Seit dem 19. Jh.

2. etw ~ = etw veräußern, zu Geld machen. Analog zu ↗verklopfen. 1700 *ff,* anfangs *stud.*

3. eine Karte ~ = in Mittelhand so hoch trumpfen, daß der Dritte nicht überstechen kann. Die Mittelhand treibt einen Keil hinein. Skatspielerspr. seit dem 19. Jh.

4. sich ~ = sich heftig verlieben. Verkürzt aus „sich den ↗Kopf verkeilen". *Stud* 1800 *ff.*

verkeupeln *tr* tauschhandeln. ↗verkaupeln. *Niederd* und *ostd,* seit dem 19. Jh.

verkiefeln *tr* **1.** etw langsam begreifen. Kiefeln = nagen, kauen. Man begreift nur, wenn es einem Stück für Stück verständlich gemacht wird. Seit dem 19. Jh.

2. etw wohl oder übel zulassen; etw verbeißen. Analog zu ↗verdauen 2. Seit dem 19. Jh, vorwiegend *österr.*

verkieken *refl* **1.** sich versehen; in die falsche Richtung blicken o. ä. ↗kieken. *Niederd* 1700 *ff.*

2. sich in jn ~ = sich in jn verlieben. Analog zu ↗vergucken 2. *Niederd* seit dem 19. Jh.

verkindschen (verkinschen) *intr* einfältig, kindisch werden; verblöden. *Vgl* ↗kindschen. Seit dem 17. Jh.

verkippen *v* das Wetter verkippt sich = das Wetter verschlechtert sich. Kippen = stürzen. Hergenommen von der Vorstellung des Wettersturzes. *Mitteld* seit dem 19. Jh.

verkitschen *tr* **1.** etw unter Wert verkaufen; etw zu Geld machen; etw außerhalb des üblichen Handelswegs versetzen; etw zum Pfandamt bringen; tauschhandeln. Zusammengewachsen aus „verkuten = tauschen" (*vgl* ↗kutten) und rotw „verklitschen = verkaufen". Seit dem 19. Jh.

2. etw in künstlerischer Hinsicht stilunrein machen; etw ins Geschmacklose verändern. ↗Kitsch 1. Seit dem 19. Jh.

Verkitschung *f* Entstellung eines künstlerischen Gegenstands durch stilunreine Hinzufügungen o. ä. Seit dem 19. Jh.

verkla'bastern *tr* **1.** jn verprügeln. ↗klabastern 2. Seit dem 19. Jh.

2. jn schlechtmachen, verleumden; jn rügen. Gehört zur umgangssprachlichen Gleichsetzung von Prügeln und Tadeln. *Südwestd* seit dem 19. Jh.

verklaften (verklaftern) *tr* jn verleumden, schlechtmachen, verraten. ↗klaften 2. Vorwiegend *bayr* und *österr,* 1900 *ff.*

verkla'müsern *v* jm etw ~ = jm etw auseinandersetzen. ↗klamüsern 2. 1900 *ff.*

verklap'peien *tr* jn denunzieren. Erweiterung des Folgenden. *Schül* 1940 *ff, westd.*

verklappen *v* **1.** jn ~ = jn anzeigen, verraten. ↗klappen 4. Seit dem 19. Jh.

2. etw ~ = etw ausplaudern. ↗Klappe 2. Seit dem 19. Jh.

3. etw ~ = etw verladen, umladen, umstürzen; etw ins Wasser (Fluß, Meer) schütten. Das Gemeinte setzt stets das Öffnen einer Klappe voraus. 1960 *ff.*

4. sich ~ = sich versprechen; unbedacht etw ausplaudern. Seit dem 19. Jh.

verklapsen *v* **1.** jn ~ = jn verspotten, veralbern; sich mit jm einen Scherz erlauben. ↗Klaps 1. 1900 *ff.*

2. sich nicht ~ lassen = sich nicht verdummen lassen. 1900 *ff.*

verklaren *v* jm etw ~ = jm etw erklären, klarmachen. Nordwestdeutsch seit dem 19. Jh.

verklatschen *tr* jn anzeigen, verraten, dem Lehrer melden. ↗klatschen 3. Seit dem 18. Jh.

verkleckern *tr* **1.** etw vergeuden. ↗kleckern. Meint hier soviel wie „für viele kleine Dinge ausgeben". Seit dem 19. Jh.

2. eine größere Menge auf viele Empfänger verteilen. ↗kleckern 3. 1935 *ff.*

3. jm etw ~ = jm etw unmißverständlich auseinandersetzen. Weiterentwicklung von ↗kleckern 2. 1900 *ff.*

verkleistern *tr* **1.** etw ~ = etw übertünchen, verdecken, unkenntlich machen. Man überdeckt es mittels Kleister, wie es der Tapezierer tut. 1900 *ff.*

2. jn ~ = jn täuschen; jm Lauterkeit vorspiegeln. Man „verkleistert" ihm die Sinne. 1920 *ff.*

3. jn ~ = jn prügeln. ↗kleistern 2. 1900 *ff.*

4. jm die Sinne ~ = bei jm durch Versprechungen trügerische Hoffnungen wecken. 1930 *ff.*

Verklemmung *f* Notlage. ↗Klemme 1. Analog zu ↗Verdrückung. 1940 *ff.*

verklickern *tr* jm etw ~ = jm etw auseinandersetzen, klarmachen. Nebenform zu ↗verkleckern 3. 1900 *ff.*

verklieren *tr* etw beschmutzen, undeutlich vollschreiben. ↗klieren. Seit dem 19. Jh, *nordd, mitteld* und *ostd.*

verklimpern *tr* sein Geld ~ = den Musikautomaten spielen lassen. ↗klimpern 1. 1950 *ff.*

verklingeln *tr* etw zu Geld machen. Man verwandelt es in „klingende Münze". 1920 *ff, rotw.*

verklitschen *tr* etw veräußern, versetzen. Da „↗klitschen" für „schlagen" steht, ist „verklitschen" Analogie zu „↗verklopfen"; *vgl* ↗verklitschen 1. Seit dem 19. Jh.

verklönen (verklöhnen) *tr* seine Zeit mit gemütlichem Plaudern verbringen. ↗klönen. Seit dem 19. Jh, *nordd* und *westd.*

verklopfen (verkloppen) *v* **1.** *tr* = Geld durchbringen, verschwenden. ↗verhauen 4. Seit dem 19. Jh.

2. *tr* = etw unter Wert veräußern, versetzen, zu Geld machen. Hängt mit der öffentlichen Versteigerung zusammen: der Versteigerer erteilt den Zuschlag, indem er mit dem Hammer dreimal auf die Tischplatte schlägt. 1800 *ff.*

3. *tr* = etw schlecht ausführen; eine schlechte Klassenarbeit schreiben. Analog zu ↗verhauen 2. 1900 *ff.*

4. jn ~ = jn verprügeln. Analog zu ↗verhauen 1. Seit dem 19. Jh.

5. jn ~ = jm eine schwere militärische Niederlage beibringen. Seit 19. Jh.

6. jn ~ = jn verraten. Parallel zu ↗verklappen 1. 1900 *ff, rotw.*

7. sich ~ = sich eine Geschlechtskrankheit zuziehen. Seit dem 19. Jh, *prost.*

8. sich ~ = auf der Schreibmaschine die falsche Taste anschlagen. 1910 *ff.*

verklubben *tr* einen Klub zur Verehrung eines Filmlieblings o. ä. gründen. 1955 *ff, halbw.*

verkluckern *tr* sein Geld vertrinken. ↗gluckern. 1900 *ff.*

verkluften *v* **1.** *tr* = jn ankleiden, bekleiden, verkleiden. ↗Kluft. *Rotw* seit dem 19. Jh.

2. *refl* = a) desertieren. Man zieht Zivilkleider an. *Sold* in beiden Weltkriegen. – b) davongehen. 1920 *ff.*

verklüngeln *tr* **1.** etw unbedacht, heimlich ausgeben. ↗klüngeln. *Rhein* seit dem 19. Jh.

2. etw verkramen, verräumen, verlegen. *Rhein* seit dem 19. Jh.

3. seine Zeit mit unnützen Dingen verbringen. *Rhein* seit dem 19. Jh.

verknaatscht *adj* unfroh; wehleidig; zerstritten. ↗knaatschen 2. Seit dem 19. Jh.

verknacken *tr* **1.** jn bestrafen, verurteilen. Beruht auf „knack", dem Laut, der entsteht, wenn man den Riegel vorschiebt oder den Schlüssel im Schloß dreht. *Rotw, sold* und *schül* seit dem späten 19. Jh.

2. jn verraten, zur Anzeige bringen. Man bewirkt seine Verhaftung. 1930 *ff.*

3. etw verzehren. Die Speise wird durch Knacken mit den Zähnen zerkleinert (*vgl* „Knackwurst", „knackig frisches Brötchen" o. ä.). Seit dem späten 19. Jh, vorwiegend Berlin.

4. jn verulken, veralbern. Man behandelt ihn, als habe er einen „↗Knacks". 1900 *ff, sächs* und Berlin.

5. jn nicht ~ können = jn nicht leiden können. Über die Bedeutung „zerkauen, zerbeißen" Analogie zu „jn nicht ↗verknusen können". 1900 *ff.*

verknacksen (verknaxen) *v* **1.** *tr* = jm Freiheitsentzug auferlegen. Zusammengewachsen aus

„↗Knacks = Krankheit" (die Angehörigen geben den Häftling für krank aus) und *jidd* „knas = Geldstrafe". Seit dem frühen 19. Jh.

2. sich den Fuß (Daumen) ~ = sich den Fuß (Daumen) verstauchen. Iterativum zu „knacken = brechen, umbiegen". Seit dem 19. Jh.

Verknackter *m* Verurteilter. ↗verknacken 1. 1900 *ff.*

Verknackung *f* Bestrafung. ↗verknacken 1. 1900 *ff.*

verknallen *v* **1.** etw ~ = etw schlecht herstellen, verderben; eine schlechte Klassenarbeit schreiben. Parallel zu ↗verhauen 2. *Schül* 1900 *ff.*

2. etw ~ = etw verschwenden. ↗knallen 1. 1900 *ff.*

3. den Ball ~ = das Fuß-, Handballtor verfehlen. *Sportl* 1920 *ff.*

4. jn ~ = jn verurteilen, bestrafen. Eigentlich soviel wie „verprügeln". Seit dem 19. Jh.

5. *tr intr* = koitieren. ↗knallen 7. 1900 *ff.*

6. sich in jn ~ = sich heftig verlieben. *Vgl* das Folgende. 1800 *ff.*

verknallt sein heftig verliebt sein. Parallel zu „in jn ↗verschossen sein". 1800 *ff.*

verknassen (verknasten) *tr* jn zu einer Freiheitsstrafe verurteilen. *Jidd* „knas = Geldstrafe". ↗Knast 1. Seit dem 19. Jh.

verknastern *tr* jm eine Freiheitsstrafe auferlegen. Nebenform zum Vorhergehenden. 1900 *ff.*

verknautschen *tr* etw zusammendrücken, knittern. ↗knautschen. 1800 *ff.*

verknautscht *adj* **1.** faltig, zerknittert. Seit dem 19. Jh.

2. wehleidig, mißgestimmt. Seit dem 19. Jh.

3. ~ aussehen = erschöpft aussehen. 1900 *ff.*

verknaxen *tr* ↗verknacksen.

verkneifen *v* sich etw ~ = sich etw versagen; auf etw verzichten; etw unterdrücken. Verkürzt nach dem Muster von „sich das Lachen verkneifen", wobei man die Lippen fest aufeinanderpreßt wie die Backen einer Kneifzange. Gegen 1840 aufgekommen.

verkneipen *tr* sein Geld vertrinken. ↗kneipen. Seit dem 19. Jh.

verkneisen *tr* etw wahrnehmen, verstehen. ↗kneisen. *Rotw* 1800 *ff, oberd.*

verkneisten *tr* etw beobachten, sehen. ↗kneisten. Seit dem 17. Jh.

verkneten *tr* jn nachgiebig stimmen, beschwatzen. ↗kneten 1. 1945 *ff.*

verknipsen *tr* **1.** Geld für das Fotografieren ausgeben. ↗knipsen 1. 1920 *ff.*

2. einen Film in der Kamera bis zum Ende aufbrauchen. 1925 *ff.*

verknispeln *tr* koitieren. ↗knispeln 3. 1900 *ff.*

verknistern *v* einer einen ~ = koitieren (vom Mann gesagt). Nebenform zum Vorhergehenden; wohl mit Anspielung auf „knisternde Spannung" zwischen den Geschlechtern (der Elektrotechnik entlehnt). Doch *vgl* auch *rhein* „knistern = basteln". 1920 *ff.*

verknobeln *tr* Geld beim Würfeln verlieren; um etw würfeln. ↗knobeln 1. Seit dem 19. Jh.

verknöchert *adj* ungelenk; geistig unbeweglich; in alten Anschauungen befangen. Verknöchern = knöchern werden; verhärten. 1800 *ff.*

Verknöcherung *f* zunehmende Abständigkeit; Verhärtung (Erstarrung) in unveränderlich gewordenen Denk- und Lebensgewohnheiten. Seit dem 19. Jh.

verknudeln (verknuddeln) *tr* etw verknoten, knittern, ineinanderschlingen. ↗knudeln. 1800 *ff.*

verknurpeln *tr* etw verzehren, hinunterschlucken. Hängt mit dem Kehlkopfknorpel zusammen. Seit dem 19. Jh.

verknurren *v* 1. jn ~ = jn zu einer Freiheits- oder Geldstrafe verurteilen. Parallel zu ↗aufbrummen. Seit dem 19. Jh, *schül, stud* u. a.
2. sich ~ = sich entzweien. Übertragen von den knurrenden Hunden. Seit dem 19. Jh.

verknurrt *adj* gekränkt, wütend. Seit dem 19. Jh.

verknurrt sein 1. verfeindet sein. ↗verknurren 2. Seit dem 19. Jh.
2. eine strenge Ansicht vertreten; für strenge Behandlung (Bestrafung) eintreten. 1960 *ff.*

verknusen *tr* 1. jn (etw) nicht ~ können = eine Person oder Sache nicht leiden mögen; etw nicht verwinden können. *Niederd* „verknusen = zermalmen, kauen, verdauen". Parallel zu ↗verdauen 3. 1800 *ff.*
2. sich etw nicht ~ können = sich etw nicht versagen können; etw aussprechen müssen. 1900 *ff.*

verknuspern *tr* koitieren. ↗knusprig. 1950 *ff*, *halbw.*

verknutschen *tr* 1. etw zerdrücken, zerknittern. ↗knutschen 1. Seit dem 19. Jh.
2. jn derb liebkosen. Seit dem 19. Jh.

verkobern *refl* genesen. ↗bekobern. Seit dem späten 19. Jh, vorwiegend *nordd*.

verkoddert *adj* 1. verkommen, heruntergewirtschaftet. ↗Kodder 1. *Nordd* und nordostdeutsch, seit dem 19. Jh.
2. abgetragen, verwaschen. ↗koddern. Seit dem 19. Jh.

verkohlen *tr* jm in weniger wichtigen Angelegenheiten die Unwahrheit sagen; sich mit jm einen Scherz erlauben. ↗kohlen 1. 1870 *ff.*

Verkohlung *f* Täuschung, Irreführung. 1900 *ff.*

verkokeln *tr* etw ansengen. ↗kokeln 1. 19. Jh.

verkoksen *v* 1. *intr* = verschlafen. ↗koksen 4. 1920 *ff.*
2. *tr* = jn verspotten, veralbern; jn in Verruf bringen. Analog zu ↗verkohlen. 1900 *ff.*

verkokst *adj* unter dem Einfluß von Kokain (o. ä.) stehend. ↗Koks 4. 1920 *ff.*

verkommen *intr* davongehen. Oft in der Befehlsform gebraucht. Gemeint ist „aus den Augen kommen". Vorwiegend *oberd*, 1800 *ff.*

verkonsumieren *tr* etw verzehren. Ein fehlerhaftes Wort, weil in „konsumieren" der durch „ver-" ausgedrückte Begriff des Verbrauchens bereits enthalten ist. Wohl als Eindeutschung aufgefaßt. 1600 *ff.*

verkopfen *refl* angestrengt nachdenken. Man nutzt den Kopf ab. 1700 *ff.*

verkoppeln *tr* tauschhandeln. Gehört wohl zu „kuppeln" mit dem Nebensinn des Unerlaubten. 1918 *ff.*

verkorken *tr* 1. koitieren (vom Mann gesagt). Der Penis als Pfropfen. 1870 *ff.*
2. etw versperren; den Zugang verhindern; den Rückzug abschneiden. 1950 *ff.*

verkorksen *tr* etw ungeschickt ausführen, falsch machen, verderben. ↗korksen 1. Seit dem 19. Jh.

verkorkst *adj* seelisch unfrei; seelisch verklemmt; „frustriert". 1920 *ff.*

Verkosterl *n* Kostprobe. Kosten, verkosten = von etw (wenig) essen oder trinken. *Bayr* 1900 *ff.*

verkotzeln *tr* tauschhandeln. ↗kotzeln. *Westd* seit dem 19. Jh.

verkotzen *tr* etw durch Erbrechen besudeln. ↗kotzen 1. Seit dem 19. Jh.

verkracheln *refl* sich verlieben. ↗verkrachen 3. *Südd* 1900 *ff.*

verkrachen *v* 1. *intr* = Bankrott machen. ↗Krach 2. Kaufmannsspr. seit dem großen Kurssturz von 1873.
2. *refl* = sich entzweien. ↗Krach 1. 1870 *ff.*
3. sich in jn ~ = sich in jn heftig verlieben. Verstärkung von „↗verknallen 6". Spätestens seit dem ausgehenden 19. Jh.

verkracht *adj* nicht zum Studienabschluß gelangt; gescheitert; erfolglos geblieben; bankrott (verkrachter Student; verkrachte Existenz). Im Gefolge von „↗verkrachen 1" im späten 19. Jh aufgekommen.

verkracht sein verfeindet, entzweit sein; miteinander in Unfrieden leben. ↗verkrachen 2. 1870 *ff.*

verkraften *tr* 1. den Pferdebetrieb auf Kraftfahrzeugbetrieb umstellen. Im Ersten Weltkrieg aufgekommen, als man militärische Versorgungsgüter mit bespannten Fahrzeug „verfuhrwerkte" oder mit dem Kraftfahrzeug „verkraftete".
2. etw bewältigen, verarbeiten, noch verzehren können; mit etw fertig werden; die Kraft haben, etw zu tun oder auszuhalten. Meint hier die Fähigkeit des Bewerkstelligens. 1900 *ff.*

verkrampfen *tr* jn belügen, übervorteilen, hintergehen. *Vgl* ↗Krampf 4. 1920 *ff.*

verkratzen *v* es mit jm ~ = es mit jm verderben; sich mit jm überwerfen. Bei heftigem Zanken kratzt man einander mit den Fingernägeln. Wie die Katzen mit ihren Krallen kratzen. 1900 *ff.*

verkristallisieren *tr* ein Glas Alkohol zu sich nehmen. Wohl Anspielung auf Kristallgläser oder auf eisgekühlte Getränke, die in vorgeeisten Gläsern serviert werden. 1960 *ff.*

Bei einer Vokabel wie verkorken, die auch im Sinne von koitieren gebraucht wird (**verkorken 1.**), *zeigt sich, daß die „Verschiebung" des sexuellen Tabus, seine Verschlüsselung, sich umgangssprachlich zumeist innerhalb der Grenzen bewegt, wo Bewußtes und Unbewußtes sich noch die Waage halten und leicht offenlegen lassen. Ein Blick auf die oben abgebildete Sektflasche vermag vielleicht vor Augen zu führen, welche Vorstellungen einer solchen Konstruktion zugrunde liegen. Da schäumt es und spritzt – und es gilt, den Inhalt schnell den ihm zugedachten Zweck zuzuführen oder aber das Gefäß umgehend wieder zu verschließen* (*vgl.* **verkorken 2.**).

verkrochen *adj* heimtückisch; unoffenen Charakters. Seit dem 19. Jh.

verkrosen *tr* etw verräumen, verkramen, verlegen. ↗krosen 1. *Westd* seit dem 19. Jh.

verkrotzen *tr* jn veralbern, herabsetzen. Gehört wohl (eigentlich „verkrottsen") zu „↗Krott =

kleines Kind": der Betreffende wird wie ein kleines Kind behandelt. *Westd* seit dem 19. Jh.

verkrümeln *v* **1.** etw ∼ = etw zu Geld machen; Geld verschwenden. Krümel = Brotbröckchen. Man gibt sein Geld für kleine Dinge aus oder versetzt Gegenstände, die nur einen kleinen Gewinn bringen. Seit dem 19. Jh.
2. sich ∼ = sich unbemerkt entfernen. Eigentlich „sich in kleine Bruchstücke auflösen"; von daher weiterentwickelt zur Umschreibung des langsamen Auseinandergehens einer Gruppe von Menschen oder des Verschwindens eines einzelnen, der in der Menge untertaucht. 1700 *ff.*

verkrumpeln *intr* zerknittern. ↗krumpeln. 1600 *ff.*

verkrünkeln *intr* kraus werden. ↗krünkeln. 1700 *ff.*

verkrünkelt *adj* eingeschrumpft, faltig, kraus, zerknittert. Seit dem 19. Jh.

verkrüppeln *tr* jn kränken. Wohl weil man ihn „Krüppel" schimpft. *Bayr* 1900 *ff.*

verkrüppelt *adj* seelisch ∼ = a) gefühllos, roh, mitleidlos. Bezieht sich auf seelische Mißgestalt. 1920 *ff.* – b) geschlechtlich abweisend; spröde; gefühlskalt. 1920 *ff.*

verkrüppelt sein beleidigt sein. ↗verkrüppeln. *Bayr* 1900 *ff.*

verkrustet *adj* im Überkommenen befangen; unzugänglich gegenüber Veränderungen. Die alteingewurzelten Anschauungen sind wie von einer schützenden Kruste überzogen. 1975 *ff.*

Verkrustung *f* Abneigung gegen Neuerungen. 1975 *ff.*

ver'kuhschwänzeln *tr* Geld verschwenden. „Kuhschwanz" nannte man früher das dörfliche Tanzvergnügen; *vgl* ↗Schwof. *Ostd* 1900 *ff.*

ver'kuhschwanzen *tr* Geld vergeuden. *Vgl* das Vorhergehende. *Ostd* 1900 *ff.*

ver'kuhwedeln *tr* **1.** etw vertun, vergeuden. Kuhwedel = Kuhschwanz. ↗verkuhschwänzeln. 1900 *ff.*
2. etw vernachlässigen, aus Nachlässigkeit verderben. 1900 *ff.*

verkullern *v* **1.** *intr* = von der Kegelbahn abgleiten und keinen Kegel treffen (auf die rollende Kugel bezogen). ↗kullern 1. Keglerspr. seit dem 19. Jh.
2. *tr* = Geld verschwenden, im Spiel verlieren. Kann sich beziehen auf das Kegeln, auf das Würfeln usw. 1870 *ff.*

verkümmeln *tr* **1.** etw verkaufen, verschachern, durchbringen. Abgeschliffen aus *gleichbed rotw* „verkimmern" (1510) unter Einfluß von „Kümmellikör". Seit dem 18. Jh.
2. einen ∼ = ein Glas Alkohol zu sich nehmen. Bezieht sich ursprünglich auf den Kümmelschnaps. Seit dem 18. Jh.
3. etw ∼ = etw verzehren. Aus dem Vorhergehenden im späten 19. Jh verallgemeinert.
4. jn ∼ = jn prügeln. Steht im Zusammenhang

mit „jm den ↗Kümmel reiben". Spätestens seit 1900.

5. sich ~ = heimlich davongehen. Vielleicht Wortwitzelei mit „sich durchbringen" (nämlich sich durch eine schmale Öffnung zwängen) oder überlagert von „sich ↗verkrümeln". 1930 *ff.*

verkümmern *intr* beim Fußballspiel unterliegen. Man geht ein wie eine Pflanze. *Sportl* 1950 *ff.*

verkungeln (verkunkeln) *tr* etw heimlich verkaufen; tauschhandeln. ↗kungeln 1. Seit dem 19. Jh, *niederd* und *mitteld.*

verkupfern *tr* Buntmetall zu Geld machen. 1970 *ff.*

verkuseln *tr* jn schlagen. Gehört zu „↗Kusen = Backenzähne". Man schlägt dem Betreffenden in die Zähne. 1900 *ff.*

verkutten *tr* etw versetzen, zu Geld machen. ↗kutten. *Rotw* seit dem 19. Jh.

verkutzen *refl* sich verschlucken. Kutzen = husten; durch Husten die Luftröhre freimachen. *Bayr* und *österr,* seit dem 19. Jh.

verlaatschen *tr* Schuhwerk durch nachlässiges Gehen breittreten. ↗laatschen 1. Seit dem 18. Jh.

Verlade *f* **1.** Mißerfolg; Enttäuschung; mißfällige Sache. ↗verladen. *Halbw* 1955 *ff.*
2. unredliche Handlungsweise; üble Verabredung zum Schaden dritter; Hintergehung, Niedertracht. ↗verladen. 1950 *ff.*
3. jn auf die ~ nehmen = jn übertölpeln, irreführen, veralbern. *Halbw* 1955 *ff.*

verladen *tr* jn falsch unterrichten; jn übervorteilen, täuschen; jn verdrängen; zu einer Verabredung nicht erscheinen. Variante zu „jn auf den ↗Besen laden". 1920 *ff, sold, sportl, halbw* u. a.

Verlagsboß (-fritze; -hase) *m* Verleger; Manager eines Verlags. ↗Boß 1; ↗Fritze 1; ↗Hase 7. 1960 *ff.*

verlämmern *tr* etw aus Unachtsamkeit verschulden. ↗belemmern 2. 1800 *ff.*

verlampen *tr* **1.** jn bei der Polizei anzeigen; jm eine Falle stellen. ↗Lampe 19. 1870 *ff.*
2. jm Schwierigkeiten machen. *Rotw* 1900 *ff.*
3. jn verscheuchen. ↗Lampen. *Rotw* 1910 *ff.*

verlangen *tr* **1.** das kann ich gar nicht ~ = das kann ich eigentlich nicht annehmen. Meist Redewendung angesichts einer großen Zuvorkommenheit, um die man niemals bitten würde. 1900 *ff.*
2. das soll mich mal ~ = darauf bin ich sehr neugierig. Wohl gekürzt aus „das soll mich mal ~ zu erfahren". Seit dem 18. Jh.

Verlängerter *m* verdünnter (nochmaliger) Kaffeeaufguß. 1900 *ff,* Wien.

verläppern (verleppern) *v* **1.** etw ~ = Geld für viele kleine Gegenstände ausgeben, verschwenden, vertändeln. Eigentlich soviel wie „in Lappen zerschneiden", also „ein Ganzes in kleine Teile zerlegen". „Lappen" nahm schon früh die Bedeutung der wertlosen Kleinigkeit an. Seit dem 18. Jh.
2. etw ~ etw bei Tisch verschütten. Fußt auf „lappig = ungeschickt". Seit dem 19. Jh, *südd.*

3. sich ~ = sein Können in vielen kleinen Beschäftigungen aufbrauchen; sich verzetteln. Seit dem 19. Jh.

verläppschen *intr* verweichlichen. ↗läppisch. *Sächs,* seit dem 19. Jh.

verlassen *v* **1.** da verließen sie ihn = a) Redewendung, wenn ein Gedanke plötzlich abbricht, wenn man in der Rede stockt, wenn der Schüler dem Lehrer die Antwort schuldig bleibt o. ä. Fußt auf der Bibel: „da verließen ihn seine Jünger" (Matthäus 26, 56). 1900 *ff.* – b) Redewendung, wenn der Spieler mit seinen guten Karten verausgabt hat und mit weiteren Stichen nicht rechnen kann. Kartenspielerspr. 1870 *ff.*
2. wenn man sich auf ihn verläßt, ist man ~ = er ist gänzlich unzuverlässig. Wortspielerei mit den beiden Bedeutungen von „verlassen (sich verlassen auf)": sowohl „vertrauen (auf)" als auch „im Stich lassen". 1870 *ff.*

verlatten *tr* jn verprügeln. Latte = Prügelstock. 1900 *ff.*

Verlau *n* auf ~ = unentgeltlich. „Verlau" ist aus „für lau" entstellt; *vgl* ↗lau. 1960 *ff.*

verlaufen *intr* flüchten. Analog zu ↗versickern. *Sold* in beiden Weltkriegen.

verlaust *adj* nichtsnutzig; unangenehm; schlimm. Analog zu ↗lausig. Berlin 1920 *ff.*

verleckern *tr* Geld für Leckereien ausgeben. Seit dem 19. Jh.

verleckert *adj* naschhaft; im Essen wählerisch; ständig nach Süßigkeiten verlangend. 1900 *ff.*

verledern *tr* **1.** jn verprügeln. ↗Leder 8. 1800 *ff.* Vgl *engl* „to leather".
2. Geld ~ = Geld durchbringen. Vom Vorhergehenden weiterentwickelt zur Analogie zu „↗draufhauen". 1920 *ff.*

verledert *adj* faltig, eingetrocknet (vom Gesicht gesagt). Das Gesicht sieht wie gegerbt aus. Seit dem 19. Jh.

verledert sein gut ~ = viel (hochprozentigen) Alkohol vertragen können. Man denkt sich die Kehle mit Leder verkleidet. 1910 *ff.*

Verlegenheitsfreund *m* Gelegenheitsfreund (weil der gewohnte abwesend ist). *Halbw* 1960 *ff.*

Verlegenheitsfreundin *f* Gelegenheitsfreundin. *Halbw* 1960 *ff.*

Verlegerhengst *m* Verleger *(abf).* ↗Hengst 1. 1920 *ff.*

Verlegerknecht *m* Schriftleiter. 1960 *ff.*

Verleider *m* Überdruß. *Schweiz* 1920 *ff.*

verleihen *tr* lieber die Frau ~ als ein Pferd = von zwei Übeln das kleinere wählen. Gemeint ist, daß von fremder Hand ein Pferd viel leichter überanstrengt und zugrunde gerichtet werden kann als eine Frau, bei der man Fremdschwängerung für den ungünstigsten Fall ansieht. 1840 *ff.*

Verleihung *f* ~ des Birkenkreuzes = Beisetzung eines im Krieg Gefallenen. Auf sein Grab setzt man ein Kreuz aus Birkenästen. *Sold* 1939 *ff.*

verletzt *part* keiner verletzt?: Scherzfrage, wenn einer überlaut niest. 1950 *ff*.

Verleumderschwein *n* heimtückischer Verleumder. 1933 *ff*.

verlieren *v* **1.** daran ist nichts verloren = das ist leicht zu missen, zu verschmerzen. 1900 *ff*. **2.** er hat hier nichts verloren = er hält sich hier unbefugt auf. Seine Anwesenheit wäre nur erlaubt, wenn er hier einen Gegenstand verloren hätte und nach ihm suchte. 1890 *ff*. **3.** mehr als ~ kann man ja nicht!: Trostwort für den (mutmaßlichen) Verlierer. Kartenspielerspr. seit dem 19. Jh.

Verliererstraße *f* **1.** es bringt einen Verein auf die ~ = es führt einen Verein zu Spielverlusten. *Vgl* ↗Siegesstraße. *Sportl* 1955 *ff*. **2.** jn auf die ~ drängen (schicken) = die Niederlage einer Mannschaft einleiten. *Sportl* 1955 *ff*. **3.** auf die ~ geraten = einen Spielverlust hinnehmen. *Sportl* 1955 *ff*. **4.** jn auf der ~ sehen = jn als Verlierer eines sportlichen Wettkampfes sehen. *Sportl* 1955 *ff*. **5.** auf der ~ sein = a) in sportlichen Wettkämpfen mehrfacher Verlierer sein. *Sportl* 1955 *ff*. – b) gegenüber anderen im Nachteil sein. 1945 *ff*.

Verliererstrecke *f* das bringt ihn auf die ~ = das macht ihn zum Verlierer. 1960 *ff*.

Verlies *n* Arrestanstalt. *BSD* 1965 *ff*.

verlinken *v* **1.** etw ~ = etw verfälschen. ↗link 1. *Rotw* 1840 *ff*. **2.** sich ~ = sich verdächtig machen. *Rotw* 1840 *ff*.

Verlinz *m* Verhör. ↗linsen 1. *Rotw* seit dem 18. Jh.

verlinzen *tr* jn einem Verhör unterziehen. *Rotw* seit dem frühen 19. Jh.

Verlöbnis *n* ewiges ~ = langwährende Verlobungszeit. 1900 *ff*.

Verlobte *f* ewige ~ = langjährige Verlobte. 1900 *ff*.

Verlobter *m* **1.** ewiger ~ = langjähriger Bräutigam. 1900 *ff*. **2.** ständiger ~ = fester intimer Freund einer weiblichen Person. 1920 *ff*.

verlobt sein er ist stark verlobt = er hat die Braut geschwängert. 1950 *ff*.

Verlobungsbad *n* Westerland auf Sylt. 1900 *ff*.

Verlobungsfessel *f* Verlobungsring. 1920 *ff*.

Verlobungsgondel *f* Schiff, auf dem Seebadegäste Ausflugsfahrten unternehmen und Bekanntschaften anknüpfen. 1900 *ff*, Berlin und Nordseebäder. Die Vokabel bezeichnete um 1820 den Kremser (= zweispännige Pferdedroschke mit Verdeck).

Verlobungskind *n* Kind, das vor der Hochzeit geboren wurde. 1950 *ff*.

Verlobungsring *m* **1.** *pl* = tiefe Ringe um die Augen; dunkelblaue Augenschatten. Man deutet sie als Folgen regen Geschlechtsverkehrs. *Stud* 1910 *ff*. **2.** ihm wird der ~ zu eng = ihn reut die Verlobung. Fußt auf der Vorstellung vom zu engen

Kleidungsstück oder von der lästigen Fessel. 1950 *ff*.

Verlobungssport *m* Tennisspiel. 1900 *ff*.

Verlobungsvehikel *n* Motorroller. 1955 *ff*.

verlochen *tr* etw vergraben, verscharren. Seit dem 18. Jh.

verlogen sein erlogen sein. *Südwestd* 1500 *ff*.

verlöten *tr* **1.** einen ~ = ein Glas Alkohol trinken. ↗löten 1. Seit dem ausgehenden 19. Jh, anfangs *sold*. **2.** koitieren. ↗löten 2. Dazu die Verszeilen: „Wir wollen uns mit Schnaps berauschen, / wir wollen unsre Weiber tauschen, / wir wollen unsern Zaren töten / und seinen Weibern eins verlöten." 1900 *ff*, vorwiegend *sold* und *stud*.

verlottern (verloddern) *intr* verkommen. ↗lottern. Seit dem 16. Jh.

Verlotterung (Verlodderung) *f* sittlicher Niedergang; Vernachlässigung. Seit dem 19. Jh.

verludern *v* **1.** *intr* = sittlich verkommen. ↗Luder 1. 1500 *ff*. **2.** etw ~ = etw verkommen lassen; sein Geld durchbringen, verschlemmen. 1500 *ff*.

Verluderung *f* Verwahrlosung. 1500 *ff*.

verlümmeln *tr* das Leben ~ = sein Leben in Ausschweifungen vertun. ↗Lümmel 1. 1900 *ff*.

verlümmelt *adj* verkommen, verwahrlost, ungesittet. Seit dem 19. Jh.

verlumpen *v* **1.** etw ~ = etw verschleißen, verwahrlosen lassen. Man nutzt es ab bis zu Lumpen. 1900 *ff*. **2.** Geld ~ = Geld für liederlichen Lebenswandel ausgeben. ↗lumpen 1. Seit dem 18. Jh. **3.** *intr* = sittlich sinken. Seit dem 19. Jh.

verlumpt *adj* sittlich verkommen. Seit dem 19. Jh.

Verlumptheit *f* sittliche Verdorbenheit. Seit dem 19. Jh.

verlungern *intr* verkommen. ↗lungern 1. 1900 *ff*.

verlungert *adj* ärmlich, notleidend. Seit dem 19. Jh.

Verlust *m* **1.** ~ der Mitte = zweiteiliger Damenbadeanzug. Übernommen vom gleichlautenden Titel des 1948 erschienenen Buches von Hans Sedlmayr. 1955 *ff*. **2.** ohne Rücksicht auf ~e ↗Rücksicht.

Verlustliste *f* jn auf die ~ setzen = mit jds Rückkehr nicht mehr rechnen; der Aufrechterhaltung einer Bekanntschaft nicht trauen. Übertragen von der im Ersten Weltkrieg laufend herausgegebenen Liste mit den Namen der gefallenen, vermißten oder in Gefangenschaft geratenen Soldaten. 1920 *ff*.

verlutschen *tr* einen ~ = ein Glas Alkohol trinken. ↗lutschen. 1900 *ff*.

Vermach *m* Beschäftigung; Liebhaberei; Gefallen; Unterhaltung; frohes Genießen. Gehört zu „vermachen = kleinmachen" und bezieht sich auf einen Gegenstand, den man spielerisch auseinandernimmt und wieder zusammensetzt. Vorwiegend *niederd*, seit dem 18. Jh. *Vgl ndl* „vermaak = Ergötzung".

vermachen *tr* **1.** jn verprügeln. Soviel wie „zerkleinernd verarbeiten"; ↗machen 7. 1910 *ff.*
2. jn niederschlagen; jm die Widerstandskraft nehmen. ↗machen 7. 1955 *ff, halbw.*
3. jn umbringen. 1910 *ff.*
4. jn schlechtmachen, verleumden. Man macht ihn „klein" (im Sinne von „sittlich minderwertig"). 1900 *ff.*
5. jm etw ~ = jm etw vorübergehend leihen. Bezieht sich ursprünglich auf testamentarische Schenkung. *Halbw* 1950 *ff.*
6. etw vergeuden, leichtsinnig ausgeben, durchbringen. Seit dem 19. Jh.
7. einen ~ = koitieren. Soviel wie „verschließen". 1910 *ff.*

Vermächtnis *n* fettes ~ = ansehnliche Hinterlassenschaft. 1920 *ff.*

vermackeln *tr* jn prügeln. ↗Macke 1. *Niederd* seit dem 19. Jh.

vermaddern *tr* etw vereiteln. Nebenform zu ↗vermasseln. Seit dem 19. Jh, *ostd.*

vermaggeln (vermakeln) *tr* etw eintauschen, zu geringem Preis veräußern. ↗maggeln. Vorwiegend *westd*, 1900 *ff.*

vermampfen *tr* etw verzehren; Geld für Essen ausgeben. ↗mampfen 1. Nach 1955 (wieder) beliebt geworden.

vermanschen *tr* **1.** etw vermischen, vermengen, durcheinanderbringen. ↗manschen 1. Seit dem 18. Jh.
2. etw verderben. Seit dem 18. Jh.
3. jn prügeln, ohrfeigen. Parallel zu „jn zu ↗Brei (zu ↗Mus) schlagen". 1920 *ff.*

vermanscht sein falsch ausgebildet sein. Für die normale Berufsausübung ist man verdorben. 1950 *ff.*

Vermanschung *f* Vermischung. Seit dem 19. Jh.

vermasseln *tr* **1.** ein Geständnis ablegen; Mittäter benennen. Stammt aus *jidd* „mosser = Verräter". *Rotw* 1735 *ff.*
2. etw stören, verderben, vereiteln. Der Verräter durchkreuzt die Absicht des anderen. 19. Jh.

Vermasselung *f* Störung (Vereitelung) eines Vorhabens. 1920 *ff.*

vermatschen *tr* **1.** etw zerdrücken, durcheinandermengen. ↗matschen 1. 1800 *ff.*
2. Geld verschwenden. Seit dem 19. Jh.

vermatscht *adj* geistesbeschränkt; unzurechnungsfähig; verrückt. Das Gehirn des Betreffenden denkt man sich als einen Brei. 1920 *ff.*

Vermatschung *f* Vermischung; Geistesverwirrung. 1920 *ff.*

vermauern *tr* **1.** etw schlecht ausführen. Hergenommen von unfachgemäßer Errichtung einer Mauer. 1900 *ff.*
2. etw zum Scheitern bringen. Analog zu ↗verbauen 1. 1870 *ff.*

3. jm etw ~ = jm etw unmöglich machen. ↗verbauen 3. 1870 *ff.*
4. jn auf einen Rollentyp festlegen. 1950 *ff.*
5. sich etw ~ = eine günstige Gelegenheit leichtfertig verscherzen. 1870 *ff.*
6. einer Frau einen ~ = koitieren. Vermauern = verschließen. 1950 *ff.*

vermehren *intr* **1.** Nachwuchs zeugen. 1900 *ff.*
2. koitieren. Berlin 1960 *ff, halbw.*

vermenge'lieren *tr* etw mischen, durcheinanderbringen, willkürlich verbinden. ↗mengelieren 1. Seit dem 19. Jh.

vermengen *tr* etw unauffindbar verlegen; etw verderben. ↗mengen. 1920 *ff.*

vermessen *tr* jds Gesinnung prüfen; jds Vorleben untersuchen. Nach Art der Vermessungstechnik werden die Ausmaße genau festgestellt. 1933 *ff.*

vermickern *v* **1.** *intr* = im Wachstum nachlassen; verkümmern; wirtschaftlich, gesundheitlich oder geistig abnehmen. ↗mickrig. Seit dem 18. Jh, *niederd.*
2. *tr* = etw verderben. Seit dem 18. Jh.

vermickert *adj* **1.** schwächlich, kränklich, elend, bleich. Seit dem 19. Jh.
2. unfroh geworden; mürrisch. Seit dem 19. Jh.

Vermickertheit *f* Schwächlichkeit; Freudlosigkeit. Seit dem 19. Jh.

vermieft *adj* ungelüftet. ↗Mief 1. *Marinespr* 1900 *ff.*

vermiesen *v* **1.** jm etw ~ = jm etw verleiden; jm etw als wertlos hinstellen. ↗mies 1. Seit dem 19. Jh.
2. jm die Laune ~ = jm die gute Stimmung verderben; jds Unternehmungslust dämpfen. 1920 *ff.*
3. jn ~ = jn abschrecken. 1950 *ff.*

vermiest *adj* **1.** unfroh; niedergeschlagen; beklommen. ↗mies 1. 1870 *ff.*
2. schlecht genährt; abgemagert. 1914 *ff, sold* und *ziv.*

Vermiesung *f* Verleidung. 1900 *ff.*

Vermieterhyäne *f* wucherischer Vermieter. 1960 *ff.*

Vermieterin *f* möblierte ~ = Vermieterin möblierter Zimmer. 1920 *ff.*

vermisten *v* **1.** etw ~ = etw verderben, schlecht ausführen, durch Unachtsamkeit herunterwirtschaften; jm etw vergällen. Ursprünglich soviel wie „mit Mist verunreinigen". 1840 *ff.*
2. etw ~ = Darmwinde entweichen lassen. Man verbreitet Mistgeruch. 1910 *ff, ziv* und *sold.*

vermixen *tr* etw verderben, unsachgemäß behandeln. Übertragen von schlechtem Mischen. 1930 *ff.*

vermöbeln *tr* **1.** jn verprügeln. Übertragen vom Durchklopfen gepolsterter Sitz- und Liegemöbel. Seit dem 19. Jh.
2. etw verunstalten, verunzieren. 1920 *ff.*
3. jn in Kritiken schlechtmachen; jn schlecht beurteilen; jn auszanken. Die Rüge wird umgangs-

sprachlich meist mit denselben Vokabeln bezeichnet wie Prügel und Ohrfeigen. 1850 *ff.*

4. etw zu Geld machen, durchbringen. Hergenommen von Möbelversteigerungen, bei denen der Auftraggeber meist Geld um jeden Preis haben will. 1750 *ff.*

vermodeln (vermoddeln) *tr* etw verkleiden, verzieren, umändern. Modeln = in eine Form bringen. 1900 *ff.*

vermodert *adj* geistig ~ = abständig. 1950 *ff.*

Vermögen *n* es kostet kein ~ = es ist erschwinglich. Werbetexterspr. 1960 *ff.*

Vermögensveränderung *f* Diebstahl, Bankraub. Euphemismus. 1960 *ff.*

vermoost *adj* **1.** sehr alt. ↗bemoost. 1900 *ff.*
2. rückständig. 1900 *ff.*

vermorgenländern *v* **1.** sich ~ = a) sich orientieren. Ursprünglich als ernsthafte Übersetzung von „orientieren" gedacht. *Sold* in beiden Weltkriegen. – b) sich falsch orientieren; sich verirren. *Sold* in beiden Weltkriegen; fliegerspr. *(sold und ziv)* 1914 *ff; schül* 1935 *ff.*
2. jn ~ = jn im Gelände, nach der Karte orientieren; jn einweisen. *Sold* 1940 *ff.*

vermorscht *adj* greisenhaft; geistig verbraucht. ↗morsch 1. 1925 *ff, halbw.*

vermoschen *tr* **1.** etw gründlich verderben. ↗moschen. *Nordd* und *ostmitteld*, 1900 *ff.*
2. etw unauffindbar verlegen; etw beiseite bringen. 1900 *ff.*
3. etw vergeuden. 1900 *ff, nordd* und *sächs.*

vermotschkern *tr* etw verderben. ↗Motschker 1. *Österr* 1900 *ff.*

vermottet *adj* veraltet; abständig; unmodern gewordener Geschmacksrichtung entsprechend. Anspielung auf Mottenfraß oder auf die „↗Mottenkiste". 1920 *ff.*

vermotzpiepelt sein verrückt sein. Bezieht sich im engeren Sinne auf den „Motz = Mann, der sich aufspielt" und den man für närrisch hält; denn bei ihm „↗piept es". Berlin 1900 *ff.*

vermotzt *adj* nörgelsüchtig. ↗motzen 1. 1950 *ff.*

vermuckt *adj* wunderlich; absonderlichen Einfällen zugänglich. ↗Mucken 1. 1950 *ff.*

vermuddeln *tr* **1.** etw beschmutzen. ↗muddeln 1. *Niederd,* seit dem 19. Jh.
2. etw verkramen, verwirren. ↗muddeln 5. Seit dem 19. Jh.
3. etw vertuschen, verheimlichen. Seit dem 19. Jh.

vermudeln *tr* etw zerknittern. Gehört zu „mudeln = kneten, streicheln". *Österr* seit dem 19. Jh.

vermufen *refl (intr)* unbemerkt davongehen; sich dem Dienst entziehen. ↗mufen 2. 1920 *ff.*

vermuffeln *v* **1.** *intr* = mürrisch, lebensunfroh werden; moderne Anschauungen ablehnen. ↗Muffel 1 u. 2. 1965 *ff.*
2. *tr* = jn verdrießen; jm eine Freude verderben. 1965 *ff.*

vermuffelt *adj* griesgrämisch; Neuerungen jeder

Art ablehnend. ↗Muffel 2. 1965 *ff.*

vermuffen *tr* jn mürrisch, verdrossen machen. ↗muffen. 1950 *ff.*

vermufft *adj* veraltet; von unzeitgemäßen Grundsätzen beherrscht; lebensunfroh. ↗Muff 4. 1950 *ff.*

vermummeln *refl* **1.** sich warm, bis an den Hals dick einkleiden. ↗einmummeln. Seit dem 19. Jh.
2. sich verkleiden. Seit dem 19. Jh.

vermummt *adj* seelisch ~ = unzugänglich; abweisend; barsch. 1950 *ff.*

vermurksen *tr* etw verderben, schlecht ausführen, durch Mißwirtschaft zugrunderichten. ↗murksen 1. Seit dem 19. Jh.

vernadern *tr* jn verraten, denunzieren. ↗nadern. *Österr* seit dem 19. Jh.

vernageln *tr* **1.** jn zu einer Freiheitsstrafe verurteilen. Man macht ihn „(niet- und) nagelfest". 1920 *ff.*
2. eine Frau ~ = koitieren. ↗Nagel I 1. 1500 *ff.*

vernagelt *adj* geistesbeschränkt; begriffsstutzig. Hergenommen von der Vernagelung der früheren Vorderladergeschützrohre: durch Vernagelung des kleinen Zündlochs konnte das im Rohr befindliche Pulver nicht gezündet werden. Die naheliegende Möglichkeit, „vernagelt" hänge mit dem „Brett vor dem Kopf" (↗Brett 18) zusammen, ist aus Gründen der Altersbestimmung auszuschließen. Seit dem 18. Jh.

Vernageltheit *f* Geistesbeschränktheit. Seit dem 19. Jh.

Vernagelung *f* Begriffsstutzigkeit. Seit dem 19. Jh.

vernähen *tr* **1.** jn verprügeln. ↗nähen 1. Seit dem 19. Jh.
2. koitieren. ↗nähen 3. Seit dem 19. Jh.

Vernasche *f* kurzes Liebesabenteuer; rasch vollzogener Geschlechtsverkehr. ↗vernaschen 3. Neuwort der Halbwüchsigen nach 1950.

vernaschen *tr* **1.** etw nebenher aufbrauchen; Waren von geringem Dauerwert verbrauchen. Man verwendet sie wie Leckereien, die man zwischen den Mahlzeiten zu sich nimmt. Seit dem 19. Jh.
2. jn mühelos vernichten; jn kampfunfähig machen; jn erschießen. Auch als harmlose Drohrede zu hören. 1920 *ff.*
3. mit jm ein kurzlebiges Liebesabenteuer haben; koitieren. 1920 *ff.*
4. jn verhaften, gefangennehmen. 1920 *ff.*
4 a. eine Ortschaft eingemeinden; eine Firma aufkaufen. 1970 *ff.*
5. einen Sportgegner schnell kampfunfähig machen; eine Mannschaft mühelos besiegen. *Sportl,* spätestens seit 1950.
6. jm das Geld abnehmen, abgewinnen. 1920 *ff.*
7. einen ~ = ein Glas Alkohol trinken. 1900 *ff.*
8. sei ruhig, oder ich vernasche dich!: Drohrede unter Jugendlichen. 1930 *ff.*

Vernascher *m* Frauenliebhaber. ↗vernaschen 3. 1920 *ff.*

vernatscht sein verweint, wehleidig sein. ↗nat-schen. *Ostmitteld* seit dem 19. Jh.

vernatzen *tr* jn veralbern; mit jm seinen Scherz treiben. ↗Nazi 1. 1900 *ff.*

vernebeln *v* 1. jn ~ = jn betrunken machen. ↗be-nebelt. 1900 *ff.*

2. jn ~ = jn verdummen. ↗Nebel 7. 1900 *ff.*

3. sich ~ = davongehen. Man löst sich in Nebel auf; analog zu „↗verdampfen", zu „↗verduf-ten" u. ä. 1920 *ff.*

Vernebelung *f* absichtlich herbeigeführte Beein-trächtigung des klaren Erkenntnisvermögens. 1900 *ff.*

vernegern *intr* durch Kohlenstaub schwarz wer-den. Seemannsspr., bergmannsspr. u. a., 1900 *ff.*

vernibbeln *tr* ein Glas Alkohol trinken. ↗nib-beln 1. 1900 *ff.*

vernichten *v* 1. etw ~ = etw verzehren. *Sold* 1939 *ff.*

2. sich ~ = a) sich einlogieren mit einer weibli-chen Person, die man für seine Nichte ausgibt. Wortspielerei. 1930 *ff.* – b) eine Damenbekannt-schaft eingehen. *Halbw* 1950 *ff*, Berlin.

Vernichtungszelle *f* 1. Physik-, Chemiesaal in der Schule. Geht zurück auf Berichte von den Vernichtungslagern des Dritten Reichs. 1955 *ff.*

2. Turnhalle. 1955 *ff.*

vernieten *tr* eine Frau ~ = koitieren. ↗nieten 2. 1955 *ff.*

vernixen *tr* etw für unbedeutend, belanglos ausge-ben; das Ansehen untergraben. Aus „vernichtsen" entstanden; ↗nix. 1920 *ff.*

vernöhlen *tr* etw aus Trägheit versäumen. ↗nöh-len 1. 1900 *ff.*

vernuckeln *tr* Geld vertrinken. ↗nuckeln 3. 1900 *ff.*

vernuddeln (vernudeln) *tr* etw verderben, verlie-ren. ↗nuddeln 1. Seit dem 19. Jh.

Vernunft *f* die ~ an der Garderobe abgeben = ver-nunftwidrig handeln. ↗Verstand 1. 1920 *ff.*

Vernunftakrobat *m* Rationalist. 1920 *ff.*

vernünfteln *intr* ein wissenschaftliches Gespräch führen. *Halbw* 1950 *ff.*

vernusseln *tr* etw durch näselndes Sprechen un-verständlich machen. ↗nusseln 1. Seit dem 19. Jh.

vernutten *intr tr* sein Geld mit Prostituierten durchbringen; sittlich verkommen. ↗Nutte 1. 1920 *ff.*

verochst *adj* durch Lernen überanstrengt. ↗och-sen. 1900 *ff.*

verohrwascheln *tr* jn ohrfeigen. ↗Ohrwaschel 1. 1900 *ff.*

Veronika *f* 1. Prostituierte (leichtlebige weibliche Person), die amerikanische Besatzungssoldaten empfängt. Dechiffriert aus der *angloamerikan* Ab-kürzung „V. D." für „venereal disease = Ge-schlechtskrankheit". In der US-Armee gab es Streichholzheftchen mit der Abbildung eines hüb-schen Mädchens und der Unterschrift „vD". Der

Deckel trug die zweideutige Aufschrift „use co-ver"; das hieß, man solle die Zündhölzer mit dem Deckel auf die Reibfläche aufdrücken; anderer-seits meint „cover" soviel wie „Präservativ". In einer Bilderserie in der US-Soldatenzeitung „Stars and Stripes" nannte der Zeichner Bill Mauldin die weibliche Hauptfigur, ein deutsches, blondgelocktes Mädchen, „Veronika Danke-schön", auch dort abgekürzt als „V. D.". Im Juli 1945 in Berlin erstmals gehört.

2. ~ Dankeschön = Liebchen eines US-Soldaten in Deutschland. 1945 *ff.*

Verordnung *f* Schnaps zum Bier. Scherzhaft be-hauptet man, die Zusammenstellung habe der Arzt verordnet. 1955 *ff.*

verorgelt aussehen übernächtigt, verlebt ausse-hen. ↗orgeln 8. 1935 *ff.*

verpacken *v* 1. etw ~ = eine Darbietung umrah-men. 1900 *ff.*

2. die Wahrheit ~ = die Wahrheit umschreiben, ohne zu lügen. 1930 *ff.*

3. jn hübsch ~ = jn nett kleiden. 1920 *ff.*

4. sich ~ = a) sich kleiden, ankleiden. 1920 *ff.* – b) sich warm kleiden. 1920 *ff.*

verpackt sein gekleidet sein; von ansehnlichem Körperbau sein. 1920 *ff.*

Verpackung *f* 1. Kleidung, Überkleidung; Art, sich zu kleiden. 1920 *ff.*

2. äußere Aufmachung (Einkleidung) einer Idee; Art und Weise, wie man eine Nachricht veröffent-licht oder eine neue Ware (eine alte Ware auf neue Weise) anpreist. 1900 *ff.*

3. sparsame ~ = spärliche Bekleidung. 1955 *ff.*

4. es liegt an der ~ = a) es kommt darauf an, wel-chen Eindruck eine Sache (auch: eine Person) äu-ßerlich (vom Ansehen her) macht. 1900 *ff.* – b) das Scheitern einer Sache beruht auf schlechter Vorbereitung, auf ungenügenden Kräften o. ä. *Sold* 1939 *ff.*

5. ohne ~ quatschen (o. ä.) = ohne Umschweife reden. 1920 *ff.*

verpaffen *tr* Geld für Raucherwaren ausgeben. ↗paffen. 1920 *ff.*

verpannen *tr* einen Mitschüler dem Lehrer mel-den. Der Angezeigte erleidet eine „↗Panne". 1955 *ff*, *schül.*

verpanschen *tr* Getränke verwässern. ↗pan-schen 2. Seit dem 18. Jh.

verpäppeln *tr* jn verziehen, verzärteln. ↗päp-peln 3. Spätestens seit 1800.

verpappt sein beschmutzt, nicht klar durchsichtig sein (von der Windschutzscheibe gesagt). ↗pap-pen 1. 1950 *ff.*

verpaschen *tr* Waren über die Grenze schmug-geln; Gestohlenes verkaufen; etw heimlich zu Geld machen. ↗paschen 1. Seit dem 18. Jh.

Verpascher *m* Hehler. *Rotw* 1835 *ff.*

verpassen *tr* 1. etw übergeben, aushändigen. Ur-sprünglich auf militärische Einkleidung bezogen im Sinne von „anpassen": man wählt aus, bis man das (leidlich) Passende hat. *Sold* seit dem späten 19. Jh.

2. jm eine ~ = jm eine Ohrfeige geben; auf jn einen Schuß abfeuern. Verpassen = anmessen = zielgenau treffen. 1900 *ff*.

3. jm einen ~ = jn rügen, bestrafen. Hinter „einen" ergänze „Verweis" o. ä. *Sold* 1914 bis heute.

4. einer einen ~ = koitieren. Hinter „einen" ist „↗Stoß" zu ergänzen. 1900 *ff*.

5. einer Frau ein Kind ~ = schwängern. 1910 *ff*.

6. jm einen Orden (Titel) ~ = jm einen Orden (Titel) verleihen. 1920 *ff*.

7. sich etw ~ = a) sich etw aneignen; etw entwenden. Seit dem späten 19. Jh. – b) etw trinken, essen. 1900 *ff*.

8. sich etw ~ lassen = eine Meinung unwidersprochen hinnehmen. 1910 *ff*.

verpaßt *adj* **1.** nicht maßgeschneidert; auf Kammer empfangen. ↗verpassen 1. *Sold* seit 1890.

2. kritiklos übernommen. 1910 *ff*.

verpaßt kriegen 1. einen (eins; ein Ding o. ä.) ~ = verwundet werden. *Sold* in beiden Weltkriegen.

2. eine (einen) ~ = a) eine Ohrfeige, einen Schlag erhalten. ↗verpassen 2. 1900 *ff*. – b) gerügt werden. Hinter „eine" ergänze „Rüge", hinter „einen" ergänze „Verweis". 1900 *ff*.

Verpassung *f* **1.** Einkleidung. *Sold* 1870 bis heute.

2. Anpassung, Aushändigung. *Schweiz* 1920 *ff*.

verpatzen *tr* **1.** etw verderben, schlecht ausführen, falsch machen. ↗patzen 1. Theaterspr., *schül* und *stud* seit dem 19. Jh, vorwiegend *oberd*.

2. etw vergeuden. 1900 *ff*.

3. jn verraten, zur Anzeige bringen. Nebenform zu ↗verpetzen. Seit dem 19. Jh, *schül*.

verpauken *tr* jn heftig prügeln. ↗pauken 5. Seit dem späten 18. Jh.

verpaukern *intr* sich als Jugendlicher ungewöhnlich charakterfest, übergenau o. ä. verhalten. Wie ein Lehrer (↗Pauker 1) wirkt man sicher im Besitz von Wissen und Lebenserfahrung. 1955 *ff*, *halbw*.

verpaukt *adj* duch Auswendiglernen überanstrengt. ↗pauken 4. Seit dem 19. Jh.

verpecken *tr* **1.** jn verprügeln. Pecke = Stock, Gerte. Berlin 1850 *ff*.

2. den Angreifer zurückschlagen. *Sold* in beiden Weltkriegen.

verpelzen *tr* Geld durchbringen. ↗pelzen 2. 1920 *ff*, *prost*.

verpennen *v* **1.** *tr refl* = verschlafen. ↗pennen. Seit dem 19. Jh.

2. *tr* = etw aus Vergeßlichkeit verabsäumen. 1900 *ff*.

verpennt *adj* **1.** schulmeisterlich streng; nur der Schule lebend; ausschließlich zum Lehrerberuf neigend. ↗Penne 2. *Schül* 1950 *ff*, Berlin.

2. langweilig, schwunglos, uninteressiert, uninteressant. ↗verpennen 1. *Jug* 1970 *ff*.

verpetern *tr* etw beschädigen, verderben. ↗petern. 1900 *ff*.

verpetzen *tr* jn verraten, dem Vorgesetzten melden. ↗petzen. Seit dem späten 18. Jh, *schül* und *stud*.

Verpetzer *m* Verräter. 1920 *ff*.

verpfeffern *tr* **1.** etw überteuern. ↗gepfeffert 5. Seit dem 19. Jh.

2. jm etw ~ = jm etw erschweren, verleiden. Zuviel Pfeffer ist nicht nach jedermanns Geschmack. Seit dem 19. Jh.

verpfeifen *v* **1.** *intr* = verschlafen. Anspielung auf den pfeifenden Atem. *Österr* 1940 *ff*.

2. *tr* = jn verraten, zur Anzeige bringen, denunzieren. ↗pfeifen 1. 1800 *ff*.

2 a. einen Ballspieler zu Unrecht abpfeifen. *Sportl* 1970 *ff*.

3. *refl* = weglaufen, fliehen. Wohl übernommen vom pfeifenden (= sausend wehenden) Wind. 1830 *ff*, Berlin; *sold* in beiden Weltkriegen; *schül* 1945 *ff*.

Verpfeifung *f* Bezichtigung. ↗verpfeifen 2. 1920 *ff*.

Verpfiff *m* Verrat; Täterbenennung durch einen Mittäter. ↗verpfeifen 2. 1950 *ff*.

verpflanzen *refl* das Weite suchen; sich in Sicherheit bringen. Aus der Gärtnerei übernommen. *Sold* in beiden Weltkriegen und später.

verpflastern *tr* jn verprügeln. ↗pflastern 2. 1870 *ff*.

verpflaumen *tr* jn bespötteln, verhöhnen, verulken, anzüglichen Bemerkungen aussetzen. ↗pflaumen. 1870 *ff*, *schül* und *stud*.

Verpflegung *f* **1.** sich von der ~ abmelden = sterben. Hergenommen von der Pflicht des Soldaten, sich vor Urlaubsantritt oder Versetzung ordnungsgemäß abzumelden. *Sold* 1939 *ff*.

2. außer ~ gehen = den Soldatentod erleiden. *Sold* 1939 bis heute.

3. jn aus der ~ nehmen = jn erschießen. *Sold* 1939 bis heute.

4. die ~ verlieren = sich erbrechen; seekrank sein. *Sold* 1941 *ff*.

Verpflegungsteilnehmer *m* Soldat. *Sold* 1939 bis heute.

Verpflichtungsprämienjäger *m* Längerdienender. Spöttisch behauptet man, er verpflichte sich nur wegen der Prämie weiter. *BSD* 1965 *ff*.

verpfuschen *tr* etw schlecht herstellen, unsachgemäß verfertigen; etw verunstalten. ↗pfuschen 1. Seit dem späten 17. Jh.

verpfuscht *adj* verdorben, vergeudet, vertan, unsachgemäß hergestellt. 1700 *ff*.

Verpfuschtheit *f* Verunstaltung, Vergeblichkeit, Vergeudung. 1900 *ff*.

verpicht sein auf etw ~ = auf etw versessen sein. Parallel zu „↗erpicht sein". 1600 *ff*.

verpickelt *adj* mit Eiterbläschen (Akne o. ä.) bedeckt. ↗Pickel 1. Seit dem 19. Jh.

verpiepeln (verpippeln) *tr* **1.** jn verwöhnen, verweichlichen. Ablautende Nebenform zu „↗verpäppeln"; vielleicht beeinflußt von „Piep", dem Vogel (im Käfig). Seit dem 19. Jh.
2. jn veralbern, nicht ernst nehmen. 1900 *ff*.
3. koitieren. ↗Piepel 1. 1850 *ff*.
verpieseln *refl* unbemerkt weggehen; wegschleichen; sich dem Dienst entziehen. Parallel zu ↗verpissen. *Sold* 1939 bis heute.
verpiesema'tuckeln *intr tr* koitieren. Von „↗Piesel 1" überlagertes „↗verkasematuckeln". 1950 *ff*.
verpimpeln *tr* **1.** jn verziehen, verweichlichen. ↗pimpeln. Nördlich der Mainlinie, seit dem 19. Jh.
2. Rauschgift verdünnen. Dadurch wird die „harte" Droge „weicher". 1965 *ff*.
verpimpelt *adj* wehleidig; wenig widerstandsfähig; verweichlicht. ↗pimpeln. 1900 *ff*.
verpimpert *adj* geschlechtlich verbraucht. ↗pimpern 1. 1920 *ff*.
verpinkeln *tr* etw vergeuden. Fußt auf ↗Pinkel 5. 1950 *ff*.
verpinseln *tr* etw verspeisen, vertrinken; Geld für Beköstigung ausgeben. ↗pinseln 10. 1920 *ff*, *westd*.
verpissen *refl* **1.** unbemerkt davongehen; sich zurückziehen. Tarnausdruck: eigentlich ist das Aufsuchen des Aborts gemeint. Gegen 1840 aufgekommen, vorwiegend *sold* und *jug*. *Vgl franz* „pisser à l'anglaise" und *engl* „to piss off".
2. sich der militärischen Dienstpflicht zu entziehen suchen; sich einem dienstlichen Auftrag entwinden. *BSD* 1965 *ff*.
Verpisser *m* **1.** Mann, der sich unangenehmen Aufgaben zu entziehen sucht. *BSD* 1965 *ff*.
2. Wehrdienstverweigerer. *BSD* 1965 *ff*.
Verpisserdienst *m* angenehmer Dienst. *BSD* 1965 *ff*.
Verpisserjob (Grundwort *engl* ausgesprochen) *m* angenehmer Dienst. ↗verpissen; ↗Job. *BSD* 1965 *ff*.
Verpissertrick *m* Trick, mit dem man sich einen leichten Dienst verschafft. *BSD* 1965 *ff*.
verplackt *adj* mit Zugewanderten durchsetzt. ↗eingeplackt. *Hess* 1820 *ff*.
verpladdern *tr* **1.** etw ~ = etw verschütten, vorbeigießen. ↗pladdern 1. *Niederd*, seit dem 19. Jh.
2. etw ~ = etw vergeuden, vertun. *Niederd* seit dem 19. Jh.
Verplanungsraum *m* Geschäftszimmer der Kompanie o. ä. Dort wird die Diensteinteilung vorgenommen: jeder Mann und jede Viertelstunde werden dort „verplant". *BSD* 1968 *ff*.
verplappern *v* **1.** seine Zeit ~ = seine Zeit verschwätzen. Seit dem 18. Jh.
2. etw (jn) ~ = etw (jn) verraten. Seit dem 19. Jh.
3. sich ~ = eine unbedachte Äußerung tun; geheimzuhaltende Dinge ausplaudern. 18. Jh.

verplätten *v* **1.** jn ~ (jm einen ~) = jm einen Schlag versetzen; auf jn einen Schuß abgeben; jn durch Beschuß verwunden. Bezieht sich ursprünglich auf den Schlag mit der flachen Hand, nicht mit dem Stock. 1900 *ff*, Berlin, Magdeburg u. a.
2. einer einen ~ = koitieren (vom Mann gesagt). Hinter „einen" ergänze „Schuß". 1920 *ff*.
3. einen verplättet kriegen = eine Schußverletzung erhalten. *Sold* in beiden Weltkriegen.
verplauschen *refl* **1.** beim Plaudern die Zeit vergessen; länger sprechen als beabsichtigt. ↗plauschen. *Oberd* seit dem 19. Jh.
2. Geheimes unbedacht ausplaudern. 19. Jh.
verplempern *v* **1.** *tr* = etw vergeuden, in kleinen Beträgen ausgeben; etw für unnütze Dinge ausgeben. Geht zurück auf *oberd* „Plempel = hin- und hergeschwapptes, daher minderwertiges, schal gewordenes Getränk"; von hier aus entwickelt zur Bedeutung unvernünftigen Umgangs mit Flüssigkeiten und weiter verallgemeinert zu „vergeuden". Seit dem 17. Jh.
2. *refl* = a) sich töricht verlieben; sich in eine unpassende Liebesverbindung einlassen. 1700 *ff*. – b) unbedacht sprechen; sich übereilen; sich verrechnen. Seit dem 19. Jh. – c) einen schlechten Kauf tätigen. 1830 *ff*. – d) viel beginnen und nichts (erfolgreich) beenden. Seit dem 19. Jh. – e) verkommen; sich keinen Zwang antun; seine Kräfte vergeuden. Seit dem 19. Jh. – f) zuviel Bier trinken. ↗Plempe 1. Seit dem 19. Jh.
verplempert *adj* außerehelich geschwängert. ↗verplempern 2 a. 1800 *ff*.
Verplemperung *f* **1.** Vergeudung. ↗verplempern 1. 1700 *ff*.
2. blinde Verliebtheit wider alle Vernunft; Liebesverhältnis mit einem unwürdigen Menschen. ↗verplempern 2 a. Seit dem 18. Jh.
verplotzen *tr* Geld für Tabakwaren ausgeben. ↗plotzen 1. Seit dem 19. Jh.
verpochen *tr* Geld durchbringen. Beruht wahrscheinlich auf dem Pochspiel. 1900 *ff*; *sold* in beiden Weltkriegen.
verpolken *tr* jn verprügeln. Bezieht sich ursprünglich wohl auf Ohrfeigen; *vgl* ↗polken. 1900 *ff*.
verpoofen *tr* die Zeit verschlafen. ↗poofen 1. *Sold* 1870 bis heute.
ver'posamen'tieren *tr* **1.** etw vergeuden. Entstellt aus „verpassementieren = mit Zierat, Borden, Fransen usw. versehen"; von da weiterentwickelt zur Bedeutung „Geld für Kleiderprunk ausgeben". Seit dem 19. Jh.
2. etw auseinandersetzen, erklären. Wohl beeinflußt von „↗pöseln" und „↗pusseln". *Niederd*, Berlin und *ostpreuß*, spätestens seit 1900.
ver'posema'tuckeln *tr* etw genau auseinandersetzen. Zusammengesetzt aus „↗verposamentieren" und „↗verkasematuckeln". Berlin 1920 *ff*.
verpovern *intr tr* verarmen; in ärmliche Verhältnisse geraten. ↗pover. 1870 *ff*.

Verpoverung *f* Verarmung. 1870 *ff.*

verprassen *tr* zwanzig Pfennig sinnlos ~ = mit einer Kleinigkeit verschwenderisch umgehen. Scherzhafte Redewendung angesichts eines Pfennigbetrags, den einer zuviel erhält oder den er bei einer größeren Zahlung (als Unterschiedsbetrag zur Rechnungssumme) zurückerhält. *Stud* 1920 *ff.*

verprellen *tr* jn verärgern, kränken, kopfstutzig machen. Der Betreffende prallt entrüstet zurück. Seit dem späten 19. Jh.

verprezeln *tr* **1.** etw vergeuden. „Prezel = Brezel" spielt auf Geldausgabe für Leckereien an. Berlin 1900 *ff.*
2. sich durch törichte Spielweise um den Sieg bringen. Die Brezel ist hier das Sinnbild umständlichen Verschlungenseins. 1900 *ff.*

verpritschen *tr* einen Mitschüler dem Lehrer melden. Pritschen = klatschend schlagen. Hieraus parallel zu „klatschen = ausplaudern". *Bayr* 1930 *ff.*

verprudeln *tr* **1.** eine Handarbeit verderben. ↗prudeln. 1700 *ff, niederd.*
2. etw in Unordnung bringen, schlecht bewerkstelligen. 1700 *ff.*
3. Geld durchbringen. Fußt auf der Vorstellung unsorgfältigen Hantierens. *Nordd* und Berlin, 1870 *ff.*

verpudeln *v* **1.** etw ~ = etw unsachgemäß ausführen, verderben. ↗pudeln 1. 1700 *ff.*
2. sich ~ = sich bei einer Sache gröblich irren. 1820 *ff.*
3. verpudelt aussehen = vom Geschlechtsverkehr angegriffen aussehen. ↗pudeln 2. 1920 *ff.*

verpuffen *intr* erfolglos enden; wirkungslos bleiben. Hergenommen von der nicht detonierenden Granate: sie gibt nur einen Zischlaut von sich. 1700 *ff.*

verpuhlen *v* jm einen (ein Ding) ~ = auf jn einen Torpedo abfeuern. Geht zurück auf *angloamerikan* „to pull = auf jn feuern"; *vgl* auch *engl* „to pool = unterminieren". *Marinespr* 1939 *ff.*

verpulvern *v* **1.** etw ~ = etw vergeuden, ausgeben, durchbringen. Leitet sich her vom Pulver, anfangs von dem für alchimistische Zwecke, später von Arzneien. Seit dem 19. Jh.
2. seine Zeit ~ = seine Zeit nutzlos verstreichen lassen; erfolglos warten. Seit dem 19. Jh.
3. jn ~ = jn sinnlos opfern. Leitet sich her von der Munition, aber im engeren Sinne vom „↗Kanonenfutter". 1870 *ff, sold.*
4. sich verpulvert haben = seine Geschlechtskraft eingebüßt haben. ↗Pulver 2. Seit dem 19. Jh.

verpumpen *tr* etw verleihen. ↗pumpen 1. Seit dem 18. Jh.

verpuppen *v* **1.** etw ~ = sein Geld mit Frauen durchbringen. ↗Puppe 1. 1900 *ff.*
2. sich ~ = sich vor den Mitmenschen zurückziehen; sich abkapseln. Von der Insektenlarve übertragen. 1900 *ff.*

*Die oben wiedergegebene Abbildung diente in einem anderen Zusammenhang der Versinnbildlichung der christologischen Auffassungen des Apollinarios, wobei die Gipshülle den geist-seelelosen Leib Christi symbolisiert und das, was sie verbirgt, ihr Inhalt, die Gottheit Christi. So besehen betreibt auch die Umgangssprache Häresie, allerdings eine recht profanisierte: Verputz meint hier, in der Ableitung vom Mauerbewurf, das Make-up (**Verputz 1.**), das also zur bloßen Fassade gerät und, wie diese auch, recht leicht in sich zusammenfallen kann. Wenn dies geschieht, der Verputz abbröckelt (**Verputz 2.**) und das, was dann zum Vorschein kommt, in Augenschein genommen wird, muß es sich erweisen, ob das Innere jenem künstlichen Äußern Genüge tun kann.*

3. sich ~ = sich verkleiden, um sich unkenntlich zu machen. ↗puppen 1. 1800 *ff.*

Verpuppung *f* Maskerade; theatralische Verkleidung. 1800 *ff.*

verpurren *tr* etw verderben, vereiteln, versperren. Purren = stochern. Leitet sich her vom Feuer, das man durch vieles Stochern in der Glut zum Erlöschen bringt, oder ist Analogie zu „↗verfummeln 1". 1700 *ff.*

Verpuste *f* Verschnaufpause. *Vgl* das Folgende. 1965 *ff, jug.*

verpusten *refl* sich verschnaufen. ↗Puste 1. *Nordd*, seit dem 18. Jh.

Verputz *m* **1.** Make-up. Eigentlich der Mauerbewurf. 1930 *ff*; heute Halbwüchsigenvokabel.

2. der ～ bröckelt ab = das Make-up gerät in Unordnung. Eigentlich soviel wie „der Bewurf löst sich in Brocken von der Wand ab". *Halbw* 1955 *ff.*

3. jm den ～ abkratzen = jds Nimbus zerstören; jn entlarven. 1950 *ff.*

4. den ～ emaillieren = das Make-up erneuern. *Halbw* 1955 *ff.*

verputzen *tr* **1.** etw leichtfertig ausgeben, vertun. Meint eigentlich „für Putz ausgeben", nämlich für Kleiderpracht; von da seit dem 18. Jh verallgemeinert.

2. etw verzehren. „Putzen" meint hier das Leeren des Tellers, wohl gar das Auslecken. Seit dem 18. Jh.

3. jn anherrschen, entwürdigend behandeln, heftig kritisieren. ↗auspützen 3. 1870 *ff.*

4. jm eine ～ = jn ohrfeigen. Erklärt sich aus der umgangssprachlichen Gleichsetzung von „reinigen", „tadeln" und „schlagen". 1920 *ff.*

5. jn nicht ～ können = jn nicht leiden können. Versteht sich nach „↗verputzen 2": der unsympathische Mensch ist „ungenießbar" wie eine schlechte Speise. Seit dem 19. Jh.

6. das findet sich beim ～ = das regelt sich später. Das Verputzen ist die letzte Außenarbeit am Haus. 1900 *ff.*

verputzt *adj* stark geschminkt. ↗Verputz 1. 1930 *ff.*

verquaatscht *adj* wehleidig, verzärtelt. ↗quaatschen. *Westd* seit dem 19. Jh.

verquackeln *tr* **1.** etw zerreden. ↗quackeln 1. Seit dem 19. Jh, *niederd.*

2. etw unnütz verbrauchen. 1700 *ff.*

3. etw verlegen, verräumen, falsch ausführen. Seit dem 19. Jh, *niederd.*

4. sich ～ = unbedacht etw ausplaudern. 1700 *ff.*

verqualmen *tr* Geld für Raucherwaren ausgeben. ↗qualmen. 1920 *ff.*

verquanteln (verquanten) *tr* etw zu Geld machen; etw unter Wert absetzen. ↗quanteln. 1700 *ff.*

verquasen *tr* etw verschwenden, verschlemmen. Gehört zu mittel-*niederd* „quasen = schwelgen" und zu *niederd* „dwas = töricht". 1700 *ff.*

verquasseln *v* **1.** *tr* = etw unnütz vertun; die Zeit mit Schwätzen verbringen; eine Sache mit dummen Reden verderben. ↗quasseln. Seit dem 19. Jh.

2. *tr* = Geld für Telefongespräche ausgeben. 1920 *ff.*

3. *refl* = sich (bei schnellem Reden) versprechen; Geheimes unüberlegt ausplaudern. 1900 *ff.*

verquast *adj* **1.** undeutlich, wirr; verwickelt. Gehört zu *niederd* „dwas = töricht" und zu *niederd* „quasen = dummschwätzen". Seit dem 19. Jh.

2. sonderbar, ungewöhnlich. Berlin 1920 *ff.*

3. ～ lachen = aus Verlegenheit, dümmlich grinsen. Berlin 1910 *ff.*

verquatschen *v* **1.** jn ～ = jn zur Anzeige bringen. ↗quatschen 3. 1870 *ff.*

2. etw ～ = eine Verabredung verfehlen. Man hat sie falsch abgesprochen oder die vereinbarte Uhrzeit verwechselt. *Halbw* 1955 *ff.*

3. etw ～ = einen sprachlichen Ausdruck durch willkürliche (sinnlose) Hinzufügung unverständlich machen, durch Reden verderben. Gilt als Eigenart der berlinischen Sprache. 1900 *ff.*

4. sich ～ = a) sich (bei schnellem Reden) versprechen; etw unbedacht ausplaudern. 1870 *ff.* – b) vom Gesprächsthema abkommen. 1900 *ff.* – c) unabsichtlich ein Geständnis ablegen. 1870 *ff.*

verquatscht *adj* schwatzhaft. 1900 *ff.*

Verquatschtheit *f* Geschwätzigkeit. 1900 *ff.*

verquengelt *adj* verweichlicht, wehleidig, nörglerisch. ↗quengeln. 1700 *ff.*

verquer *adv* **1.** ungelegen. Zusammengewachsen aus „für quer". Seit dem 19. Jh.

2. unecht; nicht aufrichtig; uneinig. Seit dem 19. Jh.

3. es geht ～ = es mißlingt. Seit dem 19. Jh.

4. mit jm ～ leben (es mit jm ～ haben) = mit jm in Unfrieden leben. Seit dem 19. Jh.

5. etw ～ nehmen = etw falsch auffassen; jm etw verübeln. Seit dem 19. Jh.

6. ～ sitzen = hinderlich sein; nicht gedeihen. Seit dem 19. Jh.

7. ihm sitzt einer ～ = ihm will ein Darmwind nicht entweichen. Seit dem 19. Jh.

verquetschen *v* **1.** etw ～ = etw unterdrücken, verdrücken. 1900 *ff.*

2. etw ～ = etw unter Mühen unterbringen. 1920 *ff.*

3. etw ～ = etw verzehren, durchbringen. Analog zu ↗verdrücken 1. 1800 *ff.*

4. sich ～ = sich davonmachen. Parallel zu ↗verdrücken 5; ↗drücken 10. 1900 *ff*, *sold.*

Verquetschte *pl* **1.** kleinere Speisen, die keine vollständige Mahlzeit ausmachen. ↗verquetschen 3. Man verzehrt sie ohne Mühe. Kellnerspr. 1960 *ff.*

2. tausend Mark und ein paar ～ = tausend Mark und ein paar kleinere Scheine (und etwas Kleingeld). ↗Zerquetschte. 1930 *ff.*

verquirlen *tr* etw entstellen, wahrheitswidrig bekunden, um Verwirrung anzurichten oder den Verdacht auf eine falsche Fährte zu lenken. Hergenommen vom Rührlöffel, der die Teigmasse (o. ä.) durcheinanderrührt. 1900 *ff.*

verrammeln *tr* **1.** etw unpassierbar machen, verstopfen. Man verschließt es durch Einrammen von Pfählen. Seit dem 18. Jh.

2. jn verhaften, einschließen. Seit dem 19. Jh.

3. etw unsachgemäß verrichten. Etwa soviel wie „durch Umherspringen oder -wälzen verderben". 1900 *ff.*

4. jn außerehelich schwängern. ↗rammeln 1. Seit dem 19. Jh.

5. verrammelt aussehen = übernächtigt aussehen; umschattete Augen haben. Man deutet es als Folge ausgedehnten Geschlechtsverkehrs. 1900 *ff.*

6. wie verrammelt (im Kopf) sein = benommen sein. 1900 *ff.*

verramponieren *tr* etw verderben, beschädigen. ↗ramponieren. Seit dem 19. Jh.

verramschen *tr* **1.** Ware zu stark herabgesetzten Preisen verkaufen. ↗Ramsch 1. 1800 *ff. Gleichbed ndl* „verramsjen".

2. jn wegen hohen Alters auf einen anderen Posten versetzen oder kündigen. 1920 *ff.*

3. dem Spieler den „Ramsch" aufs Ganze vereiteln. ↗Ramsch 2. 1870 *ff.*

4. den Kartenspieler sehr hoch besiegen. Kartenspielerspr. 1870 *ff.*

Verramschung *f* Verkauf weit unter Wert. Seit dem 19. Jh.

verrannt sein in etw ~ = leidenschaftlich einer Sache (auch: einer Person) verbunden sein und nicht von ihr ablassen. Sich verrennen = beim Laufen sich verirren. Verbindet sich oft mit der Vorstellung von einer Sackgasse. Seit dem 19. Jh.

Veranntheit *f* Befangenheit des Fanatikers. Seit dem 19. Jh.

verrasseln *intr* beim Kartenspiel verlieren; in der Prüfung scheitern. ↗durchrasseln. Kartenspielerspr. und *schül* 1900 *ff.*

verraten *v* **1.** *intr tr* = dem Mitschüler vorsagen. Man verrät ihm die richtige Antwort auf die Frage des Lehrers. 1900 *ff.*

2. jn ~ und verkaufen = jn preisgeben. Leitet sich her von der Passionsgeschichte Jesu und dem Verrat des Judas. Seit dem 19. Jh.

3. ~ und verkauft sein = preisgegeben sein; hilflos dastehen. 1500 *ff.*

Verräter *m* der ~ schläft nicht: Redewendung des Kartenspielers, der einen Trick des Gegners oder dessen Plan durchschaut und ihm rechtzeitig begegnet. Leitet sich her von der biblischen Geschichte von Jesus und Judas: während Jesus von Judas verraten wurde, schliefen die Jünger. Kartenspielerspr. 1870 *ff.*

Verrätersau (-schwein) *f (n)* gemeiner Verräter. ↗Sau; ↗Schwein. 1955 *ff.*

verratschen (verrätschen) *v* **1.** etw ~ = etw unbesonnen ausplaudern. ↗ratschen 1. Vorwiegend *oberd,* 1700 *ff.*

2. jn ~ = jn verraten, anzeigen, verleumden. Seit dem 19. Jh.

3. sich ~ = sich durch langwieriges Schwätzen verspäten. 1900 *ff.*

verratzt sein verloren, vernichtet, erledigt sein; auf keine Rettung rechnen können. Geht möglicherweise zurück auf sorbisch „hrać = spielen" und bezieht sich auf einen Spielverlust. Seit dem 19. Jh.

ver'raubautzen (ver'raubutzen) *tr* etw verderben, verunstalten, zerstören. ↗Raubautz. 1900 *ff.*

verraunzt *adj* nörglerisch. ↗raunzen. Seit dem 19. Jh.

verrecken *v* **1.** *intr* = sterben, elend umkommen. Meint eigentlich „die Glieder starr ausreckend verenden" oder spielt an auf die Leichenstarre. Anfangs nur auf Tiere bezogen, wird das Wort vor allem bei den Soldaten auf den Menschen übertragen. 1650 *ff.*

2. da verreck'!: Ausruf der Überraschung. *Bayr* und *schwäb,* seit dem 19. Jh.

3. da verreck' doch gleich (da varreck doch glei)!: Ausdruck des Erstaunens. *Bayr* seit dem 19. Jh.

4. der Motor verreckt = der Motor bleibt stehen, „stirbt ab". *Südd* 1930 *ff.*

5. er ist verreckt = er mußte arbeiten gehen. Wer um des Lebensunterhalts willen den Müßiggang aufgeben muß, gilt für die „Gammler" als gestorben. 1963 *ff.*

6. da möchtest du ~!: Ausruf des Unwillens. *Südd* seit dem 19. Jh.

7. es ist zum ~ = es ist zum Verzweifeln. Seit dem 19. Jh.

8. bis zum ~ = bis zum Überdruß; bis zur Erschöpfung. 1910 *ff.*

9. zum ~ = sehr, überaus (es reut ihn zum Verrekken). *Bayr* 1900 *ff.*

10. ums ~ = durchaus (er will ums Verrecken im Wirtshaus sitzen bleiben). 1800 *ff.*

11. nicht ums ~ = auf keinen Fall; unter keinen Umständen (nicht ums Verrecken will er zu Bett gehen). Seit dem 19. Jh.

Verrecker *m* **1.** niederträchtiger Mensch. Man wünscht ihm den Tod. *Südwestd,* Nürnberg und Frankfurt, seit dem 19. Jh.

2. schwächlicher Säugling; Frühgeburt (auch in den Formen „Verreckerchen" und „Verreckerl"). Seit dem 19. Jh.

3. Fehlschlag. 1920 *ff.*

Verreckerl *m n* **1.** schlecht, kränklich aussehendes Tier. Es scheint dem Tod nahe zu sein. *Bayr* und *österr,* seit dem 19. Jh.

2. unansehnlicher Baum. Seit dem 19. Jh.

3. grobes Schimpfwort. *Bayr* und *österr,* seit dem 19. Jh.

Verreckling *m* **1.** schwächlicher Säugling; Frühgeburt. 1900 *ff.*

2. grobes Schimpfwort. 1900 *ff, südd.*

verreckt *adj* höchst widerwärtig. *Bayr* 1900 *ff.*

verreden *tr* durch vorzeitiges Sprechen von Wünschen und Aussichten den Erfolg in Frage stellen. Fußt auf der abergläubischen Meinung, daß Äußerungen über günstige Entwicklungen die bösen Geister auf den Plan rufen, um den Erfolg zu vereiteln. Seit dem 19. Jh.

verregnen *n* jm etw ~ = jm ein Vorhaben zunichte machen. 1900 *ff.*

verreisen *v* **1.** *intr* = eine Freiheitsstrafe antreten. Tarnausdruck. Seit dem späten 19. Jh.

2. *intr* = dem Einberufungsbescheid Folge leisten. Den Aufenthalt in der Kaserne setzt man mit dem Aufenthalt im Gefängnis gleich. 1910 *ff.*

3. du willst wohl ~, da du die Hände schon eingepackt hast (da du schon den Sack gepackt hast)!: Redewendung an einen, der die Hände in den Hosentaschen hat. Sack = Hodensack; packen = in Händen halten. 1920 *ff.*

4. etw ~ = Geld für Reisen ausgeben. 1870 *ff.*

verreißen *v* **1.** jn (etw) ~ = eine Person oder Sache vernichtend (böswillig) kritisieren. Der Kritiker reißt sein Opfer in Stücke wie ein Raubtier. Theaterspr. seit dem späten 19. Jh.

2. jn ~ = jn verführen, notzüchtigen, einem anderen abspenstig machen. *Rotw* 1910 *ff*, *österr.*

3. *intr* = mit dem Kraftfahrzeug aus der Kurve getragen werden. Man hat wohl zu heftig am Steuer gerissen. *Österr* 1910 *ff.*

4. es hat ihn verrissen = er hat die Beherrschung verloren. Verreißen = verschleißen. 1910 *ff.*

Verreißer *m* überaus strenger Kritiker. ↗verreißen 1. 1900 *ff.*

Verreißung *f* vernichtende (böswillige) Kritik. 1870 *ff.*

verreist *part* **1.** ~ sein = eine Freiheitsstrafe verbüßen. ↗verreisen 1. Euphemismus. Seit dem späten 19. Jh.

2. wie ~ aussehen = a) braungebrannt, gut erholt aussehen. 1910 *ff.* – b) dank kosmetischer Mittel aussehen, als kehre man gerade aus dem Urlaub zurück. 1955 *ff.*

verrenken *refl* tanzen. *Jug* 1955 *ff.*

Verrenker *pl* Schlagermusikkapelle. *Halbw* 1965 *ff.*

Verrenkungen *pl* geistige ~ machen = sich geistig anstrengen; schwerwiegende Überlegungen anstellen. 1950 *ff.*

Verrenkungsbude (-bunker, -halle, -ort) *f (m, f, m)* Turnhalle. 1960 *ff.*

Verrenkungspenne *f* Sport(hoch)schule. ↗Penne 2. 1960 *ff.*

Verrenkungsraum (-saal; -stätte; -zimmer) *m (m, f, n)* Turnhalle. *Schül* 1960 *ff.*

verrennen *refl* sich irren; fanatisch werden. ↗verrannt sein. Seit dem 19. Jh.

Verrinner *m* den ~ haben = krankhafte Angst haben, das Geld könne nicht (zum Leben; für ein Vorhaben) reichen. Verrinnen = spurlos im Sand verlaufen. 1950 *ff*, Allgäu.

Verriß *m* vernichtende Kritik. ↗verreißen 1. Seit dem späten 19. Jh, theaterspr.

verrissen sein verreist sein. Scherzhafte Entstellung seit dem frühen 19. Jh. (1833 Friedrich Beckmann: „Nante im Verhör").

verrockt *adj* auf den Rock'n'Roll bezüglich. 1960 *ff.*

verrödeln *refl* sich dem Dienst entziehen. Rödeln = rollen machen. „Sich verrödeln" ist Analogie zu „sich ↗verrollen". *BSD* 1965 *ff.*

verrollen *v* **1.** jn ~ = jn heftig prügeln. ↗Rollkommando. 1910 *ff*, *sold* und *schül*.

2. jn ~ = jn streng behandeln, gesellschaftlich erledigen; jn übertölpeln. 1920 *ff.*

3. sich ~ = davongehen. Bezieht sich ursprünglich auf ein Wegfahren („sich auf Rollen entfernen"). Vorwiegend *oberd*, 1900 *ff.*

verrölzen (verrolzen) *tr* etw in Unordnung bringen, durcheinanderbringen. ↗rolzen. *Westd* seit dem 19. Jh.

verrostet *adj* bejahrt; abständig; gegenüber modernen Ansichten und Lebensgewohnheiten verständnislos. In geistiger Hinsicht setzt man Rost an wie „altes Eisen". 1500 *ff.*

verrotzt *adj* von Nasenschleim beschmutzt. ↗Rotz 1. Seit dem 19. Jh.

verrubeln *tr* etw zu Geld machen. Hergeleitet vom Rubel, der russischen Währungseinheit. 1920 *ff.*

verrückt *adj* **1.** hochmodern. Was man nicht begreift, oder was mit dem Herkömmlichen nicht übereinstimmt, erscheint vielen unsinnig. *Halbw* 1955 *ff.*

2. wie ~ = sehr; sehr stark, sehr schnell (mir tun die Füße wie verrückt weh; er fährt wie verrückt). ↗rasend. Seit dem 19. Jh.

3. lügen wie ~ = dreist lügen. 1920 *ff.*

4. wenn die Leute ~ werden (wenn einer ~ wird), fängt es im Kopf an: Redewendung auf einen, der unsinnige Gedanken äußert. 1870 *ff.*

5. auf ~ reiten = schwere Geistesstörung heucheln. ↗reiten 1. 1940 *ff.*

6. auf (in) eine Person oder Sache (nach einer Person oder Sache) ~ sein = nach einer Person oder Sache heftig verlangen. Seit dem 18. Jh. *Vgl engl* „he is crazy about her".

7. ~ und drei sind sieben: Redewendung zu einem törichten Vorschlag. Von einem Verrückten nimmt man an, er habe statt fünf Sinnen nur vier. 1870 *ff.*

8. ~ und drei sind neun: Ausruf angesichts hochgradiger Geistesbeschränktheit oder -verirrung. Hier hat der Verrückte wohl einen Sinn zuviel, nämlich den Unsinn. 1840 *ff.*

9. ~ und fünf ist neun: Redewendung auf einen Dummschwätzer. ↗verrückt 7. 1870 *ff.*

10. ~ und drei (vier) ist elf: Redewendung angesichts einer besonders törichten Äußerung. Hier hat der Verrückte wohl etliche Sinne zuviel, so daß die Summe die „Narrenzahl" 11 ergibt. 1890 *ff.*

11. ~ spielen = a) sich verrückt stellen; sich übermäßig aufregen; die Beherrschung verlieren. 1900 *ff.* – b) vor übergroßer Freude sich unsinnig gebärden. 1900 *ff.* – c) am Fastnachtstreiben teilnehmen. 1920 *ff.*

12. spielen Sie nicht ~! = geben Sie solch unsinnige Meinung (Absicht) auf! 1920 *ff.*

13. ich werde ~!: Ausruf großer Verwunderung und Überraschung. Spätestens seit 1900.

14. ich werde ~ und ziehe aufs Land!: Ausdruck der Überraschung. Wohl Anspielung auf die Lage von Nervenheilstätten auf dem Lande oder am Stadtrand. 1920 *ff.*

Verrückter *m* **1.** wie ein ~ fahren = übermäßig schnell und riskant fahren. ↗verrückt 2. 1920 *ff.*
2. rauchen wie ein ~ = unmäßig rauchen. 1920 *ff.*
3. mit mir kannst du reden wie mit einem Verrückten = mir kannst du alles anvertrauen, ohne daß ich dir schaden werde; ich stelle mich so, als verstünde ich das Gesagte nicht. 1900 *ff.*

Verrücktwerden *n* es ist zum ~ = es ist zum Verzweifeln; vor Freude könnte man den Verstand verlieren. Seit dem 19. Jh.

verrummeln *tr* eine Stadt ~ = in einer Stadt den Fremdenverkehr einführen. ↗Rummel 1. 1950 *ff.*

verrüschen *tr* jn prügeln. ↗Rüsche 1. *Nordd*, 1900 *ff.*

verrutschen *v* **1.** *intr* = eine kurze Reise unternehmen. ↗rutschen 2. 1900 *ff, stud.*
2. *intr* = ausschweifend leben. ↗rutschen 7. 1950 *ff.*
3. *intr* = ehebrechen. ↗rutschen 7. 1950 *ff.*
4. *tr* = Geld für Reisen ausgeben. 1900 *ff.*
5. *tr* = Geld für leichten Lebenswandel ausgeben. Rutschen = sittlich auf die „schiefe Bahn" geraten. Seit dem 19. Jh.

Vers *m* **1.** *pl* = albernes Geschwätz; leere Redensarten; Lügen. Bezieht sich wohl auf schönklingende Verse ohne Gehalt oder auf Bibelverse, die manche gar zu leichtfertig im Munde führen. Seit dem 19. Jh.
2. in ~e ausbrechen = Gelegenheitsgedichte mehr schlecht als recht verfassen. Hergenommen vom Sänger mit kräftiger Stimme oder auch vom Dichter, dessen Poesie man als ein Singen auffaßt („der Dichter singt"). 1900 *ff.*
3. jm den ~ blasen = jn ausschimpfen. Vers = Bibeltext, Psalmenabschnitt. *Vgl* auch „↗Text 5". 1900 *ff.*
4. seinen ~ kriegen = gerügt werden. 1900 *ff.*
5. ~e machen = schwätzen, lügen, prahlen, sich aufspielen. ↗Vers 1. Seit dem 19. Jh.
6. sich keinen ~ drauf (draus) machen können = den Zusammenhang nicht begreifen. ↗zusammenreimen. Seit dem 19. Jh.
7. ~e schmieden = reimen. Spätestens seit 1800.

versäbeln *tr* etw grob zerschneiden, abschneiden. ↗säbeln. Seit dem 19. Jh.

versäckeln *tr* **1.** jn heftig prügeln. Sack = Rock, Jacke. 1900 *ff.*
2. jn ausschimpfen. Rügen ist in der Umgangssprache *gleichbed* mit Prügeln. Doch kann auch auf „↗Säckel 2" zurückgegangen werden: man heißt den Betreffenden einen „Säckel". *Südwestd* seit dem 19. Jh.
3. jn verulken, narren. ↗Säckel 2. *Südwestd* seit dem 19. Jh.
4. etw durchbringen, vergeuden. Hängt mit dem Geldsack zusammen. 1920 *ff.*
5. jn ausbeuten. ↗Sack 72. 1900 *ff.*

versäckelt werden einen Tadel hinnehmen. ↗versäckeln 2. *Südwestd* seit dem 19. Jh, *schül.*

versacken *intr* **1.** auf dem Meeresboden langsam in Schlamm, Sand usw. versinken. Der Untergrund gibt nach, und das Schiffswrack o. ä. sinkt immer weiter ein. ↗sacken 2. Seit dem 19. Jh.
2. untergehen. 1900 *ff.*
3. durch liederliches Leben verkommen; ausschweifend leben; sich über die übliche Zeit hinaus betrinken. Vom Vorhergehenden übertragen auf das Einsinken (Untergehen) im Schmutz des Unsittlichen/Unsittsamen. Seit dem 19. Jh.
4. geistig abstumpfen; beruflich sich nicht weiterentwickeln; den Lebenswillen verlieren. 1920 *ff.*

versägen *tr* **1.** jn mit dem Auto überholen. ↗sägen 4. Kraftfahrerspr. 1920 *ff.*
2. jm die Meinung sagen, ohne daß der andere etwas erwidern kann. Analog zu ↗überfahren. 1950 *ff.*
3. einen Konkurrenten überlegen besiegen. 1950 *ff.*

versalzen *tr* **1.** jn verprügeln. ↗salzen 1. Seit dem 19. Jh.
2. jm etw ~ = jm etw Erfreuliches verderben; jds Plan vereiteln. Verkürzt aus „jm die ↗Suppe versalzen". 1600 *ff.*

versanden *intr* den Schwung verlieren; scheitern; eine Ansicht nicht länger aufrechterhalten können. Hergenommen vom alles verschüttenden Flugsand, von den mit Treib- oder Schwemmsand sich auffüllenden Flußmündungen oder Hafenbecken, auch vom Wasser, das im Sand verrinnt. 1920 *ff.*

Versandhauskatalog *m* Frau wie aus dem ~ = Frau mit idealer Figur. 1960 *ff.*

versandreif *adj* heiratsfähig (auf Mädchen bezogen). Hergenommen vom Käse, der ein bestimmtes Alter erreicht und den typischen Geruch entwickelt hat. 1920 *ff.*

versargen *tr* **1.** Diebesbeute verbergen. Fußt vielleicht auf *jidd* „sarkenen = wegwerfen, verbergen". *Rotw* 1840 *ff.*
2. jn verprügeln; jn zum Schweigen bringen. Der Betreffende soll „schweigen wie ein Grab". 1900 *ff.*

Versatzbruder *m* Mann, der beim Stelldichein vergeblich wartet. ↗versetzen 3. 1950 *ff.*

versaubeuteln *tr* **1.** etw durch Unachtsamkeit verderben, verschandeln. ↗Saubeutel 1. Seit dem 19. Jh.
2. etw verunreinigen. Seit dem 19. Jh.
3. etw vergeuden, leichtsinnig durchbringen. Seit dem 19. Jh.
4. etw durch eigene Schuld verlieren; etw vergessen, aus Vergeßlichkeit unterlassen. 19. Jh.
5. jn streng zurechtweisen. Man heißt den Betreffenden einen „↗Saubeutel". 1900 *ff.*

versauen *tr* **1.** etw verunreinigen. ↗sauen 1. 1600 *ff.*

2. etw schlecht herstellen, falsch machen, gründlich verderben. ↗Sau 2. Seit dem 19. Jh, handwerkerspr., *sold* und *schül*.

versauern *v* **1.** *intr* = den inneren Schwung verlieren; geistig abstumpfen; in Trübsinn verfallen; beruflich nicht vorwärtskommen. Hergenommen vom Wein, der sauer und dadurch ungenießbar wird, oder vom Acker. Seit dem 17. Jh. *Vgl franz* „moisir".

2. *tr* = etw erschweren, beeinträchtigen, verderben. ↗sauer 17. Seit dem 19. Jh.

3. *tr* = jn in Mißstimmung versetzen. 1950 *ff*.

versauert *adj* verbittert. ↗sauer 1. Seit dem 19. Jh.

versaufen *v* **1.** *intr refl* = sich ertränken; ertrinken; mit dem Schiff untergehen. *Vgl* ↗absaufen. Seit *mhd* Zeit (damals kein Ausdruck sprachlicher Derbheit).

2. *tr* = etw vertrinken. Seit dem 15. Jh.

versäuseln *tr* Geld in Alkohol umsetzen. *Vgl* ↗angesäuselt. Seit dem 19. Jh.

versausen *tr* Geld durchbringen. ↗Saus. Seit dem 19. Jh, Berlin und *rhein*.

verschabbern *tr* etw verstecken, vergraben. ↗Schabber. *Rotw* seit dem frühen 18. Jh.

verschalen *tr* jn heftig prügeln. Schale = Anzug. Daher analog zu „↗verjacksen", „↗verkamisölen" o. ä. 1870 *ff*, Berlin.

verschalt *adj* kraftlos, unsinnig. Übertragen von Getränken, die Geruch, Geschmack und Gehalt einbüßen. *Westd* 1800 *ff*.

verschaltet sein verrückt sein. Übertragen aus dem Wortschatz der Kraftfahr- oder Elektrotechniker. 1920 *ff*.

verschamu'rieren *tr* etw zu Geld machen. Fußt auf *franz* „chamarrer = verbrämen". 1920 *ff*.

verschänge'lieren *tr* etw verunstalten. Zu „Schande" hat sich das Verb „schändelieren = verschandeln" entwickelt, das im *Westd* entsprechend entstellt wurde. 1500 *ff*.

verschärfen *tr* **1.** unrechtmäßig Erworbenes verkaufen. Gehört zu „Scherf = kleinste Münze", heute noch als „Scherflein" geläufig. Die Diebesbeute wird „kleingemacht". *Rotw* seit dem frühen 19. Jh.

2. etw versetzen, zu Geld machen. Seit dem 19. Jh.

verschauen *refl* sich in jn ~ = sich in jn verlieben. Analog zu ↗vergucken 2. *Österr* seit dem 18. Jh.

verschaufeln *tr* jn verdrängen, wegschieben. Eigentlich soviel wie „beerdigen". Seit dem frühen 16. Jh.

verschaukeln *tr* **1.** jn necken, hintergehen, beschwatzen; jm eine minderwertige Ware verkaufen. Hergenommen von der Überschlag- oder Schiffsschaukel: man schaukelt so hoch und so heftig, daß dem Partner die Sinne vergehen. Auch ergibt sich durch die Vorstellung der Schaukelwiege Analogie zu „jn auf den ↗Arm nehmen". 1920 *ff*.

2. gegen jn mit unredlichen Mitteln vorgehen; ei-

Die Flucht des Paulus aus Damaskus in einer Darstellung aus dem 9. Jahrhundert in der Kirche St. Prokul in Naturns. „Nach geraumer Zeit aber", so heißt es in der Apostelgeschichte (9,23–25), „faßten die Juden den Beschluß, ihn (d. i. Paulus) zu beseitigen. Aber die Jünger nahmen ihn und ließen ihn bei Nacht in einem Korbe über die Mauer herab." Das Beispiel des seine Feinde verschaukelnden Heiligen (vgl. **verschaukeln 2.**) *wurde im Laufe der Kirchengeschichte immer wieder herangezogen, um den skeptischen Gläubigen zu demonstrieren, daß – wenn nur die Situation dies erfordere und ein hohes Ziel es rechtfertige – natürlich auch zu recht drastischen und der bestehenden Ordnung widersprechenden Mitteln gegriffen werden dürfe.*

ne augenblickliche Lage gegen jn ausnutzen (vor allem in politischer Hinsicht). 1950 *ff*.

3. einen unerwünschten Gast loszuwerden suchen. 1960 *ff*.

4. etw leichtfertig aufs Spiel setzen. 1920 *ff*.

5. etw verderben, falsch bewerkstelligen (meist im Sinne absichtlicher Schädigung eines anderen). 1920 *ff*.

verschauten *tr* jn veralbern. ↗Schaute 1. 1900 ff.

verschebern *tr* etw zu Geld machen. ↗verscheppern. *Österr* 1900 ff.

verscheißen *tr* **1.** etw durch Kot verunreinigen. ↗scheißen 1. Seit dem 19. Jh; wohl erheblich älter.
2. jn verraten. Der Schandfleck wird in derber Rede zum Kotfleck. 1945 ff, *jug*.
3. nicht alles ~ können, was man zu fressen hat = sehr viel zu essen haben; im Überfluß leben. Bei deutschen Besatzungstruppen im Zweiten Weltkrieg aufgekommen.
4. etw verderben, vereiteln. 1920 ff.
5. es mit jm ~ = es mit jm verderben; sich jds Wohlwollen verscherzen. ↗Verschiß. Seit dem 19. Jh, *sold* und *jug*.

verscheißern *tr* **1.** etw verderben, vereiteln. Eigentlich soviel wie „mit Kot besudeln". 1920 ff.
2. jn verulken, in geringfügigen Dingen belügen. „Scheißer" ist das kleine Kind: man behandelt den Betreffenden wie ein kleines Kind. 1910 ff, vorwiegend *sold, stud* und *arb*.

Verschen (gesprochen „Vers-chen") *n* **1.** Tadelsvermerk, Verweis. Bezieht sich auf den Eintrag im Tagebuch, das jede Woche von den Eltern unterschrieben wurde. Thüringen 1950 ff.
2. noch ein ~ schlafen dürfen = nicht so früh wie sonst aufstehen müssen. Scherzhaft gemeint ist die kurze Zeitspanne, die man für einen Bibelvers oder Psalmenabschnitt benötigt. Seit dem 19. Jh, theologenspr.

verschenken *tr* **1.** jn nicht zur vollen Geltung kommen lassen. Hätte man den Betreffenden hergeben, würde man ihn nicht etwa verkaufen, sondern geradezu verschenken. 1950 ff.
2. ich könnte mich so ~: Redewendung eines völlig Erschöpften. Man ist dermaßen ermattet und willensschwach, daß man sich dem Geschlechtspartner nicht versagen könnte. *BSD* 1965 ff.
3. etw ~ = die Erfolgsaussichten nicht nutzen. *Sportl* 1950 ff.

verscheppern *tr* etw verkaufen, zu Geld machen. Scheppern = klappern. Dadurch analog zu „↗verhauen 3" und „↗verkloppen 2". *Bayr* und *österr,* 1900 ff.

verscherbeln *tr* etw heimlich unter Wert verkaufen; etw zu Geld machen. Scherbe = Bruch-, Teilstück. Man macht das Gemeinte „zu Scherben", d. h. man verwandelt es in Kleingeld. 1900 ff.

verscheuern *tr* etw versetzen, zu Geld machen. *Vgl niederd* „verschudern, verschutern = tauschen, schachern". Doch kann auch die reibende Bewegung des Daumens auf dem oberen Glied des Zeigefingers gemeint sein, womit man den Begriff „Geld" andeutet. 1900 ff.

Verschiebe *f* unbedeutender Mensch, mit dem man nur ein einziges Mal geschlechtlich verkehrt. Mit ihm fühlt man sich betrogen; ↗verschieben 2. 1960 ff, *prost*.

Verschiebebahnhof *m* fingiertes Konto, auf dem fragwürdige Kaufmannsmanöver gebucht werden. Weiterentwicklung von „↗Rangierbahnhof 1". 1960 ff.

verschieben *tr* **1.** gestohlene Ware weiterbefördern. ↗schieben 3. 1870 ff.
2. jn betrügen. Weiterentwickelt aus dem Vorhergehenden. 1950 ff.
3. jn preisgeben. 1950 ff.

verschiecheln (verschiacheln) *tr* jn verleumden, schlechtmachen. ↗schiech. *Bayr* und *österr,* 1900 ff.

Verschiedenes *n* **1.** da hört denn doch ~ auf!: Ausdruck des Unwillens, der Unerträglichkeit. „Verschiedenes" meint etwa soviel wie „Geduld, Takt, Beherrschung, Gutmütigkeit" o. ä. 19. Jh.
2. ihm geht ~ mit Grundeis = er hegt schlimme Befürchtungen. Gemilderte Variante zu „ihm geht der ↗Arsch mit Grundeis". 1910 ff.

verschießen *v* **1.** *tr* = die günstige Gelegenheit zu einem Torball verfehlen. ↗schießen 2. *Sportl* 1920 ff.
2. einen Film ~ = einen Film verbrauchen (bis zum letzten Bild belichten). ↗schießen 4. 1950 ff.
3. sich in jn ~ = sich in jn heftig verlieben. Die Bedeutungsentwicklung führt wahrscheinlich von „die Munition völlig verbrauchen" über „voreilig handeln" und „sich durch Voreiligkeit schaden" zu „sich unbedacht festlegen". Der Pfeil des Liebesgottes dürfte hier nicht heranzuziehen sein. 1700 ff.

verschiffen *v* **1.** *impers* = verregnen. ↗schiffen 2. Seit dem 19. Jh.
2. *tr* = etw durch Harn verunreinigen. ↗schiffen 1. Seit dem 19. Jh.
3. *tr* = eine schlechte Klassenarbeit schreiben. Analog zu ↗verscheißen 4. *Schül* 1920 ff, südwestd.

verschiffschaukeln *tr* jn verulken, übertölpeln. ↗verschaukeln 1. 1920 ff.

verschimmeln *intr* **1.** grau, weiß werden (vom Kopfhaar gesagt). Die Haare nehmen die Farbe des Schimmels (Pferd) an. Seit dem späten 19. Jh.
2. geistig abstumpfen; geistig altern; das Verständnis für die Moderne verlieren. Der Betreffende wird schimmelig wie tierische oder pflanzliche Stoffe, die durch Pilze zum Faulen gebracht werden. Seit dem späten 19. Jh, *jug*.
3. sitzen (warten o. ä.), bis man verschimmelt = lange Zeit warten; nicht zum Tanz aufgefordert werden; keinen Ehepartner finden. 1910 ff.

verschimmelt *adj* alt; unwirksam geworden. 1910 ff.

verschimp'fieren *tr* etw (jn) herabwürdigen, beschimpfen, verächtlich machen. „Schimpfieren" geht zurück auf *mhd* „schumphieren = besiegen"; dann angelehnt an „Schimpf" und weiterentwickelt zur Bedeutung „verunglimpfen". Seit dem 17. Jh.

Verschiß *m* Ehrloserklärung, Ächtung, Verruf. Geriet im 18. Jh ein Student in Mißachtung, so scheute man sich nicht, sein Zimmer mit Kot zu beschmutzen. Seit dem späten 18. Jh.

verschissen *adj* anrüchig, verdorben, schlecht, gefährlich. ↗beschissen 1. 1950 *ff*.

verschissen haben 1. jds Achtung völlig eingebüßt haben. ↗verscheißen 5; ↗Verschiß. Seit dem 19. Jh, *sold* und *jug.*
2. *vgl* die Wendungen unter ↗Eiszeit 9; ↗Kaisermanöver; ↗Steinzeit 3 und 4.

verschlabbern *v* **1.** *tr* = seine Zeit mit Schwätzen verbringen. ↗schlabbern 6. Seit dem 18. Jh.
2. *tr* = etw verschütten, durch Verschütten verunreinigen. ↗schlabbern 2. Seit dem 18. Jh.
3. *tr* = etw aus Vergeßlichkeit unterlassen. ↗schlabbern 5. Seit dem 19. Jh, *westd.*
4. sich ~ = sich beim Sprechen versehen; unbedacht ausplaudern. Seit dem 18. Jh.

Verschlag *m* eigenes Zimmer. Eigentlich der durch Bretter oder Latten abgesonderte Teil eines Raumes. *Halbw* 1955 *ff.*

verschlammt haben *tr* etw verdorben, unterlassen haben. Falsche Schreibung für „verschlampt haben"; ↗verschlampen. 1920 *ff.*

verschlam'pampen *tr* etw vergeuden, verschlemmen. ↗schlampampen 1. 1500 *ff.*

verschlampen *v* **1.** *tr* = etw aus Nachlässigkeit vergessen, irgendwo stehen oder liegen lassen; sich um etw nicht kümmern. ↗schlampen. 1600 *ff.*
2. *intr* = unordentlich werden; in geistiger Hinsicht sich vernachlässigen; verkommen. Seit dem 19. Jh.

verschlampern *tr* etw durch unsachgemäße Behandlung verderben. ↗Schlamper 1. 1920 *ff.*

verschlampt *adj* unordentlich, ungepflegt. Seit dem 19. Jh.

Verschlamptheit *f* Ungepflegtsein; unordentliches Wesen. Seit dem 19. Jh.

Verschlampung *f* Mißwirtschaft; Verkommenheit, Vernachlässigung. Seit dem 19. Jh.

verschlappen *tr* etw aus Unordentlichkeit und/oder Rücksichtslosigkeit verderben; etw aus Vergeßlichkeit unterlassen. Nebenform zu ↗verschlabbern 3. 1900 *ff.*

verschlaunen *tr* etw verschlafen. ↗schlaunen 1. Kundenspr. seit dem frühen 19. Jh.

verschleckern *tr* Geld ~ = Geld für Leckereien ausgeben. ↗Schlecker 1. 1900 *ff.*

verschleichen *refl* unbemerkt weggehen; sich verstecken. Hergenommen von Schleich- und Versteckspielen der Kinder, wohl auch von militärischen Spähtruppunternehmen. 1900 *ff.*

Verschleimter *m* X. der Verschleimte = Potentat unbekannten, vergessenen Namens. ↗Gerösteter. *Schül* und *stud,* 1920 *ff.*

verschleißen *tr* **1.** Männer (Frauen) ~ = kurzfristige Liebesabenteuer haben; viele Partner (Vorge-

setzte o. ä.) erleben. Soviel wie „abnutzen". 1955 *ff. Vgl ndl* „mannen verslijten".
2. ein Gesicht ~ = ein Gesicht zu oft (im Fernsehen, im Film o. ä.) zeigen. 1960 *ff.*

verschlichten *tr* viel essen. ↗schlichten. *Bayr* 1950 *ff.*

verschlimmbessern *tr* etw verschlechtern in der Absicht, es zu verbessern. Im späten 18. Jh aufgekommen.

Verschlimmbesserung *f* mißglückter Verbesserungsversuch. 1800 *ff.*

Verschlimmböserung *f* mißglückter Verbesserungsversuch. Lehrerspr. 1920 *ff.*

verschlingen *tr* **1.** ein Buch ~ = ein Buch gierig lesen. Spätestens seit 1900.
2. jn (etw) hingerissen anblicken. Seit dem 19. Jh.

verschlissen *adj* veraltet, verbraucht; nicht mehr publikumswirksam. 1900 *ff.*

verschloten *intr* die äußere und innere militärische Haltung verlieren. ↗Schlot 1. *Sold* 1939 *ff.*

verschlotzen *tr* etw ab-, auflecken. ↗schlotzen 1. Seit dem 19. Jh, *oberd.*

verschlucken *tr* **1.** etw widerspruchslos hinnehmen. Analog zu ↗schlucken 4. 1700 *ff.*
2. jn mit Leichtigkeit besiegen. Eigentlich soviel wie „als Jagdbeute sich einverleiben". *Sportl* 1950 *ff.*

verschludern *tr* **1.** etw unsorgfältig herrichten; etw verderben. ↗schludern 1. Seit dem 19. Jh.
2. etw aus Vergeßlichkeit unterlassen. 1900 *ff.*

verschlumpen (verschlumpern) *tr* etw vernachlässigen, verkommen lassen. ↗Schlumpe. Nebenform zu ↗verschlampen 1. 1600 *ff.*

verschlunzen *tr* etw vernachlässigen, verwahrlosen lassen. ↗schlunzen 1. Seit dem 19. Jh.

verschlupfen *intr* unauffällig weggehen; sich verstecken. Schlupfen, schlüpfen = schleichen, kriechen; durch eine schmale Öffnung sich in Sicherheit bringen. 1700 *ff,* *südd.*

verschluren *v* **1.** *tr* = etw versäumen, vernachlässigen. ↗schluren. Seit dem 19. Jh.
2. *intr* = vernachlässigt werden. 1900 *ff.*

Verschlußklappe *f* After. Analog zu ↗Ventil 1. 1900 *ff, sold.*

verschmaddern *tr* **1.** etw beschmutzen. ↗schmaddern 1. *Niederd* seit dem 19. Jh.
2. etw vergeuden, durchbringen. Seit dem 19. Jh.
3. etw absichtlich vernichten. Seit dem 19. Jh.

verschmeißen *v* **1.** *tr intr* = falsch werfen, verwerfen. ↗schmeißen 1. Seit dem 18. Jh.
2. *tr* = etw verlegen, verräumen. Seit dem 18. Jh.

verschmettern *tr* jn zu einer Freiheitsstrafe verurteilen. Anspielung auf die schmetternde Stimme; analog zu ↗verdonnern. Seit dem 19. Jh.

Verschmetterung *f* Verurteilung zu einer Freiheitsstrafe. Seit dem 19. Jh.

verschmicken *tr* jn prügeln. Gehört zu „Schmicke = Rute zum Schlagen; Fuhrmanns-, Kinderpeitsche"; *vgl* ↗Schmackes. *Niederd,* 1900 *ff.*

verschmieren *tr* jn im Fahren überholen. Anspielung auf die Verunreinigung der Windschutzscheibe des Überholten. Kraftfahrerspr. Seit dem frühen 20. Jh.

verschmitzt *adj* listig, verschlagen, pfiffig, schlau. Fußt auf „schmitzen = mit Ruten schlagen". Analog zu *hd* „verschlagen". Seit dem 16. Jh.

Verschmitztheit *f* Verschlagenheit, listiges Wesen. Seit dem 18. Jh.

verschmockt *adj* vielschwätzerisch, gewissenlos (auf Journalisten bezogen). ⁊Schmock 1. 1900 *ff*.

verschmoren *tr* **1.** etw vertrinken, vergeuden. ⁊schmoren 3. Seit dem späten 19. Jh.
2. Geld für Raucherwaren ausgeben. ⁊schmoren 6. Seit dem 19. Jh.
3. jn im Stich lassen; jm keine Hilfe leisten. ⁊schmoren 4. *Sold* 1943 *ff; ziv* 1945 *ff*.

verschmuddeln *tr* etw verschmutzen. ⁊schmuddeln 1. Seit dem 19. Jh.

verschmusen *v* sich von jm ~ lassen = jn als Heiratsvermittler gewinnen. ⁊schmusen 3. *Bayr* seit dem 19. Jh.

verschmust *adj* überaus zärtlichkeitsbedürftig. ⁊schmusen 1. 1900 *ff*.

Verschmustheit *f* Verlangen nach Zärtlichkeit. 1900 *ff*.

verschnabu'lieren *tr* etw verzehren, genießerisch schmausen. ⁊schnabulieren. Seit dem 19. Jh.

verschnacken *v* **1.** die Zeit ~ = die Zeit mit Schwätzen verbringen. ⁊schnacken 1. *Niederd,* 1700 *ff*.
2. sich ~ = Geheimes unbedacht ausplaudern. Seit dem 19. Jh.

verschnappen *v* **1.** *refl* = sich durch seine eigenen Worte verraten; unüberlegt ausplaudern. Eigentlich soviel wie „verkehrt schnappen; sich vergreifen". 1500 *ff*.
2. *tr* = etw versehentlich preisgeben, verraten. 1600 *ff*.

verschnapsen *tr* Geld für Schnaps ausgeben. Seit dem 19. Jh.

verschnapst *adj* dem Schnaps verfallen. Seit dem 19. Jh.

verschnasseln *tr* Geld für Alkohol ausgeben. ⁊schnasseln. 1900 *ff*.

Verschnaufe *f* Verschnaufpause. *Jug* 1965 *ff*.

Verschnaufinsel *f* Verkehrsinsel. 1950 *ff*.

verschneiden *tr* etw zu Geld machen. Meint eigentlich „vom ganzen Stück (Ballen Tuch o. ä.) ein Teil abschneiden" und weiter „in Einzelstükken verkaufen". *Österr* 1950 *ff*.

verschnicken *tr* jn heftig prügeln. ⁊Schnicke. Seit dem 19. Jh, *ostd*.

verschnoren *v* **1.** *tr* = jn verleumden, schlechtmachen. ⁊schnoren. 1900 *ff*.
2. *refl* = sich beim Reden versehen, versprechen. 1900 *ff*.

verschnucken *tr* etw vernaschen. ⁊schnucken. Seit dem 19. Jh.

verschnudelt *adj* ungepflegt, unsauber. Gehört zu „Schnodder = Nasenschleim". 1900 *ff*.

verschnudern *tr* etw mit Nasenschleim beschmieren. ⁊Schnuder. Seit dem 19. Jh.

verschnulzen *tr* **1.** jn an seichte musikalische oder literarische Machwerke gewöhnen. ⁊Schnulze 1. 1950 *ff*.
2. eine Melodie oder ein literarisches Motiv ins Anspruchslos-Gefühlvolle abändern. 1950 *ff*.

verschnulzt *adj* rührselig gestaltet. 1950 *ff*.

Verschnulzung *f* Übertragung in einen anspruchslos-rührseligen Stil. 1950 *ff*.

verschnupfen *tr* **1.** jn verstimmen, ärgern, kränken. Meint eigentlich „zum Schnupfen bringen". Gesundheitliche Verstimmung wird mit seelischer gleichgesetzt. Seit dem 17. Jh.
2. Geld für Leckereien ausgeben. Gehört zu „schnuppern = Gerüche einatmen" und bezieht sich eigentlich auf einen, der an den Speisen riecht, ehe er sie verzehrt; weiterentwickelt zur Bedeutung „wählerisch, naschhaft sein". 19. Jh.

verschnupft sein 1. verstimmt, verärgert, beleidigt sein. ⁊verschnupfen 1. 1700 *ff*.
2. im Essen wählerisch sein; gerne naschen. ⁊verschnupfen 2. Seit dem 19. Jh, *niederd*.

Verschnupfung *f* Verstimmung. ⁊verschnupfen 1. Seit dem 19. Jh.

verschnuppen *tr* Geld für Naschwerk ausgeben. ⁊schnuppen. Seit dem 19. Jh.

Verschönerungsarchitekt *m* Theaterfrisör, Maskenbildner. Theaterspr. 1900 *ff*.

Verschönerungsingenieur *m* Frisör. *Österr* 1920 *ff*.

Verschönerungskünstler (-rat) *m* Frisör. 1850 *ff*.

verschossen aussehen *intr* kränklich, übernächtigt aussehen. Hergenommen vom Begriff der „verschossenen = fahl gewordenen, ausgebleichten" Farbe. 1900 *ff*.

verschossen sein 1. verliebt sein. ⁊verschießen 3. Seit dem 18. Jh.
2. nicht bei Geld sein. Man hat sein ganzes „⁊Pulver" verschossen. *BSD* 1965 *ff*.

verschraubt sein nicht bei klaren Sinnen sein. Fußt auf der Vorstellung vom Gehirn als einem Mechanismus; vgl ⁊Schraube 12. Kann auch auf falsche Aufschraubung des Deckels auf einem Gefäß mit Schraubverschluß zurückgehen. 1900 *ff*.

verschreien *tr* Unglück heraufbeschwören. ⁊verreden. Seit dem 19. Jh.

verschrocken sein erschrocken sein; schreckhaft sein. Seit dem 19. Jh.

verschrotteln *tr* **1.** etw versetzen, zu Geld machen. ⁊schrotteln. 1930 *ff, hess* und *ostd*.
2. jn täuschen. Leitet sich her vom Betrug beim Tauschhandel. 1930 *ff*.

verschrubben *refl* **1.** unauffällig davongehen. Schrubben = scheuern, kratzen. Dadurch Analogie zu „⁊auskratzen". *Nordd* 1910 *ff*.

2. sich irren. Leitet sich wohl her vom Scheuern eines Gegenstands, der kein Scheuern verträgt. 1910 ff.

3. falsch spielen; sich im Ton, in der Note vergreifen. ↗schrubben 3. *Jug* 1955 ff.

verschrullen *intr* wunderliche Gewohnheiten annehmen. ↗Schrulle. 1900 ff.

verschrumpeln *intr* vertrocknen; faltig werden. ↗schrumpeln. Seit dem 16. Jh.

Verschrumpelung *f* Vertrocknung, Verrunzelung. 1800 ff.

verschubt werden in eine andere Haftanstalt verlegt werden. ↗Schub 1. 1950 ff.

verschuften *v* **1.** *tr* = jn zur Anzeige bringen, verraten, verleumden. Der Angezeigte wird als „Schuft" hingestellt, und der Anzeigende handelt „schuftig". Vorwiegend *oberd*, seit dem 19. Jh. Beliebte Schülervokabel.

2. *refl* = sich durch Hinterhältigkeit die allgemeine Achtung verscherzen. 1870 ff, kadettenspr.

verschulen (verschullen) *refl* eiligst, heimlich davongehen. *Niederd* „schulen = sich verbergen; Schutz suchen". *Sold* 1939 ff; *ziv* 1945 ff.

verschummeln *tr* heimlich etw verstecken. ↗schummeln. *Österr* seit dem 19. Jh.

verschupfen *tr* etw durch Stoßen o. ä. beschädigen. ↗schupfen 1. *Oberd* 1500 ff.

verschupft *adj* **1.** verschüchtert. Analog zu „verstoßen = mit Stoßspuren versehen". *Oberd*, 1500 ff.

2. geistesverwirrt. *Oberd*, 1500 ff.

verschusseln *tr* etw aus Unachtsamkeit verlegen; etw aus Vergeßlichkeit unterlassen. ↗schusseln 1. *Nordd*, 1900 ff.

verschusselt sein unaufmerksam, tölpelhaft sein. 1900 ff.

verschustern *tr* **1.** etw verderben, unsorgfältig behandeln; etw vertun. ↗schustern 1. Seit dem 19. Jh.

2. etw unauffindbar verlegen. Seit dem 19. Jh.

verschustert *adj* geschlechtlich verbraucht. ↗schustern 3. *Österr* seit dem 19. Jh.

Verschütt *m* Haft. Vgl das Folgende. *Rotw* 1920 ff.

verschütten *v* **1.** es bei jm ~ = sich mit jm entzweien; sich jds Wohlwollen verscherzen. Was man verschüttet, ist entweder das „↗Fettnäpfchen", oder es sind die Suppe, der Brei, das Salz oder das Wasser, wie vollständige Redensarten des 16. Jhs belegen. Seit dem 16. Jh.

2. jn ~ = jn verhaften. ↗verschütt gehen 2. *Rotw* seit dem frühen 19. Jh.

verschütt gehen *intr* **1.** verloren gehen; verderben; verkommen. Fußt auf *niederd* „schütten = einsperren": in fremde Felder gelaufenes Vieh durfte vom Flurschütz eingesperrt oder verpfändet werden. 1800 ff.

2. verhaftet werden. *Rotw* seit dem frühen 19. Jh.

3. in Kriegsgefangenschaft geraten. *Sold* in beiden Weltkriegen.

4. umkommen; vermißt werden. *Sold* in beiden Weltkriegen.

5. jn ~ lassen = jn verhaften. ↗verschütt gehen 2. *Rotw* 1840 ff.

verschütt sein 1. verloren sein. Verkürzt aus „verschütt gegangen sein". Seit dem 19. Jh.

2. verhaftet sein. *Rotw* 1840 ff.

verschwabbeln (verschwappeln) *tr* etw verschütten, überlaufen lassen. ↗schwabbeln 2. *Südwestd* und *hess,* seit dem 19. Jh.

verschwachen *intr* sich erschöpfen. Man wird körperlich schwach. 1920 ff.

verschwafeln *tr* etw zerreden. ↗schwafeln. 1900 ff.

verschwarten *tr* jn verprügeln. ↗Schwarte 4. Seit dem 19. Jh.

verschwärzen *tr* jn anzeigen. ↗schwärzen. *Rotw* seit dem 19. Jh.

verschwätzen *refl* von Gesprächsthema zu Gesprächsthema kommen und darüber das eigentliche Anliegen vergessen. 1900 ff.

verschweinen *v* **1.** *tr* = etw durch unsachgemäße Behandlung verderben. Analog zu ↗versauen 1. Seit dem 19. Jh.

2. *intr* = ins Pornografische abgleiten. 1960 ff.

verschweinigeln *tr* **1.** etw verunreinigen. ↗schweinigeln. Seit dem 19. Jh.

2. etw durch Ungeschick verderben. Seit dem 19. Jh.

3. trotz guter Karten das Spiel verlieren. Kartenspielerspr. seit dem 19. Jh.

verschwiemeln *tr* die Nacht ~ = die Nacht ausgelassen, mit Ausschweifungen zubringen. ↗schwiemeln 2. 1800 ff.

verschwiemelt *adj* leicht bezecht; übernächtigt. Seit dem 19. Jh.

verschwinden (verschwinden gehen) *intr* **1.** davongehen. Meist in der Befehlsform. Seit dem 19. Jh.

2. den Abort aufsuchen. Euphemismus. Seit dem 19. Jh.

verschwindibus gehen (verschwindibus machen) verschwinden; davongehen. Hängt zusammen mit kindertümlichen Zauberformeln: „hokus pokus fidibus – eins, zwei, drei, verschwindibus" u. ä. 1900 ff.

Verschwindsucht *f* Bestreben, dem Wehrdienst zu entgehen. Zusammengesetzt aus „verschwinden" und „Schwindsucht". 1800 ff.

verschwitzen *tr* etw aus Vergeßlichkeit unterlassen; etw verlernen. Meint eigentlich „durch Schwitzen verlieren" (*vgl* ↗Rippe 22); von da verallgemeinert für Gedächtnisschwund. 1700 ff.

verschwofen *tr* sein Geld für Tanzvergnügungen u. ä. ausgeben. ↗schwofen 1. Seit dem 19. Jh.

Verschwörung *f* ~ unter einer Decke = Elternbeirat. Die Schüler meinen, die Eltern steckten mit den Lehrern „unter einer ↗Decke". 1950 ff.

verschwuddert *adj* verkommen, verlebt. Gehört

zu „↗swutschen" (mit Konsonantenerleichterung). *Nordd* seit dem 19. Jh.

verschwupsen *tr* Geld durchbringen, veruntreuen. ↗schwups. *Niederd* seit dem 19. Jh.

verseichen *tr* **1.** etw durch Harn verunreinigen. ↗seichen 1. Seit dem 19. Jh.
2. Geld für Abortbenutzung ausgeben. Seit dem 19. Jh.

versemmeln *tr* **1.** jn verprügeln. Man schlägt den Betreffenden „semmelweich". *Schül*, 1920 *ff.*
2. etw veräußern. Eigentlich soviel wie „für Semmeln ausgeben". Da „Brot" die Bedeutung „Geld" hat, ergibt sich Analogie zu „etw zu Geld machen". *BSD* 1965 *ff.*

versengen *tr* jn schlagen. ↗Senge 1. 1900 *ff, jug.*

versenken *tr* **1.** die Diebesbeute verbergen, vergraben. *Rotw* 1900 *ff.*
2. jn zu einer Freiheitsstrafe verurteilen. Man steckt ihn ins „↗Loch = Gefängnis". 1900 *ff.*
3. einen ~ = koitieren. Hinter „einen" ergänze „Penis". Seit dem frühen 20. Jh.

versenkt werden zu einer Freiheitsstrafe verurteilt werden. ↗versenken 2. 1900 *ff.*

Versenkung *f* **1.** aus der ~ auftauchen (erscheinen) = nach längerem, spurlosem Verschwinden wieder auftauchen. Übertragen von den Versenkungseinrichtungen der Bühne. Seit dem späten 19. Jh.
1 a. in der ~ verschwinden = a) sich entfernen; spurlos verschwinden. 1870 *ff.* – b) in Vergessenheit geraten. 1900 *ff.*
2. jn aus der ~ holen = einen Künstler nach langer Pause erneut engagieren. 1920 *ff.*
3. etw aus der ~ holen = die Schnapsflasche hinter den Büchern hervorholen; Familienandenken hervorkramen o. ä. 1920 *ff.*

Versenkungsplatte *f* Schallplatte, deren Musik einen besinnlich stimmt. 1960 *ff.*

Versenkungsrat *m* **1.** Totengräber. Spätestens seit 1900.
2. Maschinist im Krematorium. 1920 *ff.*

verseppeln *tr* jn zu bayerischer Lebensart erziehen. ↗Seppel. 1950 *ff.*

Ver'seppelung *f* Veralberung der Bayern. 1970 *ff.*

'Verseschmied *m* Reimer. ↗Vers 7. Spätestens seit 1800.

versetzen *v* **1.** jm einen ~ = jn schlagen, ohrfeigen. „Versetzen = von einer Stelle auf die andere bringen (und dort niedersetzen)"; übertragen auf den Fechtsport: man pariert beim Fechten. Seit dem 17. Jh.
2. jm eins ~ = an jm Rache nehmen; Kränkung mit Kränkung erwidern; eine Niederlage durch einen Sieg wettmachen. 1600 *ff.*
3. jn ~ = jn im Stich lassen; eine Verabredung nicht einhalten. Sachverwandt mit „sitzen lassen" (↗sitzen 11). 1850 *ff.*
4. jn ~ = jn überflügeln, aus-, umspielen. *Sportl* 1950 *ff.*

Versetzungsleiche *f* nicht in die nächsthöhere Klasse versetzter Schüler. Auf dem „Schlachtfeld" der Lehrerkonferenz blieb er gewissermaßen als „Leiche" zurück. Gotha, 1920 *ff.*

Versetzungspokal *m* Versetzungszeugnis. Was für den Sportler der Siegespokal, ist für den Schüler das Versetzungszeugnis. 1955 *ff.*

versichert sein bist du gut versichert?: Drohfrage. Anspielung auf Kranken- und Lebensversicherung. 1930 *ff.*

Versicherungs-Chinesisch *n* für den Laien schwerverständliche Fachsprache der Versicherer. ↗Chinesisch. 1960 *ff.*

Versicherungsfritze (-heini; -hengst; -mensch) *m* Versicherungsvertreter. ↗Fritze 1; ↗Heini 1; ↗Hengst 1. 1920 *ff.*

versickern *intr* heimlich davongehen. Übertragen vom versickernden Wasser. 1900 *ff.*

versieben *tr* **1.** eine schlechte Klassenarbeit schreiben. ↗durchfallen 1. *Schül*, spätestens seit 1900.
2. etw aus Vergeßlichkeit unterlassen; etw vergessen. Man hat ein „Gedächtnis wie ein ↗Sieb". 1900 *ff.*
3. das Spiel verlieren. Kartenspielerspr. 1900 *ff.*
4. es bei jm ~ = sich jds Wohlwollen verscherzen. 1900 *ff.*
5. es ist versiebt gegangen = es ist gescheitert. 1955 *ff.*

'Versi'fex *m* Reimer. ↗Fex. Seit dem 19. Jh.

versifft *adj präd* schmutzig; von Ungeziefer befallen. Bezieht sich vielleicht auf die durch Geschlechtsverkehr erworbenen Filzläuse; ↗Siff = Syphilis. Kann aber auch auf „Siffilist = Zivilist" beruhen in der Meinung, nur der Soldat sei sauber und reinlich. *BSD* 1965 *ff.*

versilbern *tr* **1.** etw verkaufen, zu Geld machen. Hängt mit dem Silbergeld zusammen. Seit dem 15. Jh, vorwiegend *stud, sold* und *schül.*
2. jn mit einer Silbermedaille auszeichnen. 1960 *ff.*

Versilberung *f* Veräußerung. ↗versilbern 1. 1600 *ff.*

versimpeln *f* **1.** *intr* = den geistigen Schwung verlieren; geistig abstumpfen; einfältig, abständig werden. ↗Simpel 1. 1600 *ff.*
2. *tr* = etw aus Gedankenlosigkeit versäumen, verlieren, verderben, vergeuden. Seit dem 19. Jh.
3. *tr* = etw in unzulässiger Weise vereinfachen, verharmlosen. 1930 *ff.*

Versimpelung *f* Verdummung, Verblödung. Seit dem 19. Jh.

versitzen *v* **1.** *intr* = seine berufliche Laufbahn verfehlen. Eigentlich soviel wie „durch Sitzen versäumen"; man sitzt zu lange und wartet, statt rührig zu sein. *Österr* seit dem 19. Jh.
2. *refl* = keinen Ehepartner finden. Analog zu ↗sitzenbleiben 1. *Österr* seit dem 19. Jh.
3. sich die Zeit ~ = seine Zeit (untätig) im Sitzen verbringen. Seit dem 18. Jh.

versoffen *adj* trunksüchtig. ↗versaufen 2. 1500 *ff*.

Versoffenheit *f* Trunksucht. Seit dem 19. Jh.

versohlen *tr* jn verprügeln. Analog zu ↗verledern. Kann auch anspielen auf die Strafart der Bastonnade (Schläge auf die Fußsohlen). Seit dem 18. Jh.

Versohler *m* Flickschuster. Seit dem 19. Jh.

Versöhnler *m* **1.** Kommunist, der die Zusammenarbeit mit der Sozialdemokratie für richtig hält. 1930 *ff*.
2. Politiker, der die Versöhnung politischer Gegner anstrebt. 1955 *ff*.

Versöhnungsfest *n* Schulfeier. Eigentlich das jüdische Fest „Jom Kippur" am Zehnten des 7. Monats. Schüler verstehen darunter eine Festlichkeit, bei der die Lehrer ausnahmsweise eine versöhnliche Miene zeigen. 1950 *ff*.

Versorgungsklemme *f* Versorgungsschwierigkeit. ↗Klemme. 1945 *ff*.

verspachteln *tr* etw verzehren, gierig verschlingen. ↗spachteln 1. Etwa seit 1900.

verspeisen *v* **1.** jn ~ = jn mit Leichtigkeit besiegen. *Vgl* ↗verschlucken 2. *Sportl* 1950 *ff*.
2. von jm verspeist werden = von jm vollauf mit Beschlag belegt werden. 1950 *ff*.

verspielen *tr* **1.** zehn Pfund ~ = an Gewicht zehn Pfund abnehmen. Man hat sie umsonst zugenommen. 1920 *ff*.
2. drei Tage ~ = durch Krankheit (Streik, Aussperrung) den Arbeitslohn für drei Tage verlieren. 1920 *ff*.

verspießern *intr* den Sinn für Höheres verlieren; geistig abstumpfen. ↗Spießer 1. 1900 *ff*.

Verspießerung *f* zunehmender Verlust höherer geistiger Interessen. 1900 *ff*.

verspießt sein wie ein Kleinbürger denken. ↗Spießbürger. 1920 *ff*.

verspinnert *adj* vergrübelt; Hirngespinste verfolgend. ↗spinnen 1. *Bayr* und *österr*, seit dem 19. Jh.

verspleent („spleen" *engl* ausgesprochen) *adj* wunderlich; sonderbare Gedanken hegend. ↗Spleen. Seit dem 19. Jh.

Verspleentheit („spleen" *engl* ausgesprochen) *f* Wunderlichkeit. 1900 *ff*.

Versprecherin *f* Fernsehansagerin. 1970 *ff*.

Versprechung *f* faule ~ = Versprechung, die kein Vertrauen verdient. ↗faul 1. 1900 *ff*.

Versprechungskünstler *m* Mann, der viele Versprechungen macht, aber kaum eine hält. 1950 *ff*.

verspulen *tr* etw essen, aufessen. ↗spulen 2. Berlin und *ostmitteld*, 1870 *ff*.

Verstand *m* **1.** du hast wohl deinen ~ in der Garderobe abgegeben?: Frage an einen, der unsinnige Äußerungen tut. 1920 *ff*.
2. der ~ ist durchgerostet = er hat rötliches Haar. *BSD* 1970 *ff*.
3. den ~ allein gefressen haben = als einziger so klug sein (sich so klug dünken). 1800 *ff*.
4. den ~ mit Löffeln gefressen haben = a) sich für besonders klug halten. ↗Löffel 13. Seit dem 19. Jh. – b) ziemlich dumm sein. Der Betreffende hat wohl einen Schaumlöffel benutzt: der Verstand ist durch die Löcher ausgeflossen. Seit dem 19. Jh.
5. etw mit ~ genießen = einen Genuß voll zu würdigen wissen; etw mit Überlegung zu sich nehmen. Verstand ist hier das Verständnis für die Güte der Speise. Seit dem 19. Jh.
6. den ~ sauber halten. = die klare Überlegung bewahren. 1960 *ff*.
6 a. der ~ macht Feierabend = man ist begriffsstutzig. 1950 *ff*.
7. der ~ ist in den Hintern gerutscht = man handelt ohne Überlegung. 1920 *ff*.
8. der ~ ist im Arsch = die guten Vorsätze sind vergessen; man handelt unverständig. *Vgl* ↗Arsch 205. 1900 *ff*.
9. ihm bleibt der ~ stehen = es ist ihm unverständlich. Wie ein Uhrwerk bleibt der Verstand stehen. Spätestens seit 1750 *ff*.
10. da steht mir der ~ still = das ist mir unbegreiflich. Erklärt sich wie das Vorhergehende. 1750 *ff*.
11. sich den ~ verrenken = angestrengt nachdenken. Von der Muskelzerrung o. ä. übertragen. Seit dem 19. Jh.
12. mir zerreißt der ~ = ich kann nicht mehr klar denken. Übertragen von heftigen Kopfschmerzen: der von ihnen Geplagte meint, sein Kopf werde platzen. *Sold* 1939 *ff*.

verstandesamtlichen *refl* vom Standesbeamten getraut werden. 1900 *ff*, Berlin.

verstandez-vous? („„-ez-vous" *franz* ausgesprochen) verstanden? Scherzhafte Bildung nach dem Muster *franz* Konjugation. 1830 *ff*.

verständigen *refl* vom Mitschüler abschreiben. Eigentlich „mit jm zu einem Einverständnis gelangen". 1960 *ff*.

Verstandesapfel *m* Kopf. Anspielung auf den Rundschädel. 1950 *ff*.

Verstandskasten *m* **1.** Kopf. ↗Gehirnkasten 1. Seit dem 18. Jh. *Vgl engl* „brain-box" und „nous-box".
2. verständiger Junge; altkluger Junge. 19. Jh.

verstänkern *v* **1.** *tr* = etw mit Gestank erfüllen. 1600 *ff*.
2. *tr* = etw vergällen, unbenutzbar (ungenießbar) machen. 1900 *ff*.
3. *refl* = sich entzweien. ↗stänkern 1. 1900 *ff*.

Verstärker *m* Penis. Anspielung auf die Erektion. 1920 *ff*.

Verstau *m* das Verzehrte. ↗stauen. Seemannsspr. 1900 *ff*.

verstauchen *tr* **1.** etw verzehren. ↗stauchen 5. 1900 *ff*.
2. sich den Geist ~ = angestrengt nachdenken. Übertragen vom medizinischen Begriff der Bänderzerrung. 1950 *ff*.

3. sich die Psyche ~ = Psychopath werden. 1950 *ff.*

verstauen *tr* etw essen, aufessen; trotz Sättigung weiteressen. ↗stauen. Stammt aus dem Wortschatz der Seeleute und der Kriegsmarine; etwa seit dem späten 19. Jh.

verstechen *tr* etw verstecken. ↗stechen 1. Seit dem 19. Jh.

verstecken *v* einen ~ = koitieren (vom Mann gesagt). 1940 *ff.*

Verstehste *f* (zuweilen auch *m*) **1.** Verstand, Auffassungsgabe, Verständnis. Substantiviert aus „verstehst du mich?". Berlin 1840 *ff.*
2. schwere ~ = schlechtes Auffassungsvermögen; Schwerhörigkeit. Berlin 1840 *ff.*
3. seine ~ tagt = er begreift endlich. Tagen = taghell werden. Berlin 1900 *ff.*

Verstehstemich *m* (zuweilen auch *n*) **1.** Verstand, Verständnis, Begriffsvermögen. ↗Verstehste 1. 1820 *ff.*
2. schwer von ~ sein = begriffsstutzig sein. 1900 *ff.*
3. sein ~ tagt = er beginnt zu begreifen. ↗Verstehste 3. Berlin 1900 *ff.*

versteifen *v* sich auf etw (jn) ~ = an einer Sache oder Person beharrlich (eigensinnig) festhalten. Eigentlich soviel wie „hartnäckig werden; sich verhärten". Seit dem 19. Jh.

versteuern *v* seine Freundlichkeit wird versteuert = er ist unfreundlich, ungesellig. 1950 *ff.*

verstiegen *adj* überspannt. Übertragen vom Weidevieh in den Bergen: es klettert so hoch, daß es ohne menschliche Hilfe nicht mehr zurückfindet. Seit dem 17. Jh.

verstiften *tr* jn sittlich gefährden, verderben. Stift = Penis. 1935 *ff.*

verstinken *refl* mit einem Kraftfahrzeug abfahren; abfliegen. Man startet unter Gestankentwicklung. 1910 *ff.*

verstochen haben 1. *tr* = etw versteckt haben. ↗verstechen. Seit dem 19. Jh.
2. *refl* = keine Trumpfkarten mehr haben. Stechen = übertrumpfen. Kartenspielerspr. seit dem 19. Jh.

Verstopfter *m* X. der Verstopfte = Potentat, dessen Namen einem entfallen ist. ↗Gerösteter. *Stud* und *schül* 1920 *ff.*

verstöpseln *tr* **1.** etw durch Dummheit, Nachlässigkeit oder Ungeschicklichkeit verderben. ↗stöpseln 1. 1900 *ff.*
2. koitieren (vom Mann gesagt). ↗stöpseln 3. 1890 *ff.*

verstoßen I *tr* eine ~ = koitieren, schwängern. ↗stoßen 3. 1910 *ff.*

verstoßen II *adj adv* **1.** geschwängert. *Vgl* das Vorhergehende. 1910 *ff.*
2. ~ aussehen = umschattete Augen haben. Man führt dies auf reichlichen Geschlechtsverkehr zurück. 1920 *ff.*

Eine „Versuchung" kennt die Umgangssprache (noch) nicht. Allerdings sähe dies wohl ganz anders aus, wenn ein solcher hochsprachlicher Angriff auf die Sinne sich in ähnlich keuschen Dimensionen bewegte, wie das auf der oben wiedergegebenen mittelalterlichen Darstellung der Versuchung des hl. Antonius der Fall ist. Sie bezieht sich auf einen **Versuchsballon** *der höllischen Mächte, die, der Legende zufolge, alles daran setzten, diesen Einsiedler in seinem Glauben wanken zu machen; denn zu den Anfechtungen, denen sie ihn aussetzten, gehörte natürlich auch die des Fleisches in Gestalt der verführerischen Königin von Saba. „Oh schöner Eremit! schöner Eremit! ich vergehe!" – umschmeichelt sie ihn bei Flaubert.*

verströmen *refl* ejakulieren. 1920 *ff.*

verstrubbeln *tr* jds Haar zerzausen. Seit dem 19. Jh.

verstrubbelt (verstruwwelt) *adj* ungekämmt, mit wirren Harren, unfrisiert. ↗Strubbel 1. Seit dem 19. Jh.

verstümpern *tr* etw durch unsachgemäße Behandlung verderben. ↗Stümper. 1700 *ff.*

verstunken *part* ~ und verlogen = völlig erlogen. ↗erstunken. 1800 *ff*, südwestd.

verstupsen *tr* jn mehrmals gelinde stoßen. ↗stupsen. Seit dem 19. Jh.

versturen *intr* geistige Interessen verlieren; starrsinnig werden. ↗stur 1. Im Ersten Weltkrieg bei den Soldaten aufgekommen und kurz nach seinem Ende von Schülern und Studenten aufgegriffen, vor allem als Scheltausdruck auf die Erwachsenen, die für die modernen Ansichten der jungen Leute kein Verständnis aufbrachten.

Versuch *m* letzter ~ = a) Damenhut von jugendlicher Machart, getragen von einer älteren Frau; auffällig-jugendliche Kleidung einer älteren Frau; herausfordernde Kleidung; violetter Damenhut usw. Gemeint ist der letzte Versuch, jugendlich zu wirken und auf die Männer Eindruck zu machen. 1850 *ff.* – b) klarer Schnaps mit Rum; Bier mit Rum; Bier mit Kornschnaps. Dergleichen soll geschlechtliche Hemmungen beseitigen. 1920 *ff.*

Versucherle *n* Kostprobe. *Südwestd* und *bayr,* 1800 *ff.*

Versuchsanstalt *f* Physiksaal. Anspielung auf physikalisch-technische Versuche. 1950 *ff.*

Versuchsballon *m* Erkundungsvorstoß. Übertragen von dem zur Feststellung der Luftströmung aufgelassenen Ballon. Seit dem ausgehenden 19. Jh.

Versuchsbude *f* Chemiesaal in der Schule. 1960 *ff.*

Versuchsgelände *n* Physiksaal. *Schül* 1960 *ff.*

Versuchskammer *f* Chemie-, Physiksaal. *Schül* 1960 *ff.*

Versuchskaninchen (-karnickel) *n* 1. Mensch, mit (an) dem eine Neuerung ausprobiert wird. Übertragen vom Kaninchen als Versuchstier in Forschungslaboratorien. Seit dem späten 19. Jh. **2.** Gelegenheitsfreund(in). *Halbw* 1965 *ff.*

Versuchsmaus *f* Mensch, mit (an) dem eine Neuerung ausprobiert wird. *Vgl* das Vorhergehende. 1960 *ff.*

Versuchstier *n* Versuchsperson. 1920 *ff.*

Versuchstierchen *n* weibliche Person, die sich einem Liebesabenteuer nicht versagt. 1930 *ff.*

versuckeln *tr* Geld vertrinken. ↗suckeln 1. 1920 *ff.*

versudeln *tr* etw beschmutzen. ↗sudeln. Seit dem 19. Jh.

versumpern *intr* geistig abstumpfen. ↗Sumper. *Österr* seit dem 19. Jh.

versumpfen *intr* einen liederlichen Lebenswandel führen. ↗sumpfen. 1850 *ff.*

Versumpfung *f* liederliche Lebensweise. 1850 *ff.*

versusen *tr* 1. etw aus Vergeßlichkeit unterlassen. ↗Suse 1. Spätestens seit 1900, *nordd* und *ostmitteld.* **2.** etw unauffindbar verlegen. 1900 *ff.*

verswutschen *tr* sein Geld in Ausschweifungen durchbringen. ↗Swutsch 1. Nordwestdeutsch, spätestens seit 1900.

vertandeln *tr* etw zu Geld machen. ↗Tandler. *Oberd* seit dem 19. Jh.

vertapern *tr* etw durch Ungeschicklichkeit verderben. ↗tapern. Seit dem 19. Jh, Berlin und *niedersächs.*

vertätschen *tr* jn prügeln. ↗Tatsche 1. Seit dem 19. Jh, *oberd.*

Verteidigungsbeamter *m* Soldat. *BSD* 1965 *ff.*

Verteidigungs-GmbH *f* NATO (North Atlantic Treaty Organization). ↗G.m.b.H. *BSD* 1965 *ff.*

Verteidigungskollege *m* Soldat. *BSD* 1965 *ff.*

Verteidigungszeit *f* militärische Dienstzeit. *BSD* 1965 *ff.*

Verteilung *f* planmäßige ~ von Staub und Dreck = a) gründliche Reinigung der Kaserne, der Kasernenstube. *Sold* 1910 *ff.* – b) Hausputz. 1920 *ff.*

vertepscht *adj* zerdrückt; niedergeschlagen; verwirrt. ↗tappig. *Österr* seit dem 19. Jh.

verteufeln *tr* eine Person oder Sache überaus schlechtmachen; jn verleumden; jn für einen Bösewicht ausgeben. Hängt zusammen mit der Vorstellung vom Teufel als der Verkörperung des Bösen. 1900 *ff.*

verteufelt *adj adv* 1. widerwärtig; höchst unliebsam. 1500 *ff.* **2.** *adv* = außerordentlich; sehr. 1600 *ff.*

Verteufelung *f* Ehrabschneidung. 1900 *ff.*

vertifft sein übermäßig liebesgierig sein. ↗Tiffe 1. 1800 *ff.*

vertilgen *tr* etw gierig aufessen. Seit dem 19. Jh.

Vertingelung *f* Bearbeitung im Schlager-, Chansonstil. ↗Tingeltangel. 1950 *ff.*

vertippen *v* 1. *refl* = a) die falsche Schreib-, Rechenmaschinentaste anschlagen. ↗tippen 2. 1900 *ff.* – b) falsch wetten; sich irren. ↗tippen 3. 1900 *ff.* **2.** *tr* = Geld für den Kauf von Lotterielosen, für Lotto-, Totowetten ausgeben. 1900 *ff.*

ver'tobaken *tr* 1. jn prügeln. Hängt wahrscheinlich mit der Redewendung „das ist starker ↗Tabak" zusammen: durch sie ist hier „verbacken = zusammenballen" (auf den Schneeball bezogen) erweitert worden. Seit dem 19. Jh. *Vgl franz* „passer à tabac". **2.** etw essen, aufessen. Meint im Sinne des Vorhergehenden den auffallend großen Appetit. 1900 *ff.*

vertorfen *intr refl* verschlafen. ↗torfen 2. *Marinespr* 1900 *ff.*

vertörnen *tr* etw erzählen, plaudern; seine Zeit mit Plaudern verbringen. Fußt auf *engl* „turn = Drehung, Windung", übertragen auf den Knoten im Garn und dadurch zusammenhängend mit „↗Garn spinnen". *Seemannsspr.* 1900 *ff.*

vertrackt *adj* 1. widerwärtig, sehr unangenehm; überaus schwierig. Gehört zu „vertrecken = verziehen, verwirren". Ursprünglich *mitteld.* Seit dem 17. Jh. **2.** *adv* = sehr. 1700 *ff.*

Vertracktheit *f* schwerwiegende Widerwärtigkeit. 1900 *ff.*

Vertrag *m* 1. jn unter ~ haben = jn vertraglich an sich gebunden haben; mit jm verheiratet sein. Aus der Impresariosprache hervorgegangen. 1920 *ff.* **2.** jn unter ~ nehmen = (als Arbeitgeber) mit jm eine vertragliche Vereinbarung treffen. Seit 1920 *ff.* **3.** den ~ verlängern = die Schulklasse wiederholen. *Schül* 1960 *ff.*

,,Und sie drückte ihren Mund fest auf meinen Hals, sie wühlte mit gierigen Küssen wie ein Raubtier im Bauch seines Opfers." Mit solch ekstatischen, auch grausamen Worten schildert der Held der Erzählung ,,November", einem Jugendwerk Gustave Flauberts (1821–1880), seine ersten und sehnlichst herbeigewünschten erotischen Erfahrungen. Die Folgen sind verheerend: ,,Das Leben hatte keine Wünsche mehr für mich." Eine solche Spaltung des Liebeslebens in Begierde und Abscheu, wo dann auch schon die Initiation Gefühle des Überdrusses erregt, während gleichzeitig die ,,Glut der Hoffnungen" weiter angefacht wird, was typisch ist für das Frauenbild des 19. Jahrhunderts mit seiner aus Verklemmung erwachsenden und so schon fast hysterische Züge annehmenden Sexualisierung und Dämonisierung des weiblichen Körpers – dies alles wäre bei einem **Versuchstierchen** wohl kaum vorstellbar: Das Animalisch-Sexuelle wird auf ein handliches Format reduziert und sodann in einen Käfig gesperrt, wo dieses ,,Tierchen" all jenen, die sich dort Zutritt verschaffen, zu Experimentierzwecken zur Verfügung steht.

Vertragsspieler *m* Zeitsoldat. Meint eigentlich den Fußballspieler, der während einer vertraglich vereinbarten Zeitspanne in einem bestimmten Verein spielt. *BSD* 1965 *ff.*

Vertragsverlängerer *m* Klassenwiederholer. ↗Vertrag 3. 1960 *ff.*

vertrallt *adj* **1.** übermütig; zu losen Streichen aufgelegt. ↗Trall 1. 1910 *ff,* vorwiegend *nordd* und *ostmitteld.*
2. leicht verrückt. 1910 *ff, stud.*
3. leicht bezecht. 1910 *ff, stud.*
4. benommen, schläfrig. 1920 *ff.*

vertrampeln *refl* einen kleinen Spaziergang machen. ↗trampeln. 1900 *ff.*

vertrant *adj* benommen, unaufmerksam, betäubt; langweilig; geistig träge. ↗Tran 4. 1900 *ff, schül* und *sold.*

vertratschen (verträtschen) *tr* **1.** seine Zeit verplaudern. ↗tratschen 3. Seit dem 18. Jh.
2. etw aus Schwatzhaftigkeit verraten. Seit dem 18. Jh.

Vertrauensdusel *m* blindes Vertrauen. ↗Dusel. Seit dem 19. Jh.

Ver'trauensduse'lei *f* allzu bereitwillige Leichtgläubigkeit. Seit dem 19. Jh.

Vertreiber *m* Mann, der die Kriminalpolizei auf die falsche Spur lenkt. Er handelt genau entgegengesetzt zum Treiber, der dem Jäger das Wild zutreibt. 1920 *ff.*

vertrenzen (vertrenseln) *tr* etw begeifern, verunreinigen. ↗trenzen 1. Seit dem 19. Jh, *bayr.*

vertretbar *adj* schmackhaft. Die Speise ist „zu vertreten", d. h. man kann sie verteidigen gegen andere Meinung. Aufzufassen als abgeschwächtes Lob. *BSD* 1965 *ff.*

vertreten *tr* etw vertuschen, unkenntlich machen, „aus der Welt schaffen". Übertragen vom Verwischen einer Fußspur. 1930 *ff.*

Vertreter *m* **1.** Mann *(abf).* Meint eigentlich den Abgesandten oder Bevollmächtigten eines anderen, einer Gruppe, einer Firma usw. Verkürzt aus „Handelsvertreter" oder aus „Volksvertreter". Seit dem ausgehenden 19. Jh.
2. komischer ∼ = wunderlicher Mensch. 1910 *ff.*
3. müder ∼ = a) Mensch ohne ausreichendes berufliches Können. Theaterspr. 1930 *ff.* – b) energieloser Soldat. *Sold* 1939 *ff.*
4. netter ∼ = niederträchtiger Mann. *Iron* Sinnverkehrung 1920 *ff.*
5. sturer ∼ = geistig unbeweglicher Mann; begriffsstutziger Mann. ↗stur 1. *Sold* 1939 *ff.*
6. übler ∼ = Mensch, der kein Vertrauen verdient. 1920 *ff.*

Vertreterbunker *m* Abgeordnetenhaus. Vertreter = Volksvertreter. 1945 *ff,* Berlin.

Vertreterfritze *m* Handelsvertreter. ↗Fritze. 1920 *ff.*

Vertretersilo *m* Abgeordnetenhaus. ↗Vertreterbunker. 1945 *ff.*

vertrielen *tr* etw begeifern. ↗trielen 1. *Oberd* seit dem 18. Jh.

vertrieseln *refl* langsam und unauffällig sich zurückziehen. ↗trieseln 1. *Sold* in beiden Weltkriegen.

vertrimmen *tr* jn verprügeln. Fußt auf *engl* „to trim = putzen". „Reinigen" steht in der Umgangssprache für „Rügen" und ist gleichgesetzt mit „Schlagen, Prügeln". All das soll Verbesserung bewirken. Auch meint in der Seemannssprache „Trimm" die richtige Lage, die gehörige Ordnung: durch Prügel kann man die Ordnung wiederherstellen. 1900 *ff.*

vertrocknen *intr* am Mikrofon kaum zu hören sein. Die Stimme „verdorrt". 1960 *ff.*

vertrocknet *adj* **1.** mager, dürr (auf Frauen bezogen). Seit dem frühen 20. Jh.
2. geistig ∼ = ohne Verständnis für moderne Lebensgewohnheiten und Ansichten. 1920 *ff.*

Vertrocknete *pl* Erwachsene, Eltern. ↗vertrocknet 2. *Halbw* 1920 *ff.*

vertrödeln *tr* die Zeit mit unnützen Dingen verbringen. ↗trudeln 1. Seit dem 18. Jh.

vertrommeln *tr* jn verprügeln. ↗trommeln 2. 1870 *ff.*

vertrotteln *v* **1.** *intr* = den geistigen Schwung verlieren; unselbständig, energielos werden. ↗Trottel 1. Seit dem späten 19. Jh.
2. *tr* = jn willenlos machen; jn unterjochen. 1910 *ff.*

vertrottelt *adj* nachlässig (auf die eigene Person, die Bekleidung usw. bezogen), abständig, energielos. 1890 *ff.*

Vertrottelung *f* Verlust der geistigen Energie; geistige Abstumpfung; Abständigkeit. 1890 *ff.*

vertschintschen (verschinschen) *tr* etw veräußern, umtauschen. ↗tschintschen. 1940 *ff.*

vertuckeln *tr* **1.** etw trinken, vertrinken. Tuckeln = Gläser leicht aneinanderstoßen. ↗verkasematuckeln 1. 1930 *ff.*
2. etw für wertlose Dinge verausgaben. 1930 *ff.*
3. etw verheimlichen, heimlich beiseite bringen; etw jds Zugriff entziehen. Fußt auf „duckeln" (Frequentativum von „tauchen"), beeinflußt von „Tücke". 1910 *ff.*
4. etw versetzen, umtauschen. 1920 *ff.*

Vertun *n* da gibt es (hilft) kein ∼ = das ist unabänderlich; das steht fest, ist festgesetzt. *Westd* 1900 *ff.*

vertunteln *v* **1.** *tr* = jn verwöhnen, verzärteln. ↗tunteln 1. *Westd* und *ostd,* seit dem 19. Jh.
2. *intr* = altjüngferlich werden. 1900 *ff.*

vertüre'lüren *tr* etw vergeuden. „Türelüren" ahmt den Gesang der Lerche nach und spielt hier auf heitere, ausgelassene Stimmung an; analog zu ↗verjubeln. *Rhein* 1900 *ff.*

vertütern (vertüdern) 1. *tr* = etw verwirren, durcheinanderbringen, verwechseln, verlegen, unachtsam behandeln. ↗tütern 1. *Nordd,* 19. Jh.

2. *refl* = sich in etw (Widersprüche, Lügen o. ä.) verwickeln. Seit dem 19. Jh.

vertütert *adj* **1.** verwickelt. *Nordd* seit dem 19. Jh.
2. langweilig, umständlich. *Nordd* seit dem 19. Jh.

verunfallen *intr* einen Unfall erleiden. Nach dem Muster von „verunglücken" gebildet. 1950 *ff*.

Verunfallte *f* ledige Mutter. Ihre Schwängerung gilt als „↗Verkehrsunfall". 1960 *ff*.

verunnüchtern *refl* sich betrinken. 1900 *ff*.

verunsichern *tr* jn unsicher machen; jds Überzeugung oder Glauben untergraben. Gegen 1960 aus dem *Schweiz* übernommen; vorwiegend politikerspr. und *journ*.

Verunsicherung *f* Schwund des Sicherheitsgefühls; Vertrauenseinbuße. 1960 *ff*.

ver'urassen (ver'urrassen) *tr* **1.** etw unbrauchbar machen; etw als unbrauchbar behandeln. ↗urassen. 1600 *ff*.
2. Geld durchbringen. Seit dem 19. Jh.

veruri'nieren *tr* etw zerstören, zertrümmern, vernichten. ↗Urin 1. 1900 *ff*.

verurschen *tr* etw durch unzweckmäßige Behandlung gründlich verderben. ↗urschen. *Nordd* und *ostmitteld*, seit dem 19. Jh.

verurteilen *tr* jn ~ und vierteilen = jn durch sehr heftige Kritik erledigen. *Journ* 1925 *ff*.

veruzen *tr* jn veralbern, verspotten. ↗uzen. Seit dem 19. Jh.

ververwalten *tr* Gelder für Zwecke der öffentlichen Verwaltung verwirtschaften. 1950 *ff*.

verviehzeugen *intr* moralisch verkommen; verrohen. Umschreibung für „vertieren". *Sächs* 1900 *ff*; Berlin 1914 *ff*.

vervielfachen *refl* reichlich Nachwuchs zeugen (gebären). Seit dem frühen 20. Jh.

vervielfältigen *tr intr* vom Mitschüler abschreiben. 1950 *ff*.

Vervielfältigungsapparat *m* Penis. Vervielfältigung = Vermehrung; ↗Apparat 3. Seit dem frühen 20. Jh.

vervögeln *tr* **1.** koitieren. ↗vögeln. Seit dem 19. Jh.
2. sein Geld in geschlechtlichen Ausschweifungen durchbringen. Seit dem 19. Jh.
3. vervögelt aussehen = blaß, übernächtigt aussehen. 1900 *ff*.

vervögelt sein übermäßig liebesgierig sein. ↗vögeln. Seit dem 19. Jh.

verwachsen *v* das verwächst sich = dieser Mißerfolg (Schmerz usw.) wird bald überstanden sein. Verwachsen = überwachsen, überwuchern. *Vgl* „da ist ↗Gras drüber gewachsen". 1900 *ff*.

verwachteln *tr* jn ohrfeigen. ↗Wachtel. *Schles*, seit dem 19. Jh.

verwackeln *tr* jn verprügeln. Man schlägt so heftig zu, daß der Betreffende ins Wanken gerät. *Ostmitteld* 1920 *ff*.

verwählen *refl* **1.** eine Person oder Partei wählen, die im Wahlkampf unterliegt. 1920 *ff*.
2. die falsche Fernsprechnummer wählen. 1920 *ff*.

verwahrlaust *adj* verwahrlost. Hieraus scherzhaft umgestaltet mit Anspielung auf Verlausung, die meist mit der Verwahrlosung verbunden ist. 1910 *ff*.

verwalken *tr* jn verprügeln. ↗walken. 1700 *ff*.

Verwaltungsbonze *m* engstirniger, herrschsüchtiger Verwaltungsbeamter. ↗Bonze. 1930 *ff*.

Verwaltungsbulle *m* Truppenverwaltungsbeamter. ↗Bulle 1. *BSD* 1958 *ff*.

Verwaltungsburg *f* Verwaltungsgebäude. ↗Beamtenburg. 1950 *ff*.

Verwaltungshase *m* alter ~ = erfahrener Verwaltungsfachmann. ↗Hase 7. 1935 *ff*.

Verwaltungsheini *m* Verwaltungsangestellter, -beamter. ↗Heini. *Sold* 1939 *ff*.

Verwaltungshengst *m* Verwaltungsbediensteter. ↗Hengst. *Sold* 1939 *ff*.

Verwaltungskram *m* Verwaltungsarbeit *(abf)*. 1935 *ff*.

Verwaltungsmaschine *f* Verwaltungshochhaus. 1955 *ff*.

Verwaltungsmuffel *m* Truppenverwaltungsbeamter. ↗Muffel 1 u. 2. *BSD* 1968 *ff*.

Verwaltungssilo *m* Verwaltungshochhaus. 1960 *ff*.

Verwaltungsstier *m* Beamter herrschsüchtigen Charakters. ↗Bulle 1. *Halbw* 1955 *ff*.

Verwaltungsstift *m* Verwaltungs-, Angestelltenlehrling. ↗Stift. 1935 *ff*.

Verwaltungs-Wasserkopf *m* übermäßig entwickelte Bürokratie. 1935 *ff*.

verwamsen (verwämsen) *tr* jn verprügeln. ↗wamsen. Seit dem 19. Jh.

verwandeln *intr* einen vom Mitspieler abgegebenen Ball ins Tor treten. *Sportl* 1950 *ff*.

Verwandlungskünstlerin *f* Frau, die ihre Haartracht und -farbe oft ändert. Von der Zauberkunst (der Bühne) übertragen. 1955 *ff*.

Verwandte *f* mit dem Handrücken versetzte Ohrfeige. ↗Verwendete. 1840 *ff*.

Verwandtenbesuch machen den Zoologischen Garten besuchen. Anspielung auf die Affen als stammesgeschichtlich nahe Verwandte des Menschen. 1930 *ff, schül*.

Verwandtschaft *f* **1.** feine ~ = charakterlose, heimtückische, mißgünstige, erbgierige Verwandtschaft. 1920 *ff*.
2. die ganze krummbucklige ~ = alle Verwandten. „Krummbucklig" meint entweder „altersschwach, betagt" oder „würdelos Geschenke (Erbe) heischend". ↗Verwandtschaft 4. 1900 *ff*.
3. krüpplige ~ = Verwandtschaft *(abf)*. 1900 *ff*.
4. die ganze puckelige (bucklige) ~ = die ganze Familie. „Bucklig" fußt auf *rotw* „bockelig = hungrig, gierig, geizig"; *vgl* ↗Bock 17. 1900 *ff*.
5. keine ~ kennen = selbstsüchtig sein. 1900 *ff*.

verwandt sein 1. mit jm ~ = jm etw schulden; Geliehenes noch nicht zurückgegeben haben.

Man ist miteinander durch ein Schuldnerverhält-
nis verbunden. 1850 *ff.*

2. mit jm nicht mehr ~ = von jm geschieden sein.
1920 *ff.*

verwanzen *tr* in einem Raum geheime Abhör-
mikrofone anbringen. ↗Wanze 9. 1960 *ff.*

verwanzt *adj adv* **1.** minderwertig, unansehnlich,
verkommen. Analog zu ↗lausig. *Halbw* 1950 *ff.*

2. etw ~ kneten = ein Musikinstrument (Ziehharmonika) schlecht spielen. *Halbw* 1950 *ff.*

Verwanzung *f* Anbringung von Abhörgeräten.
↗Wanze 9. 1960 *ff.*

verwedeln *tr* etw bagatellisieren. Man tut es mit
wedelnder, wischender Handbewegung ab, was
als Gebärde des Einspruchs und der Verneinung
aufgefaßt wird. 1950 *ff, journ.*

verweigern *refl* die herrschenden gesellschaftlichen Zustände ablehnen; sich vom Elternhaus
trennen und keine feste Bindung eingehen; sich
nicht anpassen. *Halbw* 1970 *ff.*

verwelken *intr* **1.** das Ziel nicht erreichen. ↗ver-
dorren. *Sold* in beiden Weltkriegen.

2. keinerlei Wirkung erzielen. *Sold* in beiden
Weltkriegen.

verwelkt *adj* verlebt; altjüngferlich; ohne den
„Schmelz der Jugend". 1870 *ff.*

Verwendete *f* mit dem Handrücken geschlagene
Ohrfeige. Verwenden = verdrehen. 1830 *ff.*

verwendt *adj* verwirrt, benommen. Analog zu
↗verdreht. Seit dem 19. Jh.

verwerfen *intr* eine Fehlgeburt haben. Dem Wortschatz des Viehzüchters entlehnte Vokabel. 1500 *ff.*

Verwesung *f* geistige ~ = fortschreitende Verblödung. 1920 *ff,* Berlin.

verwichsen *tr* **1.** jn verprügeln. ↗wichsen. Seit
dem 19. Jh.

2. einen Vorteil über jn erringen; jn im Rennen
überholen. In der Umgangssprache wird Besiegen
mit Prügeln gleichgesetzt. 1910 *ff.*

3. etw durchbringen, verzehren. Kann zusammenhängen mit „Wichs = Festtagstracht der Studenten" und also auf Geldausgabe für Kleiderprunk
anspielen; „wichsen = putzen" ergibt nach Analogie zu „↗verputzen 2" Spätestens seit 1800.

verwichst *adj* schlaff, energielos. Fußt auf „wichsen = koitieren; onanieren". 1920 *ff.*

verwimsen *tr* jn verprügeln. Zusammengewachsen
aus den *gleichbed* Verben „↗verwamsen" und
„↗bimsen". 1900 *ff, schül.*

verwogen *adj* keck, übermütig. Früher in Schrift-
sprache und Mundarten verbreitete Form von
„verwegen"; heute meist in burschikosem Sinn
gebräuchlich. Seit dem 19. Jh.

verworfen *adj* **1.** unfähig, das Ziel zu erreichen.
Leitet sich her von einem falschen Wurf, wahrscheinlich auf das Kegeln bezogen. 1900 *ff.*

2. leicht ~ = leicht unvornehm wirkend (auf Gegenstände bezogen). Hängt mit dem Künstlerwort
„Wurf" zusammen; *vgl* ↗Schmiß 2. 1950 *ff.*

verworfen sein das Ziel verfehlt haben. ↗ver-
worfen 1. 1900 *ff.*

verwundbar *adj* leicht zu durchbrechen. Von der
schwach besetzten Stelle der Frontlinie übertragen
auf die Abwehrreihe der Fußballspieler. *Sportl*
1955 *ff.*

Verwünschung *f* jm eine kleine ~ an den Keks
(Kopf) schmeißen = jn freundlich, höflich begrü-
ßen. *Halbw* nach 1950, Berlin.

verwurschteln (verwursteln) *v* **1.** *tr* = etw
durcheinanderbringen, verderben, verschwenden,
unsachgemäß ausführen. Früher wurden Fleisch-
abfälle jeder Art zu (minderwertiger) Wurst verarbeitet. ↗wurschteln. Seit dem 19. Jh, vorwiegend
oberd mit Ausstrahlung nach Hessen und ins
Rheinland.

2. *refl* = sich übergroße Mühe geben. 1920 *ff.*

verwursten *tr* **1.** etw zerstören, durch unsachgemäße Arbeitsweise verderben. *Österr,* 19. Jh.

2. etw für eine undankbare Aufgabe opfern.
Österr 1900 *ff.*

3. Hochwertiges neben Minderwertigem darbie-
ten. Kritikerspr. 1950 *ff.*

4. jn aus der Stellung verdrängen; jn verabschieden. Analog zu „durch den ↗Wolf drehen".
1900 *ff.*

verwuscheln *tr* das Haar in Unordnung bringen.
↗wuscheln. Seit dem 19. Jh.

verwuschelt *adj* verwickelt, wirr (von Haaren gesagt). Seit dem 19. Jh.

verwutzeln *tr* **1.** etw durch Drehen zerknittern.
↗wutzeln. *Österr* seit dem 19. Jh.

2. etw verwirren. *Österr* seit dem 19. Jh.

verwutzelt *adj* faltig, ältlich; verkommen. *Österr*
seit dem 19. Jh.

verzanken *refl* sich entzweien. Seit dem 19. Jh.

verzapfen *tr* **1.** etw verabreichen, beisteuern, äußern (er hat einen Witz verzapft). Meint eigentlich
„im Ausschank verabreichen"; dann von Studenten ins Scherzhafte gewendet und auf geistige Bei-
träge bezogen. Gegen 1860 aufgekommen.

2. Lügen vorbringen. *Österr,* 1920 *ff.*

verzappeln *v* **1.** *intr* = vor Spannung fast vergehen. ↗zappelig. 1920 *ff.*

2. *refl* = sich verwirren; die Fassung verlieren.
1920 *ff.*

verzehren *tr* jn beköstigen; für jds Lebensunterhalt
sorgen. Scherzhafte berlinische Vokabel nach dem
Muster von „ernähren"; doch *vgl* „sich selbst verzehren = sich selbst verköstigen" (badisch 1583).
Berlin 1850 *ff.*

Verzichtpolitiker *m* Bundestagsabgeordneter, der
sein Mandat niederlegt, die inzwischen fällige
Höhergruppierung als Beamter erreicht und erneut ins Parlament zurückkehrt. Meint eigentlich
einen Politiker, der auf die Rückgewinnung verlo-
rener Gebiete verzichtet. 1969 *ff.*

verzickt *adj* **1.** kleingeistig; ohne geistigen
Schwung; modernen Anschauungen verständnis-

los gegenüberstehend. ↗zickig. *Halbw* und musikerspr., 1950 *ff*.

2. von Launen geplagt. 1960 *ff*.

verziehen *v* **1.** jn ~ = jn zu einer Lustbarkeit mitnehmen. Meint soviel wie „wegführen". *Bayr*
1900 *ff*.

2. jm etw ~ = einen fremden Gegenstand verlegen, verstecken. *Bayr* 1900 *ff*.

3. *refl* = sich heimlich entfernen; weggehen; den
Rückzug antreten. 1800 *ff*.

4. *refl* = den Abschied nehmen; in Pension gehen. 1920 *ff*.

Verzierung *f* **1.** brich dir keine ~ ab! = sei nicht so
überheblich! tu nicht so übereifrig! Dünkelhafte
Leute nehmen eine unnatürliche Haltung an und
tragen die Nase hoch; ihre Nase kann als „Verzierung" gelten. Doch identifiziert man den Hoch-
mütigen auch mit dem Adligen, und der Adlige
trägt eine Krone, deren Zackenzahl ein aristokra-
tisches Unterscheidungsmerkmal ist. *Vgl* ↗Zacke.
Um 1840 in Berlin aufgekommen.

2. sich eine ~ (sämtliche ~en) abbrechen = sich
um eine Person oder Sache heftig bemühen. In
der Eile kann Zierat leicht abbrechen. Spätestens
seit 1900.

3. bei ihr ist die ~ abgebrochen = sie hat ihre
Schönheit eingebüßt. 1920 *ff*.

verzimmern *tr* **1.** jn verprügeln. Analog zu „verholzen", „verlatten" u. a. *Nordd*, 1900 *ff*.

2. koitieren (vom Mann gesagt). Fußt auf der
Vorstellung des Verschließens. 1920 *ff*.

verzinken *tr* **1.** jn verraten. ↗Zinker. Verbrecherspr. seit dem 19. Jh.

2. koitieren (vom Mann gesagt). Zinken = Penis.
1920 *ff*.

Verzinkerei *f* Verräterei. 1900 *ff*.

verzocken *tr* sein Geld verspielen. ↗zocken 1.
1900 *ff*.

verzopft *adj* veralteten Ansichten anhängend; altmodisch. ↗Zopf. 1920 *ff*.

verzoppen *refl* unbemerkt davongehen. ↗verzup-
fen. Berlin seit dem späten 19. Jh.

verzücken *refl* weggehen, weichen. Soviel wie
„schnell wegziehen". *Sold* 1914 *ff*.

verzuckern *tr* etw entgegen den Tatsachen günstig
darstellen, verharmlosen, beschönigen. ↗Pille 22.
1900 *ff*.

verzuckert *adj* ins Rührselige abgewandelt.
1950 *ff*.

Verzug *m* verwöhnter Liebling. Man hat ihn „ver-
zogen". 1820 *ff*.

verzundern *tr* jn verprügeln. ↗Zunder. 1914 *ff*.

verzupfen *v* **1.** eine ~ = koitieren. Versteht sich
nach „zupfen = zerren, ziehen" im Sinne eines
Verführens. 1935 *ff*.

2. *intr refl* = unbemerkt davongehen. Parallel zu
„↗verziehen 3". Vorwiegend *oberd*, 1900 *ff*.

verzwackt *adj* schwierig. Ablautende Nebenform
zu „↗verzwickt". 1900 *ff*.

**verzwatzeln (verzwatscheln, verzwasseln,
verzwatteln)** *intr* = verzweifeln; keinen Ausweg wissen; sich vor Ungeduld kaum mehr beherrschen können. ↗zwatzeln. *Mitteld* und *südd*,
1700 *ff*.

Verzweiflung *f* Verzeihung. Scherzhafte Entstellung, wohl unfreiwilligen „Fehlleistungen" nach-
empfunden, wie sie Sigmund Freud beschrieben
hat. 1940 *ff*.

verzweigen *v* sich um jn ~ = jn umarmen. Seit
dem 19. Jh.

verzwicken *v* **1.** etw ~ = etw verzehren. Man
„zwickt" es vom Teller. *Schül* 1956 *ff*, *bayr*.

2. es verzwickt ihn = es beunruhigt ihn; es stört
ihn, macht ihn unsicher. Analog zu „klemmen =
einengen"; *vgl* ↗Klemme 1. 1950 *ff*.

verzwickt *adj* verwickelt, verwirrt, ärgerlich,
schwierig. Zwicken = mit einer Zange festhalten.
Verzwicktes ist fest zusammengehalten und
schwer zu lösen. Seit dem 18. Jh.

Verzwicktheit *f* schwer entwirrbare Schwierigkeit.
1900 *ff*.

Verzwickung *f* in ~ kommen = in Bedrängnis geraten. Neubildung zu ↗verzwicken 2. 1950 *ff*.

verzwiebeln *tr* **1.** jn bestrafen, verurteilen. ↗zwie-
beln. 1900 *ff*.

2. jn verprügeln. 1700 *ff*.

verzwiebelt *adj* schwierig. Gehört zu „zwiebeln =
schikanieren". 1900 *ff*.

verzwiefeln *intr* verzweifeln. Berlin 1920 *ff*.

verzwirbelt *adj* **1.** geistesgetrübt; benommen.
Zwirbeln = drehen. Daher parallel zu „↗ver-
dreht". 1870 *ff*.

2. schwierig; schwer lösbar. 1920 *ff*.

verzwitschern *tr* Geld vertrinken; etw in Geld
umsetzen. ↗zwitschern. 1870 *ff*, *sold*, *stud* und
arb.

verzwofeln *intr* verzweifeln. Übernommen aus der
Telefonverkehrssprache, in der für die Zahl 2
„zwo" gesagt wird. 1900 *ff*.

Vespasi'aner *m* Vespa-Fahrer. 1954 *ff*.

Vespasi'anum *n* öffentliche Bedürfnisanstalt.
Fußt auf dem Namen des *röm* Kaisers Vespasian,
der die Abortsteuer eingeführt hat. 1900 *ff*.

Vesper (Veschper) *n* (*f*) Zwischenmahlzeit,
Nachmittagsmahlzeit. Fußt auf *lat* „vespera =
Abend" und bezeichnet eigentlich die abendliche
Gebetsstunde, den abendlichen Gottesdienst. Im
16. Jh übergegangen auf einen zwischen Mittag-
und Abendessen eingenommenen Imbiß.

vespern (veschpern) *intr* **1.** Zwischenmahlzeit
halten. *Vgl* das Vorhergehende. 1700 *ff*.

2. bei jm ~ = dem Mitspieler in die Karten sehen.
Analog zu ↗frühstücken 2. *Südwestd* seit dem
19. Jh.

Veteran *m* **1.** Klassenwiederholer. Eigentlich Bezeichnung für den ehemaligen Kriegsteilnehmer.
Schül 1870 *ff*.

2. ~ der Landstraße = altes Auto. 1955 *ff*.

Veteranenauto *n* altes Auto. 1955 *ff*.

Veteranenflinte *f* Regenschirm. Bei Aufmärschen trugen früher die Kriegsteilnehmer zivilen Standes statt des Gewehrs einen zusammengerollten Regenschirm geschultert. Gegen 1864 aufgekommen.

Vettel *f* alte Frau. Geht zurück auf *gleichbed lat* „vetula". Wohl durch Studenten aufgekommen. Seit dem 15. Jh.

Vetterleswirtschaft, (Vetterchenswirtschaft) *f* Günstlingswesen. Seit dem 19. Jh.

'Vettermiche'lei *f* übertriebene Schmeichelei. ↗anvettermicheln. Seit dem 19. Jh.

vettermicheln *intr* sich anbiedern. Seit dem 19. Jh.

Vetternreise *f* Reise zu Verwandten und Bekannten, bei denen man kostenlos wohnt. Seit dem 19. Jh.

Vetternwirtschaft *f* Günstlingswirtschaft. Seit dem 19. Jh.

Vetterstraße *f* die ~ gehen (ziehen) = auf Reisen Verwandte und Freunde besuchen, um billig zu leben. Seit dem 19. Jh.

Vexierknöchelchen *n* volkstümlich als „Knöchelchen" aufgefaßte, besonders reizempfindliche Stelle am Ellbogen, bei deren stoßartiger Berührung man wie elektrisiert zusammenzuckt. Vexieren = irreführen, necken, quälen. Vorwiegend *westd*, seit dem 19. Jh.

Vibration *f* Händezittern bei Trinkern. 1930 *ff*.

Vibrations (*engl* ausgesprochen) *pl* von andern bewirkte, gefühlsmäßige Anmutungen (Gefühlsreaktionen). *Halbw* seit 1983.

Vibrationsstuhl *m* altmodisches und schlechtgefedertes Fahrrad. 1960 *ff*.

vibrieren *intr* bezecht torkeln. 1930 *ff*, Berlin.

Vibrieren *n* ~ im Dickdarm haben = Stuhldrang verspüren. *BSD* 1965 *ff*.

Vide'ot (Vidi'ot) *m* leidenschaftlicher, unkritischer Fernsehzuschauer; Benutzer von Video-Recorder und -Kassetten. Kontaminiert aus „Video" („Television") und „Idiot". 1975 *ff*.

Viech *n* **1.** Tier. Geht zurück auf *mhd* „vich = Vieh". 1500 *ff*.
2. starker, grober Mensch; tüchtiger Mensch. Seit dem 19. Jh.
3. Mensch, der stets zu Witzen und Streichen aufgelegt ist; hervorragender Unterhalter. *Bayr*, 1900 *ff*.
4. ~ mit Haxen = dummer Mensch. Meist „Viech mit zwei Haxen" genannt. *Bayr* und *österr*, 1900 *ff*.
5. hohes ~ = hochgestellte, einflußreiche Person. Parallel zu „↗Tier 9". *Südd* seit dem 19. Jh.
6. reiches ~ = Wohlhabender *(abf)*. *Südd* 1950 *ff*.
7. das hält kein ~ aus = das ist unerträglich. *Österr*, 1900 *ff*.

Viechbaderei *f* Tierärztliche Hochschule. Wien 1930 *ff*, *stud*.

Viechdoktor *n* **1.** Tierarzt. Seit dem 19. Jh.
2. grober Arzt. Seit dem 19. Jh.

Viecheler *m* Student der Tiermedizin. *Österr* 1900 *ff*.

Viecherei *f* **1.** Tierwelt, Fauna. 1870 *ff*.
2. Tierbestand eines Gutshofs o. ä. 1900 *ff*.
3. Niedertracht, Grobheit, Rohheit. Parallel zu „↗Sauerei", „↗Schweinerei". Seit dem 19. Jh.
4. derber Scherz; loser Streich. *Oberd* seit dem 19. Jh.
5. schwere Anstrengung; harte Mühsal; Quälerei. 1920 *ff*.

Viecherl-Friedhof *m* Tierfriedhof. München 1969 *ff*.

Viecheronkel *m* Naturgeschichtslehrer. *Österr* 1950 *ff*, *schül*.

Viechertante *f* Naturgeschichtslehrerin. *Österr* 1950 *ff*, *schül*.

Viechs- (viechs-) in doppelt betonten Zusammensetzungen verstärkt die Bedeutung des Grundworts. Diese Verwendung leitet sich her von der körperlichen Kraft höherer Haus- und Wildtiere, von ihrer Größe (Körpermasse) und Widerstandsfähigkeit, auch von ihrer Widersetzlichkeit und (vermeintlichen) Angriffslust. Seit dem 18. Jh.

'Viechs'arbeit *f* schwere Arbeit. Seit dem 19. Jh, *bayr* und *österr*.

'viechs'dumm *adj* sehr dumm. Seit dem 19. Jh.

'Viechs'dummheit *f* sehr große Dummheit. Seit dem 19. Jh.

'Viechsge'duld *f* Langmut. 1900 *ff*.

'Viechs'glück *n* großer Glücksfall. Parallel zu „↗Sauglück" und „↗Schweineglück". 1900 *ff*.

'Viechs'hitze *f* sehr große Hitze. 1800 *ff*.

'Viechs'hunger *m* starker Hunger. 1900 *ff*.

'viechs'kalt *adj* sehr kalt. *Österr*, 1800 *ff*.

'Viechs'kälte *f* sehr starke Kälte; frostige, eisige Kälte. *Österr* seitdem 19. Jh.

'Viechs'kerl *m* **1.** sehr kräftiger, grober, sinnlicher Mann. *Oberd* seit dem 19. Jh.
2. niederträchtiger Mann. *Oberd* seit dem 19. Jh.

'Viechsna'tur *f* unverwüstliche Natur (= Gesundheit). *Oberd* seit dem 19. Jh.

'Viechs'rausch *m* schwerer Alkoholrausch. *Bayr* und *österr*, seit dem 19. Jh.

'Viechs-'Vieh *n* höchst widerwärtiger Mensch. 1900 *ff*.

'viechs'wild *adj* sehr wild, ungestüm, zornig. Seit dem 19. Jh.

'Viechs'wut *f* heftige Wut. 1900 *ff*.

'Viechs'zorn *m* heftiger Zorn. *Österr* seit dem 19. Jh.

Vieh *n* **1.** dummer Mensch. Seit dem 19. Jh.
2. sinnlicher Mensch. Seit dem 15. Jh.
3. ~ mit zwei Haxen = a) dummer, ungebildeter Mensch. *Österr* 1910 *ff*. – b) gewitzter Mensch. *Österr* 1910 *ff*.
4. großes ~ = a) hochgestellte Person des öffent-

lichen Lebens. Analog zu ↗Tier 9. Seit dem 19. Jh. – b) hochgestellte Person, die rücksichtslos ihren Posten verteidigt und für eigene Zwecke nutzt. 1900 ff.

5. hohes ~ = hochgestellte Person. ↗Tier 9. Seit dem 19. Jh. 1960 erklärte in einem Beleidigungsprozeß des österreichischen Vizekanzlers Bruno Pittermann gegen einen Redakteur das Germanische Institut der Universität Graz, das Wort sei nicht beleidigend, sondern burschikos anerkennend.

6. arbeiten wie ein ~ = schwer arbeiten. Seit dem 19. Jh.

7. saufen wie das liebe ~ = viel trinken. Seit dem 19. Jh.

'Vieh'arsch-Lehrling m Student der Tierärztlichen Hochschule. Hannover 1900 ff.

Viehbestandsaufnahme f Untersuchung von Kleidung und Wäsche auf Ungeziefer. *Sold* 1910 ff.

Viehdoktor m **1.** Tierarzt. Seit dem 19. Jh.
2. grober Arzt. Seit dem 19. Jh.
3. Schularzt. *Schül*, spätestens seit 1900.
4. Stabsarzt. *BSD* 1965 ff.

'vieh'dumm adj sehr dumm. *Südd* seit dem 18. Jh.

Viehfabrik f Viehhaltung von mehreren tausend Stück. 1960 ff.

Viehfabrikationsrat m Leiter einer (staatlichen) Deckstation. 1910 ff.

viehisch adj **1.** niederträchtig, unkameradschaftlich, unwürdig, würdelos. „Das Vieh" gilt im allgemeinen als brutal, selbstsüchtig, heimtückisch u. ä.: es werden ihm typisch menschliche Wesenszüge zugeschrieben. 1920 ff.
2. unübertrefflich. Analog zu „↗tierisch 1". *Halbw* 1970 ff.
3. adv = sehr; heftig (es tut viehisch weh). 1920 ff.

viehmäßig adj wild, ausgelassen; sehr stark; sehr laut. 1700 ff.

Viehmuse f **1.** Student(in) der Tierärztlichen Hochschule. ↗Viehmuseum. 1870 ff.
2. Tierarzt. 1870 ff.

Viehmuseum n Tierärztliche Hochschule. 1870 ff.

'Viehs'arbeit f sehr schwere Arbeit. Seit dem 19. Jh.

Viehschau f Musterung. Eigentlich die Viehbesichtigung (vor der Schlachtung). *BSD* 1965 ff.

Viehschein m Sammelfahrschein bei Gruppenreisen; Ermäßigungsschein der Bundesbahn für Angehörige kinderreicher Familien. 1955 ff.

'Viehsitte f Besuch. Aus *franz* „visite" scherzhaft eingedeutscht. Seit dem frühen 19. Jh.

Viehstall m Schulgebäude; Klassenzimmer. ↗Stall 1. Seit dem 19. Jh.

Viehtreibermantel m Wach-, Postenmantel. Er ist lang und dick wie die Mäntel von Viehtreibern, die bei jeder Witterung im Freien sein müssen. *BSD* 1965 ff.

Viehwagen m einstöckiger Omnibus. Er hat 30

Sitz- und 85 Stehplätze: man steht dichtgedrängt wie Vieh auf dem Transport. In West-Berlin aufgekommen, kurz nach Errichtung der Mauer (13. August 1961), als Omnibusse die unter Ost-Berliner Regie stehende Stadtbahn ersetzen mußten.

Viehzeug n **1.** Tiere. Seit dem 19. Jh.
2. Ungeziefer. 1900 ff.

Viehzüchterblick m abwägender Blick eines Mannes in der Wahl zwischen mehreren Frauen. 1900 ff.

vielfältig adj ungebügelt (auf die Hose bezogen). ↗Mann 55. 1900 ff.

Vielfraß m **1.** Nimmersatt. Eigentlich ein marderartiges Raubtier, dem man Gefräßigkeit nachsagt. 1500 ff.
2. erotischer ~ = Mann, dessen Sinnen und Trachten nur dem anderen Geschlecht gilt; mehrfach verheirateter Mann; weibliche Person, die Männer zu verführen und auszubeuten sucht. 1930 ff.
3. geistiger ~ = bildungshungriger Mensch; Mensch, der wahllos alles liest. 1960 ff.

Vielharmonie f **1.** Philharmonie. Wortspiel. 1850 ff.
2. Schlafzimmer. Berlin 1954 ff.

Vielleiberei f dichtbesetzter Badestrand. Der „Vielweiberei" nachgebildet. 1950 ff, *journ*.

vielleicht adv da habe ich ~ gelacht = da habe ich heftig gelacht (Karl hat vielleicht Geld = Karl hat sehr viel Geld; Peter hat's vielleicht gut = Peter hat's überaus gut). „Vielleicht" dient in der volkstümlichen Rede entgegen dem Wortsinn und üblichen Sprachgebrauch als Verstärkung der Aussage. Der im Schriftdeutschen gültige Gebrauch kann in der Umgangssprache ohne weiteres mit dem alogischen verbunden werden, z. B. in dem Satz: „er hat vielleicht gedacht, daß ich mich übertölpeln ließe; aber da hat er sich vielleicht geirrt!". Seit dem ausgehenden 19. Jh; *österr* seit 1938.

Vielliebchen essen den Doppelkern einer Mandel oder Haselnuß gemeinsam essen und dabei Duzbrüderschaft schließen (einen Kuß tauschen). Der Doppelkern ist selten und wegen der sinnbildlichen Lage ein weitbekanntes Liebessymbol. Das Wort selbst geht über „Filipchen" auf *franz* „Philippine" zurück, das wiederum auf *franz* „Valentine" beruht und mit Liebesbräuchen am Valentinstag in Verbindung steht. Seit dem 19. Jh.

vielseitig adv ~ verheiratet sein = a) mit mehreren Männern (Frauen) die Ehe eingegangen sein. 1920 ff. – b) gleichzeitig mit mehreren Freundinnen verkehren. *Halbw* 1960 ff, Berlin.

Vielzweckdame f Prostituierte, die zu allen Diensten bereit ist. 1968 ff, *prost*.

Vielzweckmädchen n Flugzeugstewardeß. 1960 ff.

Vieräugiger m Brillenträger. Er sieht durch insgesamt vier optische Linsen. 1920 ff.

vierbeinig *adv* ~ heimkommen = in Damenbegleitung heimkommen. 1955 *ff.*

vierbuchstäblich *adj* auf das Gesäß bezüglich. ⟋Buchstaben 2. 1955 *ff.*

Viereck *n* Arrestanstalt. ⟋Café 15. *Sold* 1939 bis heute.

Vierecksehe *f* Ehe, in der jeder Partner einen Nebenpartner hat. ⟋Dreiecksehe. 1900 *ff.*

Vierer *m* **1.** Vielesser. Bezieht sich auf die vierte Bitte des Vaterunsers in der Fassung des Matthäus: „Unser täglich Brot gib uns heute". 1900 *ff.* **2.** dummer Mensch. Er hat einen Sinn zu wenig. *Sold* 1939 *ff.* **3.** Leistungsnote 4. *Schül* 1920 *ff.* **4.** Wagen der Straßenbahn-, Omnibuslinie 4. 1900 *ff.* **5.** vier Gewinnzahlen im Zahlenlotto. 1955 *ff.*

Viererhaus *n* Heil- und Pflegeanstalt für Nervenleidende. ⟋Vierer 2. *Ziv* und *sold* 1940 *ff.*

Viererkandidat *m* unbegabter Schüler. Er „kandidiert" für die Note „4 = mangelhaft" (früher gültige Bewertung). 1950 *ff.*

Viererschein *m* Schulzeugnis. Es enthält vorwiegend die Note 4. Wohl von „Führerschein" beeinflußt. *Bayr* 1950 *ff.*

Vierfürst *m* dummer Mensch. Lehnübersetzung von *lat-griech* „tetrarcha". Hehlwort für einen, der einen Sinn zu wenig hat. 1955 *ff, schül.*

vierhändig spielen mit zwei Männern ein Liebesverhältnis unterhalten. 1910 *ff.*

Vierhundertfünfundsiebziger *m* reicher Homosexueller. Addiert aus „⟋Hundertfünfundsiebziger" und „Mercedes 300". 1953 *ff.*

vierkant (vierkantig) *adv* **1.** ~ rausfliegen = nachdrücklich aus dem Haus (Zimmer) gewiesen (schimpflich aus dem Beschäftigungsverhältnis entlassen) werden. Mit „vierkantiges Loch" bezeichnet man die Zimmer-, Haustür. 1910 *ff.* **2.** jn ~ rausschmeißen (rauswerfen) = jn rücksichtslos, gewaltsam hinausweisen, entlassen. 1910 *ff.*

Vierkieker *m* Brillenträger. ⟋Vieräugiger; ⟋kieken. 1920 *ff.*

Vierlinge *pl* Leute, die zu viert geschlechtlich verkehren. 1950 *ff.*

Viermonatskind *n* geistiges ~ = dummer Mensch. Berlin 1950 *ff.*

Vierpickel *m* Vier-Sterne-General. ⟋Pickel 6. *BSD* 1965 *ff.*

viersinnig *adj* geistesbeschränkt. Statt der üblichen fünf hat man nur vier Sinne „beisammen". 1850 *ff.*

vierspännig *adv* mit jm ~ fahren = mit jm eine gute Wahl getroffen haben. Anspielung auf Wohlhabenheit, die sich früher in der vierspännigen Kutsche ausdrückte. 1920 *ff.*

Vier-Sterne-Loch *n* Feldküche. Hergenommen von der Kennzeichnung sehr empfehlenswerter Gasthäuser mittels Sternen in den Baedeker-Reisehandbüchern. „Loch" meint das Herd-, das Feuerloch. *BSD* 1965 *ff.*

vierstöckig *adj* großwüchsig. Das Haus als Maß des Menschen. 1900 *ff.*

Vierstöckiger *m* großer Schnaps. Als Maß das Doppelte eines „Doppelten". 1920 *ff.*

Viertaktmotor *m* ein Gemüt haben wie ein ~ = rücksichtslos sein; auf Gefühle keine Rücksicht nehmen. 1958 *ff.*

Vierteleschlotzer *m* Weintrinker. ⟋schlotzen. *Südwestd* seit dem 19. Jh.

Vierteljahr *n* dummes ~ = erstes Vierteljahr des Säuglings. Anspielung auf das Stadium geringer körperlicher Reaktionsfähigkeit. 1920 *ff.*

Viertelportion *f* ~ Mensch = kleinwüchsige Person. ⟋Portion 5. 1920 *ff.*

Viertelstarker *m* schulpflichtiger Junge mit Ansätzen zu ungesittetem Halbwüchsigentum; kleinwüchsiger Junge. ⟋Halbstarker 1. Hamburg 1920 *ff.*

Viertelstundengeschäft *n* Kurzbesuch bei einer Prostituierten. 1920 *ff.*

Viertelstundenlöhnerin *f* Prostituierte. Der „Tagelöhnerin" nachgebildet. 1920 *ff.*

Viertelzahn *m* (körperlich) frühreifes Mädchen, das sich mit 12 oder 13 Jahren schon wie eine 16- bis 18jährige gebärdet; „halbes Kind". ⟋Zahn 3. *Halbw* 1955 *ff.*

vierundzwanzigkarätig *adj* charakterlich völlig einwandfrei. Hergenommen von der Kennzeichnung des Goldgehalts einer Legierung; 24 Karat hat reines Gold. 1910 *ff.*

'Vierzehnender *m* **1.** Student mit 14 Semestern ohne Abschlußexamen. Eigentlich der Hirsch, dessen Geweih 14 Enden hat. Erweiterung von „⟋Zwölfender". *Stud* 1950 *ff.* **2.** Klassenbester. *Schül* 1960 *ff.*

vierzehnkarätig *adj* unverfälscht; vollkommen; völlig. Sprachliche Vereinfachung von „⟋vierundzwanzigkarätig". 1950 *ff.*

Vierzehn-Tage-Klosett *n* Knickerbocker; Keilhose. Scherzhaft meint man, diese Hose sei geräumig genug, um den Kot von zwei Wochen aufzunehmen. 1930 *ff; BSD* 1965 *ff.*

Vierzylinder *m* Latrine mit vier Sitzplätzen. ⟋Zylinder. *Sold* 1939 bis heute; *schül* 1960 *ff.*

Viez *m* Apfelwein. Fußt auf *lat* „vice vinum = schlechter Wein". *Rhein* seit dem 19. Jh.

Vige'line *f* Prostituierte. ⟋Geige 2. *Rotw* 1900 *ff.*

Vi'gine *f* **1.** Herausforderung zum Streit. ⟋Figine. Rockerspr. 1967 *ff*, Hamburg. **2.** ~ machen = Streit anfangen. 1967 *ff.*

vigo'linsch *adj* spaßig, pfiffig. Entstellt aus „vigilant". Nordwestdeutsch, 1920 *ff.*

Viktor *m* Hosenlatz. Hehlwörtlich für „Fick-Tor". 1950 *ff*, österr.

Viktoria *f* entmilitarisierte ~ = Siegesgöttin im Wagen der Quadriga auf dem Brandenburger Tor zu Berlin. Die Regierung in Pankow nahm dem

Stab in der Rechten der Siegesgöttin den bekrönten Adler und das Eiserne Kreuz. 1958 *ff.*

Villa *f* **1.** Arrest. Spottwort. *BSD* 1965 *ff.*

2. ~ Bückdich = niedriger Unterstand. ↗Café 2. *Sold* in beiden Weltkriegen.

3. ~ Duckdich = Mansardenwohnung mit schrägen Wänden. ↗Café 3. 1910 *ff.*

4. ~ Durchzug = a) von Bomben beschädigtes Haus, durch das der Wind ungehindert pfeift. Berlin 1941 *ff.* – b) zugige Hütte. Basel 1952 *ff.*

5. ~ Eichmann = ABC-Übungsraum. ↗Eichmann. *BSD* 1965 *ff.*

6. ~ Hügel = Bordell. Eigentlich Name des Wohnhauses der Familie Krupp (von Bohlen und Halbach) in Essen; hier wohl Anspielung auf „Venushügel", „Venusberg", „Wollusthügel" o. ä. *BSD* 1968 *ff.*

7. ~ Klamott = Kasernenstube. Angeblich Anspielung auf die alte, abgenutzte Inneneinrichtung. ↗Klamotte 5. *BSD* 1968 *ff.*

8. ~ Niedlich = Abort. 1940 *ff, schül.*

9. ~ Schleppheim = Haus eines Diebes. Dorthin schleppt er seine Beute. 1930 *ff*, polizeispr. und verbrecherspr.

10. ~ Sperlingslust = Mansardenwohnung. ↗Sperlingslust. 1900 *ff.*

11. ~ von der Stange = Fertighaus. ↗Stange 8. 1955 *ff.*

12. imprägnierte ~ = Campingzelt. 1960 *ff.*

13. kleine ~ = Abort. Variante zu ↗Häuschen. 1920 *ff.*

14. nicht für eine ~!: Ausdruck der Ablehnung. 1910 *ff.*

Viole *f* **1.** Täuschung, Trug. Entstellt aus *zigeun* „fala = Wand". Mittäter „machen Wand", wenn sie den Dieb abdecken. 1900 *ff.*

2. ~ machen = Schabernack treiben; Umstände machen; viel Wesens machen. Seit dem frühen 20. Jh, *rotw.*

3. ~ schieben = a) sich einer Verpflichtung entziehen; täuschen, trügen; Kranksein heucheln; simulieren. *Rotw* 1900 *ff; sold* 1914 *ff.* – b) sich übertrieben benehmen. Man täuscht Geschäftigkeit (Anteilnahme, Hilfsbereitschaft) vor. 1910 *ff.*

4. jm ~ vormachen = jn zu übertölpeln suchen. 1910 *ff.*

Violenmacher (-schieber) *m* **1.** Mittäter, der den Dieb gegen Beobachter deckt. ↗Viole 1. 1900 *ff, rotw.*

2. Simulant; Feigling; wortbrüchiger Mensch. 1910 *ff.*

Violine *f* **1.** das spielt keine ~ = das ist unbedeutend, gleichgültig. Scherzhaft verquickt aus „Violine spielen" und „eine Rolle spielen". 1920 *ff.*

2. die erste ~ spielen = tonangebend, maßgebend sein. Analog zu ↗Geige 12. Seit dem 19. Jh.

violinen *tr* jn nach Hause ~ = jn streng rügen; jm etw entgelten. Scherzhafte Parallele zu „↗heimgeigen". 1950 *ff, stud.*

*Interieur im Stil Ludwigs XVI., Musée Nissim de Camondo in Paris. Solche Behausungen kennt die Umgangssprache nur als Euphemismen. Eine kleine und niedrige Mansardenwohnung etwa wird voller Ironie und in Anlehnung an den in anderen, gehobeneren Kreisen weit verbreiteten Brauch, seiner Heimstatt einen eigenen Namen zu geben, so unversehens zur Villa Duckdich (**Villa 3.**) oder Villa Sperlingslust (**Villa 10.**). Und oft genug ist da auch noch eine gehörige Portion Sarkasmus im Spiel, insbesondere bei der Villa Eichmann (**Villa 5.**) oder der Villa Hügel (**Villa 6.**), worunter hier natürlich nicht der berühmte Wohnsitz des Schwerindustriellen Krupp zu verstehen ist, sondern das Sündenbabel des Herrn Krause.*

Violinschlüssel *m* einen ~ nicht von einem Hausschlüssel unterscheiden können = unmusikalisch sein; keine Musiknoten lesen können. Musikerspr. 1900 (?) *ff.*

Visage (*franz* ausgesprochen) *f* **1.** Gesicht; Gesicht mit widerwärtigem Ausdruck. Aus dem *Franz* im frühen 19. Jh übernommen.

2. ~ in Rouge und Puder = grellgeschminktes Gesicht. Filmspr. 1920 *ff; prost* 1952 *ff.*

3. belebte ~ = Gesicht voll kleiner Eiterpusteln

(„Mitesser"). 1920 *ff.*

4. dämliche ~ = Gesicht eines unsympathischen Menschen; dümmlicher Gesichtsausdruck. ↗dämlich. 1900 *ff.*

5. polizeiwidrige ~ = Verbrechergesicht. Berlin 1840 *ff.*

5 a. verbeulte ~ = Gesicht des Boxsportlers. 1920 *ff.*

6. verhauene ~ = sehr häßliches Gesicht. Es sieht aus wie zerschlagen. 1870 *ff.*

7. verzwickte ~ = undurchsichtige Miene. Verzwickt = verkniffen. 1920 *ff.*

8. die ganze ~ eine Schnauze = Gesichtsausdruck des Demagogen bei seinen Reden. 1900 *ff.*

9. eine gemischte ~ aufsetzen (machen) = niedergeschlagen dreinschauen. Im Gesicht spiegeln sich gemischte Gefühle wider. 1910 *ff.*

10. jm die ~ polieren = jm ins Gesicht schlagen. ↗Fresse 32. 1930 *ff.*

10 a. jm eine neue ~ verpassen = jm brutal ins Gesicht schlagen. Er bekommt einen ganz anderen Gesichtsausdruck. ↗verpassen 1 und 2. Rokker 1970 *ff.*

11. jm die ~ zerkneten = a) jn rechts und links ohrfeigen. 1900 *ff.* – b) jm das Gesicht massieren. 1900 *ff.*

12. jm die ~ zertrümmern = jm heftig ins Gesicht schlagen. 1950 *ff.*

vis-à-quer *adj adv* gegenüberliegend. Aus *franz* „vis-à-vis" umgeformt. 1900 *ff.*

vis-à-schräg *adv* gegenüber. Aus „schräg vis-à-vis" entstanden. *Stud*, ausgehendes 19. Jh.

vis-à-vis *adv* mir ~ schräg gegenüber = mir schräg gegenüber. Seit dem späten 19. Jh.

Vis-à-vis *n* dem ~ stehst du machtlos gegenüber = in dieser Sache kann man nichts ändern; hier ist kein Eingreifen möglich. Substantivierung von „vis-à-vis" nach dem Vorbild von „mein Vis-à-vis = mein Gegenüber. 1900 *ff, schül* und *stud.*

Visier *n* **1.** etw im ~ haben = etw in Aussicht haben, planen. Visier = Blickwinkel. Übertragen vom Zielen oder Peilen. 1900 *ff.*

2. jn im ~ haben = es auf jn abgesehen haben. 1900 *ff.*

Visiereinrichtung *f* die Augen. 1935 *ff.*

Visitenkarte *f* **1.** Legitimationsmarke des Kriminalpolizeibeamten. Seit dem 19. Jh.

2. Erkennungsmarke des Soldaten. *Sold* in beiden Weltkriegen.

3. Kothaufen von Mensch und Tier im Freien. Er beweist, daß Mensch oder Tier anwesend war. Seit dem späten 19. Jh.

4. Beweis bisheriger Leistung. 1920 *ff.*

5. Kleidung und Auftreten als Anhaltspunkte für Rückschlüsse auf die gesellschaftliche Herkunft einer Person oder auf die Gediegenheit einer Firma. 1950 *ff.*

6. Hund (Pudel) als Begleiter der „leichten Damen". 1960 *ff.*

Vitalbolzen *m* temperamentvoller, lebensprühender Mensch. Bolzen = kräftiger Mann. 1975 *ff.*

Vitalitätsbrocken *m* gesund und kraftvoll aussehender Mann. ↗Brocken 1. 1975 *ff.*

Vitamin *n* **1.** *pl* = Patronen, Munition. Sie sind lebensnotwendig für die Abwehr eines Angriffs. *BSD* 1965 *ff.*

2. ~ A = a) Auto. In der Wohlstandsgesellschaft verrät das Auto bei vielen die Wohlhabenheit und den Mehrgeltungstrieb: beides ist für solche Leute lebenswichtig. 1963 *ff.* – b) homosexuelle Günstlingswirtschaft. A = Arsch, After. 1940 *ff.*

3. ~ B = gute Beziehungen zu einflußreichen Leuten. Aufgekommen im Zweiten Weltkrieg, als die Lebensmittelbewirtschaftung dazu führte, daß man sich über die Zuteilung auf Karte hinaus um weitere Lebensmittel bemühte.

4. ~ B_2 = besonders gute Beziehungen zu einflußreichen Personen. *Halbw* 1960 *ff.*

5. ~ E = Sprengstücke (Granatsplitter), die durch die Luft schwirren und Leben gefährden. E = Eisen. *Sold* und *ziv* in beiden Weltkriegen.

6. ~ F = Frau. 1950 *ff.*

7. ~ K = Kleidung. 1955 *ff.*

8. ~ L = Luxus. 1955 *ff.*

9. ~ M = Schnaps. ↗M-Vitamin. *Sold* 1939 *ff*; *ziv* 1950 *ff.*

10. ~ N = Naturalien. Mit dem Beginn des Zweiten Weltkriegs aufgekommen.

11. ~ P = Protektion. 1935 *ff.*

12. ~ S = Schmuck. 1955 *ff.*

13. ~ X = Geselchtes (als unerlaubte Gegengabe). „Geselchtes" (Rauchfleisch) wird in Bayern gern „Xelchtes" ausgesprochen. 1945 *ff.*

14. ~e sammeln = sich seelisch auf ein gefährliches Unternehmen vorbereiten; allen Mut zusammennehmen. *Sold* und *ziv* 1940 *ff.*

vitaminarm *adj* über keine einflußreichen Beziehungen verfügend. *Vgl* ↗Vitamin 3. 1939 *ff.*

Vitamin-Einfuhrhafen *m* Mund. 1930 *ff.*

Vitaminist *m* Mensch mit guten Beziehungen zu einflußreichen Personen. ↗Vitamin 3. *Sold* und *ziv* 1939 *ff.*

vitaminös *adj* **1.** eingebildet auf die Beziehungen zu Gönnern. ↗Vitamin 3, 4 und 11. 1939 *ff, ziv* und *sold.*

2. ~ aussehen = den Eindruck eines Wohlhabenden erwecken. 1950 *ff.*

Vitaminprotz *m* **1.** Schwerathlet. ↗Protz 1. 1930 *ff.*

2. Mensch, der mit seinen Beziehungen zu einflußreichen Leuten prahlt. 1930 *ff.*

Vitaminrummel *m* Geschäftemacherei mit vitaminhaltigen Präparaten. ↗Rummel. 1950 *ff.*

Vitaminstoß *m* Neuerung, die eine neue, nachhaltige Entwicklung einleitet. Aus dem Medizinischen übernommen. 1950 *ff.*

Vitriol *n* **1.** minderwertiger Branntwein. Eigentlich in der Chemie Bezeichnung schwefelsaurer Salze von Schwermetallen. 1920 *ff.*

2. selbsthergestellter Branntwein oder Likör. 1920 *ff.*

Vivatnase *f* aufwärtsgestülpte Nase. Vivat = Lebehoch (Heilruf): in scherzhafter Auffassung erfüllt diese Nase den Wunsch „sie lebe hoch". 1900 *ff.*

Vize *m* Klassenbester, der in Abwesenheit des Lehrers die Aufsicht führt. 1890 *ff, schül.*

Vizebremser *m* Klassenvorletzter. ↗ Bremser 1. 1920 *ff.*

Vize-Chef *m* Schulhausmeister. Mancher spielt sich auf, als wäre er der Stellvertreter des Direktors. 1920 *ff.*

Vize-Jesus *m* **1.** Papst. Fußt auf dem Begriff „Stellvertreter Christi auf Erden". Seit dem ausgehenden 19. Jh.

2. hoher kirchlicher Würdenträger. 1890 *ff.*

Vize-Reservist *m* Soldat im vorletzten Vierteljahr seiner Dienstpflichtzeit. ↗ Reservist 1. *BSD* 1965 *ff.*

Vize-Zeus *m* Stellvertreter des Reichs-, Bundeskanzlers. Seit dem ausgehenden 19. Jh.

Vogel *m* **1.** Flugzeug. Im ersten Jahrzehnt des 20. Jhs aufgekommen, spätestens 1909 beim ersten Berliner Flugtag auf dem Tempelhofer Feld. *Vgl engl* „bird" und *franz* „oiseau".

2. Gewehrgeschoß. *Sold* in beiden Weltkriegen.

3. Orden. Nach dem Wappenadler. 19. Jh.

4. Adler auf Uniformknöpfen; Hoheitsabzeichen; Reichsadler mit Hakenkreuz. Seit dem 19. Jh.

5. Gerichtsvollziehermarke. Wegen des Wappenadlers, den das Siegel früher trug. ↗ Kuckuck 2. 1900 *ff.*

6. Senderkennzeichen des Zweiten Deutschen Fernsehens. 1963 *ff.*

7. beliebiger Gegenstand, den man gerade sucht. Versteht sich nach „↗ rumfliegen 2". 1930 *ff.*

8. absonderlich wirkender Mensch. 1870 *ff.*

9. Verbrecher. *Vgl* ↗ Vogel 44. Seit dem 19. Jh.

10. Penis. Der Hosenschlitz gilt als „Starenkasten" und „Taubenschlag". Seit dem 19. Jh.

11. leichtes Mädchen. Es „flattert" hierhin und dorthin. Seit dem 19. Jh.

12. *pl* = Kinder. Fußt auf der Vorstellung der jungen Vögel im Nest. 1900 *ff.*

13. ~ im Frack = Pinguin. 1960 *ff.*

14. ~ vierter Güte = Roter Adlerorden 4. Klasse. ↗ Güte 1. 1900 *ff.*

15. Vögel auf dem Kopf = Kopfläuse. Sie „nisten" auf dem Kopf. Seit dem 19. Jh.

16. blauer ~ = Siegelmarke des Gerichtsvollziehers. Anspielung auf den Wappenadler in blauer Farbe. 1900 *ff.*

17. blinder ~ = schlechter Schütze; untauglicher Mann. *BSD* 1965 *ff.*

18. geiler ~ = geiler Mensch. 1950 *ff.*

19. häßlicher ~ = a) häßlicher Mensch. 1900 *ff.* – b) übler Mitmensch; niederträchtiger Bursche.

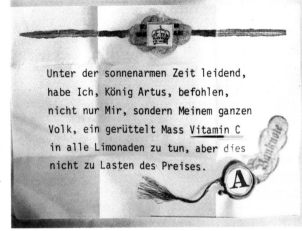

Sollte es an Sonne fehlen, so tut man also gut daran, sich nach einem entsprechenden Ersatz umzusehen. Ein Gleiches gilt für die vielen „lebensnotwendigen" Vitamine der Umgangssprache: In kriegerischen Zeiten helfen Patronen (**Vitamin 1.**)*, ein Auto heilt Minderwertigkeitskomplexe* (**Vitamin 2a.**)*; und gute Beziehungen sorgen für ein angenehmes Leben* (**Vitamin 3., 4.**, *vgl.* **Vitaminist**, **vitaminös**, **Vitaminprotz**)*. Der Schritt von der Physiologie des menschlichen Körpers zur Physiologie der Gesellschaft ist anscheinend nicht sehr groß.*

1920 *ff.*

20. komischer ~ = a) Sonderling; Mensch mit wunderlichen Ansichten und/oder Gewohnheiten. 1920 *ff.* – b) Komiker. 1925 *ff.*

21. krummer ~ = Verdächtiger; unzuverlässiger Mensch. ↗ krumm 2. 1950 *ff.*

21 a. lahmer ~ = kraftloser Mann. ↗ lahm 2. Seit dem 19. Jh.

22. lautloser ~ = Segelflugzeug. 1920 *ff.*

23. leichter ~ = leichtlebiger Mensch. Seit dem 19. Jh.

24. leichtsinniger ~ = leichtsinniger Mensch. Seit dem 19. Jh.

25. linker ~ = a) Sozialist. 1920 *ff.* – b) listiger, heimtückischer Mensch. ↗ link 1. 1950 *ff.* – c) unsympathischer, betrügerischer Prostituiertenkunde. *Prost* 1960 *ff.*

26. lockerer (loser) ~ = leichtlebiger, leichtsinniger Mensch. ↗ los I 1. 1600 *ff.*

27. lustiger ~ = lustiger, stets zu Späßen und Scherzen aufgelegter Mensch. Seit dem 19. Jh.

28. mieser ~ = unzuverlässiger Mensch. ↗ mies. 1920 *ff.*

29. müder ~ = a) langsames Flugzeug. *Sold* 1939 *ff.* – b) altes, nicht mehr betriebssicheres Schiff. *Marinespr* 1939 *ff.*

30. rarer ~ = wunderlicher Mensch. *Vgl* ↗Vogel 36. Seit dem 19. Jh.

31. roter ~ = Marihuana-Zigarette. Stammt aus den USA, wo es die Bezeichnung eines Barbiturats ist. 1960 *ff*.

32. sauberer ~ = leichtfertiger Mensch; vertrauensunwürdiger Mensch; Dieb, Einbrecher o. ä. ↗sauber 4. Seit dem 19. Jh.

33. scharfer ~ = mannstolle weibliche Person. ↗scharf 4. 1950 *ff*.

34. schiefer ~ = Soldat in unmilitärischer Haltung. *BSD* 1965 *ff*.

35. schräger ~ = a) Mann mit Sinn für Absonderlichkeiten. 1960 *ff*. – b) unzuverlässiger, übelbeleumdeter Mensch; Tunichtgut. ↗schräg 1. 1950 *ff*. – c) Sittlichkeitsverbrecher; Verbrecher. 1950 *ff*.

36. seltener ~ = Mensch mit wunderlichen Einfällen. Übersetzung von *lat* „rara avis". 1800 *ff*.

37. seltsamer (sonderbarer) ~ = wunderlicher Mensch. 1500 *ff*.

38. spitzer ~ = sinnlich veranlagtes Mädchen. ↗spitz 3. *Halbw* 1955 *ff*.

39. toller ~ = leichtlebiger, unbändiger Mensch. 1870 *ff*.

40. toter ~ = langweiliger, dummer Mann; Versager. *BSD* 1965 *ff*.

41. ulkiger ~ = a) wunderlicher Mensch. ↗ulkig. 1950 *ff*. – b) Spaßmacher. Von „Spaßvogel" beeinflußt. 1950 *ff*.

42. den ~ abschießen = a) das Beste leisten. Hergenommen von den Bräuchen der Schützenvereine: wer den „Vogel" von der Stange schießt, wird Schützenkönig. 1600 *ff*. – b) ein Flugzeug katapultieren. Fliegerspr. 1935 *ff*.

43. den ~ antippen = die Dummheitsgebärde machen. Man tippt sich mit dem Zeigefinger an die Stirn oder Schläfe, um anzudeuten, daß der andere „einen ↗Vogel" hat. 1920 *ff*.

44. der ~ ist ausgeflogen = der Gesuchte ist nicht daheim; der Verbrecher ist geflohen. 1500 *ff*.

45. seinen ~ auslassen = sein eigentliches Anliegen endlich vorbringen. Man läßt den Vogel aus dem Käfig oder „die ↗Katze aus dem Sack". 1950 *ff*.

46. sich einen ~ in die Stirn bohren = die Dummheitsgebärde machen. ↗Vogel 43. 1920 *ff*.

47. sein ~ braucht Futter (oder Wasser) = er ist nicht recht bei Verstand. ↗Vogel 53. 1920 *ff*.

48. Vögel brauchen auch einen Spiegel: scherzhaftes Trostwort für einen Glatzköpfigen. *Schül* 1950 *ff*.

49. einen ~ fangen = einen Orden erhalten. ↗Vogel 3. Die Redewendung läßt es offen, ob man sich um den Orden bemüht hat (nach Art eines Vogelfängers), oder ob man ihn „gefangen" hat, wie man eine Erkältung „fängt". 1870 *ff*.

50. friß, ~, oder stirb! = entscheide dich! triff deine Wahl zwischen zwei Übeln! Leitet sich her

von einem bestimmten Futter, an das man einen Vogel gewöhnen will; nimmt er es nicht an, muß er verhungern. 1500 *ff*.

51. sein ~ ist Amok gelaufen (läuft Amok) = er redet Unsinn. Der von blinder Wut befallene Amokläufer stößt jeden nieder, der ihm begegnet. Die Sache selbst ist sehr bekannt geworden durch die 1922 veröffentlichte Novellensammlung „Amok" von Stefan Zweig. Hier ist der „↗Vogel 53" gemeint. 1950 *ff, schül*.

52. vom ~ gepiekt sein = verrückt sein. *Vgl* das Folgende. Seit dem 19. Jh.

53. einen ~ haben = a) närrisch, verrückt sein; eine wunderliche Angewohnheit haben. Nach dem Volksglauben geht Geistesgestörtheit auf Tiere zurück, die im Kopf nisten. 1800 *ff*. – b) einen Orden besitzen. ↗Vogel 3. 1870 *ff*. – c) Luftwaffensoldat sein. Anspielung auf die Schwinge am Kragenspiegel. *Sold* 1935 *ff*.

54. Vögel unter dem Hut (der Mütze) haben = die Kopfbedeckung nicht lüften. Dem Unhöflichen, der Hut oder Mütze nicht zieht, unterstellt man, daß er unter seiner Kopfbedeckung Vögel verbirgt, die beim Grüßen wegflögen. 1700 *ff*.

54 a. sein ~ hat Ausgang = er hat die Beherrschung verloren. Berlin 1920 *ff*.

55. einen ~ haben, der mit dem Schwanz nach vorn fliegt = eine besonders wunderliche Angewohnheit haben. Berlin 1930 *ff*.

56. einen ausgewachsenen ~ haben = sehr verrückt sein. 1920 *ff*.

57. einen herrlichen ~ haben = die unsinnigsten Behauptungen aufstellen. 1920 *ff*, Berlin und *mitteld*.

58. einen toten ~ in der Tasche haben = einen Darmwind entweichen lassen; nach Darmgasen riechen. Stammt aus der Jägersprache: reichen die an der Jagdtasche befindlichen Lederriemen mit Schlaufe zum Anhängen der erlegten Vögel nicht aus, packt der Jäger die toten Vögel in die Manteltasche; vergißt er sie darin, machen sie sich erst durch den Verwesungsgeruch wieder bemerkbar. 1900 *ff, sold* und *schül*.

59. einen (seinen) ~ kriegen = seinen üblichen Anfall von Narretei bekommen. ↗Vogel 53 a. Seit dem 19. Jh.

60. die Vögel laufen = wegen schlechten Wetters liegt der Flugbetrieb still. Man bewegt die Flugzeuge allenfalls am Erdboden (rollt sie in die Hangars). *Sold* 1935 *ff*.

61. damit lockst du keinen ~ aus dem Bauer = damit übst du keinerlei Anreiz aus. 1920 *ff*.

62. die Vögel pfeifen hören = alles vermeintlich besser wissen. Versteht sich nach „↗Spatzen pfeifen es von den Dächern". 1920 *ff*.

63. jm einen (den) ~ weisen (zeigen) = zu jm die Dummheitsgebärde machen. ↗Vogel 43. Spätestens seit 1920. Wenn einer eindeutig mit dem Finger an die Stirn rührt und nicht bloß eine

Handbewegung zur Stirn macht, ist der Tatbestand der Beleidigung gegeben. So entschied das Bayerische Oberlandesgericht (8 St 149/70).

'Vögelaktu'ar *m* bildender Künstler, der mit seinen Aktmodellen intime Beziehungen unterhält. ↗vögeln 1. 1950 *ff.*

Vogelbad *n* Schwimmbecken, -halle. *Schül* 1950 *ff.*

Vogelbauer *n* **1.** beengte Wohnung; Kleinwohnung. Bauer = Käfig. 1870 *ff.*
2. enge Arrestzelle; Einmannzelle. 1870 *ff.*
3. Herrenhose. ↗Vogel 10. Seit dem 19. Jh.

Vögelbauer *n* Prostituierte. ↗vögeln 1. 1960 *ff.*

Vogelbeine *pl* hagere, dünne Beine. 1920 *ff.*

Vögelbude *f* Studentenwohnheim. Anspielung auf Geschlechtsverkehr oder auf „lockere Vögel" (↗Vogel 26). 1950 *ff.*

Vögelchen *n* **1.** *pl* = Geldmünzen. Anspielung auf den heraldischen Adler. Seit dem ausgehenden 19. Jh.
2. *sg* = zärtliche, intime Freundin. ↗vögeln 1. 1920 *ff.*
3. *sg* = Straßenprostituierte. 1920 *ff.*
4. wie ein ~ essen = wenig essen. Seit dem 19. Jh.
5. gleich kommt das ~ raus: Redewendung des Fotografen, um die Aufmerksamkeit eines Kindes zu wecken. 1900 *ff.*
6. jm das ~ zeigen = durch Berühren der Stirn mit dem Zeigefinger die Dummheitsgebärde machen. ↗Vogel 63. 1920 *ff.*

Vöge'lei *f* Geschlechtsverkehr. ↗vögeln 1. Seit dem 19. Jh; wohl erheblich älter.

Vogelfänger *m* Psychiater, Nervenarzt. ↗Vogel 53. 1910 *ff.*

vögelfrei *adj* für ungestörten Geschlechtsverkehr geeignet. Nach dem Muster von „vogelfrei" gebildet mit Einfluß von „↗sturmfrei". *Halbw* 1960 *ff.*

Vogelgesicht *n* kleines, längliches Gesicht mit spitzer Nase. Seit dem 19. Jh.

Vogelgeste *f* Gebärde des Autofahrers gegenüber einem, der die Straßenverkehrsordnung nicht beachtet. ↗Vogel 63. 1955 *ff.*

Vogelgezwitscher *n* laute, kichernde Unterhaltung junger Mädchen. Einerseits schallnachahmend gemeint, andererseits mit Anspielung auf „Vogel = Unverstand" (↗Vogel 53). *Halbw* 1955 *ff.*

Vogelhändler *m* Gerichtsvollzieher. ↗Vogel 5. 1900 *ff.*

Vogelhaube *f* **1.** Präservativ. ↗Vogel 10. 1920 *ff.*
2. Damenschlüpfer. 1920 *ff.*

Vogelhaus (-häusl) *n* **1.** Bordell (auch „Vögelhaus" genannt). ↗vögeln 1. 1950 *ff.*
2. Haftanstalt. ↗Vogelkäfig 4. 1910 *ff.*
3. Vulva, Vagina. ↗Vogel 10. 1930 *ff.*
4. Hosenschlitz. *Vgl* ↗Vogel 10. 1930 *ff., österr.*
5. das ~ lackieren = koitieren. ↗Vogelhaus 3. *Österr* 1930 *ff.*

Vogelkäfig *m* **1.** beengte Wohnung; Kleinwohnung. 1870 *ff.*

2. Kopfbedeckung. ↗Vogel 54. 1900 *ff.*
3. Kopf des Menschen. ↗Vogel 53. 1900 *ff.*
4. Gefängniszelle; Zelle in der Nervenheilanstalt. 1910 *ff.*

Vögelkiste *f* mannstolle weibliche Person; Hure. ↗vögeln 1. *Österr* 1920 *ff.*

vögeln *tr* **1.** koitieren (auch *intr*). Fußt auf *mhd* „vogelen = begatten", anfangs auf Tiere begrenzt, vor allem auf Hahn und Enterich. Spätestens seit 1300 auf den Menschen übertragen.
2. jn dienstlich quälen, schikanieren. Analog zu ↗ficken 2. Bezieht sich wohl vor allem auf das Hin- und Herhetzen. *Österr* 1914 *ff, sold.*
3. sich etw ~ = für Fehlendes oder Abhandengekommenes durch heimliche Entwendung Ersatz beschaffen. Bezieht sich eigentlich auf den Vogelfang. ↗Vogel 7. *Sold* 1939 *ff, südwestd.*

Vogelnest *n* **1.** Haarnest der Frauen. Wegen der Formähnlichkeit. Seit dem 19. Jh.
2. Musikzimmer in der Schule. Anspielung auf die Proben des Schülerchors. Das „Singen" wird als ein „Zwitschern" aufgefaßt. *Schül* 1960 *ff.*
3. umgebautes ~ = phantasievoller Hut. 1920 *ff.*

Vogelnestfrisur *f* Mädchenfrisur, bei der der Knoten so auf dem Kopf geflochten wird, daß in seiner Mitte eine nestartige Vertiefung entsteht. Seit dem 19. Jh.

Vogelpicker *m* Gerichtsvollzieher. ↗Vogel 5. Picken = kleben. *Österr* 1920 *ff.*

Vögelpritsche *f* Bett. ↗vögeln 1. *BSD* 1965 *ff.*

Vogelscheiße *f* Spinat; spinatähnliche Speise (zubereitet aus Brennesseln o. ä.); minderwertige Verpflegung. *Sold* und *ziv* in beiden Weltkriegen.

Vogelscheuche *f* **1.** geschmacklos gekleidete, häßliche Frau; zerlumpte Gestalt. Vogelscheuchen bestehen meist aus alten, abgetragenen und zerfetzten Kleidungsstücken. Seit dem 18. Jh.
2. mutiger, tapferer Mann, der sich vor nichts fürchtet. Er verscheucht sogar die Gewehrgeschosse; ↗Vogel 2. *Sold* 1939 *ff; ziv* 1945 *ff.*

Vogelstange *f* Latrinensitzstange. *BSD* 1965 *ff.*

Vogel-Strauß-Politik *f* ~ treiben = aus Dummheit und Angst den Unbeteiligten heucheln; nichts hören und sehen wollen. Der Vogel Strauß gilt als dumm; bei Gefahr steckt er (vermeintlich) seinen Hals in ein Gebüsch (so Konrad von Megenberg in seiner Naturgeschichte im Anschluß an Plinius); im 19. Jh entstand die Meinung, er stecke seinen Kopf in den Sand; *vgl* ↗Kopf 138. 1900 *ff.*

Vogelzeichen *n* Dummheitsgebärde des Verkehrsteilnehmers. ↗Vogel 63. 1955 *ff.*

Vogelzimmer *n* Musikzimmer in der Schule. ↗Vogelnest 2. *Schül* 1960 *ff.*

Vögler *m* Mann, der oft geschlechtlich verkehrt. ↗vögeln 1. Seit *mhd* Zeit.

vogu'lieren *tr intr* koitieren. Scherzhafte Latinisierung von „↗vögeln 1". *Schweiz* 1950 *ff.*

Vokabeldrescher *m* Lehrer. ↗Drescher 2. *Schül* 1920 *ff.*

Vokabeln *pl* jn mit ∼ besoffen machen = jn mit Schlagworten überrumpeln und gefügig machen. 1933 *ff.*

Vokabelpauker (-schläger) *m* Lehrer. *Schül* 1970 *ff.*

Vo'kativus *m* **1.** unzuverlässiger, niederträchtiger Bursche. Der Vokativ ist in der *lat* Deklination der Anredefall. Früher wurde üblicherweise wie folgt dekliniert: „Nominativus = Hans; Vokativus = o du Hans". Hieraus entwickelte sich die vorwurfsvolle Bedeutung. 1600 *ff.*
2. pfiffiger, schlauer, listiger Mensch. Seit dem 19. Jh.

Volant-Säugling (Bestimmungswort *franz* ausgesprochen) *m* Kraftfahrer ohne Fahrpraxis. 1955 *ff.*

Volk *n* **1.** liederliche Gesellschaft. Hergenommen von Begriffen wie „Kriegsvolk", „Fußvolk", „gemeines Volk" o. ä., wie die Vorgesetzten oder die Vornehmen die Untergebenen oder die untere Bevölkerungsschicht nennen. Seit dem 18. Jh.
2. die Schüler der Unterstufe. 1940 *ff.*
3. fahrendes ∼ = Autofahrer. Eigentlich die Landstreicher, die Nichtseßhaften o. ä. 1950 *ff.*
4. junges ∼ = Jugendliche; die jungen Leute. 1500 *ff.*
5. sich allem ∼ offenbaren = die Spielkarten offen auf den Tisch legen. Fußt auf der Bibelsprache. Kartenspielerspr. seit dem 19. Jh.

Völker *pl* Leute *(abf)*. ↗Volk 1. Seit dem 18. Jh.

völkern *intr* Völkerball spielen. 1950 *ff, schül.*

Völkerscharen *pl* sehr große Menschenmenge. 1920 *ff.*

Völkerschlacht *f* großes Gedränge. Seit dem späten 19. Jh.

Völkervermehrungsbolzen *m* Penis. ↗Bolzen 3. 1955 *ff.*

Völkervermehrungsknüppel *m* Penis. ↗Knüppel 3. *BSD* 1965 *ff.*

Völkerversöhnungsduselei *f* unrealistische Vorstellung von der Völkerversöhnung. ↗Duselei. 1920 *ff.*

Völkerwanderung *f* Bewegung vieler Menschen (Autos) auf ein Ziel zu; Urlauberstrom; An- und Abmarsch zum (vom) Sportplatz. Seit dem 19. Jh.

Völkerwanderungsverein *m* oft verlegte Kompanie. *Sold* 1939 *ff.*

Volksadel *m* deutscher ∼ = sehr häufig vorkommende Familiennamen wie Schulze, Müller, Meier, Schmidt usw. (in den verschiedenen Schreibweisen). 1920 *ff.*

Volksaktionär *m* Inhaber einer (mehrerer) Klein-Aktie(n). 1958 *ff.*

Volksbelustigung *f* Sportstunde. *BSD* 1965 *ff.*

Volksbelustigungswasser *n* **1.** minderwertiger Branntwein. 1940 *ff, sold.*
2. Mineralwasser, Limonade u. ä. *Vgl* ↗Kinderbelustigungswasser. 1920 *ff.*

Volksberieselung *f* akustische ∼ = Rundfunkwesen. ↗Berieselung 1. 1948 *ff.*

Jenes besonders originelle Titelbild der Illustrierten „Stern" läßt wieder einmal den russischen Bären los. Da der seine Pranken gen Polen ausstreckt, liegt der Schluß nahe, daß die Zeile „was für ein Volk" hier – und darauf muß beim „Stern", der dafür ansonsten eine große Vorliebe zeigt, hingewiesen werden – nicht in einem umgangssprachlichen Sinne verstanden werden soll; denn diese recht abschätzig gebrauchte und deshalb, in diesem Zusammenhang, nicht opportune Vokabel entstand in einer Zeit, da mit Volk in erster Linie das sogenannte einfache Volk gemeint war (vgl. Volk 1.), also jene, die dem berittenen Troß nachfolgten, und das nicht nur in einer allein räumlich zu begreifenden Distanz.

Volksbier *n* Trinkwasser. 1950 *ff.*

Volksbildhauer *m* Volksschullehrer. Nach Art des Bildhauers sucht er aus seinem Werkstoff Gestalten zu entwickeln. Seit dem frühen 20. Jh.

Volksbutter *f* Margarine. Seit dem frühen 20. Jh. Wahrscheinlich älter, da Napoleon III. befahl, eine billige „Volksbutter" zu erfinden.

Volkscedes *m* Kleinauto. Zusammengesetzt aus „Volkswagen" und „Mercedes", der Automarke der Daimler-Benz AG. 1960 *ff.*

Volksempfänger *m* **1.** Portier eines Vergnügungslokals. Aufgekommen 1933 mit dem von der Regierung geförderten Klein-Rundfunkgerät; hier scherzhaft bezogen auf „↗Volk 1".

2. Hebamme. 1933 *ff*.

3. Prostituierte. 1933 *ff*.

Volksempfängerin *f* Prostituierte. 1933 *ff*.

Volksfest *n* **1.** es ist mir ein ~ = es freut mich sehr. *Österr* 1930 *ff*.

2. es ist mir ein ~ mit Lampionbeleuchtung = es ist mir eine sehr große Freude. *Österr* 1930 *ff*, *schül*.

3. es ist mir ein ~ mit Schnapsnasenbeleuchtung = es ist mir eine sehr große Freude, eine große Ehrung. *Österr* 1930 *ff*.

Volksfilm *m* Abortpapier auf der Rolle. Es ist ein filmstreifenähnliches Papierband für die Allgemeinheit. *BSD* 1965 *ff*.

Volksgaukler *m* Politiker, dessen Äußerungen nicht ernst genommen werden. 1946 *ff*.

Volksgemurmel *n* ~ erheben = murren. Entstammt der Theatersprache und meint das Murmeln der „Volksmenge" auf der Bühne. 1930 *ff*, *schül*.

Volksgesäusel *n* Volkssturm. „Sturm" ist hier *iron* herabgemindert zu „Gesäusel" (der Wind säuselt in den Blättern). 1944 *ff*.

Volksglotze *f* Fernsehgerät. ↗Glotze 1. 1960 *ff*.

Volksgymnasium *n* Volksschule. Scherzhafte Rangerhöhung. 1960 *ff*, *schül*.

Volkskapitalist *m* Inhaber einer Volksaktie. *Vgl* ↗Volksaktionär. 1958 *ff*.

Volksknast *m* Volksschule. ↗Knast 2. 1950 *ff*.

Volksmercedes *m* durch Mercedes-Zubehör umgeänderter Volkswagen. 1965 *ff*.

Volksmurmler *m* Statist als Mitglied der „Volksmenge" auf der Bühne. Theaterspr. 1900 *ff*.

Volksnahrung *f* Bier. *Vgl* „flüssiges ↗Brot". *BSD* 1965 *ff*.

Volksnahrungsknolle *f* Kartoffel. *Sold* 1942 *ff* (Ostfront).

Volksoffizier *m* ~ mit Arbeitergesicht = aus dem Unteroffiziersstand hervorgegangener Fachoffizier. Eine Bezeichnung mit klassen- und standeskämpferischem Einschlag seit dem Zweiten Weltkrieg bis heute.

Volksorkan *m* Volkssturm. Vorausgegangen ist im späten 19. Jh die Bezeichnung „Landorkan" für den „Landsturm". 1944 *ff*.

Volkpenne *f* Grund-, Volksschule. ↗Penne. *Schül* 1960 *ff*.

Volksreden *pl* halte keine ~! = fasse dich kurz! Meint eigentlich die für die breite Masse bestimmte Rede eines Politikers. Um 1920/30 aufgekommen; beliebte Soldaten- und Jugendvokabel.

Volksredner *m* ~ ohne Volk = Redner in der Aula. Die Schüler hören ihm schweigend zu und unterbrechen die Rede nicht mit Beifallskundgebungen. 1945 *ff*, *schül*.

Volksseele *f* **1.** kochende ~ = a) allgemeine Empörung. Die „Volksseele" ist ein von Johann Gottfried von Herder geschaffenes Wort für die Schöpferkraft des Volkes und für das Allgemeinempfinden der breiten Masse. Seit dem 19. Jh. – b) von der Regierung angefachte, künstlich angefeuerte Wut gewisser Bevölkerungskreise. 1933 *ff*.

2. die ~ kocht = die Allgemeinheit ist empört. Im ausgehenden 19. Jh aufgekommen.

3. die ~ kocht über = die Massen gehen zu offener Empörung über. 1950 *ff*.

4. es bringt die ~ zum Kochen (die ~ gerät ins Kochen) = das Gemeinte empört die Allgemeinheit. 1920 *ff*.

5. die ~ zum Kochen bringen = die Allgemeinheit aufhetzen. 1950 *ff*.

Volkssport *m* **1.** Fensterln (Einsteigen des Liebhabers durch das Fenster zur Geliebten). 1950 *ff*.

2. Frühjahrsputz. 1960 *ff*.

Volksverarschung *f* Irreführung einer Gruppe; schwere Klassenarbeit. ↗verarschen. *Schül* 1965 *ff*.

volksverbinden *refl* **1.** heiraten. Verspottung des NS-Schlagworts „Volksverbundenheit". Berlin 1933 *ff*.

2. koitieren. 1933 *ff*; 1960 *ff*.

Volksverblödungsapparat *m* Fernsehgerät. 1960 *ff*.

volksverbunden *adv* ~ scherbeln = innig umschlungen, Wange an Wange tanzen. ↗volksverbinden 1. 1934 *ff*.

Volksverdummer *m* **1.** Fernsehgerät. 1960 *ff*.

2. Schlagersänger. *Halbw* 1965 *ff*.

3. Lehrer. 1965 *ff*, *schül*.

4. Politiker. 1960 *ff*.

Volksverdummungsgerät (-kasten; -kiste; -röhre) *n (m, f)* Fernsehgerät. 1960 *ff*.

Volksvermehrungskeule *f* Penis. ↗Keule 6. 1960 *ff*.

Volksvilla *f* Fertighaus. 1960 *ff*.

Volkswagen *m* **1.** rheinischer (Bonner) ~ = Auto, Marke Mercedes 300. Anspielung auf die von den Steuerzahlern finanzierten Luxusautos der Regierung der BRD. 1953 *ff*.

2. wie ein ~ gucken (o. ä.) = erstaunt, ratlos dreinblicken. ↗Auto 15. 1950 *ff*.

3. wie ein ausgebrannter ~ gucken (o. ä.) = hilflos, verständnislos dreinblicken. 1950 *ff*.

Volkswind *m* Volkssturm. ↗Volksgesäusel. 1944 *ff*.

Volkswirt *m* Gastwirt. Er bewirtet „das Volk". 1960 *ff*.

Volkszephir *m* Volkssturm. „Zephir" ist der sanfte Wind. ↗Volksgesäusel. 1944 *ff*.

Volkzorn *m* der ~ kocht = die Allgemeinheit ist empört. Übernommen von „↗Volksseele 1". 1960 *ff*.

voll *adj* **1.** betrunken. Eigentlich „mit Getränken gefüllt". Seit *mhd* Zeit. *Vgl engl* „full".

2. schwanger. 1900 *ff*.

2 a. unter Rauschgifteinfluß stehend. 1970 *ff*.

3. ~ bis an den Eichstrich = volltrunken. 1900 *ff*.

4. ~ bis obenhin = volltrunken. 1900 *ff*.

4 a. auf etw ~ abfahren = von etw sehr begeistert sein. ↗abfahren 11. 1970 *ff.*
5. ~ dasein = ganz bei der Sache sein; voll leistungsfähig sein. *Sportl* 1950 *ff.*
6. jn nicht für ~ nehmen (ansehen) = jn für geistesbeschränkt halten. Leitet sich wahrscheinlich von der Münzkunde her: „nicht voll" ist eine Münze, wenn sie nach Gewicht und Metall nicht den gesetzlichen Bestimmungen entspricht; sie ist nicht vollwertig. 1600 *ff.*
7. sich ~ und toll saufen = sich sinnlos betrinken. 1900 *ff.*
8. ~ sein = a) beschmutzt sein. Verkürzt aus „voll von Schmutz sein". Seit dem 19. Jh. – b) unter Rauschgifteinwirkung stehen. *Halbw* 1965 *ff.*
9. bis zum Stehkragen ~ sein = volltrunken sein. 1930 *ff.*
vollabern *v* ↗voll-labern.
Vollanstalt *f* öffentliche Bedürfnisanstalt für beide Geschlechter. Eigentlich Bezeichnung für die höhere Schule, die zur Hochschulreife führt. Hier meint „voll" soviel wie „nicht auf ein Geschlecht beschränkt". 1925 *ff.*
vollaufen *v* **1.** sich (jn) ~ lassen = sich betrinken; jn betrunken machen. ↗voll 1. 1920 *ff.*
2. sich ~ lassen bis zum Stehkragen = sich sinnlos betrinken. ↗voll 9. 1930 *ff.*
3. sich ~ lassen, bis einem das Zeug aus den Ohren rieselt = sich hemmungslos betrinken. 1960 *ff.*
Vollballon *m* wundgelaufene, angeschwollene Füße. ↗Ballon 8. *BSD* 1965 *ff.*
Vollbart *m* abendfüllender ~ = Bart des Film-Försters o. ä. ↗abendfüllend. 1955 *ff.*
Vollbartsicherung *f* Windschutzscheibe des Autos. 1950 *ff,* Berlin.
Vollbläue *f* schwere Trunkenheit. ↗blau 5. 1900 *ff.*
vollblind *adj* sehr dumm; gänzlich unfähig. ↗blind 1. *BSD* 1960 *ff.*
Vollblut- als erster Bestandteil von Zusammensetzungen kennzeichnet die besonders stark ausgeprägte Befähigung eines Menschen auf seinem Fachgebiet, sein leidenschaftliches Durchdrungensein von seinem Beruf o. ä. und die unverfälschte Verkörperung typischer Eigenschaften des Geschlechts, des Berufs usw. Das Wort geht zurück auf *engl* „full blood" und meint eigentlich die reinrassige Abstammung von edlen Pferden.
Vollblutarchitekt *m* von seinem Beruf begeisterter Architekt. 1900 *ff.*
Vollblut-Bulette *f* Beefsteak aus Pferdefleisch. ↗Bulette 1. *Sold* und *ziv* 1914 bis heute.
Vollblutfrau *f* Idealfrau. 1920 *ff.*
Vollblutgeschäftsmann *m* Geschäftsmann, der in seinem Beruf völlig aufgeht. 1960 *ff.*
Vollbluthumorist *m* Humorist „mit Leib und Seele". 1950 *ff.*
Vollblutidiot *m* überaus dummer Mensch. 1920 *ff, schül.*

vollblütig *adj* wohlhabend. Berlin 1961 *ff.*
Vollblutindianer *m* sehr dummer Mensch. „Indianer" ist hier Euphemismus für „Idiot". *Schül, stud* und *sold,* 1920 *ff.*
Vollblutingenieur *m* von seiner Arbeit völlig eingenommener Ingenieur. 1920 *ff.*
Vollblutjournalist *m* Journalist, der seinen Beruf begeistert ausübt. 1920 *ff.*
Vollblut-Kommunist *m* überzeugter Kommunist. 1950 *ff.*
Vollblutkomödiant *m* Komödiant, der in seiner Rolle völlig aufgeht. 1920 *ff.*
Vollblutkünstler *m* von seinem Schaffen völlig erfüllter Künstler. 1920 *ff.*
Vollblutlehrer *m* Lehrer aus Überzeugung, mit Begeisterung und allen erforderlichen Fähigkeiten. 1950 *ff.*
Vollblutmädchen *n* Mädchen, wie man es sich schöner, lieber, verständiger usw. nicht denken kann. 1955 *ff, halbw.*
Vollblutmann *m* Mann mit ausgeprägten Manneseigenschaften. 1950 *ff.*
Vollblutmime *m* begeisterter und hochbefähigter Schauspieler. Theaterspr. 1900 *ff.*
Vollblutmusiker *m* hochbegabter Musiker. 1920 *ff.*
Vollblutpolitiker *m* Politiker mit allen für seine Tätigkeit erforderlichen Eigenschaften. 1950 *ff.*
Vollblutschauspieler (-in) *m (f)* vom Beruf gänzlich erfüllte(r) Schauspieler(in). Theaterspr. 1900 *ff.*
Vollblutsoldat *m* mustergültiger Soldat. 1935 *ff.*
Vollblutstürmer *m* herausragender Stürmer einer Fußballmannschaft. *Sportl* 1955 *ff.*
Vollbluttheologe *m* von seinem Beruf erfüllter Theologe. 1850 *ff.*
Vollbluttorwart *m* vorbildlicher Torwart. *Sportl* 1955 *ff.*
Vollblutweib *n* Idealfrau. 1920 *ff.*
vollbuddeln *refl* sich betrinken. ↗voll 1; ↗buddeln 4. 1900 *ff.*
vollbüffeln *refl* einen Wissensstoff sich angestrengt einprägen. ↗büffeln. 1900 *ff, schül* und *stud.*
Volldampf *m* **1.** größtes Leistungsvermögen. Hergenommen von der Dampfmaschine, vor allem von Lokomotive und Dampfschiff. 1880 *ff,* oft im Sportlerdeutsch.
2. mit ~ = a) so schnell wie möglich. 1920 *ff.* – b) mit aller Energie. 1920 *ff, sportl, sold* und *schül.*
3. ~ machen = a) sich sehr beeilen. 1920 *ff.* – b) sich körperlich sehr abmühen. 1920 *ff.*
4. unter ~ stehen = a) energiegeladen sein. 1950 *ff.* – b) ein starker Raucher sein. 1960 *ff.*
Volldepp *m* sehr dummer Mensch. ↗Depp. *Südd* 1900 *ff.*
'voll'doof *adj* sehr geistesbeschränkt. ↗doof 1. 1940 *ff.*
Volle I *f* Karte mit hohem Augenwert. Kartenspielerspr. 1900 *ff.*

Volle II *pl* **1.** in die ~n!: Ausruf beim Zuprosten. Hergenommen von der Kegelbahn: „die Vollen" sind alle aufgestellten Kegel. Von da übertragen auf die gefüllten Gläser. 1930 *ff*.
2. in die ~n gehen = a) ganze Arbeit leisten; eine Sache in vollem Umfang einleiten. 1950 *ff*. – b) rücksichtslos fordern. 1950 *ff*. – c) Geld verschwenden. Man vergeudet es mit (aus) vollen Händen. 1950 *ff*. – d) das geht in die ~n = das ist hin-, mitreißend. 1965 *ff*.

völlern *intr* schlemmen. Aus dem Substantiv „Völlerei" entwickelt. 1925 *ff*.

vollerweise *adv* im Zustand der Trunkenheit. ↗voll 1. Seit dem 17. Jh.

Volleule *f* Trinker; Betrunkener. Hat mit dem Vogel nichts zu tun, sondern fußt auf „Aule = Steinkrug". Vorwiegend *westd*, 1800 *ff*.

vollfett *adj* **1.** sehr beleibt. 1920 *ff*.
2. volltrunken. ↗fett 1. 1955 *ff*.

vollfüllen *tr refl* jn betrunken machen; sich betrinken. Der Trinker als Gefäß. 1920 *ff*.

Vollgas *n* **1.** mit ~ = sehr schnell. Aus der Kraftfahrt übernommen. 1930 *ff*.
2. ~ geben = sich beeilen; weglaufen. *Sold* 1940 *ff*.

Vollgasbranche (Grundwort *franz* ausgesprochen) *f* die Sportfahrer. 1960 *ff*.

Vollgasmensch *m* rücksichtsloser Kraftfahrer. 1930 *ff*.

Vollgastänzer *m* ungestümer Tänzer. 1950 *ff*.

vollgefressen *adj* völlig gesättigt; beleibt. Seit dem 19. Jh.

vollgeladen haben bezecht sein. ↗geladen haben 1. Seit dem 19. Jh.

vollgesoffen *adj* volltrunken. Seit dem 19. Jh.

Vollgesoffski *m* Bezechter. Aus dem Vorhergehenden substantiviert durch Anfügung einer *slaw* Endung. *Westd* 1900 *ff*.

vollgetankt sein 1. betrunken sein. ↗tanken 3. Spätestens seit 1920.
2. frisch mit Geld versehen sein. ↗tanken 4. 1920 *ff*.

Vollglatze *f* blank wie eine ~ = völlig mittellos. ↗blank 5. 1900 *ff*.

Vollgummi *n* **1.** wundgelaufene Füße. ↗Ballon 8. *BSD* 1965 *ff*.
2. ~ verteilen = schikanös drillen. ↗Gummi 3. *BSD* 1965 *ff*.

vollgummibereift *adj* wundgelaufen (auf die Füße bezogen). ↗Ballon 8. *BSD* 1965 *ff*.

'voll'gut *adj* ausgezeichnet. *Jug* 1975 *ff*.

vollhauen *v* **1.** jn prügeln. ↗hauen 1. Verkürzt aus „jm den Buckel (den Arsch) vollhauen". 1900 *ff*.
2. *refl* = sich reichlich sättigen. Verkürzt aus „sich den ↗Bauch vollschlagen". 1900 *ff, sold*.

Vollidiot *m* sehr dummer Mensch. Spätestens seit dem ausgehenden 19. Jh, *schül, sold* und *arb*.

vollkacheln *refl* sich sattessen. ↗einkacheln. *BSD* 1965 *ff*.

vollkleistern *refl* sich (beim Essen, beim Tapezieren) beschmutzen. Kleistern = kleben, leimen. 1900 *ff*.

vollklieren *tr* etw unsauber vollschreiben. ↗klieren. *Nordd* seit dem 19. Jh.

vollknallen *refl* eine kräftige Dosis eines Rauschmittel nehmen; Rauschgift spritzen. 1970 *ff*.

vollknatter *adj* volltrunken. ↗knatter. 1920 *ff*.

vollknorke *adj präd* besonders gut; ganz ausgezeichnet. ↗knorke. Berlin, 1920 *ff*.

vollkommen *adj* sehr beleibt; drall. 1870 *ff*.

Vollkornbrot *n* ein Gesicht wie ein ~ = ein unreines Gesicht voller Eiterbläschen. Berlin 1930 *ff*.

Vollkornwitz *m* sehr starke Zote; „kräftiger" Witz. Vollkornbrot ist ein besonders „kräftiges" Brot. 1950 *ff*.

vollkotzen *tr* etw durch Erbrechen beschmutzen. ↗kotzen. Seit dem 19. Jh.

vollkrachen *refl* sich betrinken. Man betrinkt sich, „daß es nur so kracht"; ↗krachen 2. *BSD* 1965 *ff*.

voll-labern *tr* auf jn einreden; jn mit leeren Redensarten mundtot machen. ↗labern. *Jug*, 1970 *ff*.

voll-leimen *tr* jn belügen. ↗leimen. 1945 *ff*.

vollmachen *v* **1.** *tr* = etw mit Kot verunreinigen. Seit dem 19. Jh.
2. *tr* = jn betrunken machen. ↗voll 1. Seit dem 15. Jh.
3. *tr* = schwängern. 1800 *ff*.
4. *refl* = sich beschmutzen. 1800 *ff*.
5. *refl* = sich selbst übermäßig loben. Hängt mit dem Sprichwort „Eigenlob stinkt" zusammen: die Wirkung des Selbstlobs ähnelt der des Kots. 1840 *ff*.

vollmampfen *refl* sich sattessen. ↗mampfen. 1935 *ff*.

Vollmond *m* **1.** feistes Gesicht. Seit dem 18. Jh.
2. Kahlkopf. 1840 *ff*.
3. Glatzköpfiger. Seit dem 19. Jh.
4. nacktes Gesäß. Seit dem 19. Jh.

Vollmondgesicht (Vollmondsgesicht) *n* volles, rundwangiges Gesicht. Seit dem 18. Jh. *Vgl engl* „a face like a full moon".

Vollmondkopf *m* Rundschädel mit feistem Gesicht. Seit dem 19. Jh.

Vollmondscheibe *f* dünne Brotscheibe. Durch sie scheint der Mond hindurch. 1870 *ff*.

vollmuff sein volltrunken sein. ↗muff 3. *BSD* 1965 *ff*.

vollmundig *adj* laut, prahlerisch. Der Fachsprache der „Weinschmecker" entlehnt unter Einfluß von „den ↗Mund vollnehmen". 1920 *ff*.

Vollmundigkeit *f* prahlerische, übersteigerte Redeweise. *Vgl* das Vorhergehende. 1920 *ff*.

Vollmurks *m* völlig verfehlte, verdorbene Arbeit. ↗Murks. 1965 *ff*.

vollmurksen *tr* etw stark beschmutzen; etw durch unsachgemäße Behandlung verderben. ↗murksen 1. Seit dem 19. Jh.

Vollnackedei *m* nackter Mensch. ↗Nackedei. 1950 *ff.*

'voll'nett *adj* kameradschaftlich, sympathisch. *Jug* 1975 *ff.*

vollpampfen *refl* überreichlich essen. ↗pampfen. *Bayr* und *österr,* seit dem 19. Jh.

Vollpension *f* Haftanstalt; Arrest; Schullandheim. Dort werden Unterkunft und Verpflegung geboten. ↗Pension 2. Seit dem 19. Jh.

vollpissen *refl* sich töricht, ungeschickt benehmen. 1900 *ff.*

vollprumpsen *v* **1.** *tr* = jn betrunken machen. ↗prumpsen. *Niederd* seit dem 19. Jh.
2. *refl* = sich reichlich sättigen; unmäßig viel essen. Seit dem 19. Jh.

vollpumpen *v* **1.** *tr* = jn betrunken machen. Man pumpt ihn voll Alkohol. *Stud* 1870 *ff.*
2. *refl* = sich betrinken. 1870 *ff.*
3. *refl* = fleißig lernen; sich Wissensstoff aneignen. *Schül* und *stud* 1870 *ff.*
4. *refl* = sich viel Rauschgift einspritzen. 1965 *ff.*
5. ich pumpe dich voll!: Drohrede. Man droht, den Gemeinten „mit Blei vollzupumpen" (= viele Schüsse auf ihn abzufeuern). Um 1950 unter Schülern aufgekommene Entlehnung aus Kriminalromanen.

vollquatschen *tr* auf jn einreden, jn beschwatzen. 1920 *ff.*

Vollrausch *m* ~ erster Klasse = Volltrunkenheit. ↗Klasse 8. 1920 *ff.*

Vollrind *n* sehr dummer Mensch. ↗Rindvieh. 1935 *ff.*

vollrotzen *v* **1.** *tr refl* = etw (sich) mit Nasenschleim beschmutzen. ↗rotzen 1. Seit dem 19. Jh.
2. *tr* = jn heftig beschießen; einen Geländeabschnitt mit Trommelfeuer belegen. ↗rotzen 4. *Sold* in beiden Weltkriegen.

vollsaftig *adj adv* **1.** grob, derb, zotig; sehr unfein. ↗saftig. 1910 *ff.*
2. ~ schimpfen = derb, beleidigend schimpfen. 1910 *ff.*

vollsaufen *refl* sich betrinken. ↗saufen 1. Seit dem 15. Jh.

vollscheißen *tr* **1.** etw mit Kot beschmutzen. ↗scheißen 1. 1500 *ff.*
2. jn verachten. 1820 *ff.*
3. scheiß' dich nicht voll! = prahle nicht! rege dich nicht auf! *Vgl* ↗vollmachen 5. 1900 *ff.*

vollschlagen *refl* sich reichlich sättigen. ↗vollhauen 2. 1900 *ff.*

vollschlam'pampen *refl* sich betrinken. ↗schlampampen. Seit dem 19. Jh.

vollschlampen *refl* sich stark beschmutzen. ↗schlampen 4. Seit dem 19. Jh.

vollschlank *adj* angenehm füllig. Ein höflicher Euphemismus, heute nur noch selten als Beschönigung aufgefaßt. Aufgekommen gegen 1910.

vollschlauchen *refl* **1.** sich betrinken. ↗schlauchen 7. 1900 *ff.*

2. sich reichlich sättigen; viel essen. ↗schlauchen 8. 1900 *ff.*
3. viel schmarotzen. 1910 *ff.*

Vollschnäuzigkeit *f* Prahlerei; anmaßende Redeweise. *Vgl* „die ↗Schnauze vollnehmen". 1910 *ff.*

Vollschwips *m* Bezechtheit. ↗Schwips. 1950 *ff.*

Vollsein *n* zum ~!: Ausruf beim Zutrinken. Scherzhaft entstellt aus „zum Wohlsein!". 1870 *ff.*

vollspucken *tr* koitieren (vom Mann gesagt). 1900 *ff.*

'voll'stark *adj* unüberbietbar. ↗stark 1. *Jug* 1975 *ff.*

Vollstarke *f* beleibte Frau von großer Körperkraft. Nachbildung von „Halbstarke". 1950 *ff.*

vollsteif *adj präd* volltrunken. ↗steif 1. 1955 *ff.*

vollstrecken *intr* eine „Kombination" mit einem Tortreffer abschließen. Übertragen von der Vollstreckung eines Gerichtsurteils: der Spieler vollzieht, was ein anderer eingeleitet hat. *Sportl* 1950 *ff.*

Vollstrecker *m* Spieler, der zum Abschluß eines Zusammenspiels einen Tortreffer erzielt. *Sportl* 1950 *ff.*

Vollsuff *m* Volltrunkenheit. ↗Suff. 1920 *ff.*

vollsülzen *tr* jn beschwatzen. ↗sülzen. *Jug* 1950 *ff.*

volltanken *v* **1.** *tr* = etw bis oben füllen. Aus der Kraftfahrersprache übernommen. 1920 *ff.*
2. *tr* = koitieren (vom Mann gesagt). 1920 *ff.*
3. *tr* = jn betrunken machen. *Sold* 1914 *ff.*
4. *refl* = sich betrinken. 1914 *ff.*
5. *refl* = sich sattessen. 1920 *ff.*

Volltreffer *m* **1.** treffsichere Bemerkung. Kann sich herleiten vom Treffer in die Mitte des Ziels *(milit)* oder vom Treffer „ in die Vollen" (keglerspr.). 1920 *ff.*
2. hervorragende Leistung. 1920 *ff.*
3. Volltrunkenheit. *Sold* 1939 *ff.*
4. Schwängerung. 1920 *ff.*
5. unhaltbarer Tortreffer. *Sportl* 1920 *ff.*

volltrichtern *v* **1.** *tr* = jn betrunken machen. ↗Trichter 1. 1900 *ff.*
2. *tr* = schwängern. 1900 *ff.*
3. *refl* = sich Wissensstoff einprägen. ↗eintrichtern 1. Seit dem 19. Jh.

Volltrottel *m* sehr dummer, ungeschickter, unbeholfener Mensch. ↗Trottel. 1900 *ff.*

Voll-Twen *m* unverheiratete Frau, die sich trotz ihrer 40 und mehr Lebensjahre jugendlich kleidet und benimmt, um Eindruck auf die Männer zu machen. ↗Twen. *Halbw* 1955 *ff.*

vollvögeln *tr* schwängern. ↗vögeln 1. 1900 *ff.*

Volte *f* eine ~ schlagen = jn durch eine betrügerische Handlung schädigen. „Volte" nennt man einen Kunstgriff beim Mischen der Spielkarten: dadurch kommt eine bestimmte Karte immer an denselben Platz zu liegen. 1900 *ff.*

voluminös *adj* hervorragend; überaus eindrucksvoll (auf junge Mädchen bezogen). Vom Rauminhalt und Umfang umgedeutet auf das angenehme

Äußere eines jungen Mädchens, auch auf seine angenehme Wesensart. 1900 *ff*, *stud* und *schül*.

Vomag *m* aus dem Mannschaftsstand hervorgegangener Offizier; Fachoffizier. Eigentlich Abkürzung und Firmenzeichen der „Vogtländischen Maschinenfabrik AG" in Plauen; hier abgekürzt aus der überheblichen Bezeichnung „↗Volksoffizier mit Arbeitergesicht". Im Zweiten Weltkrieg in Offizierskreisen aufgekommen und in der Bundeswehr wiederaufgelebt.

von *präp* **1.** Herr von und zu = Neureicher. Abwandlung des Adelsprädikats. Oft in der Form „seine Mutter war eine von und zu, sein Vater ein (einer) auf und davon". 1920 *ff*. **2.** sich „von" schreiben = hervorragend sein. Das Adelsprädikat gilt weiterhin als äußeres Kennzeichen besonderer Wertigkeit. 1950 *ff*, werbetexterspr. **3.** sich „von" schreiben können = von Glück sagen können. 1950 *ff*.

voneinander sein kein Liebespaar mehr sein. ↗miteinander gehen. 1920 *ff*.

Von-oben-herab-Miene *f* Gesichtsausdruck eines dünkelhaften Menschen; verächtlich abweisende Miene. ↗obenherab. 1900 *ff*.

vorächzen *v* jm etw ~ = ein Leiden vortäuschen, um einen Vorteil zu erlangen. *Sold* 1939 *ff*.

Vorarbeiter *m* **1.** Mann, der die von ihm geschwängerte Frau heiratet. *Stud* 1955 *ff*. **2.** ~ bei den Arbeitslosen = arbeitsscheuer Mann. 1950 *ff*.

vorarschen *intr* den Lehrstoff durcharbeiten, ehe er in der Schule behandelt wird. Aus „arschen" (= auf das Gesäß schlagen) ergibt sich die Überleitung zu „↗pauken", das sowohl „schlagen" als auch „lernen" meint. 1920 *ff*.

vorbabbeln (vorpapeln) *tr* dem Mitschüler vorsagen. ↗babbeln. 1930 *ff*.

vorbarmen *v* jm etw ~ = jm etw vorspiegeln, eine Notlage vortäuschen. Barmen = jammern. 1900 *ff*.

Vorbau *m* **1.** dicke, große Nase. Parallel zu ↗Erker. 1900 *ff*. **2.** üppiger Busen. Analog zu ↗Balkon. Seit dem späten 19. Jh, *stud* und *schül*. **3.** dicker Leib; Leib der Schwangeren. ↗Balkon. Seit dem 19. Jh.

vorbauen *v* **1.** auf Vollbusigkeit Wert legen. ↗Vorbau 2. 1955 *ff*. **2.** vorgebaut haben = a) schwanger sein. 1900 *ff*. – b) vor der Heirat geschwängert sein. 1870 *ff*. **3.** die kluge Frau baut vor = die listige Frau läßt sich schwängern, um den Kindesvater zur Heirat zu bewegen (zu zwingen). Nachgebildet dem Sprichwort „der kluge Mann baut vor" (aus Schillers Drama „Wilhelm Tell" volkstümlich geworden). 1910 *ff*.

vorbeiballern *intr* das Schußziel nicht treffen. ↗ballern. *Sold* in beiden Weltkriegen.

vorbeibenehmen *refl* den Anstandsregeln zuwiderhandeln. Übertragen von der Vorstellung des Fehlschießens oder Fehlschlagens. *Vgl* ↗danebenbenehmen. 1900 *ff*.

Vorbeibenimm *m* schlechtes Benehmen. ↗Benimm. 1950 *ff*.

vorbeibringen *v* jm etw ~ = jm etw beiläufig mitbringen, abgeben. 1900 *ff*.

vorbeidenken *intr* sich irren; falsch planen. *Vgl* ↗danebendenken. 1920 *ff*.

vorbeidreschen *intr* das Fußballtor verfehlen. ↗dreschen 3. *Sportl* 1920 *ff*.

vorbeidrücken *v* sich an etw ~ = sich einer Verpflichtung geschickt entwinden. Verdeutlichung von „↗drücken 10". 1900 *ff*.

vorbeifassen *intr* bei einer strafbaren Handlung ertappt werden; Mißerfolg erleiden. Hängt mit diebischem Zugreifen zusammen. 1900 *ff*.

vorbeigehen *intr* bei jm ~ = jn gelegentlich (kurz) besuchen. Verkürzt aus „vorbeikommen" und „hineingehen". 1900 *ff*.

vorbeigeigen *intr* das Ziel verfehlen. ↗vergeigen. *Marinespr* 1939 *ff*.

vorbeigelingen *impers* mißlingen. Scherzhaft-beschönigende Vokabel. *Vgl* ↗danebengelingen. Seit dem späten 19. Jh.

vorbeigewinnen *intr* ein Kartenspiel, das man schon für gewonnen hielt, beim letzten Stich verlieren; in der Lotterie keinen Gewinn erzielen. 1900 *ff*.

vorbeiglücken *impers* mißglücken. *Vgl* ↗danebenglücken. 1870 *ff*.

vorbeigucken *intr* kurz zu Besuch kommen. Verkürzt aus „vorbeikommen" und „hineingucken". 1900 *ff*.

vorbeihauen *intr* **1.** fehlschießen. Das Geschoß schlägt neben dem Ziel ein. *Sold* und schützenvereinsspr. seit dem späten 19. Jh. **2.** eine schlechte Arbeit schreiben. ↗verhauen 2; ↗danebenhauen 2. *Schül, 1900 ff*.

vorbeihoffen *intr* in seinen Hoffnungen enttäuscht werden. 1920 *ff*.

vorbeiknallen *intr* **1.** das Schußziel verfehlen. *Sold* in beiden Weltkriegen. **2.** das Fußballtor verfehlen. ↗knallen 6; ↗danebenknallen 2. *Sportl* 1920 *ff*.

vorbeikommen *intr* im Vorbeigehen jn aufsuchen. Verkürzt aus „vorbeikommen" und „hinein-" oder „hereinkommen". 1870 *ff*.

vorbeikönnen *intr* vorbeigehen können. Hieraus verkürzt. Seit dem 19. Jh.

vorbeilassen *tr* jn vorbeigehen lassen. Hieraus verkürzt durch Tilgung des Verbs der Bewegung. Seit dem 19. Jh.

vorbeileben *intr* allen Lebensfreuden entsagen. Berlin 1925 *ff*.

Vorbeimarsch *m* es ist mir ein innerer ~ = es freut mich sehr, ist mir eine große Ehre. Kurz nach 1933 aufgekommen mit den vielen feierlichen Vorbei- und Aufmärschen vor Hitler, vor allem anläßlich der Nürnberger Reichsparteitage.

vorbeimogeln v 1. sich an jm ~ = jn unbemerkt umgehen. ↗mogeln. Sold 1939 ff.
2. sich an etw ~ = sich listig einer Verantwortung, einer Aussage o. ä. entwinden. 1950 ff.

vorbeipinkeln intr eine günstige Gelgenheit versäumen; Mißerfolg erleiden. ↗Brille 11. Seit dem 19. Jh.

vorbeipissen intr keinen Erfolg haben. Vgl ↗Brille 11. Berlin 1840 ff.

vorbeiraten intr falsch raten. Vgl ↗danebenraten. 1920 ff.

vorbeischätzen tr etw nicht mögen; etw verachten. Vgl ↗danebenschätzen 2. 1920 ff.

vorbeischauen intr ↗vorbeisehen.

vorbeischicken tr jn zu einem Besuch veranlassen. 1900 ff.

vorbeischießen intr 1. sich irren. Vgl ↗danebenschießen. Seit dem 19. Jh.
2. koitieren, ohne zu schwängern; den Geschlechtsverkehr vorzeitig abbrechen. ↗schießen 11. 1900 ff.

vorbeisehen v bei jm ~ = jn kurz besuchen. ↗vorbeigucken. 1900 ff.

vorbeisitzen intr aneinander ~ = im Lokal keinen Anschluß beim anderen Geschlecht finden. Vgl ↗danebensitzen 2. 1920 ff.

vorbeistoßen intr koitieren, ohne zu schwängern; den Koitus vorzeitig abbrechen. ↗stoßen 3. 1900 ff.

vorbeitippen intr falsch wetten. ↗tippen 3. 1920 ff.

vorbeitraben intr schwülstige Reden führen, aber nicht auf das Wichtigste zu sprechen kommen; etw völlig falsch beurteilen. 1925 ff.

vorbeitreffen intr scheitern. 1900 ff.

vorbeiverstehen refl sich aneinander ~ = einander nicht verstehen; einander falsch beurteilen. 1960 ff.

vorbeivögeln intr 1. koitieren, ohne zu schwängern. ↗vögeln 1. 1900 ff.
2. Mißerfolg erleiden; eine militärische Niederlage erleiden. Sold in beiden Weltkriegen.

vorbeiwichsen intr eine schlechte Arbeit schreiben. Meint eigentlich „beim Fechten mit Säbeln den Gegner verfehlen". 1900 ff, schül.

vorbeizeigen intr 1. jn zu Unrecht beschuldigen. Man zeigt mit dem Finger auf den Falschen, oder man gibt beim Schützenanzeiger ein falsches Zeichen. 1920 ff.
2. falsch vermuten. Sold 1935 ff.

vorbeizupfen intr gegen die Anstandsregeln verstoßen. Hergenommen vom Zupfinstrument, auf dem man nicht den richtigen Ton trifft. 1950 ff.

vorbelastet adj 1. schwanger. Die Frau trägt vorn eine Last. 1920 ff.
2. vollbusig. 1920 ff.

vorbelastet sein viele intime Freunde (Freundin-nen) gehabt haben. Man hat eine belastete Vergangenheit. Angeblich halbw, 1960 ff.

vorbestraft sein verheiratet sein. Ironie. 1950 ff.

vorbeten v 1. intr = die Stiche offen zusammenzählen. Kartenspielerspr. seit dem 19. Jh.
2. tr = jm etw eindringlich, wiederholt anempfehlen, einprägen. Hergenommen vom Vorbeter im Gottesdienst. Seit dem 19. Jh.

Vorbeter m 1. maßgebende Person. 1930 ff.
2. Klassensprecher. Schül 1960 ff.

Vorbild n Klassenschlechtester. Iron Bezeichnung. Schül 1950 ff.

vorbinden v 1. sich jn ~ = jn heftig zurechtweisen. Gemeint ist wohl, daß der Betreffende an der Halsbinde (Krawatte) ergriffen und nicht losgelassen wird, bis er die Rüge zu Ende angehört hat. Seit dem späten 19. Jh, stud und sold.
2. sich etw ~ = sich einer Sache energisch annehmen. 1900 ff.

vorblasen v 1. intr = dem Mitschüler vorsagen. ↗einblasen. Seit dem späten 19. Jh, schül.
2. jm etw ~ = jm etw einreden. 1930 ff.

vorblocken tr 1. das Kommen des Vorgesetzten (o. ä.) vorher anmelden. Der Eisenbahnersprache entlehnt: die Eisenbahnstrecken sind in Blockabschnitte unterteilt, die von Stellwerken geregelt werden; die Stellwerke melden die Züge einander vor. 1950 ff.
2. jn auf etw vorbereiten. 1950 ff.

vorbohren v 1. bei jm ~ = jds Ansicht (Stimmung) im voraus (vor einer Besprechung o. ä.) erkunden. Hergenommen vom Schreiner (o. ä.), der zunächst mit einem kleineren (dünneren) Bohrer bohrt, ehe er den größeren verwendet. ↗bohren 1. 1900 ff.
2. tr = jn intim betasten. 1960 ff.

Vorbörse f Trunk vor Beginn des Vereinsabends; Frühschoppen. Eigentlich die Gasterei der Kauf- und Bankleute vor Beginn der Börse. 1900 ff, großstadtspr.

vorbraatschen v jm etw ~ = jm etw ausführlich erzählen. ↗braatschen. 1900 ff.

vorbrabbeln intr dem Mitschüler vorsagen. ↗brabbeln. 1900 ff.

vorbremsen v einen vorgebremst kriegen = geohrfeigt, geprügelt, beschossen werden. ↗bremsen 1. 1914 ff.

vorchecken tr etw im voraus untersuchen. ↗checken. 1970 ff.

Vorderachse f sich die ~ verbiegen = sich (als Mann) eine Geschlechtskrankheit zuziehen. Aus der Fahrzeugtechnik übertragen. ↗Achse 6. 1910 ff, ziv und sold.

Vorderantrieb m Penis. 1930 ff.

Vorderbein n 1. Hand, Arm. 1850 ff.
2. Penis. 1900 ff.
3. linkes ~ = geschlechtskranker Penis. ↗link. 1910 ff, sold und prost.

Vorderfinger m Penis. 1870 ff.

„Ich weiß ja nicht, wie sie auf den Osten wirken — aber **mich** schrecken sie ab!"

Die Karikatur von Hans Traxler spielt auf den von bestimmten Kreisen (die zu nennen sich erübrigt, weil sie ohnehin jeder kennt,) immer wieder behaupteten und beklagten Verfall der Disziplin in der Bundeswehr an. Und obwohl die fünf Rekruten so stehen, daß sie durch ein einziges Kommando des an ihrer Abschreckungswirkung Zweifel hegenden Vorgesetzten wieder auf Vordermann gebracht werden könnten (vgl. Stichwortartikel), soll es damit aber noch nicht sein Bewenden haben; denn schließlich geht es hier ja nicht um sie, sondern um die Armee, der sie dienen,

der eine mehr, der andere weniger, und mit der jetzt ebenso verfahren werden soll. Man kann also jemanden, die Rekruten, wie auch etwas, die Bundeswehr, auf Vordermann bringen (vgl. **Vordermann 1., 2.***), wobei dieses Beispiel zu demonstrieren vermag, daß beides oft untrennbar miteinander verbunden ist, wenngleich, und so auch hier, die Sache in der Regel höher steht (vgl.* **Vordermann 3.***). Allerdings stellt sich dann die Frage nach dem Vordermann der Sache. Und damit wird's philosophisch, doch leider nur in der Theorie.*

Vorderflosse *f* Hand, Arm. ↗Flosse. Seit dem späten 19. Jh.

Vorderfront *f* **1.** Gesicht. ↗Fassade 1. 1890 *ff.*
2. Busen. 1900 *ff.*

Vorderfuß *m* Hand, Arm. 1840 *ff.*

Vordergeschirr *n* Penis. ↗Geschirr 1. 1900 *ff.*

Vorderhuf *m* Hand. 1870 *ff.*

Vorderkü *m* Leib der Schwangeren. ↗Kü 1. 1900 *ff,* Berlin.

vorderlastig *adj* **1.** schwanger. Übertragen von einem Fahrzeug, das vorn zu schwer beladen ist. 1870 *ff.*
2. vollbusig. 1920 *ff.*

Vordermann *m* **1.** jn auf ∼ bringen = eine Gruppe von Menschen zur gleichen Ansicht bestimmen; jn in die Parteirichtung zwingen; jn zurechtweisen. Dem Exerzierreglement entlehnt: man richtet die Soldaten so aus, daß Kopf hinter Kopf steht und der Vordermann die Richtung des Hintermanns bestimmt. Frühes 20. Jh, anfangs *sold.*
2. etw auf ∼ bringen = a) etw in Ordnung bringen, wiederinstandsetzen. 1920 *ff.* – b) ein Fahrzeug fahr-, startbereit machen. 1960 *ff, BSD.*
3. jn auf ∼ trimmen = jn auf die Parteigrundsätze (Fraktionsdisziplin) einschwören. ↗trimmen 1. 1965 *ff.*

Vorderpfote *f* Hand. 1920 *ff.*

Vorderschlitz *m* weibliches Geschlechtsorgan. Von der Mode der Damenröcke übertragen. 1920 *ff.*

Vordersteven *m* Frauenbrust. Eigentlich der Endbalken (der Kiellinie) am Vorderschiff, früher oft geschmückt mit einer weiblichen Galionsfigur. 1920 *ff,* seemannsspr.

Vorderteil *n* **1.** (dicker) Bauch, Unterleib. 1900 *ff.*
2. vom Vorder- und Hinterteil leben = Prostituierte sein. Hinterteil = Gesäß. 1900 *ff.*

Vordertür *f* **1.** Mund. Seit dem 19. Jh.
2. Vagina. 1800 *ff.*
3. jm die ∼ eintreten = jn heftig auf den Mund schlagen (meist mit dem Erfolg des Ausfalls einiger Zähne). 1900 *ff, jug* und *sold.*

Vorderzahn *m* Lieblingsfreundin eines jungen Mannes. Sie steht vorn in der Reihe seiner Freundinnen. ↗Zahn 3. *Halbw* 1955 *ff.*

vordibbern *v* jm ∼ = jm vorsagen. ↗dibbern. 1900 *ff.*

vordrängeln *refl* sich vordrängen. ↗drängeln. 1880 *ff.*

vordreschen *v* jm Phrasen ∼ = schwülstig mit jm reden, auf jn einreden. ↗Phrasen dreschen. 1870 *ff.*

vordudeln v jm etw ~ = jm ein Musikstück vorspielen. ↗dudeln. 1900 ff.

vorexerzieren tr jm etw ~ = jm eine Handlungsweise vormachen; jm etw an einem Beispiel erklären. 1920 ff.

vorfabeln v jm etw ~ = jn mit etw belügen. Fabeln = erdichten. Seit dem 19. Jh.

vorfahren tr etw auftischen. ↗auffahren. Berlin 1860 ff.

Vorfahren pl die Eltern; die Erwachsenen. Schül 1965 ff.

Vorfahrt f **1.** ~ haben = Vorrechte haben; einen höheren Dienstrang haben und daher rechthaberisch und besserwisserisch sein. Von der Straßenverkehrsordnung hergenommen. 1930 ff.
2. ~ haben = bevorrechtigt abgefertigt werden; die Konkurrenz ausstechen. 1930 ff.
3. sich die ~ nehmen = sich vordrängen; ein Sprechzimmer betreten, ohne an der Reihe zu sein. 1960 ff.

Vorfahrtschneider m Kraftfahrer, der einen Vorfahrtberechtigten behindert. ↗schneiden 1. 1960 ff.

Vorfahrtsrecht n Vorrecht. 1930 ff.

Vorfahrtsrüpel m Kraftfahrer, der die Vorfahrtsbestimmungen nicht beachtet. ↗Rüpel. 1955 ff.

Vorfall m ~ haben = in Verdacht einer strafbaren Handlung stehen. Hängt zusammen mit „es ist etwas vorgefallen", und man wird damit in Verbindung gebracht. 1950 ff, Berlin.

vorfaseln v jm etw ~ = jm Unglaubwürdiges als wahr berichten; jn dreist belügen. ↗faseln. 1800 ff.

Vorfeldbeleuchtung f die ~ einschalten = Leuchtkugeln abfeuern. Sold 1939 ff.

Vorfenster pl Brille. Sie ist das Fenster vor den „↗Fenstern". 1900 ff.

vorfilmen v jm etw ~ = jm etw vorlügen. ↗filmen 1. 1955 ff.

vorflennen v jm etw ~ = unter Tränen jm eine Mitteilung machen. ↗flennen. Seit dem 19. Jh.

vorflimmern v **1.** jm etw ~ = a) jm einen Film vorführen. ↗Flimmer-. Seit dem frühen 20. Jh. – b) jm etw vorspiegeln. Fußt auf der Vorstellung, daß der Film nur scheinbar die Wirklichkeit wiedergibt. 1920 ff.
2. sich etw ~ lassen = a) einer Filmvorführung beiwohnen. Seit dem frühen 20. Jh. – b) Zeuge übertriebenen Benehmens sein. 1920 ff.

vorflittern intr Flitterwochen vor der Hochzeit verleben. ↗flittern. 1930 ff.

Vorflitterwochen pl eheähnliches Zusammensein der künftigen Eheleute. 1930 ff.

Vorflitterwöchner pl Pärchen in eheähnlichem Umgang vor der Eheschließung. 1930 ff.

vorflunkern v jm etw ~ = jn dreist belügen. ↗flunkern. 1800 ff.

vorflüstern v jm ~ = dem Mitschüler vorsagen. ↗flüstern 2 b. 1930 ff.

Vorfotze f **1.** große Schamlippen der Frau. ↗Fotze 1. 1900 ff.
2. Vorzimmerdame. ↗Fotze 3. Berlin 1930 ff.

vorfühlen intr **1.** behutsam Erkundigungen einziehen. 1920 ff.
2. intim betasten. 1920 ff.

Vorführbiene f junge Vorführdame. ↗Biene 3. 1960 ff.

Vorführdame f Prostituierte. Ein Wort zur Selbsttarnung; denn „Vorführdame = Mannequin". 1965 ff.

Vorgarten m **1.** Schamhaare der Frau; Vulva. 1900 ff.
2. Frauenbrust. 1920 ff.

Vorgartenglatze f Stirnglatze. Berlin 1920 ff.

Vorgartenzwerg m **1.** dummer, untauglicher Mensch; Schwächling. ↗Gartenzwerg. 1930 ff, schül, stud und sold.
2. kleinwüchsiger Soldat. BSD 1965 ff.
3. häßlicher ~ = häßlicher, unsympathischer Mensch. 1930 ff.

vorgeben v jm ein paar ~ = jn auf das Gesäß schlagen. ↗hintenvor. 1900 ff.

Vorgebirge n **1.** üppiger Busen. Eigentlich das Kap. 1860 ff.
2. dicker Bauch. 1900 ff, schül.

vorgehen v es geht ihm vor = er ahnt Schlimmes. Vorgehen = sich ereignen; hier soviel wie „dem Ereignis vorangehen". Oberd seit dem 19. Jh.

vorgeigen v jm etw ~ = jm etw eindringlich vorhalten. ↗geigen 5. 1900 ff.

vorgekocht adj vorher abgesprochen. 1920 ff.

Vorgeplänkel n Liebesspiel vor dem Koitus. „Geplänkel" ist das „kleine Feuergefecht". 1900 ff.

Vorgesetzte f Ehefrau. Aus der Sicht des energielosen Ehemanns gewertet. 1910 ff.

Vorgesetzte pl Elternpaar; die Erwachsenen. 1965 ff, jug.

Vorgesetzter m **1.** Ehefrau. Anspielung auf Herrschsucht. 1950 ff.
2. klassenbester Schüler. Er wird den anderen als Vorbild „vorgesetzt". 1950 ff.

vorgestern adv nicht von ~ sein = modern eingestellt sein; mit der Zeit gehen. ↗gestern 2. 1870 ff.

Vorgriff m auf ~ leben = sich als Jugendliche(r) geschlechtlichen und anderen Ausschweifungen hingeben. Man nimmt Lebenserfahrungen vorweg. 1950 ff.

vorhaben tr **1.** eine Schürze o. ä. tragen. Verkürzt aus „vorgebunden haben". Seit dem 19. Jh.
2. sich mit etw beschäftigen (ich habe ein Buch vor = ich lese gerade ein Buch). Verkürzt aus „vorgenommen haben". Seit dem 19. Jh.
3. auf jn einreden; jn ermahnen; jn tadeln; jn prügeln, gewalttätig behandeln (vergewaltigen). Verkürzt aus „vorgenommen haben" (↗vornehmen). Seit dem 18. Jh.

Vorhafen m ~ der Ehe = Verlöbnis. 1920 ff.

Vorhand f in der ~ sein (sitzen) = im Vorteil sein.

Hergenommen vom Kartenspiel: „in Vorhand" spielt man die erste Karte auf. Kann sich auch vom Vorkaufsrecht herleiten. 1920 *ff.*

Vorhang *m* **1.** ~! = verstumme endlich! hör' auf mit deinem Geschwätz! Übernommen aus der Theatersprache: fällt der Vorhang (wird der Vorhang zugezogen), tritt die Pause ein. 1930 *ff.*
2. ~ zum Lustspielhaus = Damennachthemd. 1920 *ff.*
3. eiserner ~ = a) Gitter am Gefängnisfenster. Seit dem 19. Jh. – b) Sperrfeuer. *Sold* 1914 *ff.* – c) strenge Absperrung der Ostblockstaaten von den Ländern der westlichen Welt; politische Abschließung von der Umwelt. Die heutige Bedeutung – der Theatersprache (eiserner Vorhang = Feuerschutzwand) entlehnt – fußt auf dem Telegramm des britischen Ministerpräsidenten Winston Churchill vom 12. Mai 1945 an den US-Präsidenten Harry S. Truman, wiederholt am 5. März 1946 durch Churchill in seiner Rede im Westminster College in Fulton. Der Ausdruck an sich ist älter. Elisabeth, Königin der Belgier, verwendete ihn 1914 angesichts des Einmarsches der deutschen Truppen; der britische Botschafter in Berlin, Edgar Vincent, Viscount d'Abernon, und auch Gustav Stresemann bezeichneten mit dem Ausdruck die entmilitarisierte Zone am Rhein. Auch in der NS-Zeit nannte man so die Grenze des sowjetischen Machtbereichs; aber die Aussprüche der Staatsmänner jener Zeit sind erst nach Churchills Telegramm bekannt und volkstümlich geworden.
4. handgeschmiedete Vorhänge = Fenstergitter im Gefängnis. 1920 *ff.*
5. bei ihm fällt der ~ = a) er gibt nach, fügt sich. 1920 *ff.* – b) er verliert die Fassung. Es wird ihm dunkel vor den Augen. 1930 *ff.*
6. bei mir ist der ~ gefallen = für mich ist die Sache erledigt. 1930 *ff.*
7. viele Vorhänge kriegen (sich viele Vorhänge holen) = viele Hervorrufe auf der Bühne haben. Theaterspr. 1900 *ff.*
8. Vorhänge machen = Claqueur sein. Theaterspr. 1900 *ff.*
9. Vorhänge schinden = zur Verbeugung der Schauspieler den Theatervorhang oftmals öffnen und schließen. ↗schinden 1. 1920 *ff.*
Vorhängeschloß (Vorhangschloß) *n* Monatsbinde. Anspielung auf den Keuschheitsgürtel(?). 1930 *ff.*
vorhauen *v* jm ~ = dem Mitschüler vorsagen. Eigentlich soviel wie „den ersten Schlag ausführen". Berlin 1900 *ff.*
Vorhaut *f* **1.** einen unter die ~ jubeln = onanieren. 1950 *ff.*
2. das kannst du dir hochkant unter die ~ jubeln = mach damit, was du willst! *Sold* 1939 bis heute.
3. schieb' dir das unter die ~! = das kannst du (für dich) behalten! verschone uns damit! *Sold* 1939 *ff.*

4. jm die ~ spalten = dem Gegner im Kartenspiel so stark zusetzen, daß er keinen Stich mehr bekommt. Übertragen von der Operation bei Phimose. Kartenspielerspr. seit dem 19. Jh.
5. sich in seine ~ zurückziehen = sich einkapseln; das Vertrauen zu den Mitmenschen verlieren; sich auf sich selbst zurückziehen. *Stud* seit dem frühen 20. Jh; *sold* in beiden Weltkriegen.
Vorhautfeinmechaniker *m* Stabsarzt. *BSD* 1965 *ff.*
Vorhautmechaniker (-monteur; -schlosser; -verbindungstechniker) *m* Sanitätssoldat. *BSD* 1965 *ff.*
Vorhemd *n* einen hinters ~ jagen = ein alkoholisches Getränk zu sich nehmen. ↗Binde 1. 1930 *ff.*
Vorher *m* Mensch mit irgendwelchen auffallenden körperlichen Mängeln. Fußt auf der beliebten Reklameabbildung einer und derselben Person in doppelter Ausführung: einmal vorher (= vor Anwendung des Präparats), einmal nachher (= nach Anwendung des Präparats). Berlin 1950 *ff.*
vorheulen *v* **1.** *intr* = vorsingen. Seit dem 18. Jh.
2. jm ~ = dem Mitschüler vorsagen. 1900 *ff.*
3. jm etw ~ = jn zum Zeugen eines Tränenergusses machen; jn durch Tränen nachgiebig stimmen wollen. 1900 *ff.*
Vorhölle *v* **1.** Krematorium. Im Krematorium ist die Hitze nicht so groß wie in der erdachten Hölle. 1910 *ff.*
2. Vorzimmer des Schulleiters. Im Amtszimmer haust der Direktor als „Höllenfürst" und belegt den Schuldigen mit „Höllenstrafen". 1930 *ff.*
vorjammern *v* jm etw ~ = jm wehleidig etw mitteilen. 1900 *ff.*
vorkauen *v* jm etw ~ = jm etw genau auseinandersetzen; jm etw genau vorsagen. Kleinen Kindern, vor allem den zahnlosen Säuglingen, wurde früher die erste feste Nahrung vorgekaut, ehe man sie ihnen in den Mund gab. Die Wiederkäuer verarbeiten das Futter mehrmals im Maul. *Schül* seit dem 18. Jh.
Vorkauer *m* **1.** Lehrer. *Vgl* das Vorhergehende. 1920 *ff, schül.*
2. Klassensprecher. 1960 *ff.*
Vorkeiler *m* Mann, der zum Abschluß eines betrügerischen Kaufvertrags vorausgeschickt wird. ↗keilen 2 u. 4. 1950 *ff.*
Vorkind *n* in die Ehe mitgebrachtes uneheliches Kind; Kind aus früherer Ehe. Seit dem 19. Jh.
Vorklatscher *m* bezahlter Claqueur. Mit seinem Beifallspenden reizt er das Publikum, es ihm gleichzutun. 1920 *ff, theaterspr.*
vorklavieren *v* jm etw ~ = a) jm etw auf dem Klavier vorspielen. 1900 *ff.* – b) einem Dümmlichen etw laut und nachdrücklich zu verstehen geben. *Vgl* ↗klavieren 1. 1920 *ff.*
vorknöpfen *v* **1.** sich jn ~ = a) jn zur Rede stellen; jn zur Rechenschaft ziehen. Man ergreift ihn an den Knöpfen der Jacke oder des Mantels und läßt

ihn erst wieder los, wenn die Zurechtweisung beendet ist. Seit dem ausgehenden 19. Jh, *sold, schül* und *stud.* – b) jm auflauern und ihn erledigen; jn züchtigen. 1910 *ff.*

2. jn ~ = jm die Hosenklappe (den Hosenschlitz) öffnen. 1935 *ff, prost.*

3. sich etw ~ = etw prüfen, näher erörtern. 1930 *ff.*

vorkohlen *v* jm etw ~ = jm etw vorlügen. ↗ kohlen 1. Seit dem 19. Jh.

vorkommen *intr* **1.** jn gelegentlich besuchen; bei jm vorsprechen. 1870 *ff,* Berlin.

2. alles kommt vor, nur der Arsch nicht, der ist immer hinten: abschwächende Redewendung angesichts eines seltsamen Vorfalls. Wortwitzelei mit der Doppelbedeutung von „vorkommen“ im Sinn von „sich ereignen“ und von „nach vorn kommen“. *Vgl* ↗ Arsch 88. 1900 *ff.*

3. wie kommen Sie mir denn vor?!: Ausdruck des Unmuts über eine Zumutung. 1920 *ff.*

Vorkoster *m* Kostprobe. 1950 *ff, rhein.*

Vorkrabbelbude *f* Kontaktraum im Prostituiertenwohnheim (Eros-Center). ↗ grabbeln 2. 1960 *ff, prost.*

vorkriegen *v* sich jn ~ = jn zur Rede stellen; jn verhören. Man zieht ihn aus der Gruppe hervor und unmittelbar vor sich hin. 1600 *ff.*

Vorkur *f* Prügel auf das Knabengesäß, um schlechten Schularbeiten oder schlechten Zeugnisnoten vorzubeugen. Scherzhaft dem Begriff „Nachkur“ nachgebildet. Berlin 1870 *ff.*

vorlabern *intr* **1.** dem Mitschüler vorsagen. ↗ labern. 1960 *ff.*

2. jm etw ~ = jm etw mitteilen, weismachen. 1960 *ff.*

vorlastig *adj* **1.** schwanger. Vorlastig ist ein Schiff, das vorn tiefer geht als hinten. *Vgl* ↗ vorderlastig 1. 1920 *ff.*

2. vollbusig. ↗ vorderlastig 2. 1920 *ff.*

Vorleben *n* dickes ~ = langes Vorstrafenregister. 1920 *ff.*

vorlegen *v* **1.** *intr* = im voraus essen; beim Essen tüchtig zulangen. Eigentlich soviel wie „eine Grundlage schaffen“, damit einem das nachfolgende Trinken bekommt. Berlin und *ostmitteld,* 1850 *ff.*

2. einen ~ = einen Tanz tanzen. Meint wohl den schwungvollen Tanz und ist dann übertragen vom Kellner, der mit schwungvoller Bewegung dem Gast die Speisen vorlegt. Doch *vgl* auch „↗ hinlegen 2“. *Halbw* 1960 *ff.*

3. ein Tempo ~ = eine Geschwindigkeit erreichen (einhalten), der sich andere anschließen (angleichen müssen). 1920 *ff.*

Vorlesungsmuffel *m* Universitätsprofessor. Wahrscheinlich bezogen auf einen, der sich streng an seine Vorlesung hält und in keine Erörterung mit den Studenten eintritt. ↗ Muffel 2. Hamburg 1968 *ff, stud.*

Vorliebe *f* mit ~ heiraten = die geschwängerte Frau heiraten. Seit dem ausgehenden 19. Jh.

vormachen *tr* **1.** jm etw ~ = jm etw vorspiegeln. Gekürzt aus „jm blauen ↗ Dunst vormachen“ oder aus „jm ein ↗ X für ein U vormachen“. 1600 *ff.*

2. sich nichts ~ = keine Illusionen nähren; realistisch denken. 1920 *ff.*

Vormaul *n* vorsagender Schüler. 1970 *ff.*

vormaulen *tr intr* dem Mitschüler vorsagen. 1970 *ff.*

vormeckern *v* jm etw ~ = jm mit Nörgeleien lästig fallen; mit schnarrender Stimme eine Ansprache an jn richten. ↗ meckern. 1920 *ff.*

vormiefen *v* jm etw ~ = jm etw vortäuschen; jm eine Wahrheitswidrigkeit aufschwatzen. ↗ miefen 1. Die Lüge gilt seit alters als stinkend. 1910 *ff, nordd.*

vormogeln *refl* sich geschickt vordrängen. ↗ mogeln. 1915 *ff.*

Vormund *m* Klassensprecher. Er gilt als Vertreter Minderjähriger. 1950 *ff.*

vorn *adv* **1.** ~ und hinten = immer; ständig (Emma vorn und Emma hinten = ständig geht es um Emma; Preise vorn und Preise hinten = dauernd ist die Rede von den Preisen). Wohl hergenommen von einer geschäftig hin- und hereilenden Person. 1800 *ff.*

2. ~ dürr und hinten mager = sehr hager; ohne wohlgefällige Körperrundungen (auf weibliche Personen bezogen). 1870 *ff.*

3. von ~ bis hinten = gründlich (sie putzt die Wohnung von vorn bis hinten; er liest das Buch von vorn bis hinten). 1900 *ff.*

4. ~ zu schnell und hinten zu kurz: Spottrede auf den Jäger, der das Ziel verfehlt hat; Spottrede auf einen Menschen, der trotz schnellen Laufens den Davoneilenden (das vorausfahrende Gefährt) nicht einholt. 1905 *ff.*

5. sich nach ~ arbeiten = beruflichen Erfolg erlangen; in leitende Stellung gelangen. „Nach vorn“ bezieht sich sowohl auf die Bühnenrampe als auch auf die Spitzengruppe der Könner. 1920 *ff.*

6. sich nach ~ boxen = beruflich vorandrängen. 1920 *ff.*

6 a. etw nach ~ boxen = eine Sache ins allgemeine Bewußtsein bringen. 1950 *ff.*

7. jn nach ~ bringen = jn dem Publikum als Könner vorführen; jn zum Publikumsliebling machen. ↗ vorn 5. 1920 *ff.*

8. was sie ~ zu wenig hat, fehlt ihr hinten: Redewendung auf eine hagere weibliche Person. 1920 *ff.*

9. was ~ fehlt, ist hinten zu wenig: Redewendung auf einen Kahlköpfigen. 1920 *ff.*

10. es fehlt uns ~ und hinten = es mangelt bei uns an allem. 1920 *ff.*

11. nach ~ flüchten = nach Scheitern eines Vorschlags einen noch kühneren vorbringen. ↗Flucht 2. 1955 ff.

12. ~ liegen = führend sein; zu den Erfolgreichen gehören. Aus der Sportsprache übernommen, vor allem aus der Turfsprache. 1920 ff.

12 a. jn nach ~ peitschen = jn zur Leistungssteigerung anfeuern. *Sportl* 1950 ff.

13. das ist ~ so hoch wie hinten = das ist einerlei. 1900 ff.

14. ~ ist hinten wie höher = es ist völlig gleichgültig. 1900 ff.

14 a. sich nach ~ singen = sich zu einem beliebten Sänger (einer beliebten Sängerin) entwickeln. Theaterspr. 1920 ff.

15. sich nach ~ spielen = als Schauspieler(in) erfolgreich werden. Theaterspr. 1920 ff.

16. es stimmt ~ nicht und hinten nicht = es stimmt in keiner Hinsicht; es ist durch und durch falsch. 1920 ff.

17. nicht wissen, was (wo) ~ und hinten ist = a) völlig verwirrt sein. 1900 ff. – b) keine wohlgefälligen Körperrundungen haben (auf weibliche Personen bezogen). 1900 ff.

18. jm zeigen, was ~ und hinten ist = jn zurechtweisen. 1920 ff.

vornebeln v jm etw ~ = jm etw vorgaukeln. Analog zu „blauen ↗Dunst vormachen". 1930 ff.

vornehm adj adv **1.** ~ doof = geziert, zimperlich. Man gibt sich vornehm, kann aber seine Dümmlichkeit nicht verbergen. Berlin 1950 ff.

2. ~ geht die Welt zugrunde: Redewendung auf einen, der in bescheidener Weise einen gewissen Aufwand treibt, oder auch auf einen, der seine Wohlhabenheit betont zum Ausdruck bringt. ↗nobel 3. Stammt entweder aus den Gründerjahren nach 1870 oder aus der Umwelt der Schieber, der Raffkes und Neureichen nach 1918.

Vornehme f auf die ~ = auf vornehme Weise. Gekürzt aus „auf die vornehme ↗Tour". 1950 ff.

vornehmen v **1.** sich jn ~ = jn zur Rede stellen. Man ergreift ihn und hält ihn fest, während man ihm Vorhaltungen macht. 1600 ff.

2. eine ~ = koitieren (vom Mann gesagt). 1900 ff.

vornüber fallen intr **1.** übermäßig stolz auftreten. Man hat sich eine Person vorzustellen, die die Nase so hoch trägt, daß sie die Hindernisse im Weg nicht wahrnimmt und zu Fall kommt. 1900 ff.

2. sich zuviel zutrauen; sich aufspielen. 1900 ff, ziv und sold.

Vorordner m Ziehharmonika. Die im Halbrund auseinandergezogene Ziehharmonika sieht aus wie die fächerartig ausgebreitete Mappe, in deren einzelnen Fächern man die Briefe von A bis Z vorsortiert. 1955 ff.

vorpapeln v ↗vorbabbeln.

vorpeilen intr auskundschaften ↗peilen 1. 1950 ff.

vorpfeifen v jm etw ~ = a) jm etw genau auseinandersetzen. Fußt auf der Vorstellung von der ge-

pfiffenen Tonfolge, die der andere nachpfeifen soll. 1870 ff. – b) dem Mitschüler vorsagen. 1960 ff.

vorpinnen v jm etw ~ = jm etw vorlügen. ↗pinnen 3. Berlin um 1900 ff.

vorpinseln v sich etw ~ = einer Selbsttäuschung erliegen; unfruchtbaren Gedanken Raum geben. Pinseln = malen, ausmalen: man malt sich etwas aus, das mit der Wirklichkeit nicht im Einklang steht. 1930 ff.

vorpirschen refl auf Auskundschaftung gehen. Pirschen = das Wild beschleichen. 1920 ff.

vorplappern (vorplärren) intr dem Mitschüler vorsagen. *Schül* 1920 ff.

vorplauschen v jm etw ~ = jm Erlogenes erzählen. ↗plauschen. *Oberd* seit dem 19. Jh.

vorposaunen v jm etw ~ = jm etw prahlerisch, lauthals mitteilen. 1920 ff.

Vorpostengefecht n sexuelles ~ = Flirt o. ä. ↗Vorgeplänkel. 1950 ff.

Vorpostengeplänkel n Ausforschung der Gesinnung eines Menschen; Vorerkundung einer Meinung. 1950 ff.

vorpredigen tr Verhaltensregeln verbreiten; Vorhaltungen machen. ↗predigen 1. Seit dem 19. Jh.

vorprellen intr einen schnellen Vorstoß wagen; sich zu weit vorwagen. Gehört zu „prallen = heftig aufschlagen; schwellend vordrängen". Aus dem *Milit* nach 1920 in die Umgangssprache übergegangen.

Vorpreller m **1.** schneller Vorstoß; Vorgriff. 1950 ff.

2. Mann, der verfrüht einen Entschluß faßt. 1950 ff.

vorpreschen intr Unternehmungssinn entwickeln. Preschen = rennen; eilen. 1950 ff.

vorpriestern v jm etw ~ = jm sittliche Ermahnungen erteilen. ↗priestern. 1900 ff.

vorprogrammieren tr **1.** jn auf eine bestimmte Denk- oder Verhaltensweise einüben, festlegen o. ä. Fehlerhaftes Deutsch: in „pro" steckt bereits „vor". „Programmieren" ist der Computertechnik entlehnt. 1970 ff.

2. etw vorsehen, planen, vorausbestimmen. 1970 ff.

vorprogrammiert sein auf (für) etw ~ = zu etw veranlagt sein; zu einer bestimmten Denk- und Handlungsweise verpflichtet sein. 1970 ff.

vorpusten intr dem Mitschüler vorsagen. Analog zu ↗vorblasen 1. 1950 ff.

vorquaken intr dem Mitschüler vorsagen; vorlaut sein. ↗quaken 1. *Schül* 1950 ff.

Vorquasseler m Klassensprecher. 1960 ff.

vorquasseln v **1.** jm ~ = dem Mitschüler vorsagen. ↗quasseln. 1900 ff.

2. jm etw ~ = jm einen Text vorsprechen; soufflieren. Seit dem 19. Jh.

vorquatschen v **1.** jm ~ = dem Mitschüler vorsagen. ↗quatschen 3. 1900 ff.

2. jm etw ~ = jm etw vorschwatzen, langweilig berichten. ↗quatschen 2. Seit dem 19. Jh.

Vorrat *m* **1.** auf ~ fressen = im voraus essen; sich für kommende Anstrengungen stärken. *Sold* in beiden Weltkriegen.

2. auf ~ schlafen = bei jeder passenden und unpassenden Gelegenheit ein Schläfchen machen. *Vgl* auch ↗vorschlafen. 1870 *ff, sold.*

Vorratskammer *f* Schulabort. Angeblich (vermeintlich) die Hinterlegungsstätte für Täuschungszettel, Klein-Lexika usw. 1940 *ff.*

vorraunzen *v* jm etw ~ = gegenüber jm nörglerisch reden; jm die Ursache des Unmuts anvertrauen. ↗raunzen. *Österr* 1900 *ff.*

vorreden *v* jm etw ~ = jm eine Unwahrheit erzählen. Seit dem 19. Jh.

vorreformatorisch *adj* die Zeit vor der Währungsumstellung (1948) betreffend. Bezieht sich eigentlich auf die Zeit vor der Reformation des 16. Jhs; hier scherzhaft bezogen auf die Währungsreform. 1948 *ff.*

vorreiten *v* **1.** bei jm ~ = bei jm vorsprechen. 1920 *ff,* beamtenspr.

2. jm etw ~ = jm etw vorführen. 1900 *ff.*

Vorreiter *m* **1.** vor einem Glas Bier geleertes Glas Schnaps. Eigentlich der voranreitende Diener, der den Besuch seines vornehmen Herrn (einer hochgestellten Dame) ankündigt. Spätestens seit 1900.

2. Mensch, der in einer Sache den ersten Schritt tut. 1900 *ff.*

3. den ~ machen = a) der voreheliche Geliebte sein. ↗reiten 3. 1910 *ff.* – b) als erster unter mehreren einer Prostituierten beiwohnen. 1915 *ff, sold.*

vorrobben *intr* auf den Armen vorwärtskriechen. ↗robben. *Sold* in beiden Weltkriegen.

vorrücken *v* jm etw ~ = jm etw vorwerfen. Man rückt es ihm vor die Augen, so daß er es nicht übersehen kann. 1500 *ff.*

Vorsaison *f* Geschlechtsverkehr zwischen Verlobten. Eigentlich die Monate vor der Haupreisezeit. 1920 *ff.*

Vorsänger *m* **1.** Vorgesetzter. Er singt vor, was die anderen nachzusingen haben. *BSD* 1965 *ff.*

2. Handelsvertreter, Werbefachmann. Das Lob der von ihm angepriesenen Ware singt er „in den höchsten Tönen". 1920 *ff.*

Vorsatz *m* mit guten Vorsätzen gepflastert sein = mit guten Vorsätzen reichlich ausgestattet sein. ↗Hölle 6. 1920 *ff.*

vorsäuseln *v* jm etw ~ = jm etw gewinnend sagen; jm Komplimente machen. ↗säuseln 1. 1900 *ff.*

vorschlafen *intr* mit Rücksicht auf eine abendliche (nächtliche) Verpflichtung einen Teil des Schlafs vorwegnehmen. *Vgl* auch ↗Vorrat 2. 1920 *ff.*

Vorschlag *m* **1.** ~ zur Güte = Kompromißvorschlag. Man will sich gütlich einigen. 1870 *ff.*

2. diesiger ~ = undurchführbarer Vorschlag. Diesig = neblig, dunstig. *Vgl* ↗Nebel 1 und 5. *Marinespr* 1900 bis 1945; *ziv* 1945 *ff.*

Vorschlaghammer *m* **1.** Frau mit wohlgerundeten Körperformen. Verstärkung von „↗Hammer 4". *Halbw* 1950 *ff.*

2. mit dem ~ = sehr eindringlich; nachdrücklich. 1910 *ff.*

3. jm etw mit dem ~ klarmachen = jm etw sehr einleuchtend und handgreiflich auseinandersetzen. 1910 *ff.*

vorschmeißen *tr* **1.** früher werfen als die anderen. ↗schmeißen. Seit dem 18. Jh.

2. jm etw ~ = jm etw zum Vorwurf machen. Seit dem 18. Jh.

3. sich etw ~ lassen = Worte (Rügereden) notgedrungen anhören müssen. 1900 *ff.*

vorschmusen *v* **1.** dem Mitschüler vorsagen. ↗schmusen. 1900 *ff.*

2. jm etw ~ = jn zu überreden suchen; jm etw vorschwindeln. Seit dem 19. Jh.

vorschnacken *v* jm etw ~ = jm etw einreden, aufschwatzen. ↗schnacken. *Nordd* seit dem 19. Jh.

vorschnallen *v* sich jn ~ = jn zur Rede stellen. Man ergreift ihn am Koppelschloß und läßt ihn nicht los, so daß er die Zurechtweisung bis zum Ende anhören muß. *Sold* in beiden Weltkriegen.

vorschnattern (vorschreien) *v* dem Mitschüler vorsagen. 1960 *ff.*

Vorschriftendschungel *m (n)* Wirrwarr von Vorschriften. 1970 *ff.*

'Vorschrif'titis *f* übertriebenes Vorschriftenwesen. Die Nachahmung von Krankheitsbezeichnungen deutet Krankhaftigkeit an. *BSD* 1970 *ff.*

vorschuhen *v* sich die Fresse (o. ä.) ~ lassen = ein künstliches Gebiß erhalten. Vom Schuhmacher übernommen, der den Stiefel mit neuem Oberleder versieht. *Nordd* und Berlin, 1900 *ff.*

Vorschülerstift *m* unterentwickelter Penis. ↗Stift I 1. 1900 *ff.*

Vorschuß *m* **1.** voreheliche Schwängerung. ↗Schuß 3. 1900 *ff.*

2. auf ~ grinsen = vor dem Ereignis grinsen. 1935 *ff.*

3. auf ~ schlafen = wegen bevorstehender „langer Nacht" (Nachtwache o. ä.) einen Nachmittagsschlaf einlegen. 1920 *ff.*

Vorschuß-Applaus *m* Beifall für einen Künstler vor seiner Darbietung. 1900 *ff.*

Vorschußkritik *f* Kritik an einer geplanten Maßnahme. 1950 *ff.*

Vorschußlob *n* Anerkennung vor vollbrachter Leistung. 1920 *ff.*

Vorschußlorbeeren *pl* Lob vor vollendeter Tat. Früher wurde dem Dichter zu öffentlicher Ehrung ein Lorbeerkranz aufs Haupt gesetzt. Ein Vorgriff auf solche und ähnliche Ehrungen heißt seit Heinrich Heine (Romancero, 1846/51) „Vorschuß-Lorbeerkronen". Das heutige Wort ist erst seit dem Chinafeldzug von 1900 vorgedrungen.

Vorschußreklame *f* werbende Vorankündigung. 1955 *ff.*

Vorschußsympathien *pl* ~ verteilen = von vornherein Sympathie ausstrahlen. 1955 *ff.*

vorschwadronieren *v* jm etw ~ = großsprecherisch auf jn einreden; unerfüllbare Versprechungen machen; vor jm mehr scheinen wollen als sein. ↗schwadronieren. Seit dem 19. Jh.

vorschwafeln (vorschwefeln) *v* jm etw ~ = jm etw vorlügen. ↗schwafeln; ↗schwefeln. 18. Jh.

vorschwindeln *v* jm etw ~ = jm eine Unwahrheit aufschwatzen. ↗schwindeln. Seit dem 19. Jh.

vorseibeln *v* jm etw ~ = jm einen unsinnigen Befehl erteilen. ↗seibeln 1. 1900 *ff.*

vor sein vorgetreten sein. Hieraus verkürzt. 1920 *ff.*

Vorsicht *f* **1.** ~, frisch gestrichen!: Ausruf angesichts einer stark geschminkten Frau. Vom Warnschild der Anstreicher übertragen. 1920 *ff.*
2. ~, heiß und fettig!: Warnruf an einen Entgegenkommenden in engem Gang (o. ä.), wenn man Zerbrechliches oder Flüssiges trägt. Ursprünglich Ausruf von Kellnern in Ausflugslokalen. Berlin 1950 (?) *ff.*
3. ~ ist die Mutter der Porzellankiste!: Mahnung zur Vorsicht. Scherzhaft entstellt aus „Vorsicht ist die Mutter der Weisheit" oder aus „Vorsicht ist der bessere Teil der Tapferkeit" (Shakespeare, „König Heinrich IV."). Etwa gegen 1860/70 aufgekommen; vielleicht Übersetzung aus dem *Ndl* („voorzichtigheid is de moeder van de porseleinkast").
4. ~ mit die jungen Pferde!: Warnung an einen stürmisch Handelnden. ↗Pferd 13. 1900 *ff.*
5. etw mit ~ genießen = eine Behauptung anzweifeln, mit Vorbehalt (Zurückhaltung) zur Kenntnis nehmen. 1920 *ff.*
6. er ist mit ~ zu genießen = ihn muß man behutsam behandeln; er verdient kein Vertrauen; er ist kein redlicher Mensch. 1920 *ff.*

vorsingen *v* dem Mitschüler vorsagen. Analog zu „↗vorblasen", „vorpfeifen" u. ä. 1900 *ff.*

Vorsinger *m* **1.** Klassensprecher. Er ist tonangebend. 1960 *ff, schül.*
2. Vortragender vor einem akademischen Gremium. 1960 *ff.*

vorsohlen *v* jm etw ~ = jm etw vorlügen. ↗sohlen. 1850 *ff.*

Vorspanndienste *pl* für jn ~ leisten = jm vorarbeiten. Übertragen von der Gestellung von Pferden, wenn ein Fuhrwerk steckengeblieben ist. 1920 *ff.*

Vorspiegelung *f* ~ falscher Tatsachen = a) Korsett. Der Ausdruck ist pleonastisch; denn in dem Wort „Vorspiegelung" ist der Begriff „falsch" bereits enthalten. 1900 *ff.* – b) Schaumgummi-Büstenhalter. 1960 *ff.*

Vorspiel *n* Petting o. ä. *Schül* 1955 *ff.*

vorspielen *v* jm etw ~ = jm etw vorgaukeln. Seit dem 19. Jh.

vorspinnen *v* jm etw ~ = Ausreden vorbringen; jn belügen, mit Reden betören; dummschwätzen. ↗spinnen. 1920 *ff.*

Vorstadt von Paris *f* Baden-Baden. Im 19. Jh aufgekommen mit Anspielung auf die elegante Lebensweise, die elegante Kleidung der Kurgäste usw.

Vorstadt-Beschäler *m* Frauenliebhaber. ↗Beschäler. 1920 *ff.*

Vorstadt-Casanova *m* Frauenliebhaber außerhalb der wohlhabenden Gesellschaftsschicht. 1950 *ff.*

Vorstadt-Lebemann *m* Kleinbürger, der bescheidene Ansprüche an das Leben (an Liebesabenteuer) stellt. 1950 *ff.*

Vorstadt-Orchidee *f* Mädchen aus der Vorstadt. „Orchidee" steigert den Rang von „↗Pflanze". 1955 *ff.*

Vorstehhund *m* Klassensprecher. Eigentlich der Jagdhund, der zum Vorstehen von Niederwild geeignet ist. 1960 *ff.*

vorstellen *tr* einen vorteilhaften Eindruck machen; vorteilhaft wirken (der Sessel stellt etwas vor; der Bewerber stellt etwas vor). Hinter „etwas" ergänze „Gediegenes" o. ä. 1870 *ff.*

Vorstrafe *f* **1.** dicke ~ = schwere Vorstrafe. Dick = umfänglich, schwerwiegend. 1920 *ff.*
2. ~n auf dem Buckel haben = mehrfach vorbestraft sein. Fußt auf der Vorstellung von der drükkenden Last auf dem Rücken. 1870 *ff.*

Vorstrafenlatte *f* langes Vorstrafenregister. ↗Latte I 6. 1900 *ff.*

vorsündflutlich *adj* sehr alt; völlig veraltet. Verdeutschung von „antediluvianisch" im Sinne von „voreiszeitlich"; der großen Überschwemmung vorausliegend". Hat eigentlich nichts mit „Sünde" zu tun; denn die richtige Schreibung lautet „Sintflut = große Flut". In scherzhafter Verwendung etwa seit 1800.

Vortrag *m* **1.** Frauenbusen. Wörtlich „was man vorn trägt" oder „was man vorausträgt". 1920 *ff.*
2. einen gestreckten ~ halten = in der Rede nicht vorankommen. Man „streckt" die Worte, um inzwischen nachdenken zu können, oder um die Redezeit auszufüllen. 1910 *ff.*

vortratschen *v* dem Mitschüler vorsagen. ↗tratschen. *Oberd*, 1900 *ff.*

vortun *v* sich etw ~ = sich eine Schürze, ein Mundtuch vorbinden. Seit dem 16. Jh.

vortürken *v* jm etw ~ = jm eine Unwahrheit aufschwatzen. ↗türken 1. 1975 *ff.*

Vorturner *m* maßgebliche Person. 1950 *ff.*

vortütern *v* jm etw ~ = jm Unwahrheiten erzählen. ↗tütern 1. *Nordd* seit dem 19. Jh.

vorübergehend *adv* sich ~ das Leben nehmen = einen erfolglosen Selbstmordversuch unternehmen. 1950 *ff.*

'vorunken *v* jm etw ~ = jm Schlimmes vorhersagen. ↗unken. Seit dem 19. Jh.

vorverdauen *v* etw für jn ~ = ein schwieriges Thema volkstümlich darstellen. ↗verdauen. Übertragen vom Labmagen der Wiederkäuer. 1950 *ff.*

Vorwand *m* dünner ~ = Vorwand ohne Überzeugungskraft. 1920 *ff.*

Vorwärmer *m* **1.** Einleitung einer Handlung, um Anhänger zu gewinnen; wohlhabender Spender, der eine Spendenliste anführt. Eigentlich die Vorrichtung zum Wärmen oder Warmstellen von Speisen. 1850 *ff.*
2. Anreiz. 1850 *ff.*

vorwärtskommen *intr* durch langsames Gehen schneller ~ = Straßenprostituierte sein. 1950 *ff*; wohl älter.

Vorwitznase *f* vorwitziger Mensch. Er steckt seine Nase in Dinge, die ihn nichts angehen. 19. Jh.

vorzappeln *v* eine Rede durch lebhaftes Gestikulieren wirkungsvoller zu gestalten suchen. 1840 *ff.*

vorzeigbar *adj* ansehnlich, eindrucksvoll o. ä. Gegen 1965 aufgekommen im Sinne äußerlicher Ansehnlichkeit oder nachweisbarer Verdienstlichkeit. In Heiratsmarktanzeigen steht „vorzeigbar" für die vorteilhafte äußere Erscheinung (man kann sich mit dem Betreffenden sehen lassen und mit ihm „Ehre einlegen").

Vorzeigedame *f* Dame, deren Aufgabe vorwiegend im Anwesendsein besteht; attraktive Moderatorin. 1970 *ff.*

Vorzeigedeutscher *m* ansehnlicher, stattlicher Deutscher mit vorbildlichen Eigenschaften (Leistungen). 1970 *ff.*

Vorzeigedorf *n* schmuck hergerichtete Ortschaft. 1970 *ff.*

Vorzeigefiguren *pl* vorbildliche Sportler. 1975 *ff.*

Vorzeigefrau *f* Frau mit guten geistigen (und körperlichen) Eigenschaften. 1970 *ff.*

Vorzeigehaus *n* Musterhaus einer Baugesellschaft. 1970 *ff.*

Vorzeige-Leute *pl* Leute, deren Bekanntschaft das eigene Ansehen steigert. 1970 *ff.*

Vorzeige-Mann *m* Mann, mit dem sich trefflich renommieren läßt; Mann mit Verdiensten, guter Stellung und gutem Aussehen. 1970 *ff.*

vorzeigen *v* etwas (nichts) vorzuzeigen haben = einen üppigen (unentwickelten) Busen haben. 1900 *ff.*

Vorzeigepaar *n* Sängerpaar in Schlagerwettbewerben. 1975 *ff.*

Vorzeigeweibchen *n* Titelblattschönheit; Bildschirmschönheit. 1975 *ff.*

Vorzimmerblüte *f* (eingebildete) Vorzimmerdame. ↗Vorzimmerpflanze. 1930 *ff.*

Vorzimmerdrache *m* unleidliche, herrschsüchtige Vorzimmerdame. ↗Drache. 1910 *ff.*

Vorzimmerengel *m* freundliche, hübsch anzusehende Vorzimmerdame. 1950 *ff.*

Vorzimmerfee *f* hübsche, hilfsbereite Vorzimmerdame. 1950 *ff.*

Vorzimmergesicht *n* strenge, unnahbare Miene der Vorzimmerdame. 1920 *ff.*

Vorzimmergöttin *f* hübsche Vorzimmerdame, die von den Männern verehrt zu werden wünscht. 1950 *ff.*

Vorzimmergymnastik *f* Unterwürfigkeit des Besuchers vor der Vorzimmerdame, um beim Chef vorgelassen zu werden. 1850 *ff.*

Vorzimmerheini *m* Sekretär im Vorzimmer *(abf)*. ↗Heini. 1950 *ff.*

Vorzimmerhengst *m* Vorzimmersekretär *(abf)*. ↗Hengst 1. 1950 *ff.*

Vorzimmerhyäne *f* unverträgliche, herrschsüchtige Vorzimmerdame. 1950 *ff.*

Vorzimmerlöwe *m* anmaßender Vorzimmersekretär. 1950 *ff.*

Vorzimmerlöwin *f* Chefsekretärin. 1930 *ff.*

Vorzimmerperle *f* tüchtige Vorzimmerdame. ↗Perle. 1920 *ff.*

Vorzimmerpflanze *f* Vorzimmerdame. ↗Pflanze. 1920 *ff.*

Vorzimmerschlange *f* verführerische Vorzimmerdame. 1920 *ff.*

Vorzimmerschreck *m* ausdauernd wartender (sich nicht abweisen lassender) Besucher im Vorzimmer. 1930 *ff.*

Vorzimmertante *f* (ältliche) Vorzimmersekretärin. 1930 *ff.*

Vorzimmertigerin *f* herrschsüchtige Vorzimmerdame. 1950 *ff.*

Vorzimmer-Venus *f* sehr hübsche Vorzimmerdame. 1950 *ff.*

Vorzimmer-Zerberus *m* Vorzimmersekretär(in). Meist in *abf* Sinn. ↗Zerberus 1. 1930 *ff.*

Vorzimmerzwerg *m* unbedeutender Vorzimmersekretär. 1950 *ff.*

'vorz ... 'üglich *adj* vorzüglich (entschuldigen Sie, wenn ich mit einem „Forz" beginne). Scherzhaftschämige Redewendung. 1900 *ff.*

Vorzündung *f* jäher Wutanfall; grundloser Zornesausbruch; Jähzorn. Übertragen vom Explosivgeschoß (Bombe), das – mittels Vorzündung – schon vor dem Aufprall detonieren soll. *Sold* 1914 *ff.*

Votze *f* ↗Fotze.

'Vox 'populi *f* **1.** Mißfallenskundgebung im Theater mittels fauler Eier, weicher Tomaten o. ä. Meint in *lat* Form das politische Schlagwort der „öffentlichen Meinung". Theaterspr. seit dem späten 19. Jh.
2. ~, Vox Rindvieh = die angebliche Stimme des Volkes ist nicht beachtenswert. Verwandt mit dem Begriff „Stimmvieh" für die kritiklose Wählermasse. (Nichtöffentlicher) Ausspruch selbstherrlicher Politiker. 1950 *ff.*

Vulkan *m* großes Ekzem. Wegen der Formähnlichkeit. *BSD* 1965 *ff.*

vulkanisieren *intr* sich erbrechen. Übertragen vom speienden Vulkan. 1930 *ff.*

W 1. die drei ~ = Weib, Würfel, Wein. 1650 *ff*.
2. die fünf ~ = wer? was? wo? wann? wie? *Journ* 1950 *ff*.
W-Achtzehner *m* **1.** Wehrpflichtiger mit 18monatiger Dienstzeit. W = Wehrpflichtiger. *BSD* 1965 *ff*.
2. ~ mit Durchblick = Soldat auf Zeit. ↗Durchblick. *BSD* 1965 *ff*.
3. ~ mit Hirn = Soldat auf Zeit. *BSD* 1965 *ff*.
4. ~ de luxe („de luxe" *franz* ausgesprochen) = Soldat auf Zeit. Übernommen von der Bezeichnung „de Luxe" für die Luxusausführung einer Automobilserie. Der Soldat auf Zeit verpflichtet sich angeblich nicht aus Überzeugung, sondern um statt des Wehrsolds von vornherein ein Monatsgehalt zu beziehen; daher kann er mehr Geld ausgeben und ist somit die „Luxusausführung" des Wehrpflichtigen. *BSD* 1965 *ff*.
5. das juckt keinen ~!: Redensart der Gleichgültigkeit. Jucken = reizen. *BSD* 1965 *ff*.
W-Fragen *pl* wann? wo? was? wie? warum? *Vgl* ↗W 2. 1950 *ff*.
W.W.K. vom Haushaltsgeld gebildete Rücklagen der Hausfrau. Abkürzung von „Wirtschaftswunderkasse". 1960 *ff*.
Waage *f* die ~ geht fünf Pfund nach = die Waage wiegt ungenau. Übertragen von der Uhr. 1950 *ff*.
Wabbel *m* **1.** schlotternde Masse. ↗wabbeln. *Niederd* seit dem 19. Jh.
2. Pudding. 1900 *ff*.
Wabbelhüfte *f* hin- und herschwingende Hüfte. 1950 *ff*.
wabbelig *adj* **1.** schlotterig, wackelnd, zittrig; füllig herabhängend; fett-weich. ↗wabbeln. Seit dem 17. Jh, vorwiegend *niederd* und *ostmitteld*.
2. speiübel; flau. Der Magen scheint zu schwanken wie das wogende Meer. 1700 *ff*.
Wabbelkinn *n* feistes Kinn. 1900 *ff*.
Wabbelkopp *m* einfältiger Mensch. 1920 *ff*.
wabbeln *intr* sich schlotterig hin- und herbewegen; hin- und herschwanken. Ein *niederd* Wort, ur-

sprünglich von der Hin- und Herbewegung einer zähen, gallertartigen Masse gemeint, dann auch auf schlaff hängende Gegenstände bezogen. Seit dem 16. Jh. *Vgl engl* „to wabble".
Wabbeltier *n* Spielzeugtier aus Weichkunststoff. 1965 *ff*.
Wabenhaus *n* Hochhaus mit gleichgroßen Wohnungen. Es erinnert an eine Bienenwabe. 1960 *ff*.
Wachablöse (-ablösung) *f* Personalwechsel in Führungsstellen; Führungswechsel; Regierungsumbildung. Aus dem *milit* Sprachgebrauch übernommen. 1955 *ff*.
Wache *f* **1.** dicke ~ = Schüler kameradschaftlich unter sich. Sie sind „dicke ↗Freunde" und wachen über den Geist der Kameradschaftlichkeit. *Schül* 1960 *ff*.
2. schwarze ~ = Soldaten, die einen Kameraden wegen unkameradschaftlichen Verhaltens zur Rechenschaft ziehen. Schwarz = unheildrohend. *Sold* 1935 *ff*.
3. jm die ~ ansagen = jn heftig rügen. 1935 *ff*.
4. ~ schieben = Wachdienst haben; Posten stehen. ↗schieben 2. *Sold* seit dem späten 19. Jh bis heute.
Wachel *m* Zeigestab, Winkerscheibe des Verkehrspolizeibeamten. *Vgl* das Folgende. *Bayr* und *österr*, 1920 *ff*.
wacheln *intr* herüberwinken, fächeln, wedeln. Verwandt mit „wackeln" und „bewegen". *Bayr* und *österr*, seit dem 19. Jh.
Wachgetränk *n* ~ holen = Kaffee holen. Er macht müde Geister wach. *BSD* 1970 *ff*.
Wachhund *m* **1.** Offizier vom Dienst. *Sold* 1900 *ff*.
2. Soldat, der Posten steht. *Sold* 1900 bis heute.
3. Hausmeister, Portier, Portiersfrau. 1900 *ff*.
4. für den Notfall zurückgehaltene hohe Karte. Mit ihr „beißt" man im geeigneten Augenblick. Kartenspielerspr., 1870 *ff*.
5. ~ spielen = aufpassen. 1900 *ff*.
wachküssen *tr* einen liebesunerfahrenen jungen Menschen durch Liebkosungen zum Bewußtsein seiner Triebe bringen. Meint eigentlich das Wecken mit einem Kuß (Märchen vom Dornröschen). Fußt auf dem Lied „Warum hast du mich wachgeküßt?" aus dem Singspiel „Friederike" von Franz Lehár (uraufgeführt am 4. Oktober 1928 in Berlin).
Wacholderbeeren *pl* du hast wohl ~ gegessen?: Frage an einen, der um eine einfache Sache viele Worte macht. Wacholderbeeren heißen auch „Quackelbeeren", und „quackeln" meint soviel wie „umständlich reden". Berlin 1920 *ff*.
Wachs *n* **1.** Prügel. Ablautende Nebenform zu „↗Wichse". Berlin und *rhein*, seit dem späten 19. Jh.
2. weich wie ~ = nachgiebig; gefügig; leicht lenkbar. 1800 *ff*.
3. jm etw ins ~ drücken = jm etw als erschwerend anrechnen; es jm gedenken. Man drückte das

Siegel in Wachs (vor dem Siegellack gebräuchlich), wenn man ein Schriftstück amtlich beurkunden wollte; hieraus weiterentwickelt zur Bedeutung „jm etw versichern". 1500 *ff.*
4. ~ in jds Händen sein = jm zu Willen sein; unselbständig sein. 1900 *ff.*

wachseln *tr* **1.** etw einwachsen. *Bayr* und *österr,* seit dem 19. Jh.
2. jn prügeln. Analog zu ↗abreiben. *Vgl* ↗Wachs 1. 1900 *ff, österr.*
3. koitieren. Anspielung auf die Hin- und Herbewegung. 1900 *ff.*
4. onanieren. *Österr,* 1900 *ff.*

wachsen *tr* jn prügeln. ↗Wachs 1. Berlin und *rhein,* seit dem 19. Jh.

Wachsfigur *f* **1.** unansteiliger Mensch. Er benimmt sich, als wäre er aus Wachs und leicht zu beschädigen. 1900 *ff.*
2. Mensch mit schwankender Meinung. Er ist modellierbar wie Wachs. 1900 *ff.*
3. geschlechtlich leicht zugängliche weibliche Person. ↗Wachs 4. 1950 *ff.*

Wachsflation *f* wirtschaftliches Wachstum in Verbindung mit Inflation. Der „↗Stagflation" nachgebildet. Wahrscheinlich geprägt von Klaus Dieter Arndt, dem Präsidenten des Deutschen Instituts für Wirtschaftsforschung. 1973 *ff.*

Wachsler *m* Onanierender. ↗wachseln 4. *Österr,* 1900 *ff.*

Wachstuchkreuzer *m* Kleinauto mit kunststoffbezogener Karosserie. Dem „↗Straßenkreuzer" spöttisch nachgebildet. 1956 *ff.*

Wachstümler *m* Halbwüchsiger. Er befindet sich noch im Wachstum. Nach 1945 aufgekommen im Zusammenhang mit der wiederaufgelebten Vokabel „Halbstarker".

wachsweich *adj* leicht beeinflußbar; nachgiebig; unentschlossen; nicht stichhaltig; nicht überzeugend. ↗Wachs 2. 1900 *ff.*

Wachtel *f* **1.** Ohrfeige. Scherzhaft vom Wachtelschlag übernommen. 1700 *ff.*
2. unverträgliche, keifende Frau. Die Wachtel „schlägt" (= gibt einen „schlagenden" Laut von sich), und die Frau „schlägt" (= prügelt). 1800 *ff.*
2 a. Gefängnisaufseher, Schließer. Aus „Wachmann, Wachtmann" verändert. Häftlingsspr. 1965 *ff.*
3. Prostituierte. Die Wachtel ist ein Zugvogel; sie streicht leicht über dem Boden dahin und frißt Körner (= Samen). 1920 *ff.*
4. Vagina. *Vgl* das Vorhergehende. 1900 *ff.*
5. alte ~ = alte Frau. 1900 *ff.*
6. ausgeleierte ~ = alte Frau. ↗ausgeleiert 1. 1900 *ff.*
7. dicke ~ = beleibte weibliche Person. Wachteln haben einen gedrungenen Körperbau. 1900 *ff.*
8. fette ~ = zur Fettsucht neigende Frau. 1900 *ff.*
9. lügen wie eine ~ = lügnerisch sein. Die Wachtel galt wegen ihres „Schlagens" als Orakelvogel

wie der Kuckuck; die Nichterfüllung ihres Orakels trug ihr den Ruf der Lügnerin ein. 1500 *ff.*

wachteln *tr* jn ohrfeigen, prügeln. ↗Wachtel 1. Seit dem 18. Jh.

Wachter *m* **1.** Polizeibeamter. Seit dem 19. Jh.
2. jm einen ~ vor die Tür legen (setzen) = vor jds Tür koten. Nach altem Diebesaberglauben ist der Täter vor Verfolgung sicher, solange der Kothaufen dampft. Seit dem 17. Jh.

Wächter *m* Kothaufen vor der Tür. *Vgl* das Vorhergehende. 1600 *ff.*

Wachtmeister *m* **1.** Kothaufen vor der Tür, auf dem Wege. ↗Wachter 2. Dem Kavallerie-Wachtmeister einen Kothaufen vor die Tür zu setzen, war Tradition gegenüber unbeliebten Wachtmeistern. *Sold* 1900 *ff.*
2. großes Glas Schnaps. Wachtmeister sind Soldaten mit mindestens fünfjähriger Dienstzeit; innerhalb dieser Zeit sind sie zu vollgültigen Zechern herangereift und begnügen sich nicht mit kleinen Schnäpsen. Seit dem späten 19. Jh, *sold* und *rotw.*
3. aufpassen wie ein ~ = scharf aufpassen; aufmerksam zuhören. 1900 *ff.*

Wachwechsel *m* Führungswechsel; Regierungsumbildung. ↗Wachablöse. 1955 *ff.*

Wacke *f* **1.** beliebter Kamerad. Von „Wacke = Gesteinsbrocken" übertragen zur Bedeutung „Prachtstück" oder „Pfundskerl" o. ä. *Halbw* 1955 *ff.*
2. Mädchenfreund. *Halbw* 1955 *ff.*

Wackel *m* **1.** kleines Kind; Säugling. Das Kind ist noch wacklig auf den Beinen (beim Säugling wakkelt sogar noch der Kopf). 1920 *ff.*
2. Gelatinepudding. ↗Wackelpudding. Berlin 1920 *ff.*
3. auf den ~ gehen (den ~ machen) = als Straßenprostituierte auf Männerfang gehen. Hergenommen vom aufreizenden Hin- und Herschwingen des Gesäßes oder vom typischen Schwenken des Handtäschchens. 1920 *ff.*

Wackelarsch *m* **1.** überstarke Hüften. 1900 *ff.*
2. Straßenprostituierte. ↗Wackel 3. 1930 *ff.*

Wackelbeine haben vor Angst oder Aufregung zittern. Analog zu ↗Bammelbeine. 1939 *ff, sold* und *ziv.*

Wacke'lei *f* Gesinnungsschwankung. 1920 *ff.*

Wackelente *f* dickleibige Frau mit watschelnder Gangart. Seit dem 19. Jh.

Wackelgreis *m* gebrechlicher Mann. 1900 *ff.*

Wackelhahn *m* Mann, der auf Liebesabenteuer ausgeht. *Vgl* ↗Wackel 3. 1920 *ff.*

Wackelheini *m* **1.** Schlagersänger, der seinen Vortrag mit Hüftenwackeln begleitet. 1955 *ff.*
2. Mann ohne feste Ansichten. *Vgl* ↗Wackel 2. 1955 *ff.*

Wacke'line *f* Straßenprostituierte. ↗Wackel 3. 1955 *ff.*

Wackelkiste *f* vom Feindflug mit Abschußerfolg heimkehrendes Flugzeug. Vor der Landung läßt der Pilot sein Flugzeug um die Längsachse pendeln („wackeln"), um anzuzeigen, daß er erfolgreich war. ↗Kiste 13. Die Gepflogenheit war schon im Ersten Weltkrieg bekannt, nicht aber das Wort. *Sold* 1939 *ff.*

Wackelkontakt *m* **1.** Unsicherheit im Beschäftigungsverhältnis; Gefährdung des Arbeitsplatzes. Übertragen vom schadhaften Kontakt in der Stromleitung, wodurch der Stromschluß unterbrochen wird. 1950 *ff.*
1 a. eheliche Unstimmigkeit. 1960 *ff.*
2. einen ~ haben = a) begriffsstutzig sein; ungenau auffassen. Die „geistige" Stromleitung ist unterbrochen. 1920 *ff*, vorwiegend *schül* und *stud.* – b) tremolieren. 1950 *ff.* – c) Twist tanzen. Die Tänzer nähern sich einander und entfernen sich wieder voneinander. 1962 *ff.*
3. einen ~ in der Denkdose haben = nicht recht bei Verstand sein. Die „Denkdose" ist scherzhaft aus der „Steckdose" abgewandelt. *Halbw* 1960 *ff.*
4. ~ herstellen = koitieren. 1935 *ff.*
5. einen ~ montieren = außerehelich ein Liebesverhältnis anknüpfen. 1930 *ff.*
6. ~ suchen = eine Geschlechtspartnerin suchen. 1935 *ff.*

Wackelmatz *m* unsicher gehendes kleines Kind. ↗Wackel 1; ↗Matz II 7. 1920 *ff.*

wackeln *intr* **1.** völlig erschöpft sein. Vor Müdigkeit ist man unsicher auf den Beinen. *Sold* 1939 *ff.*
1 a. schwankender Gesinnung sein. 1920 *ff.*
2. gewackelt hat er: schadenfrohe Trostrede, wenn ein einziger Kegel stehen geblieben ist. Keglerspr. seit dem 19. Jh.
3. kein gewinnsicheres Spiel in der Hand haben. Kartenspielerspr. 1820 *ff.*
4. das Flugzeug leicht um die Längsachse schwanken lassen. ↗Wackelkiste. Fliegerspr. 1939 *ff.*
5. bei ihm wackelt es = sein Geschäft geht schlecht; er steht vor dem Konkurs. Kaufmannsspr. seit dem späten 19. Jh.
6. er wackelt (mit ihm wackelt es) = seine Versetzung in die nächsthöhere Klasse ist ungewiß. *Schül* 1900 *ff.*
7. sich in unsicher gewordener Stellung befinden; mit Amtsenthebung rechnen müssen. 1870 *ff.*
8. einen ~ = Twist tanzen. ↗Wackelkontakt 2 c. 1962 *ff.*
9. ins ~ kommen = geschäftlich in eine Krise geraten; in der beruflichen Stellung erschüttert sein. 1870 *ff.*
10. am ~ sein = nicht dauerhaft, nicht standhaft sein. 1900 *ff.*

wackeln gehen *intr* als Straßenprostituierte auf Männerfang gehen. ↗Wackel 3. 1920 *ff.*

Wackelpartei *f* unsicherer Koalitionspartner. ↗wackeln 1 a. 1982 *ff.*

Wackelpeter *m* **1.** unentschlossener, wenig zuverlässiger Mann. Er hat keine feste Meinung. 1900 *ff.*

2. Gelatinepudding. Im frühen 20. Jh (wenn nicht früher) aufgekommen; beliebter Kinderausdruck.
3. Rock'n'Roll-Sänger. Weil er während des Gesangs seine Hüften hin- und herschwingen läßt. 1955 *ff.*

Wackelpo (-popo) *m* beim Gehen hin- und herschwingendes Gesäß. ↗Po 1. 1920 *ff.*

Wackelpudding *m* **1.** Gelatinepudding; Wein-, Fruchtsaftgelee („Götterspeise"). Spätestens seit 1900.
2. schlechte sportliche Leistung. Der Sieg ist „wacklig" geworden. *Sportl* 1920 *ff.*
3. energieloser, wankelmütiger Mensch. 1900 *ff.*

Wackelsänger *m* Schlagersänger, der mit den Hüften „wackelt". 1955 *ff.*

Wackelschnute *f* Redseligkeit; redseliger Mensch. Der Mund ist stets in Bewegung. Seit dem späten 19. Jh.

Wackelsteiß *m* beim Gehen hin- und herschwingendes Gesäß. 1920 *ff.*

Wackeltante *f* Straßenprostituierte. ↗Wackel 3. 1920/30 *ff.*

Wackelzahn *m* **1.** Twist-Tänzerin; Mädchen, das leidenschaftlich gern tanzt. ↗Wackelkontakt 2 c; ↗Zahn 3. *Halbw* 1962 *ff.*
2. unstetes Mädchen; Mädchen, das häufig den Freund wechselt. *Halbw* 1960 *ff.*

wackern *v* sich an etw ~ = sich an eine Sache wagen; sich etw zutrauen. Verbal zu „wacker = mutig" entwickelt. 1930 *ff.*

Wackersteine *pl* es liegt ihm wie ~ im Bauch = es ist für ihn schwerverdaulich. Übernommen vom Märchen „Der Wolf und die sieben Geislein" der Brüder Grimm. 1920 *ff.*

Wackes *m* **1.** Umhertreiber; Tagedieb. Fußt auf *lat* „vagus = umherstreifend". 1800 *ff.*
2. grober, ungesitteter, plumper Mann. Seit dem 19. Jh, *westd* und *südwestd*.

Wackler *m* unbeständiger Koalitionspartner. ↗wackeln 1 a. 1982 *ff.*

wacklig *adj* **1.** hinfällig; nicht mehr rüstig; unsicher, schwankend (die Sache steht wacklig; seine Gesundheit ist wacklig). Seit dem 18. Jh.
2. dem Bankrott nahe. Kaufmannsspr. seit dem späten 19. Jh.
3. nicht völlig überzeugend (auf Geständnisse o. ä. bezogen). 1920 *ff.*
4. nicht gewinnsicher. ↗wackeln 3. Kartenspielerspr. seit dem 19. Jh.

Wade *f* **1.** kalte ~ = Beinprothese. 1915 *ff.*
2. mit strammer ~ = energisch, selbstbewußt. Übernommen von den zur Felduniform eingeführten Ledergamaschen der Infanterie-Offiziere. *Sold* und *ziv*, 1910 *ff.*
3. deinetwegen werde ich mir in die ~n beißen!: Ausdruck der Ablehnung. Berlin 1910/20 *ff, jug.*
4. sich die ~n bescheißen = übereifrig sein. ↗bescheißen 1. Berlin, 1920 *ff.*
5. mach' die ~ frei, ich besche dich!: Ausdruck

der Mißachtung; Scheltrede auf einen Versager. ↗beseichen 1. 1920 ff.

6. rechts mehr durchtreten, die linke ∼ eiert: Redewendung, die man einer schlendernden Straßenprostituierten mit „Wackelgang" nachruft. 1955 ff, halbw.

7. Platz für ∼n haben = sehr dünne Beine haben. Berlin 1840 ff.

8. sich nicht an die ∼n pissen lassen = sich nichts gefallen lassen. Vielleicht von üblen Erfahrungen mit einem Hund hergeleitet. Berlin 1840 ff.

9. jm die ∼ nach vorn richten = jn zurechtweisen. Österr 1940 ff.

Wadenbeißer m Mensch, der sich mit verletzenden Äußerungen unbeliebt macht. Hergenommen vom bissigen Hund. 1970 ff.

Wadenbrecher m hochprozentiger Schnaps. Gemeint ist, daß der Betrunkene ins Stolpern geraten und ein Bein brechen kann. Sold 1900 ff. Im 18. Jh war die Vokabel Bezeichnung für „schweren Wein".

Wadengardinen pl Damenstrümpfe. 1920 ff.

Wadengucker m Mann, der jeder Frau auf die Beine sieht. Aufgekommen zur Zeit der langen Frauenkleider. 1900 ff.

Wadenheld m Ballett-, Solotänzer. Er hat sehr kräftig entwickelte Waden. Theaterspr. 1920 ff.

Wadenklemmer m enganliegende Hose. Sie zwängt die Waden ein. Halbw 1950 ff. Seit dem Ersten Weltkrieg Soldatenbezeichnung für die Wickel- und Ledergamaschen.

Wadenkneifer pl enge Hosenbeine; enganliegende Reithosen. Mit der Biedermeiermode aufgekommen, wohl in Berlin.

Wadenknipperhose f enganliegende Hose. Knippen = kneifen. Halbw 1950 ff, Kassel.

Wadenoper f Oper mit Ballett; Ballett-Aufführung. Berlin 1840 ff.

Wadenquetscher pl enge Hosen(beine). Berlin, seit dem 19. Jh.

Wadenschoner pl Strümpfe. BSD 1965 ff.

Wadenspanner pl Strümpfe. Kundenspr. 1920 ff.

Wadenzündung f die ∼ einschalten = weglaufen; fliehen. Sold 1935 ff.

'Wadlbeiße'rei f kleinliche, mißgünstige Behinderung. ↗Wadenbeißer. Österr 1970 ff.

Wafel m f Mund. ↗Waffel 1. Seit dem 19. Jh, rhein und alem.

wafeln intr 1. schwätzen. Seit dem 19. Jh, rhein und alem.
2. Schlimmes voraussehen. Seit dem 19. Jh.

wafen (waafen) intr schwätzen. ↗waffeln. Bayr seit dem 19. Jh.

Waffe f 1. pl = Lehrmittel der Schule. Sie sind eine Art Kampfwerkzeug. 1960 ff.
2. bayerische ∼ = Maßkrug. Anspielung auf Raufhändel in Gastwirtschaften, wobei der Maßkrug als Schlagwaffe und Wurfgeschoß dient. 1900 ff.

3. mit ∼ betteln = einen Raubüberfall ausführen. Euphemismus. 1930 ff.

4. jm die ∼n aus der Hand schlagen = jds Beweisgründe entkräften; jds Machenschaften aufdecken; jn zum Nachgeben zwingen. Man macht ihn kampfunfähig. 1920 ff.

Waffel f 1. Mund. ↗waffeln. Vorwiegend oberd, 1500 ff.
2. große ∼ = Großsprecher, Prahler. Bayr seit dem 19. Jh.

Waffelbeck m Nörgler. „-beck" meint entweder den Bäcker oder gehört zu „picken = stechen". Bayr 1900 ff.

Waffeleisen n modernes Hochhaus mit längs- und quergerippter Außenwand. Durch die Rippung entsteht der Eindruck eines Waffeleisens. 1955 ff.

waffeln intr schwätzen; Unsinn äußern. Vorwiegend oberd Entsprechung zu niederd „↗wabbeln". Seit dem 18. Jh. Vgl engl „to waffle".

Waffenbulle m Waffenmeister, -handwerker. ↗Bulle 1. Sold 1939 bis heute.

Waffenkammerbulle m Waffen- und Gerätewart. ↗Bulle 1. BSD 1965 ff.

Waffenmixer m Waffenmechaniker. ↗Mixer. Fliegerspr. 1935 ff.

Waffenschein m 1. Führerschein. Anspielung auf das Auto, mittels dessen alljährlich Mensch und Tier auf den Straßen verletzt und auch getötet werden. 1955 ff.
2. er braucht für seine Hände und Füße einen ∼ = er hat kräftig entwickelte Hände und Füße. 1920 ff.
3. für das Mundwerk (o. ä.) braucht er einen ∼ = er führt verletzende Reden. 1920 ff.

Waffenscheinpflichtige pl 1. vorn spitze Halbschuhe. Scherzhaft als Stichwaffen aufgefaßt. 1960 ff.
2. sehr lange, spitze Fingernägel. 1960 ff.

Waffenstillstand machen ins Wirtshaus gehen. Man ruht sich vom Umgang mit den Waffen aus. BSD 1965 ff.

Waffenträger m freiberuflicher ∼ = Gangster, Bankräuber, Flugzeugentführer, Geiselnehmer o. ä. 1950 ff.

wagemutig adv ∼ sprechen = dreist lügen. Wagemutig = furchtlos, unerschrocken. 1935 ff.

Wagen m 1. ∼ mit Sex = Auto mit einem sehr leistungsfähigen Motor u. ä. Von der geschlechtlichen Anziehungskraft übertragen auf die maschinelle Anzugskraft. 1958 ff.
2. dicker ∼ = Auto mit starkem Motor (über 600 ccm Hubraum); sehr kostspieliges Auto. 1950 ff.
3. feuriger ∼ = Eisenbahn. ↗Elias 1. Seit dem 19. Jh.
4. gelber ∼ = Gefangenentransportwagen. Wegen der Anstrichfarbe. Österr seit dem 19. Jh.
5. grüner ∼ = Gefangenentransportwagen. Vgl „grüne ↗Minna". Preußen 1870 ff.

VI EUROPEAN ARMOUR

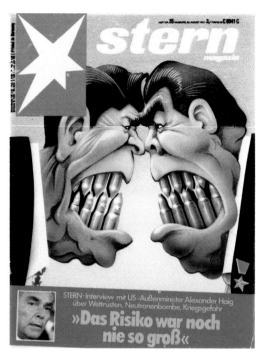

STERN-Interview mit US-Außenminister Alexander Haig
über Wettrüsten, Neutronenbombe, Kriegsgefahr
»Das Risiko war noch
nie so groß«

*Reagan und Breshnew zeigen sich die Zähne, Rake-
tenzähne, und auf der Abbildung auf der vorhergehenden Seite ist eine Prunkrüstung aus der zweiten
Hälfte des 15. Jahrhunderts zu sehen. Von jener ra-
santen Entwicklung der Möglichkeiten, sich auf immer raffiniertere Weise gegenseitig umzubringen,
zeigt sich die Umgangssprache, zumindest was die
Vokabel* **Waffe***, einen Sammelbegriff, anbelangt,
zunächst einmal nicht sonderlich beeindruckt (vgl dagegen* **Waffenschein***). Hier dominiert noch das alt-
hergebrachte Instrumentarium (vgl.* **Waffe 3.***), wie
sie sich überhaupt gern an das hält, was nahe liegt
und leicht erreichbar ist, oder, wenn damit die sogenannte bayrische Waffe, der Maßkrug, gemeint ist
(***Waffe 2.***), an das, woran man sich ohnehin gern
festhält. In der Schülersprache zielen die dort gebräuchlichen Waffen zwar ebenfalls auf den Kopf, allerdings in einem nicht ganz so folkloristischen Sinn
(vgl.* **Waffe 1.***).*

6. heißer ~ = Sportauto. 1955 *ff.*
7. krummer ~ = polizeilich nicht zugelassenes
Kraftfahrzeug. ↗krumm 2. 1960 *ff.*
8. lahmer ~ = langsames Auto. 1930 *ff.*
9. den ~ dreschen = den Motor überfordern.
Man „drischt" die Gänge „rein". ↗reindre-
schen 1. 1950 *ff.*
10. jm an den ~ fahren (kommen, können) = jds
Absicht durchkreuzen; jm zu nahe treten; sich jm
überlegen zeigen; jm Vorhaltungen machen. Her-

genommen vom Fuhrwerk, das ein anderes streift.
Veranschaulichung der Redewendung „jm zu
nahe treten". 1750 *ff.*
11. sich nicht an den ~ fahren lassen = unerschrocken sein; gegen Verunglimpfung aufbegehren. Seit dem 19. Jh.
12. der ~ kocht = das Kühlwasser kocht. 1955 *ff.*
13. der ~ läuft = die Sache entwickelt sich günstig. 1890 *ff.*
14. sich nicht an den ~ pinkeln lassen = sich keiner Unredlichkeit schuldig machen; sich nichts
gefallen lassen; unverdiente Vorwürfe energisch
zurückweisen. Wer einem an den Wagen (ans Wagenrad) harnt, drückt damit Verachtung aus. Seit
dem frühen 20. Jh, *sold, stud,* bergmannsspr. u. a.
15. jm nicht an den ~ pinkeln können = jm
nichts Schlechtes (Ehrenrühriges) nachsagen können. 1900 *ff.*
16. jm an den ~ pissen = jn kritisieren; jn belan-
gen. 1900 *ff.*
17. den ~ quälen = dem Automotor höchste Leistung abverlangen. 1955 *ff,* kraftfahrerspr.
Wagenrad *n* **1.** breitrandiger Damenhut. Mit der
Mode um 1900 aufgekommen.
2. Fünfmarkstück. ↗Rad 1. 1930 *ff.*
3. großer Kranz. 1930 *ff.*
Wagenradhut *m* Damenhut mit überbreitem
Rand. ↗Wagenrad 1. 1900 *ff.*
Wagenschlange *f* lange Reihe hintereinander
fahrender oder haltender Autos. 1930 *ff,* kraftfahrerspr.
Wagenschmiere *f* **1.** minderwertiges Fett als
Nahrungsmittel; schlechte Butter. Übernommen
vom Schmiermittel für Radnaben. Seit dem ausgehenden 19. Jh, *ziv* und *sold.*
2. Margarine. Im späten 19. Jh aufgekommen, als
die Einführung der Margarine auf Ablehnung
stieß.
3. Marmelade, Rübensirup. Wegen Ähnlichkeiten
in Farbe und Beschaffenheit mit grobem Schmier-
fett. *Sold* 1914 bis heute; *ziv* 1917 *ff.*
waggonfarben *adj* schmutzig. Meint den (durch
Verrußung) schmutzig-grau gewordenen Anstrich
der Eisenbahnwagen. 1935 *ff.*
Wagscheitl *n* besoffenes ~ (bsuffas Waagscheitl)
= Betrunkener. „Wagscheitl" ist der Schwengel
oder das Zugscheit, woran die Stränge befestigt
werden: der Schwengel bewegt sich hin und her.
Bayr 1900 *ff.*
Wahlbombe *f* aufsehenerregendes Ereignis im
Wahlkampf. ↗Bombe 5. 1958 *ff.*
Wahlbonbon *n* Wahlversprechen; (versprochene)
Vergünstigung zwecks Stimmenfangs. ↗Bon-
bon 1. 1960 *ff.*
Wähler *m* weicher ~ = Wahlberechtigter mit unbe-
kannter politischer Richtung; Wähler, der keiner
Partei angehört. Politiker und Demoskopen be-
haupten, er sei Parteiparolen verschiedener Art
(gleichermaßen) zugänglich. 1955 *ff.*

Wählermagnet *m* Politiker, der von den Wählern bevorzugt wird. Wie ein Magnet das Eisen, so zieht er die Wähler an. 1955 *ff.*

wahlfahren *intr* auf Wahlkampfreise sein. Dem „Wallfahren" nachgebildet. 1970 *ff.*

Wahlkampfbombe *f* sehr zugkräftiges Thema im Wahlkampf. ↗ Bombe 5. 1958 *ff.*

Wahlkampflokomotive *f* zugkräftiger Wahlkampfredner. ↗ Lokomotive 1. 1950 *ff.*

Wahlkampfmunition *f* Wahlpropaganda. 1960 *ff.*

Wahlkampfplattform *f* Wahlprogramm. Aus der Eisenbahnersprache: von Plattformwagen aus halten die Kandidaten (in den USA noch heute) ihre Ansprachen an die auf den Bahnsteigen wartende Menge. Aus den USA um 1965 übernommen.

Wahlkanone *f* erfolgreicher Wahlredner. ↗ Kanone 4. 1960 *ff.*

Wahlkater *m* Ernüchterung (Enttäuschung) nach Bekanntwerden des Wahlergebnisses. ↗ Kater 1. 1965 *ff.*

Wahlknüller *m* wirkungsvoller Kernspruch einer Wahl; Hauptthema der Wahlpropaganda. ↗ Knüller 1. 1955 *ff.*

Wahllokal *n* Versammlungsraum („Kontaktraum") der Prostituierten im Bordell. 1914 *ff.*

Wahllokomotive *f* zugkräftiger Wahlredner. ↗ Lokomotive 1. 1960 *ff.*

Wahlmache *f* Kernthema des Wahlkampfs. ↗ Mache 2. 1970 *ff.*

Wahlmunition *f* Gesamtheit der Themen, mit denen man die Stimmen der Wähler zu gewinnen hofft. 1960 *ff.*

Wahlonkel *m* Wahlredner. 1965 *ff.*

Wahlplattform *f* Wahlprogramm einer politischen Partei. ↗ Wahlkampfplattform. 1965 *ff.*

Wahlrecht *n* freies ~ = Wahl zwischen zwei Unannehmlichkeiten verwandter Art. 1940 *ff, sold* und *ziv.*

Wahlroß *n* **1.** Nichtwähler. Er gilt als dumm; ↗ Roß 1. 1925 *ff.*
2. kritikloser Wähler. Er gehört zum „↗ Stimmvieh". 1925 *ff.*

Wahlrummel *m* Betriebsamkeit der Politiker und Funktionäre zwecks Erringung von Wählerstimmen. ↗ Rummel. 1925 *ff.*

Wahlschlager *m* wirkungsvolles Wahlkampfthema. 1965 *ff.*

Wahlspecht *m* von Wohnung zu Wohnung gehender Propagandist für eine politische Partei. Er klopft an jeder Tür. 1957 *ff.*

Wahlspeck *m* verlockende Versprechungen der Wahlredner. Versteht sich nach dem Sprichwort „mit Speck fängt man Mäuse". Seit dem späten 19. Jh.

Wahlsprüche *pl* Wahlkampfparolen. Meint eigentlich die Leitsprüche oder Losungen; hier soviel wie „leere Redensarten der Wahlredner". 1930 *ff.*

Wahltrommler *m* Wahlredner. ↗ Trommler 1. 1930 *ff.*

Wahltrottel *m* Bürger, der nicht weiß, welche Partei er wählen soll. ↗ Trottel 1. 1955 *ff.*

Wahl-Umtrieber *m* Parteiredner, Aufwiegler. 1918 *ff.*

Wahlverwandtschaft *f* Liebesverhältnis zwischen zwei Homosexuellen. 1906 *ff.*

Wahlvieh *n* unkritische Wählermasse. ↗ Stimmvieh. 1960 *ff.*

Wahlzirkus *m* Kampf um die Wählerstimmen. *Vgl* ↗ Zirkus 1. 1925 *ff.*

Wahlzuckerl *n* Wahlversprechen. ↗ Zuckerl. *Österr,* 1950 *ff.*

Wahlzugpferd *n* zugkräftiger Wahlkandidat. ↗ Zugpferd. 1955 *ff.*

Wahn *m* alles ist nur ~: Redewendung angesichts eines Irrtums. Geht zurück auf einen „Frau-Wirtin"-Vers. 1900 *ff.*

Wahnmoching *On* Schwabing. Um 1900 geprägt von Franziska (Fanny) Gräfin zu Reventlow (1871–1918) in Anlehnung an den Ortsnamen Feldmoching im Norden von München. „Feldmoching" stand damals sinnbildlich für bäuerliche Zurückgebliebenheit und für oberbayrisches Schildbürgertum. „Wahn" spielte an auf die erträumte Zukunftswelt, in der die bestehende Welt als lebensfeindlich geleugnet wurde.

Wahnsinn *m* **1.** heller ~ = völliger Unsinn; grenzenlose Torheit. 1920 *ff.*
2. bis zum kalten ~ = bis zum Überdruß; bis zur Verzweiflung. 1920 *ff.*
3. des ~s kesse (fette) Beute = Verrückter; Dummer. *Jug* 1945 *ff.*
4. du bist wohl des ~s knusprige Beute?: Frage an einen, an dessen Verstand man zweifelt. *Jug* 1950 *ff.*
5. vom ~ bekrallt sein = geistesbeschränkt sein. Man ist in die Krallen des Wahnsinns geraten. 1930 *ff, jug.*
6. vom ~ berotzt sein = dumm, einfältig sein. *Schül* 1930 *ff; sold* 1939 *ff.*
7. vom ~ umzingelt sein = nicht recht bei Verstand sein. 1930 *ff, jug; 1939 ff, sold.*
8. ist ja ~!: Ausdruck höchster Anerkennung. Das Gemeinte ist so unvorstellbar unübertrefflich, daß man darüber den Verstand verlieren könnte. *Jug* 1970 *ff.*

wahnsinnig *adj* **1.** hervorragend. Eigentlich soviel wie „geisteskrank, irrsinnig". Von da weiterentwickelt zur Bedeutung „jegliches Maß übersteigend". *Jug* 1920 *ff.*
2. *adv* = sehr (ich habe ihn wahnsinnig gern; der Tunnel ist wahnsinnig lang). Seit dem ausgehenden 18. Jh.
3. ich werde ~!: Ausdruck der Überraschung. Man tut so, als verlöre man angesichts des Gemeinten den Verstand. Analog zu „ich werde ↗ verrückt!". 1900 *ff.*

„Der nackte Wahnsinn", der von der Illustrierten „Bunte" angeprangert wird, um dann doch eben damit ein Geschäft zu machen, soll hier ausnahmsweise, und das Titelbild deutet das an, einmal wörtlich genommen werden. Die Serie handelt von Damen des öffentlichen oder kulturellen Lebens, die, obgleich sie das, wie es so schön heißt, eigentlich gar nicht nötig hätten, sich den voyeuristischen Blicken einer interessierten Leser- und Käuferschar als des Wahnsinns kesse Beute feilbieten (**Wahnsinn 3.**). *Man übersieht dabei geflissentlich, daß der helle Wahnsinn* (*vgl.* **Wahnsinn 1.**) *nun wirklich nicht darin besteht, daß ein paar alternde Stars ihre exhibitionistischen Neigungen ausleben.*

Wahnsinns-Gage (Grundwort *franz* ausgesprochen) *f* unwahrscheinlich hohes Honorar. 1960 *ff.*

Wahnsinnsgerät *n* sehr nützlicher Gegenstand. ⁊ Wahnsinn 8. *Jug* 1975 *ff.*

Wahnsinnskerl *m* törichter Mann. 1920 *ff.*

Wahnsinnskluft *f* ungewöhnliche, originelle Kleidung. ⁊ Wahnsinn 8; ⁊ Kluft 1. *Halbw* 1975 *ff.*

wahnwitzig *adv* sehr, überaus. Eigentlich soviel wie „des Verstandes beraubt", dann im Sinne von „über jedes Maß hinausgehend" weiterentwickelt

zu einer allgemeinen Steigerung wie „verrückt", „wahnsinnig" o. ä. 1850 *ff.*

wahr *adj* **1.** das darf (kann) doch nicht ~ sein: Ausruf der Überraschung, des Entsetzens, des Zweifels usw. Das Gemeinte ist so unfaßbar, daß man seine Wirklichkeit in Frage stellt. 1950 *ff.*
2. es ist schon nicht mehr ~ = es ist schon lange her. Leitet sich her von Aussagen, deren Glaubwürdigkeit mit der Zeit nachläßt und schließlich völlig vergeht. 1500 *ff.*

Wahres *n* das ist nicht das Wahre = das ist nicht gut, ist nicht das Gewünschte, nicht das Brauchbare. „Wahr" im Sinne von „aufrichtig" verblaßt hier zur Bedeutung „richtig". 1920 *ff.*

Wahrheit *f* **1.** bloße ~ = Nacktheit. 1920 *ff.*
2. blutige ~ = schonungslose Wirklichkeit. ⁊ blutig. 1920 *ff.*
3. nackte ~ = Nackttanz, Striptease o. ä. 1920 *ff.*
4. nicht ganz innerhalb der ~ = mehr oder minder stark gelogen. Aufgekommen im Gefolge der Redewendung „etwas außerhalb der ⁊ Legalität", 1968 *ff.*
5. auf die ~ abonniert sein = rechthaberisch sein. 1955 *ff.*
6. jm die ~ geigen = jn derb rügen. Erklärt sich nach „⁊ geigen 5": dem Betreffenden wird die Wahrheit mittels des Prügelstocks beigebracht. Seit *mhd* Zeit.
7. die ~ verfehlen = dreist lügen. Euphemismus. 1920 *ff.*
8. jm die ~ aus der Nase ziehen = jn auf den Wahrheitsgehalt einer Behauptung hin eindringlich befragen. Variante zu „jm die ⁊ Würmer aus der Nase ziehen". 1958 *ff.*

wahrnehmen *tr* etw in Empfang nehmen. Verkürzt aus „seinen Vorteil wahrnehmen" im Sinne von „seinen Vorteil erkennen und nutzen". *Marinespr* 1900 *ff.*

Wahrsager *m* Penis. Er verrät Beischlafgeneigtheit oder das Gegenteil. 1955 *ff, prost.*

wahrschau *interj* Achtung, Vorsicht! Fußt auf *ahd* „wara = Obacht" und *ahd* „sciuhan = erschrekken", zusammengefaßt zur Bedeutung „zur Obacht aufschrecken". *Seemannsspr.* seit dem 14. Jh.

wahrschauen *intr tr* Bescheid geben; warnen. *Seemannsspr.* seit dem 14. Jh.

Währung *f* **1.** neue deutsche ~ = Zigaretten. Aufgekommen 1945, als die Reichsmark wertlos war und Zigaretten als Mangelware gern eingetauscht wurden.
2. härteste ~ in Bayern = eine Maß Bier. „Harte Währung" nennt man die Währung mit voller Golddeckung. In Bayern war der Preis für 1 Liter Bier lange Zeit beständig, bis auch er dem allgemeinen Preisanstieg angeglichen wurde. 1966 *ff.*

Währungsängstling *m* Bürger, der aus Furcht vor Geldentwertung sein Kapital in ein anderes Land verschiebt oder in eine fremdländische Währung umtauscht. 1922 *ff;* 1955 *ff.*

wai *interj* au wai (au weih; au weia; au wai geschrien)! = o weh! „Wai" ist *jidd* Aussprache von *hd* „weh". 1700 *ff.*

Waisenkind *n* **1.** gegen jn ein ~ sein = an Leistungsvermögen jm nicht gewachsen sein. Gemeint ist, daß ein Kind ohne Eltern in Unerfahrenheit aufwächst. Gegen jn = gegenüber (im Vergleich zu) jm. Seit dem 19. Jh.
2. du bist auch kein ~ = du sollst bei der Verteilung nicht benachteiligt werden. 1950 *ff.*
3. dastehen wie ein ~ = hilflos sein. 1900 *ff.*

Waisenknabe *m* gegen jn (daneben) ein ~ sein = weit hinter jm zurückstehen (hinsichtlich Leistungen, Kenntnissen usw.). ↗ Waisenkind 1. Seit dem 19. Jh.

Waiz *f* Spuk, Gespenst. Fußt auf *mhd* „diu wize = Fegefeuer" und meint eigentlich die arme Seele, die zur Strafe für Missetaten auf Erden im Tod keine Ruhe findet. *Bayr* seit *mhd* Zeit.

waizen *intr* spuken, geistern. *Vgl* das Vorhergehende. *Bayr* 1800 *ff.*

Wal *m* **1.** eiserner ~ = Unterseeboot. *Sold* 1939 *ff.*
2. fliegender ~ = größtes Kampfflugzeug. *Vgl* ↗ Walfisch 2. *BSD* 1970 *ff.*
3. ihr seid wie die ~e, – großes Maul und alle Kraft im Schwanz!: Redewendung auf Großsprecher. Anspielung auf geringes Denkvermögen und große geschlechtliche Leistungskraft. 1930 *ff*, sold.

Wala'chei *f* abgelegene, zivilisationsarme, unbekannte Gegend. Eigentlich das ehemalige Fürstentum zwischen Südkarpaten und Donau, heute Bestandteil Rumäniens. Seit dem 19. Jh.

Wald *m* **1.** Schambehaarung. Seit dem 19. Jh.
2. starke Brustbehaarung bei Männern. Seit dem 19. Jh.
3. große Menge emporragender Gegenstände; unübersichtliche, vielgliedrige technische Anlage; unübersichtliche Gesamtheit von sehr vielen Einzelstücken verwandter Art. Aus den dichterischen Ausdrücken „Wald von Fahnen", „Wald von Masten, von Schiffen" u. ä. übernommen zur Bezeichnung eines vielgliedrig-wirren Ganzen, vor allem eines senkrecht Aufragenden mit waagerechten Armen und Verzweigungen. 1930 *ff.*
4. ~ und Wiese = a) minderwertiger Tabak. 1945 *ff.* – b) Kräutertee. *Sold* 1935 bis heute.
5. ~, Wiese und Bahndamm = selbstangebauter Tabak (mit Tee vermischt). 1945 *ff.*
6. Marke deutscher ~ = minderwertige Raucherware. Dieser Tabak besteht vermeintlich aus Baum- und Strauchblättern. 1940 *ff.*
7. nicht für einen ~ voll Affen = um keinen Preis; für nichts in der Welt; unter keinen Umständen. Ina Seidel wies als Quelle nach: William Shakespeare, „Der Kaufmann von Venedig" (III, 1): Shylocks Tochter hat für einen Ring einen Affen eingehandelt, woraufhin Shylock sagt, nicht für einen Wald von Affen hätte er den Ring hingegeben. 1900 *ff.*

8. wer hat dich, du schöner ~, abgeholzt so hoch da droben?: Redewendung auf den Raubbau. Parodie auf das Gedicht „Der Jäger Abschied" von Joseph von Eichendorff (1837), vertont von Felix Mendelssohn-Bartholdy (1840), mit der Eingangszeile: „Wer hat dich, du schöner Wald, aufgebaut so hoch da droben?". 1920 *ff.*
9. im ~ aufgewachsen sein = a) kein gesittetes Benehmen haben. Seit dem 19. Jh. – b) unbelehrbar dumm sein. Seit dem 19. Jh.
10. ihm möchte ich nachts nicht im ~ begegnen: Redewendung auf einen Menschen mit verwildertem, grobem und abstoßendem Aussehen. Im Sinne der alten Räuberromane halten sich im Wald die Räuber und Unholde auf. 1900 *ff.*
11. sich benehmen wie die Axt im ~ ↗ Axt 2.
12. geh in den ~ zu deinen Freunden! = geh weg! Waldbewohner gelten als dumm und unzivilisiert. ↗ Wald 9. *BSD* 1965 *ff.*
13. einen ~ holzen = laut schnarchen. ↗ sägen 1. 1900 *ff.*
14. aus dem ~e klingt es dumpf, Pik ist Trumpf: Spielansage „Pik". Kartenspielerspr. 1920 *ff.*
15. du kommst wohl aus dem ~?: Frage an einen, der dumme Fragen stellt. ↗ Wald 12. *Sold* 1935 *ff.*
16. hinter dem ~ leben = weltfremd sein. ↗ Hinterwäldler. Seit dem 19. Jh.
17. Marke „Deutsche, raucht eure Wälder!": übelriechender Tabak. ↗ Wald 6. *BSD* 1965 *ff.*
18. scheiß' an (in) den ~! = nimm es nicht wichtig! mach' dir nichts daraus! 1955 *ff.*
19. nach deutschem ~ schmecken = nach minderwertigem Tabak schmecken. ↗ Wald 6. *Sold* 1940 *ff.*
20. den ~ vor lauter Bäumen nicht sehen = vor lauter Belanglosigkeiten das Wichtige nicht erkennen. Geht zurück auf Christoph Martin Wieland („Musarion, oder die Philosophie der Grazien", 1768), vielleicht in Erweiterung einer Stelle bei Ovid. *Vgl engl* „he does not see the forest for the trees" und *franz* „les arbres lui cachent la forêt".
21. im ~ sein = a) unwissend sein; nichts gesehen haben. Seit dem 19. Jh. – b) falsch, fehlerhaft (mißtönend) musizieren. Musikerspr. 1920 *ff.*
22. ich denke (glaube), ich bin (stehe) im ~!: Ausruf der Verwunderung, der Entrüstung. *Vgl* ↗ Hamster. *Halbw* 1955 *ff.*
23. sind wir im ~?: Frage an einen, der sich ungesittet benimmt. *Österr*, 1900 *ff.*
24. im ~ wohnen = dumm sein; sich dumm stellen. *Vgl* ↗ Wald 12. Seit dem 19. Jh.

Waldaffe *m* Schimpfwort. Die Schimpfwortgeltung von „Affe" gilt hier vor allem dem dummen Menschen. *Vgl* ↗ Wald 9 a und b. 1920 *ff.*

Waldbrandaustreter *pl* breite Schuhe; Stiefel. *BSD* 1965 *ff.*

Waldcafé *n* Abort. Schülerdeutung der Abkürzung „W.C.". 1960 *ff.*

Walddoktor *m* Heilpraktiker. 1920 *ff.*

„Wer hat dich, du schöner Wald, abgeholzt so hoch da droben", heißt es in einer Parodie auf die bekannten Verse aus Joseph von Eichendorffs (1788–1857) „Der Jäger Abschied" (**Wald 8.**). Auch wenn solche Lichtungen mittlerweile entstehen, ohne daß sich einer wie die Axt im Wald aufführen müßte (vgl. **Wald 11.**), so fällt doch auf, daß von der hohen Wertschätzung, die dem deutschen Wald im deutschen Gemüt zukommt, in der Umgangssprache kaum etwas zu spüren ist. Dem Alltag der sie wesentlich prägenden sozialen Gruppen liegen solche Romantizismen fern.

Waldesel m 1. dummer Mensch. Meint im eigentlichen Sinn den Wildesel; hier aufgefaßt als Verstärkung von „↗Esel". Der Wald versinnbildlicht die Abgelegenheit und Unzugänglichkeit (der mutmaßlichen Heimstatt des Gemeinten). *Schül* und *sold* seit dem ausgehenden 19. Jh.
2. furzen wie ein ∼ = Darmwinde laut entweichen lassen. 1920 *ff.*
3. scheißen wie ein ∼ = sich bei der Notdurftverrichtung keinerlei Zwang antun. 1920 *ff.*

4. stinken wie ein ∼ = unausstehlich stinken. 1910 *ff.*
5. wichsen wie ein ∼ = häufig onanieren oder koitieren. ↗wichsen. 1870 *ff.*
Waldeule f häßliches Mädchen. Eulen gelten als unschön. *Halbw* 1955 *ff.*
Waldfee f husch, husch die ∼! = a) Ausruf junger Männer angesichts eines vorbeilaufenden jungen Mädchens. Märchenfreunde kennen die Fee fast nur als schöne Frauengestalt. Die Waldfee ist die dichterische Nachfolgerin der Waldnymphe aus der altgriechischen Mythologie. 1910 *ff, jug.* – b) schnell, behutsam! Meist in Verbindung mit dem Warnruf: „Kopf weg, – es kommt was geflogen!". *Sold* 1914 *ff.* – c) Ausruf bei unhaltbarem Torball. *Jug* 1920 *ff.*
Waldfrevel m unnützerweise bedrucktes Papier; langatmige schriftliche Ergüsse; Aufsatzheft des Schülers; Schmutz- und Schundliteratur. Hier ist als „Frevel" die Verwendung von Holz zur Papierherstellung für wenig sinnvolle Zwecke aufgefaßt. *Wien* 1930 *ff, stud* und *schül.*
Waldheini m 1. Naturbursche; Angehöriger der

Wandervogelbewegung. ↗Heini. Seit dem frühen 20. Jh, *schül, stud, sold* und *arb*.

2. wunderlicher Mann; Dümmling; unbeholfener, langsam tätiger Mann; Neuling. 1920 *ff, sold* und *schül*.

3. Schimpfwort allgemeiner Art. 1920 *ff*.

4. Waldhüter. 1920 *ff*.

Waldi *m* Rufname des Hundes (vor allem des Dakkels). Seit dem 19. Jh.

Waldmann *m* Rufname des Hundes (Dackels). Seit dem 19. Jh.

Waldschnepfe *f* Prostituierte, die in Parks und Stadtwäldern ihrem Gewerbe nachgeht. ↗Schnepfe 1. 1900 *ff*, großstadtspr.

Waldschrat (Waldschratt) *m* **1.** kleinwüchsiger Mann. Eigentlich Bezeichnung eines zottigen Waldgeistes von kleiner Gestalt. 1950 *ff*.
2. einfältiger Mann. 1950 *ff*.

Waldtrottel *m* Förster. Weniger Anspielung auf „↗Trottel 1", eher zusammenhängend mit „trotten = treten, gehen". *Österr* 1950 *ff*.

Wald- und Wiesen- stabreimende Formel zur Kennzeichnung von Üblichem, Durchschnittlichem, Nicht-Ausgeprägtem u. ä. Etwa seit dem späten 19. Jh.

Wald- und Wiesenanwalt *m* Rechtsanwalt ohne ein bestimmtes Fachgebiet. 1920 *ff*.

Wald- und Wiesendoktor *m* praktischer Arzt. 1910 *ff*.

Wald- und Wiesenjurist *m* nicht auf ein Fachgebiet festgelegter Jurist. 1900 *ff, stud*.

Wald- und Wiesen-Krimi *m* Kriminalroman oder -film üblicher Art. ↗Krimi. 1960 *ff*.

Wald- und Wiesenmischung *f* minderwertiger Tabak. 1940 *ff*.

Wald- und Wiesenschlüssel *m* Schlüssel, der in viele Schlösser paßt. 1880 *ff*.

Wald- und Wiesenschrat *m* Heeresangehöriger. ↗Waldschrat 1. *BSD* 1965 *ff*.

Wald- und Wiesenspezialist *m* Botaniker. 1960 *ff*.

Wald- und Wiesentee *m* Kräutertee. *Sold* 1935 bis heute.

Wald- und Wiesenwebel *m* Feldwebel. Wortwitzelei. *BSD* 1965 *ff*.

Waldverbot haben bucklig sein. Scherzhaft befürchtet man Beschädigung der Bäume. 1930 *ff*.

Waldverkehr *m* Geschlechtsverkehr in Gehölz oder dichtem Buschwerk. 1915 *ff*.

Waldwebel *m* Feldwebel. Eine alte Wortspielerei; im Ersten Weltkrieg nannte man so den Feldwebel bei Jägerbataillonen. *BSD* 1965 *ff*.

Waldwolle *f* ~ im Gesicht = Vollbart. 1920 *ff*.

Walfick *m* im Stehen vollzogener Koitus. *Ziv* und *sold*, 1915 *ff*.

Walfisch *m* **1.** Schlachtschiff; großer Kreuzer. *Marinespr* in beiden Weltkriegen.
2. großes Flugzeug. *Sold* in beiden Weltkriegen.
3. Schimpfwort. Anspielung auf großes Maul,

kleines Gehirn, immer im „↗Tran" und im „Schwanz" die größte Stärke. 1930 *ff*.

4. deutscher ~ = Hering. *Marinespr* 1910 *ff*.

Walfischflossen *pl* sehr große, plumpe Hände. ↗Flosse 1. Seemannsspr. 1900 *ff*.

Walfischsteak *n* Fischsteak. *BSD* 1965 *ff*.

Walhalla *f* ~ für Beamte = Verwaltungshochhaus. Die Walhalla ist in der *germ* Mythologie der Aufenthaltsort der gefallenen Krieger; hier ist das Gebäude der „↗Papierkrieger" gemeint. 1960 *ff*.

Walhalla-Aspiranten *pl* Teilnehmer an einem lebensgefährlichen Unternehmen. *Sold* 1939 *ff*.

Walhalla-Ausweis *m* Erkennungsmarke des Soldaten. *Sold* in beiden Weltkriegen.

Walhalla-Droschke *f* Zeltbahn, in der der gefallene Soldat beigesetzt wird. *Sold* in beiden Weltkriegen.

Walke *f* **1.** *pl* = Prügel, Hiebe. Eigentlich die Walkmühle, in der Felle gewalkt werden. Seit dem 19. Jh.
2. jn in der ~ haben = jn prügeln. Seit dem 19. Jh.
3. jn in die ~ nehmen = jn heftig rügen; jn gründlich prügeln. Seit dem 19. Jh.

walken *v* **1.** *tr* = jn verprügeln. Übertragen vom Walken der Felle. Seit dem 18. Jh.
2. *intr* = Hausputz halten. Anspielung auf das Klopfen der Teppiche und Polster. 1950 *ff*.
3. *intr* = spazierengehen. Aus dem *Engl* (to walk) nach 1945 übernommen, *schül*.

Walke'rei *f* Massage. Man wird geknetet. 1950 *ff*.

Walküre *f* kraftvolle, stattliche Frau. Geht zurück auf die Frauengestalt der Walküre in Richard Wagners „Der Ring des Nibelungen" (1856). Seit dem ausgehenden 19. Jh.

Walkürenritt *m* Geschlechtsverkehr mit einer großwüchsigen, kraftvollen Frau. ↗reiten 3. 1900 *ff*.

Wallach *m* **1.** katholischer Geistlicher; Mönch. Fußt auf *jidd* „gallach = Geschorener, Tonsurierter"; auch Anspielung auf das Zölibat, wobei der zur Ehelosigkeit Verpflichtete mit dem verschnittenen Hengst gleichgesetzt wird. Kundenspr. seit dem frühen 19. Jh.
2. zeugungsunfähiger Mann. Seit dem 19. Jh.
3. furzen wie ein ~ = viele Darmwinde laut entweichen lassen. Auch in dieser Eigenart unterscheiden sich die Wallache von den Hengsten und Stuten. Seit dem 19. Jh.
4. scheißen wie ein ~ = die große Notdurft eilig verrichten. Pferde entledigen sich des Kots auch im Gehen oder Laufen. Seit dem 19. Jh.

Wallebart *m* lang herabhängender Vollbart. 1955 *ff*.

Wallebusen *m* wogende Frauenbrust. 19. Jh.

Wallehaar *n* herabwallendes Haar. 1955 *ff*.

Wallepracht *f* lang herabfallendes Haar. 1955 *ff*.

Walle-Walle-Hemd *n* weites, wallendes Nachthemd. 1960 *ff*.

Walle-Walle-Locken *pl* lockig herabfallendes Haar. 1965 *ff.*

wallfahren gehen *intr* zum Strafantritt gehen. Man beschönigt es als Pilgerfahrt. 1920 *ff.*

wallfahrten *v* zu jm ~ = jn aufsuchen, um ihm ein Anliegen vorzutragen. Es ist ein Bittgang wie eine Wallfahrt. 1920 *ff.*

Walroß *n* **1.** Schimpfwort auf einen Ungesitteten. Das Walroß ist groß, schwer und plump. 1900 *ff.* **2.** wie ein ~ sägen (schnarchen) = sehr laut und anhaltend schnarchen. ↗ sägen 1. Seit dem 19. Jh. **3.** wie ein ~ schnaufen = heftig schnaufen. 1900 *ff.*

Walroßbart (-schnurrbart) *m* struppiger, borstiger Oberlippenbart. 1955 *ff.*

Walschmiere *f* Margarine. Walfett (Walöl) war Bestandteil verschiedener Margarinesorten. 1930 *ff.*

Walter *m* Sankt ~ = Fernsehturm in Ost-Berlin. ↗ Ulbricht-Kreuz. 1969 *ff.*

Walz *f* **1.** Landstreicherei; Gesellenwandern; Wanderschaft, Wanderung. Fußt auf mundartlich „walzen = schlendern". Kundenspr. etwa seit 1850. **2.** auf die ~ gehen = auf Wanderschaft gehen. 1850 *ff.* **3.** auf der ~ sein = auf Wanderschaft sein. 1850 *ff.*

Walzbruder *m* Landstreicher; Handwerksbursche auf Wanderschaft; Wanderer. Kundenspr. seit dem späten 19. Jh.

Walze *f* **1.** üblicher Ablauf von Geschehnissen; bekannte Folge von Äußerungen. Hergenommen von der Musikwalze in Spieluhr, Drehorgel u. ä. Berlin 1840 *ff.* **2.** schwerer Panzerkampfwagen. Übernommen von der Dampfwalze. *Sold* 1935 *ff.* **3.** Trecker. 1960 *ff.* **4.** beleibter Mensch. Verkürzt aus „↗ Dampfwalze 1". 1920 *ff.* **5.** Penis. Analog zu ↗ Bolzen 3. Seit dem 19. Jh. **6.** *pl* = dickliche Beine. Sie sind walzenförmig. 1900 *ff.* **7.** die alte ~ = altbekannte Tatsache; hinreichend behandeltes Thema. Von der Drehorgel u. ä. hergeleitet. Seit dem 19. Jh. **8.** nicht mit dieser ~ = nicht auf diese übliche Weise. 1900 *ff.* **9.** dieselbe ~ = von neuem erwähntes, altbekanntes Geschehnis. 1900 *ff.* **10.** heiße ~ = Schallplatte mit zündender Schlagermusik. ↗ heiß 7. 1960 *ff, halbw.* **11.** eine neue ~ = eine ungewohnte Ansicht; ein neuer Gesprächsstoff; neue Auffassung einer Bühnenrolle. 1840 *ff.* **12.** eine ~ abstellen = Gesagtes nicht nochmals sagen. 1920 *ff.* **13.** eine ~ auflegen = einen Trick anwenden; erfolgversprechend vorgehen. 1920 *ff.*

Walze geht etymologisch auf das althochdeutsche Wort „walzan" zurück, was soviel heißt wie sich drehen und fortbewegen. Auf die letzte Bedeutungsnuance bezieht sich **Walz** als Bezeichnung für die in früheren Zeiten jedem Handwerksburschen auferlegte Zeit der Wanderschaft, während der er sich in seinen Kenntnissen vervollkommnen sollte. Beide Aspekte kommen bei jenem Vehikel zur Geltung, dem in erster Linie die Funktion zugedacht ist, kraft seines Gewichts etwaige Unebenheiten zu glätten. Umgangssprachlich bleibt dies natürlich nicht nur dieser Maschine vorbehalten (vgl. **Walze 2.–4., 6.**). Nur um die eigene Achse rotiert dagegen die in Drehorgeln oder Spieluhren installierte Walze. Da sie, wie eine Schallplatte, stets die gleichen Töne hervorbringt, tritt sie auch umgangssprachlich zu diesem moderneren Tonträger in Konkurrenz (vgl. **Walze 7.–19.**).

14. die gefühlvolle ~ auflegen = sich gefühlvoll äußern. 1950 *ff.* **15.** die alte ~ drehen = einen hinreichend bekannten Standpunkt wiederholen. 1900 *ff.* **16.** eine falsche ~ eingelegt haben = a) falsch, mißtönend singen. 1870 *ff.* – b) etw falsch machen, schlecht beginnen. 1910 *ff.* **17.** etw nicht auf der ~ haben = etw nicht wissen;

auf etw nicht vorbereitet sein; etw nicht beabsichtigen. Bezieht sich auf eine Melodie, die der Drehorgelspieler nicht auf seiner Walze hat. 1870 *ff*, vorwiegend Berlin.

18. (es ist) nicht auf der ∼!: Ausdruck der Ablehnung. Berlin, 1900 *ff*.

19. eine leise ∼ spielen = unaufdringlich, zurückhaltend spielen. 1920 *ff*.

walzeln *intr* gehen. Iterativum zum Folgenden. *Österr*, 1940 *ff*.

walzen *intr* **1.** gehen, wandern, marschieren. Fußt auf *mhd* „walzen = sich drehen, rollen". 19. Jh.

2. langsam, schwerfällig gehen. Seit dem 19. Jh.

3. Landstreicher sein; nach Landstreicherart das Land durchziehen. ↗Walz 1. 1850 *ff*, kundenspr.

4. (Walzer) tanzen. Seit dem 18. Jh.

5. tänzelnd schreiten. Seit dem 19. Jh.

6. in großer Menge herbeiströmen. Seit dem 19. Jh.

wälzen *v* **1.** sich vor Lachen ∼ = hellauf lachen; des Lachens kein Ende finden. Anspielung auf das Vor- und Rückwärtsbiegen des Körpers bei heftigem Lachen. Seit dem 18. Jh.

2. es ist zum ∼ = es ist sehr erheiternd. Seit dem 19. Jh.

Walzer *m* **1.** Landstreicher. ↗Walz 1. 1900 *ff*, kundenspr.

2. ∼ ohne Füße = seitliche Schaukelbewegung im Sitzen, wobei man seine Nachbarn zu beiden Seiten unterfaßt. Zur Sache *vgl* „↗schunkeln 2". 1950 *ff*.

3. nervöser ∼ = a) Wiener Walzer (im Unterschied zum English Waltz). 1950 *ff*. – b) moderner Tanz. 1950 *ff*.

4. ∼ fahren = wegen Trunkenheit die Herrschaft über das Kraftfahrzeug verlieren und in Schlangenlinien fahren. Kraftfahrerspr. 1950 *ff*.

5. das spielt keinen ∼ = das ist unbedeutend, gleichgültig. Wortwitzelnd entstellt aus „das spielt keine Rolle". 1935 *ff*.

6. langsamen ∼ spielen = schwungloser Fußball spielen. *Sportl* 1955 *ff*.

Wälzer *m* unhandliches, dickes Buch. Scherzhaft übersetzt aus *lat* „volumen" unter gelehrter Einwirkung aus *lat* „volvere = wälzen". 1750 *ff*.

wälzerdick *adj* vom Umfang eines großen Buches. 1920 *ff*.

Walzerkönig *m* Landstreicher. ↗Walzer 1. 1900 *ff*, kundenspr.

Wamme *f* **1.** Bauch. ↗Wampe 1. Seit *mhd* Zeit.

2. Doppelkinn. Eigentlich die herabhängenden Hautwülste am Hals der Rinder. 1900 *ff*.

Wampe *f* **1.** Bauch; Hängebauch. Ein *germ* Wort, ursprünglich für den Bauch von Tieren; dann auch auf Unterleib und Mutterleib beim Menschen bezogen. Seit dem 16. Jh.

2. Schwangere. 1900 *ff*.

3. sich eine ∼ anfressen (anfuttern) = beleibt werden. 1914 *ff*.

4. was die ∼ hält = soviel der Magen aufnimmt. 1920 *ff*.

5. etw in die ∼ schmeißen = etw essen. *BSD* 1965 *ff*.

6. sich die ∼ vollschlagen = viel essen; sich reichlich sättigen. Analog zu ↗Bauch 40. *Sold* 1914 *ff*.

7. sich die ∼ vollstopfen = eßgierig sein. 1920 *ff*.

wampen *intr* viel und schnell essen. Verbal zu „↗Wampe 1". 1910 *ff*, *schles, rhein* und Berlin.

Wampenkitt *m* Kartoffelbrei. Man sieht ihn als Kittmasse an, mit der man leere Stellen im Magen füllen kann. *Schles* 1920 *ff*.

Wampenschieber (-träger) *m* sehr beleibter Mann. 1920 *ff*.

Wamperl *n* **1.** Bauch. *Bayr* und *österr*, 19. Jh.

2. beleibter Mann. Seit dem 19. Jh, *bayr* und *österr*.

wamperln *intr* koitieren. *Österr*, 1920 *ff*.

wampert (wampet) *adj* **1.** dickbäuchig. *Oberd* 1600 *ff*.

2. schwanger. *Österr* seit dem 19. Jh.

wampig *adj* beleibt. Seit dem 18. Jh.

Wams *n* jm das ∼ ausklopfen (klopfen) = jn prügeln. ↗wamsen. 1700 *ff*.

Wamse (Wämse) *pl* Prügel. *Vgl* das Folgende. Seit dem 19. Jh.

wamsen *v* **1.** *tr* = jn prügeln. Euphemismus. Man klopft das Wams aus, um den Staub zu entfernen. 1700 *ff*.

2. *intr* = viel essen. Man füllt den Magen, damit das Wams wieder paßt. Kann verbal auch Intensivum zu „↗Wamme" sein. 1900 *ff*.

Wand *f* **1.** verdeckender Gegenstand (Zeitung, Mantel o. ä.), der von Taschendieben zur Tarnung benutzt wird. 1900 *ff*.

2. blaue ∼ = Kriegsmarine. „Blau" wegen der Uniformfarbe; „Wand" legt die Vorstellung „breitgebaut; kräftig entwickelt; großwüchsig" nahe. 1910 *ff*, *sold*.

3. die fünfte ∼ = a) Fernseh-Bildschirm; Fernsehen. Zu den „vier Wänden" (↗Wand 4) hinzuerfunden. 1960 *ff*. – b) Zimmerdecke. 1965 *ff*.

4. die vier Wände = die Wohnung; das Wohnhaus. Diese Bezeichnung für Haus und Hof stammt aus der mittelalterlichen Rechtssprache und wurde vor allem im 18./19. Jh sehr üblich.

5. vier Wände am Haken (auf Rädern) = Wohnwagen. 1965 *ff*.

6. vierte ∼ = Theatervorhang. Theaterspr. 1920 *ff*.

7. immer an der ∼ lang: Antwort auf die Frage nach dem Wohlbefinden. Geht zurück auf einen Schlagertext von Hermann Frey gegen 1910: „Und dann ziehn wir / still und leise / immer an der Wand lang, / immer an der Wand lang, / heimwärts von der Bummelreise, / immer an der Wand lang . . ."

8. weiß wie eine (gekalkte) ∼ = blutleer im Gesicht. 1900 *ff*.

9. schmücke dein Heim, scheiß (kotz) die ~ an!: Redewendung der Verzweiflung oder Gleichgültigkeit. Vielleicht entstanden als Antwort auf die müßige Frage, was einer vor lauter Langeweile tun solle. „Schmücke dein Heim" war gegen 1930 ein Werbespruch des Gardinenhandels. *Sold 1935 ff.*

10. die blaue ~ steht auf = Matrosen beginnen eine Schlägerei. ↗Wand 2. *1910 ff.*

11. die Wände begießen = a) Richtfest feiern. ↗begießen 1. Seit dem 16. Jh. – b) den Einzug in die neue Wohnung fröhlich feiern. Seit dem 16. Jh.

12. jn an die ~ blasen = jn im Spiel eines Blasinstruments übertreffen. Entwickelt nach dem Muster des Folgenden. *1920 ff.*

13. jn an die ~ drücken = jn zurückdrängen, überflügeln, geschäftlich erledigen. Hergenommen vom Zweikampf, bei dem der Gegner an die Wand gedrückt wird und keine Rückzugsmöglichkeit mehr hat. *1600 ff. Vgl franz* „mettre quelqu'un au pied du mur" und *engl* „to push (thrive, thrust) someone to the wall".

14. auf jn einreden wie auf eine ~ = vergeblich auf jn einreden. *1900 ff.*

15. mit ihm kann man Wände einrennen (einstoßen) = er ist überaus dumm. Anspielung auf „harter Schädel = Begriffsstutzigkeit" oder auf „↗Holzkopf". *1830 ff.*

16. jn an die ~ fahren = jn beim Radrennen überflügeln. Fußt auf „↗Wand 13". *Sportl 1920 ff.*

16 a. die Wände fallen ihm auf (über) den Kopf = er leidet unter Klaustrophobie. ↗Decke 3. *1920 ff.*

17. sonst fliegst du an die ~, daß du hängen bleibst und deine Alte dich mit dem (der) Spachtel abkratzen kann!: Drohrede. *1920 ff.*

18. wie an die ~ gepißt = völlig unbrauchbar; ohne jegliches künstlerisches Empfinden; künstlerisch wertlos. Im frühen 20. Jh aufgekommen; vielleicht von Max Liebermann geprägt, von dem diese Wendung als sein Lieblingsausdruck überliefert ist.

19. du bist wohl gegen die ~ gerannt?: Frage an einen, der töricht zu Werke geht. Beim Stoß gegen die Wand hat der Kopf Schaden gelitten. *Schül 1950 ff.*

20. die Wände haben Ohren = man muß damit rechnen, belauscht zu werden. Seit dem 19. Jh.

21. er hat die ganze ~ auf dem Buckel = beim Anlehnen an die (gekalkte) Wand hat er seinen Rock weiß beschmutzt. *1920 ff,* Berlin.

22. etw an die ~ hauen = etw verschwenden. Leitet sich her von einer Zecherei, in deren Verlauf man die geleerten Gläser aus Übermut an die Wand wirft. *1920 ff.*

23. die ~ (die Wände) hochgehen = sich sehr ärgern; aufbrausen. Vor Zorn möchte man Unsinni-

ges tun und das Unmögliche möglich machen. Seit dem 19. Jh.

24. wenn man ihn an die ~ haut (wirft), bleibt er kleben = a) er ist überaus unreinlich. *1700 ff.* – b) er läßt alles mit sich geschehen; er ist ohne jegliches Interesse; er ist ein willenloser, energieloser Mensch. *1920 ff.*

25. jn an die ~ kochen = besser kochen als der andere. ↗Wand 13. *1960 ff.*

26. das ist an die ~ gekommen = diese Bestellung kann ich leider nicht mehr ausführen. Kellnerspr.: Neben der Küchenausgabe befindet sich an der Wand eine Tafel, auf der der Küchenchef notiert, welche Gerichte ausgegangen sind. *1960 ff.*

27. mit dem Hintern (Rücken) an die ~ kommen =sich sichern. Man hat Rückendeckung und ist von keiner Heimtücke bedroht. *1930 ff,* Berlin.

28. von der ~ in den Mund leben = a) seine Bilder gegen Lebensmittel veräußern; Kunstmaler sein. Aufgekommen mit dem Beginn der Inflation nach dem Ersten Weltkrieg; entweder vom Maler Max Liebermann oder vom Cellisten Heinrich Grünfeld geprägt; mit dem Ende des Zweiten Weltkriegs wiederaufgelebt, als die geringen Lebensmittelzuteilungen zu zusätzlicher Beschaffung zwangen. – b) den an der Leine im Zimmer getrockneten Tabak rauchen. *1945 ff.*

29. ~ machen = a) sich breit vor den Dieb (Taschendieb) stellen, um ihn vor unerwünschten Augenzeugen zu decken. *Rotw 1840 ff.* – b) sich aufrecht setzen oder „den Rücken breit machen", damit der Hintermann vom Banknachbarn abschreiben, eine verbotene Übersetzung o. ä. verwenden kann. *Schül 1955 ff.*

30. die ~ mitnehmen = a) durch Anlehnen an eine getünchte Wand sich den Rücken weiß beschmutzen. ↗Wand 21. *1920 ff.* – b) bezecht sein. Der Betrunkene lehnt sich an die Wand. *1920 ff.*

31. jn an die ~ quatschen = jm im Reden überlegen sein. Weiterentwickelt aus „↗Wand 13". *1920 ff.*

32. jn an die ~ quetschen = jds Widerstand brechen; jn überflügeln. Derbere Variante zu „jn an die Wand drücken" (↗Wand 13). *1900 ff.*

33. es ist, um die Wände raufzulaufen (raufzuklettern)!: Ausdruck der Verzweiflung. ↗Wand 23. Seit dem 16. Jh.

34. jn die Wände rauftreiben = jn zur Verzweiflung bringen. ↗Wand 23 und 33. *1920 ff.*

35. für die Wände predigen = vergeblich reden; keine Aufmerksamkeit finden. *1500 ff.*

36. an (gegen) eine ~ reden = auf einen Widerstrebenden vergeblich einreden; auf unbedingte Ablehnung stoßen. Seit dem 19. Jh. *Vgl franz* „parler à un mur".

36 a. jn an die ~ reden = jn im Reden übertreffen. ↗Wand 13. *1920 ff.*

37. gegen Wände rennen = auf heftigen Widerstand stoßen. *1900 ff.*

38. ich schiffe dich an die ~!: Redewendung eines (vermeintlichen) Kraftmenschen. 1965 *ff, bayr.*

39. jn an die ~ schlagen = jn übertreffen. ↗Wand 13; schlagen = besiegen. 1950 *ff.*

40. da sind die Wände so dünn, daß man im Parterre hört, wenn einer im fünften Stock Keks ißt: Redewendung auf hellhörige Wohnungen (in modernen Wohnhochhäusern). 1970 *ff.*

41. jn an die ~ singen = jn im Singen überflügeln; aus einem Gesangswettbewerb siegreich hervorgehen. Weiterentwickelt aus „jn an die Wand drücken" (↗Wand 13). 1920 *ff.*

42. jn an die ~ spielen = a) jn durch besseres schauspielerisches oder sportliches Können überflügeln. Theaterspr. 1900 *ff; sportl* 1950 *ff.* – b) jn durch Lautstärke, an Kraft o. ä. überbieten. 1950 *ff.*

43. jn an die ~ stürmen = jn mühelos besiegen. *Sportl* 1950 *ff.*

44. jn an die ~ tanzen = besser tanzen können als der andere. ↗Wand 13. 1920 *ff.*

45. da wackelt die ~! = da geht es ausgelassen zu. Oft mit dem Zusatz: „da muß was lossein". Stammt wohl aus dem Munde eines Ausrufers bei Volksfesten: den Grad der zu erwartenden Belustigung macht er dadurch anschaulich, daß er behauptet, durch das Gelächter der Zuschauer würden die Wände ins Wackeln geraten. Anscheinend gegen 1820 in Berlin aufgekommen.

46. brüllen (donnern, schreien o. ä.), daß die Wände wackeln = mit großem Stimmaufwand reden. 1900 *ff.*

47. fluchen, daß die Wände wackeln = lauthals, unflätig fluchen. 1930 *ff.*

48. lachen, daß die Wände wackeln = unbändig, dröhnend lachen. Berlin 1840 *ff.*

49. lügen, daß die Wände wackeln = dreist lügen; sehr grobe Unwahrheiten äußern. 1900 *ff.*

50. singen, daß die Wände wackeln = lautstark singen. 1900 *ff.*

51. tanzen, daß die Wände wackeln (daß eine alte Wand wackelt) = stürmisch, leidenschaftlich tanzen. Berlin 1840 *ff.*

Wand-Aktien *pl* Gemälde, die man kauft, um sie später mit Gewinn wieder zu veräußern. Gegen 1960 aufgekommen mit dem zunehmenden Interesse der Wohlstandsgesellschaft am Erwerb von Sachwerten.

Wandeldame *f* Straßenprostituierte. 1950 *ff.*

Wandelgänger *m* Lobbyist. Er bewegt sich in den Wandelgängen des Bundeshauses. 1955 *ff.*

Wandelgangster (Grundwort *dt* oder *engl* ausgesprochen) *m* Lobbyist. Mit dem Instinkt eines Gangsters lauert er (so denkt der Laie) dem Abgeordneten in den Wandelgängen auf, um ihn für die Interessen seines Verbands o. ä. zu gewinnen. 1955 *ff.*

Wanderamourantin *f* Straßenprostituierte. 1950 *ff.*

Wanderarsch *m* Beamter des Finanzamts (des Gewerbeaufsichtsamts o. ä.) im Außendienst auf Betriebskontrolle. 1959 *ff.*

Wanderflegel *m* ungesitteter Halbwüchsiger unterwegs. 1950 *ff.*

Wandergewerbe *n* Straßenprostitution. Eigentlich die nicht ortsfeste Gewerbeausübung. 1950 *ff.*

Wandergewerbetreibende *f* Straßenprostituierte. 1950 *ff.*

Wandergurken *pl* **1.** derbe Schuhe; Stiefel; Bergschuhe. ↗Gurke 9. 1900 *ff,* wandervogelspr. **2.** Infanteristenstiefel. 1914 *ff.*

Wanderheize *f* Feuerzelt der Pfadfindergruppe. *Halbw* 1955 *ff.*

Wanderhütte *f* Schullandheim. 1930 *ff.*

Wanderkluft *f* Wanderkleidung. ↗Kluft. 1900 *ff.*

Wanderlokus *m* Überfallhose, „Knickerbocker". Sie wäre weit genug, um bei langen Märschen ohne Rast den Kot aufzunehmen. *BSD* 1965 *ff.*

wandern *intr* **1.** flüchten, fliehen. Eigentlich „auf Wanderschaft gehen", dann auch soviel wie „umziehen; die Stelle wechseln". *Rotw* seit dem späten 19. Jh; *sold* in beiden Weltkriegen. **2.** zwischen zwei Unterrichtsstunden das Klassenzimmer wechseln. 1920 *ff.* **3.** es wandert in den Papierkorb (Ofen o. ä.) = es wird weggeworfen, wird nicht zur Kenntnis genommen, bleibt unberücksichtigt. 1900 *ff.*

Wanderniere *f* Blechdose des Wanderers zur Aufnahme von Butterbroten. Eigentlich die durch Lockerung der Aufhängebänder ihre Lage verändernde Niere; hier bezogen auf die nierenähnliche Form der Dose. 1920 *ff, jug.*

Wanderpokal *m* Mädchen mit häufig wechselndem Freund. Wie der Pokal, der von Jahr zu Jahr an die jeweils siegreiche Mannschaft weitergegeben wird, „wandert" das Mädchen „von Hand zu Hand". *Halbw* 1955 *ff.*

Wanderprediger *m* **1.** Parteiredner; Wahlredner. 1933 *ff.* **2.** *pl* = abwechselnd an verschiedenen Kampfabschnitten eingesetzter, motorisierter Verband. *Sold* 1939 *ff.* **3.** *sg* = Militärpfarrer. Er ist von einer Einheit zur anderen unterwegs. Der Ausdruck ist vielleicht durch das Auftreten des Massenpredigers Billy Graham beeinflußt. *BSD* 1968 *ff.*

Wanderpreis *m* **1.** Mädchen, das seinen Freund oft wechselt. ↗Wanderpokal. *Halbw* 1950 *ff.* **2.** flatterhafter Mann; Frauenheld. 1950 *ff.*

Wanderratte *f* Straßenprostituierte, die häufig ihren Standort wechselt. Berlin 1870 *ff.*

Wanderschmiere *f* Wandertheater. ↗Schmiere 9. Seit dem 19. Jh.

Wanderschnulze *f* anspruchsloses, rührseliges Wanderlied. ↗Schnulze 1. 1955 *ff.*

Wanderstall *m* Wanderzelt. *Jug* 1955 *ff.*

Wandertute *f* Straßenprostituierte. ↗Tute 2. 1960 *ff.*

Wandervögel am Brunnen, eine Aufnahme aus dem Jahr 1910. Gegen Ende des letzten Jahrhunderts zogen immer mehr Jugendliche singend aus der grauen Städte Mauern, um in der Natur, fern jener verhaßten und als einengend empfundenen Zivilisation, ein, wie man glaubte, ganz anderes, das wahre Leben zu finden, frei, ungebunden und in einer Gemeinschaft Gleichgesinnter. Unterstützt wurde diese Bewegung von hauptsächlich völkischen oder nationalen Kreisen, die sich um die Wehrtauglichkeit der in den industriellen Arbeitsprozeß eingebundenen Jugend sorgten. Ertüchtigungen ganz anderer Art hatte dagegen im Sinn, wer die Vokabel **Wandervögel** *auch in ihrer umgangssprachlichen Bedeutung wörtlich nahm (vgl.* **wandervögeln 2.***).*

Wandervogel *m* **1.** Landstreicher. 1920 *ff.*
2. streunende(r) Halbwüchsige(r). 1960 *ff.*
3. Mensch, der oft seinen Arbeitsplatz wechselt. 1950 *ff.*
4. Student(in), der (die) mal an dieser, mal an jener Universität studiert. 1960 *ff, stud.*
5. Straßenprostituierte. Wohl beeinflußt von „↗vögeln 1“. 1960 *ff.*
Wandervögelchen *n* unbeständiger junger Mensch. 1960 *ff.*
wandervögeln *intr* **1.** gemeinsam wandern. Von

der Jugendbewegung „Der Wandervogel“ hergeleitet. 1905 *ff.*
2. gelegentlich einer Wanderung geschlechtlich verkehren. ↗vögeln 1. 1905 *ff.*
Wanderzahn *m* unstete intime Freundin. Sie „wandert“ von Partner zu Partner. ↗Zahn 3. *Halbw* 1960 *ff.*
Wanderzirkus *m* **1.** Eingreifdivision. *Sold* in beiden Weltkriegen. *Vgl engl* „travelling circus“.
2. schnelle Truppen; motorisierte Einheiten. *Sold* 1930 *ff.*
Wandmacher *m* Mittäter, der den Dieb gegen Beobachter deckt. ↗Wand 29. *Rotw* seit dem 19. Jh.
Wandschrank *m* Figur eines mittleren ∼s = breitschultriger Mann. *Vgl* ↗Kleiderschrank 1; ↗Schrank 1. 1950 *ff.*
Wanduhr *f* stehengebliebene Uhr. Scherzausdruck: aus Zorn wirft man sie an die Wand. Berlin 1930 *ff.*
Wange *f* **1.** eine Strafe auf einer ∼ absitzen = eine Strafe leichten Herzens verbüßen. „Wange“ ist gespielt-schämige Analogie zu „Backe“ (derber „↗Arschbacke“). 1960 *ff.*
2. jm „∼ blau“ servieren = jn ins Gesicht schlagen. Scherzhafte Abwandlung von „Forelle blau“ im Hinblick auf Verfärbung der Wange infolge eines heftigen Schlags. 1970 *ff.*
Wangenschmalz *n* Schminke; Hautcreme. 1920 *ff.*
wanken *intr* gehen, wandern. Verkürzt aus der Bedeutung „schwankend gehen“. *Österr* 1940 *ff, jug.*
Wanne *f* **1.** dicker Leib. Analog zu „↗Faß“, „↗Tonne“ oder entstellt aus „↗Wamme“. *Ostmitteld* 1920 *ff.*
2. Essenträger, Essentrage. Eigentlich die Futterschwinge, der Korb mit Hafer und Häcksel für die Pferde. *Sold* 1939 *ff.*
3. Kübelwagen. Verkürzt aus ↗Badewanne 6. *Sold* 1935 bis heute.
3 a. Mannschaftswagen der Polizei. 1975 *ff.*
4. schwere Niederlage. *Vgl* das Folgende. *Sportl* 1930 *ff.*
5. ein Ding wie eine ∼ = eine außergewöhnliche, eindrucksvolle, hervorragende Angelegenheit; eine feststehende Tatsache; eine Sache mit völlig sicherem Ausgang. Aufgekommen mit den Badewannen, die den Badezuber ablösten. 1910 *ff.*
6. eine ∼ schlagen = beim Skilaufen stürzen. ↗Badewanne 10. *Oberd* 1950 *ff.*
7. es steht wie eine ∼ = daran ist nicht zu rütteln; darauf kannst du dich fest verlassen. Übertragen von der eingebauten, eingekachelten Badewanne oder von „Wanne = Grenze zweier Grundstücke“. 1930 *ff.*
8. sich die ∼ vollschlagen = sich reichlich sättigen. Analog zu „sich den ↗Bauch vollschlagen“. *Vgl* ↗Wampe 6; ↗Wanst 6. *Sächs* 1920 *ff.*
Wanst *m* **1.** Bauch; dicker Bauch. Ein *dt* Wort, ursprünglich auf das Bauchstück des Tieres bezo-

gen; etwa seit 1500 in derber Rede auf den Menschen übertragen.

2. beleibter Mensch. Seit dem 19. Jh.

3. ungezogenes Kind. Parallel zu ↗Balg 1. 1800 *ff.*

4. sich den ∼ vollhauen = sich sattessen. 1900 *ff.*

5. sich den ∼ vollpressen (vollklopfen) = sehr viel essen. 1900 *ff.*

6. sich den ∼ vollschlagen = sich reichlich sättigen; beim Essen kräftig zulangen. Analog zu „sich den ↗Bauch vollschlagen". 1900 *ff.*

Wanst-Etui *n* Bett. ↗Etui 1. 1900 *ff.*

wanstig *adj* **1.** beleibt. ↗Wanst 1. Seit dem 19. Jh.

2. überheblich, wohlhabend. 1900 *ff.*

Wanze *f* **1.** lästiger Mensch; Person, die sich aufdrängt; Zuschauer beim Kartenspiel. Die üblen Eigenschaften des Ungeziefers werden dem Menschen zugeschrieben. Seit dem 16. Jh.

2. schmarotzender Mensch. Wie die Wanze lebt er von anderen und läßt sich's auf Kosten anderer wohl ergehen. 1900 *ff.*

3. Liebediener; würdeloser Schmeichler. 1920 *ff.*

4. Prostituierte. Man betrachtet sie als Ungeziefer. Sie saugt aus ihren Opfern „Blut" (= Geld). 1920 *ff.*

5. Kleinauto. Die Fahrer größerer und schnellerer Wagen fühlen sich durch es belästigt. 1955 *ff. Vgl engl* „bug".

6. Mondlandegerät. Aus dem *Angloamerikan* (bug) übersetzt. 1969 *ff.*

7. Heftzwecke. Sie ähnelt der Wanze mit ihrer abgeplatteten Körperform. 1900 *ff. Vgl franz* „punaise" und *span* „chinche".

8. *pl* = Befestigungsnägel für elektrische Leitungen (Krampen). 1920 *ff.*

9. kleines Abhörgerät. Man bringt es hinter der Wandverkleidung o. ä. an, wo sich auch die Wanzen gern verstecken. Wahrscheinlich übersetzt aus *angloamerikan* „bug". 1930 *ff.*

10. Kondensator in flacher Bauform. Elektrotechnikerspr. 1950 *ff.*

11. *pl* = Linsen. Wegen der Formähnlichkeit. *Sold* in beiden Weltkriegen.

12. *pl* = nichtzählende Beikarten. Kartenspielerspr. 1870 *ff.*

13. angeschossene ∼!: Schimpfwort. „Angeschossen" bezieht sich wohl auf einen geistigen Defekt. 1940 *ff, jug.*

14. ausgequetschte ∼!: Schimpfwort. *Sold* 1939 *ff.*

15. ausgewachsene ∼ = Kleinauto. ↗Wanze 5. 1925 *ff.*

16. dreckige ∼ = charakterloser Mensch, der sich aufdrängt; widerlicher Einschmeichler. ↗dreckig 1. 1920 *ff.*

17. freche ∼ = frecher, unverschämter Bursche. *Schül* 1900 *ff.*

18. närrische ∼ = Fastnachtsnarr. 1920 *ff.*

19. wie eine schwangere ∼ = schwerfällig, dickbäuchig. *Sold* 1914 bis heute.

Bonns
Spionage-
dienst
BND

Die geheimen Verschwender

Die Titelstory des Nachrichtenmagazins „Der Spiegel" (12/1984) handelt von den oft an oder jenseits der Grenze der Legalität angesiedelten Praktiken des Bundesnachrichtendienstes (BND). Zu den beliebtesten und anscheinend auch unverzichtbaren Mitteln der Aufklärung gehört, allen damit verbundenen Skandalen zum Trotz, noch immer das mittlerweile auch in seinen äußeren Abmessungen wanzenförmige Abhörgerät (vgl. **Wanze 9.**). *Angebracht wird es von Leuten, die zumindest denjenigen, die einem solchen Lauschangriff ausgesetzt sind, äußerst lästig und unerwünscht erscheinen. Sie können daher umgangssprachlich genauso bezeichnet werden wie die von ihnen installierten Gerätschaften (vgl.* **Wanze 1., 20., 22., 24.**).

20. frech wie eine ∼ = sehr dreist. 1900 *ff.*

21. aussehen wie eine angepoppte ∼ = beleibt, feist sein. ↗poppen. *BSD* 1965 *ff.*

22. die ∼n furzen hören = besserwisserisch sein; sich überklug dünken. *Vgl* ↗Wanze 26. Berlin 1900 *ff.*

23. da haben sogar die ∼n Flöhe = da herrscht unbeschreibliche Verwahrlosung. 1955 *ff.*

24. an jm kleben wie eine ∼ = von jm nicht ablassen; sich nicht abschütteln lassen. 1920 *ff.*

25. damit kann man keine ∼ aus dem Bett locken = das ist nicht zugkräftig; das findet nicht den geringsten Anklang. Moderne Variante zu „damit lockt man keinen ↗Hund hinterm Ofen hervor"; ↗Hund 132. 1960 *ff*.

26. die ~n schleichen hören = sich für überaus klug halten. *Vgl* ↗Wanze 22. 1900 *ff*.

27. platt wie eine ~ sein = a) dünn, mager, ausgemergelt sein. 1850 *ff*. – b) sehr überrascht sein. ↗platt 7. 1900 *ff*. – c) sein gesamtes Geld verspielt haben. ↗platt 7 b. 1900 *ff*.

28. ~n spüren = Unheil wittern. Gegen 1930 aufgekommen im Zusammenhang mit dem Machtzuwachs der Nationalsozialisten (*vgl* ↗Wanze 1); seit 1960 in der Bedeutung verallgemeinert und allgemein verbreitet.

29. da werden sogar die ~n rot: Ausdruck zur Charakterisierung einer derben Zote. 1930 *ff*.

wanzen *intr* **1.** gehen, marschieren. Eigentlich „sich bewegen wie eine Wanze". Spätestens seit 1900, *schül* und *sold*.

2. kriechen; sich auf den Ellbogen vorwärtsbewegen. *Sold* in beiden Weltkriegen.

3. häufig die Universität wechseln. ↗Universitätswanze. 1910 *ff*.

4. Kartenspielern zusehen. ↗Wanze 1. Seit dem 19. Jh.

5. sich ~ = den Kopf einziehen (sich klein machen), um nicht gesehen, nicht getroffen zu werden. *Sold* in beiden Weltkriegen.

Wanzenaquarium *n* Veranstaltung, bei der jeder Gast soviel ißt und trinkt, wie er mag und kann, weil es nichts kostet; Schmarotzergesellschaft. ↗Wanze 2. 1935 *ff*.

Wanzenbehälter *m* Bett. *Sold* 1914 bis heute; *schül* 1920 *ff*.

Wanzenbeißen *n* angenehmes ~!: scherzhafter Gute-Nacht-Wunsch. Analog zu ↗Flohbeißen. 1900 *ff*.

Wanzenbude *f* unsaubere, ärmliche, verwahrloste Wohnung; Mannschaftsstube. 1870 *ff*. *Vgl franz* „trou de punaise", *ital* „cimiciajo".

Wanzenburg *f* **1.** verwanztes Haus; baufälliges Haus; verwanzte Kaserne oder Mannschaftsstube. *Bayr* und *österr*, seit dem späten 19. Jh.

2. verrufenes Lokal. 1900 *ff*.

3. Strohsack. *BSD* 1968 *ff*.

Wanzenbussard *m* Kammerjäger. Berlin 1900 *ff*.

Wanzenfalle *f* Bett. ↗Falle 4. 1870 *ff*, *sold* und *stud*.

Wanzenfänger *m* Strohsack. *BSD* 1968 *ff*.

Wanzenhammer *m* kurze Tabakspfeife. Mit ihr kann man Wanzen totschlagen. *Sold* seit 1914.

Wanzenherberge *f* Bett, Schlaf-, Strohsack. *BSD* 1968 *ff*.

Wanzenjäger *m* **1.** Tapezierer. 1900 *ff*.

2. Aufspürer von Abhör-Mikrofonen. ↗Wanze 9. 1975 *ff*.

Wanzenkiste *f* Bett. ↗Kiste 12. Spätestens seit 1900.

Wanzenkönig *m* verwahrloster Hund. 1945 *ff*.

Wanzenkorps *n* Panzerkorps. Wegen der „kriechenden" Bewegung. *Sold* 1935 *ff*.

Wanzenlager *n* Bett, Strohsack. *BSD* 1968 *ff*.

Wanzenloch *n* **1.** von Ungeziefer befallene Wohnung; verkommene Behausung; Mannschaftsstube. ↗Wanzenbude. 1840 *ff*.

2. sehr kleines Zimmer; Hängeboden. Wegen der geringen Größe reicht dergleichen bestenfalls als Unterkunft für Wanzen aus. Berlin 1900 *ff*.

Wanzenmolle *f* Bett, Strohsack. ↗Molle 2. *BSD* 1968 *ff*.

Wanzennest *n* Bett. 1850 *ff*.

Wanzenpresse *f* **1.** Bett. 1900 *ff*.

2. Ziehharmonika, Akkordeon. *Sold* 1914 *ff*.

Wanzenquetsche *f* Ziehharmonika, Akkordeon. 1914 *ff*, *sold*, *stud* und *rotw*.

Wanzensanatorium *n* von Ungeziefer befallene Wohnung. 1960 *ff*.

Wanzenstall *m* verwanzte Behausung. 1900 *ff*.

Wanzensuppe *f* Linsensuppe. ↗Wanze 11. 1914 *ff*.

Wanzentinktur *f* widerliches Getränk. Eigentlich eine Lösung, mit der man zur Vertilgung der Wanzen die Fugen und Spalten an Möbeln und in den Wänden bestreicht. *Sold* 1914 *ff*; *ziv* 1920 *ff*.

Wanzentod *m* Daumen (Daumennagel). 1914 *ff*, *sold* und *ziv*.

Wanzentugend *f* die ~ haben = mit Worten verletzen. Anspielung auf Wanzenstiche und üblen Geruch. 1920 *ff*.

Wanzenwald *m* ungekämmtes, wirres, ungepflegtes Kopfhaar. 1920 *ff*.

wanzig *adj* frech, ungebührlich. ↗Wanze 20. 1900 *ff*.

Wapper *Fn* **1.** Frau ~ = irgendeine Frau. Zusammenhang unbekannt. *Steir* 1950 *ff*, *jug*.

2. ja, bei der Frau ~!: Ausdruck der Ablehnung. *Steir* 1950 *ff*.

3. das kannst du der Frau ~ erzählen! = erzähle das einem Dümmeren! *Steir* 1950 *ff*.

Wapperl *n* Etikett. Wegen des Wappenzeichens (früher = Stempel, Briefmarke). *Bayr* 1900 *ff*.

wapperln *intr* Versicherungsmarken kleben; Freimarken aufkleben. *Bayr* und *österr*, seit dem 19. Jh.

waracken *intr* schwer arbeiten. Nebenform von ↗wuracken. Seit dem 19. Jh, *nordd*.

Ware *f* **1.** Rauschgift. Hehlwort. *Halbw* 1960 *ff*.

2. faule ~ = wertlose Wertpapiere; protestierte Wechsel; Aktien bankrotter Firmen. ↗faul 1. 1870 *ff*.

3. heiße ~ = a) Diebsgut; Schmuggel-, Schieberware; verbotene Ware. ↗heiß 5. 1914 *ff*. – b) Rauschgift. 1970 *ff*. – c) Waffen. 1980 *ff*.

4. leichte ~ = Mädchen mit lockerem Lebenswandel. 1900 *ff*.

5. nasse ~ = Alkohol; Getränke. 1900 *ff*.

6. scharfe ~ = Schmuggelgut; geschmuggelter Alkohol. ↗scharf 6. 1920 *ff*.

7. sündige ~ = Prostituierte. 1950 *ff.*

8. weiße ~ = Wasch-, Spülmaschine; Kühl-, Gefriergeräte. Kaufmannsspr. 1975 *ff.*

9. die ~ nicht liefern = einem Mann Hoffnungen machen, aber ihm den Geschlechtsverkehr schuldig bleiben. 1950 *ff.*

Warenhaus *n* **1.** er ist wie ein ~ = er hat viele Ehrenämter inne. Berlin 1950 *ff.*

2. wie ein ganzes ~ stinken = üblen Geruch verströmen. 1960 *ff.*

warm *adj* **1.** homosexuell. Warm = nicht heiß und nicht kalt. Seit dem späten 18. Jh.

2. *adv* = soeben erhalten; gerade veröffentlicht. Eigentlich soviel wie „gerade dem Backofen entnommen". Seit dem 18. Jh.

3. *adv* = mit Heizungskosten. 1960 *ff.*

4. etw ~ abbrechen (abreißen, abtragen) = ein baufälliges Gebäude in Brand stecken. Meint meist die Brandstiftung zwecks Versicherungsbetrugs. Etwa seit 1870.

5. ~ abmontieren = in der Luft Feuer fangen (durch Vergaserbrand oder durch einen Treffer in den Benzintank). Fliegerspr. in beiden Weltkriegen.

6. ~ angelegt sein = homosexuell veranlagt sein. ↗warm 1. 1910 *ff.*

7. sich ~ anziehen = die durchgeladene Faustfeuerwaffe griffbereit in der Tasche halten. 1925 *ff.*

8. ~ arbeiten = einen Geldschrank mit dem Schweißbrenner aufbrechen. 1910 *ff.*

9. das fällt mir lausig ~ ein = das fällt mir angelegentlichst ein. ↗lausig. 1960 *ff.*

10. ~ frühstücken = zum (als) Frühstück eine Zigarette rauchen. *Sold* 1939 *ff.*

11. es ~ unter der Mütze haben = Angst haben. Anspielung auf den Angstschweiß. *Marinespr* in beiden Weltkriegen.

12. sich jn ~ halten = sich jds Wohlwollen zu erhalten suchen. Hergenommen vom Warmhalten der Speisen. Seit dem 18. Jh.

13. jm den Platz ~ halten = sorgen, daß einem der Sitzplatz (die Stellung) erhalten bleibt. 1900 *ff.*

14. sich ~ laufen = sich in eine Rolle eingewöhnen. Vom Motor übernommen. 1950 *ff.*

15. es jm ~ machen = jm hart zusetzen. Bezieht sich entweder auf den Angstschweiß oder ist Variante zu „jm die ↗Hölle heiß machen". Seit dem 19. Jh.

16. jn ~ machen = a) jm im Spiel alles Geld abgewinnen. Versteht sich nach dem Vorhergehenden. Seit dem 19. Jh. – b) jn streng drillen. Man gerät ins Schwitzen. *Sold* 1930 *ff.*

17. ~ quetschen = koten. Gegenwort „kalt pressen" (Fachausdruck der Techniker für Kaltverformung). *BSD* 1965 *ff.*

18. jn ~ schnappen = jn auf frischer Tat ertappen. „Warm" übersetzt hier „in flagranti = brennend". 1930 *ff.*

19. bist du ~?: Frage an einen Mann, der sich auf einen lehnt. Anspielung auf Homosexualität. 1920 *ff.*

20. mit jm ~ sein = mit jm in ein herzliches Gespräch gekommen sein. Verkürzt aus „mit jm ~geworden sein". Seit dem 19. Jh.

21. komm' mit, du frierst, bei mir ist's ~: Redewendung, wenn einer einen Gegenstand entwendet. 1930 *ff.*

22. ~ unter der Mütze (unter dem Helm) sein = Angst haben. ↗warm 11. *Sold* in beiden Weltkriegen.

23. ~ sitzen = sorgenfrei leben; wohlhabend sein. Im Winter braucht der Reiche nicht zu frieren; das Tier im Bau, der Vogel im Nest frieren nicht. 1500 *ff.*

24. ~ 'umbauen = Feuer ans eigene Haus legen. ↗warm 4. 1900 *ff.*

25. ~ werden = sich eingewöhnen; sich langsam heimisch fühlen. Seit dem 18. Jh.

26. mit jm ~ werden = sich mit jm anfreunden. Seit dem 19. Jh.

27. sich ~ zittern = sehr stark zittern. 1920 *ff.*

Wärme *f* ~ schinden = Wärme unentgeltlich in Anspruch nehmen. ↗schinden 1. Seit dem 19. Jh.

Wärmehalle *f* **1.** Gaststätte mit minderbemittelten Kunden. Berlin 1870 *ff.*

2. Arbeitsamt. Die Arbeitslosen halten sich dort im Winter länger auf als nötig. 1955 *ff.*

wärmen *refl* **1.** sich an etw ~ = einen geliehenen Gegenstand über Gebühr lange behalten. Seit dem ausgehenden 19. Jh, Berlin u. a.

2. sich bei anderen Leuten ~ = auf Kosten anderer leben. 1900 *ff.*

3. sich an Geld ~ = zwischen Geldüberweisung und Gutschrift einige Tage vergehen lassen. 1965 *ff.*

Wärmepulle *f* Wärmflasche. ↗Pulle 1. 1900 *ff.*

Warmer *m* Homosexueller. ↗warm 1. Seit dem späten 18. Jh.

Wärmer *pl* Taschendiebe, die sich zu mehreren an einen herandrängen, um ihn unauffällig bestehlen zu können. 1920 *ff.*

Warmes *n* im Warmen sitzen = sorglos leben. ↗warm 23. Seit dem 19. Jh.

Wärmflasche *f* **1.** Brandflasche (↗Molotow-Cocktail). Eigentlich der flaschenähnliche Behälter mit warmem Wasser zur Anwärmung des Betts. *BSD* 1968 *ff.*

2. Eisstock (Curling). Formähnlich mit den früher üblichen Wärmflaschen aus Zinn. 1965 *ff.*

3. Branntweinflasche. 1900 *ff.*

4. Bettgenossin. Seit dem 18. Jh.

5. ~ mit Ohren (mit Ohrwascherln; lebendige ~) = Bettgenosse, Bettgenossin. Seit dem 18. Jh.

6. lebenslängliche ~ = Ehepartner. 1930 *ff.*

warmherzig *adj* für Homosexualität empfänglich. Wahrscheinlich aufgekommen in der NS-Zeit im Zusammenhang mit den Sittlichkeitsverfahren gegen die Klostergenossenschaften der Barmherzigen Brüder.

Wärmkruke *f* ~ mit Ohrläppchen = Bettgenossin. Kruke = Flasche aus Steingut. 1945 *ff.*

Wärmling *m* **1.** Ofen. Kundenspr. 1835 *ff.*
2. offenes Feuer (Kohlenbecken) im Freien (für Straßenarbeiter o. ä.). 1937 *ff.*
3. Zigarre; kurze Tabakspfeife. Kundenspr. 1910 *ff.*
4. Homosexueller. ↗warm 1. 1950 *ff.*

Warmluft *f* homosexuelle Atmosphäre. 1950 *ff.*

Warmluftspeicher *m* Bar, in der Homosexuelle verkehren. 1955 *ff.*

warmstellen *tr* etw für jn ~ = etw für jn vorsehen. Hergenommen von warmgestellten Speisen. 1870 *ff.*

Wärmstube *f* Schulgebäude. *Österr,* 1950 *ff.*

Warnschuß *m* ~ (~ vor den Bug) = nachdrückliche Warnung; Warnung vor Fortsetzung eines gefährlichen Vorhabens. Übertragen von dem in die Luft abgefeuerten Schuß, der dem gezielten Schuß vorausgeht, sowie von dem Schuß vor den Bug, womit man ein Schiff zur Übergabe oder zur Kursänderung zwingt. 1900 *ff.*

Warschauer *m* Kunde, der Ware besichtigt, aber sie nicht kauft. Wortspiel mit seemannsspr. „Wahrschauer = Ausguck; Schiffsverkehrsregler an Binnengewässern." 1920 *ff.*

Wartburg *f* **1.** Vorzimmer des Chefs; Wartezimmer des Arztes. Wortspielerei mit dem Namen der Burg bei Eisenach. 1910 *ff.*
2. auf der ~ sitzen = a) warten. 1870 *ff.* – b) auf den Freier warten. 1870 *ff.* – c) auf den Tänzer warten. Tanzstundenspr. 1920 *ff.* – d) als Prostituierte am Fenster sitzen und die Männer heranwinken. 1870 *ff.* – e) schwanger sein; auf das Einsetzen der Wehen warten. 1900 *ff.*

Wartburg-Verschnitt *m* Fahrrad. „Wartburg" ist der Markenname des in Eisenach hergestellten Autos. DDR 1960 *ff.*

Wartebank *f* **1.** die ~ drücken = lange sitzen und warten. 1955 *ff.*
2. etw auf die ~ schieben = einen Plan vorerst zurückstellen; eine geplante Verbesserung aufschieben. Variante zu „auf die lange ↗Bank schieben". 1955 *ff.*

Wartegleis *n* etw aufs ~ schieben = etw vorläufig unentschieden lassen. Übertragen vom Nebengleis an der Hauptstrecke der Eisenbahn. 1960 *ff.*

warten *v* **1.** auf ihn haben wir (grade) noch gewartet = er ist hier überflüssig; es geht auch ohne ihn. *Iron* Redewendung seit dem späten 19. Jh.
2. warte nur, balde ruhest du auch: Ausruf des Kartenspielers, wenn er dem Gegner seine Überlegenheit zeigen will. Geht zurück auf „Wanderers Nachtlied" von Goethe (1780). Kartenspielerspr. seit dem 19. Jh.

Warteraum *m* Vagina der Prostituierten. Berlin 1960 *ff, prost.*

Wartesaal *m* Kantine. Anspielung auf die ungemütliche Atmosphäre, *BSD* 1960 *ff.*

Warteschlange *f* hintereinander stehende, wartende Leute. 1917 *ff.*

Wartetraube *f* dichtgedrängte Menge wartender Leute. 1960 *ff.*

Wartezimmer *n* ~ der Justiz = (Zelle im) Untersuchungsgefängnis. 1961 *ff.*

wärtser *adv* mehr seitlich. Abgekürzter Komparativ von „seitwärts". Seit dem ausgehenden 19. Jh, Berlin und *ostmitteld.*

Warze *f* **1.** unsympathischer, lästiger Mensch. Er erscheint überflüssig wie die Warze. 1870 *ff.*
2. Ball, Fußball. Er nimmt sich wie eine Warze auf dem ansonsten planebenen Spielfeld aus. 1920 *ff, jug.*
3. *pl* = Dienstgradabzeichen der Offiziere. Die „Sterne" sind erhaben wie Warzen. *BSD* 1965 *ff.*

Warzensau *f* ruppelige ~ = Schimpfwort. „Warzenschwein" ist der Name einer Gattung afrikanischer Wildschweine. Ruppelig = zerlumpt; flegelhaft. *BSD* 1960 *ff.*

Warzenschwein *n* **1.** Mensch, der an Zoten, unanständigen Reden usw. Gefallen findet. Verstärkung von „↗Schwein 2". *Vgl* auch das Vorhergehende. *Sold* in beiden Weltkriegen.
2. rotznäsiges ~: Schimpfwort. ↗rotznäsig 2. *Schül* 1950 *ff.*

was *pron* **1.** etwas. Hieraus gekürzt. 1500 *ff.*
2. sehr; viel (da waren was Menschen unterwegs; ich mach mich was erschreckt). 1600 *ff.*
3. ach ~!: Ausruf der Ablehnung. Vielleicht verkürzt aus „ach, was denkst du dir!" o. ä. 1800 *ff.*
4. ~ haben = a) kränkeln. Was = irgendeine Krankheit. Seit dem 19. Jh. – b) mißgestimmt sein; einen versteckten Kummer haben. Seit dem 19. Jh. – c) wohlhabend sein. Seit dem 19. Jh. – d) Rauschgift in Besitz haben. 1965 *ff.*
5. ~ sein = bedeutend sein; einen angesehenen Beruf haben. Seit dem 19. Jh.

Was bin ich? Berufsschule. Entstammt der beliebten Fernsehsendung der ARD „Was bin ich? Heiteres Beruferaten mit Robert Lembke". *Schül* 1965 *ff.*

Wasch *m* Geschwätz. ↗waschen 1. *Österr,* seit dem 19. Jh.

Waschbecken *n* ein ~ vollschwitzen = heftig schwitzen. *Jug* 1945 *ff.*

Waschblatt *n* Lokalzeitung. ↗Wasch. 1900 *ff.*

Waschbrett *n* **1.** faltige Stirn. Wegen der Formähnlichkeit mit dem geriffelten Waschbrett. 1900 *ff.*
2. an Querrinnen o. ä. reiche Fahrbahn. 1930 *ff.*
3. Musik auf dem ~ = Skiffle. Nach 1950 aufgekommen.
4. auf das ~ hauen = moderne Musik machen. Zum Skiffle gehört auch das Waschbrett. 1955 *ff.*

Waschbrettmuskeln *pl* kräftige Muskeln. 1960 *ff.*

Waschbrettstrecke *f* Fahrstrecke mit vielen Querrinnen. 1930 *ff*.

Waschbrühe *f* Kaffeeaufguß *(abf)*. Eigentlich das Schmutzwasser, das vom Einweichen der Wäsche zurückbleibt. 1900 *ff*.

Wäsche *f* **1.** Kleidung. Meint eigentlich die Gesamtheit der waschbaren Wäschestücke. 1900 *ff*.
2. ~ achtern = Marineuniform mit großem, zum Rücken hinabreichendem Schulterkragen (Kieler Knabenanzug). Achtern = hinten. *Marinespr* 1960 *ff*.
3. ~ vorn = Jacke mit Schlips und Kragen (bei Bootsleuten und Offizieren). *Marinespr* 1960 *ff*.
4. große ~ = a) Versetzungskonferenz. Da „wäscht man die schmutzige Wäsche" der Schüler, d. h. man erörtert die schlechten Leistungen und die Untugenden der Schüler. Ursprünglich in Preußen die Wachtparade an Sonntagen, verbunden mit strenger Kritik. Seit dem ausgehenden 19. Jh. – b) Verhör und Bestrafung eines Übeltäters; Beratung der Lehrer über einen widersetzlichen Schüler. Seit dem frühen 20. Jh.
5. nasse ~ = a) Dinge, die noch nicht spruchreif sind. 1920 *ff*. – b) Dinge, über die man besser schweigt. 1920 *ff*.
6. schmutzige (dreckige) ~ = unsaubere Machenschaften; sittlicher Makel. Seit dem 19. Jh.
7. die ~ von innen abnutzen = Twist tanzen. Anspielung auf die wilden Körperverrenkungen der Twisttänzer. 1962 *ff*, Berlin.
8. schwarze ~ anhaben = nicht unbescholten sein; ein schlechtes Gewissen haben. Schwarz = mit einem Makel behaftet (Gegensatz „weiß = unschuldig"). 1910 *ff*.
9. bleib' mir damit von der ~! = behellige mich nicht damit! 1935 *ff*.
9 a. es bleibt nicht in der ~ = es geht einem nahe, läßt sich nicht leicht verwinden. ↗Kleid 9. 1950 *ff*.
10. jn in die ~ bringen = jn in Ungelegenheiten bringen. Anspielung auf das mißgünstige Gerede der Leute (↗Wasch); *vgl* aber auch „↗Wäsche 23". 1600 *ff*.
11. die Uhr in die ~ geben = die Uhr zum Pfandamt bringen. Wäsche = Waschanstalt. Scherzhafter Hehlausdruck. 1950 *ff*, *stud*.
12. jm an die ~ gehen = jn überfallen. Man reißt ihm die Kleider vom Leib. 1939 *ff*.
13. es geht ihm an die ~ = er wird streng, rücksichtslos behandelt. Man ergreift ihn unsanft an der Kleidung. 1939 *ff*.
14. einer an die ~ gehen (kommen; sich bei einer an die ~ machen) = eine weibliche Person intim betasten. 1935 *ff*.
15. besoffen aus der ~ gucken = wie bezecht wirken. „Wäsche" meint hier (und in den folgenden Ausdrücken) vor allem Oberhemd, Kragen und Schlips. 1935 *ff*, *sold*.
16. dumm (dämlich, trübe) aus der ~ gucken

(glotzen) = einfältig, verständnislos dreinsehen. 1930 *ff*.
17. schief aus der ~ gucken = ärgerlich, mißgestimmt sein. *Sold* 1939 *ff*.
18. schräg aus der ~ gucken = a) mißmutig, enttäuscht, mißtrauisch blicken. *Sold* 1939 *ff*. – b) betrunken wirken. 1939 *ff*, *sold*. – c) in einem heftig schwankenden Wasserfahrzeug vergeblich gegen die Seekrankheit ankämpfen. 1939 *ff*.
19. ulkig aus der ~ gucken = erstaunt, verblüfft blicken. 1940 *ff*.
20. wässerig aus der ~ gucken = kummervoll dreinsehen; einen hilflosen Eindruck machen. Der Betroffene ist den Tränen nahe. 1960 *ff*.
21. keine reine ~ haben = nicht unbescholten sein. ↗Wäsche 8. 1910 *ff*.
22. jn aus der ~ hauen = jn heftig prügeln. Seit dem frühen 20. Jh.
23. in die ~ kommen = in arge Verlegenheit geraten. Wäsche = Waschanstalt. Fußt auf der volkstümlichen Gleichsetzung von Reinigen und Rügen. *Bayr* und *österr*, seit dem 18. Jh.
24. aus der ~ schwimmen = sich entkleiden. Schwimmen = Arme und Beine bewegen. *Österr* 1945 *ff*, *jug*.
25. nur noch nasse ~ sein = stark geschwitzt haben. 1920 *ff*.
26. das ist eine saubere ~ = das ist eine sehr unangenehme Angelegenheit. *Vgl* ↗Wäsche 23. *Oberd* seit dem 19. Jh.
27. das bleibt nicht in der ~ stecken = das geht einem seelisch nahe. ↗Wäsche 9 a. Analog zu ↗Kleid 9. 1940 *ff*.
28. die ~ kocht über = die Unterwäsche wird sichtbar. 1970 *ff*.
29. seine schmutzige ~ waschen = seine eigenen Fehler und Schwächen eingestehen. Seit dem 19. Jh. *Vgl franz* „laver son linge sale en famille".
30. jds schmutzige ~ waschen = jds Fehler (Vorleben) mißgünstig erörtern. ↗Wäsche 6. 19. Jh.
31. in alter ~ wühlen = längst abgetane Dinge erneut erörtern. Seit dem 19. Jh.

Wäsche-achtern-Träger *m* Matrose. ↗Wäsche 2. *Marinespr* 1960 *ff*.

waschecht *adj* unverfälscht. Eigentlich „was beim Waschen die Farbe behält", also „beständig in der Farbe". Gern bezogen auf den gebürtigen Bewohner einer Stadt (waschechter Münchner, Berliner, Frankfurter). Im ausgehenden 19. Jh aufgekommen.

Waschechtheit *f* Unverfälschtheit. 1900 *ff*.

Wäscheklammer *f* Anschlußklemme. Wegen der Formähnlichkeit. Technikerspr. 1950 *ff*.

Wäscheklau *m* Wäschedieb. ↗Klau. 1950 *ff*.

Wäschekünstlerin *f* Striptease-Vorführerin. 1957 *ff*.

Waschel *m* **1.** Malerbürste. Eigentlich das Büschel zum Auswaschen, der Strohwisch zum Reinigen. *Oberd* seit dem 19. Jh.

2. Badewärter, Schwimmeister. Hängt zusammen mit dem Badequast, mit dem früher die Badeknechte die Badenden reinigten. Seit dem 19. Jh, *bayr* und *österr.*

3. großwüchsiger, plump auftretender Mann. Die Badeknechte galten wegen ihrer vielfältigen säubernden, aber als unsauber angesehenen Tätigkeiten (Waschen, Schröpfen, Bartstutzen, Behandlung von Hautkrankheiten usw.) als roh und rücksichtslos. Seit dem 19. Jh, *bayr* und *österr.*

4. Mann mit schleppender Gangart; tückischer Mann. Verwandt mit „watscheln". Die Bedeutung „tückisch" hängt noch mit den Badeknechten von einst zusammen. 1900 *ff*, *bayr* und *österr.*

5. *pl* = Ohren. Waschel (Waschl) ist das Läppchen. *Bayr* und *österr*, seit dem 19. Jh.

waschelnaß (waschlnaß) *adj* sehr naß. *Bayr* und *österr*, seit dem 19. Jh.

Wäscheleine *f* **1.** Fangschnur; mehrere Ordensbänder auf der Uniformbrust. Die Ordensbänder sind aneinandergereiht wie Wäschestücke auf der Leine. Die Fangschnur hängt durch wie eine Wäscheleine. *Sold* in beiden Weltkriegen.

2. breite Mützenschnur. Wegen der kordelartigen Schnüre der Offiziersmützen. *Sold* 1935 *ff*.

Wäschemädel *n* **1.** Vorführerin von weiblicher Unterwäsche. Eigentlich die junge Wäscherin, die in einem Korb die Wäsche zum Reinigen trägt oder die Reinwäsche zum Kunden zurückbringt. 1950 *ff*.

2. junge Striptease-Vorführerin. 1957 *ff*.

Wäschemief *m* Waschküchendunst. ⟋Mief. 1920 *ff*.

waschen *v* **1.** *intr* = schwatzen. Ursprünglich schallnachahmender Herkunft; dann früh mit dem Reinigen der Wäsche in Verbindung gebracht, besonders im Hinblick auf die Waschfrauen, denen man nachsagte, sie unterhielten sich über die Untugenden und Gebrechen derer, deren Wäsche sie wuschen. Seit dem späten Mittelalter.

2. *tr* = alkoholische Getränke verdünnen. Waschen = wässern. 1900 *ff*.

3. jm eine ~ = jm eine Ohrfeige, einen Schlag versetzen. Analog zu ⟋abreiben 1; ⟋wischen 1. Seit dem 19. Jh, vorwiegend *oberd*.

4. jn ~ = jn rügen. Rügen und Prügeln werden in der Umgangssprache gleichgesetzt, weil beide als ein Reinigen aufgefaßt werden. *Oberd* seit dem 19. Jh.

5. jn ~ = jm Schnee ins Gesicht reiben. Seit dem 19. Jh.

6. da sind wir gewaschen und gekämmt = da ergeht es uns gut. „Gewaschen und gekämmt" umschreibt den Begriff „fertig". 1900 *ff*.

7. im Geld die Finger ~ = sich bereichern. Beim Waschen bleibt vom Geld etwas an den Fingern hängen. 1950 *ff*.

8. ⟋gewaschen haben.

Wascher (Wäscher) *m* **1.** Platzregen. Er wäscht alles sauber. Das Wort hat aber auch schallnachahmenden Charakter. 1900 *ff*.

2. großes Exemplar. Analog zu ⟋Wisch. *Österr* und pfälzisch, 1920 *ff*.

3. Schwätzer. ⟋waschen 1. 1500 *ff*.

Wäscherei *f* Geschwätz; Schwatzhaftigkeit. ⟋waschen 1. 1500 *ff*.

Wäscheschau *f* Striptease-Vorführung. 1957 *ff*.

Wäscheschrank *m* wohlbeleibter ~ = reich ausgestatteter Wäscheschrank. 1955 *ff*.

Wäschestampfer *m* aus den Augen glotzen wie ein ~ = stark hervortretende Augen haben. *Jug* 1950 *ff*.

Wäschestern *m* Wäschetrockner mit (halb-)kreisförmig angeordneten Streben. 1920 *ff*.

Wäsche-vorn-Träger *pl* Bootsleute und Offiziere. ⟋Wäsche 3. *Marinespr* 1960 *ff*.

Waschfest *n* Lehrerkonferenz. ⟋Wäsche 4 a. Seit dem ausgehenden 19. Jh.

Waschfrau *f* **1.** geschwätziger Mensch. ⟋waschen 1. 1900 *ff*.

2. vollbusige Frau. 1955 *ff*.

3. elektrische (stählerne) ~ = Waschautomat. 1955 *ff*.

4. verschwiegen wie eine ~ = sehr schwatzhaft. 1900 *ff*.

5. erzähl' das deiner ~! = erzähl' das Dümmeren! 1920 *ff*.

6. um die ~ trauern = unsaubere Wäsche tragen. Euphemismus. Seit dem 19. Jh.

Waschhaus *n* Lehrerzimmer. ⟋Wäsche 4; ⟋waschen 1. *Schül* seit dem ausgehenden 19. Jh.

waschkörbevoll *adv* in großer Menge. 1890 *ff*.

waschkörbeweise *adv* in großer Menge (meist auf den Posteingang bezogen). 1890 *ff*.

Waschküche *f* **1.** diesige, trübe Witterung; tiefliegende Wolken; (dichter) Nebel. Übertragen von der dampferfüllten Waschküche. *Marinespr* 1894 *ff*; fliegerspr. 1914 *ff*; bergsteigerspr. 1920 *ff*.

2. anrüchiges Geschäftsunternehmen (Kleinbetrieb). Die Ware wird im Keller oder in der Waschküche hergestellt. 1890 *ff*.

3. Lehrerzimmer. ⟋Wäsche 4 a. *Schül* seit dem ausgehenden 19. Jh.

4. Chemiesaal in der Schule. 1960 *ff*.

Waschküchenbetrieb *m* Kleinbetrieb mit einfachem Herstellungsverfahren. ⟋Waschküche 2. 1950 *ff* (1900?).

Waschküchenfabrikant *m* Fabrikant, der primitive Herstellungsverfahren nutzt. 1950 *ff*.

Waschküchenwetter *n* nebliges Wetter. ⟋Waschküche 1. 1900 *ff*.

Waschlappen *m* **1.** Hausgehilfin. Pars pro toto. 1910 *ff*.

2. Kindermädchen. 1950 *ff*.

3. Zunge. 1920 *ff*.

4. energieloser, weichlicher, feiger Mann. Der Waschlappen als Sinnbild der Weichheit und Nachgiebigkeit. 1800 *ff*.

5. Schwätzer. ↗waschen 1; ↗Lapp. Seit dem 19. Jh.

6. *pl* = sehr große Ohren eines Menschen. 1900 *ff*.

7. geistiger ~ = dummer Junge. 1955 *ff, schül*.

8. jn auf gefrorene ~ fordern = eine nicht ernstzunehmende Duell-, Mensurforderung aussprechen. Ausdruck zur Verulkung des Duell- und Mensurwesens. 1900 *ff*.

9. ihn schlage ich mit einem nassen ~ tot!: Drohrede. 1840 *ff*.

10. dich steche ich mit einem gefrorenen ~ tot!: Drohrede. Berlin 1900 *ff*.

waschlappig *adj* energielos, feige, schwächlich. ↗Waschlappen 4. Seit dem 19. Jh.

Waschlappigkeit *f* Energielosigkeit. ↗Waschlappen 4. Seit dem 19. Jh.

Waschlavor *n* **1.** Waschschüssel. Pleonastische Wortbildung; geht zurück auf *gleichbed franz* „lavoir". Seit dem 19. Jh.

2. bei der Schlacht von ~ dabeigewesen sein = als Soldat Schweres erlebt haben. Entstellt aus Mars la Tour, dem Schlachtort des 16. August 1870. 1920 *ff*.

Waschmann *m* Schwätzer. ↗waschen 1. Seit dem 19. Jh.

Waschmaul *n* Schwätzer. ↗waschen 1. 1600 *ff*.

waschmittelweiß *adj* sehr weißhaarig. Zusammenhängend mit der Waschmittelwerbung seit 1955 *ff*.

Waschnapf *m* Stahlhelm. Frontsoldaten gebrauchten Stahlhelme als Waschschüsseln. *Sold* in beiden Weltkriegen.

Waschraum *m* er liegt im ~ und blutet: Antwort auf die Frage, wo einer ist. *BSD* 1968 *ff*.

Waschsalon *m* Schwimmbad in der Schule. 1960 *ff*.

Waschtag *m* Revierreinigen in der Kaserne. Eigentlich der Tag der großen Wäsche daheim. *BSD* 1968 *ff*.

Waschtagsgesicht *n* verstimmter Gesichtsausdruck einer Frau, die ihren „Waschtag" hat. 1950 *ff*.

Waschwasser *n* gehaltlose Suppe. *BSD* 1968 *ff*.

Waschweib *n* geschwätziger Mensch. ↗waschen 1. Seit dem 18. Jh.

Waschweibergeschwätz *n* haltloses Gerede; üble Nachrede. *Vgl* das Vorhergehende. 1900 *ff*.

Waschzettel *m* **1.** den Besprechungsexemplaren beigelegte, kurze Inhaltsangabe eines Buches; Aufdruck auf dem Schutzumschlag eines Buches. Eigentlich das Verzeichnis der in die Waschanstalt gegebenen Wäschestücke. Seit 1870 im Sprachgebrauch der Verleger, Buchhändler, Filmverleiher usw.

2. der Arzneimittelpackung beigelegte Verwendungsanweisung. 1920 *ff*.

3. Schulzeugnis. Eine Art Begleitpapier des Schülers (der dessen Inhalt allerdings für haltloses Gerede hält). 1955 *ff*.

Waserl *n* Schwächling; Benachteiligter; Leichtgläubiger; Betrugsopfer. *Österr* Bezeichnung für das Waisenkind. *Vgl* ↗Waisenkind. 1900 *ff*.

Wasser *n* **1.** dickes ~ = Schnaps o. ä. „Dick" bezieht sich auf den Alkoholgehalt. 1890 *ff*.

2. gefärbtes ~ = Malzkaffee. Das Wasser ist nur gefärbt und ansonsten gehaltlos. 1920 *ff*.

3. das Große ~ = Atlantischer Ozean. Seit dem 19. Jh.

4. hupfertes (hupfats) ~ = Brauselimonade. Anspielung auf die hüpfenden Kohlensäurebläschen. *Bayr* 1920 *ff*.

5. lebendiges ~ = Harndrang. *Sold* 1939 *ff*.

6. vom reinsten ~ = unverfälscht. Übertragen vom wasserhellen Glanz der echten Perlen und Edelsteine (vom ersten, zweiten, dritten Wasser). Seit dem 16. Jh auf Charaktereigenschaften bezogen. *Vgl engl* „of the first water".

7. scharfes ~ = hochprozentiges alkoholisches Getränk. ↗scharf 6. 1920 *ff*.

8. schmeckats ~ = Parfüm. *Bayr* „schmecken = riechen". 1920 *ff*.

9. schwarzes ~ = Erdöl. Aufgekommen (wiederaufgelebt?) 1973 anläßlich der Ölkrise.

10. stilles ~ = a) gefühlstief veranlagter Mensch. Fußt auf dem Sprichwort „stille Wasser gründen tief". Seit dem 19. Jh. – b) Mineralwasser ohne Kohlensäure. Es „prickelt" nicht. 1960 *ff*.

11. bei ~ und Brot = in Haft. Seit dem 19. Jh.

12. jenseits von ~ und Seife = in einer Gegend ohne die primitivsten Errungenschaften der Zivilisation. *Sold* 1941 *ff* (Afrikakorps, Ostfront usw.).

13. jm das ~ abgraben = jm das Geschäft verderben; jn beruflich vernichten. Hergenommen vom Wassermüller, dem einer den Mühlbach ableitet. Seit dem 19. Jh.

14. etw abschütteln wie ~ = sich von etw nicht beeindrucken lassen; sich etw nicht zu Herzen nehmen. Hergenommen vom Hund, der nach dem Bad sofort das Wasser abschüttelt. Seit dem 19. Jh.

15. bei ihm brennt das ~ an = a) er läßt das Wasser zu lange auf dem Feuer stehen. 1920 *ff*. – b) vom Kochen versteht er überhaupt nichts. 1920 *ff*.

16. ins ~ fallen = scheitern; nicht stattfinden. Früher *gleichbed* „in den Brunnen fallen": was in den tiefen Brunnen gefallen ist, holt niemand mehr heraus. Seit dem 19. Jh. *Vgl franz* „tomber à l'eau".

17. ~ fassen = sich waschen. „Fassen" beinhaltet ein jedem Soldaten zustehendes Maß (= bestimmte Menge) von etw. *BSD* 1960 *ff*.

18. nahe ans (am) ~ gebaut haben = bei geringfügigem Anlaß Tränen vergießen. Man ist den Tränen so nahe wie das am Ufer gebaute Haus dem Fluß. Seit dem 19. Jh.

19. es geht ins ~ = es mißlingt. Analog zu „es geht baden"; ↗badengehen 2. 1920 *ff*.

20. ins ~ gehen = koitieren. 1700 *ff*.

*Die berühmte Karikatur des „Lotsen" Bismarck, der das deutsche Staatsschiff verläßt, zeigt, daß selbst einer, der mit allen Wassern der Politik gewaschen zu sein scheint (**Wasser 21.**), nicht davor gefeit ist, ins Wasser zu fallen (**Wasser 16.**).*

21. mit allen ~n gewaschen sein = listig, verschlagen sein. Anspielung auf den Seemann, von dem man annimmt, er habe sich im Wasser aller Ozeane gewaschen. *Vgl* ↗Wind 48. Seit dem 19. Jh.

22. jm ~ auf die Mühle gießen = jm beipflichten; jm wichtige Beweisgründe liefern. Hergenommen vom Müller, dem man Wasser auf das Mühlrad leitet. 1900 *ff.*

23. jm ~ in den Wein gießen (tun o. ä.) = jn in seiner Begeisterung ernüchtern; jn mäßigen. 1700 *ff.*

24. willst du einen Eimer ~ haben?: Frage an einen, der sich auf sein Arbeitsgerät stützt und eine Ruhepause einlegt. Weiterführung von „↗Arbeiterdenkmal 1": der Gefragte hat so heftig gearbeitet, daß sein Werkzeug heiß geworden ist und er

nun warten muß, bis es sich abgekühlt hat; mit einem Eimer Wasser ginge es schneller. Berlin 1950 *ff.*

25. ~ in den Ohren haben = etw absichtlich überhören. 1880 *ff.*

26. ~ im Vergaser haben = nicht recht bei Verstand sein. Mit dem „Vergaser" ist hier das Gehirn gemeint. 1930 *ff.*

27. jn über ~ halten = jm in der äußersten Not helfen; jn vor dem Schlimmsten bewahren. Hergenommen vom Schwimmer, der dem Ertrinkenden zu Hilfe kommt. Seit dem 18. Jh.

28. sich über ~ halten = sein Leben fristen; dem Zusammenbruch (Bankrott o. ä.) entgehen. Seit dem 18. Jh.

29. das ~ nicht halten können = a) vor Angst oder Schreck in die Unterwäsche harnen. Seit dem 18. Jh. – b) nicht verschwiegen sein. ↗dichthalten. Seit dem 19. Jh. – c) sich um Dinge kümmern, die einen nichts angehen; sich ungefragt einmischen. 1870 *ff.*

30. der geht ~ holen: Redewendung, wenn ein Kartenspieler zum Verlierer wird. Der Denkmechanismus ist heißgelaufen und soll mit Wasser gekühlt werden. Kartenspielerspr. 1890 *ff.*

31. mit ~ kochen = nicht anders handeln als alle anderen; keine Wundertaten vollbringen. Seit dem 19. Jh.

32. auch hier wird nur mit ~ gekocht = hier geht es zu wie überall; auch hier herrscht keine feinere Lebensart als anderswo. 1800 *ff.*

33. arbeiten, daß das ~ im Arsch kocht = angestrengt arbeiten. Anspielung auf Schweiß in der Gesäßkerbe. 1935 *ff.*

34. das ~ soll euch im Arsch kochen!: Drohrede. *Sold* 1935 *ff.*

35. das ~ kocht im Arsch = man hat einen anstrengenden Dienst hinter sich. 1935 *ff, sold* bis heute.

36. ihm kommt wieder das ~ auf die Mühle = für ihn kommen wieder bessere Zeiten. Der Bach, der lange nur ein Rinnsal war, ist wieder gestiegen und führt dem Müller Wasser aufs Rad. 1600 *ff.*

37. das leitet ~ auf seine Mühle = das ist ihm eine wertvolle Hilfe. Seit dem 19. Jh.

38. das ~ lieben, wenn es gebrannt ist = ein Schnapstrinker sein. Seit dem 19. Jh.

39. jm etw zu ~ machen = jm einen Plan vereiteln. Hergenommen von sehr starker Verdünnung eines Getränks. 1700 *ff.*

40. mach' kein ~! = prahle nicht! errege kein Aufsehen! Anspielung auf den Harn, den mancher in der Aufregung o. ä. nicht halten kann. *Österr* 1900 *ff.*

41. drei Tage unter ~ marschiert sein = als Soldat Schweres erlebt haben. Scherzhafte Wendung, meist bezogen auf ruhmredige Kriegsteilnehmer. Bezieht sich eigentlich auf die Unterwasserfahrt eines U-Boots. 1940 *ff.*

42. eine Handvoll ~ nehmen = sich waschen. *BSD* 1968 ff.

43. jm das ~ nicht reichen (bieten) können = jm unterlegen sein. Leitet sich her aus der Zeit, als man weder Gabeln noch Mundtücher kannte und die Hände während der Mahlzeit mehrmals wusch; dazu warteten Edelknappen mit kleinen Handwaschbecken (Fingerschalen) auf. Bedienstete geringeren Ranges durften den tafelnden Herrschaften nicht das Wasser reichen. 1500 ff.

44. bis dahin fließt (läuft) noch viel ~ den Rhein (Main, die Oder, Spree o. ä.) runter = bis dahin vergeht noch viel Zeit. Der unsinnige Begriff der Zeit wird durch das Bild vom strömenden Wasser veranschaulicht. 1500 ff. *Vgl franz* „avant que cela arrive, il passera bien de l'eau sous les ponts"; *engl* „much water will drift under the bridges before that".

45. er sieht aus, als kriegte er das ~ nicht satt = er sieht schwächlich, abgemagert aus. 1920 ff.

46. er geht ~ saufen = der Spieler verliert das Spiel. Meint soviel wie „er geht unter", „er ertrinkt". Kartenspielerspr. 1870 ff.

46 a. mir schießt das ~ in die Augen = mich überkommt die Rührung. Ironie. 1960 ff.

47. es schlägt ins ~ = es ist wirkungslos. ↗Schlag 11. 1920 ff.

48. er ist damals noch unter ~ geschwommen = er hat damals noch nicht gelebt. Hängt zusammen mit dem Ammenmärchen, daß die Kinder aus dem Wasser kommen und vom Storch überbracht werden. 1900 ff.

49. das ist ihm ~ auf die Mühle (das ist ~ auf seine Mühle) = das kommt ihm sehr gelegen; das bestätigt seine Ansicht. Vom Wassermüller übertragen. *Vgl* ↗Wasser 36. 1600 ff. *Vgl franz* „c'est de l'eau sur son moulin".

50. damit ist es ~ = das ist mißglückt, gescheitert. ↗Wasser 39. Seit dem 19. Jh.

51. aus dem (über) ~ sein = die Notlage überwunden haben. Fußt auf dem Bild des Schiffbrüchigen. 1900 ff.

52. jn unter ~ setzen = jn zum Zeugen eines heftigen Tränenergusses machen. Gehört zur Vorstellung von einer Überschwemmung. 1900 ff.

53. ins kalte ~ springen = sich zu einem Risiko entschließen. 1920 ff.

54. ihm steht (reicht) das ~ bis an den Hals (er hat das ~ bis zum Hals stehen) = a) er ist in sehr großer Not. Übertragen von einem Menschen, der Opfer einer Überschwemmung zu werden droht, oder von einem Nichtschwimmer, der keinen Grund mehr unter den Füßen spürt. 1900 ff. – b) er verspürt heftigen Harndrang. 1930 ff.

55. ihm steht das ~ im Keller bis an die Halskrause = er hat heftigen Harndrang; er hat sich eingenäßt. *Sold* 1939 ff.

56. ihm steht das ~ bis an die Zähne = er ist in größter Not. ↗Wasser 54 a. 1920 ff.

57. ~ an die Wand stellen = harnen (vom Mann gesagt). „Stellen" ist vielleicht Entstellung von „stallen = harnen"; *vgl* aber auch „↗Stange 28". 1920 ff.

58. ~ treten = nicht von der Stelle kommen; sich nicht entschließen können; stocken. 1910 ff.

59. ein Schiff unter ~ treten = ein Schiff vom Flugzeug aus versenken. Fliegerspr. 1939 ff.

60. mir tritt (schießt) das ~ in die Augen = mich überkommt die Rührung (*iron* gemeint). 1950 ff, *halbw*.

61. ~ tut's freilich nicht = mit den üblichen Mitteln richtet man hier nichts aus; es muß strenger vorgegangen werden; man muß Gewalt anwenden, wenn jedes andere Mittel versagt. Geht wahrscheinlich zurück auf Martin Luther, der gesagt hat, daß durch das Taufwasser allein aus einem Heiden noch lange kein Christ werde. 1900 ff.

62. mit kaltem ~ verbrüht sein = nicht ganz bei Verstand sein. Der scherzhaft gemeinte Unsinn verdeutlicht den „ernsthaften Unsinn", der zum Gebrauch jener Wendung Anlaß gibt. 1900 ff, Berlin; *sold* in beiden Weltkriegen.

63. er verdient nicht das ~ an die Suppe = er lebt überaus kärglich, hat ein sehr geringes Einkommen. Verstärkung von „er verdient dabei nicht das ↗Salz". 1900 ff.

64. da bekommt man nur ein Glas ~ mit Haut vorgesetzt = da wird einem wenig aufgetischt. Es reicht nicht einmal zur „Milch mit Haut". Wien 1930 ff, *stud*.

65. eine Kanne ~ wegbringen = harnen. *BSD* 1968 ff.

66. zu ~ werden = a) mißlingen; nicht stattfinden. Versteht sich nach „↗Wasser 39". 1500 ff. *Vgl franz* „aller à vau-l'eau". – b) heftig weinen; anhaltend schluchzen. 1925 ff.

67. ~ ins Gesicht werfen = sich waschen. *BSD* 1968 ff.

68. jn ins ~ werfen = einem Menschen, der keinen Schauspielunterricht hatte, eine Bühnenrolle anvertrauen. Vom Nichtschwimmer hergenommen, der, ins Wasser geworfen, sich selber helfen muß. Theaterspr. 1920 ff.

69. nahe am ~ wohnen = schon aus geringstem Anlaß Tränen vergießen. ↗Wasser 18. 19. Jh.

70. Strümpfe ziehen ~ = wegen schlechter Paßform oder Befestigung bilden die Strümpfe Querfalten; die Strümpfe hängen herab. Vollgesogenes Gewebe zieht nach unten. 1900 ff.

71. ihm läuft das ~ im Munde zusammen = er bekommt großen Appetit. Ein altbekannter Vorgang psychosomatischer Natur. Seit dem 15. Jh.

Wasseraffe *m* sich einen ~n kaufen = eine Mineralwasserkur machen. Affe = Rausch: in scherzhafter Auffassung kann man auch von Mineralwasser betrunken werden. Seit dem 19. Jh.

Wasserbaby (Grundwort *engl* ausgesprochen) *n* Jungschwimmerin. ↗Baby 3. 1960 ff.

Wasserball *m* untersetzter, dicklicher („aufgeschwemmter") Mensch. 1920 *ff*.

Wasserballons *pl* wundgelaufene Füße. ↗Ballon 8. *BSD* 1965 *ff*.

Wasserbauch *m* dicker Leib. 1900 *ff*.

wasserbereift *adj* wundgelaufen (auf die Füße bezogen). ↗ballonbereift. *BSD* 1965 *ff*.

Wasserbier *n* Bier mit zu wenig Stammwürzegehalt. 1930 *ff*.

Wasserbude *f* Kiosk. 1950 *ff*.

Wasserbüffel *m* Schubboot. Anspielung auf die Stärke des Motors. 1958 *ff*.

Wasserburger *pl* Tränen; Tränenerguß. Angeblich haben die Einwohner von Wasserburg am Inn im Jahre 1832 untertänige (= weinerliche) Bittschriften an die Ständeversammlung gerichtet. Das Wort erhielt seine umgangssprachliche Bedeutung wohl eher durch scherzhafte Lokalisierung derer, die „nahe ans ↗Wasser gebaut" haben (↗Wasser 18), in Wasserburg: der Städtename legt solche Wortspielerei nahe. *Bayr* seit dem 19. Jh.

Wässerchen *n* kein ~ trüben (trüben können) = harmlos, unschuldig sein. Entstammt einem Fabelmotiv des Phädrus: Beim Trinken aus dem Bach sieht der Wolf weiter unterhalb ein Schaf aus demselben Bach trinken; da beschuldigt er es, den Bach verunreinigt zu haben, woraufhin das Schaf sagt, es habe „kein Wässerchen trüben können", weil der Bach nicht bergauf fließe. Seit dem 15./16. Jh.

wasserdicht *adj* **1.** allen Einwänden (der Nachprüfung) standhaltend; unangreifbar. Übertragen von der Wasserundurchlässigkeit eines Behälters o. ä. 1930 *ff*.
2. unverdünnt (auf Milch bezogen). 1920 *ff*.
3. unerschütterlich in den sittlichen Grundsätzen; charaktervoll; vertrauenswürdig; zuverlässig; in politischer Hinsicht unbescholten. 1930 *ff*.
4. gegen Tränen (Rührseligkeit o. ä.) gefeit. 1930 *ff*.

Wasserdichter *m* Stahlhelm. *Sold* 1935 *ff*.

Wasserfall *m* **1.** Fall ins Wasser. Wortwitzelei. 1960 *ff*.
2. Harnstrahl der Frau. 1915 *ff*.
3. ~ auf Zeit = Schulabort. Vorwiegend in der Großen Pause wird er benutzt. 1930 *ff*.
4. hoher ~ = langbeinige weibliche Person. Der Harn fällt aus großer Höhe. 1915 *ff*, *schül* und *sold*.
5. niedriger ~ = kurzbeinige weibliche Person. 1915 *ff*.
6. loslegen wie ein ~ = stürmisch zu sprechen beginnen und keine Pause einlegen. 1900 *ff*.
7. reden (quatschen o. ä.) wie ein ~ = fließend sprechen; laut und pausenlos reden. 1920 *ff*.

Wasserfall-Sprecher *m* Mensch mit unversieglichem Redefluß; Schnellsprecher. 1920 *ff*.

Wasserfaß *n* **1.** Harnblase. 1940 *ff*, *sold*.
2. das ~ ausgießen = harnen. *Sold* 1940 *ff*.

Wasserfederung *f* wundgelaufene Füße; Blasen an den Füßen. ↗Ballon 8. *BSD* 1965 *ff*.

Wasserficker *m* Mann, der badenden weiblichen Personen nachstellt. ↗Ficker. 1949 *ff*.

Wasserfloh *m* **1.** Matrose, Marineangehöriger. Der Matrose und das Tier bewegen sich auf der Wasseroberfläche. *Sold* 1914 bis heute.
2. Ruder-, Segelboot; Einmann-Paddelboot. 1920 *ff*.
3. Schwimmer(in). 1920 *ff*.

Wasserfrosch *m* **1.** Schwimmer; Kind am Strand; badendes Kind. Das Tier (Rana esculenta) lebt am Wasser. 1920 *ff*.
2. Marineangehöriger. *BSD* 1968 *ff*.

wassergekühlt gehen Blasen an den Füßen haben. Anspielung auf das Nässen der Blasen. *Sold* 1939 *ff*.

Wassergeneral *m* Admiral. General und Admiral haben den gleichen Dienstgrad. *BSD* 1968 *ff*.

Wassergigerl *m* Wassersportler. ↗Gigerl. 1955 *ff*, *südd*.

Wassergläubiger *m* Antialkoholiker. 1900 *ff*.

Wasserhahn *m* jm den ~ abdrehen = die Zahlungen an jn einstellen. Dem Betreffenden „fließt" kein Geld mehr zu, er kann keines mehr „abzapfen". 1950 *ff*.

Wasserhauptmann *m* Kapitänleutnant. Er hat denselben Dienstgrad wie der Hauptmann. *BSD* 1968 *ff*.

Wasserhäuschen *n* Kiosk. 1950 *ff*.

Wasserheini *m* Marineangehöriger. ↗Heini. *BSD* 1968 *ff*.

Wasserkasten (-kessel; -kiste) *m (f)* Schwimmhalle. *Jug* 1970 *ff*.

Wasserklo *n* Abort mit Wasserspülung. ↗Klo 1. 1880 *ff*.

Wasserkopf *m* **1.** Behörde mit übermäßig viel Personal. Übertragen von der *dt* Bezeichnung einer krankhaften Erweiterung der Hirnkammern, verursacht durch Anstauung von Gehirn- und Rückenmarksflüssigkeit. 1930 *ff*.
2. einen ~ haben = sehr dumm sein; schwachsinnig sein. Man denkt sich, Wasser ersetze die Gehirnmasse. (Die im Vorhergehenden genannte Anomalie kann Schwachsinn bewirken.) 1900 *ff*.
3. ich haue dir gegen deinen ~, daß es plätschert: Drohrede. 1920 *ff*.
4. leih' mir mal deinen ~, mein Holzbein brennt: Spottrede auf einen Jugendlichen mit großem Schädel. 1930 *ff*.
5. es plätschert in seinem ~ = er ist nicht recht bei Sinnen. 1920 *ff*.
6. laß deinen ~ nicht plätschern! = rede keinen Unsinn! 1920 *ff*, *jug* und *sold*.

Wasserkran *m* den ~ wieder zudrehen = zu weinen aufhören. 1920 *ff*.

Wasserkunst *f* Stehabort für Männer. Eigentlich die künstliche Anlage von Wasserspielen, mit Kaskaden, Springbrunnen u. ä. *Nordd* 1900 *ff*.

Wasserlaatscher *pl* Pioniere. Sie bewegen sich auch im Wasser. ↗laatschen. *BSD* 1965 *ff.*

Wasserlatte *f* infolge Harndrangs erigierter Penis. ↗Latte 2. 1910 *ff.*

Wasserlefti *m* Leutnant zur See. ↗Lefti. *BSD* 1968 *ff.*

Wasserleiche *f* **1.** sehr beleibter Mensch. Er erscheint aufgedunsen. 1900 *ff.*
2. um einen einzigen Punkt verlorenes Kartenspiel. Das Spiel ist „ins Wasser gefallen"; ↗Wasser 16. Kartenspielerspr. 1870 *ff.*
3. Hering. *BSD* 1965 *ff.*
4. auf ~ geschminkt sein = fahl geschminkt sein. 1920 *ff.*

wasserleichenblond *adj* fahlblond. 1930 *ff.*

Wasserleitung *f* **1.** Harnleiter. 1900 *ff.*
2. musikalische ~ = Plattenspieler, Tonband(gerät) o. ä. Man „dreht auf" und läßt sich von der Musik „umplätschern" und „berieseln". 1950 *ff,* *jug.*
3. die ~ aufdrehen = a) zu weinen beginnen. 1900 *ff.* – b) harnen. 1900 *ff.*
4. die ~ nachsehen müssen = Harndrang verspüren. 1940 *ff.*

Wasserleitungsmarsch *m* Volkslied „Wenn alle Brünnlein fließen". Wien 1950 *ff, jug.*

Wasserlord *m* Marineangehöriger. ↗Seelord. *BSD* 1968 *ff.*

Wassermädchen *n* Heilgehilfin; Mädchen, das Kurbrunnen ausschenkt. 1935 *ff.*

Wassermann *m* **1.** Badender. 1950 *ff.*
2. Marineangehöriger. Er lebt auf dem Wasser; Gegenwort „Landmann". *BSD* 1968 *ff.*

Wassermaus *f* Mädchen, das am Strand oder im Wasser Männerbekanntschaft sucht. ↗Maus. 1920 *ff.*

Wassermelone *f* **1.** auffallend großer Kopf; Rundschädel. Wegen der Formähnlichkeit mit dem Kürbisgewächs. 1910 *ff.*
2. Treibmine. *BSD* 1965 *ff.*

Wassermensch *m* Ableser des Wasserverbrauchs. 1900 *ff.*

Wassermolch *m* Matrose. Der Molch liebt das Wasser. *BSD* 1968 *ff.* Im Ersten Weltkrieg Bezeichnung für den Pionier.

Wassermücke *f* kleines Motorboot. Anspielung auf das singende Motorengeräusch und das mückengleich schnelle „Hin- und Herschwirren". 1930 *ff.*

Wassermucker *m* Antialkoholiker. ↗Mucker 1. 1920 *ff.*

Wassermuffel *m* wasserscheuer Mensch; Mensch ohne Interesse am Schwimmen. ↗Muffel 2. 1970 *ff.*

wassern *v* **1.** *tr* = jn prügeln. Soviel wie „einweichen"; weiterentwickelt zur Bedeutung „weichklopfen". *Bayr* und *österr,* seit dem 19. Jh.
2. *intr tr* = vom Mitschüler abschreiben. Versteht sich nach „↗wässern 4". *Österr* 1950 *ff.*

3. *intr* = auskundschaften. *Rotw* 1950 *ff.*

wässern *v* **1.** *impers* = Harndrang verspüren; harnen. 1900 *ff.*
2. *intr* = baden. Eigentlich soviel wie „(Fisch) ins Wasser legen". 1930 *ff.*
3. der Mund wässert ihm = beim Anblick einer Speise oder beim Gedanken an sie bekommt er Eßlust. ↗Wasser 71. Seit dem 15. Jh.
4. nach etw ~ (wassern) = Appetit auf etw haben; nach etw verlangen. ↗Wasser 71. Seit dem 19. Jh.

Wassernixe *f* badende weibliche Person. ↗Nixe. 1920 *ff.*

Wasser-Oase *f* Ausschank von alkoholfreien Getränken an Autobahn-Rastplätzen. 1965 *ff.*

Wasserpanscher *m* **1.** im Wasser spielendes Kind. ↗panschen. 1900 *ff.*
2. Marineangehöriger. *BSD* 1968 *ff.*
3. Pionier. *BSD* 1968 *ff.*

Wasserpatscher *m* **1.** im Wasser spielendes Kind. ↗patschen. 1900 *ff.*
2. Pionier. *BSD* 1968 *ff.*

Wasserpest *f* **1.** Unterseeboote. Eigentlich Bezeichnung einer Wasserpflanzen-Gattung. Übertragen auf die Waffengattung, weil U-Boote ähnlich überraschend auftauchen und vernichtend wirken wie die Pest im Mittelalter. *Sold* in beiden Weltkriegen.
2. Minenleger. *Sold* in beiden Weltkriegen.

Wasserpfarrer *m* Sebastian Kneipp (1821–1897), Pfarrer und Wasser-Heilkundiger. 1900 *ff.*

Wasserpfütze *f* Schwimmbad. *Schül* 1960 *ff.*

Wasserpolacke *m* **1.** Oberschlesier; polnischer Schlesier; Pole, der schlecht Deutsch spricht. Meint eigentlich den aus dem oberschlesischen Polen stammenden Oderflößer; dann auch Bezeichnung für in Oberschlesien und Österreichisch-Schlesien wohnende Polen. Seit dem späten 18. Jh.
2. Angehöriger der Wasserschutzpolizei. Berlin 1900 *ff.*

Wasserratte *f* **1.** befahrener Seemann. Von der Rattenart im frühen 19. Jh auf den Menschen übertragen.
2. Wassersportler; leidenschaftlicher Schwimmer; Kind, das gern im Wasser ist. 1850 *ff.*
3. Matrose; Marinesoldat. *Sold* 1914 bis heute.
4. Pionier. *Sold* 1914 bis heute.

Wasserratz *m* leidenschaftlicher Schwimmer, Wassersportler o. ä. *Oberd* „Ratz = Ratte". 1850 *ff.*

Wassersäule *f* eine ~ wegstellen (in die Ecke stellen) = harnen (vom Mann gesagt). Parallel zu „↗Stange 28". *Sold* in beiden Weltkriegen.

Wasserschaff (-schaffl) *n* da sollte man einen Kopf haben wie ein ~ um sich das merken zu können, müßte das Gehirn größer sein. Wasserschaff = Wasserkübel. *Bayr* 1920 *ff.*

Wasserscheide *f* unberührtes Mädchen im heiratsfähigen Alter. ↗„n.z.p.-Fall". 1920 *ff.*

Schleuse des Nord-Ostsee-Kanals in Kiel-Holtenau.
Übertreibungen, wie sie auch der umgangssprachlichen **Wasserstraße** eigen sind, selbst solche von der ganz derben Art, finden nicht selten sogar in der sogenannten höheren Literatur ihre Parallelen. So schildert François Rabelais (1494–1553) in seinem „Gargantua" die folgende Episode: „Während dies geschah, brunzte seine (d. i. Gargantuas) Stute, die sich den Leib etwas erleichtern wollte, so unbändig, daß sieben Meilen rundum die Gegend über-schwemmt wurde, alle Flüssigkeit in den Vède ablief und sich sein Wasser oberhalb dermaßen staute, daß alle feindlichen Heerhaufen jämmerlich ersoffen." Solche Überschwemmungen, jetzt wieder auf ein „normales" Maß gebracht, liegen dann auch der Umgangssprache nicht fern (vgl. **überschwappen**). Die unten wiedergegebene Abbildung eines Seehundes lenkt die Aufmerksamkeit schließlich wieder auf ein anderes Naß, eines, in dem sich's aushalten läßt (vgl. **Wasserratte**, **Wasserratz**).

Wasserscheue *f* Briefmarke, die kein Wasser verträgt, abfärbt oder die Farbe verliert. 1920 *ff.*

Wasserschlange *f* **1.** Anstehen vieler Personen um Wasser. ↗Schlange 2. 1942 *ff.*
2. Wassersportlerin. 1950 *ff.*

Wasserschlepper *m* unbedeutendes Mitglied eines Gefolges. ↗Wasserträger 1. 1930 *ff.*

Wasserschnalle *f* Wassersuppe. ↗Schnalle 1. 1600 *ff.*

Wasserschnalzen (-schnalzn) *f* Wassersuppe. Schnalzen = geräuschvoll schlürfen. *Bayr,* seit dem 19. Jh.

Wasserski-Nixe *f* Wasserskiläuferin. ↗Nixe. 1955 *ff.*

Wassersoldat *m* Marineangehöriger. *BSD* 1968 *ff.*

Wassersparkasse *f* Wasserspeicher, Stausee. 1958 *ff.*

Wasserspeier *m* **1.** Mensch, der nur Plattheiten äußert. Er „spuckt große ↗Bogen". 1925 *ff.*
2. Gernegroß, Prahler. 1925 *ff.*

Wasserspiegel *m* den ~ zertrümmern = mit dem Flugzeug notwassern. Fliegerspr. 1939 *ff.*

Wasserspiele *pl* **1.** Tränenerguß. 1930 *ff.*
2. Revierreinigen. *Sold* 1975 *ff.*

Wassersport *m* ~ treiben = a) Geschirr spülen. 1960 *ff.* – b) Kirsch-, Zwetschgenwasser usw. trinken. 1965 *ff,* kellnerspr.

Wasserspülung *f* Tränendrüsen. 1940 *ff.*

Wasserstand *m* hoher ~ = Harndrang. 1900 *ff.*

Wasserständer *m* wegen Harndrangs erigierter Penis. ↗Ständer 1. 1900 *ff.*

Wasserstandsmeldung *f* die letzte ~ verpaßt haben = zu kurze Hosen tragen. ↗Hochwasser 1. Berlin 1965 *ff.*

Wassersteifer *m* wegen Harndrangs erigierter Penis. 1920 *ff.*

wasserstoffblond *adj* künstlich blond. Anspielung auf Wasserstoffsuperoxyd. 1900 *ff.*

Wasserstoffblondine (-superblondine) *f* weibliche Person mit blondgebleichtem Haar. 1900 *ff.*

Wasserstoffbombe *f* Frau mit blondiertem Haar. Aus dem Vorhergehenden umgeformt unter Einfluß der Entwicklung der Wasserstoffbomben, nach 1950. Beliebte Halbwüchsigenvokabel.

wasserstoffgeblondelt *adj* blondgefärbt. ↗blondeln. 1920 *ff.*

'wasserstoff'super'kobalta'tom'bomben'sicher *adj adv* ganz bestimmt; unmstößlich feststehend. Erweitert aus „↗bombensicher" unter Einfluß der modernen Wasserstoff-, Kobalt- und Atombomben. 1960 *ff,* Berlin, *jug.*

wasserstoffsuperoxydblond *adj* künstlich blond; chemisch gebleicht. 1920 *ff.*

Wasserstoffsuperoxydbombe *f* weibliche Person mit künstlich blondem Haar. 1920 *ff.*

Wasserstoffsuperoxyde *f* Frau mit blondgefärbtem Haar. 1920 *ff.*

Wasserstoff'superoxy'dine *f* Frau in vorgerücktem Alter mit künstlich gebleichtem (blondgefärbtem) Haar. 1950 *ff.*

Wasserstoff-Ticktack *f* Prostituierte. Das chemische Zeichen für Wasserstoff ist H. „Ticktack" ist die Uhr. „H + Uhr" ergibt „Hure". 1960 *ff, stud,* Graz.

Wasserstrahl *m* mit einem ~ gepiekt sein = nicht bei klarem Verstand sein. Meint entweder den kalten Blitzstrahl oder den Wasserwerfer. 1950 *ff.*

Wasserstraße *f* **1.** Harnstrahl. 1900 *ff.*
2. eine ~ anlegen = harnen. 1900 *ff.*

Wasserstuffz *m* Obermaat. ↗Stuffz. *BSD* 1965 *ff.*

Wassersüchtiger *m* Marineangehöriger. *BSD* 1968 *ff.*

Wassersünder *m* Person oder Firma, die durch chemische Abfallstoffe das (Oberflächen- und/ oder Grund-)Wasser verunreinigt. ↗Sünder. 1960 *ff.*

Wassersuppe *f* nicht auf der ~ dahergeschwommen sein = nicht von schlechter Abkunft sein; nicht dumm sein. Die Wassersuppe ist Sinnbild der Armut, der gesellschaftlichen Niedrigstellung. Vorwiegend *oberd,* seit dem späten 19. Jh.

Wasserträger *m* **1.** Begleiter des Radrennfahrers. Er holt für ihn Trinkwasser herbei. Vielleicht aus *ndl* „waterdrager" übersetzt. 1930 *ff.*
2. Spieler, der dem Kameraden den entscheidenden Fußballstoß (Handballwurf) überläßt. *Sportl* 1960 *ff.*
3. einflußloser Politiker; Hilfsreferent; wissenschaftlicher Hilfsarbeiter. 1930 *ff.*

Wassertreter *m* Matrose, Marineangehöriger. Meint eigentlich die Wassertretkur nach Pfarrer Sebastian Kneipp. *BSD* 1965 *ff.*

'Wasser-'Uffz *m* Maat. ↗Uffz. *BSD* 1965 *ff.*

Wasseruntersatz *m* Boot. ↗Untersatz 1. 1960 *ff.*

Wasserwaage *f* hol' mal die Gewichte von der (für die) ~!: scherzhafter Auftrag des Zimmermeisters an einen Lehrling oder Laien. 1900 *ff.*

Wasserwanze *f* **1.** weibliche Person, die sich im Bad oder am Strand Männern nähert, um sie auf dem Umweg über den Geschlechtsverkehr auszubeuten. ↗Wanze 1. 1920 *ff.*
2. junge Wassersportlerin. Durch ihre Unerfahrenheit ist sie für Könner lästig wie eine Wanze. *Halbw* 1945 *ff.*

Wasserwärter *m* Küstenwachmann; Leuchtturmwärter. 1920 *ff.*

Wasserwebel *m* Bootsmann. Er hat den gleichen Dienstgrad wie der Feldwebel. *BSD* 1965 *ff.*

Wasserwerfer *m* strenger, unangenehmer Vorgesetzter. Anspielung auf Versprühen von Speichel. *Sold* 1939 *ff; ziv* 1945 *ff.*

Wasserwochenendler *m* Mann, der das Wochenende auf dem Wasser verbringt. 1950 *ff.*

Wastel (Wastl) *m* **1.** Rufname des Hundes. Eigentlich Koseform des Vornamens Sebastian. *Bayr* und *österr,* seit dem 19. Jh.

2. Polizeibeamter. Im Sinne des Vorhergehenden ist wohl der Spürhund gemeint. *Österr,* 1930 *ff.*

3. Gefängnisaufseher. ↗Zerberus. *Österr,* 1930 *ff.*

4. Mann, der sich dem Wehrdienst, dem Fronteinsatz und überhaupt Verpflichtungen zu entziehen sucht. Vielleicht verkürzt aus „Schlappschuhwastl = Energieloser". *Bayr* 1914 *ff, sold.*

5. dicker ~ = beleibter Mann. *Österr,* 1900 *ff.*

wasteln *intr* sich dem Dienst oder dem Fronteinsatz zu entwinden suchen. ↗Wastel 4. *Bayr* 1914 *ff, sold.*

Watsche (Watschn) *f* **1.** Ohrfeige. Schallnachahmender Herkunft: die Interjektion „watsch" ist eine Verwandte von „klatsch" und „patsch". Seit dem 18. Jh. Vorwiegend *oberd,* mit Ausstrahlung in die angrenzenden Gebiete.

2. empfindlicher geschäftlicher Rückgang; Unglücksfall. Seit dem 19. Jh.

Watschel *f* **1.** beleibte Frau mit schwerfälligem Gang. Enten, Gänse usw. „watscheln". 1800 *ff.*

2. *pl* = plumpe Beine. 1900 *ff.*

watschen *tr* jn ohrfeigen. ↗Watsche 1. Seit dem 18. Jh, vorwiegend *oberd.*

Watschenaugust *m* energieloser Mann. Energie entwickelt er wohl erst nach dem Empfang oder der Androhung von Ohrfeigen. 1920 *ff.*

Watschenbaum *m* **1.** ich werde heute noch den ~ beuteln müssen: Redewendung, mit der man eine Ohrfeige androht. Der „Watschenbaum" ist ein erfundener Baum, an dem die „Ohrfeigen" wachsen. Er ist eine Abart des (Ohr-)Feigenbaums. *Österr* und *bayr,* 1900 *ff.*

2. der ~ fällt um = es werden Ohrfeigen in reichlicher Anzahl ausgeteilt. „Watschenbaum" nennt man auch den Wegweiser mit mehreren „Armen", an deren Ende sich holzgeschnitzte oder gemalte Hände befinden. 1900 *ff.*

Watschenbube (-bua) *m* Mensch, der für die Fehler anderer gemaßregelt wird. *Bayr* 1900 *ff.*

Watschenduell *n* heftiger Wortwechsel. 1950 *ff.*

watscheneinfach *adv* mühelos. Hergenommen von der Ohrfeige, die man ohne Vorbereitung, „aus dem ↗Handgelenk" versetzen kann. *Österr* 1950 *ff.*

Watschengesicht *n* feistes Gesicht. Analog zu ↗Ohrfeigengesicht. *Österr* und *bayr,* seit dem 19. Jh.

Watschenhand *f* leicht zum Schlag ausholende Hand. *Bayr* und *österr,* 1900 *ff.*

Watschenjustiz *f* Prügeljustiz. *Österr,* 1920 *ff.*

Watschenkadi *m* (Bezirks-)Richter für Bagatellfälle. ↗Kadi. Hergenommen von Schlägereien als Hauptanlässe der Anzeige. *Österr,* 1900 *ff.*

Watschenmann *m* **1.** dem Menschen nachgebildete Figur, die man gegen Entgelt nach Herzenslust ohrfeigen darf. ↗Watsche 1. Eine solche Figur gab es im Wiener Prater seit 1842. *Österr* seit dem 19. Jh.

2. Mann, der Ohrfeigen verdient. *Österr,* 1900 *ff.*

3. strenger Kritiker. Seine Rügen wirken wie Ohrfeigen. 1920 *ff.*

4. Mann, der wegen freimütiger Äußerungen befehdet wird. *Österr,* 1900 *ff.*

5. ich bin kein ~ = ich lasse mich nicht schlecht behandeln; an mir kann man seinen Unmut nicht auslassen. *Österr* 1920 *ff.*

Watschenphysiognomie *f* freches, herausforderndes, verkniffenes Gesicht. ↗Ohrfeigengesicht. Seit dem 19. Jh.

Watschensepp *m* Gebirgsjäger. Hergenommen von der (unbayerischen) Bezeichnung für den bayerischen Bauern, dessen Bild von Rauflust, Ohrfeigenaustausch u. ä. bestimmt ist. „Sepp" ist *oberd* Kurzform des weitverbreiteten Vornamens Joseph. *BSD* 1965 *ff.*

Watschensuppe *f* jm eine ~ aufkochen = jn ohrfeigen. Parallel zu ↗Prügelsuppe 1. *Österr* und *bayr,* seit dem 19. Jh.

Watt *n* strahlen wie 1000 ~ = über das ganze Gesicht strahlen. Watt = elektrische Leistungseinheit. 1960 *ff.*

Watte *f* **1.** Nebel. Man kommt sich darin vor wie in Watte: man kann sich ungehindert bewegen, sieht aber ringsum nur eine konturenlose Masse. Seemannsspr. und *sold,* spätestens seit 1900.

2. Vorspiegelung, Aufbauschung. Watte dient zum Unterlegen und Füttern von Kleidungsstücken; mit ihr kann man der Natur „nachhelfen". 1900 *ff.*

3. Theaterbesucher auf Freikarte. ↗wattieren. Theaterspr. seit dem ausgehenden 19. Jh.

4. ~ auf dem Arsch = Wohlhabenheit. Anspielung auf das weiche „↗Polster" einer wohlgefüllten Brieftasche in der Gesäßtasche. 1920 *ff.*

5. ~ auf der Brust = dicke Brieftasche. 1920 *ff.*

6. ~ in der Hose = Wohlhabenheit. Hergenommen vom Geldbeutel in der Hosentasche. 1920 *ff.*

7. wie ~ = anschmiegsam; bei der Umarmung angenehm sich anfühlend. 1950 *ff, halbw.*

8. auf (in) ~ fassen = es mit einem geschmeidigen Verdächtigen zu tun haben; die mutmaßlichen Täter wegen ihrer geschickten Aussagen nicht überführen können. 1920 *ff.*

9. ~ in den Beinen haben = weiche Knie haben; kniewich sein. 1950 *ff.*

10. ~ in den Ohren haben = schwerhörig sein; sich taub stellen. Seit dem 19. Jh.

11. gegen eine Wand voll ~ laufen = keine unumwundene Antwort erhalten. 1920 *ff.*

12. jn in ~ packen = jn übervorsichtig behandeln; jn verweichlichen. Watte dämpft den Stoß und erschwert die Beschädigung. 1870 *ff.*

13. etw in ~ packen = etw mildern, entschärfen, vorsichtig zur Sprache bringen. 1900 *ff.*

14. auf ~ stoßen = einen Gegner vor sich haben, der jeder Entscheidung aus dem Wege geht. Watte gibt nach. *Sold* 1939 *ff.*

Wattebausch *m* **1.** Explosionswölkchen, Granatexplosion. Wegen der Ähnlichkeit im Aussehen. *Sold* 1939 *ff.*

2. Jungmädchenbusen. Angeblich wird der Büstenhalter mit Watte ausgepolstert. *Jug* 1950 *ff.*

Watteflöckchen *n* Kosewort. 1950 *ff.*

wattieren *v* das Theater (o. ä.) ~ = Freikarten ausgeben. Hergenommen vom Schneider, der durch Wattepolster in der Kleidung Mängel der Figur ausgleicht: dank seiner Kunst erscheint nirgends zuviel und nirgends zu wenig. Theaterspr. seit dem ausgehenden 19. Jh. *Vgl engl* „to dress (to paper) the house".

wattiert *adj* **1.** neblig. ↗Watte 1. Spätestens seit 1900, *sold* und seemannsspr.

2. gedämpft; leidenschaftslos; ohne Übertreibung. 1930 *ff.*

Watz *m* **1.** beleibter Mann. Eigentlich der Eber. 1900 *ff.*

2. störrischer Mann. 1900 *ff.*

3. vom ~ (vom wilden ~) gebissen sein = nicht recht bei Verstand sein. 1920 *ff.*

watzen *intr* laufen; dahinstürmen; viele Wege machen. Gehört entweder zu „Watz = Wildschwein" oder ist Nebenform von „↗wetzen". 1920 *ff.*

Watzkopf (-kopp) *m* wütender Mann. 1965 *ff.*

'Wauwau (Wau'wau) *m* **1.** Hund. Kindersprachliches Wort, beruhend auf der Schallnachahmung des Bellens. Seit dem 18. Jh.

2. Aufpasser; Anstandsbegleiter(in) eines jungen Mädchens auf Bällen (o. ä.). Anspielung auf die Wachsamkeit des Hundes. Seit dem 18. Jh.

3. Polizeibeamter. Törichte Erwachsene stellen ihn den kleinen Kindern als Schreckgestalt hin. 1920 *ff.*

4. überstrenger Mensch; strenger Vorgesetzter; strenger Staatsanwalt. Man ist „bissig". Seit dem 18. Jh.

5. mürrischer Mann. Wohl hergenommen vom Gesichtsausdruck des Boxerhundes. Seit dem 19. Jh.

6. korpulenter ~ = sehr eindrucksvolle Leistung; große Frechheit o. ä. Parallel zu „dicker ↗Hund". *Schül* und *stud,* 1950 *ff.*

7. ~ spielen = als Polizeibeamter oder Aufseher einschreiten. ↗Wauwau 3. 1920 *ff.*

Wau'waugesicht *n* mißmutige Miene. ↗Wauwau 5. 1920 *ff.*

Wau'wauhund *m* Hund. Kinderspr. seit dem 19. Jh.

Wau'wau-Insel *f* Tierheim. Kassel 1970 *ff.*

Wau'wauleutnant *m* **1.** Meldehundeführer. *Sold* 1914 *ff.*

2. Begleiter eines Suchhundes. 1920 *ff.*

Wau'wautante *f* Anstandsbegleiterin eines jungen Mädchens. ↗Wauwau 2. 1900 *ff.*

'Wauwi *m* **1.** Rufname des Hundes. Koseform zu ↗Wauwau. 1900 *ff.*

2. kleiner Junge (Kosewort). 1900 *ff.*

Wauzel *m* Rufname des Hundes. 1900 *ff.*

Wauzi *m* Rufname des Hundes. 1930 *ff.*

'Webart *f* **1.** Individualität eines Menschen. 1950 *ff.*

2. das ist von meiner ~ = das ist nach meinem Geschmack. 1950 *ff.*

Webfehler *m* **1.** geistiger Defekt. Seit dem späten 19. Jh.

2. Charakterfehler, Untugend; Bescholtenheit. 1920 *ff.*

3. unsinnige (widersinnige) Bestimmung unter vielen vernünftigen. 1920 *ff.*

4. Nichtarier im Stammbaum. 1933 *ff.*

5. kleiner ~ = unbedeutender Mangel. 1920 *ff.*

6. politischer ~ = parteipolitisch hinderlicher Umstand in der Vergangenheit eines Menschen. 1933 *ff.*

7. einen ~ haben = a) nicht ganz bei Verstand sein. 1870 *ff.* – b) nicht wie alle anderen empfinden; charakterlich anders als die anderen sein. 1920 *ff.*

webfehlerfrei *adj* völlig einwandfrei; gänzlich unbedenklich. 1933 *ff.*

we'cetera Null-'Null *konj* undsoweiter. Aus „et cetera" umgeformt unter Einwirkung von „W.C." und *gleichbed* „Null-Null". 1950 *ff, jug.*

Wechsel *m* **1.** vorgeschriebener Bezirk der Straßenprostituierten. Übertragen vom Wildwechsel. 1900 *ff.*

2. fauler ~ = gefälschter Wechsel. ↗faul 1. 1900 *ff.*

3. auf ~n fahren = mit einem Auto fahren, dessen (durch Wechsel gedeckte) Teilzahlungsraten noch nicht voll bezahlt sind. 1930 *ff.*

4. seine Gesinnung läuft auf ~n = seine Gesinnung ist unzuverlässig. Wie beim Zahlungsmittel des Wechsels weiß man nicht, ob der Betreffende Wort halten und sein Versprechen einlösen wird. 1945 *ff, jug.*

5. der ~ platzt = der Wechsel wird nicht eingelöst (bankfachspr.: er wird protestiert). ↗platzen 1. 1920 *ff.*

Wechselalter *n* Altersangabe, die je nach den Umständen wechselt. 1950 *ff.*

Wechsel-Auto *n* mit Wechseln bezahltes Auto. ↗Wechsel 3. 1955 *ff.*

Wechselbad *n* Wetter, das abwechselnd Regen und Aufheiterungen beschert. Hergenommen vom Wechselbad der Wasserheilkunde. 1970 *ff.*

Wechselbalg *m n* Kind, für das man Alimente, Schulgeld, Monatsgeld o. ä. zahlen muß. Eigentlich *trad* Bezeichnung für das von Hexen untergeschobene Kind. 1950 *ff.*

Wechselbetrüger *m* Mann, der beim Geldwechseln betrügt. Eigentlich der Betrüger mit Wechselbriefen. 1920 *ff.*

Wechselfalle *f* Betrug beim Geldwechseln; Betrug mit außer Kurs gesetzten Banknoten. 1920 *ff.*

Wechselfallenschwindler *m* Mann, der beim

Wechseln eines größeren Geldscheins betrügt. 1920 *ff.*

Wechselfieber *n* **1.** Bestreben, zu einem anderen Sportverein überzugehen. Eigentlich Bezeichnung für die Malaria. 1960 *ff.*

2. Bemühung um einen anderen Arbeitsplatz. 1960 *ff.*

wechseln *v* jm ~ = jm keine Antwort schuldig bleiben; jn übertrumpfen. Vom Geldwechsel auf den Wortwechsel übertragen. 1900 *ff.*

Wechselreiter *m* Ehebrecher. Eigentlich der Kreditbetrüger; hier bezogen auf den Wechsel des Geschlechtspartners. ↗reiten 3. 1920 *ff.*

Wechselrenner *m* Auto, das mit Wechseln bezahlt wird. ↗Wechsel 3. 1955 *ff.*

Wechselritter *m* Wechselbetrüger. Das Wort „Wechselreiterei" kommt aus dem *Ndl* und ist bei uns seit 1770 bekannt. 1920 *ff.*

Wechselschleichdienst *m* Wachdienst. Die Wachen bewegen sich möglichst lautlos und werden von Zeit zu Zeit abgelöst. *BSD* 1965 *ff.*

Wechselschweinerei *f* Wechselfälschung o. ä. 1920 *ff.*

'Wecka'delle *f* Frikadelle. Weck = Brötchen aus Weizenmehl. *BSD* 1965 *ff.*

Wecker *m* **1.** Taschen-, Armbanduhr. Verkürzt aus „Weckeruhr". 1930 *ff, jug.*

2. Fahrrad. Wohl wegen der Fahrradklingel. *Schül* 1945 *ff.*

3. Schulglocke. Sie weckt die während des Unterrichts eingeschlafenen Schüler. 1950 *ff.*

4. Kopf, Verstand. Beim Klingeln der Weckeruhr erwacht der Schlafende (↗klingeln 10 b), und sein Verstand beginnt zu arbeiten, ist „aufgeweckt", „hellwach" usw. Kurz nach 1900 aufgekommen.

5. Herz. Es schlägt normalerweise mit der Regelmäßigkeit einer Uhr. 1905 *ff.*

6. Versager. Wie bei der Weckeruhr „klingelt" es bei ihm nur alle zwölf Stunden. 1945 *ff, jug.*

7. hier ist der ~ abgestellt = das kommt nicht in Betracht; das dulde ich nicht. 1930 *ff.*

8. den ~ anstoßen = ein Glas Alkohol zu sich nehmen. Mit ihm setzt man die „Lebensuhr" wieder in Bewegung. ↗Wecker 5. 1905 *ff.*

9. jm auf den ~ gehen (fallen, hauen) = jn nervös machen; jm lästig werden. ↗Wecker 4. 1920 *ff.*

10. nicht alle auf dem ~ haben = nicht recht bei Verstand sein. ↗Wecker 4. 1920 *ff, schül, stud.*

11. bei dir klingelt der ~ schon = du redest Unsinn. 1940 *ff.*

12. der ~ rasselt = man wird aufmerksam, hellhörig. 1940 *ff.*

13. es ist höchster ~ = es ist höchste Zeit. 1950 *ff, schül.*

14. da bleibt mir der ~ stehen!: Ausdruck des Staunens, des Unverständnisses. ↗Wecker 4. Analog zu „da bleibt mir der ↗Verstand stehen". *Schül* und *sold*, 1920 *ff.*

15. da bleibt der stärkste ~ stehen = das ist gänzlich unverständlich, unerträglich, zum Verzweifeln. 1935 *ff.*

16. etw zerlegen wie einen alten ~ = etw genau auseinandersetzen. 1920 *ff.*

Wedel *m* **1.** Feldwebel. „Wedel" steht für das unverstandene „Webel". *BSD* 1965 *ff.*

2. dummer, energieloser Mensch; Mensch ohne eigene Meinung. Ihn kann man hin- und herschwingen wie einen Staubwedel; parallel zu ↗Lappen 7. *Bayr* und *österr*, 1900 *ff.*

3. Penis. Versteht sich als Spreng- oder Weihwedel. 1500 *ff, oberd.*

4. jn mit dem ~ abstauben = jn verprügeln. Verharmlosende Variante zu „↗abreiben 1". *Halbw* nach 1945.

Wedelfuchs *m* „wedelnder" Skifahrer. Fuchs = erfahrener Könner. 1964 *ff.*

Wedelhexe *f* „wedelnde" Skiläuferin. 1964 *ff.*

Wedellehrer *m* Skilehrer. 1964 *ff.*

wedeln *v* **1.** bei der Heimkehr vom Feindflug das Flugzeug absichtlich in schwankende Bewegung versetzen. Gehört zur Sprache ohne Worte: man zeigt auf diese Weise den Abschuß von feindlichen Flugzeugen an. Analog zu ↗wackeln. Fliegerspr. 1939 *ff.*

2. jm ein paar ~ = jn ohrfeigen. Hergenommen von der wedelnden Handbewegung. 1960 *ff.*

3. nach etw ~ = würdelos sich um etw bemühen; schmeicheln. Hergenommen vom Schweifwedeln des Hundes. Seit dem 19. Jh.

Wedler *m* Schmeichler, Liebediener. *Vgl* das Vorhergehende. 1900 *ff.*

Weekendbude (Bestimmungswort *engl* ausgesprochen) *f* **1.** Schrebergartenlaube. *Engl* „weekend = Wochenende". 1920 *ff.*

2. Campingzelt. 1960 *ff.*

Weekendsack (Bestimmungswort *engl* ausgesprochen) *m* Sonntags-, Feiertagskleidung; guter Anzug. *Halbw* nach 1945.

Weg *m* **1.** ~ ohne Umkehr = a) Weg zur Schule, vor einer gefürchteten Klassenarbeit. Geht zurück auf den gleichlautenden Filmtitel des Jahres 1953. *Schül* 1958 *ff.* – b) Musterung. *BSD* 1960 *ff.*

2. feuchter ~ = Besuch vieler Gastwirtschaften. 1920 *ff.*

3. der halbe ~ nach Rom = beim Skat ein Stich mit 30 oder 31 Augen. Kartenspielerspr. 1870 *ff.*

4. auf kaltem ~ = ohne Aufsehen zu erregen; ohne den vorgeschriebenen Dienstweg allzu genau einzuhalten; ohne Umstände. Geht zurück auf chemische Verfahren, bei denen Extrakte ohne Erhitzung hergestellt werden. Seit dem ausgehenden 19. Jh.

5. auf krummem ~ = betrügerisch. ↗krumm 2. 1900 *ff.*

6. krumme ~e = unlautere Machenschaften; schlechte Gewohnheiten; verwickelte Sachlage. 1500 *ff. Vgl engl* „crooked ways".

Unsere Berater kennen den besten Weg.

BAYERISCHE VEREINSBANK

Hauptniederlassung München
Kardinal-Faulhaber-Straße 14
mit 100 Zweigstellen
in München und Umgebung

*Sich auf den Weg machen – um den besten Weg ken-
nenzulernen. Was hier, auf diesem Plakat, unter einem solchen Weg verstanden werden soll, bedarf eigentlich keiner weiteren Erklärung; denn da soll etwas
auf den Weg gebracht werden (**Weg 8a.**), möglichst
unter Umgehung des sogenannten krummen Weges
(**Weg 6.**, vgl. **Weg 10b.**). Diese Wege sind manchmal so schmal und unübersichtlich, daß man gut daran täte, sich vorher genau zu vergewissern, ob man da
jemandem begegnet, dem man eigentlich nicht über
den Weg trauen sollte (**Weg 16.**). Die Wendung
führt zurück in eine Zeit, als das Reisen noch voller
Gefahren war und man nicht sicher sein konnte, ob eine solch flüchtige Begegnung nicht eine sehr unangenehme Wiederholung finden würde.*

7. über den kurzen ~ = in gedrängter Form. Der
kurze Weg ist die Abkürzung. 1950 *ff.*
8. vom graden ~ abweichen = bezecht torkeln.
Der gerade Weg ist der „Pfad der Tugend".
1870 *ff.*
8 a. etw auf den ~ bringen = eine Sache anbah-
nen, beginnen, regeln. 1920 *ff.*
9. jm den ~ freischießen = jm das berufliche
Fortkommen erleichtern. Vom *Milit* gegen 1950
übernommen.
10. krumme ~e gehen = a) beim Skatspiel die erforderliche Punktzahl ohne Ausspielen der Buben
erreichen. Der krumme Weg meint hier sinnbildlich den unüblichen Weg, vor allem im Gegensatz
zu den Fahrstraßen. Kartenspielerspr. 1870 *ff.* –
b) unehrlich handeln. Seit dem 19. Jh.
11. den unteren ~ gehen = sich bescheiden; nachgeben; Unannehmlichkeiten auf sich nehmen, um
sein Ziel zu erreichen. Wahrscheinlich vom unteren Instanzenweg hergenommen. 1900 *ff.*

12. der ~ zur Hölle ist mit guten Vorsätzen gepflastert = gute Vorsätze werden selten eingehalten.
↗ Hölle 6.
13. den ~ zwischen die Beine nehmen = eine weite Strecke zu Fuß zurücklegen; kraftvoll aus-
schreiten. 1800 *ff.*
14. räum' dich aus dem ~! = geh weg! 1950 *ff.*
15. gut bei ~e sein = wohlauf sein. Man ist gut zu
Fuß, ist rüstig. Seit dem 19. Jh.
16. jm nicht über den ~ trauen = jn beargwöh-
nen; jn für heimtückisch halten. Stammt aus der
Zeit, als Reisen zu Fuß, Pferd oder Wagen gefährlich waren und unbekannten Reisegenossen nicht
zu trauen war. Seit dem 19. Jh.
17. du kannst zwar einer alten Frau den falschen
~ zeigen, aber . . .: Redewendung auf einen Prahler. *BSD* 1965 *ff.*

weg *adj* abgefahren, geflohen, verschwunden (der
wege Omnibus; der wege Häftling). Seit dem
19. Jh.

wegangeln *v* jm einen ~ = a) jn abwerben. Vom
Angler übernommen. 1900 *ff.* – b) einem Mädchen den Liebhaber abspenstig machen. ↗ angeln 2. 1900 *ff.*

wegbauen *tr* zackig einen ~ = stramme Ehrenbezeugungen vollführen. ↗ Männchen 4; ↗ zackig.
Sold 1935 *ff.*

wegbeißen *tr* jn durch Unfreundlichkeit vertreiben; jn von seinem Platz, aus seinem Posten verdrängen. Übertragen von den Hunden, die einander vom Futternapf wegbeißen. Seit dem 19. Jh.

wegbekommen *tr* **1.** etw beseitigen können. Seit
dem 18. Jh.
2. sich etwas Schlimmes zuziehen. 1800 *ff.*
3. etw herausfinden, ergründen, begreifen. Parallel zu ↗ rauskriegen. Seit dem 19. Jh.

wegblasen *tr* **1.** jn töten. Blasen = feuern. Man
bläst dem Betreffenden das Lebenslicht aus.
1940 *ff.*
2. etw durch eine Sprengung o. ä. vernichten.
1900 *ff.*

wegbleiben *intr* **1.** aus der Narkose nicht mehr erwachen; sterben. Man bleibt für immer be-
wußtlos. 1900 *ff*, medizinerspr. und *sold.*
2. nach der Rauschgifteinspritzung nicht mehr zu
(klarem) Bewußtsein kommen. 1960 *ff.*

wegbrechen *v* sich einen ~ = sehr dienstfertig
sein. Man denkt sich, vor lauter Verbeugungen
müsse man sich das Rückgrat brechen. *Vgl* auch
↗ abbrechen 1; ↗ Verzierung 1. 1900 *ff*, sächs.

wegbuckeln *tr* etw wegtragen. ↗ buckeln. 1900 *ff.*

wegbuddeln *intr* versinken. Buddeln = trinken.
Daher parallel zu „↗ absaufen". *Marinespr*
1914 *ff.*

wegbügeln *tr* strittige Dinge beseitigen. ↗ ausbü-
geln. 1900 *ff.*

wegbugsieren *tr* eine Person oder Sache wegschaffen. ↗ bugsieren. 1800 *ff.*

wegbuxen *tr* etw entwenden. ↗ buxen. 1700 *ff.*

wegdrücken *tr* **1.** etw aufessen. ↗verdrücken. *BSD* 1965 *ff.*
2. durch Preisminderung eine Ware günstig absetzen, ehe sie unverkäuflich wird. 1955 *ff.*

wegduseln *intr* einschlafen. ↗duseln. 1920 *ff.*

'**weg'ekeln** *tr* jm das Verbleiben verleiden. ↗rausekeln. 1870 *ff.*

Wegelagerer *m* Mensch, der Autofahrer um unentgeltliche Mitnahme bittet. Eigentlich der Strauchdieb. 1970 *ff.*

wegen *präp* von ∼! = ausgeschlossen! Ausdruck der Ablehnung, der Abweisung. „Von wegen" ist die ältere Form von „wegen" (von Amts wegen). Ihre selbständige Geltung beruht darauf, daß man auf eine Äußerung eingeht, aber in den meisten Fällen nur das entscheidende Stichwort in verneinendem Tonfall wiederholt und ein stark betontes „von wegen!" anschließt. (Beispiel: A.: Wir könnten ihn doch besuchen. B.: Den? Von wegen!) Spätestens seit 1800.

'**wegeskamo'tieren** *tr* etw verschwinden lassen, beiseite schaffen. Pleonastische Eindeutschung aus *gleichbed franz* „escamoter", das „weg- = hinweg-, fort-" bereits enthält. Seit dem 18. Jh.

wegfahren *v* er fährt im Jahr etwas weg = übers Jahr ist er viel mit dem Fahrzeug unterwegs. „Weg-" bezieht sich auf die Entnahme eines Teils aus einer Menge. 1920 *ff.*

wegfinden *v* **1.** *tr* = etw entwenden. ↗finden 1. 1900 *ff.*
2. nicht ∼ = ungebührlich lange verweilen. Man findet nicht den Weg hinaus. 1900 *ff.*

wegfischen *v* jm etw ∼ = jm im Nehmen zuvorkommen. ↗fischen 2. 1600 *ff.*

Wegflieger *m* von einem Mädchen abgewiesener junger Mann. Fliegen = entlassen werden; „wegfliegen" meint auch „weggeworfen werden". *Halbw* 1955 *ff.*

weggabeln *v* jm etw ∼ = jm listig und schnell etw wegnehmen. Hängt zusammen mit dem Essen mehrerer aus einer gemeinsamen Schüssel. Seit dem 18. Jh.

weggeblasen *part* es ist wie ∼ = es ist plötzlich verschwunden. Leitet sich her vom Blasen auf schmerzende Körperstellen, „brennende" und „juckende" Wunden o. ä. Der kühlende Hauch wirkt reizlindernd. Seit dem 18. Jh.

weggehen *intr* **1.** gut verkäuflich sein. Kaufmannsspr. seit dem 19. Jh.
2. das Bewußtsein verlieren. 1900 *ff.*
3. sterben; auf dem Operationstisch sterben. Man geht ins Jenseits hinüber. 1870 *ff.*
4. geh weg!: Ausdruck der Ungläubigkeit. Seit dem 19. Jh.
5. geh mir weg mit dem!: Ausdruck der Abweisung. Seit dem 19. Jh.
6. nach und nach ∼ = beim Aufbrechen noch „zwischen Tür und Angel" verweilen und das Gespräch fortsetzen. 1900 *ff.*

weggeschlafft sein erschöpft sein. ↗abgeschlafft. 1966 *ff.*

weggetreten sein 1. geistig ∼ = a) geistesabwesend, besinnungslos sein; begriffsstutzig sein. Hergenommen vom „Wegtreten" des Soldaten aus Reih' und Glied der „angetretenen" Soldaten; von da übertragen auf geistige Abwesenheit. Gegen 1920/30 aufgekommen; *sold* in der Reichswehrzeit; *schül* nach 1945. – b) heftig verliebt sein. Von Verliebten wird behauptet, sie könnten nicht klar denken. *BSD* 1960 *ff.*
2. geistig halb ∼ = geistig abgestumpft sein; nicht mehr völlig Herr seiner Sinne sein. 1939 *ff.*
3. völlig ∼ = volltrunken sein. 1950 *ff.*

weggrapschen (-grapsen) *tr* **1.** etw durch rasches Zugreifen (einem anderen vor-)wegnehmen. ↗grapschen 1. Seit dem 18. Jh.
2. jn verhaften. Seit dem 19. Jh.

weggraulen *tr* jm das Verbleiben verleiden. ↗rausgraulen. Seit dem späten 19. Jh, vorwiegend Berlin.

weggucken *v* **1.** ich gucke dir nichts weg: Redewendung an einen schämigen nackten oder spärlich bekleideten Menschen. ↗abgucken 2. 19. Jh.
2. sich ∼ = starr blicken. 1955 *ff, schül.*

weggurgeln *tr* etw vertrinken, leertrinken. ↗gurgeln. 1900 *ff.*

weghaben *tr* **1.** einen ∼ = a) von etw betroffen sein; getroffen sein. „Weg-" bezieht sich auf die Wegnahme (Hinnahme) eines Teils von (aus) einem Ganzen und kann sowohl „fort" als auch „davon" bedeuten. Man hat z. B. sein Teil von der allgemeinen Trauer oder seinen Anteil am (vom) gegnerischen Beschuß „abbekommen" und „davongetragen". Seit dem 16. Jh. – b) betrunken sein. Verkürzt aus „einen Rausch davongetragen haben". 1700 *ff.* – c) einen Verweis erhalten haben. Seit dem 18. Jh. – d) nicht bei Sinnen sein. Man hat einen Schlag gegen den Kopf erhalten und ist dadurch geistesgestört. 1800 *ff.*
2. etw ∼ = a) etw erfaßt haben; etw gründlich verstehen (in Mathematik hat er was weg). Seit dem 17. Jh. – b) etw eingeheimst, verdient haben; seinen Teil erhalten haben. Seit dem 16. Jh.
3. geistig etw ∼ = klug sein; sehr gescheit sein. Man hat viel Verstand „abbekommen" und „davongetragen". 1900 *ff.*

weghauen *tr* etw verzehren. Von der Speisenmenge „schlägt" man sich einen gehörigen Teil in Mund und Magen. *Vgl* ↗einhauen 2 a. 1920 *ff.*

wegholen *v* **1.** *tr* = jn erschießen, durch Schüsse vertreiben. 1939 *ff.*
2. sich etw ∼ = sich eine Krankheit zuziehen. „Holen" ist Euphemismus für „zufällig erhaschen". 1900 *ff.*

wegixen *tr* Geschriebenes mit der X-Taste der Schreibmaschine ungültig machen. 1920 *ff.*

wegjubeln *tr* anläßlich der Versetzung oder Verabschiedung eines unsympathischen Menschen an der Abschiedsfeier teilnehmen. Man bejubelt sein Weggehen. 1910 *ff*, offiziersspr., beamtenspr. u. a.

wegkapern *tr* etw listig und schnell stehlen. ↗kapern 1. Seit dem 19. Jh.

wegkennen *tr* eine Person oder Sache von anderen unterscheiden. Man erkennt sie aus vielen. *Bayr* 1900 *ff*.

wegknallen *v* 1. *tr* = jn erschießen. ↗abknallen. *Sold* in beiden Weltkriegen.
2. sich was von hinten ~ = Darmwinde laut entweichen lassen. 1920 *ff*.

wegkommen *v* 1. über etw ~ = etw verwinden. Übertragen von der Überwindung eines Hindernisses. Seit dem 19. Jh.
2. jn gut ~ lassen = jn günstig beurteilen; jn nachsichtig behandeln. 1900 *ff*.

wegkrallen *v* jm etw ~ = jm etw entwenden, fortnehmen. ↗krallen 1. 1900 *ff*.

wegkriegen *tr* 1. etw entfernen können (ich kriege die Flecken aus dem Anzug weg). ↗abkriegen 1. Seit dem 18. Jh.
2. etw aufessen können. Seit dem 19. Jh.
3. ein fremdes Gespräch mitanhören; die Unterhaltung anderer belauschen. ↗mitkriegen 2. Seit dem 19. Jh.
4. etw herausfinden, ergründen, verstehen, sich geistig aneignen. ↗abkriegen 4; ↗mitkriegen 2. Seit dem 19. Jh.
5. benachteiligt werden; von etw betroffen werden (vom Regen haben wir viel weggekriegt; bei der Prügelei hat auch er was weggekriegt). ↗abkriegen 2. Seit dem 19. Jh.
6. er ist da nicht wegzukriegen = vom dortigen Aufenthaltsort ist er nicht abzubringen; vom Platz vor dem Ofen ist der Hund nicht wegzulocken. Seit dem 19. Jh.

weglachen *v* sich einen ~ = sich vor Lachen nicht zu halten wissen. 1900 *ff*.

wegloben *tr* einem unbeliebten Menschen durch übermäßiges Loben die Versetzung erleichtern. 1900 *ff*.

weglöffeln *tr* etw verzehren. 1920 *ff*.

weglotsen *tr* jn von etw fortzubringen suchen. ↗lotsen. Seit dem 19. Jh.

wegluchsen *tr* etw heimlich wegnehmen, stehlen. ↗luchsen. 1700 *ff*.

wegmachen *v* 1. *intr refl* = sich entfernen; davongehen; auswandern. Machen = sich begeben (kaufmannsspr.). 1850 *ff*.
2. *intr refl* = sterben. 1850 *ff*.
3. etw ~ = etw fertigmachen, zum Abschluß bringen. 1900 *ff*.
4. etw ~ = etw aufessen. Seit dem 19. Jh.
5. zwei Jahre ~ = eine zweijährige Freiheitsstrafe verbüßen. Seit dem 19. Jh.
6. es ~ (es ~ lassen) = die Leibesfrucht abtreiben (lassen). Seit dem 19. Jh.

wegmampfen *tr* etw aufessen. ↗mampfen. 1900 *ff*.

wegmausen *v* jm etw ~ = jm etw heimlich entwenden. ↗mausen 1. 1600 *ff*.

wegmuffeln *tr* etw genießerisch aufessen. ↗muffeln 3. 1900 *ff*.

wegmüssen *intr* 1. entfernt werden müssen (auf Flecken bezogen). Seit dem 19. Jh.
2. operiert werden müssen (auf den Blinddarm bezogen). Seit dem 19. Jh.
3. umgebracht werden müssen. 1920 *ff*.
4. weggehen müssen. Verkürzt durch Auslassung des Verbs der Bewegung. 1800 *ff*.

wegöden *tr* jm durch Anzüglichkeiten o. ä. das Verbleiben verleiden. ↗öden 1. 1900 *ff*.

wegordnen *tr* etw unauffindbar verlegen. Man ordnet es falsch ein. 1900 *ff*.

wegorganisieren *tr* sich etw auf nicht einwandfreie Weise aneignen; etw listig entwenden. ↗organisieren. *Sold* in beiden Weltkriegen.

wegpacken *v* 1. etw ~ = etw verzehren. ↗packen 1. 1900 *ff*.
2. pack' es weg! = begehre nicht auf! Im Sinne des Vorhergehenden analog zu „↗runterschlukken". *Sold* 1939 *ff*.
3. sich ~ = sich schleunigst entfernen. ↗packen 9. 1900 *ff*.

wegpennen *v* zehn Stunden hintereinander ~ = zehn Stunden ununterbrochen schlafen. ↗pennen. 1940 *ff*.

wegpicheln *v* etw leertrinken. ↗picheln. 19. Jh.

wegpietschen *v* ein Glas Alkohol zu sich nehmen. ↗pietschen. Seit dem 19. Jh.

wegpissen *refl* heimlich, unter einem Vorwand davongehen. Analog zu ↗verpissen. 1840 *ff*, *sold* und *rotw*.

wegpraktizieren *tr* etw heimlich, gewandt stehlen. Praktizieren = auf praktische Weise bewerkstelligen. Seit dem 18. Jh.

wegprügeln *v* er ist nicht wegzuprügeln = er dehnt seinen Besuch übergebührlich aus. 1900 *ff*.

wegpumpen *v* zwanzig ~ = zwanzig Kniebeugen machen. ↗pumpen 3. *Sold* 1939 *ff*.

wegpusten *tr* 1. jn (von etw) herunterschießen, umbringen. ↗pusten 4. 1700 *ff*.
2. eine Zigarette rauchen. ↗pusten 3. 1940 *ff*.

wegputzen *tr* 1. etw ohne Rest verzehren; etw listig wegnehmen, verschwinden lassen, stehlen. ↗verputzen 2. Seit dem 18. Jh.
2. jn verdrängen, durch Beschuß vertreiben, erschießen, ermorden, beseitigen. 1840 *ff*.
3. jn im Sport besiegen. *Sportl* 1920 *ff*.

wegrasieren *tr* etw gründlich zerstören, dem Erdboden gleichmachen, einebnen. ↗rasieren 2. *Sold* in beiden Weltkriegen.

wegräumen *tr* jn verhaften. Man räumt ihn beiseite, damit er nicht weiter stört. 1950 *ff*.

wegröcheln *v* einen ~ = schlafen. ↗röcheln 1. *Sold* in beiden Weltkriegen.

wegrollen *v* einen ~ = ausgiebig schlafen. ↗rollen 3. *Sold* in beiden Weltkriegen.

wegsacken *intr* **1.** untergehen; unter Wasser liegen. ↗absacken. Seemannsspr. 1900 *ff*.
2. durch einen Schuß oder Schlag niederstürzen. Man fällt in sich zusammen wie ein Sack. *Sold* 1914 *ff*.
3. ohnmächtig werden; die Fassung verlieren; in Schlaf sinken. 1920 *ff*.

wegsäubern *tr* jn aus dem Amt entfernen; jn hinrichten, beseitigen. Soll mit den „Säuberungsaktionen" Stalins nach 1935 aufgekommen sein.

wegsaufen *v* er säuft was weg = er ist ein großer Trinker. 1900 *ff*.

wegschaffen *tr* etw meistern, durch zähen Fleiß fertigbringen. Man entfernt es vom Arbeitstisch. 1900 *ff*.

wegscheißen *v* das scheißt sich weg = das regelt sich von selbst auf natürliche Weise; das bereitet keinerlei Schwierigkeit. Das Gemeinte geht mit dem Kot ab. *Sold* in beiden Weltkriegen.

wegschießen *tr* jn aus seinem Amt entfernen. ↗abschießen 3. 1920 *ff*.

wegschlaffen *intr* **1.** er schlafft weg = er ist abgespannt, ohne Schwung. Schlaff = müde, energielos. ↗abschlaffen. 1967 *ff*.
2. der Wind schlafft weg = der Wind flaut ab. 1967 *ff*.

wegschmeißen *v* **1.** *tr* = etw wegwerfen. ↗schmeißen 1. 1700 *ff*.
2. *refl* = a) sich etw vergeben; sich gemein machen. Seit dem 19. Jh. – b) unter dem Stand heiraten. Seit dem 19. Jh. – c) sich aufregen. 1900 *ff*.

Wegschmeißpuste *f* Handgranate. Eine Art Handfeuerwaffe, die man wegschleudert; ↗Puste 5. *BSD* 1965 *ff*.

wegschmieren *intr* **1.** auf dem Eis den Halt verlieren. Übertragen vom Ausgleiten auf einer mit Schmierseife bestrichenen Fläche. 1920 *ff*.
2. das Hinterrad schmiert weg = das Hinterrad schert aus der Fahrtrichtung aus. 1920 *ff*, kraftfahrerspr.

wegschnappen *v* jm etw ~ = jm etw wegnehmen, heimlich oder gewaltsam entwenden. ↗schnappen 1. 1900 *ff*.

wegschupsen *tr* eine Person oder Sache wegstoßen. ↗schupsen 1. 1800 *ff*.

wegschutzen *tr* jn (etw) wegstoßen. ↗schutzen. *Bayr* seit dem 19. Jh.

wegschwemmen *tr* jn aus Amt und Würden verdrängen; jn beseitigen. Hergenommen von der Welle, die über Bord spült. 1900 *ff*.

wegschwimmen *intr* seelisch ~ = den seelischen Halt verlieren. 1920 *ff*.

wegsein *intr* **1.** von wo bist du weg? = woher bist du? aus welchem Ort stammst du? Verkürzt aus „weggegangen sein". 1920 *ff*, *schül* und *stud*.
2. außer sich sein (vor Staunen, Aufregung o. ä.). Wer „außer sich" ist, ist wörtlich „aus sich heraus", ist „von sich fort", ist geistesabwesend. Seit dem 18. Jh.

3. ohnmächtig, besinnungslos, betäubt, erschöpft sein. Seit dem 19. Jh.
4. eingeschlafen sein. Seit dem 19. Jh.
5. betrunken sein. Seit dem 18. Jh.
6. nicht recht bei Verstand sein. 1800 *ff*.
7. tot sein. 1920 *ff*.
8. von etw ~ = von etw hingerissen, entzückt sein; heftig verliebt sein. Vor Begeisterung hat man die Fassung verloren. Seit dem 18. Jh.
9. über etw ~ = etw verwunden haben; sich um etw nicht mehr kümmern. Man ist über das Hindernis hinweggekommen. Seit dem 19. Jh.

wegspitzeln *tr* den Ball mit der Fußspitze wegstoßen. *Sportl* 1950 *ff*.

wegspülen *tr* aus Kummer (Ärger o. ä.) trinken. Man will den Anlaß wegspülen. Seit dem 19. Jh.

wegstecken *tr* **1.** ein Glas Alkohol zu sich nehmen. Man „steckt" das Getränk in die Kehle, wie man einen Gegenstand in die Tasche steckt. 1920 *ff*.
2. einen ~ = koitieren. ↗Fleisch 28. 1920 *ff*.
3. etw widerspruchslos hinnehmen, verwinden. ↗einstecken 2. 1920 *ff*.

wegsteigen *v* über eine ~ = koitieren (vom Mann gesagt). 1920 *ff*.

wegsterben *intr* **1.** sehr verwundert sein. Vor Staunen wird der Betreffende ohnmächtig und sieht aus, als sei er seinem Ende nahe. *Österr* 1945 *ff*, *jug*.
2. stirb weg! = entferne dich! Eigentlich „mit dem Tod abgehen". *Österr* 1945 *ff*, *jug*.

wegstibitzen *v* jm etw ~ = jm etw listig entwenden. ↗stibitzen. 1700 *ff*.

wegstinken *tr* jn durch üble Machenschaften vertreiben. Man verleidet ihm das Verbleiben durch „Gestank" (= Zank, Verleumdung, Lüge). 1870 *ff*.

wegstoßen *tr* **1.** etw rauben, beim Einbruch stehlen. Man stößt den Gegenstand in den Beutesack. 1910 *ff*.
2. eine ~ = schnell eine Zigarette rauchen. ↗stoßen 2. *Sold* in beiden Weltkriegen.
3. einen ~ = hastig ein Glas Alkohol leeren. *Vgl* ↗wegstecken 1. 1900 *ff*.

Wegstrecke *f* Petting. Als Teilstück eines Weges aufgefaßt, der in diesem Abschnitt noch nicht zum eigentlichen Ziel führt. *Halbw* nach 1950 *ff*.

wegtauchen *intr* **1.** besinnungslos werden; sterben. Fußt auf der Vorstellung von Untergehen und Versinken. 1930 *ff*.
2. einem Schlag geschickt (nach unten) ausweichen. 1930 *ff*.
3. sich einer Bedrohung entziehen; sich den Kritikern nicht stellen; offene Aussprache meiden. 1970 *ff*.
4. davongehen; sich dem Dienst entziehen. 1970 *ff*.

wegtorfen *v* einen (was) ~ = ein Schläfchen machen. ↗torfen. Seit dem frühen 20. Jh, *sold*.

wegtrampeln *v* es trampelt sich weg = das gibt sich mit der Zeit; dieser Kummer (Ärger) ist später nicht mehr der Rede wert; davon redet später niemand mehr. ↗vertreten. 1930 *ff.*

Wegweiser *m* **1.** *pl* = Arme. Manche Wegweiser sind als Arm mit hindeutender Hand gestaltet. Wegweiser sind auch die Arme des Verkehrspolizeibeamten. *Sold* 1935 *ff.*
2. *sg* = Halsketten-Anhänger bei einem flachbusigen Mädchen. Ohne ihn könnten Männer den Weg zu den Brüsten nicht finden. Berlin 1945 *ff*, *halbw.*
3. eins achtzig mit ~ = großwüchsiges Mädchen mit spärlich entwickeltem Busen. Berlin 1945 *ff*, *halbw.*

Wegwerf-Auto *n* vorwiegend aus Kunststoff bestehendes Auto. Die Reparatur lohnt nicht. 1965 *ff.*

wegwerfen *refl* **1.** sich etw vergeben. Gemeint ist, daß man die Würde seines Standes oder Amtes vergißt und sich in die gesellschaftliche Niederung begibt. Seit dem 19. Jh.
2. unter dem Stand heiraten. Seit dem 18. Jh.

Wegwerfgesellschaft *f* Wohlstandsgesellschaft, die verbrauchte Gegenstände achtlos wegwirft und schadhafte nicht mehr instandsetzt. 1965 *ff.*

Wegwerfspielzeug *n* leicht zerbrechliche und leicht zu ersetzende Spielsachen aus Plastik. 1965 *ff.*

Wegwerfstrumpf *m* Damenstrumpf zum Preis unter 2 DM. 1962 *ff.*

wegwinken *tr* etw ablehnen. Mit winkender Handbewegung wehrt man ab. 1920 *ff.*

wegwischen *intr refl* unbemerkt davongehen. Analog zu „entwischen". 1920 *ff.*

wegzischen *v* **1.** *intr* = mit dem Auto schnell starten. Man zischt wie eine Rakete ab. 1920 *ff.*
2. einen ~ = hastig ein Glas Alkohol leeren. ↗zischen. 1910 *ff.*

wegzwacken *v* jm etw ~ = jm etw abgewinnen, abnötigen. Analog zu ↗abzwacken. 1900 *ff.*

wegzwitschern *v* **1.** einen ~ = ein Glas Alkohol leeren. ↗zwitschern. 1920 *ff.*
2. *intr* = mit dem Auto starten. 1920 *ff.*

Weh *m* **1.** dummer, einfältiger Mensch. ↗Wehmann. 1900 *ff*, *österr* und *bayr.*
2. Betrogener, Geschädigter. 1900 *ff.*
3. Feigling. Er spiegelt Leiden und Schmerzen vor. 1930 *ff*, *österr.*

Wehdam *m* Leiden, Schmerz. Abgeschliffen aus „Wehtum = Schmerz". Heute vorwiegend unernst gemeint. *Bayr* 1900 *ff.*

wehe *interj* ~, wenn sie losgelassen = Pause zwischen zwei Unterrichtsstunden. Fußt auf dem gleichlautenden Filmtitel (1958). *Schül* 1959 *ff.*

Wehe I *m* Versager. ↗Wehmann. *Sportl* 1930 *ff.*

Wehe II *f* linke ~ = würdelos dienstbeflissener Mann. Die Wehe = das Unglück; link = charakterlos. *BSD* 1965 *ff.*

Wehen *pl* Stuhlverhärtung. Eigentlich die Geburtswehen. *BSD* 1968 *ff.*

Wehhafen *On* Wilhelmshaven. Entstanden aus der üblichen Abkürzung „W-Haven". *Marinespr* 1900 *ff.*

Wehmann *m* wehleidiger, energieloser Mann. Er klagt schon über geringe Schmerzen, sucht Anstrengungen auszuweichen usw. 1900 *ff.*

Wehr *f* **1.** schimmernde ~ = Wehrmacht; das Militär. 1902 geprägt von Alois Graf Lexa von Aehrenthal, dem österreichischen Botschafter in St. Petersburg und späteren Minister des Äußeren und des Kaiserlichen Hauses zu Wien.
2. schwimmende ~ = Kriegsmarine. Dem Vorhergehenden nachgebildet. (1914?) 1955 *ff.*

Wehramateur *m* Wehrpflichtiger. Zum Unterschied vom Berufssoldaten. 1965 *ff.*

Wehrbeitrag *m* **1.** ~ des kleinen Mannes = männlicher Nachwuchs. 1914 aufgekommen in dem Sinne, daß der Mann ohne Vermögen seinen Mangel an Geld für den Wehrbeitrag durch Knabenzeugung wettmacht, getreu der damaligen Devise „Der Kaiser braucht Soldaten". 1933 wiederaufgelebt mit der Prämie für kinderreiche Eltern.
2. ~ des unbekannten Vaters = uneheliches Kind. 1933 *ff.*

Wehrdienst *m* ~ abklopfen (abkloppen) = der Wehrpflicht nachkommen. Versteht sich nach „↗Griffe kloppen". 1900 *ff.*

Wehre'rei *f* unruhiges, ruheloses Benehmen; Hin- und Herlaufen. Gehört zu „sich wehren = sich sperren"; ↗wehrig. 1900 *ff.*

Wehrflüchtling *m* Wehrpflichtiger, der vor Erhalt des Einberufungsbescheids in Berlin wohnhaft wird. Die Bürger West-Berlins sind vom Dienst in der Bundeswehr ausgenommen. 1965 *ff.*

Wehrgehänge *n* männliches Geschlechtsteil. Meint im *Milit* das Koppelzeug; hier beeinflußt von der Vorstellung des Herabhängenden und vom Penis als einer Stichwaffe. 1900 *ff.*

wehrig *adj* unruhig, widersetzlich, aufbegehrend. ↗Wehrerei. 1900 *ff*, *westd.*

Wehrkollege *m* kameradschaftlicher Soldat. Übernommen von der unter Beamten, Ärzten, Ministern usw. üblichen Anrede „Herr Kollege". *BSD* 1965 *ff.*

Wehrkraftzersetzer *pl* Hülsenfrüchte. Sie bereiten Verdauungsschwierigkeiten und wirken so – in scherzhafter Deutung – „wehrkraftzersetzend". *Sold* 1939 bis heute.

Wehrkraftzersetzung *f* venerische Erkrankung. Sie untergräbt die allgemeine Wehrfähigkeit. *Sold* 1939 *ff.*

wehrlos *adj* geistig ~ = überaus dumm. Der Betreffende besitzt keine geistigen Waffen. *Sold* 1935 *ff.*

Wehrmachteigentum *n* ~ nicht beschädigt! = Zielscheibe nicht getroffen! *Sold* Scherzausdruck seit 1935 *ff.*

Wehrmachtmatratze *f* **1.** Prostituierte im Soldatenbordell. ↗Matratze 7. 1915 *ff.*
2. Nachrichtenhelferin. *Sold* 1939 *ff.*
Wehrmachtpullover *m* behaarte Männerbrust. *Sold* 1939 *ff.*
Wehrpflichtiger *m* wie ein ~ fressen = gierig essen. *BSD* 1965 *ff.*
Wehrschaffen *n* frohes ~ = militärische Grundausbildung. *Iron* Zuspruch durch Erweiterung der Wunschformel „frohes Schaffen!". *BSD* 1968 *ff.*
Wehrsold-Grab *n* anrüchiges Lokal. Dem „↗Groschengrab" nachgebildet. *BSD* 1965 *ff.*
Wehrsport *m* „Wettkampf" um einen freiwerdenden Parkplatz. 1938 *ff.*
Wehrsteuer-Zerstäuber *m* Düsenflugzeug. Nach 1945 aufgekommen in Anspielung auf den sehr hohen Stückpreis.
Wehrung *f* eine ~ drinhaben = als Alleinspieler gute Erfolgsaussichten bei einem kontrierten Spiel haben. Der Spieler kann sich gegen die beiden Gegner mit günstigeren Karten wehren. Kartenspielerspr. 1970 *ff.*
Wehschnittchen *n* Schneewittchen. Wortspielerei. 1920 *ff.*
wehtun *v* was mir wehtut = Spielansage „Kreuz". Wortspiel mit „Kreuz = Treff" und „Kreuz = Rücken". Kartenspielerspr. 1920 *ff.*
Wehweh (Wehwehchen, Wehwehderl) *n* Schmerzen; Wunde; Verletzung. *Gleichbed* schon *ahd* „wewo". Kinderspr. Ausdruck, mundartlich und *lit* seit dem 18. Jh belegt.
Wehwehbein *n* schmerzendes Bein. In dieser Weise gibt es mit „Wehweh-" als Bestimmungswort Bezeichnungen für jegliche schmerzende Körperstelle. Seit dem 19. Jh.
Wehwehchenzelt *n* Truppenverbandplatz. *Sold* 1939 *ff.*
Weh'wehtscherl *n* Unpäßlichkeit. *Österr* 1900 *ff.*
wei *interj* ↗wai.
Weib *n* **1.** *pl* = Mädchen. In Kreisen der Jugend seit 1930 vorwiegend in *abf* Sinn verbreitet.
2. feuchtes ~ = a) leicht zu Tränen neigende weibliche Person. Fußt in Entstellung wahrscheinlich auf Goethes Ballade „Der Fischer". 1900 *ff.* – b) liebesgierige Frau. Anspielung auf Vaginalsekretion bei geschlechtlicher Erregung. 1900 *ff.* – c) Menstruierende. 1900 *ff.*
3. irres ~ = schönes Mädchen mit modernen Ansichten. ↗irr 1. *Halbw* 1955 *ff.*
4. ~ fassen = Umgang mit einem Mädchen suchen. ↗fassen 1. *BSD* 1965 *ff.*
5. das kann ein altes ~ mit dem Stock fühlen = das ist sehr leicht zu begreifen. Bezieht sich eigentlich auf eine Blinde. Seit dem 19. Jh.
6. auf den ~ern rumrutschen = (als Mann) huren. 1920 *ff.*
7. er stemmt dicke ~er: Antwort auf die Frage, wo einer ist. „Stemmen" meint sowohl „hochheben" als auch „koitieren". *BSD* 1965 *ff.*

„Die Notzucht", jenes Gemälde des surrealistischen Künstlers René Magritte zeigt. durchaus in der Tradition der Analysen Sigmund Freuds, eine Korrespondenz zwischen Körperteilen und Körperöffnungen auf, die recht gut zu versinnbildlichen vermag, worauf es beim Weib der Umgangssprache zuallererst ankommt (vgl. **Weib 2 b.**, **4.**, **6.**, **7.**). *Viele Werke dieses Malers gingen in Adaptionen in die Werbung ein. Und so auch dieses Motiv: „Nach Vorlage des Bildes ‚Die Notzucht' wurde für die „Rolling Stones" nicht nur ein Fan-Poster für die Pinnwand, sondern 1973 auch die Hülle für ihre Single ‚Angie/Silver Train' gefertigt. Ein Werk des belgischen Surrealisten, welches das Titelblatt der Breton-Schrift ‚Qu'est-ce que le Surréalisme' (1934) schmückte und als Bildbeispiel zur Surrealismusdefinition im ‚Dictionaire abrégé du Surréalisme' diente, wird mit geringfügigen Änderungen . . . zur Kunst im Kommerz, zur Verpackung mit uneinsichtiger Verbindung zum Produkt" (Heinz-Gerhard Wilkens, Phantastik und Warenästhetik).*

Weibel *m* Feldwebel. Im Mittelalter Bezeichnung für den Gerichtsboten; über „Feldweibel" zur heutigen Vokabel weiterentwickelt. *BSD* 1965 *ff.*
Weibergeklätsch *n* haltloses Gerede. ↗klatschen. 1870 *ff.*
Weibergeschichten *pl* **1.** Liebesabenteuer mit Frauen. Seit dem 19. Jh.
2. nackte ~ (Nackte-Weiber-Geschichten) = Intimitäten mit unbekleideten Frauen. 1900 *ff.*

Weiberhengst *m* Frauenheld. ↗Hengst 1. 1920 *ff*.

Weiberkram *m* **1.** Angelegenheit von Frauen. Seit dem 19. Jh.
2. automatische Gangschaltung; Synchrongetriebe. Angeblich kommt diese Neuerung nur den (für fahruntüchtig gehaltenen) Kraftfahrerinnen zugute. 1965 *ff*.

Weiberleiberhandel *m* Prostitution. 1900 *ff*.

Weiberleute *pl* auf die ~ gehen = den Mädchen nachstellen. *Bayr* 1920 *ff*.

Weiberlob *m* Penis. 1920 *ff*.

Weibermuffel *m* Frauenfeind. ↗Muffel 2. 1968 *ff*.

weibern *intr* jammern. Vermeintlich ist Jammern eine Eigenheit der Frauen. *Schül* 1940 *ff*, Wien.

Weiber-Ora *f* Mädchen-Oberrealschule. ↗Ora. 1930 *ff*.

Weiber-Pachtmarkt *m* Badeort. 1960 *ff*.

Weiberpenne *f* Mädchengymnasium. ↗Penne 2. Seit dem ausgehenden 19. Jh.

Weiberrock *m* hinter jedem ~ hersein = jeder Frau nachstellen. Seit dem 19. Jh (wohl älter).

Weiberzirkus *m* weibliche Verwandtschaft; Gesamtheit der Mitarbeiterinnen (abf). ↗Zirkus. 1930 *ff*.

Weibi *n* **1.** kleines Mädchen (Kosewort). *Oberd*, seit dem 19. Jh.
2. Frau (Kosewort). *Oberd*, seit dem 19. Jh.

Weiblein *n* intime Freundin eines Halbwüchsigen. *Halbw* 1955 *ff*.

Weiblichkeit *f* holde ~ = die Frauen. 1870 *ff*.

Weibsbild *n* weibliche Person *(abf)*. Ursprünglich soviel wie „Gestalt, Erscheinung eines Weibes", dann wertneutral verallgemeinert für „Frau, Weib". Der verächtliche Nebensinn kam im 16. Jh auf und setzte sich im 17. Jh durch. Vorwiegend *oberd*.

Weibsen *pl* Frauen (nicht unbedingt *abf*). Aus *mhd* „wibes name" seit dem 17. Jh zusammengewachsen.

Weibsstück *n* Frau *(abf)*. „Stück" steht hier neutral für die Person. Seit dem späten 16. Jh.

Weibsteufel *m* unverträgliche Ehefrau. Sie ist ein „↗Teufel" von Weib. Seit dem 19. Jh.

weich *adj* **1.** gebrechlich. Von der Knochenerweichung hergenommen. 1920 *ff*.
2. nicht mehr zeugungsfähig. Der Penis wird nicht mehr steif. 1920 *ff*.
3. ~ gefedert = a) sehr zugänglich; nachgiebig. Hergenommen von der Fahrzeugfederung. *Sold* 1940 *ff*. – b) schwermütig; hochempfindlich; schnell zu Tränen geneigt. Wohl auch beeinflußt von der Metapher „↗Prinzessin auf der Erbse". 1940 *ff*.
4. ~ verpackt = sanftmütig; leicht verletzbar. Anspielung auf „Verpackung = Haut". 1960 *ff*, Berlin.
5. jn ~klopfen = jn mit Nachdruck gefügig machen; jn überreden. Leitet sich her entweder vom Weichklopfen eines Koteletts oder Steaks oder von Hieben, mit denen man Nachgiebigkeit erzwingen will. 1890 *ff*.
6. jn ~kneten = jn gefügig machen. Von der Massage übertragen. 1950 *ff*.
7. jn ~kochen = jn beschwatzen, umstimmen, zermürben. Hergenommen vom Weichkochen der Eier, vom Garen einer Speise. *Sold* und *ziv* 1914 *ff*.
8. jn ~ kriegen = jn zum Nachgeben bewegen; jn rühren. 1900 *ff*.
9. jn ~machen = a) jn nachgiebig stimmen. Seit dem 19. Jh. – b) jm ein Geständnis entlocken. 1900 *ff*. – c) jn nervös machen. Der Betreffende wird nachgiebig, um nicht länger belästigt zu werden. 1900 *ff*.
10. jn ~ quatschen = jn beschwatzen. 1920 *ff*.
10 a. jn ~ reden = jn nachgiebig stimmen. Seit dem 19. Jh.
11. ~ im Kopf (im Gehirn) sein = nicht recht bei Verstand sein. Anspielung auf Gehirnerweichung. 1930 *ff*.
12. ~ sein = zum Geständnis bereit sein. Man hat lange auf den Betreffenden eingeredet und schließlich seinen Widerstand gebrochen. 1920 *ff*.
13. jn ~stoßen = jn zu einer Sache überreden. Man erweicht ihn mit Hilfe von Stößen, mit Androhung von Prügeln u. ä. Berlin 1930 *ff*.
14. ~ werden = a) sich rühren lassen; nachgeben. Hängt zusammen mit den Metaphern „weiches Gemüt" und „es wird ihm weich ums Herz". Seit dem 19. Jh. – b) ein Geständnis ablegen; das Abstreiten und Lügen aufgeben. 1920 *ff*.
15. ~ in den Knien werden = Angst bekommen. Die Knie zittern einem. 1900 *ff*.

Weiche *f* **1.** die ~n stehen falsch = so nimmt die Sache einen falschen Verlauf. Hergenommen vom Eisenbahnwesen. 1900 *ff*.
2. die ~n stellen = die Maßnahmen zur Erreichung eines Zieles festlegen; vorbereitende Maßnahmen treffen; jm keine andere Ausführungsmöglichkeit lassen als die erzwungene. 1900 *ff*.
3. die ~n sind gestellt = über die Wege zur Erreichung eines Zieles hat man sich geeinigt. 1900 *ff*.
4. die ~ falsch stellen = a) Aufstoßen haben. Die Luft nimmt einen falschen Weg. 1920 *ff*. – b) einen Darmwind entweichen lassen. 1920 *ff*.
5. die ~n falsch stellen = schwerwiegende Fehler begehen; sich gröblich irren. 1900 *ff*.
6. jm in die ~n treten = a) jn anspornen. Übertragen vom Reiter, der dem Pferd die Sporen in die Weichen (= Flanken, Weichteile) tritt. 1900 *ff*. – b) jn empfindlich treffen; jn schwerwiegend kränken. 1900 *ff*. – c) jn zu etw nötigen, zwingen; jm hart zusetzen. 1900 *ff*.
7. jm die ~ verstellen = a) jn auf eine falsche Spur locken. 1935 *ff*. – b) jn in seinem Vorhaben behindern. 1935 *ff*.

¹**Weichei** *n* energieloser, feiger Mensch. ↗Ei 32. *BSD* 1965 *ff*.

Weichenschmierer *m* Bundesbahnbeamter. 1950 ff.

Weichensteller *m* **1.** Diplomat, der insgeheim die Politik eines Staates entscheidend beeinflußt, ohne selbst in Erscheinung zu treten. Im ausgehenden 19. Jh aufgekommen mit Bezug auf Friedrich von Holstein (1837–1909), den Vortragenden Rat im Auswärtigen Amt (auch „Graue Eminenz" genannt). Den Weichensteller im Stellwerk bekommt von den Reisenden kaum einer zu Gesicht.
2. Mensch, der die Richtlinien für künftiges Vorgehen bestimmt. 1950 ff.
3. Mensch, der die Fragen des Prüfenden auf das vom Prüfling gründlich beherrschte Fachgebiet zu lenken versteht. 1920 ff.
4. *pl* = Bodenpersonal der Luftwaffe. *Sold* 1935 bis heute.
5. ∼ des Himmels = Flugsicherungspersonal. 1960 ff.

Weichenstellung *f* Beeinflussung einer Entwicklung. 1900 ff.

Weicher *m* Geschlechtskrankheit. Verkürzt aus „weicher Schanker". 1900 ff.

weichklopfen *tr* ↗ weich 5.

weichkneten *tr* ↗ weich 6.

weichkochen *tr* ↗ weich 7.

Weichling *m* energieloser, verweichlichter Mann. 1500 ff.

Weichmache *f* Vorgehen, durch das einer gefügig gemacht wird. ↗ weich 9. 1930 ff.

weichmachen *tr* ↗ weich 9.

Weichmacher *m* **1.** Mensch, der einen durch übermäßig ausführliche, rührselige Mitteilungen nervös macht. ↗ weich 9 c. *Sold* in beiden Weltkriegen.
2. Mann, der milde Gaben sammelt oder Helfer wider die Not sucht. ↗ weich 9 a. Vielleicht beeinflußt vom Werbespruch der Firma Henkel & Cie in Düsseldorf für „Vernell, der große, grüne Weichmacher, spült die Wäsche weich, duftig und frisch". 1969 ff.
3. Mensch im Kampf gegen verhärtete Ansichten. 1970 ff.
4. Gummiknüppel. ↗ weich 5. 1960 ff.

Weichmann *m* **1.** energieloser Mensch. Weich = willensschwach. 1920 ff.
2. Feigling; verwöhnter Mann. *Sold* 1939 ff, halbw 1955 ff.

weichstoßen *tr* ↗ weich 13.

Weichtier *n* energieloser, feiger Mann. 1955 ff.

Weide *f* **1.** ∼ für Benzinpferde = Parkplatz. 1950 ff.
2. fette ∼ = gewinnbringendes Betätigungsfeld. Kaufmannsspr. 1870 ff.
3. sie muß noch etliche Jahre auf die ∼: Redewendung angesichts eines schmächtigen Mädchens. Es muß sich körperlich erst noch entwickeln wie ein Kälbchen, ein Fohlen o. ä. 1960 ff.

Weidebutter *f* Kuhfladen. Eigentlich die während der Weidezeit erzeugte Butter. 1900 ff.

weiden *intr* **1.** einen materiellen Vorteil erzielen, ohne ihn verursacht zu haben; vom Mitschüler absehen, abschreiben. Man grast ab, was man nicht selbst gesät hat. 1950 ff, schül.
2. beim Kartenspiel Stich auf Stich machen. Übertragen von der Herausnahme der Eingeweide bei Schlachttieren; vgl ↗ ausnehmen 1. Kartenspielerspr. 1840 ff.
3. bei jm ∼ = bei jm literarische Anleihen machen. Man grast auf fremder Weide. 1920 ff.

Weideplatz *m* geistiger ∼ = Bildungsstätte; Schule, Universität usw. 1955 ff.

Weidmannsheil *interj* Zuruf an einen, der Läuse sucht. Eigentlich der Gruß für den zur Jagd ausziehenden Jäger. *Sold* 1939 ff.

Weidmannskluft *f* Jägerkleidung. ↗ Kluft. 1920 ff.

Weife *f* anhaltend dumm und langweilig schwätzende Frau. Eigentlich die Haspel, das hin- und herfahrende Weberschiffchen. *Südwestd* und fränkisch, 1800 ff.

Weihkesselkompanie *f* Gruppe von Leuten, die während des Gottesdienstes an der Kirchentür (beim Weihwasserkessel) stehen bleiben. Verkürzt aus ↗ Weihwasserkesselkompanie. *Bayr* 1920 ff, geistlichenspr.

Weihnachten I *f* **1.** ein Gefühl wie ∼ = ein Gefühl von Behaglichkeit, Sauberkeit, Herzlichkeit, Friedlichkeit, von ungetrübter Annehmlichkeit; gelegentlich auch *iron* gemeint. Oft mit dem Zusatz: „nur nicht so feierlich". Übertragen vom Fest der Besinnlichkeit, der freudigen Erwartung, des Friedens. 1900 ff.
2. heiße ∼ = unter südlicher Sonne verbrachter Weihnachtsurlaub. Werbetexterspr. 1960 ff.
3. lieber nichts zu ∼!: Ausruf, mit dem man eine Zumutung zurückweist. 1930 ff.
4. lieber zehn (fünf) Jahre nichts zu ∼: Ausdruck der Ablehnung, auch der Beteuerung. 1930 ff.
5. sich freuen wie ein Kind auf ∼ = in froher Erwartung sein. Seit dem 19. Jh.
6. es war wie an ∼ = es war eine freudige Überraschung, ein besonderer Glücksfall. *Sportl* 1950 ff.

„Weihnachten" in einer Darstellung von Ludwig Richter (1803–1884), die, obwohl sie voll und ganz den sentimental-verklärenden Vorstellungen entspricht, die man sich gern von der „guten, alten Zeit" macht, dennoch viel von dem ausdrückt, was im alltäglichen Sprachbewußtsein auch heute noch mit diesem besonderen Fest verbunden wird (vgl. **Weihnachten 1., 5., 6.**). Da spielen natürlich Erinnerungen an die Kinderzeit eine Rolle (vgl. **Weihnachten 5.**), die Lichter, das ungeduldige Warten und, nicht zu vergessen, die Geschenke, die da einfach dazugehören (vgl. **Weihnachten 3., 4.**).

Ehre sey Gott in der Höhe
Friede auf Erden.

A. GABER

7. deine Sorgen wünsche ich mir zu ~ = deine Sorgen sind unbedeutend. *Österr* 1950 *ff.*

Weihnachten II *n* **1.** Weihnachtsgeschenk; Weihnachtsgratifikation. Parallel zu ↗Christkindchen 2. Seit dem 18. Jh.

2. ein schönes ~ = eine äußerst unangenehme Überraschung. Ironie. Seit dem 19. Jh.

Weihnachtsabend *m* sich benehmen wie ein Kind am ~ = unbeschwert fröhlich, ausgelassen sein. 1930 *ff.*

Weihnachtsbaum *m* **1.** Angriffsmarkierung (Zielausleuchtung) für Flugzeuge. Parallel zu ↗Christbaum 1. *Sold* und *ziv* 1939 *ff.*

2. ~ von der Stange = Weihnachtsbaum aus Kunststoff. ↗Stange 8. Die Sache selbst ist wesentlich älter als die Vokabel. 1965 *ff.*

3. angeputzt (geputzt) wie ein ~ = geschmacklos gekleidet. 1910 *ff.*

4. am ~ die Lichter brennen = der Schleim tritt aus der Nase. Hier ist „↗Licht 2" in die Anfangszeile eines Weihnachtsliedes verkleidet. 1900 *ff.*

5. strahlen wie ein ~ = über das ganze Gesicht strahlen. 1920 *ff.*

Weihnachtsbaumrolle *f* sehr gefühlvolle, ans Gemüt rührende Bühnenrolle. Theaterspr. 1920 *ff.*

Weihnachtsbummel *m* Schlendern durch die Geschäftsstraßen zur Weihnachtszeit. ↗Bummel 1. 1930 *ff.*

Weihnachtsgans *f* **1.** dumme weibliche Person. Erweiterung von „↗Gans 1". 1920 *ff.*

2. jn ausnehmen wie eine ~ = a) jn gründlich ausbeuten; jm das letzte Geld abnehmen, abgewinnen. Veranschaulichung von „↗ausnehmen 1". 1870 *ff.* – b) jn entwürdigend behandeln. Redewendung schikanöser Soldatenausbilder. *Sold* 1939 *ff.* – c) jn gründlich ausfragen; jn einem Verhör unterziehen. 1950 *ff.*

3. ein Auto ausnehmen wie eine ~ = ein altes Auto bis aufs letzte wiederverwendbare Teil auswerten. 1940 *ff.*

4. jn ausschlachten (rupfen) wie eine ~ = jm viel Geld abnötigen. 1920 *ff.*

5. gestopft wie eine ~ = mit viel Geld versehen. 1960 *ff, kellnerspr.*

Weihnachtskerze *f* erigierter Penis. 1965 *ff, prost.*

Weihnachtslicht *n* ihm geht ein ~ auf = endlich begreift er. Weiterführung von „ihm geht ein ↗Licht auf". 1925 *ff.*

Weihnachtsmann *m* **1.** wunderlicher, einfältiger, begriffsstutziger Mann. Weil nur noch kleine Kinder an ihn glauben, wird der Weihnachtsmann zur Sinnbildgestalt der Einfalt und Dummheit. Die Verwendung des Worts in diesem Sinne wurde laut Bericht der Stuttgarter Zeitung vom 13. August 1955 als „unparlamentarisch" gerügt. Ein Mann, der einem Polizeibeamten „Weihnachtsmann!" zugerufen hatte, wurde von einem Gericht 1956 zu einer Geldstrafe von 100 DM verurteilt, weil das Wort „eine beleidigende Schärfe"

enthalte. Um 1920 aufgekommen, vorwiegend *schül, stud* und *sold.*

2. Buckliger. Weil der Weihnachtsmann auf seinem Rücken den Sack mit den Geschenken trägt. *BSD* 1965 *ff.*

3. Volkssturmmann. Die meisten Volkssturmmänner waren alt, und weisungsgemäß hatten sie zu glauben, daß ihr Einsatz den „Endsieg" bringen werde. 1944 *ff.*

4. so ein ~!: Redewendung zur Kennzeichnung eines altbekannten Witzes. Weiterführung von ↗Bart 8. 1939 *ff.*

5. sich über etw freuen wie beim ~ = über etw sehr erfreut sein. 1930 *ff.*

6. noch an den ~ glauben = geistesbeschränkt, weltunerfahren, leichtgläubig sein. *Vgl franz* „croire au Père Noël". 1920 *ff.*

7. du hast wohl einen kleinen ~?: Frage an einen, der unsinnige Behauptungen aufstellt oder unerfüllbare Pläne entwickelt. 1920 *ff.*

8. der ~ war da: Ausruf, wenn man beim Kartenspiel einen Stich mit hoher Augenzahl eingeheimst hat. Kartenspielerspr. 1900 *ff.*

9. strahlen wie ein ~ = freudestrahlend blicken. 1920 *ff.*

Weihnachtsnepp *m* Käuferübervorteilung zu Weihnachten. ↗Nepp. 1955 *ff.*

Weihnachtspaket *n* Stich von mehr als 30 Augen. Man freut sich über ihn wie über ein unerwartetes Weihnachtspaket. Kartenspielerspr. 1900 *ff.*

Weihnachtsputer *m* jn ausnehmen wie einen ~ = jm alles Geld abgewinnen, abnötigen. ↗Weihnachtsgans 2. 1960 *ff.*

Weihnachtsrummel *m* üble Geschäftemacherei aus Anlaß des Weihnachtsfestes. ↗Rummel. Spätestens seit 1950.

Weihnachtsschnulze *f* rührselig-gemütvolle Darbietung der biblischen Weihnachtsgeschichte. ↗Schnulze 1. 1950 *ff.*

Weihnachtsspeck *m* Zunahme des Bauchumfangs o. ä. während der Weihnachtsfeiertage. 1965 *ff.*

Weihnachtsvogel *m* Weihnachtsgans o. ä. 1925 *ff.*

Weihrauch *m* **1.** ~ und Knoblauch = Katholizismus und Judentum; Katholiken und Juden. Weihrauch als Räuchermittel in der katholischen Kirche und Knoblauch als beliebtes Gewürz der (Ost-)Juden sind hier formelhaft verbunden, weil man es für klug hält, zu beiden nicht in Gegensatz zu treten, um nicht in Nachteil zu geraten. Aufgekommen im späten 19. Jh, wohl im Zusammenhang mit dem Kulturkampf und mit antisemitischen Strömungen.

2. den vielen ~ nicht vertragen können = durch Ehrungen übermütig, dünkelhaft werden. 1950 *ff.*

Weihrauchbunker *m* schmuckloser Kirchenbau aus Beton. 1957 *ff.*

Weihrauchscheune *f* Kirchengebäude. 1960 *ff.*
Weihwasser *n* **1.** Branntwein. Er hat vielerlei Segenskraft: er vermittelt Belebung, Erwärmung, Mut, Unternehmungsgeist usw. 1830 *ff.*
2. ~ pinkeln = ein überzeugter Katholik sein. 1960 *ff,* Münster in Westfalen.
Weihwasserkesselbewachungsverein *m* katholische Gottesdienstbesucher, die im rückwärtigen Teil der Kirche stehen bleiben. Dem „Technischen Dampfkesselüberwachungsverein" (heute Technischer Überwachungsverein) nachgebildet. Geistlichenspr. 1960 *ff.*
Weihwasserkesselkompanie *f* Gruppe von Leuten, die während des Gottesdienstes an der Kirchentür (in der Nähe des Weihwasserkessels) stehen bleiben. Bayr 1920 *ff,* geistlichenspr.
Weihwasser-Schwof *m* Tanzvergnügung der katholischen Jugend. ↗Schwof. „Weihwasser" spielt auch auf alkoholfreie Getränke an. 1960 *ff.*
Weihwedel *m* **1.** Abortbürste. Wegen einer gewissen Formähnlichkeit. 1900 *ff.*
2. Penis. ↗Wedel 3. *Österr* 1900 *ff.*
3. Gummiknüppel. 1920 *ff.*
Weilbrief *m* erst nach mehreren Tagen zugestellter Eilbrief. In der Zwischenzeit hatte er gute Weile. 1966 *ff.*
weilen *intr* sich irgendwo aufhalten (Familie Müller hat im Urlaub in München geweilt). Gilt manchen als Ausdruck gehobenen Sprach- und Lebensstils. *Vgl* ↗Mauernweiler. Seit dem 19. Jh.
weimern *intr* wehleidig jammern. Schallnachahmender Herkunft. Verwandt mit „wimmern". *Niederd* seit dem 19. Jh.
Wein *m* **1.** ~ mit Knallkorken (Böllerkorken) = Sekt. Böller = Kanonenschlag. 1900 *ff,* gaststättenspr.
2. ~ ohne Reue = Rieslingwein. Fußt auf dem Reklamespruch „Genuß ohne Reue", mit dem eine Zigarettenfirma für ihre Erzeugnisse wirbt. Auf den Wein bezogen, ist gemeint, daß er kein Unbehagen, keine Kopfschmerzen verursacht, so daß man seinen Genuß nicht zu bereuen braucht. 1959 *ff.*
3. ~ zum Weinen = übermäßig teurer Wein. 1960 *ff.*
4. ~, der auf der Kellertreppe (-stiege) gewachsen ist = verwässerter Wein. Man vermutet, er stehe in Verbindung mit dem Wasser, das man für das Treppenwischen verwendet hat. *Österr* 1900 *ff.*
5. christlicher ~ = verwässerter Wein. Spielt an auf „↗taufen 1". 1920 *ff.*
6. ehrlicher ~ = unverwässerter, naturreiner Wein. Der Flascheninhalt entspricht den Angaben auf dem Etikett. 1962 *ff.*
7. gewaschener ~ = verwässerter Wein. Euphemismus. Seit dem 19. Jh.
8. getaufter ~ = verwässerter Wein. ↗taufen 1. Seit dem 19. Jh.
9. hochnäsiger ~ = Sekt. Man hält ihn für vor-

nehmer als Wein, für ein Getränk wohlhabender Leute; außerdem steigt seine Kohlensäure in die Nase. 1910 *ff.*
10. jm klaren (lauteren, reinen) ~ einschenken = jm unumwunden die Wahrheit sagen. „Reiner Wein" steht hier sinnbildlich für „das Wahre, Aufrichtige". Seit dem 16. Jh.
11. der ~ hat sich gewaschen = der Wein ist verwässert. ↗Wein 7. Seit dem 19. Jh.
12. ~ schmieren = Wein fälschen (durch Mischen einer edleren Sorte mit einer geringeren). Schmieren = unsauber zu Werke gehen. Wahrscheinlich schon im 15. Jh bekannt.
Weinbeißer *m* Weingenießer; Weinprüfer. *Vgl* ↗Weinzahn 1. Seit dem 15. Jh, *österr.*
Weinbergschnecke *f* untauglicher, schwerfälliger Bergsteiger. Mit der Geschwindigkeit einer Weinbergschnecke kommt er am Berg voran. 1920 *ff.*
Weinbrand *m* Hauptmann. ↗Kognak 1. *BSD* 1960 *ff.*
Weinchen (Weinle) *n* besonders gut mundender Wein. Die Verkleinerungssilbe hat hier kosewörtlichen Sinn. Seit dem 18. Jh.
Weindrossel *f* Weintrinker. Vom zoologischen Namen auf den Menschen übertragen. Seit dem 19. Jh.
weinen *intr* **1.** Wein trinken. Wortspielerische Verbalisierung. 1900 *ff.*
2. ein Weinrestaurant aufsuchen. Berlin 1955 *ff.*
3. es ist zum ~ schön = es ist ganz besonders schön (nur oder auch spöttisch gemeint). 1910 *ff.*
4. der Rettich weint = der Rettich zieht Wasser, nachdem er gesalzen wurde. *Bayr* 1900 *ff.*
Weinflasche *f* leere ~ = Versager. ↗Flasche 1. 1935 *ff.*
Weinleiche *f* bezechter Weintrinker. ↗Leiche 2. Seit dem 19. Jh.
Weinpanschen *n* Verfälschung von Wein. ↗panschen 2. 1900 *ff.*
Weinpanscher *m* Weinfälscher. Seit dem 19. Jh.
'Weinpansche'rei *f* Weinverfälschung. ↗panschen 2. Seit dem 19. Jh.
Weinpipler *m* Weintrinker. ↗bibern. *Österr,* 1900 *ff.*
Weinreise *f* Besuch mehrerer Weinlokale. 1830 *ff.*
Weinschlauch *m* Weintrinker, -zecher. ↗Schlauch 14. 1500 *ff.*
weinselig *adj* weintrunken. ↗selig 1. Seit dem 19. Jh.
Weinseligkeit *f* angenehme Beschwingtheit durch Weingenuß. Seit dem 19. Jh.
Weintraube *f* leicht weinende, klagende, unzufrieden jammernde weibliche Person. Wortspielerei. 1920 *ff.*
Weinverstand *m* Weinkennerschaft; Sachverstand für Wein. 1900 *ff.*
Weinvorstellung *f* gespielter Weinkrampf. 1950 *ff.*

Weinzahn *m* **1.** Weinkenntnis. Weinkenner „beißen" den Wein, nehmen einen Schluck und „kauen" ihn, als handele es sich um feste Nahrung. Seit dem 16. Jh.
2. Weinkenner, -liebhaber. Seit dem 19. Jh.
3. sich den ~ ausbrechen lassen = sich das Weintrinken abgewöhnen. 1600 *ff*.

Weinzar *m* Weinkontrolleur o. ä. *Österr* 1950 *ff*.

Weise I *f* in keinster ~ = in keiner Weise; keineswegs. Eine grammatikalische Fehlkonstruktion; denn „kein" verträgt kein Superlativum. Gleichwohl ein vielgebrauchter Ausdruck seit 1920.

Weise II *(m) pl* die fünf Weisen = Sachverständigenrat zur Begutachtung der gesamtwirtschaftlichen Entwicklung in der Bundesrepublik Deutschland. Es ist ein Gremium von fünf Fachleuten. 1970 *ff*.

Weiser *m* Schüler der Oberstufe. *Schül* 1960 *ff*.

Weisheit *f* **1.** ~ aus der Röhre = Schulfernsehen. 1960 *ff*.
2. behalte deine ~ (Weisheiten) für dich! = verschone uns mit deiner Meinung! 1920 *ff*.
3. die ~ mit Löffeln gegessen (gefressen) haben = sich für sehr klug halten. ↗ Löffel 13. 1600 *ff*.
4. die ~ mit dem Schaumlöffel gefressen haben = sich ungemein klug dünken, aber im Grunde sehr dumm sein. Aus dem Schaumlöffel fließt die wertvolle Substanz durch die Löcher ab; was im Löffel bleibt, ist nur wenig mehr als Luft. Seit dem 19. Jh.
5. die ~ mit dem Suppenschöpfer gefressen haben = sich als übergescheit aufspielen. 1900 *ff*, *österr*.
6. mit seiner ~ am Ende sein (am Ende seiner ~ sein) = ratlos sein; weitere Fragen des Lehrers oder Prüfers nicht beantworten können. Parallel zu „mit seinem ↗ Latein am Ende sein". 1920 *ff*. *Vgl engl* „I am at my wit's end".

Weisheitsbolzen *m* Lehrer. Bolzen = Erdscholle, Klumpen. *Iron* hält man den Lehrer für ein mächtiges Stück Wissen. 1950 *ff*, *schül*.

Weisheitsfee *f* Lehrerin. 1950 *ff*.

Weisheitsgesöff *n* alkoholfreies Getränk. *Halbw* 1955 *ff*.

Weisheitsmensch *m* Klassenbester. 1950 *ff*.

Weisheitspenne *f* Gymnasium. 1950 *ff*.

Weisheitstempel *m* Schule. 1930 *ff*.

Weisheitszahn *m* **1.** Gymnasiastin; intelligentes Mädchen; Klassenbeste; junge Brillenträgerin. Meint eigentlich den letzten Backzahn, der meist erst beim Erwachsenen durchbricht; hier überlagert von „↗ Zahn 3". *Halbw* nach 1950.
2. überdurchschnittlich gebildete Frau in vorgerücktem Alter. 1955 *ff*.
3. jm den ~ ziehen = einen Besserwisser gründlich widerlegen. 1930 *ff*.

Weismacher *m* **1.** täuschender, prahlerischer Mensch. Gehört zu „jm etw weismachen" = jm etw vorgaukeln". 1900 *ff*.
2. unglaubwürdige Behauptung. 1900 *ff*.

weiß *adj* **1.** ehrlich, vertrauenswürdig. Fußt auf Weiß als „Farbe der Unschuld". 1940 *ff*.
2. (hinreichend) mit Geld versehen; reich. Gegenwort zu „↗ schwarz 3". *Rotw* 1900 *ff*, vorwiegend *österr*.
3. im Besitz eines guten Alibis. Versteht sich nach „↗ weißwaschen". 1900 *ff*.
4. ~ sein = im Spiel ohne Punkte sein. 1900 *ff*.

Weiß *n* in ~ heiraten = als Jungfrau getraut werden. Anspielung auf das weiße Brautkleid. 1900 *ff*.

Weißbier *n* aussehen wie ~ mit Spucke = bleich aussehen. „Spucke" meint hier den Bierschaum. 1840 *ff*.

weißbierblond *adj* hellblond. 1920 *ff*.

Weißbluten *n* jn zum ~ bringen = a) jn heftig erzürnen. Leitet sich her von so reichlicher Blutentnahme, daß der Betreffende bleich wird. 1900 *ff*. – b) jn bis zum letzten ausbeuten. Vielleicht Anspielung auf den Umstand, daß das Blut aus den Arterien (lebensgefährlich!) sehr hellrot spritzt und weißlich schäumt. 1900 *ff*. *Vgl franz* „saigner à blanc".

weißbluten *refl* **1.** sich schwere Entbehrungen auferlegen. *Vgl* das Vorhergehende. 1900 *ff*.
2. für etw ~ müssen = für etw viele Opfer bringen müssen. 1920 *ff*.
3. bis zum ~ zahlen müssen = bis zum äußersten zahlen müssen. 1920 *ff*.

weißbrennen *v* **1.** *refl* = seine Schuldlosigkeit nachweisen. Metall wird im Feuer von seinen Schlacken gereinigt und glüht zuletzt weiß. Von hier übertragen auf die innere Reinigung. 1500 *ff*.
2. *tr* = einen Beschuldigten entlasten. Seit dem 19. Jh.

Weißbrot *n* dem armen Mann sein ~ = Geschlechtsverkehr. 1920 *ff*.

Weiße *f* **1.** eine ~ mit (mit Schuß) = ein Glas Weißbier mit einer Zugabe von Fruchtsaft o. ä. Berlin, seit dem 19. Jh.
2. eine ~ mit Gefühl = ein Glas Weißbier mit Himbeersaft. Berlin, seit dem 19. Jh.
3. eine ~ mit Strippe = a) ein Glas Weißbier mit Korn- oder Kümmelschnaps. Strippe = Schnur = Verlängerung = Verdünnung. Berlin, seit dem 19. Jh. – b) ein Glas Weißbier mit Zugabe von Himbeersaft. Berlin, seit dem 19. Jh.

Weiße-Kragen-Gauner *m* Wirtschaftsverbrecher o. ä. Übersetzt aus *angloamerikan* „white collar criminal", einer gegen 1950 entstandenen Wortprägung des amerikanischen Soziologen Edwin Hardin Sutherland. Bei uns um 1960 bekannt geworden.

Weiße-Kragen-Kriminalität *f* **1.** Gesetzesübertretungen von Angehörigen gehobener Gesellschaftskreise o. ä. 1960 *ff*.
2. betrügerische Tätigkeit eines von Tür zu Tür gehenden Vertreters, der gut gekleidet ist und einen zuverlässigen Eindruck macht. 1960 *ff*.

Weihnachten im Krankenhaus, eine Aufnahme aus der Zeit der Jahrhundertwende. Um den Arzt, den **Weißkittel**, wie er seine Berufskleidung wegen genannt wird, haben sich die Krankenschwestern gruppiert, ihnen zu Füßen die kleinen Patienten. Die statische und eine soziale Abstufung ausdrückende Anordnung der Personen gibt zu erkennen, daß das „blasphemische" Schild „Ich bin der Herr dein Arzt" zur Rechten wohl kaum ironisch gemeint sein kann. Die Vergottung des Mediziners, insbesondere durch die Angehörigen dieses Berufsstandes selbst, reicht bis in die frühe Vorzeit zurück und führt von den Zauberern und Schamanen der Urgesellschaft über den Apollo Medicus der Antike, der später dann vom Christus Medicus abgelöst wird, bis hin zum heutigen „Halbgott in Weiß" (vgl. **weiß 1.**). Gottfried Benn (1886–1956), selbst Mediziner, warnt in seinem 1920 vor Studienanfängern gehaltenen Vortrag „Das moderne Ich" vor einer solch hypertrophen Selbsteinschätzung: „Meine Herren Kollegen, die Sie jetzt Medizin studieren wollen, Kommilitonen, die Sie sich anschicken, die naturwissenschaftlichen Fächer zu beforschen . . . ich will Mißtrauen säen in Ihre Herzen gegen Ihrer Lehrer Wort und Wert? Verachtung gegen das Geschwätz vollbärtiger Fünfziger, deren Wort der Staat lohnt und schützt . . ."

Weiße-Kragen-Seuche f Streben nach einer Angestelltentätigkeit. Der weiße Kragen ist noch immer Sinnbild einer „gehobenen Tätigkeit". 1960 ff.

Weiße-Kragen-Täter m leitender Angestellter (Beamter o. ä.), der den gesetzlichen Bestimmungen zuwiderhandelt; Wirtschaftsstraftäter. ↗Weiße-Kragen-Gauner. 1960 ff.

Weiße-Kragen-Verbrechen n Wirtschaftsstraftat o. ä. 1960 ff.

Weiße-Kragen-Verbrecher m Wirtschaftsstraftäter o. ä. 1960 ff.

weißen tr jn für unschuldig ausgeben; jn wahrheitswidrig besser beurteilen; jn gegen andere in Schutz nehmen. ↗weißwaschen. Halbw 1950 ff.

Weißer m 1. Nichtvorbestrafter. ↗weiß 1. 1900 ff. **2.** klarer Schnaps. Weiß = wasserklar, durchsichtig. Berlin 1870 ff. **3.** harter ~ = hochprozentiger klarer Schnaps. „Hart" kennzeichnet den Unterschied zum Likör. 1900 ff. **4.** klarer ~ = heller Kornschnaps. 1870 ff.

Weißer-Kragen-Arbeiter m Büroangestellter. ↗Weiße-Kragen-Seuche. 1970 ff.

Weißer-Kragen-Beruf m Beruf des/der Büroangestellten, der Verkäuferin, der Arzthelferin, Friseuse o. ä. 1970 ff.

Weißes n jm das Weiße im Auge nicht gönnen = auf jn überaus neidisch sein. Man gönnt ihm nicht einmal das, was jedermann von Natur aus besitzt. 1700 ff.

Weißfuchs m Silber(geld). „Weiß" bezieht sich auf den Silberglanz. „Fuchs" ist das Goldstück, dann auch jegliche Münze. 1900 ff.

Weißglühen n jn zum ~ bringen = a) jn heftig in Wut versetzen. Hergenommen vom Schmiedehandwerk, bei dem man Weißglühhitze benötigt. 1900 ff. – b) jn völlig zermürben. 1900 ff.

Weißglut f 1. jn bis zur ~ ärgern = jn bis zum äußersten ärgern. Vgl das Vorhergehende. 1900 ff. **2.** jn in (zur) ~ bringen = jn heftig erzürnen. 1900 ff. **3.** in ~ geraten = äußerst zornig werden; heftig aufbrausen. 1920 ff.

4. jn bis zur ~ reizen = jn bis zum äußersten reizen. 1900 ff.

5. jn zur ~ treiben = jn fortwährend ärgern, bis er die Beherrschung verliert. 1900 ff.

Weißkittel m **1.** Arzt. Wegen der berufsüblichen Kleidung. 1955 ff.

2. Laborant. 1955 ff.

3. Angestellter. 1955 ff.

4. Abortwärterin. 1960 ff.

Weißling m **1.** Milch. Rotw seit dem frühen 19. Jh, vorwiegend oberd.

2. Silber(geld). Silber hat weißen Glanz. Rotw 1840 ff.

Weißmacher m **1.** Rechtsanwalt. ↗weißwaschen. Beeinflußt von der Reklame für „Persil 65 mit zwei Weißmachern" sowie wortspielerisch von „weismachen = vorspiegeln". 1966 ff.

2. Mann, der die Schuldlosigkeit eines anderen beteuert; Entlastungszeuge. Vgl das Folgende. 1966 ff.

weißwaschen tr jn von einem Verdacht oder Vorwurf reinigen; einen Beschuldigten entlasten. Verkürzt aus „einen Mohren weißwaschen" (engl „to wash an Ethiop white"), möglicherweise in Erweiterung einer Bibelstelle (Jeremias 13, 23). 1500 ff.

weißwestig adj unbescholten; nicht vorbestraft. ↗Weste 12. 1950 ff.

Weißwurstäquator m **1.** Mainlinie (gedachte Linie, die mitten durch Bayern verläuft). Südlich dieser Linie ist Weißwurst ein sehr beliebtes Essen. Hinsichtlich der landschaftlichen Herkunft stehen sich zwei Lager gegenüber: die einen halten das Wort für eine Erfindung von Nichtbayern, während die anderen nur die Bayern als Wortschöpfer gelten lassen. 1920 ff.

2. Donau (auf ihrem Lauf durch Bayern). 1920 ff.

Weißwurstfinger m dicker Finger. 1920 ff.

Weißwurstgalerie f Haus der Deutschen Kunst in München. 1940 ff.

Weißwurstgrenze f Mainlinie. ↗Weißwurstäquator 1. 1910 ff.

Weißwursthorizont (-land) m (n) Freistaat Bayern. 1960 ff.

Weißwurstlinie f Mainlinie. ↗Weißwurstäquator 1. 1960 ff.

Weißwurstmetropole f München. 1955 ff.

Weißwurstparlament n bayerischer Landtag; Regierung des Freistaats Bayern. Seit dem frühen 20. Jh.

Weißwurstpflanze f Kellnerin in München. ↗Pflanze. Nordd seit dem frühen 20. Jh.

Weißwursttempel m Haus der Deutschen Kunst in München. 1940 ff.

Weißzeug n Kleidung. Eigentlich nur Bezeichnung für Bett-, Tisch- und Leibwäsche. Halbw 1964 ff.

weit adv das ist (damit ist es) nicht ~ her = das taugt nicht viel; das ist nichts Besonderes; seine Kenntnisse sind recht gering. Fußt auf der An-

sicht, die wertvollsten Lebenserfahrungen und Menschenkenntnisse gewinne man nicht in der Heimat, sondern in der Fremde. Seit dem 17. Jh.

Weitblickerlehrgang m fiktiver Lehrgang, der Weitblick (Schlauheit) vermittelt. ↗Durchblickerlehrgang. BSD 1968 ff.

weiter adv und wie geht es ~?: Frage an einen, der eine Geschichte ohne Pointe erzählt oder mit seinem Schwätzen kein Ende findet. Berlin 1870 ff.

weiterhäkeln v an etw ~ = einen Gedanken fortführen, weiterentwickeln. 1950 ff.

weitermachen v Sie können dann gleich bei mir ~: Redewendung an eine weibliche Person, die man Hausarbeiten verrichten sieht. 1920 ff.

weitermarschieren intr das bisherige Vorgehen nicht ändern; dem bisherigen künstlerischen Stil treu bleiben. 1950 ff.

weitermurksen intr unsachgemäß weiterarbeiten; sich weiter wie bisher behelfen. ↗murksen. 1920 ff.

weiterreichen tr einen Empfohlenen weiterempfehlen; jn an die zuständige Stelle verweisen. Hergenommen von der Unsitte, kleine Kinder zur Begrüßung von Schoß zu Schoß zu reichen. 1870 ff.

weiterrutschen intr in die nächsthöhere Klasse versetzt werden. Schül 1900 ff.

weitertratschen tr mißgünstiges Gerede verbreiten, in aller Leute Mund bringen. ↗tratschen. Seit dem 19. Jh.

weiterwurschteln intr in der bisherigen Art weiterarbeiten. ↗wurschteln. 1900 ff.

weiterwursteln intr schlecht und recht weiterarbeiten. ↗fortwursteln. 1870 ff.

Weitschuß m aus großer Entfernung gezielter Torball. ↗Schuß. Sportl 1920 ff.

Weitwinkel m falsches Augenmaß (infolge zu großer Entfernung und Verschätzung). Sold 1935 ff.

Weizen m **1.** sein ~ blüht = für ihn ist eine günstige Zeit; seine Sache steht sehr gut. Hergenommen vom Bauern, dessen Weizenfeld eine gute Ernte verspricht. Seit dem 15. Jh.

2. der blonde ~ blüht = blonde Frauen werden bevorzugt. 1933 ff.

3. wissen, wo der ~ am besten blüht = seinen Vorteil wahrzunehmen wissen. 1930 ff.

Weizenchampagner m Weißbier. Es perlt wie Schaumwein. 1950 ff.

Weizenschrot n grob wie ~ = rücksichtslos, barsch, ungesittet. 1950 ff.

Wellblech n **1.** Straße mit vielen Querrinnen. 1950 ff.

2. ~ auf der Stirn = Falten auf der Stirn. 1920 ff.

3. ~ erzählen = Unsinniges vorbringen. Verstärkung von „↗Blech 1". Seit dem späten 19. Jh.

4. quatsch' kein ~! = rede nicht so dumm. 1870 ff.

Wellblechanzug m Manchesteranzug. Wegen der äußeren Ähnlichkeit des gerippten Stoffs mit dem Wellblech. 1910 ff.

*Satirischer Umschlagentwurf des Zeichners und Karikaturisten Kurt Arnold zu einer in solch dreister Offenheit natürlich nie erschienenen Autobiographie eines Kriegsgewinnlers. „Wellblech", der Titel dieser fiktiven Bekenntnisse, die so allerdings nur im „Simplizissimus" erschienen, ist indes recht vielversprechend und zeugt außerdem von einer tiefen Kenntnis der Materie; denn anderes als eben dies, Wellblech, darf man von einem, der solchen Geschäften und Neigungen frönt, wohl gar nicht erst erwarten (vgl. **Wellblech 3., 4.**). Die Vokabel fungiert in diesem Zusammenhang zur Verstärkung von „Blech".*

Wellblechbeine *pl* Hose mit vielen Querfalten. Theaterspr. 1920 *ff.*

Wellblechbomber *m* Kleinauto. 1960 *ff.*

Wellblech-Ente *f* Kleinauto. *Vgl* „häßliches ↗ Entlein". 1960 *ff.*

Wellblech-Esel *m* Transportflugzeug. Beliebte Bezeichnung für den Flugzeugtyp Junkers 52. Der Rumpf bestand aus gewelltem Blech zur Erhöhung der Stabilität. Der Esel befördert schwere Lasten. *Sold* 1941 *ff;* wohl etwas älter.

Wellblechfrisur *f* gewelltes Haar. 1950 *ff.*

Wellblechhose *f* **1.** Cordhose. ↗ Wellblechanzug. Vielleicht entstellt aus „Velvethose". 1910 *ff.*
2. ungebügelte, schlecht sitzende Hose. Sie schlägt Falten. 1910 *ff.*

Wellblechkiste *f* **1.** Ganzmetallflugzeug Junkers 52. *Vgl* ↗ Wellblechesel. 1932 *ff.*
2. Kleinauto. 1960 *ff.*

Wellblechrock *m* plissierter Damenrock. 1920 *ff.*

Wellblechröhren *pl* Cordhosen. ↗ Wellblechhose 1. 1910 *ff.*

Wellblechschaukel *f* Kleinauto. ↗ Schaukel 1. 1960 *ff.*

Wellblechwetter *n* wechselhaftes Wetter. Mal herrscht ein „Hoch", mal ein „Tief". 1959 *ff.*

Welle *f* **1.** plötzlich aufkommendes, allgemeines Interesse an bestimmten Dingen (Bekleidungs-, Edelfreßwelle u. a.). Übernommen vom Bild der heranflutenden und überschwemmenden, dann langsam zurückweichenden, abebbenden Wasserwoge. Vereinzelt im 19. Jh geläufig (↗ Besuchswelle); wiederaufgelebt gegen 1939 und überaus häufig seit 1948, als die Wiedereinführung einer gediegenen Währung die Erfüllung aufgestauter Bedürfnisse ermöglichte.

2. ~ der Keuschheit = Maßnahmen gegen die Prostitution. 1960 *ff.*

3. blonde ~ = vorübergehende Mode (künstlich) blonder Haartracht bei weiblichen Personen. 1955 *ff.*

4. grüne ~ = Demonstrationszug der Bauern. „Grün" ist seit dem „Grünen Plan" der deutschen Bundesregierung (1956) die Sinnbildfarbe der Landwirtschaft. 1970 *ff.*

5. harte ~ = a) Einführung strengerer Zucht in der Bundeswehr. 1959 *ff.* – b) vorübergehende Zunahme der Kriminalität, vor allem der Gewaltverbrechen. 1963 *ff.* – c) Werbung für hochprozentige alkoholische Getränke. „Hart" kennzeichnet den Unterschied zum „weichen" Likör. 1965 *ff.*

6. keusche ~ = Prostitutionsbekämpfung. ↗ Welle 2. 1960 *ff.*

7. lange ~ = langfristige Ratenkäufe. 1950 *ff.*

8. nackte ~ = a) vorübergehende Beliebtheit von Nacktszenen. 1965 *ff.* – b) Ausbreitung der Freikörperkultur-Bewegung. 1965 *ff.*

9. nationale ~ = Bestreben, die nationalen Interessen selbstbewußter zu vertreten. 1965 *ff.*

10. weiche ~ = a) Abkehr von Formenstrenge; aufgelockerte Unterrichtsweise; Austausch von Höflichkeiten; Vermeidung von Gewalt. 1955 *ff.* – b) Zärtlichkeit beim Liebesspiel. 1955 *ff.* – c) Politik der Nachgiebigkeit, der Versöhnlichkeit (im Gegensatz zur „Politik der Stärke"). 1955 *ff.* – d) Bestechung(sversuch). 1960 *ff.* – e) einschmeichelnd-melodiöse Musik. 1958 *ff.* – f) Damenmode in lieblichem, fast kindlichem Stil. 1971 *ff.* – g) zunehmender Verbrauch von schwachprozentigen alkoholischen Getränken. 1967 *ff.*

Weilewellen.

Bereits hat bei Weilemann die Bademode eine ganze Springflut kokettierender Bikinis, raffinierter Schwimmanzüge und neckischer Strandensembles ins Haus gespült. Stürzen Sie sich darum – bevor Sie den Sprung in die Wellen wagen – auf etwas leuchtend Buntes, tadellos Sitzendes und blitzschnell Trocknendes bei Weilemann. Sie werden Ihre Wellen darin werfen.

Weilemann am Warenhausplatz, Bonn

Weilemann hat nichts als Frauen im Kopf.

Reden läßt sich über Bedürfnisse jederzeit, sie zu bestimmen, insbesondere dann, wenn der Bereich der unmittelbaren Reproduktion überschritten wird, ist dagegen fast unmöglich. Dies liegt unter anderem daran, daß solche Definitionen selbst gesellschaftlich vermittelt sind und ihr Gegenstand, das Bedürfnis, erst einmal Gegenständlichkeit erlangen muß. Jene Bewegung vom Gestaltlosen hin zum Konkreten kommt im umgangssprachlichen Bild von der Welle als Bezeichnung für ein plötzlich aufkommendes Interesse an bestimmten Dingen (vgl. **Welle 1.**) gut zum Ausdruck. Wer nicht auf einer solchen Welle schwimmt (vgl. **Welle 29a.**), läuft leicht Gefahr, hinter den anderen zurückzubleiben und mit dem Anschluß auch seine Anerkennung zu verlieren. Sich solchen Wellen entgegenzustellen und auf seinem eigenen Standpunkt zu beharren, ist da ein höchst riskantes Unternehmen. Bedürfnisse nämlich verlangen nach ihrer Explikation, und eine einsame Stimme wird recht schnell übertönt und muß vor der geballten Macht der Werbung und der Massenmedien kapitulieren. ,,Deren Programme sagen einem, wer oder was man ist. Die Weise ihres Sagens ist das Diktat.'' (W. F. Haug, Zur Ästhetik von Manipulation.)

Folgende. *Jug 1933 ff.*
15. eine dicke (mächtige) ~ angeben = sich übermäßig aufspielen. Hängt mit der Schallwelle zusammen. ↗ angeben 1. 1920 ff.
16. auf eine falsche ~ eingestellt haben = begriffsstutzig sein; nicht verstehen wollen. Vom Funkverkehr übertragen. 1940 ff, jug.
17. halbe ~ genügt! = spiel' dich nicht so auf! Welle = Schallwelle. *Jug 1933 ff.*
18. eine ~ haben = betrunken sein. Meint den wellenförmig schwankenden Gang. 1880 ff.
19. die ~n legen = in Schlangenlinien fahren. Radrennfahrerspr. 1960 ff, österr.
19 a. auf derselben ~ liegen = mit jm übereinstimmen. Vom Funkverkehr übertragen: Sender und Empfänger sind auf dieselbe Wellenlänge eingestellt; ↗ Wellenlänge 1. 1940 ff.
20. auf der falschen ~ liegen (sein) = sich irren; falschen Vorstellungen erliegen; von falschen Voraussetzungen ausgehen. Aus der Rundfunktechnik übernommen: man hört den falschen Sender ab. 1940 ff.
21. ~n machen (schieben) = Ausflüchte machen; prahlen. Kann mit den Schallwellen zusammenhängen oder mit den Wellen, die ein Schwimmer, Turmspringer o. ä. im Wasser hervorruft, um Eindruck zu machen. 1920 ff.
22. mach' keine ~n! = rege dich nicht auf! prahle nicht! bleibe sachlich und beherrscht! *Vgl* das Vorhergehende. 1920 ff, Berlin.
23. große ~n machen = Aufsehen erregen; sich brüsten. ↗ Welle 21. 1920 ff, Berlin.
24. mach' nur keine ~n auf dem Teppich!

11. weiche ~ à la Chantré = Milde, Versöhnlichkeit. Aufgekommen mit der Weinbrandwerbung unter dem Schlagwort ,,weiche Welle'' für den Markenartikel ,,Chantré'' der Firma Eckes in Niederolm bei Mainz. 1957 ff.
12. weiche ~ für Verbrecher (der Gerechtigkeit; der Gerichte) = milde Rechtsprechung; Milderung des Strafvollzugs. 1959 ff.
13. weiße ~ = a) Konkurrenzkampf auf dem Waschmittelmarkt um den Kunden. Die Hersteller der Waschmittel versprechen blendendweiße Wäsche. 1966 ff. – b) zunehmende Beliebtheit von klaren Schnäpsen. Weiß = farblos. 1967 ff.
14. eine ~ mehr, und du kannst schwimmen!: Redewendung, mit der man einen Schwätzer zur Mäßigung auffordert. Wie Wellen kommen die prahlerischen Äußerungen auf den Zuhörer zu; wäre es Wasser, was da Wellen schlägt, könnte man bald darin schwimmen. Doch *vgl* auch das

= bring' keine Unruhe in die Unterhaltung! Fußt auf dem Bild vom Teppich, der nicht glatt liegt, sondern Wülste zeigt. Dieses Bild ähnelt einer Unterhaltung, die nicht glatt verläuft. *1920 ff.*

25. quatsch' (red') keine ~n! = prahle nicht! übertreibe nicht! Welle = Schallwelle. Berlin *1920 ff.*

26. auf den ~n schaukeln = am Rundfunkgerät nach einem zusagenden Programm suchen. Übertragen von den Wasserwellen auf die Funkwellen. *1935 ff.*

27. ~n schieben = prahlen; sich aufspielen. ↗Welle 21. *1920 ff.*

28. es schlägt ~n = es erregt Aufsehen, beschäftigt die Phantasie der Leute. Hergenommen vom Bild des Steins, der, ins Wasser geworfen, kreisförmig sich ausbreitende Wellen erzeugt. *1900 ff.*

29. schlag' ~n! = geh weg! *1950 ff.*

29 a. auf einer ~ schwimmen = sich von bestimmten, gängigen Vorstellungen leiten lassen. ↗Welle 1. *1950 ff.*

30. auf der weichen ~ schwimmen = rührselig werden; sich auf Rührseligkeit verlegen. *1955 ff.*

31. das ist eine ~ = das ist eine großartige, eindrucksvolle Sache. Hergenommen von der hohen Wasserwoge. *1950 ff.*

32. auf falscher ~ sein = sich irren; falsch auffassen. ↗Welle 20. *1940 ff.*

33. auf anderer ~ senden = unterschiedliche Ansichten vertreten. *1945 ff.*

34. auf lange ~ zahlen = auf Raten zahlen. ↗Welle 7. *1950 ff.*

Wellenbadschaukel *f* es ist mir eine ~ = es freut mich sehr; es schmeichelt mir sehr. *1900 ff, stud;* vielleicht von Berlin ausgegangen.

Wellenboß *m* Rundfunkintendant; Fernsehintendant. ↗Boß 1. *1940 ff.*

Wellenbrecher *m* **1.** Schnaps. Eigentlich der Schutzdamm vor Häfen. *Marinespr 1914 ff.*

2. Seekranker. Er erbricht sich in aufeinanderfolgenden Stößen, und zwar von der Reling aus in die Wellen des Meeres. *1939 ff, sold.*

3. Marineangehöriger. *BSD 1965 ff.*

Wellenbummler *m* **1.** Rundfunkhörer auf der Suche nach einem zusagenden Sender. Wohl wegen des internationalen Senderangebots dem „Weltenbummler" nachgeahmt. ↗Bummler. *1970 ff.*

2. Windsurfer. *1980 ff.*

Wellendieb *m* Sender, der auf fremden Frequenzen sendet. *1955 ff.*

Wellenfahrplan *m* Aufteilung der Sendefrequenzen für die Rundfunkanstalten, für Amateurfunk, Polizeifunk usw. („Kopenhagener Wellenplan"). *1950 ff.*

Wellenflitzer *m* Motorboot mit hochleistungsfähigem Motor. ↗flitzen. *1920 ff.*

Wellenforscher *m* Fahnder nach Geheimsendern. *1955 ff.*

Wellengang *m* hüftenschwingende Gangart. *1930 ff.*

Wellenjäger *m* Mann, der mit seinem Rundfunkgerät möglichst viele Sendestationen zu empfangen sucht. *1950 ff.*

Wellenlänge *f* **1.** gleiche ~ = seelische Gleichgestimmtheit; Sympathie füreinander; Liebe auf den ersten Blick. *Vgl* ↗Welle 19 a. *1935 ff.*

2. sich auf jds ~ einstellen = a) sich nach jds Begriffsvermögen richten. *1935 ff.* – b) jds Zuneigung erwidern. *1935 ff.*

3. auf der gleichen ~ funken (denken) = in den Ansichten und Lebensgewohnheiten übereinstimmen. *Vgl* ↗Welle 19 a. *1950 ff.*

4. auf jds ~ gehen = sich auf jn einstellen; sich nach jds Eigenart richten. *1950 ff.*

5. dieselbe ~ haben = dieselbe Ansicht vertreten; denselben Lebensstil bevorzugen; einander sympathisch sein. *1935 ff.*

6. auf verschiedenen ~n leben = mit jm nicht übereinstimmen; sich zu anderer Lebensauffassung bekennen; als Eheleute nicht zueinander passen. *1950 ff.*

7. auf jds ~ liegen = dieselbe Lebensart haben wie der andere. *1950 ff.*

8. auf einer anderen ~ operieren = eine andere Art des Vorgehens für richtig halten. *1950 ff.*

9. auf jds ~ sein = mit jm die Lebensauffassung teilen. *1935 ff.*

10. auf gleicher ~ sein = gemeinsam Rauschgift genommen haben. *Halbw 1960 ff.*

11. auf der richtigen ~ sein = untadelig sein; die Sittengesetze befolgen. *1950 ff.*

12. auf jds ~ senden = jm in der Denkart entsprechen. *1950 ff.*

13. jds ~ treffen = jm beipflichten. *1950 ff.*

Wellenpirat *m* Betreiber eines Geheimsenders, eines unerlaubten Rundfunksenders. Er betreibt Seeräuberei auf den Funkwellen. *1955 ff.*

Wellenplanierer *m* Matrose. *BSD 1968 ff.*

Wellenplauderer *m* Rundfunksprecher. *1960 ff.*

Wellenreißer *m* lange Zeit beliebt bleibendes Schlagerlied. Auf den Schallwellen ist es ein „↗Reißer". *1965 ff.*

Wellenreiter *m* **1.** Damenfrisör. Er „reitet" auf der Dauerwelle. *1920 ff.*

2. Mensch, der mit seinem Rundfunkgerät möglichst viele Sender empfangen möchte. *1930 ff.*

3. Funker. Er „reitet" auf den Funkwellen. *Sold* 1935 bis heute.

4. lange Zeit beliebtes Schlagerlied. Es „reitet" auf den „Wogen der Beliebtheit". *1965 ff.*

Wellenritt *m* es ist mir ein ~ = es freut mich sehr, ist mir eine große Ehre. Angelehnt an das Wellenreiten. *Halbw* nach 1945.

Wellensalat *m* Nebeneinander nicht scharf abgegrenzter Wellenlängenbereiche verschiedener Sender im Funkverkehr. *1950 ff,* aufgekommen mit dem „Kopenhagener Wellenplan".

Wellenschlag *m* einen ~ machen = in großen Zügen trinken. 1920 *ff.*

Wellenstrippe *f* Zuleitung zum Rundfunkgerät. ↗ Strippe. 1925 *ff.*

Wellenverbieger *m* Rundfunkmechaniker. 1950 *ff.*

Welpe *m* Rekrut; sehr junger Soldat. Eigentlich der junge Hund oder Wolf. *Sold* 1935 *ff.*

Welt *f* **1.** eine ~ voller Rätsel = a) Physikunterricht in der Schule. Fußt auf dem *dt* Titel des 1956 von Walt Disney gedrehten Films „Secrets of Life". *Schül* 1958 *ff.* – b) Beförderung in der Laufbahn. *Sold* 1970 *ff.*

2. bucklige ~ = wunderliches Erdenleben. Zu „bucklig" *vgl* auch „↗ Verwandtschaft 4". 1920 *ff.*

3. die große ~ = die Erwachsenen. 1900 *ff.*

4. die große heiße ~ = Lebensalter der Jugend. Nachgebildet dem Werbeschlagwort „↗ Duft der großen weiten Welt". *Halbw* 1960 *ff.*

5. die große weite ~ = die berühmten Leute; Leute von Welt; Weltbürger; Wohlhabende. ↗ Duft 2. 1960 *ff.*

6. die halbe ~ = sehr viele Leute. 1900 *ff.*

7. die junge ~ = die jüngere Generation. 1900 *ff.*

7 a. kaputte ~ = Welt voller Katastrophen, Kriege, Unsicherheiten, Gegenwarts- und Zukunftsängsten. 1979 *ff.*

8. meine ~ = Geliebte, Frau (Kosewort). Seit dem 19. Jh.

9. sich die ~ von unten ansehen = im Grab liegen. 1920 *ff.*

10. da hört die ~ auf = das ist eine abgelegene Gegend; an diesem Zaun hört unser Weg auf. 1900 *ff.*

11. was kostet die ~?: Redewendung des überheblichen Wohlhabenden; Ausruf der Unternehmungslust. Man tritt auf mit der Haltung eines anmaßend selbstbewußten Menschen, der mit seinem Geld (mit seiner Körperkraft; mit seinem Einfluß) alles ermöglichen zu können glaubt. Seit dem 18. Jh, anfangs *stud.*

12. mit der ~ fertig sein = überarbeitet, verzweifelt sein. Welt = alle Menschen. 1910 *ff.*

12 a. in die ~ machen = die Heimat verlassen. Seit dem 19. Jh.

12 b. die ~ ist ein Dorf: Überraschungsausruf, wenn man an entferntem Ort unverhofft einen Bekannten trifft. 1900 *ff.*

13. das ist weit aus der ~ = das ist sehr abgelegen. „Welt" ist hier der gewohnte Lebenskreis eines Menschen, die gewohnte engere Umgebung. Seit dem 19. Jh.

14. das ist nicht aus der ~ = das ist nicht weit entfernt; das ist ziemlich nah gelegen. Seit dem 19. Jh.

15. das ist verdrehte (verkehrte) ~ = das schickt sich nicht; das widerspricht den herkömmlichen Regeln des Zusammenlebens. Hängt zusammen

mit der Darstellung einer Welt, in der alles genau umgekehrt zugeht wie in der Wirklichkeit; früher Inhalt vieler Kinderbücher. 1870 *ff.*

16. das ist nicht die ~ (das kostet nicht die ~) = das ist erschwinglich; das ist nicht schlimm; das ist belanglos. 1900 *ff.*

16 a. das ist nicht die ~ = das ist keine weite Entfernung. 1900 *ff.*

17. da ist die ~ mit Brettern vernagelt (zu) = dieser Bretterzaun (o. ä.) nimmt uns die Aussicht; hier geht der Weg nicht weiter; an diesem Ort ist man sehr rückständig; hier fehlt den Menschen jeder Weitblick. Geht wahrscheinlich zurück auf die Lügengeschichte des Variscus (= Johann Sommer), in der 1608 erzählt, ein Mann sei ans Ende der Welt gelangt und habe sie dort mit Brettern vernagelt vorgefunden. Seit dem 18. Jh.

18. das ist am Ende der ~ = das ist eine rückständige, unzivilisierte Gegend. 1900 *ff.*

19. davon geht die ~ nicht unter = die Sache ist nicht so schlimm; deswegen braucht man nicht zu verzweifeln. 1900 *ff.* Durch einen Filmschlager der dreißiger Jahre sehr geläufig geworden.

welt *adj präd* unübertrefflich, hochmodern. Fußt auf „Weltklasse", einem bei Sportlern beliebten Begriff für die Weltbestleistung und ihr nahekommende Leistungen. *Österr* 1950 *ff, halbw.*

weltbewegend *adj* nicht ~ = mittelmäßig; ziemlich belanglos. „Weltbewegend" nennt man epoche- oder geschichtemachende Ereignisse. Was die Welt nicht bewegt, gilt Studenten seit 1930 als mittelmäßig. So können eine Rede, eine Party, ein Mädchen usw. „nicht weltbewegend" sein.

Weltenstromer *m* Globetrotter. ↗ Stromer. 1950 *ff.*

welterschütternd *adj präd* nicht ~ = höchst mittelmäßig. *Vgl* „↗ weltbewegend". 1900 *ff.*

Weltfrau *f* ideale weibliche Person. ↗ welt. *Österr* 1950 *ff, halbw.*

Weltgeschichte *f* **1.** Welt; bewohnte Erdfläche. Eigentlich die Geschichte der Menschheit, im weiteren Sinn die Geschichte des Weltalls. 1920 *ff.*

2. da hört (sich) doch die ~ auf!: Ausdruck des Unwillens, der Unerträglichkeit. Das Ende der Weltgeschichte ist das Ende der Menschheit, – Grund genug, hieraus einen Ausruf des Unmuts und böser Überraschung zu machen. 1870 *ff,* vermutlich in Berlin aufgekommen.

3. in der ~ rumfahren (-gondeln, -kommen) = die Welt kennenlernen; viel auf Reisen sein. 1920 *ff.*

4. in der ~ rumlaufen = viele Reisen unternehmen; ein unstetes Leben führen. 1920 *ff.*

5. in der ~ rumreisen = durch die Welt reisen; Handelsvertreter sein. 1920 *ff.*

6. in der ~ rumstreunen = spazierengehen; wandern; Urlaub machen. 1950 *ff.*

7. sich in der ~ rumtreiben = viel (lange) auf Reisen sein; viele Länder bereisen; selten daheim sein. 1920 *ff.*

8. die ~ verschlafen = ahnungslos, dumm sein. 1910 ff.

weltisch *adj* hervorragend, angenehm, schön. ↗welt. *Österr* 1950 ff, jug.

Weltklasse *f* (einsame) ~ = unübertreffliche Leistung; Hauptkönner. ↗Klasse 7. Aus dem sportlichen Bereich verallgemeinert. 1950 ff.

Weltmeister *m* **1.** Bier. Fußt auf dem Werbespruch „Bier – Weltmeister im Durstlöschen". *Schweiz* 1964 ff.
2. ~ im Herzklopfen = überängstlicher Mensch. 1940 ff.
3. ~ im Seitensprung = stadtbekannter Ehebrecher. Im Zusammenhang mit den Olympischen Spielen, Berlin 1936, aufgekommen.

Weltmensch *m* modern denkender junger Mensch mit Halbwissen und geschlechtlicher Aufgeschlossenheit. Er ist kein „Mann von Welt", also keiner, der im gesellschaftlichen Verkehr gewandt ist. *Halbw* 1950 ff.

Weltraum-Bahnhof *m* Startplatz (Abschußrampe) für Weltraumraketen u. ä. 1960 ff.

Weltraumkälte *f* sehr „kühles", abweisendes Verhalten gegenüber Mitmenschen. 1955 ff.

Weltraumkutscher *m* Astronaut. 1965 ff.

Weltraummuffel *m* an der Eroberung des Weltraums uninteressierter Mensch. ↗Muffel 2. 1969 ff.

Weltraumohr *n* Radioteleskop bei Effelsberg (über Münstereifel). 1971 ff.

Weltraumtag *m* Christi Himmelfahrt. Scherzhafte Technisierung. 1978 ff, jug.

Weltscheibe *f* sehr beliebte Schallplatte. ↗welt; ↗Scheibe 2. *Österr* 1955, jug.

Weltsprache *f* moderne ~ = Geld. 1950 ff, Berlin.

Weltstadt *f* **1.** ~ mit Herz = München. 1960 ff, *journ* und kommunalpolitikerspr.
2. ~ mit Nerz = München. Anspielung auf Kleiderluxus. 1960 ff.
3. ~ mit Schmerz. (West-)Berlin. 1965 ff.

Weltumsegler *m* Hering. Anspielung auf die Heringswanderungen. 1945 ff.

Weltuntergang *m* das ist kein ~ = das ist nicht schlimm. 1900 ff.

Weltuntergangsstimmung *f* trübe Ahnung; Traurigkeit; sehr schlechte Laune. Aufgekommen im Zusammenhang mit dem Buch „Der Untergang des Abendlandes" von Oswald Spengler. 1925 ff.

Weltverbesserungsausschuß *m* Studentenparlament. *Stud* 1960 ff.

Wendehals *m* Opportunist. Vom gleichnamigen Vogel hergeleitet, der seinen Hals um 180 Grad verdrehen kann. Seit dem 19. Jh.

Wendewein *m* saurer Wein. Scherzhaft ist gemeint, man müsse sich mit solchem Wein im Magen immer wieder umdrehen (von einer Seite auf die andere legen), damit die Säure kein Loch in den Magen frißt. Seit dem 19. Jh.

wendisch *adv* jn ~ ohrfeigen = jm mit dem Handrücken ins Gesicht schlagen. ↗Verwendete. 1950 ff.

Wendung *f* ~ des Blatts = Umschwung. ↗Blatt 14. 1950 ff.

wenig *adv* einen zu ~ haben = geistesbeschränkt sein. Es fehlt wohl einer der fünf Sinne. Seit dem 18. Jh.

weniger *adv* **1.** und ~!: Zuruf an einen Prahler. Man tritt seinen Übertreibungen entgegen, indem man von seinen Worten einen Teil abzieht. 1940 ff.
2. das ~ = durchaus nicht. *Südwestd* 1900 ff.

Wenigkeit *f* meine ~ = ich. *Iron* oder scherzhafter Unterwürfigkeitsausdruck, nachgebildet den *gleichbed lat* Ausdrücken „mea parvitas" und „mea tenuitas". Seit dem frühen 17. Jh.

wenn *konj* **1.** ~ schon, denn schon = wenn dies eine schon geschehen soll, dann sollte auch dies andere geschehen. Seit dem 19. Jh.
2. ja, ~ ... der Hund bei Wandersleben nicht geschissen hätte, sagte der Jäger, dann hätten wir den Hasen gekriegt: Redewendung, mit der ein Bedingungssatz ironisiert wird. 1920 ff.

wennen *v* da gibt es nichts zu ~ und zu abern = Einwendungen sind hier nicht angebracht. Aus „wenn" und „aber" verbalisiert. ↗abern. Seit dem 19. Jh.

Weps *m* Wespe. *Vgl* das Folgende. Vorwiegend *oberd*, seit dem 19. Jh.

Wepse *f* **1.** Wespe. Schon im Mittelalter neben „wespe" geläufig, sowohl *mhd* als auch mittel-*niederd*.
2. lebhaftes, unstetes Mädchen. Übernommen vom Verhalten des Insekts. Seit dem 19. Jh.

wepsig (wepsert) *adj* **1.** unruhig, unstet, lebhaft, munter. Seit dem 19. Jh.
2. verärgert, aufgeregt, zornig. Seit dem 19. Jh, vorwiegend *bayr*. *Vgl engl* „waspish".

wer *pron* **1.** einer, jemand. Gekürzt aus „irgendwer" im Sinne eines namentlich Unbekannten (es hat wer geklingelt = irgendwer hat geklingelt). Seit dem 18. Jh.
2. ~ sein = eine gewichtige Persönlichkeit sein. „Wer" ist gekürzt aus „irgendwer Hochgestelltes", „jemand von Rang und Namen". Spätestens seit 1800.

Werbebomber *m* Fußballspieler im Dienst der kommerziellen Werbung. ↗Bomber 11. 1979 ff.

Werbeboß *m* Werbeleiter. ↗Boß 1. 1950 ff.

Werbechef *m* ~ des lieben Gottes = aufdringlicher, eifernder Geistlicher. 1920 ff.

Werbechinesisch *n* Werbesprache. ↗Chinesisch. 1960 ff.

Werbefritze *m* Werbefachmann. ↗Fritze. 1920 ff.

Werbefuchs *m* (einfallsreicher) Werbefachmann. ↗Fuchs 9. 1955 ff.

Werbehase *m* alter ~ = vielerfahrener Werbefachmann. ↗Hase 7. 1925 ff.

Werbeheini *m* Werbefachmann; Propagandist. ↗Heini. 1950 *ff*.

Werbeholzhammer *m* nachdrückliche, plumpe Werbung. ↗Holzhammer. 1965 *ff*.

Werbekanone *f* werbewirksame Persönlichkeit des öffentlichen Lebens. ↗Kanone 4. 1970 *ff*.

Werbeknaller *m* publikumswirksamer Werbespruch o. ä. ↗Knaller 4. 1960 *ff*.

Werbeknüller *m* sehr erfolgreicher Einfall eines Werbefachmanns. ↗Knüller 1. 1950 *ff*.

Werbeleiter *m* Gottes ~ = Massenprediger; eifernder Geistlicher. 1920 *ff*.

Werbelokomotive *f* Prominenter im Dienst der Warenwerbung. ↗Lokomotive 1. 1975 *ff*.

Werbemagnet *m* zugkräftiger Personen- oder Warenname. 1955 *ff*.

Werbemasche *f* Werbetrick; Art und Weise eines Werbefeldzuges. ↗Masche 1. 1950 *ff*.

Werbemieze *f* Fotomodell. ↗Mieze. 1965 *ff*.

Werbeonkel *m* Mann, der sich für Werbezwecke zur Verfügung stellt. ↗Onkel 3. 1965 *ff*.

Werbepapst *m* maßgebender (sich für maßgebend haltender) Werbefachmann. 1968 *ff*.

Werberummel *m* Übergeschäftigkeit der Werbefachleute. ↗Rummel. 1930 *ff*.

Werbesalat *m* Werbesendung für die unterschiedlichsten Waren; Rundfunk-, Fernsehwerbung. ↗Salat 1. 1960 *ff*.

Werbeschmus *m* unredliche Warenwerbung. ↗Schmus. 1960 *ff*.

Werbestratege *m* Werbefachmann, Propagandist. Zusammenhängend mit dem Begriff „Werbefeldzug". 1955 *ff*.

Werbetrommler *m* **1.** Werbefachmann, Propagandist. ↗Trommler 1. Kaufmannsspr. 1950 *ff*. **2.** ~ des lieben Gottes = Massenprediger o. ä. 1960 *ff*.

Werbezirkus *m* Werbevorführung; geschäftliches Werbewesen. ↗Zirkus. 1960 *ff*.

werden *v* **1.** er wird wieder = er erholt sich, genest. Sinngemäß verkürzt aus „er wird wieder, was er vorher war, nämlich gesund". 1800 *ff*. **2.** ich werde dir was!: Ausdruck der Ablehnung. Verkürzt aus „ich werde dir was ↗husten" (o. ä.). *Vgl* auch „↗draufgeben". 1900 *ff*. **3.** was nicht ist, kann ja noch ~: Redewendung zum Trost bei einem Rückschlag, einem Mißerfolg. Seit dem 19. Jh. **4.** da kann ich nichts ~ = da kann ich mich beruflich nicht weiterentwickeln. Seit dem 19. Jh.

werfen *v* **1.** *intr* = gebären. Tiere „werfen" Junge. Seit dem 19. Jh. **2.** *intr tr* = gut, hastig essen. Man „wirft" (sich) die Speise mittels Gabel oder Löffel in den Mund. *Rotw* seit dem frühen 19. Jh. **3.** *intr* = Rauschgift einnehmen. 1960/65 aus dem *angloamerikan* Slang übersetzt. **4.** sich auf Pastor (Lehrer o. ä.) ~ = Theologie (Philologie o. ä.) studieren. Übernommen aus kaufmannsspr. „sich auf etw werfen = Handel mit etw treiben". 1920 *ff*.

Werfer *m* hochprozentiger Schnaps. Er wirft den Trinker um. 1935 *ff*.

Werftgrandi *m* Werftarbeiter. ↗Grandi. *Marinespr* 1900 *ff*.

Werk *n* **1.** frisch nach ~ duften = fabrikneu sein. 1966 *ff*. **2.** seine sämtlichen ~e spazierenführen = (als Mann) mit seinen sämtlichen Kindern spazierengehen. ↗Verfasser. 1920 *ff*.

Werkbank *f* Bett. Anspielung auf den Geschlechtsverkehr; *vgl* das Vorhergehende. 1900 *ff*.

Werkekel *m* Scheu vor körperlicher Betätigung; Arbeitsfaulheit. Berlin 1920 *ff*.

Werkel *n* Drehorgel. Meint im *Österr* die (kleine) Maschine, das Räderwerk. *Österr*, 19. Jh.

Werkelmann *m* **1.** Drehorgelspieler. *Österr* seit dem 19. Jh. **2.** spielen wie ein ~ = schlecht musizieren. *Österr* 1925 *ff*.

werken *tr* Fehlendes auf nicht ganz einwandfreie Weise zu beschaffen wissen; tauschhandeln. 1945 *ff*.

Werkspenne *f* Werksschule. ↗Penne. Essen 1965 *ff*.

Werkstatt *f* **1.** Berufsschule. 1960 *ff*, *schül*. **2.** Bett, Schlafzimmer o. ä. *Vgl* ↗Werkbank. 1900 *ff*.

Werkstatthyäne *f* Werkstattbesitzer, der für minderwertige Arbeit hohe Preise verlangt. 1960 *ff*.

Werkstattmurks *m* minderwertige Werkstattarbeit. ↗Murks. 1920 *ff*.

Werktätiger *m* ~ d. R. = a) Arbeitsloser. „d. R." ist *milit* Abkürzung von „der Reserve". 1945 *ff*. – b) Arbeitsscheuer. 1945 *ff*.

Werkzeug *n* **1.** Eßbesteck. Aufgefaßt als Arbeitsgerät. *BSD* 1965 *ff*. **2.** Schlagringe, Messer, Ketten usw. Rockerspr., 1967 *ff*.

Werkzeugkasten *m* Arzttasche. 1920 *ff*.

Wermutbruder *m* Obdachloser in der Stadt. Benannt nach dem billigen Wermutwein, den er ausgiebig zu sich nimmt. 1960 *ff*.

Wertarbeit *f* deutsche ~ = schlechte Arbeit. Ironie. 1960 *ff*.

Wertfach *n* **1.** noch tausend Tage im ~ haben = noch lange zu dienen haben. „Wertfach" ist das Wertsachenfach im Soldatenspind. *BSD* 1965 *ff*. **2.** ich glaube, ich stehe im ~!: Erwiderung auf eine unglaubwürdige Behauptung oder Handlung. Zur Erklärung *vgl* „↗Hamster". *BSD* 1965 *ff*. **3.** er übt Wendungen im ~: Antwort auf die Frage, wo einer ist. *BSD* 1965 *ff*.

Wertfachbewohner *m* kleinwüchsiger Soldat. In scherzhafter Auffassung könnte er im Wertsachenfach hausen. *BSD* 1965 *ff*.

Wertfachschläfer *m* kleinwüchsiger Soldat. *Vgl* das Vorhergehende *BSD* 1965 *ff*.

Der Dichter überreicht seiner Dame ein Werk, Miniatur aus der Manessischen Liederhandschrift (ca. 1310–1330). Die Abbildung ist aber insofern fast schon atypisch, als hier eher die Ausnahme denn die Regel gezeigt wird; denn nur in den seltensten Fällen erreichte das Dichten des Sängers auch die Dame, der damit gehuldigt werden sollte. Eine individuelle Lektüre wurde auch gar nicht angestrebt. Selbst diese Form höfischer Dichtung diente also in erster Linie der Unterhaltung eines mit diesen Konventionen vertrauten Rezipientenkreises, so wie die „Minne", die höfisch-ritterliche Liebe insgesamt, die ja nicht gegen das Gebot der Zucht und des Maßes verstoßen durfte, zumeist bloße Fiktion blieb. Von den Werken, die heutzutage spazierengeführt werden, kann das kaum behauptet werden (**Werk 2.**).

Wertsachen *pl* **1.** Genitalien des Mannes. 1930 *ff*.
2. Orden und Ehrenzeichen. 1935 *ff*.
Wertzeichen *n* wohlgefüllte Brieftasche. 1965 *ff*, *prost*.
Werwolf *m* Hunger haben wie ein ~ = sehr hungrig sein. Der „Werwolf" gilt hier als Verstärkung von „↗Wolf". Seit dem 19. Jh.
Wesen *n* **1.** ansprechendes ~ = Straßenprostituierte, die Männer anspricht. Eigentlich soviel wie „gefällige Art im Umgang mit den Mitmenschen"; hier das Lebewesen, das andere anredet. 1920 *ff*.
2. ein einnehmendes ~ haben = diebisch, geldgierig sein. Wortspiel mit zwei Bedeutungen von „einnehmend", nämlich „erobernd, bezaubernd"

und „Geld entgegennehmend". Seit dem 19. Jh.
3. von einnehmendem ~ sein = lieber nehmen als geben; gerne kassieren; Zahlkellner sein. Seit dem späten 19. Jh.
4. ein hinhaltendes ~ haben = dem Beischlaf nicht abgeneigt sein (von einer Frau gesagt). „Hinhalten" hat die Bedeutung „vertrösten" und auch „hinreichen". 1935 *ff*.
5. aus (um) etw ein ~ machen = eine Sache aufbauschen; aus einer Belanglosigkeit eine Wichtigkeit machen. „Wesen" meint hier „Tätigkeit" und vor allem „geschäftiges, übertriebenes Treiben". Seit dem 18. Jh.
Wespe *f* **1.** lebenslustiges, unstetes Mädchen; leichtlebiges Mädchen. Vom Flug des Insekts übertragen. Seit dem 19. Jh.
2. heimtückischer, zudringlicher Mensch. 1920 *ff*.
3. Bildreporter, Pressefotograf. Er gilt als aufdringlich und äußerst lästig. 1955 *ff*.
4. Angehöriger der parlamentarischen Opposition; Staats-, Parteifeind. Den Regierenden versetzt er Stiche. 1933 *ff*.
5. künstlich verengte, sehr schmale Taille. Verkürzt aus „↗Wespentaille". 1900 *ff*.
6. Ohrfeige, Schlag ins Gesicht. Analog zu ↗Bremse 1. 1900 *ff*.
7. Kampfflugzeug. Die Schüsse der Bordwaffen gelten in zynischer Beschönigung als empfindliche Stiche. *Sold* seit 1914.
8. Hubschrauber. Wegen des Motorgeräusches. *BSD* 1965 *ff*.
9. Angehörige der weiblichen Schutzpolizei. Wohl weil die Uniform die Taille betont; außerdem ergeben die Buchstaben We, S und p aus der Bezeichnung „Weibliche Schutzpolizei" das Wort „Wesp(e)". Nach 1945 aufgekommen.
10. von einer ~ gestochen sein = schwanger sein. Scherzhafte Beschönigung. 1920 *ff*.
11. wie eine ~ stechen = viele Trümpfe haben und deswegen bei jedem zusagenden Fehlfarbenspiel einstechen. Kartenspielerspr. 1870 *ff*.

12. ~n untermischen = a) in einen Bericht Lügen, Entstellungen, Schönfärbereien u. ä. einstreuen. Fußt auf der Ansicht, daß Wespen weniger nützlich sind als Bienen. 1930 ff. – b) einen Erlebnisbericht sehr frei ausschmücken. 1930 ff.

Wespenkleid n Kleid mit sehr enger, schmaler Taille. Seit dem 19. Jh.

Wespennest n **1.** in ein ~ greifen (stechen) = eine gefährliche Sache aufrühren; die Leute gegen sich aufbringen. 1500 ff. Entsprechungen in vielen Fremdsprachen.

2. ein ~ im Hintern haben = unruhig sitzen. Vgl ↗Hummel 14 und 15 a. 1900 ff.

3. sich in ein ~ setzen = sich in eine gefährliche Lage begeben. Seit dem 19. Jh.

4. in einem ~ stochern = die Leute gegen sich aufbringen. Seit dem 18. Jh.

Wespentaille f (künstlich) verengte Taille. 1800 ff. Vgl franz „taille de guêpe", engl „a wasp waist", ital „vitina di vespa" usw.

wespig adj aufgeregt, aufbrausend. 19. Jh.

Wessi (Wessie) m Bürger der Bundesrepublik Deutschland. Umgestaltend verkürzt aus „Westdeutscher". Berlin 1980 ff.

Wessiland n Bundesrepublik Deutschland. 1980 ff.

Weste f **1.** Frauenbrust. Wohl hergenommen vom taillierten Leibchen des Dirndlkleids o. ä. mit vorderem Knopfschluß. 1880 ff.

2. alte ~ = altbekannte Sache. Seit dem 19. Jh.

3. blütenweiße ~ = völlige Unbescholtenheit. Verstärkung von „↗Weste 12". 1910 ff.

4. gepunktete ~ = Bescholtensein leichterer Art. 1950 ff.

5. reine (saubere, weiße) ~ = charakterliche Untadeligkeit. ↗Weste 12. Seit dem 19. Jh.

6. stramme ~ = üppiger Busen. ↗Weste 1. 1880 ff.

7. weiße ~ = Tabellenstand ohne Verlustpunkt. Sportl 1955 ff.

8. sich einen unter die ~ brausen = ein Glas Alkohol zu sich nehmen. Beruht auf der Vorstellung vom brausenden Wasserfall. Sold in beiden Weltkriegen. ziv 1930 ff.

9. jm etw unter die ~ drücken (deuhen) = jm etw nachdrücklich zu verstehen geben. „Unter die Weste" umschreibt sowohl „nahegehend" als auch „insgeheim". Fußt auf der Vorstellung, daß man einem etw zusteckt, ohne daß andere es sehen. ↗deuhen. 1900 ff, westd.

10. er kann seine ~ zur Besichtigung freigeben = er ist völlig unbescholten. 1950 ff.

11. das geht unter die ~ = das berührt einen innerlich. Analog zu „es bleibt nicht in den ↗Kleidern stecken". 1920 ff.

12. eine reine (weiße, saubere) ~ haben (tragen) = schuldlos, untadelig sein. Die weiße Weste war im 19. Jh ein beliebtes Kleidungsstück und wurde wegen der Farbenbedeutung von Weiß (= unschuldig) zum Sinnbild der Redlichkeit und Un-

bescholtenheit. Geflügeltes Wort seit Oktober 1892 durch Bismarck („keinen Flecken auf der weißen Weste haben").

13. jm eins (einen) unter die ~ jubeln = a) jn verulken, verspotten; jm etw weismachen. ↗unterjubeln 1. 1920 ff. – b) jn beim Kartenspiel betrügen. 1920 ff.

14. jm etw unter die ~ jubeln = jm Unangenehmes aufbürden; jm eine unangenehme Überraschung bereiten; jm etw deutlich zu verstehen geben; jn hart behandeln. „Jubeln" ist Ironie; vgl ↗Weste 9. 1920 ff.

15. sich einen unter die ~ jubeln = ein Glas Alkohol trinken. 1920 ff.

16. sich jn unter die ~ jubeln = einem anderen jn abspenstig machen. 1950 ff.

17. jm Frohsinn unter die ~ jubeln = jn aufheitern, erheitern, mit Humor unterhalten. 1950 ff.

18. einen hinter die ~ plätschern = ein Glas Alkohol zu sich nehmen. 1930 ff.

19. die ~ reinigen = die Ehre wiederherstellen; seine Schuldlosigkeit beweisen. Vgl ↗Weste 12. 1920 ff.

20. jm etw unter die ~ schieben = a) jm etw aushändigen, übergeben. Eigentlich ist gemeint, daß man es ihm ohne Augenzeugen zusteckt. ↗Weste 9. 1900 ff. – b) jm etw betrügerisch verkaufen, aufschwatzen. 1920 ff. – c) jm Vorhaltungen machen; jn rügen. ↗Weste 9. 1900 ff.

21. einen hinter die ~ schütten (gießen o. ä.) = ein Glas Alkohol trinken. 1930 ff.

Westen m **1.** Goldener ~ = a) Kalifornien. Aufgekommen um 1850 mit den ersten Goldfunden. – b) illusionäre Vorstellung der Bewohner der DDR von den Lebens- und Entfaltungsmöglichkeiten in der BRD. 1948 ff.

2. im ~ nichts Neues = keine besonderen Vorkommnisse. Diese Redewendung stand in den Heeresberichten des Ersten Weltkriegs, wenn sich die Lage an der Westfront nicht verändert hatte. Sehr geläufig geworden 1929 durch den Titel des Buches von Erich Maria Remarque.

westenrein adj unbescholten. ↗Weste 12. 1920 ff.

Westentasche f **1.** etw aus der (linken, rechten) ~ bezahlen = große Beträge mühelos bezahlen. Wer sein Geld in der Westentasche trägt, geht sorglos damit um. Seit dem 19. Jh.

2. aus der ~ husten = schwer lungenkrank sein. Wien 1970 ff.

3. jn (etw) kennen wie die eigene ~ (sich in etw auskennen wie in seiner ~) = eine Person oder Sache sehr genau kennen. 1900 ff.

4. er läßt viel hinter seiner ~ verschwinden = er ißt viel. 1940 ff.

Westentaschen-Casanova m Mann, der sich vergeblich als Frauenheld aufspielt. ↗Westentaschenformat. 1930 ff.

Westentaschen-Despot m Machthaber, der seine geringe Macht kräftig aufbauscht. 1960 ff.

Westentaschen-Diktator *m* autoritärer Führer einer unbedeutenden politischen Partei. 1960 *ff.*

Westentaschenformat *n* sehr kleines Format. 1920 *ff.*

Westentaschen-Halunke *m* unbedeutender Straftäter. ↗Halunke. 1930 *ff.*

Westentaschen-Kreuzer *m* kleines Kriegsschiff. Um 1930 aufgekommen mit Bezug auf den Kreuzer „Deutschland".

Westentaschen-Renner *m* Go-Kart. 1960 *ff.*

Westentaschen-Rennwagen *m* Junior-Rennwagen. 1959 *ff.*

Westentaschen-Sex *m* sehr schwache Anziehungskraft einer Frau. ↗Sex 1. 1960 *ff.*

Western-Schnulze *f* rührseliger Film aus dem Wilden Westen. ↗Schnulze 1. 1965 *ff.*

Westfalenmetropole *f* Dortmund; Münster. *Journ* 1965 *ff.*

Westfalin *f* häusliche Frau; Hausmütterchen. Entstellt aus „Vestalin". Die *röm* Vestalinnen waren jugendliche Priesterinnen der Vesta, der altitalischen Göttin des häuslichen Herdes und des Herdfeuers. *Stud* 1900 *ff.*

Westpiepen *pl* Währung der Deutschen Bundesbank. ↗Piepen 1. 1948 *ff.*

Wetsch *m* **1.** Polizeibeamter. Soll verkürzt sein aus *zigeun* „wešeskero = Jäger, Förster", weiterentwickelt zu „Flurschütz" und zu „Aufseher". *Rotw* 1750 *ff.*
2. Gefängniswärter. Kundenspr. 1900 *ff.*

Wette *f* hast du die ~ gewonnen?: begrüßende Anrede (ohne vorausgehendes Gespräch über eine Wette). 1950 *ff.*

wetten *v* **1.** wetten, daß? = wollen wir wetten, daß es sich so verhält, wie ich es sage? Hieraus verkürzt. Seit dem ausgehenden 19. Jh.
2. hundert gegen eins ~: Redewendung der Bekräftigung (ich wette hundert gegen eins, daß dies und das geschieht). Man setzt hundert Mark gegen eine, ist sich seiner Sache also sehr sicher. 1890 *ff.*
3. zehn gegen eins ~: Redewendung der Bekräftigung. Seit dem 19. Jh. *Vgl engl* „I bet you ten to one".
4. so haben wir nicht gewettet = das ist nicht unsere Abmachung; das entspricht nicht meiner Meinung; dabei lasse ich es nicht bewenden; auf diese Weise ist die Sache nicht zu erledigen. Bezieht sich ursprünglich auf den Gegenstand einer Wette, dann auch auf jegliche Vereinbarung ohne Wette. Seit dem 17. Jh.

Wetter *n* **1.** Zank, stürmische Auseinandersetzung, Zornesausbruch o. ä. Übertragen von der Vorstellung eines Gewitters oder Unwetters. Seit dem 18. Jh.
2. ein ~ (Wetterchen) zum Eierlegen = schönes, warmes Sommerwetter. Die Legefreudigkeit der Hennen nimmt mit dem warmen Wetter zu. 1900 *ff.*

3. ein ~ für die Götter = prächtiges Wetter. Nachgebildet dem „↗Schauspiel für Götter". 1920 *ff.*
4. alle ~!: Ausruf der Bekräftigung, der Anerkennung. Hergeleitet von Donnerwetter, Blitz und Hagelschlag und ähnlichen Naturgewalten, deren Gesamtheit als Sinnbild für Unüberbietbares gilt. 1800 *ff.*
5. durchwachsenes ~ = unbeständiges, mit Regen durchsetztes Wetter. ↗durchwachsen 1. Seit dem 19. Jh.
6. englisches ~ = Nebel, Nieselregen; feuchte Luft. Dergleichen gilt als die auf der britischen Insel vorherrschende Witterung. 1900 *ff.*
7. um gut (schön) ~ bitten (anhalten, flehen) = um Nachsicht, Milde, Verzeihung bitten. „Wetter" meint in übertragenem Sinn die Stimmung des Menschen. Hängt vielleicht zusammen mit Bittprozessionen und Wallfahrten, für die man gutes Wetter erfleht. 1600 *ff.*
8. ein ~ machen (anrichten) = eine harte Auseinandersetzung herbeiführen; zu toben beginnen; sich heftig aufregen. ↗Wetter 1. Seit dem 18. Jh.
9. gutes ~ machen = alles aufessen. Blasse Nachwirkung von Speiseopfern, die man früher den Wettergottheiten an geweihter Stätte darzubringen pflegte; wurden die Schüsseln und Krüge gänzlich geleert, nahm man das als Zeichen göttlichen Wohlwollens. Die Gewährung von gutem Wetter war die sichtliche Gegenleistung der Gottheit. Seit dem 19. Jh.
10. für jn gutes ~ machen = für jn (bei anderen) freundliche Stimmung erzeugen. Seit dem 19. Jh.
11. da soll doch gleich das ~ dreinschlagen!: Ausruf des Unwillens. ↗Donnerwetter 10. Seit dem 19. Jh.
12. das ~ schlaucht mich = unter diesem Wetter habe ich stark zu leiden. ↗schlauchen 3. 1900 *ff.*
13. dieses ~ ist für mich ein Schlauch = dieses Wetter setzt mir gesundheitlich sehr zu. ↗Schlauch 1. 1900 *ff.*
14. für gutes ~ sorgen = für freundliche Gestimmtheit sorgen; einem zu erwartenden Zornesausbruch mildernd zuvorkommen. 1900 *ff.*
15. das ~ schmeißt (kippt) bald um = das Wetter ändert sich bald. Umschmeißen = umschlagen; ↗umkippen 1. 1900 *ff.*
16. ein ~, um Helden zu zeugen (zum Heldenzeugen) = sehr schönes Wetter. 1935 *ff.*

Wetterbastler *m* Meteorologe *(abf).* 1963 *ff.*

Wetterbiene *f* Modellflugzeug zur Erkundung der Wetterverhältnisse. ↗Biene 9. 1960 *ff.*

Wetterchen *n* freundliches, sonniges, warmes Wetter. Die Verkleinerungsform hat hier kosewörtliche Bedeutung. 1900 *ff.*

Wetterdach *n* (großer) Regenschirm. Eigentlich das Schutzdach. Seit dem 19. Jh.

Wetterente *f* falsche Wettervorhersage. ↗Ente 1. 1955 *ff.*

Wetterfahne *f* wankelmütiger, gesinnungsloser Mensch. Wie eine Wetterfahne auf dem Dach dreht er sich nach der augenblicklichen Windrichtung (oft in politischem Sinn gebraucht zur Kennzeichnung der Opportunisten). 1600 *ff*.

wetterfest *adj* trinkfest. Eigentlich „allen Wettern standhaltend". Gern auf Seeleute bezogen und wohl bei ihnen aufgekommen. 1910 *ff*.

Wetterfritze *m* Meteorologe. ↗Fritze. 1955 *ff*.

Wetterfrosch *m* **1.** Meteorologe; Angehöriger eines Wettertrupps. Übertragen vom Laubfrosch (im Glas), den manche Leute für einen zuverlässigen Wetterpropheten halten. 1870 *ff*.
2. Wetteransager in Funk und Fernsehen. 1960 *ff*.
3. Barometer. 1960 *ff*.

Wetterhahn *m* **1.** Mann, der seine Gesinnung den jeweiligen Umständen anpaßt. ↗Wetterfahne. 1500 *ff*.
2. Wettermeldung. 1960 *ff*.

Wetterhexe *f* **1.** Schimpfwort auf eine alte Frau. Abergläubisch nimmt (nahm) man von ihr an, sie könne Wetter machen. 1800 *ff*.
2. weibliche Person mit zerzausten Haaren. 1950 *ff*.

Wetterhexer(ich) *m* Meteorologe. 1930 *ff*.

Wetterjungs *pl* Meteorologen; Wettertrupp. *BSD* 1960 *ff*.

Wettermacher *m* Meteorologe. Seit dem späten 19. Jh.

Wettermädchen *n* Ansagerin des Wetterberichts. 1960 *ff*.

Wettermännchen *n* Meteorologe. Eigentlich die kleine Figur, die bei bestimmtem Wetter aus dem „Wetterhäuschen" zum Vorschein kommt. 1870 *ff*.

Wettermeldung *f* ~ von der Stange = übliche, eintönige Wettermeldung (über gleichbleibend unerquickliches Wetter). ↗Stange 8. 1950 *ff*.

wettern *intr* schimpfen, fluchen; zornige Worte ausstoßen. Verkürzt aus ↗donnerwettern. Seit dem 18. Jh.

Wetteronkel *m* Meteorologe. ↗Onkel 3. 1920 *ff*.

Wetterprophet *m* Meteorologe. 1870 *ff*.

Wetterroulett(e) *n* Unzuverlässigkeit der Wettermeldungen. Die Wettervorhersage hält man für eine Glückssache. 1965 *ff*.

Wetterverhexer *m* Meteorologe. Es ist „wie verhext": das Wetter wird ganz anders als vorhergesagt. 1935 *ff*.

Wetterverteiler *m* großer Hut. Fußt wie „↗Gewitterverteiler" auf der alten Vorstellung vom Dreispitz als einem „Nebelspalter". 1900 *ff, westd* und *hess*.

Wettlauf *m* den ~ gegen die Uhr gewinnen = eine Arbeit vorzeitig fertigstellen. 1965 *ff*.

Wettwackeln (-zittern) *n* Kampf um die Meisterschaft beim Twisttanzen. 1962 *ff*, Berlin.

Wettzwitschern *n* Wettsingen; Gesangswettbewerb. Zwitschern = Vogelgesang. 1920 *ff*.

Wetze *f* **1.** Straßenprostituierte. Hängt zusammen mit „↗wetzen" in der doppelten Bedeutung „hin- und herlaufen" und „koitieren". *Österr* 1900 *ff*.
2. Hin- und Herlaufen; Wettrennen; Fußballspiel. 1920 *ff*.

wetzen *intr* **1.** eilen, laufen. Verkürzt aus „die Sohlen wetzen": der Läufer schleift die Sohlen ab. Seit dem späten 19. Jh.
2. Fußball spielen. 1920 *ff*.
3. liebedienern, schmeicheln. Verkürzt aus „das ↗Maul wetzen". Wetzen = schärfen, schleifen. 1950 *ff*.
4. viel reden. *Vgl* das Vorhergehende. 1950 *ff*.
5. koitieren. Anspielung auf die Hin- und Herbewegung. Spätestens seit 1900, *österr*.

Wetzer *m* Vielschwätzer; Liebediener; Flirtender. ↗wetzen 3. 1950 *ff, halbw*.

Wetzstein *m* **1.** Penis. ↗wetzen 5. *Bayr* und *österr*, 1900 *ff*.
2. liederliches Mädchen; Prostituierte. *Österr* 1900 *ff*.

Whisky *m* **1.** ~ mit Wermut = erfreuliche Angelegenheit mit unerfreulichen Begleiterscheinungen. Wermut als Pflanze mit bitterem Geschmack steht sinnbildlich für „Bitterkeit". 1958 *ff*.
2. kastrierter ~ = Coca Cola. *Halbw* 1955 *ff*.

Whisky-Leiche *f* bezechter Whiskytrinker. ↗Leiche. 1950 *ff*.

Whiskypumpe *f* Herz. ↗Pumpe 2. 1950 *ff*.

Whisky-Stimme *f* tiefe, rauhe Stimme. Vom Rauchgeschmack des Whiskys übertragen auf eine „rauchige" Stimme. 1960 *ff*.

wibbelig *adj* unruhig, nervös. ↗wibbeln. Seit dem 17. Jh.

Wibbeligkeit *f* Unruhe, Ruhelosigkeit, Nervosität. *Vgl* das Folgende. Seit dem 19. Jh.

wibbeln *intr* sich unruhig, nervös bewegen. Iterativum zu „wippen = schaukeln". *Mhd* „webeln = hin- und herschwanken". *Vgl* auch ↗wabbeln. Seit dem 17. Jh.

Wibbelsterz *m* unruhiger, nervöser Mensch. Meint eigentlich die Bachstelze, die beim Niedersetzen mit dem Schwanz „wibbelt". Seit dem 18. Jh.

Wichs I *m* **1.** prächtige Kleidung; Festgewand; Putz. Bezog sich anfangs auf glänzend gewichste Stulpenstiefel, dann auch auf den Schnurrbart, den man mittels heißen Wachses aufwichste; von da verallgemeinert zur heutigen Bedeutung, vor allem in Studentenkreisen. Seit dem späten 18. Jh.
2. Rausch. ↗wichsen 4. *Oberd* seit dem 19. Jh.
3. Onanie. ↗wichsen 3. 1900 *ff*.
4. kleiner ~ = Morgenrock, Hausanzug. 1920 *ff*.
5. in vollem ~ = in Festtagskleidung; in Parade-uniform; in vollem Ornat. Seit dem 19. Jh.
6. sich in ~ schmeißen (werfen) = sich festlich kleiden, herausputzen. Sich werfen = sich rasch ankleiden; Kleidungsstücke überwerfen. Seit dem 19. Jh, *stud*, offiziersspr. u. a.

7. in ~ sein = fertig angezogen, gesellschaftsfähig gekleidet sein. Seit dem 18. Jh.

Wichs II *f* Lodenjoppe mit Lederhose. Wichs = Wachsschmiere. Nach längerem Tragen wird die Lederhose dunkelfarbig, nahezu schwarzglänzend, wie eingefettet. *Bayr* und *österr*, 1900 *ff*.

Wichsbeutel *m* schikanöser Ausbilder. Wichsen = wiederholt kräftig reiben; dadurch Analogie zu „↗schleifen 1". *BSD* 1965 *ff*.

Wichsbruder *m* Onanierender. ↗wichsen 3. 1900 *ff*.

Wichsbürste *f* **1.** gestutzter Oberlippenbart. Er ähnelt einer kleinen Bürste, mit der man Schuhwichse aufträgt. 1900 *ff*.
2. einen Hau (Schlag) mit der ~ haben. ↗Hau 2; ↗Schlag 25.

Wichsdose *f* weibliches Geschlechtsorgan. ↗wichsen 2; ↗Dose 1. 1900 *ff*.

Wichse *f* **1.** *pl* = Prügel, Schläge. ↗wichsen 1. Seit dem 18. Jh.
2. die ganze ~ = das alles *(abf)*. *Oberd*, 19. Jh.
3. das ist alles 'eine ~ = das ist dasselbe. Gemeint ist wohl, daß es viele Sorten von Schuhpflege- und -glanzmitteln gibt; aber im Grunde sind sie alle „Schuhwichse". Kann auch Analogie zu „↗Schmiere 1" sein. 1840 *ff*, *nordd* und *mitteld*.

wichsen *v* **1.** jn ~ = heftig auf jn einschlagen; jn verprügeln. Hergenommen vom „Schuhewichsen": man trägt die „Wichse" auf und bringt sie durch kräftiges, wiederholtes Reiben zum Glänzen. Durch den Begriff „kräftiges, wiederholtes Reiben" ergibt sich Analogie zu „↗abreiben 1". Seit dem 18. Jh, von Nord- und Nordostdeutschland ausgegangen; anfangs *stud*.
2. *intr tr* = koitieren. Übertragen von der Hin- und Herbewegung der Wichsbürste. Seit dem 19. Jh.
3. *intr* = onanieren. Seit dem 19. Jh.
4. *intr* = sich betrinken. Fußt auf „wichsen = schlagen"; dadurch Analogie zu „↗Hieb 3". *Bayr* und *österr*, 1800 *ff*.
5. die Karten ~ = die Karten heftig auf den Tisch schlagen. ↗wichsen 1. Kartenspielerspr. 1920 *ff*.
6. unter etw den Namen ~ (den Namen drunterwichsen) = etw hastig unterschreiben. Über „↗wichsen 1" parallel zu „↗hauen 2". 1900 *ff*.

Wichser *m* **1.** Hotelpage. Er wichst auch die Schuhe der Gäste. 1935 *ff*, gaststättenspr.
2. Rausch. ↗wichsen 4. *Bayr* und *österr*, 1800 *ff*.
3. große Anstrengung. *Sold* seit dem ausgehenden 19. Jh.
4. Onanierender. ↗wichsen 3. Seit dem 19. Jh.
5. schikanöser Ausbilder. Vgl ↗Wichsbeutel. 1910 *ff*, *sold*.
6. Schimpfwort auf einen Unerfahrenen oder einen Schwächling. 1970 *ff*, *halbw*.

Wichserin *f* Prostituierte; Hure. ↗wichsen 2. Seit dem 18. Jh.

Wichsfinger *pl* Finger. ↗wichsen 3. 1950 *ff*.

Wichsgrenze *f* Zapfenstreich. Anspielung auf „↗wichsen 2" während des nächtlichen Ausgangs. *BSD* 1965 *ff*.

Wichsgriffel *m* **1.** Finger. ↗wichsen 3; ↗Griffel 1. 1900 *ff*.
2. Onanierender. 1920 *ff*.

Wichskaserne *f* Priesterseminar; Mönchskloster. Anspielung auf „↗wichsen 3". 1925 *ff*.

Wichskasten *m* Abort, Latrine. ↗wichsen 3. *BSD* 1965 *ff*.

Wichsklub *m* konfessionelle Studentenverbindung. ↗wichsen 3; ↗Wichs I 1. 1900 *ff*.

Wichsknüppel *m* Finger. Vergröberung von ↗Wichsgriffel 1. 1930 *ff*.

Wichsothek *f* Peep Show. Der „Discothek" nachgebildet unter Einfluß von „↗wichsen 3". 1980 *ff*.

Wichsrock *m* Jacke des Verbindungsstudenten. ↗Wichs I 1. Seit dem späten 18. Jh.

Wichstasche *f* Hosentasche mit einem Loch. Anspielung auf Onanie; ↗wichsen 3. 1900 *ff*.

Wichsvorlage *f* Aktbild; pornografische Abbildung; geschlechtlich aufreizendes Foto. 1935 *ff*.

Wicht *m* **1.** kleines Kind (Kosewort). Eigentlich Bezeichnung für den Kobold oder Zwerg. 1900 *ff*.
2. Rufname des Hundes. 1900 *ff*.

Wichtel *m* **1.** kleiner Junge (Kosewort). ↗Wicht 1. 1900 *ff*.
2. Halbwüchsiger. Verkürzt aus „Wichtelmann": der Betreffende ist noch kein vollgültiger Mann. *BSD* 1965 *ff*.

Wichtelmännchen (-mannderl) *n* kleinwüchsiger Mann. ↗Wicht 1. 1900 *ff*.

Wichtig *m* Herr ~ = Kollege, der sich und auch seine Arbeit bis in jede Kleinigkeit hinein für überaus wichtig (unentbehrlich, unersetzbar) hält. 1930 *ff*.

wichtig *adj* **1.** sich ~ haben (nehmen) = sich für bedeutend halten. 1800 *ff*.
2. sich ~ machen = sich aus Eitelkeit vordrängen; sich als unentbehrlich aufspielen; Interesse vorspiegeln, um bei Vorgesetzten Eindruck zu machen. 1800 *ff*.
3. sich ~ sein = von sich viel Wesens machen. Seit dem 19. Jh.
4. ~ tun = sich aus Eitelkeit aufspielen; sich überschätzen. Seit dem 19. Jh.

Wichtigmacher *m* Mensch, der sich den Anschein einer bedeutenden Person zu geben sucht. Seit dem 19. Jh.

Wichtigtuer *m* Mensch, der sich vordrängt, damit man seine (vermeintliche) Bedeutung erkenne. Seit dem 19. Jh.

'Wichtigtue'rei *f* selbstgefällige Betriebsamkeit. Seit dem 19. Jh.

wichtigtuerisch *adj* aus Eitelkeit geschäftig; die Bedeutung der eigenen Person und Arbeit weit überschätzend. Seit dem 19. Jh.

Wicke *f* **1.** in die ~n gehen = a) verloren gehen;

zugrundegehen. Parallel zu „in die ↗Binsen gehen". 1800 ff, *niederd* und *ostmitteld.* – b) fliehen. Seit dem 19. Jh.

2. sich aus den ~n machen = davongehen. 1900 ff.

3. in die ~n sein = fort, verloren, entzwei sein. Verkürzt aus „in die Wicken gegangen sein". Seit dem 19. Jh.

Wickel *m* **1.** warmer ~ = warmes Essen. Eigentlich die wärmende Leibbinde o. ä. Seit dem 19. Jh, vorwiegend *oberd; kundenspr.* und *sold.*

2. jn beim ~ haben = a) jn ergriffen, dingfest gemacht haben; jn in seiner Gewalt haben; jn würgen. „Wickel" meint die im Nacken zusammengedrehten, gebundenen Haare. Etwa seit dem frühen 19. Jh. – b) jn zur Verantwortung ziehen; jm Vorhaltungen machen. 1900 ff.

3. ein Thema (o. ä.) am ~ haben = ein Thema behandeln, gestalten. 1950 ff.

4. jn beim ~ kriegen (nehmen) = a) jn am Kopf fassen; jn ergreifen. 1800 ff. – b) jn verhaften. Seit dem 19. Jh. – c) jn zur Rechenschaft ziehen. Seit dem 19. Jh.

Wickelbeine (-beene) *pl* Wickelgamaschen. 1914 ff.

Wickelkind *n* **1.** verzärteltes, unselbständiges Kind. Eigentlich der in Windeln gewickelte Säugling. 1900 ff.

2. dummer, unerfahrener Mensch. 1870 ff.

3. weibliche Person, die ihre Haare in Locken legt. 1950 ff.

4. sein geistiges ~ = sein Lieblingsproblem. 1950 ff.

wickeln *v* **1.** jn ~ = jn für sich einnehmen; jm schmeicheln. Kann sich herleiten vom Wickeln des Säuglings in Windeln oder ist Analogie zu „jn um den ↗Finger wickeln". 1920 ff.

2. jn ~ = jn prügeln. Euphemismus. 19. Jh.

3. jn richtig ~ = jn zur Rede stellen; jn zur Ordnung rufen. 1910 ff.

4. *intr tr* = viel, gierig essen. ↗Wickel 1. Vorwiegend *oberd,* seit dem 19. Jh.

Wickelpaket *n* Wickelkind. Seit dem 19. Jh.

widerborstig *adj* widerspenstig, aufsässig. Meint eigentlich „gegen den Haarstrich gekämmt". Seit dem 16. Jh.

Widerborstigkeit *f* Widersetzlichkeit. Seit dem 16. Jh.

widerhaarig *adj* widersetzlich, abweisend. ↗widerborstig. Seit dem 19. Jh.

Widerhaarigkeit *f* Widersetzlichkeit, Aufsässigkeit. Seit dem 19. Jh.

Widerling *m* mißliebiger Mensch. 1930 (?) ff.

Widerstandskämpfer *m* widerstrebender Soldat. *BSD* 1965 ff.

Widerstandsnest *n* geschlechtlich abweisende weibliche Person. Eigentlich die Geschützstellung (o. ä.), die dem Gegner heftig Widerstand leistet. *Sold* 1939 ff.

wie *konj* und (aber) wie! = sehr; sehr stark (und wie habe ich auf ihn eingeredet! und wie habe ich ihn verprügelt!). Oft in der Form „ich habe ihn verprügelt, und wie!". Hieraus verkürzt. 1870 ff. *Vgl engl* „and how!", *franz* „et comment!".

Wiedehopf *m* stinken wie ein ~ = einen üblen Geruch verbreiten. Junge Wiedehopfe haben an der Schwanzwurzel zwei Drüsen, aus denen sie bei Gefahr ein übelriechendes Abwehrsekret verspritzen. Seit dem 19. Jh.

wiederausgraben *tr* einen Verabschiedeten wieder in Amt und Würden einsetzen. Von der Exhumierung übertragen. 1970 ff.

wiederbegucken *v* auf ~! = auf Wiedersehen! *Rhein* seit dem ausgehenden 19. Jh.

Wiederbelebung *f* Entlassung aus dem Wehrdienst. Man faßt sie als Erwachen aus der Ohnmacht oder als Auferstehung von den Toten auf. *BSD* 1965 ff.

Wiederbelebungsmittel *n* rücksichtslos angewendetes Mittel, um den Schläfer zu wecken (eiskaltes Wasser; Umstürzen des Betts usw.). *Sold* 1900 ff.

wiederbesehen *v* auf ~! = auf Wiedersehen. 1890 ff.

wiederblechen *v* auf ~!: Abschiedsgruß des Gastes beim Verlassen eines Restaurants; Ausruf des Steuerzahlers, der beim Finanzamt soeben eine größere Summe eingezahlt hat. ↗blechen. 1920 ff.

Wiedergeburt *f* Entlassung aus dem Wehrdienst. Man fühlt sich wie neugeboren. *Vgl* ↗Wiederbelebung. *BSD* 1965 ff.

wiedergucken *v* auf ~! = auf Wiedersehen. 1900 ff.

Wiederholer *m* Feriengast, der jedes Jahr denselben Erholungsort aufsucht. *Gaststättenspr.* 1950 ff.

wiederkäuen *v* **1.** *intr* = sehr langsam essen. Übernommen vom wiederkäuenden Vieh. 1950 ff.

2. *tr* = etw nachplappern, wiederholen; eine längst erledigte Sache erneut vorbringen. Seit dem 19. Jh.

3. *tr* = Gelerntes wiederholen; eine Schulklasse wiederholen. Seit dem 19. Jh.

4. *intr* = sich erbrechen. 1910 ff.

Wiederkäuer *m* **1.** Vorgesetzter, der stets dieselben Ermahnungen vorbringt oder dieselben Ansichten wiederholt. 1900 ff.

2. Repetitor. 1900 ff.

3. Lehrer, Universitätsprofessor. 1900 ff.

4. Klassenwiederholer. 1900 ff.

5. Plattenspieler, Tonbandgerät. 1955 ff, *halbw.*

wiederkennen *v* ich kenne mich nicht wieder!: Ausdruck der Verzweiflung. Vor Aufregung und Wut ist man dermaßen außer sich, daß man sich selbst nicht mehr zu kennen meint. 1950 ff.

wiederkriegen *tr* etw zurückbekommen; Geliehenes wiederbekommen; beim Geldwechseln Geld zurückerhalten. ↗kriegen. Seit dem 18. Jh.

wiedersehen *v* **1.** den (die) siehst du nie wieder: Redewendung, wenn der Partner eine Karte aufspielt, die der Gegner mühelos überspielen oder abtrumpfen kann. Kartenspielerspr. 1870 *ff*.
2. mit dem Frühstück ~ feiern = seekrank sein; sich erbrechen. 1900 *ff*.
3. ~ macht Freude: Mahnung an einen, der sich etw ausleiht. 1900 *ff*.

Wiege *f* **1.** an der ~ sehen, wenn das Kind kacken will = böse Ahnung von kommenden Ereignissen haben; sich für überaus klug halten. *Vgl* Martin Luther, Sprichwörtersammlung (1535): „Kannst's an der Wiege sehen, wenn sich das Kind beschissen hat." Seit dem 19. Jh.
2. das hat man ihm auch nicht an der ~ gesungen = davon hat er als Kind nichts zu hören bekommen; das hätte er früher auch nicht für möglich gehalten. Hergenommen von harmlosen Wiegenliedern, wie man sie den kleinen Kindern zum Einschlafen singt. 1700 *ff*.

Wiegenlied *n* zärtliche Tanzweise *(iron)*. *Halbw* 1960 *ff*.

Wiegesünder *m* Kaufmann, der auf unzulässige Weise wiegt. ↗Sünder. 1960 *ff*.

wiehern *intr* **1.** schallend lachen. Hergenommen vom Pferdewiehern, das wie lautes Lachen klingt. 1800 *ff*.
2. Fachgespräche unter Reitern führen. 1900 *ff*.
3. es ist zum ~ (zum ~ komisch) = es ist überaus erheiternd. 1920 *ff*.

Wiemen *m* Gefängnis(zelle); Arrest(zelle). *Nordd* Bezeichnung für den Hühnerstall. 1900 *ff*.

Wiemenquicke *f* Klopfpeitsche. Eigentlich die Rute, mit der das Geflügel abends vom Hof in den Stall getrieben wird. 1900 *ff*.

wienern *v* **1.** *tr* = putzen, blankreiben. Bezieht sich ursprünglich auf den „Wiener Putzkalk". Seit dem späten 19. Jh, vor allem *sold*.
2. *intr* = onanieren. Analog zu ↗wichsen 3. 1920 *ff*.
3. eine gewienert kriegen = eine heftige Ohrfeige erhalten; heftig geprügelt werden. Analog zu ↗abreiben 1. 1950 *ff*, *jug*.

Wiener Schnipsel *n* kleine Fleischportion in einem für überhöhte Preise bekannten Lokal. Dem „Wiener Schnitzel" nachgebildet; Schnipsel = kleines abgeschnittenes Stück. 1965 *ff*.

Wiener Welle *f* einschmeichelnde, rührselige Musik. 1959 *ff*, Berlin.

wiescherln *intr* ↗wischerln.

Wiese *f* **1.** minderwertiger Tee; Kräutertee. Seine Bestandteile sind nicht vom Teestrauch gepflückt, sondern von der Wiese. 1914 *ff*.
2. halblange Haartracht. Ihre Länge erinnert an die des Grases auf der Wiese. Nimmt man „Wiese" hier als „Bergwiese", ergibt sich Analogie zu „↗Matte 1". *Halbw* 1950 *ff*, österr.
3. gemähte ~ = sehr günstige Gelegenheit, die man nur zu nutzen wissen muß; Sache, die über-

WENN MAN SO GUT ANKOMMT, MACHT WIEDERSEHEN FREUDE.

Wenn man im Fotoalbum blättert, werden Erinnerungen wach. Was macht Else, die große Jugendliebe? Und wie geht es Hans, mit dem man die Schulbank gedrückt hat? Mit dem Senioren-Paß können Sie die Antwort darauf im wahrsten Sinne des Wortes erfahren. Zur Hälfte des normalen Fahrpreises. Ein ganzes Jahr lang. Und wenn Vetter Karl inzwischen im Ausland wohnt, kommen Sie auch besonders preiswert dorthin. Mit der Zusatzkarte Rail Europ S, die in 18 europäischen Ländern gilt. Damit die Wiedersehensfreude keine Grenzen kennt.

Die schönste Verbindung von Mensch zu Mensch. **DB Die Bahn**

„Wenn man im Fotoalbum blättert, werden Erinnerungen wach", heißt es im Werbetext der oben wiedergegebenen Anzeige für den „Senioren-Paß" der Deutschen Bundesbahn, die, zumindest was die von ihr zu erbringenden Leistungen betrifft, ein Wiedersehen verspricht, das Freude macht. In so manchem lassen solche Reisen in die Vergangenheit allerdings an das recht prosaische Wiedersehen der Umgangssprache denken (*vgl*. **wiedersehen 3.**): Man will etwas zurückbekommen, und sei's auch nur ein kurzes Wiederaufflackern fast schon vergessenen Glücks. In Thomas Manns (1875–1955) Roman „Lotte in Weimar" etwa reist Charlotte Buff, Werthers Lotte, in das Weimar Goethes. Sie, die Beamtenwitwe aus mittleren Verhältnissen, trifft ihn wieder, den Mann von Weltruf, den Dichterfürsten, und führt so einen, wie es zuerst scheint, fast aussichtslosen Kampf um ihre Selbstbehauptung, einen Abschluß zur Beruhigung für ihren Lebensabend." Im Halbdunkel einer Kutsche treffen die beiden ein letztes Mal aufeinander. „Wiedersehn ein klein Capitel, fragmentarisch?" – fragt Lotte und fährt dann fort: „Aber so fragmentarisch, fandest du selber wohl, sollt' es nicht sein, daß ich mit dem Gefühle völligen Fehlschlags an meinen einsamen Witwensitz sollte zurückkehren . . ."

aus leicht zu bewerkstelligen ist. Anschauliches Sinnbild der bereits geleisteten Hauptarbeit. Seit dem 16. Jh, *oberd.*

3 a. grüne ~ = Gelände außerhalb der Stadt zur Ansiedlung von Industrie und Handelsunternehmen. 1970 *ff.*

4. grün wie eine ~ = Spielansage Pik. Im deutschen Kartenspiel entspricht „Grün" dem Pik. Berlin 1870 *ff.*

5. dann ist die ~ grün! dann ist die Geduld zu Ende! Berlin 1930 *ff.*

6. jn auf die ~ schicken = jn in eine geschäftlich ungünstige Gegend schicken. Auf der Wiese, wo höchstens Vieh grast, kann der Handelsvertreter keine Geschäfte machen. Kaufmannsspr. 1920 *ff.*

7. die ~ wird grün = das Geschäft beginnt zu gedeihen. 1950 *ff.*

Wiesel *n* wie ein ~ = sehr schnell. Wiesel bewegen sich sehr flink. Seit dem 18. Jh.

'wiesel'flink *adj* sehr rasch. Seit dem 19. Jh.

wieselig *adj* flink, diensteifrig. 1900 *ff.*

wieseln *intr* **1.** eilen. ↗Wiesel. 1900 *ff.*
2. harnen. Klangnachahmender Herkunft. 1900 *ff.*

'wiesel'schnell *adj* sehr flink. Seit dem 19. Jh.

Wiesenbarbier *m* Bauer, Mäher. 1920 *ff.*

Wiesenfrisör *m* Mäher. 1920 *ff, ostmitteld.*

Wiesen-Maß (Wiesn-Maß) *f* Bierkrug beim Münchner Oktoberfest. "Die Wiesn" = Oktoberfestwiese. ↗Maß I 1. 1900 *ff.*

Wiesenpieper *m* **1.** Waldhüter; Weide-Wächter. Eigentlich Name eines feuchte Wiesen bevorzugenden Singvogels. 1930 *ff.*
2. Schrebergärtner. Berlin 1925 *ff.*
3. Landstreicher. Er übernachtet auch im Grünen. 1950 *ff.*
4. Wanderfreund. 1950 *ff.*

'Wiesenpiepe'rei *f* kleines Gartengrundstück; Schrebergarten. Berlin 1925 *ff.*

Wiesenreißer *m* Bauer, der eine Wiese in Ackerland umwandelt. Niedersächsisch, 1900 *ff.*

Wiesenrutschen *n* Übungs-Skilaufen am Übungshügel. 1930 *ff.*

Wiesenwebel *m* Feldwebel. Verkürzt aus „↗Wald- und Wiesenwebel". *BSD* 1965 *ff.* Im Ersten Weltkrieg nannte man ihn „Feld-, Wald- und Wiesenwebel".

Wiesenzerreißer *m* Bauer, der eine Wiese umpflügt. Niedersächsisch, 1900 *ff.*

Wieserlrutscher *m* Skiläufer (am Übungshügel). 1930 *ff, österr.*

Wigglwaggl (Wigelwagel) *m* Ungewißheit, Unentschlossenheit. Fußt auf den *gleichbed* Verben „wackeln" und „wiegeln" für „schaukeln, schwanken". *Bayr* und *österr*, seit dem 19. Jh.

wigglwaggl *adj* wacklig, unsicher. *Österr* seit dem 19. Jh.

Wigwam *m* **1.** Wohnung. Eigentlich die Wohnstatt nordamerikanischer Indianer. *Halbw* 1950 *ff.*

2. Party-Keller; Kellerbar; Klublokal. *Halbw* 1950 *ff.*

Wihi *m* Hochschulassistent. Abkürzung von „wissenschaftliche Hilfskraft". *Österr,* 1950 *ff.*

wild *adj* **1.** wie ~ = heftig, eifrig, angestrengt. Wild = unbändig, unkultiviert. Aufgekommen im späten 19. Jh mit der Begründung der deutschen Kolonien und mit den beliebten Völkerschauen, in denen auch Eingeborenentänze usw. gezeigt wurden.

2. halb so ~ = nicht so schlimm, wie es den Anschein hat(te). Anfangs bezogen auf eine Geschichte, in der es wild hergeht; dann auch auf eine übertriebene Äußerung, die man mit „halb so wild" auf das erträgliche Maß herabmildert. Seit dem 16. Jh. *Schül* seit dem späten 19. Jh; *sold* 1910 *ff.*

3. ~ bauen = ohne behördliche Genehmigung, ohne Sachkenntnis bauen. Wild = ungesetzlich; ungelernt. 1920 *ff.*

4. ganz so ~ ist es nicht = es ist weniger schlimm, als man annehmen könnte. *Schül* und *sold* seit dem ausgehenden 19. Jh.

5. nach (auf) etw ~ sein = nach etw sehr begierig sein; etw heftig begehren (er ist wild auf die Rundfunknachrichten). Wild = ungezügelt, leidenschaftlich. 1870 *ff.*

6. ~ spielen = ohne festes Engagement für einen erkrankten Musiker (o. ä.) einspringen. Theaterspr. 1920 *ff.*

7. es geht wie ~ weg = es läßt sich mühelos verkaufen; die Ware ist bei den Kunden sehr beliebt. Kaufmannsspr. 1920 *ff.*

Wild *n* jagdbares ~ = leicht zugängliches Mädchen. Eigentlich Bezeichnung für alle Tiere, die unter die Bestimmungen des Jagdgesetzes fallen. Der Mann als Mädchen-, Frauenjäger oder „Schürzenjäger". *BSD* 1965 *ff.*

Wildbach *m* **1.** starker Ausfluß aus der Scheide; Harnen der Frau. 1920 *ff.*
2. wo der ~ rauscht = Schulabort. Geht zurück auf den Titel eines 1956 gedrehten *dt* Spielfilms. *Schül* 1958 *ff.*

Wildbahn *f* **1.** Stadtviertel, in dem ein Mann den Mädchen („jagdbares ↗Wild") nachstellt. Meint eigentlich den Jagdbereich. 1870 *ff.*
2. freie ~ = a) freie Natur. Bezeichnung für das Jagdrevier ohne Gatter. Meint bei den Soldaten vorwiegend das offene Gelände, in dem man seine Notdurft verrichtet. *Sold* 1939 *ff.* – b) unehelicher (außerehelicher) Geschlechtsverkehr. 1900 *ff.* – c) Prostitution außerhalb des Bordells. 1900 *ff.*
3. in freier ~ = a) ungezügelt; sittlich hemmungslos. 1900 *ff.* – b) auf offener Straße. 1900 *ff.*
4. in freier ~ jagen = auf Männerfang ausgehen (ohne Prostituierte zu sein). 1920 *ff.*

Wilddieb *m* **1.** guter Schütze. Wilderer müssen sehr zielsicher schießen, um unentdeckt zu bleiben. *Sold* 1930 bis heute.

2. Soldat, der das Gewehr mit der Mündung nach unten trägt. Wie Wilderer es tragen, weil es so rascher schußbereit zur Hand ist. *BSD* 1965 *ff.*

Wilde I *f* **1.** nicht amtlich überwachte Prostituierte. 1900 *ff.*

2. Prostituierte, die in den Bezirk einer anderen eindringt. 1920 *ff.*

Wilde II *pl* **1.** hausen wie die ~n = sinnlos zerstören; ein unbeschreibliches Durcheinander anrichten. Hier wie in den folgenden Wendungen werden (kraft Vorurteils) „die Wilden" als Gegensatz zu „den Zivilisierten" zitiert, sobald ein ungesittetes Benehmen vermeintlich gesitteter Menschen zu umschreiben gilt. Seit dem späten 19. Jh.

2. hier riecht es wie zehn nackte ~ = hier herrscht ein übler Geruch. 1920 *ff.*

3. schimpfen wie die ~n = kräftig, unflätig schimpfen. 1920 *ff.*

4. toben wie die ~n = ausgelassen sein; unbändig spielen; unbeherrscht schimpfen. Steht im Zusammenhang mit den auf Durchschnittseuropäer fremdartig und unverständlich wirkenden Tanzzeremonien (o. ä.) afrikanischer Eingeborener, wie sie durch deutsche Kolonialberichte und durch „Hagenbecks Tier- und Völkerschauen" bekannt geworden sind. Geläufig seit 1885.

5. toben wie zehn nackte ~ im Busch = lärmen und toben. Erweiterung des Vorhergehenden zu einem anschaulichen Bild. 1920 *ff.*

6. toben wie zehn nackte ~ im Schnee = einen wüsten Lärm vollführen; Leute entwürdigend anherrschen. 1920 *ff.*

Wildenschaft *f* Gesamtheit der Nichtverbindungsstudenten. *Vgl* das Folgende. 1920 *ff, stud.*

Wilder *m* **1.** Nichtverbindungsstudent. Er gilt als unkultiviert, weil er sich nicht den Gewohnheiten der Mehrheit anpaßt. Spätestens seit 1800.

2. Abgeordneter ohne Parteizugehörigkeit. 1848 *ff.*

3. wie ein (nackter) ~ = eiligst. 1920 *ff.*

4. leben wie ein ~ = Hab und Gut in kurzer Zeit durchbringen. Sinnverwandt mit „↗Wilde II 1". 1890 *ff.*

5. den Wilden spielen = ungestüm auftreten. ↗Mann 108 a. 1900 *ff.*

Wilderer *m* Die ~ vom Silberwald = Jägerzug. Übernommen vom Titel „Der Wilderer vom Silberwald" des 1957 gedrehten Films. *BSD* 1965 *ff.*

wildern *intr* ehebrechen. Bezieht sich eigentlich auf die unbefugte Jagdausübung. 1900 *ff.*

Wildes *n* jm das Wilde abräumen (abtun) = jm heftige Vorhaltungen machen; jn zur Folgsamkeit zwingen. „Wild" ist, was sich noch im rohen Naturzustand befindet. *Österr* seit dem 19. Jh.

Wildfang *m* **1.** ungebärdiges Kind. Ursprünglich Bezeichnung für den ausgewachsen gefangenen Falken o. ä., der sich sehr schwer zähmen läßt. Von da auf den Menschen übertragen seit dem 18. Jh.

2. Mädchen, das man unterwegs kennenzulernen sucht, um nähere Beziehungen anzuknüpfen. 1920 *ff.*

'wild'fremd *adj* gänzlich unbekannt; auswärtig; ortsfremd. Eine tautologische Bildung; denn „wild" meint „fremd". Seit dem späten 16. Jh.

Wildgehege *n* Kriegsgefangenenlager. Eigentlich das Wildgatter. *Sold* 1939 *ff.*

wildgeworden *adj* rasend, angriffslüstern; töricht. Übertragen vom aufgereizten Tier. 1930 *ff.*

Wildsau *f* **1.** ungestümer, heftiger Mensch; Draufgänger; Kameradenschinder. Übernommen vom Wildschwein, das große Angriffslust und Angriffswucht entwickeln kann. Vorwiegend *bayr* und *österr,* seit dem 19. Jh.

2. Mensch ohne jeglichen Anstand; ungepflegter Mensch; verwahrloster, schmutziger Mensch. Schwarzwild suhlt sich in flachen Tümpeln, in jeglichem Schlamm, zwecks Abkühlung und zur Abwehr von Ungeziefer. Seit dem 19. Jh, vorwiegend *bayr* und *österr.*

3. geiler Mann. 1900 *ff.*

4. rücksichtsloser Kraftfahrer. 1920 *ff,* kraftfahrerspr.

5. Gleiszerstörgerät. Es zerreißt Schwellen und Unterbau, um den Schienenweg unbrauchbar zu machen. *Sold* 1939 *ff.*

6. achtmotorige ~: Schimpfwort. Wohl hergeleitet von „↗Wildsau 9". *Schül* 1950 *ff.*

7. höllische ~: Schimpfwort. 1950 *ff.*

8. rasante ~: Schimpfwort. ↗rasant. 1950 *ff.*

9. viermotorige ~ = a) viermotoriges Bombenflugzeug. *Sold* 1941 *ff.* – b) Schimpfwort. *Sold* 1941 *ff.*

10. Benehmen wie eine ~ = sehr schlechtes Benehmen. 1920 *ff.*

11. sich aufführen wie eine angestochene ~ = sich wild gebärden; nicht zu bändigen sein. *Sold* 1939 *ff.*

11 a. fahren wie eine ~ = ungestüm, rücksichtslos fahren. 1920 *ff.*

12. jn zur ~ machen = jn körperlich (seelisch, moralisch) erledigen. Verstärkung von „jn zur ↗Sau machen". *Sold* 1939 *ff.*

13. eine Gruppe zur ~ machen = eine Gruppe außer Gefecht setzen; eine Gruppe bezwingen, kampfunfähig machen. *Sold* 1939 *ff.*

14. zur rasenden ~ werden = wütend werden; aufbrausen; hemmungslos wüten. 1939 *ff.*

Wildschwein *n* **1.** Draufgänger. ↗Wildsau 1. 1920 *ff.*

2. musikalisches ~ = unmusikalischer Mensch. *Österr,* 1920 *ff.*

3. sexuelles ~ = Mensch mit animalischer Triebhaftigkeit. 1950 *ff.*

4. Manieren wie die ~e aus Waldmichelbach = sehr schlechtes, ungesittetes Benehmen. In Waldmichelbach (Odenwald) befindet sich ein Freigehege mit Wildschweinen. 1939 *ff, sold.*

5. sich benehmen wie ein ~ = sich ungesittet benehmen; jeglichen Anstand vermissen lassen. 1920 *ff.*

Wildwasserkutscher *m* Teilnehmer am Kanu-Slalom. 1970 *ff.*

Wildwechsel *m* **1.** Fußgängerstreifen. Eigentlich der von wildlebenden Tieren gebahnte Pfad. 1950 *ff.*
2. Straße, auf der die Prostituierten nach Kundschaft suchen. *Vgl* ⁊ Wilde I. 1920 *ff.*
3. Promenadenweg (besonders in Kurorten), auf dem die beiden Geschlechter einander begegnen und Bekanntschaft suchen. 1920 *ff.*

wildwechseln *intr* als Prostituierte auf der üblichen Straße männliche Kundschaft suchen. ⁊ Wildwechsel 2. 1920 *ff.*

Wildwestbandit *m* einarmiger ~ = Spielautomat. ⁊ Bandit. 1950 *ff.*

Wildwest-Gericht *n* strenges Richterkollegium. In *lit* Schilderungen und Filmen über den „Wilden Westen" Nordamerikas verhängen die Richter meist sehr schwere Strafen. 1960 *ff.*

Wildwesti'ade *f* Wildwestfilm. Nach dem Muster von „Jobsiade", „Olympiade", „Köpenickiade" o. ä. gebildet. 1955 *ff.*

Wildwestspieler *m* Skatspieler mit unfeinem Verhalten. Unter Kartenspielern in Wildwestfilmen herrschen sehr rauhe Sitten. 1955 *ff,* kartenspielerspr.

Wilhelm *m* **1.** Penis. Das männliche Geschlechtsglied wird oft mit einem männlichen Vornamen (hehlwörtlich) benannt. 1950 *ff.*
2. falscher ~ (Willem) = a) falscher Damenzopf. Im preußischen Heer wurde der Zopf eingeführt durch Leopold I. von Anhalt-Dessau, bekannt als „der Alte Dessauer", preußischer Feldmarschall und strenger Exerziermeister seiner Soldaten (1693–1747). Der Name „Wilhelm" bezieht sich auf Preußens „Soldatenkönig" Friedrich Wilhelm I. „Falsch" spielt an auf die Tatsache, daß auch in die Zöpfe der Soldaten reichlich falsches Haar eingeflochten wurde. Die Bezeichnung ist im Laufe des 19. Jhs vorgedrungen. – b) Perücke. Seit dem 19. Jh.
3. seinen ~ draufmachen (druntersetzen) = unterschreiben. Verkürzt aus „ ⁊ Friedrich Wilhelm". Im engeren Sinne ist auszugehen von König Wilhelm I. von Preußen (= Kaiser Wilhelm I., 1871–1888) und von Kaiser Wilhelm II. (1888–1918). 1900 *ff.*
4. den dicken ~ machen (markieren, spielen, rausbeißen) = verschwenderisch, großzügig leben; mit seinem Reichtum prahlen; sich aufspielen. Leitet sich her von König Friedrich Wilhelm II. von Preußen (er regierte von 1786–1797); er war wohlbeleibt, war ein großer Verschwender und hielt etliche Maitressen aus. 1850 *ff.*
5. den feinen ~ markieren = sich vornehm gebärden. 1920 *ff.*

6. den geschwollenen ~ markieren = sich aufspielen. ⁊ geschwollen 1. 1950 *ff.*
7. den starken ~ markieren = sich seiner Kräfte (seines Könnens) rühmen. Variante von ⁊ Wilhelm 4. 1930 *ff.*

Wilhelmine *f* Partisanin; weibliche Person, die Feinde aus dem Hinterhalt erschießt. Man vergleicht sie mit Wilhelm Tell, der in der Hohlen Gasse bei Küßnacht am Vierwaldstätter See den Landvogt Geßler aus dem Hinterhalt erschossen haben soll. *Sold* 1941 *ff.*

Wille *m* **1.** erster und letzter ~ = Testament des von der Ehefrau beherrschten Ehemannes. 1920 *ff,* Berlin.
2. unterernährter ~ = Energielosigkeit. 1930 *ff.*

Willem *m* ⁊ Wilhelm 2.

Willensriese *m* Mann mit starkem Willen. 1930 *ff.*

Willi *m* **1.** falscher ~ = falscher Damenzopf; Perücke. ⁊ Wilhelm 2. 1900 *ff.*
2. schneller ~ = Durchfall. *BSD* 1965 *ff.*
3. den kleinen ~ auswringen = harnen. ⁊ Wilhelm 1. *BSD* 1965 *ff.*
4. den starken ~ markieren = sich viel Durchsetzungskraft zutrauen. ⁊ Wilhelm 7. 1966 *ff.* Die Redensart spielt möglicherweise auf die Bemühungen des damaligen Bundesaußenministers Willy Brandt an.

Willkomm *m* **1.** Tracht Prügel zum Empfang; Verprügelung des Häftlings bei Strafantritt. *Iron* Bezeichnung seit dem späten 18. Jh.
2. jm einen warmen ~ bereiten = jn handgreiflich empfangen. Seit dem 19. Jh.

wimmeln *v* **1.** *tr* = jn aus einer Gesellschaft, von der Schule verweisen. Meint eigentlich „sich regen"; von da zu transitiver Geltung weiterentwickelt im Sinne von „jn wimmeln machen". Seit dem 19. Jh, *schül* und *stud*.
2. *tr* = jn abweisen. *Vgl* ⁊ abwimmeln. 1900 *ff.*
3. *intr* = dem Mitspieler eine hochwertige Karte zuspielen, in den Stich werfen. Meint hier soviel wie „regsam, geschäftig, flink sein". Kartenspielerspr. 1870 *ff.*

Wimmerer *m* **1.** schluchzend vortragender Schlagersänger. 1955 *ff.*
2. Geige. Wien 1950 (?) *ff.*

Wimmerfritze *m* Schlagersänger. 1955 *ff.*

Wimmerheini *m* Schlagersänger, der seinem Vortrag schluchzende Laute beigibt. 1955 *ff.*

Wimmerholz *n* **1.** Mandoline, Zither, Violine. Anspielung auf wimmernde Spielart. Seit dem späten 19. Jh.
2. Drehorgel. *Rotw* 1900 *ff.*
3. Klavier. 1900 *ff.*
4. auf dem ~ hacken = schlecht klavierspielen. 1900 *ff.*

Wimmerkasten *m* **1.** Klavier; Grammophon; Rundfunkgerät. 1850 *ff.*
2. Streichinstrument. *Schül* 1960 *ff.*
3. Musikzimmer in der Schule. 1960 *ff.*

Wimmerkästner *m* Klavierspieler (in Gaststätten). Berlin 1900 *ff*.

Wimmerkeule *f* Geige. ↗Wimmerholz 1. 1920 *ff*.

Wimmerkiste *f* Musiktruhe; Musikautomat; Rundfunkgerät. ↗Wimmerkasten 1. 1920 *ff*.

Wimmerkuh *f* Sängerin mit unschöner Stimme. ↗Kuh 1. 1955 *ff*.

Wimmerkürbis *m* Mandoline. „Kürbis" spielt auf die Wölbung des Instruments an, und „wimmern" meint die klagende, gefühlvolle Spielweise. 1900 *ff*, *schül* und *sold*.

Wimmerl *n* 1. Pustel; kleines Geschwür; Warze. Eigentlich die harte Stelle oder der knotige Auswuchs (im Holz). *Bayr* und *österr*, 1700 *ff*.
2. Brustwarze. 1900 *ff*.
3. Penis. Er gilt als Auswuchs. 1900 *ff*.
4. Leib (der Schwangeren). Er wölbt sich vor wie ein „Knoten" im Holz. *Österr* seit dem 19. Jh.
5. Ohrfeige. Sie verursacht eine leichte Anschwellung. *Österr* 1950 *ff*.
6. Rucksack; Gürteltasche des Skifahrers. *Österr*, 1920 *ff*, bergsteigerspr.
7. Pistole. Sie wölbt (beult) die Tasche aus. *Österr* 1950 *ff*, *jug* und *sold*.
8. (Hand-, Fuß-)Ball. *Österr* 1920 *ff*.

Wimmerlhalter *m* Büstenhalter. ↗Wimmerl 2. *Österr* 1900 *ff*.

Wimmerlsepp *m* Mann mit unreiner Gesichtshaut, mit Pusteln o. ä. *Bayr* 1950 *ff*.

wimmern *intr* 1. zum ~ aussehen = unschön, unerträglich aussehen. 1950 *ff*.
2. es ist zum ~ = es ist zum Weinen (auch *iron*). 1920 *ff*, *halbw*.
3. zum ~ dämlich sein = unerträglich dumm sein. 1950 *ff*.

Wimmerraum (-saal) *m* Musikzimmer in der Schule. 1960 *ff*.

Wimmerscheibe *f* Schallplatte. *Halbw* 1955 *ff*.

Wimmerscheune *f* Konzertsaal. ↗Scheune 1. *Halbw* 1955 *ff*.

Wimmerschinken *m* Mandoline. „Schinken" spielt auf die Form an, und „wimmern" erklärt sich aus dem Vibrieren der Töne. Mandolinen wurden meist von der Arbeiterjugend gespielt und in der Wandervogelbewegung als „unzünftig" abgelehnt. Der Ausdruck ist im frühen 20. Jh beim „Wandervogel" entstanden.

Wimmerschlauch *m* Tonband. *Halbw* 1955 *ff*.

Wimmerschuppen *m* Musikzimmer in der Schule. Wohl Anspielung auf (mißtönende) Proben des Schülerchors. ↗Schuppen 1. 1955 *ff*.

Wimmerstift *m* Sänger. ↗Stift I 3. *Halbw* 1955 *ff*.

Wimmerzahn *m* Sängerin. ↗Zahn 3. *Halbw* 1955 *ff*.

wimmlig *adj* neugierig, nervös o. ä. Gehört zu „wimmeln = sich regen". 1920 *ff*.

Wimpel *m* 1. dem Mund entströmender, leichter Alkoholdunst. Abschwächung von „↗Fahne 1". 1910 *ff*.

2. leichtes Mädchen. Anspielung auf die Flatterhaftigkeit in Nachahmung des flatternden Wimpels. 1940 *ff*.

Wimper *f* 1. *pl* = Scheinwerferblenden. Kraftfahrerspr. 1950 *ff*.
2. ihr gehen die ~n ab = sie läßt ihn keinen Augenblick aus den Augen; sie blickt verzückt zu ihm hin. *Halbw* nach 1950 *ff*.
3. ich reiß' mir eine ~ aus und stech' dich damit tot: scherzhafte Drohrede. Fußt auf einem Schlagertext von Charles Amberg, 1928: „Ich reiß' mir eine Wimper aus und stech' dich damit tot. / Dann nehm' ich einen Lippenstift und mach' dich damit rot. / Und wenn du dann noch böse bist, weiß ich nur einen Rat: / ich bestelle mir ein Spiegelei und bespritz' dich mit Spinat." Über Tanzstunde, durch Schüler und Studenten volkstümlich geworden.
4. mit den ~n klimpern = den Männern begehrliche Blicke zuwerfen. „Klimpern = (schlecht) klavierspielen"; hier verengt zu „spielen", vor allem zu „mit den Augen, Blicken spielen". Seit dem 19. Jh.
5. mir kann keiner an die ~n klimpern = mir kann niemand eine Unredlichkeit vorwerfen; mich kann keiner übertölpeln. Wahrscheinlich in Berlin aufgekommen als Variante zu „jm zu nahe treten", beeinflußt von der Lust am Reimen. 1840 *ff*.
6. die ~n auf Halbmast senken = die Augenlider halb schließen. 1950 *ff*.
7. er kann seine ~n als Jalousien verkaufen = er öffnet und schließt seine Augen in ungewöhnlich rascher Folge. 1950 *ff*.
8. nicht mit den ~n zucken = a) beim Abfeuern eines Schusses völlig ruhig bleiben. 1900 *ff*, *sold* und schützenspr. – b) unerschütterlich sein; sich nichts anmerken lassen. 1910 *ff*.

Wimpernmähne *f* künstliche Wimpern. 1960 *ff*, *prost*.

Wimperzucken *n* mit ~ = nur zögernd; voller Bedenken; mit schlimmen Ahnungen. *Sold* 1940 *ff*.

Wimse *pl* Prügel. *Vgl* das Folgende. *Niederd*, 1900 *ff*.

wimsen *tr* jn prügeln. Zusammengewachsen aus den *gleichbed* Verben „↗bimsen" und „↗wamsen". *Niederd*, 1900 *ff*.

Wind *m* 1. Geschwätz, Lüge, Gerücht. Es ist substanzlos und flüchtig. Seit dem 18. Jh.
2. geheime Nachricht. Sie ist sozusagen vom Wind zugeflüstert. 1900 *ff*, *rotw*.
3. frischer ~ aus Kanada = schwungvolles Vorgehen ohne bürokratische Hemmungen. Fußt auf dem Titel eines deutschen Spielfilms von 1935. 1935 *ff*.
4. heißer ~ = starker Beschuß. *Sold* 1939 *ff*.
5. schallender ~ = laut entweichender Darmwind. *Sold* 1910 *ff*.
6. viel ~ und wenig Fahrt = Prahlerei ohne ent-

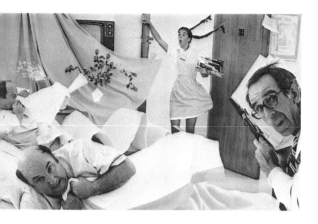

„Zuviel Wind für das kurze Hemd" – Die Wendung (**Wind 7.**) *hält dem näheren Augenschein durchaus stand. Das demonstriert das oben wiedergegebene Foto gleich in einer zweifachen Beziehung: Zum ersten, indem es diesen Sachverhalt ganz einfach zeigt, und zum anderen durch die Art und Weise, wie dies geschieht. Die Szene ist gestellt, natürlich, und daß es dem Fotografen gerade darauf, auf das Übertriebene-Exaltierte, ankam, ist nun wirklich nicht zu übersehen. Und noch eine weitere Deutung bietet sich da an: Wenn jemandem Wind unter das Hemd gemacht wird* (**Wind 24a.**), *passieren manchmal unglaubliche Dinge. Die drei Herren wissen wohl, daß jetzt ein anderer Wind weht* (**Wind 55.**) *und können deshalb nur noch in den Wind schießen* (**Wind 42a.**).

sprechende Tat. Hergenommen von der Segelschiffahrt. 1920 *ff.*

7. zuviel ~ für das kurze Hemd = Übertreibung. Das kurze Hemd flattert schon beim geringsten Windstoß hoch, und man ist bloßgestellt (↗Hemd 46 b). 1910 *ff.*

8. flink wie der ~ aus dem Arsch = sehr schnell. *Nordd* seit dem 19. Jh.

9. den ~ anhalten = nichts weiter äußern; verstummen. Parallel zu „die ↗Luft anhalten". 1950 *ff, jug.*

10. jm ~ in die Segel blasen = jm tatkräftig beipflichten. 1920 *ff.*

11. frischen ~ blasen lassen = etw grundlegend ändern; für Geschäftsbelebung sorgen; eine schwunglose Gruppe anfeuern. 1920 *ff.*

12. bläst der ~ 'daher? = ist das in diesem Sinne zu verstehen? ist das anders zu verstehen, als man erwarten sollte? Seit dem 19. Jh.

13. es geht ein ~ = es verlautet gerüchteweise. ↗Wind 1. Seit dem 19. Jh.

14. ~e gehen lassen = Darmwinde entweichen lassen. Seit dem 19. Jh.

15. in den ~ geschrieben (geschlagen) = vergebliche Ermahnung des Lehrers. Übernommen vom

dt Titel des 1957 gedrehten Spielfilms „Written in the Wind". *Schül* 1959 *ff.*

16. ~ haben = Hunger haben. ↗Luft 2. *Rotw* 1900 *ff.*

17. ~ von etw haben = von einer Sache erfahren haben. Wind = Witterung. 1600 *ff. Vgl franz* „avoir vent de quelque chose".

18. jn unter ~ haben = jn verdächtigen; einen Verdächtigen beobachten. Wind = Witterung. 1920 *ff.*

19. etw in den ~ husten = etw vergeblich sagen oder tun. Der Husten ändert den Wind nicht. 1920 *ff.*

20. von etw ~ kriegen = etw beiläufig, zufällig, heimlich erfahren; etw ahnen. Stammt aus dem Jägerleben: weht der Wind vom Jäger zum Wild hin, wittert dieses die Gefahr. 1500 *ff. Vgl engl* „to get wind of something".

21. jn unter ~ kriegen = mit der Beobachtung eines Verdächtigen beginnen. ↗Wind 18. 1920 *ff,* polizeispr.

21 a. den ~ von vorn kriegen = von vielen Leuten verbal hart angegriffen, unter Druck gesetzt werden. 1930 *ff.*

22. der ~ kann nicht lesen = Rekrutentest. Übernommen vom *dt* Titel des 1958 gedrehten *engl* Spielfilms „The Wind Cannot Read". *BSD* 1970 *ff.*

23. ~ machen = a) Darmwinde abgehen lassen. 1500 *ff.* – b) sich aufspielen; Unwahrheiten erzählen. ↗Wind 1. Seit dem 18. Jh. *Vgl engl* „to raise the wind". – c) Aufregung verursachen; eine Sache vorantreiben; Leute antreiben, scharf drillen. 1900 *ff.* – d) Gewalt anwenden. Wohl vom Orkan übertragen. 1920 *ff.*

24. jm ~ unter das Hemd machen = a) jn antreiben, ermuntern. *Sold* 1900 *ff.* – b) jn in Verlegenheit bringen; jn einschüchtern. ↗Wind 7. 1900 *ff.*

25. ~ vor der Tür machen = Darmwinde entweichen lassen. Tür = Hintertür = After. *Sold* 1935 *ff.*

26. zuviel ~ für ein kurzes Hemd machen = überheblich tun; mit angeblichem Können (o. ä.) prahlen. ↗Wind 7. *Sold* in beiden Weltkriegen.

27. mach' nicht solchen ~ mit dem kurzen Hemd! übertreibe nicht! bleibe sachlich! erdichte keine Lügen! ↗Wind 7. 1910 *ff.*

28. jm den ~ aus den Segeln nehmen = a) jm etw vorwegnehmen; jds Beweisführung hinfällig machen. Aus der Segelschiffahrt übertragen. 1900 *ff. Vgl engl* „to take the wind out of someone's sails", *franz* „prendre le dessus du vent à quelqu'un". – b) jds Angriffskraft schwächen. *Sportl* 1920 *ff.*

29. das nimmt ihm den ~ aus den Segeln = das raubt seiner Beweisführung die Schlagkraft; dadurch ist er sehr benachteiligt; das nimmt ihm den Schwung zum Weitermachen. 1900 *ff.*

30. pfeift der ~ aus diesem Loch? = hat man sich

das völlig anders als erwartet zu erklären? Deine wahre Meinung ist also wohl völlig anders? ↗Wind 12. Seit dem 19. Jh.

31. jetzt pfeift der ~ aus einem anderen Loch (jetzt pfeift ein anderer ~) = jetzt herrscht mehr Strenge und Ordnung. Seit dem 19. Jh.

32. gegen den ~ pissen (schiffen o. ä.) = töricht handeln; einen schwerwiegenden Fehler begehen; sein Unglück selbst verursachen. 1900 ff.

33. etw in den ~ pusten = etw nicht beherzigen. Vgl ↗Wind 19. 1920 ff.

34. in den ~ reden = vergeblich Vorhaltungen machen; umsonst warnen. Der Wind als altes Sinnbild der Flüchtigkeit und der großen Leere. 1500 ff.

35. ~ reißen = leere Redensarten von sich geben. 1900 ff.

36. drei (sieben, zehn) Meter (Meilen) gegen den ~ riechen (stinken) = aufdringlich riechen; stark parfümiert sein; alkoholisierten Atem verströmen. Seit dem 19. Jh.

37. das riecht man drei Meilen gegen den ~ = daß dort nicht alles in Ordnung ist, spürt jedermann. 1930 ff.

38. ~ säen und Sturm ernten = etw Schlimmes verursachen, das noch ärgere Folgen nach sich zieht (ziehen wird). Geht zurück auf das Alte Testament (Hosea 8, 7). 1500 ff.

39. er schaufelt ~ über den Zaun = a) er handelt unsinnig. 1950 ff. – b) er täuscht Eifer (Betriebsamkeit) vor. 1950 ff.

40. er schaufelt ~ um die Ecke: Antwort auf die Frage, wo einer ist, was einer tut. BSD 1965 ff.

41. sechs Meter (Meilen) gegen den ~ scheißen = a) einen sehr übelriechenden Darmwind entweichen lassen. Seit dem 19. Jh. – b) heftigen Durchfall haben. Seit dem 19. Jh.

42. in den ~ schießen = a) das Schußziel verfehlen. Sold seit dem späten 19. Jh. – b) Filmaufnahmen unnötig vergeuden. ↗schießen 4. 1920 ff. – c) mit höchstmöglicher Geschwindigkeit davonfahren. Seemannsspr. 1900 ff. – d) bezecht heimwärts gehen; eilig nach draußen gehen; auf Vergnügungen ausgehen. 1950 ff.

43. jn in den ~ schießen = jm eine Abfuhr erteilen. 1950 ff.

44. schieß in den ~! = geh weg! 1900 ff.

45. etw in den ~ schlagen = etw geringschätzig von sich weisen; Warnungen, Vorhaltungen usw. unbeachtet lassen. Formulierung der abweisenden Gebärde mit der Hand. Seit dem 14./15. Jh. Vgl engl „to fling to the wind".

46. etw in den ~ schreiben = von einer Sache Abstand nehmen; mit Rückerhalt des verliehenen Geldes oder Gegenstands nicht länger rechnen. 1920 ff.

47. mit dem ~ segeln = dem jeweiligen Regierungskurs folgen; nicht in die Opposition gehen. Seit dem 19. Jh.

48. mit allen ~en gesegelt sein = welt-, lebenserfahren sein. Vgl ↗Wasser 21. 1500 ff.

49. gegen den ~ spucken = a) sich im Alkoholrausch beschmutzen. Euphemismus. Seit dem 19. Jh. – b) unsinnig handeln. Seit dem 19. Jh.

50. etw in den ~ spucken = eine Vermutung äußern; einer Vermutung nicht nachgehen. 1920 ff.

51. vom ~e verweht = windzerzaust (auf die Haare bezogen). Fußt auf dem dt Titel des Romans „Gone With the Wind" von Margaret Mitchell, 1936 (dt Übersetzung 1937; Spielfilm 1939). 1950 ff.

52. vom ~e verweht sein = ohne Konzentration lernen; arbeitsunlustig sein. 1950 ff.

53. jm ~ vormachen = jm leere Worte geben; jn täuschen. ↗Wind 1. Seit dem 18. Jh.

54. sich den ~ um die Nase (die Ohren) wehen lassen = viel herumkommen; in der Fremde Erfahrungen sammeln. Entweder von Reiseschilderungen herzuleiten oder von den vorgeschriebenen Wanderungen der Handwerksgesellen. Auch lassen alle Wildarten sich „den Wind um die Nase wehen", wenn sie „sichern". Die Redensart ist in leicht abgewandelter Form seit dem 17. Jh belegt.

55. hier weht ein anderer ~ = hier sind die Leute anders als anderswo; hier herrschen andere politische Verhältnisse. Seit dem 18. Jh.

56. es weht ein eisiger ~ = es wird rücksichtslos, unnachsichtig durchgegriffen; es herrschen diktatorische Zustände. 1930 ff.

57. merken, woher der ~ weht = merken, wie sich die Dinge entwickeln werden. Seit dem 19. Jh.

58. sehen, wie der ~ weht = sich vergewissern, mit welchen Tatsachen man zu rechnen hat. Seit dem 19. Jh. Vgl engl „to see which way the wind blows", franz „voir de quel côté vient le vent".

59. wissen, woher (wie) der ~ weht = wissen, von wem man Schwierigkeiten zu erwarten hat. ↗Wind 57. Seit dem 19. Jh.

Windbekämpfer m tief ins Gesicht gezogener Wetterhut. 1960 ff.

Windbeutel m **1.** leichtsinniger junger Mann; Prahler; unzuverlässiger Mensch. Er ähnelt einem mit Wind gefüllten Beutel, ähnlich der Papiertüte, die man aufbläst und mit einem kräftigen Schlag zerplatzen läßt. 1700 ff.

2. Berufstätiger, zu dessen Berufsausübung man kein Vertrauen hat; Wunderdoktor u. ä. 1900 ff.

'Windbeute'lei f Prahlerei. Spätestens seit 1800.

windbeuteln intr **1.** prahlen. Seit dem 19. Jh.

2. unbedeutende leichtsinnige (leichtfertige) Handlungen begehen. 1900 ff.

Windbläser m Mann, der seine Person und seine Arbeit für überaus wichtig hält. Er „macht Wind" (↗Wind 23 b) und „bläst sich auf" (↗aufblasen 3). 1920 ff.

Windbüchse f junger Tunichtgut. Eigentlich das Luftgewehr. Nordd, 1900 ff.

Winde *f* **1.** Tür. Sie „windet" (wendet) sich in den Angeln. *Rotw* 1750 *ff.*

2. Haus. Pars pro toto aus dem Begriff „Tür". *Rotw* 1850 *ff.*

3. Arbeitshaus. *Rotw* 1900 *ff.*

4. Gefängnis. *Rotw* 1920 *ff.*

5. aussichtsreiche Angelegenheit; Gelegenheit zu einer Straftat. Versteht sich nach „ein ↗ Ding drehen". 1900 *ff.*

6. linke ~ = Sicherungsverwahrung, Arbeitshaus u. ä. Die Rechtsbrecher halten diese Einrichtung für Heimtücke; ↗ link 1. *Rotw* seit dem frühen 19. Jh.

7. ~ her!: Ausruf angesichts eines altbekannten Witzes. Die Winde ist die Seilwinde, auf der hier der „Bart" des Witzes aufgewickelt werden soll; ↗ Bartwickelmaschine. 1930 *ff.*

8. hast 'du 'ne ~! = du vermutest völlig falsch! Hier ist die Winde die Drehstange, mit deren Hilfe man Lasten hebt; mit ihr windet man auch den Eimer aus dem Brunnen hoch. Dazu braucht man ein langes Seil, woraus sich Analogie zu „lange ↗ Leitung" ergibt. Berlin 1900 *ff.*

9. die ~ stoßen = sich in der Nachbarschaft umsehen; die als freigebig bekannten Häuser aufsuchen, um zu betteln. ↗ Winde 1 = Tür; die Winde stoßen = an die Türen klopfen. *Rotw* seit dem 19. Jh.

'Wind'ei *n* **1.** Lüge; Falschmeldung; Vorspiegelung; Schwindelgeschäft; Betrug. Eigentlich das mit weicher oder gänzlich ohne Schale abgelegte Vogelei: es kann nicht ausgebrütet werden und taugt auch nicht zum menschlichen Verzehr. Seit dem 18. Jh.

2. Versager. 1935 *ff, sold.*

3. Fußball. „Wind" spielt auf die Luftfüllung an. *Jug* 1930 *ff.*

4. unbrauchbarer Vorschlag; verfehlte Sache; unfruchtbare Arbeit. 1870 *ff.*

Windelbeschauer *m* Kinderarzt. 1920 *ff.*

Windelbrei *m* Senf. Wegen der Farbähnlichkeit mit Kinderkot. 1925 *ff.*

Windel-Mercedes (-Porsche) *m* Kinderwagen. 1950 *ff.*

Windelpüree *n* Senf. Analogie zu ↗ Windelbrei. 1925 *ff.*

Windel-VW *m* Kinderwagen. 1950 *ff.*

'windel'weich *adj* **1.** sehr nachgiebig. Säuglingswindeln sind aus besonders weichem Stoff gefertigt, und sie „schlucken" alles; *vgl* hiernach ↗ schlucken 4. Seit dem frühen 19. Jh.

2. jn ~ hauen = jn kräftig verprügeln. 1800 *ff.*

Windenkind *n* Jugendlicher in einer Zwangserziehungsanstalt (in der „Fürsorgeerziehung"). ↗ Winde 6. *Schweiz* 1965 *ff.*

Winderiecher *m* Internist; Arzt für Darm- und Blasenleiden. *Nordd,* 1900 *ff.*

Windfahne *f* wankelmütiger, energieloser Mensch. ↗ Wetterfahne. 1900 *ff.*

Windfang *m* **1.** weiter Mantel; Umstandsmantel. Eigentlich der Windschutz vor der Haustür o. ä.; *vgl* ↗ Vorbau. *Rotw* 1500 *ff; sold* 1870 *ff.*

2. Hemd. Es fängt die abgehenden Darmwinde auf. 1920 *ff.*

3. stark vorspringende Nase. Meint in der Jägersprache die Nase des Schalenwilds. 1920 *ff.*

4. Abort-Vorraum. 1920 *ff.*

5. Ahnungsvermögen. Versteht sich nach „↗ Wind 20". 1910 *ff, ziv und sold.*

Windfang-Christ *m* Christ, der von der offenen Kirchentür her dem Gottesdienst beiwohnt. 1950 *ff*, geistlichenspr.

Windhund *m* **1.** unbeständiger Mensch; Leichtfuß. Anspielung auf Unbeständigkeit und Nichtigkeit, wie es das Bestimmungswort „Wind-" ausdrückt. 1800 *ff.*

2. Schnellboot. Übertragen von der Schnelligkeit des Windhunds. *Marinespr* 1914 bis heute.

3. Kradmelder; Radfahrer. *Sold* in beiden Weltkriegen.

4. mopsgedackelter ~ = Hund aus unbestimmbarer Kreuzung. 1930 *ff.*

5. flink wie die ~e = schnellfüßig. 1920 *ff. Vgl* auch „hart wie ↗ Kruppstahl".

Windhundschnauzer *m* spitzgedackelter ~ = Hund ohne belegbaren Stammbaum. 1930 *ff.*

windig *adj* **1.** unzuverlässig, tückisch, vertrauensunwürdig. Fußt auf der Sinnbildgeltung des Windes für Flüchtigkeit, Leichtlebigkeit und Substanzlosigkeit. 1800 *ff.*

1 a. substanzarm; nicht sättigend; spärlich. Seit dem 19. Jh.

2. rechtlich nicht einwandfrei; straffällig; ans Verbrecherische grenzend. 1900 *ff.*

3. gefahrdrohend; gefährlich. Man kann der Sache nicht trauen. Wohl auch Anspielung auf umherfliegende Geschosse (↗ Wind 4). Seit dem 19. Jh.

4. geschlechtlich leicht erregbar; mannstoll. 1900 *ff.*

5. es sieht ~ aus = es besteht keine Aussicht auf Erfolg. 1920 *ff.*

6. um etw ist es ~ bestellt = um etw ist es schlecht bestellt. 1920 *ff.*

7. hier ist es ~ = hier prahlt einer. Der Betreffende „macht Wind"; ↗ Wind 23 b. 1930 *ff.*

Windjammer *m* nahezu völlige Windstille. Wortwitzelei: eigentlich gilt die Bezeichnung dem im Wind „ächzenden, stöhnenden" Segelschiff; hier ist gemeint, daß das Ausbleiben des Winds ein Jammer ist. 1960 *ff.*

Windloch *n* After. Eigentlich das Giebelloch am Haus. Wind = Darmwind. *Sold* in beiden Weltkriegen.

Windmacher *m* **1.** Prahler; Mensch, der leere Worte macht. ↗ Wind 23 b. Seit dem 18. Jh.

2. Antreiber, Anfeuerer. ↗ Wind 23 c. 1900 *ff.*

3. Fahnenschwenker. 1955 *ff.*

4. Tauchergehilfe, der das Atemgerät bedient. 1955 *ff.*

5. geistlicher (heiliger) ~ (Heiligewindmacher) = Bälgetreter in der Kirche; Organist. Seit dem 19. Jh.

'**Windmache'rei** *f* Prahlerei; Lügengespinst. Seit dem 19. Jh.

Windmaschine *f* **1.** Ventilator. 1960 *ff.*
2. redefreudiger Dummschwätzer. 1960 *ff.*

Windmühle *f* Hubschrauber. Die Drehflügel ähneln den Windmühlenflügeln. 1940 *ff.*

Windmühlenwachleute *pl* Verkehrspolizeibeamte. Sie bewegen die Arme ähnlich Windmühlenflügeln. Wien 1960 *ff, stud.*

Windmüller *m* Prahler. ↗Windmacher 1. 1920 *ff.*

Windorgel *f* Hubschrauber. Anspielung auf den dumpfen (Orgel-)Klang. Auch steht „orgeln" für „runddrehen" (von der Drehorgel hergenommen). 1960 *ff, BSD.*

Windpisser *m* Versager. ↗Wind 32. Seit dem frühen 20. Jh; auch *sold.*

Windregulierungspillen *pl* weiße Bohnen. Sie rufen Blähungen hervor. 1930 *ff.*

Windrose *f* nettes Mädchen, das gern übertreibt und es mit der Wahrheit nicht genau nimmt. Eigentlich Bezeichnung für die Scheibe, die die Himmelsrichtungen anzeigt; hier zusammenhängend mit „Wind machen = prahlen". *Halbw* 1925 *ff,* Berlin.

Windsack *m* buckliger ~ = Mensch mit schlechter Körperhaltung. Windsack = Windrichtungsanzeiger. 1950 *ff.*

Windsbraut *f* **1.** Motorradmitfahrerin. Eigentlich der Wirbelwind; hier Anspielung auf den Wind, dem das Mädchen ausgesetzt ist. „Braut" ist nicht wörtlich zu nehmen. 1920 *ff, jug.*
2. Flugzeugstewardeß. 1955 *ff.*
3. Rennfahrerin; Wassersportlerin. 1955 *ff.*

'**wind'schief** *adj* **1.** sehr schief. Eigentlich „gewunden schief" wie Holz, das in den Fasern verdreht ist. Das Wort wird heute meist als Verstärkung von „schief" aufgefaßt. Seit dem 18. Jh.
2. verkommen in Kleidung und Charakter; nicht vertrauenswürdig. 1900 *ff.*

windschlüpfig *adj* anpassungsfähig; geschmeidig. Aus der Aerodynamik nach 1950 übernommen.

Windsnutte *f* beischlafwillige Motorradmitfahrerin. ↗Nutte 1. Der „Windsbraut" nachgeahmt. 1928 *ff,* Berlin.

Windsorknoten *m* **1.** breiter Krawattenknoten. Benannt nach seinem „Erfinder", Herzog Edward von Windsor (1936 König Edward VIII. von England). 1950 *ff.*
2. jm einen ~ drehen = jn überwältigen, körperlich oder moralisch erledigen. Moderne Variante zu „jm eine ↗Krawatte drehen". 1955 *ff, jug.*

Windstärke *f* **1.** ~ Null = milde Form der Führung; Sanftmut in Stimme und Wesensart. Der Betreffende ist kein „↗Windmacher". 1935 *ff.*

2. ~ zehn = hochgradige Wut. Meteorologisch soviel wie „voller Sturm". 1939 *ff, sold.*
3. ~ elf = Torkeln des Bezechten. Meteorologisch soviel wie „schwerer Sturm". Seit dem späten 19. Jh, seemannsspr.
4. ~ elfeinhalb = völlige Bezechtheit. 1870 *ff,* seemannsspr.; *marinespr* in beiden Weltkriegen.
5. ~ zwölf = stark berauschendes Getränk. Meteorologisch soviel wie „Orkan". Seemannsspr. 1900 *ff;* sold 1939 *ff.*
6. das Radio auf ~ elf drehen = das Rundfunkgerät auf sehr hohe Lautstärke einstellen. 1935 *ff.*
7. schlafen mit ~ zwölf = sehr laut schnarchen. *Marinespr* in beiden Weltkriegen.

Windstille *f* **1.** heftiger Hunger. Man hat „Flaute" im Magen. *Sold* 1939 *ff.*
2. Untätigkeit; Ausbleiben der Käufer. 1960 *ff.*

Windsuppe *f* ~ schnappen = Hunger leiden. ↗Wind 16. *Rotw* 1900 *ff.*

Windtripper *m* Vorhautentzündung am Penis. Sie wird von Laien leicht mit dem Frühstadium des Trippers verwechselt. 1920 *ff.*

windverdreht *adj* mißlungen, mißgestaltet. ↗windschief 1. *Österr* 1950 *ff,* handwerkerspr.

Windvogel *m* Papierdrachen der Kinder. 1920 *ff.*

Wink *m* **1.** ~ mit einem ausgewachsenen Baumstamm = unmißverständlicher Wink. 1920 *ff.*
2. ~ mit dem Besenstiel = deutlicher, plumper Hinweis; energische Aufforderung. Ursprünglich wurde wohl der Besenstiel dazu geschwungen als Zeichen der Prügelandrohung für den Fall der Nichtbefolgung. Berlin 1920 *ff.*
3. ~ mit dem Kirchturm = Wink, der nicht zu übersehen und nicht mißzuverstehen ist. Wahrscheinlich war es eigentlich ein Hinweis auf die Kirchturmuhr. 1930 *ff.*
4. ~ mit dem Knüppelstiel = unmißverständlicher Hinweis. Versteht sich wie „↗Wink 2". 1900 *ff, schül.*
5. ~ mit dem Laternenpfahl = deutlicher Hinweis; plumpe Aufforderung. Eigentlich der Hinweis darauf, daß die Straßenlaternen bereits brennen und also die Zeit zum Aufbruch gekommen ist. Seit dem späten 18. Jh.
6. ~ mit dem Mastbaum = Hinweis, dem man sich nicht entziehen kann. *Marinespr* 1900 *ff.*
7. ~ mit dem Palmenzweig = Friedensvorschlag. Hängt zusammen mit der sinnbildlichen Friedenspalme. 1850 *ff.*
8. ~ mit dem Scheunentor = plumpe Aufforderung. ↗Scheunentor 3. Seit dem 19. Jh.
9. ~ mit dem Telegraphenmast = deutliche Mahnung. 1920 *ff.*
10. ~ mit dem Tulpenstengel = unmißverständliche Anspielung. *Iron* Verniedlichung des Folgenden. Seit dem 19. Jh.
11. ~ mit dem Zaunpfahl (Zaunspfahl) = warnender Hinweis. Man schwingt den Zaunpfahl wie eine drohende Waffe. 1850 *ff.*

Winkeknabe *m* junger Mann, der Autofahrer anhält und um Mitnahme bittet. 1950 *ff*.

Winkel *m* **1.** Feldwebel. Er hat auf den Schulterstücken einen Winkel. *BSD* 1965 *ff*.

2. einen gestreckten ~ bilden = sich niederlegen; zu Bett gehen. Beim gestreckten Winkel liegen beide Winkelschenkel in einer geraden Linie. *Marinespr* in beiden Weltkriegen.

3. das haut einen in sämtliche ~!: Ausdruck großer Überraschung. „Winkel" meint hier wohl die Ecke des sogenannten Box-„rings". *Sold* und *stud*, 1920 *ff*.

4. in den gestreckten ~ übergehen = sich schlafen legen. ↗Winkel 2. *Sold* 1930 *ff*.

Winkeladvokat *m* **1.** Rechtsberater fragwürdiger Art; Mann, der unbefugt Rechtsauskünfte erteilt; Rechtskonsulent. „Winkel" bezieht sich auf die Wohngegend mit verwinkelten Gassen, in denen Kleingewerbetreibende wohnen und ihr Geschäftslokal haben. 1830 *ff*.

2. gescheiterter Jurist, der einfache Leute in rechtlichen Angelegenheiten mehr schlecht als recht berät. 1900 *ff*.

3. Bürovorsteher eines Rechtsanwalts. 1900 *ff*.

Winkelblatt (-blättchen) *n* unbedeutende Zeitung. Zu „Winkel" *vgl* „↗Winkeladvokat 1". Seit dem 19. Jh.

Winkelbock *m* untreuer Ehemann. Eigentlich das nicht gekörte männliche Tier, dem man heimlich weibliche Tiere zum Decken zuführt. 1920 *ff*.

Winkeleisen *n* Feldwebel. ↗Winkel 1. *BSD* 1965 *ff*.

Winkelkonsulent *m* Rechtsberater fragwürdiger Art. 1900 *ff*.

Winkelmakler *m* Mann, der heimlich als Makler tätig ist. 1920 *ff*.

winkeln *intr* Recht auf Nebenwegen zu erreichen suchen. Man schlägt winklige Wege ein. 1950 *ff*.

Winkelreporter *m* Reporter einer unbedeutenden Zeitung. 1950 *ff*.

Winkelverleger *m* unbedeutender Verleger. *Vgl* ↗Winkeladvokat 1. 1950 *ff*.

Winkelzüge *pl* in (mit) ~n fahren = bei Dienstfahrten einen Umweg wählen, um private Angelegenheiten zu erledigen. Wortwitzelei mit „Winkelzüge = Ausflüchte". *Sold* in beiden Weltkriegen; *ziv* 1945 *ff*.

Winkemädchen *n* Mädchen, das Autofahrer anhält, um unentgeltlich mitgenommen zu werden. 1950 *ff*.

winken *v* **1.** jm eine ~ = jm eine Ohrfeige versetzen. Wie zum Winken holt man aus und schlägt zu. 1900 *ff*.

2. der Bergesgipfel winkt = der Berggipfel wird sichtbar. Wahrscheinlich hergeleitet von Wolkenfetzen oder Nebelschwaden, die an Berggipfeln festzuhängen scheinen und in Windrichtung wehen und verwehen: sie erinnern an flatternde Fahnen o. ä. Die Redewendung halten viele für besonders vornehm und für gebildete Ausdrucksweise. Seit dem 19. Jh.

Winker *m* **1.** Stirnlocke der Mädchen. Verkürzt aus ↗Herrenwinker. 1850 *ff*.

2. Mann, der Autofahrer anhält und sie um Mitnahme bittet. 1950 *ff*.

3. *pl* = Arme. Es sind die Querbalken der Wegweiser oder die Arme des Verkehrspolizeibeamten. 1935 *ff*.

4. *pl* = große, abstehende Ohren. Übernommen vom Richtungsanzeiger des Kraftfahrzeugs. 1930 *ff*.

5. beide ~ draußen haben = abstehende Ohren haben. 1930 *ff*.

Winkerin *f* Straßenprostituierte, die Autofahrer anhält, um ihnen ihre Dienste anzubieten. 1950 *ff*.

Winke'ritis *f* **1.** überflüssiges Betätigen des Fahrtrichtungsanzeigers. Als krankhaft aufgefaßt, wie es die Wortbildung verrät. Kraftfahrerspr. 1950 *ff*.

2. spontanes Winken vor der Fernsehkamera. 1957 *ff*.

Winkerkelle *f* **1.** Fahrtrichtungsanzeiger bei Fahrzeugkolonnen; Einweiserscheibe des Feldgendarmen. ↗Kelle. *Sold* 1935 *ff*.

2. Stopscheibe des Polizeibeamten. 1950 *ff*.

Winke-Winke *m* Verkehrspolizeibeamter. Verkürzt aus „↗Winke-Winke-Polizist". 1920 *ff*.

winke-winke 1. ~ machen = mit der Hand winken. Kindersprachlicher Ausdruck, entstanden aus der Verdopplung der Befehlsform. Spätestens seit 1900.

2. mit ~ reisen = Kraftfahrer anhalten und sie um Mitnahme bitten. Gegen 1935 aufgekommen mit dem Bau der Autobahnen.

Winke-Winke-Polizist *m* Verkehrspolizeibeamter bei der Verkehrsregelung. 1920 *ff*.

Winke-Winke-Tour *f* Versuch, durch Winken Autofahrer zum Anhalten zu bewegen und sie um Mitnahme zu bitten. 1960 *ff*.

Winki *m* Signalgast. *Marinespr* 1968 *ff*.

Wink-Nutte *f* Straßenprostituierte, die Autofahrer anspricht. ↗Nutte 1. 1955 *ff*.

winnig *adj* auf etw versessen; wütend. Geht zurück auf *mhd* „winnen = toben, rasen". *Oberd* seit dem 19. Jh.

Winsel *f* Geige. Winseln = gedehnte Klagelaute von sich geben. Vorwiegend *österr* und *schles*, seit dem 19. Jh.

Winselbrett *n* Geige. 1950 *ff*, *schül*.

Winselholz *n* Transistorgerät. *Halbw* 1965 *ff*.

Winselkasten *m* **1.** Geigenkasten. ↗Winsel. *Österr* seit dem 19. Jh.

2. Cello. *Österr* seit dem 19. Jh.

3. altes (verstimmtes) Klavier; altes Grammophon; altes Rundfunkgerät. 1920 *ff*. Um 1830 in Berlin Bezeichnung für die Drehorgel.

winseln *intr* **1.** singen. Übernommen von den wimmernden und jaulenden Lauten des Hundes. 1910 *ff*.

2. es ist zum ~ = es ist überaus langweilig. Analog zu „es ist zum ↗Heulen". 1950 ff.

Winselorgie f Schlagerwettbewerb. ↗winseln 1. 1960 ff, journ.

Winsler m **1.** Geigenspieler. ↗Winsel. Kundenspr. 1850 ff, österr.

2. Schlagersänger. ↗winseln 1. Halbw 1965 ff.

Winsle'rei f Weinen und Schreien. Bayr 1900 ff.

Winter m **1.** grüner ~ = a) milder Winter. 1920 ff. – b) verregneter, kühler Sommer. 1966 ff.

2. grünangestrichener ~ = kühler Sommer. Wortprägung von Heinrich Heine; wiederaufgelebt seit 1978.

3. langer ~ = Winter, in dem lange Kleider und Mäntel Mode sind. 1970 ff.

4. milder ~ = kühler Sommer. 1962 ff.

5. gut über (durch) den ~ gekommen sein = gesund und gutgenährt aussehen. Aus dem bäuerlichen Lebensbereich übernommen. 1900 ff.

Winter-Ananas f Kohlrübe. Nordd und Berlin, seit dem 19. Jh.

Winterapfel m unansehnlich gewordene Prostituierte. Anspielung auf die faltige Haut. 1920 ff.

Winterbirne f spät zur Geltung kommender Künstler. Winterbirnen müssen lange liegen, um schmackhaft zu werden. 1970 ff.

Winterdatteln pl Kotklümpchen an den Afterhaaren. Sie sind form- und farbähnlich mit kleinen Datteln. „Winter" meint soviel wie „getrocknet". 1935 ff, sold.

Winterfenster n **1.** Brille. Eigentlich das Fenster, das im Winter vor dem üblichen Fenster angebracht wird, um den Kälteschutz zu verbessern. Ähnlich wirkt die Brille als „Fenster" vor den „Fenstern" (= Augen). Oberd seit dem 19. Jh.

2. Monokel. 1930 ff.

Winterfensterglotzer m Brillenträger. ↗Winterfenster 1. Bayr 1920 ff.

Winterfett n Gewichtszunahme des Körpers im Winter mangels ausreichender Bewegung. 1950 ff.

Winterflüchtling m Urlauber, der im Winter in den Süden reist. Er flieht vor dem Winter. 1970 ff.

Winterfrische f Erholungsurlaub im Winter. Der „Sommerfrische" nachgebildet. Seit dem späten 19. Jh.

Winterfrischler m Urlaubsreisender im Winter. 1970 ff.

Winterfüße pl unter Frost leidende Füße; Frostbeulen an den Füßen. 1920 ff.

Wintergedicht n hübscher Pelzmantel. ↗Gedicht. Modejournalistinnenspr. 1958 ff.

Winterhände pl unter Frost leidende Hände. 1920 ff.

Winterholz n ~ hacken (sägen) = ausdauernd schnarchen. ↗sägen 1. 1920 ff.

Winterkirschen pl **1.** Kotklümpchen an den Afterhaaren. Vgl ↗Winterdatteln. Eigentlich mundartliche Bezeichnung für die Preiselbeeren. Österr 1920 ff.

2. Hämorrhoiden. Österr, 1920 ff.

Wintersaat f siehst du nach der ~?: Frage an einen gestürzten Skiläufer, der mit dem Kopf kaum aus dem Schnee herausfindet. Bayr 1920 ff.

Winterschlacht f Winterschlußverkauf. Vom milit Begriff übertragen, weil der Schlußverkauf eine „Schlacht" ist in dem Sinne, daß sich die Käuferinnen um die Ware „schlagen", d. h. erbittert kämpfen. (1930?) 1955 ff.

Winterschlaf m etw in den ~ versetzen = Winterkleidung im Sommer „einmotten". 1955 ff.

Winterschlitten m geschlossenes Auto; Limousine. ↗Schlitten 1. 1950 ff, jug.

Winterspeck m Gewichtszunahme infolge winterlichen Bewegungsmangels. 1950 ff.

Wintersportkanone f hervorragender Wintersportler. ↗Kanone 4. 1920 ff.

Wintersportmetropole f Garmisch-Partenkirchen; Kitzbühel. 1975 ff.

Wintersportorden m militärisches Ehrenzeichen für die Teilnehmer am Feldzug gegen Rußland (Winter 1941/42). Iron Rangerhöhung zu einem „Orden". 1941 ff.

Winterstaat m elegante Winterkleidung. ↗Staat 1. Seit dem 19. Jh.

'winze'binze'klein adj winzig. Aus „winzigklein" spielerisch erweitert. 1950 ff.

Winzerfest n Einstufung der Beamten in höhere Besoldungsgruppen. Selbstironisch gemeint ist, daß neue Etiketts auf alte Flaschen geklebt werden. Ministerialjargon 1966 ff.

Winzerschweiß m saurer Wein. Gaststättenspr. 1920 ff.

Winzling m **1.** kleines Tier. 1950 ff.

2. Säugling; Kleinkind; kleinwüchsiger Mensch. 1950 ff.

3. Schüler der Unterstufe; Schulanfänger. 1950 ff.

Wippchen n **1.** Petticoat. Bei jedem Schritt „wippt = schaukelt" er hin und her. 1955 ff.

2. Mädchen, das einen (oder mehrere) Petticoat(s) trägt. 1955 ff.

3. pl = Vorspiegelungen; kleine Kunstgriffe; Umschweife; Ausreden; Lügen u. ä. Mitteld und niederd Verkleinerung zu hd „Wipf = Sprung; Seiltänzerkunststück; Schaukelstoß". 1840 gebucht mit dem Zusatz: „aus der Zeit der Freiheitskriege"; stark verbreitet durch die von Julius Stettenheim für sein Witzblatt „Die Wespen" (1863 ff) erfundene Gestalt des Kriegsberichterstatters Wippchen.

4. jm ~ vormachen = jm etw vorgaukeln, vorlügen; jn mit Ausflüchten abzufertigen suchen. Seit dem 19. Jh.

Wippe f **1.** großer, breitrandiger Damenhut. Beim Gehen schaukelt die Krempe auf und ab. 1900 ff.

2. Strandhut. 1950 ff.

3. Frau mit auffällig wiegendem Gang. 1900 ff.

4. Petticoat. 1955 ff.

5. mit ihm steht es auf der ~ = mit seinen Vermö-

Ambiente und Habitus verraten, daß sich da Herr-schaften in Positur gestellt haben, die umgangs-sprachlich wie folgt bezeichnet werden: **Wirt-schaftsadel**, *wenn in den Eigentümern oder Mana-gern eine neue, die alte Feudalclique verdrängende (Geld-)Aristokratie gesehen wird;* **Wirtschaftsboß**, *wenn selbst ein Maßanzug das Hemdsärmlige, das solchen Leuten oft zu eigen ist, nicht mehr verdecken kann;* **Wirtschaftskanone**, *wenn einer einen guten Schnitt macht, und das nicht nur mit Kanonen, ob-wohl sich gerade damit besonders gute Geschäfte ma-chen lassen;* **Wirtschaftskapazität** *schließlich, wenn man noch immer an das schöne Märchen vom Boot glaubt, in dem angeblich alle sitzen.*

gensverhältnissen steht es bedenklich. Wippe ist der Schaukelbalken. *Vgl* ↗Kippe 14. Seit dem 19. Jh.

wippen *v* **1.** *intr* = schielen, zwinkern. Eigentlich soviel wie „schaukeln; auf- und abschwingen; hüpfen". 1900 *ff*.

2. *intr* = mit Falschgeld betrügen; abgefeiltes, be-schnittenes Metallgeld als vollgültig in Verkehr bringen. ↗kippen 8. 1600 *ff*.

3. *intr* = sich amüsieren; ausgelassen feiern. Er-gibt über die Bedeutung „schaukeln" Analogie zu „↗schunkeln". 1950 *ff*.

4. *intr* = Skandal verursachen; Unruhe stiften; die Leute erbittern; Ärgernis bereiten. Gehört wohl zu „wippen" in der Bedeutung „am Galgen aufknüpfen". 1930 *ff*.

5. *tr* = jn aus einer Gesellschaft, von der Schule verweisen. *Vgl* ↗katapultieren 1. Seit dem 18. Jh, *niederd*.

Wipper *m* **1.** Falschmünzer; Betrüger mit Falsch-geld. ↗wippen 2. 1600 *ff*.

2. Penis. Wippen = emporschnellen; auf- und niederschwingen. 1920 *ff*.

Wipperin *f* Mädchen, das durch die Schaukelbewe-gung des Petticoats den Männern aufzufallen wünscht. ↗Wippchen 2;   ↗Wippe 3.   *Halbw* 1955 *ff*, Berlin.

Wipprock (-röckchen) *m (n)* Petticoat. ↗Wipp-chen 1. 1955 *ff*.

Wipprockdämchen *n* junges Mädchen im Petti-coat. ↗Wippchen 2. 1955 *ff*.

Wippsterz *m* unruhiger, unruhig sitzender Mensch. ↗Wibbelsterz. Seit dem 18. Jh.

wir *pron* **1.** wir zwei beide = wir beide. Ein im Mit-telalter vereinzelt belegter, seit dem 19. Jh mund-artlich häufiger Pleonasmus.

2. wir sind wir (mir san mir; mia san mia): Aus-druck übersteigerter Selbstbewertung. Dem einsti-gen Stil regierender Fürsten nachgebildet („Wir Wilhelm, König von Preußen"). *Bayr* und *österr*, 1900 *ff*.

Wirbel *m* **1.** Aufregung; Aufbauschung einer Be-langlosigkeit. Wohl hergenommen vom Trommel-wirbel; *vgl* auch „auf die ↗Pauke hauen". 1900 *ff*.

2. schikanöser Dienst. ↗wirbeln. *Sold* 1870 *ff*.

3. heftiges Artilleriefeuer. Hergenommen von den Geschossen, die wie trommelnd auf die Stellung einschlagen. *Sold* in beiden Weltkriegen.

4. Zechgelage; lautes, ausgelassenes Fest. Man wirbelt im Tanz durcheinander; man „wirbelt

↗Staub auf" und „haut auf die ↗Pauke". 1900 ff.

5. es gibt ~ = es gibt Durcheinander, Aufregung, Aufsehen. 1900 ff.

6. ~ machen = Aufregung verursachen; Unruhe um sich verbreiten. 1900 ff.

7. einen ~ machen = heftig poltern; unbeherrscht schimpfen. 1900 ff.

8. um etw einen ~ machen = etw aufbauschen; über eine Sache oft und ausführlich sprechen. 1900 ff.

Wirbelmaxe m **1.** schikanöser Soldatenausbilder. ↗wirbeln. Sold seit dem späten 19. Jh.

2. Mann mit leichtem Lebenswandel. 1890 ff.

wirbeln intr **1.** schikanös drillen. Soviel wie „durcheinanderwirbeln, durcheinanderjagen". Sold 1870 ff.

2. sich aufregen; aufgeregt sein; zornig, aufgeregt eilen. 1900 ff.

3. verwirrend, schnell spielen. Sportl 1950 ff.

Wirbelsturm m temperamentvoller Mensch. 1920 ff.

Wirbelwind m **1.** temperamentvoller Mensch. 1920 ff.

2. weißer ~ = Eiskunstläuferin. Übernommen vom Werbespruch für das Reinigungsmittel „Ajax, der weiße Wirbelwind". 1970 ff.

wirbelwindig adj temperamentvoll. 1920 ff.

Wirbler m Mensch, der Belanglosigkeiten aufbauscht und Unruhe um sich zu verbreiten pflegt. ↗Wirbel 1. 1920 ff.

Wirf-es-weg-Produktion f Herstellung von minderwertiger, nur kurzzeitigem Gebrauch standhaltender Ware. 1960 ff.

wirken intr körperliche Arbeit verrichten; schwer arbeiten. Bedeutungsverengung aus „tätig sein; einen Beruf ausüben". 1920 ff.

Wirker m dezenter ~ = vortreffliche technische Neuheit. Scherzhafte Rangerniedrigung. Halbw 1955 ff.

Wirklichkeit f schiefe ~ = falsche Darstellung oder Auffassung der tatsächlichen Lage und der Notwendigkeiten; bewußte Verzerrung. 1955 ff.

Wirkungstrinken n ~ veranstalten = zechen, bis einer umfällt. Man trinkt solange, bis sich die Wirkung des Alkohols einstellt. Sold 1965 ff.

Wirrkopf m Mensch mit unklaren, widersprüchlichen Vorstellungen. 1900 ff.

wirrköpfig adj geistig verwirrt. 1900 ff.

Wirrköpfigkeit f geistige Verworrenheit. 1900 ff.

Wirsing m **1.** Kopf des Menschen. Wegen der Formähnlichkeit mit dem Kohlkopf, wobei „Kohl" in der Bedeutung „Schwindel" eingewirkt haben kann. Seit dem frühen 20. Jh, schül, stud und sold.

2. Sie haben wohl einen feuchten ~?: Frage an einen, der unsinnig redet. „Feuchter Wirsing" spielt wohl auf „Wasserkopf" an. Sold 1935 ff.

Wirsingkohl m Sie haben wohl einen feuchten ~?

= Sie sind wohl nicht bei Sinnen? Vgl das Vorhergehende. Sold 1935 ff.

Wirt m **1.** ohne den ~ rechnen = sich zu seinen Ungunsten verrechnen; falsch einschätzen. ↗Rechnung 10. Seit dem 16. Jh.

2. wer nichts wird, wird ~ = beruflich gescheiterte Leute taugen immerhin noch zum Gastwirt. Mehr ein sprachlicher Spaß als eine Erfahrungstatsache. 1900 ff.

3. man soll den ~ nicht vor der Rechnung loben = vorschnelles Lob kann in Enttäuschung enden. Abwandlung des Sprichworts „man soll den Tag nicht vor dem Abend loben". 1920 ff.

Wirtefachschule f Trinkerheilanstalt. 1900 ff.

Wirtin f möblierte ~ = Frau, die möblierte Zimmer vermietet. ↗Dame 28. 1920 ff.

Wirtschaft f **1.** unsachgemäße Handhabung einer Sache; Unordnung; Durcheinander. Verkürzt aus „schlechte (schöne) Wirtschaft", wobei „wirtschaften" allgemein für „handeln, hantieren" steht. Seit dem 18. Jh.

2. ~ (Herr, Frau ~)!: Ausruf, wenn beim Betreten des Lokals niemand zur Bedienung anwesend ist. 1900 ff.

3. böhmische ~ = große Unordnung. Von der „polnischen Wirtschaft" übertragen gegen 1945.

4. heillose ~ = sehr großes Durcheinander; völlige Unordnung. ↗heillos. 1900 ff.

5. polnische ~ = unvorstellbare Unordnung. Aufgekommen um 1780 bei den preußischen Soldaten im Bezirk Warschau und Umgebung in Anspielung auf mancherlei Mißstände, die die Preußen nach der dritten Teilung Polens antrafen.

6. mit etw (jm) eine ~ haben = mit einer Sache oder Person viel Arbeit haben. Seit dem 18. Jh.

7. eine ~ machen = Umstände machen; Lärm vollführen; Unruhe stiften. Seit dem 18. Jh.

Wirtschaftsadel m Gesamtheit der Leiter führender Wirtschaftsunternehmen. 1900 ff.

Wirtschaftsboß m Großunternehmer. ↗Boß 1. 1955 ff.

Wirtschaftschinesisch n für den Laien unverständlicher Wortschatz der Wirtschaftsfachleute. ↗Chinesisch. 1955 ff.

Wirtschaftsganove m Wirtschaftsverbrecher. ↗Ganove. 1960 ff.

Wirtschaftsgeld n zum Vertrinken in einem Lokal vorgesehener Geldbetrag. Eigentlich das Haushaltsgeld. 1960 ff.

Wirtschaftsgeographie f ~ treiben = in vielen Gastwirtschaften nacheinander zechen. Stud Wortwitzelei seit 1920.

Wirtschaftsgewaltiger m Wirtschaftsminister. ↗Gewaltiger. 1960 ff.

Wirtschaftshai m Wirtschaftsstraftäter; betrügerischer Anlageberater. Er wirkt wie ein Raubfisch im Wirtschaftsleben. 1960 ff.

Wirtschaftskanone f hervorragender Wirtschaftsfachmann. ↗Kanone 4. 1948 ff.

Wirtschaftskapitän *m* Großunternehmer. 1920 *ff.*

Wirtschaftskuchen *m* ein Stück ~ = einträgliches Konjunkturgeschäft. 1950 *ff.*

Wirtschaftslöwe *m* Großunternehmer. In der Tierfabel ist der Löwe der König der Tiere. 1950 *ff.*

Wirtschaftsprüfer *m* ausdauernder Wirtshausgast. Wortwitzelei seit 1960.

Wirtschaftswunder *n* **1.** wirtschaftlicher Erfolg eines einzelnen Betriebs in Zeiten allgemeiner wirtschaftlicher Notlage. 1930 aufgekommen. **2.** wirtschaftlicher Aufschwung in der Bundesrepublik Deutschland seit 1948. Vom Vorhergehenden verallgemeinert. Der Stolz und die Bewunderung, die dem Wort anfangs anhafteten, wichen im Laufe der Jahre einer skeptischen Wertung, die letztlich zu einer Ironisierung führte. **3.** Mensch, der wider Erwarten eine Gastwirtschaft nicht betritt. 1960 *ff.* **4.** beleibter Mensch. 1965 *ff.* **5.** des ~s liebstes Kind = Autofahrer. 1960 *ff.* **6.** weißes ~ = starke Aufwärtsentwicklung des Wintersports. 1955 *ff.*

Wirtschaftswunderakrobat *m* Bürger, der in Zeiten wirtschaftlicher Blüte sich seinen Anteil zu sichern versteht. 1966 *ff.*

Wirtschaftswunderbauch *m* **1.** Beleibtheit vieler Bürger seit der Währungsumstellung des Jahres 1948. 1955 *ff.* **2.** nach der Währungsumstellung wohlhabend gewordener Mann. 1955 *ff.*

Wirtschaftswunder-Dokument *n* großer Leibesumfang; dicker Bauch. 1955 *ff.*

Wirtschaftswundereleganz *f* Bekleidungsluxus wohlhabend gewordener Leute. 1960 *ff.*

Wirtschaftswundergras *n* ~ über etw wachsen lassen = Peinlichkeiten vergangener Zeitläufte aus Gründen des inzwischen erworbenen Wohlstands und im Hinblick auf geschäftliche oder gesellschaftliche Interessen vertuschen. Zeitgenössische Variante zu „↗Gras über etw wachsen lassen". 1958 *ff.*

Wirtschaftswunderheini *m* Nutznießer des allgemeinen Wohlstands. ↗Heini. 1960 *ff.*

Wirtschaftswunderhelfer *m* fremdländischer Arbeitnehmer in der Bundesrepublik Deutschland. 1960 *ff.*

Wirtschaftswunderhyäne *f* gewissenloser Geschäftsmann, der durch die Blüte des Wirtschaftslebens wohlhabend geworden ist und sein Vermögen mit allen Mitteln weiter zu vermehren sucht. 1960 *ff.*

Wirtschaftswunderich *m* reich gewordener Emporkömmling. 1960 *ff.*

Wirtschaftswunderkapitän *m* Leiter eines aufblühenden Großunternehmens. 1955 *ff.*

Wirtschaftswunderkaro *n* Glencheckmuster. 1959 *ff.*

*Die Karikatur von Erich Köhler zeigt den **Wirtschaftswunderich** Ludwig Erhard bei der Speisung des deutschen Michel. Man sieht schon: Wunder sind immer von dieser Welt, und auch der vermeintliche Einfluß jener anderen, der metaphysischen, erweist sich letztendlich als eher real und diesseitig. Wunder, und so auch das **Wirtschaftswunder** setzen einen defizitären Zustand voraus, und sollten sie, wenn dem abgeholfen ist, dennoch weiterleben, gehen sie in die Sphäre der Religion und Mythologie ein: Während die hier klar blickende Umgangssprache das Wirtschaftswunder schon längst ironisiert hat, wird es von einigen Politikern indes noch immer schamanenhaft beschworen.*

Wirtschaftswunderkarren *m* Volkswagen. ↗Karre 1. 1960 *ff.*

Wirtschaftswunderkasse *f* vom Haushaltsgeld ersparte Rücklage der Frau. ↗W. W. K. 1960 *ff.*

Wirtschaftswunderkind *n* **1.** Bundesdeutscher im Genuß des wirtschaftlichen Aufstiegs. 1955 *ff.* **2.** wohlbeleibter Bundesdeutscher. 1955 *ff.* **3.** Kind, das seine Eltern ins Wirtshaus begleitet. 1960 *ff.*

Wirtschaftswunderkirche *f* kostspieliger Kirchenbau in hochmodernem Stil. 1960 *ff.*

Wirtschaftswunderknabe *m* Mann, der vom wirtschaftlichen Aufstieg großen Nutzen hat. 1955 *ff.*

Wirtschaftswunderkneipe *f* vornehmes Restaurant. ↗Kneipe 1. 1965 *ff*, Berlin.

Wirtschaftswunderland *n* Bundesrepublik Deutschland. 1955 *ff.*

Wirtschaftswunderlaube *f* Bungalow. Moderne Variante zur Laube des Schrebergärtners. 1965 *ff*.

Wirtschaftswunderleute *pl* wohlhabend gewordene Bürger der BRD. 1960 *ff*.

wirtschaftswunderlich *adj* dem wirtschaftlichen Aufstieg entsprechend. 1950 *ff*.

Wirtschaftswunderlichkeit *f* im Gefolge der wirtschaftlichen Blüte aufgekommene Sonderbarkeit. 1960 *ff*.

Wirtschaftswunderling *m* 1. Bundeswirtschaftsminister (1963–66 Bundeskanzler) Professor Dr. Ludwig Erhard. 1955 *ff*.
2. durch die wirtschaftliche Entwicklung wohlhabend gewordener Bundesdeutscher. 1955 *ff*.

wirtschaftswundern *refl* den mit der günstigen wirtschaftlichen Entwicklung aufkommenden Luxus für sehr bedenklich halten. 1958 *ff*.

Wirtschaftswunderpärchen *n* in den Jahren nach der Währungsumstellung reich gewordenes Ehepaar, bei dem der gesellschaftliche Anstand sehr verkümmert ist. 1950 *ff*.

Wirtschaftswunderpflanze *f* wohlhabender Emporkömmling mit unterdurchschnittlicher Bildung. 1960 *ff*.

Wirtschaftswunderpolster *n* Beleibtheit, Fettansatz. 1960 *ff*.

Wirtschaftswunder - Repräsentationskutsche *f* Luxusauto. 1960 *ff*.

Wirtschaftswunderschwein *n* Neureicher ohne Sinn für Anstand, ohne Verständnis für die Sozialpflichtigkeit des Besitzes. 1955 *ff*.

Wirtschaftswundersohn *m* Bundesdeutscher als Nutznießer des wirtschaftlichen Wachstums. 1960 *ff*.

Wirtschaftswunderspeck *m* Beleibtheit reich gewordener Bürger der BRD. 1955 *ff*.

Wirtshase *m* Katzenbraten als Hasenbraten, in Speiselokalen aufgetischt. 1840 *ff*.

Wirtshaus *n* das ~ im Spessart = Schullandheim. Geht zurück auf den gleichlautenden Titel des 1957 gedrehten Spielfilms nach Motiven von Wilhelm Hauff. *Schül* 1959 *ff*.

Wirtshausbummel *m* Besuch vieler Gastwirtschaften. ↗ Bummel. 1900 *ff*.

Wirtshausengel *m* im Umgang mit der Außenwelt verträglicher, daheim unleidlicher Mann. 1960 *ff*.

Wirtshauslehre *f* Wirtschaftskunde. Schülersprachliche Scherzvokabel. 1950 *ff*.

Wirtshauslehrer *m* Lehrer für Wirtschaftskunde. 1950 *ff*.

Wisch *m* 1. Schriftstück, Brief *(abf)*. Meint eigentlich den Wischlappen für den After. 1500 *ff*.
2. schlechtes Zeugnis. Seit dem späten 19. Jh.
3. Leistungsnachweis; Bescheinigung über die Teilnahme an einer akademischen Übung. 1900 *ff*.
4. Einberufungsbescheid. *BSD* 1960 *ff*.
5. Ohrfeige. ↗ wischen 1. Seit dem 19. Jh.
6. Streifschuß. *Sold* 1900 *ff*.

7. Mutter ~ = Abortwärterin. 1920 *ff*.
8. blauer ~ = schriftlicher Tadel. Übernommen aus „blauer ↗ Brief". 1930 *ff, schül*.
9. der kölsche ~ = oberflächliches Säubern. Gehört wohl zu der mit „Klüngel" verbundenen Vorstellung. 1900 *ff*.

wischen *v* 1. jm eine ~ = jm eine Ohrfeige geben. Meint eigentlich „mit der Hand leicht die Oberfläche streifen". Seit dem 17. Jh.
2. jm einen ~ = jm eine Abfuhr erteilen; jn tadeln. Gehört zu der umgangssprachlichen Gleichsetzung von Reinigen, Prügeln und Rügen. Seit dem 17. Jh.
3. *intr* = das Steuerrad kurz und schnell einschlagen und die Räder sofort wieder geradestellen. Kraftfahrerspr. 1920 *ff*.
4. sich mit etw ~ können = auf etw keinen Wert legen (sollen). Anspielung auf die Reinigung des Gesäßes. 1900 *ff*.

Wischer *m* 1. Ohrfeige; strafender Schlag. ↗ wischen 1. Seit dem 17. Jh.
2. Streifschuß; leichte Verwundung. *Sold* 1900 *ff*.
3. streifender, nicht hart treffender Boxhieb. 1920 *ff*.
4. Verweis, Rüge. ↗ wischen 2. Seit dem 17. Jh.
5. kleiner Oberlippenbart. 1840 *ff*.
6. Augenblickswahrnehmung; Schattenbild. *Sold* in beiden Weltkriegen.

wischerln (wiescherln) *intr* harnen. Schallnachahmender Herkunft. *Österr* seit dem 19. Jh.

wischi machen harnen. *Vgl* das Vorhergehende. Kinderspr. seit dem 19. Jh, *österr*.

'Wischi'waschi I *n* 1. Geschwätz; wertloses Machwerk. Zusammengewachsen aus „Wisch = Schriftstück" und „waschen = schwätzen". *Vgl engl* „wish-wash = Geschwätz" und „wishy-washy = dünn, seicht". 1700 *ff*.
2. Durcheinander, Unordnung. 1920 *ff*.

'Wischi'waschi II *f* Ohrfeige. ↗ wischen 1; ↗ waschen 3. 1900 *ff*.

'wischi'waschi *adv* ungenau, oberflächlich 1900 *ff*. *Vgl engl* „wishy-washy".

'Wischi'waschi-'Deutsch *n* schlechtes Deutsch. 1955 *ff*.

'Wischi'waschi-'Staat *m* Staat ohne obrigkeitlichen Rang; Staat, in dem jeder nach Belieben schalten und walten kann. Nach 1950 aufgekommen, politikerspr.

'wischi'wischi machen harnen. ↗ wischerln. Kinderspr., *österr*, seit dem 19. Jh.

Wischlappen *m* Schulzeugnis mit schlechten Noten. ↗ Wisch 1. *Schül* seit dem späten 19. Jh.

Wischling *m* Taschentuch. *Rotw* seit dem frühen 19. Jh.

Wischmeier *f* Tante (Frau) ~ = Abortwärterin. Sie wischt die Abortöffnung nach der Benutzung. *Vgl* ↗ Wisch 7. 1920 *ff*.

'Wisch'wisch *f* Frau ~ = Abortwärterin. ↗ Wisch 7. 1920 *ff*, Berlin und *mitteld*.

Die oben wiedergegebene Werbung für ein deutsches Nachrichtenmagazin verheißt dem, der sich entschließen kann, es zu abonnieren, einen Durchblick, womit gemeint ist, daß er die Dinge durchschaut und folglich also weiß, wie er sich zu verhalten hat (vgl. **Durchblick***). Jene dieser Vokabel eigenen eher pragmatischen Konnotationen bestimmen auch den umgangssprachlichen Gebrauch des Verbs* **wissen***, und das nicht nur, weil einer der „zuviel" weiß, unversehens zu einem wenig sympathischen* **Wissensprotz** *wird. Die Wissenschaften, mit denen man sich beschäftigt, werden nicht an Hochschulen gelehrt, sondern liegen schon näher (vgl.* **Wissenschaft 1.–3.***). Auffällig ist auch, daß fünf der sieben Redewendungen mit* wissen *Negationen sind (vgl.* wissen 1.–5.*).*

wissen *v* **1.** von keiner Sache nichts ~ = völlig unwissend sein; sich unwissend stellen. Falsch verstandene Litotes: doppelte Verneinung bedeutet eigentlich Bejahung. Seit dem 19. Jh.
2. keiner weiß von nichts = alle tun unschuldig. Ein sprachliches Mißverständnis wie im Vorhergehenden. 1920 *ff.*
3. so genau wollten wir es nicht ~: Redewendung an einen, der, zu einer Erklärung veranlaßt, allzu ausführlich (weitschweifig) oder gar indiskret wird. 1920 *ff.*
4. denn er weiß nicht, was er tut: Redewendung an den Kartenspielpartner, der eine Karte mit hoher Augenzahl dem Gegner in den Stich gibt.

Fußt auf dem Wort Jesu am Kreuz „Vater, vergib ihnen, denn sie wissen nicht, was sie tun" (Lukas 23, 34). Kartenspielerspr. seit dem 19. Jh.
5. denn sie ~ nicht, was sie tun = die Lehrer beim Nachsehen der Schularbeiten. Geht zurück auf den *dt* Titel des 1955 gedrehten Films „Rebel without a Cause" mit James Dean. *Schül 1959 ff.*
6. es genau ~ wollen = eine endgültige Entscheidung herbeizuführen suchen. Scheint aus der Sportlersprache zu stammen, genaues Messen mit Maßband, Stoppuhr o. ä. betreffend. 1930 *ff.*
7. da weiß man, was man hat = darauf kann man fest vertrauen. 1977 aufgekommen mit dem gleichlautenden Werbespruch für das Waschmittel „Persil" und seitdem volkstümlich.
Wissenschaft *f* **1.** ~ vom Einsperren = Strafrecht. 1920 *ff.*
2. ~ vom Nächsten = mißgünstiges Gerede über die Mitmenschen. 1950 *ff.*
3. ~ des Kochtopfes = Hausfrauen-, Küchenarbeit. 1950 *ff.*
Wissensprotz *m* **1.** Mann, der mit seinen Kenntnissen prahlt. ↗Protz. Seit dem späten 19. Jh.
2. Lehrer, Hochschullehrer. 1870 *ff.*
Wissenssalat *m* Wissen unterschiedlicher Herkunft. ↗Salat 1. 1955 *ff.*
Wissensvermittler *m* Lehrer *(abf). Schül 1960 ff.*
Witfrau *f* Witwe. Geht zurück auf ein *indogerm* Wurzelwort mit der Bedeutung „leer". Seit spät-*mhd* Zeit.
Witmann *m* Witwer. *Vgl* das Vorige. 15. Jh.
witsch *adj* **1.** uneingeweiht; in diebischen Kunstgriffen nicht erfahren. Entstanden aus *niederd* „witt = unschuldig, ahnungslos". *Rotw* 1750 *ff.*
2. dumm, albern. *Rotw* 1750 *ff; sold* 1900 *ff.*
Witsch *m* unerfahrener, unselbständiger Mann. *Rotw* und *sold,* 1900 *ff.*
Witsche *f* Straßenprostituierte. *Vgl* das Folgende. 1930 *ff,* Berlin.
witschen *intr* huschen, eilen, entweichen. „Witsch" dient als Interjektion zur Bezeichnung einer schnellen Bewegung; verwandt mit „wischen = sich rasch bewegen". *Niederd, hess* und *schwäb,* 1800 *ff.*
Witterung *f* **1.** karierte ~ = unbeständiges Wetter. ↗kariert 1. 1930 *ff.*
2. kühle ~ = unfreundliches, abweisendes Verhalten. Kühl = streng sachlich-verbindlich, ohne jegliche Gefühlsbeteiligung. 1900 *ff.*
Witterungsschnupperer *m* **1.** Meteorologe. Schnuppern = wittern. Fliegerspr. 1935 *ff.*
2. Wetterflugzeug. 1935 *ff.*
Witwe *f* **1.** feldgraue ~ = Frau, deren Mann an einem Manöver teilnimmt. 1971 *ff.*
2. grüne ~ = a) Ehefrau in einer Wohnung am Stadtrand, während der Mann in der Stadt oder auswärts tätig ist. 1960 *ff.* – b) Frau, die erst kürzlich Witwe geworden ist. Grün = unerfahren. 1960 *ff.*

3. lustige ~ = Ehefrau, die bei längerer Abwesenheit ihres Mannes einen „Ersatzmann" hinzuzieht. Frei nach der Operette „Die lustige Witwe" von Franz Lehár (1905). 1910 *ff.*

4. politische ~ = Frau eines überbeanspruchten Politikers. 1955 *ff.*

5. schwarze ~ = schwarze Zigarette. Man meint, sie mache die Frau des Rauchers bald zur Witwe. 1940 *ff, sold.*

6. weiße ~ = a) winters in einer Schneelandschaft wohnende Frau, deren Mann sie nur am Wochenende aufsucht. 1965 *ff.* – b) Frau eines ins Ausland ausgewanderten Italieners, der dort eine zweite, ungesetzliche Familie gegründet hat. 1969 *ff.*

7. sonst hinterläßt du eine ~!: Drohrede. Seit dem frühen 20. Jh.

8. vor der Hochzeit ~ werden = den Bräutigam nicht heiraten. 1965 *ff.*

Witwenbuckel *m* Rückgratverkrümmung älterer Frauen. 1930 *ff.*

Witwenglück *n* Bockwurst. Wegen Formähnlichkeit mit dem Penis. *BSD* 1965 *ff.*

Witwenmacher *m* **1.** für Abstürze berüchtigter Flugzeugtyp. Vielleicht aus *engl* „widow-maker" übersetzt. 1960 *ff.*

2. Treppe zwischen Schiff und Bohrturm auf hoher See. Dort haben die Wogen manchen in die Tiefe gerissen. 1957 *ff.*

Witwentröster *m* **1.** Mann, der das Liebesverlangen von Witwen zu stillen sucht. 1900 *ff.*

2. Penis. 1900 *ff.*

3. Wachskerze, Banane, Bockwurst, Mohrrübe o. ä. Wegen der Formähnlichkeit. *Vgl* ↗ Witwenglück. 1910 *ff.*

Witwenwein *m* in Gärung befindlicher neuer Wein. Er wirft den wackersten Zecher um und macht seine Frau zur Witwe. Winzerspr. 1950 *ff.*

Witz *m* **1.** (unsinniger) Befehl. Man meint, er sei nicht ernst zu nehmen. *BSD* 1965 *ff.*

2. Versager. Der Betreffende gilt als eine lächerliche Figur. 1910 *ff.*

3. ein ~ von Hut (Schlips o. ä.) = ein lustig wirkender Hut (o. ä.). 1870 *ff.*

4. ~ in der Dose = besonders guter Witz. Nachbildung von „↗ Wucht in der Dose". *Jug* 1950 *ff.*

5. ~ vom Alten Fritz = altbekannter Witz. Der Alte Fritz (= König Friedrich II. von Preußen) wird zur Sinnbildgestalt für eine weit zurückliegende Sache. 1920 *ff.*

6. ~ auf Rädern = Kleinauto für Einkaufsfahrten in der Stadt. 1970 *ff.*

7. ~ aus der untersten Schublade = zotiger Witz. 1920 *ff.*

8. ~ aus der siebten Sohle = Zote. Sohle = Förderstufe im Bergbau. 1950 *ff.*

9. abgehetzter ~ = altbekannter, bis zum Überdruß wiederholter Witz. Er ist schon sehr „müde" geworden. Seit dem 19. Jh.

9 a. bärtiger ~ ↗ Bartwitz

10. blutiger ~ = Wortwitzelei. ↗ blutig. 1900 *ff.*

11. dreckiger ~ = anstößiger Witz. 1900 *ff.*

12. fauler ~ = a) harmloser Witz mit anspruchsloser Pointe. Die Pointe wird als träge oder morsch empfunden. Seit dem 19. Jh. – b) anrüchiger Witz. Die Pointe „stinkt" wie Verdorbenes. Seit dem 19. Jh. – c) arges Vorhaben; unredliche Absicht. ↗ faul 1. 1860 *ff.*

13. gesalzener ~ = derber, obszöner Witz. Er ist „scharf" wie Gesalzenes. 1900 *ff.*

14. miefloser ~ = „anständiger" Witz, den man überall erzählen kann. ↗ Mief 1. Dieser Witz ist „nicht anrüchig". 1920 *ff.*

14 a. müder ~ = Witz ohne zündende Pointe. 1950 *ff.*

15. scharfer ~ = Zote. ↗ scharf. 1900 *ff.*

16. zünftiger ~ = Zote. ↗ zünftig. 1920 *ff.*

17. jm den ~ abkaufen = jm Kunstgriffe absehen und dann selbst verwenden. Witz = Geistesfähigkeit; weiterentwickelt zu „listiger Verstand; Trick". 1900 *ff.*

18. das hat keinen ~ = das hat keinen Sinn, ist unklug, zwecklos. 1900 *ff.*

19. sich ~ kaufen = Erfahrungen sammeln. Witz = „Gewitztheit", Klugheit, Schläue. 1870 *ff.*

20. ~e kloppen = Witze erzählen. Übernommen von „↗ Skat kloppen". 1930 *ff.*

21. mach' keine dummen ~e! = a) mach' keine Ausflüchte! Hergenommen von einem, der, statt Rede und Antwort zu stehen, unsinnige Äußerungen von sich gibt. Seit dem späten 19. Jh, vorwiegend *schül, stud* u. a. – b) begeh' keine Torheiten! nimm deinen Verstand zusammen! 1870 *ff, schül* und *stud.*

22. mach' keine faulen ~e! = verulke mich nicht! laß' deine albernen Späße! 1900 *ff.*

23. mach' noch solch einen ~! = hör auf mit deinen Lügen! rede nicht weiter von Unmöglichkeiten! Witz = Unsinnigkeit. 1870 *ff.*

24. ~e reißen = Witze erzählen. „Reißen" meint ursprünglich „zeichnen, aufzeichnen", vor allem in der Verbindung „Possen reißen" geläufig. „Posse" ist eigentlich die „seltsame Figur". Von da verallgemeinert zum Begriff „gestalten, vortragen" u. ä. Seit dem 19. Jh.

25. der Ofen (o. ä.) ist ein ~ = der Ofen (o. ä.) ist unbrauchbar. „Witz" ist hier „was nicht ernst zu nehmen ist". 1930 *ff, jug.*

26. das ist der ~ bei der Sache = das ist das Entscheidende, der Kernpunkt. Meint eigentlich die Pointe, die dem Witz erst seinen Sinn gibt. 1820 *ff.*

27. das ist ein ~!: Ausdruck der Verneinung, der Überraschung o. ä. Etwa soviel wie „das kann doch nicht wahr sein?!". 1920 *ff.*

28. wo ist dabei der ~? = was ist der Sinn des Ganzen? wo ist das Besondere daran, das Neue? 1920 *ff.*

29. einen ~ sauer werden lassen = über einen Witz nicht lachen. 1950 *ff.*

30. einen ~ zu Tode reiten = einen Witz so oft erzählen, bis man keinen Lacher mehr findet. ↗Witz 9. Seit dem 19. Jh.

Witzblatt *n* Schulzeugnis. *Vgl* ↗Witz 25. *Schül* 1930 *ff.*

witzen *tr* jn verulken. Berlin 1950 *ff, jug.*

witzig *adj* seltsam, eigenartig. Parallel zu ↗komisch 1. 1920 *ff.*

Witzkanone *f* bewährter Witzeerzähler. ↗Kanone 4. 1920 *ff.*

Witzkiste *f* in der ~ geschlafen haben = einen Witz nach dem anderen erzählen. Wien 1950 *ff, stud.*

Witzknochen *m* **1.** witziger (viele Witze erzählender) Mann. ↗Knochen 5. 1920 *ff.*
2. junger Mann, der anderen nicht gewachsen ist. Ihn kann man zur Zielscheibe witziger, anzüglicher Bemerkungen machen, ohne daß er sich zu wehren vermag. *Halbw* 1950 *ff.*

Witzling *m* witziger Unterhalter einer Gesellschaft. 1820 *ff.*

witzlos *adj* unsinnig, zwecklos, uninteressant. *Vgl* ↗Witz 17 und 25. 1930 *ff, jug.*

Witzmaschine *f* Mann, der pausenlos Witze erzählt. 1950 *ff.*

Witzmuffel *m* Mann, der nicht über jeden (noch so spärlichen) Witz lacht. ↗Muffel 2. 1969 *ff.*

'Wi'wukas *pl* schöne, große Kartoffeln. Abgekürzt aus „Wirtschaftswunderkartoffeln". 1955 *ff.*

'Wi'wuki *n* ↗Wirtschaftswunderkind. Hieraus abgekürzt. 1960 *ff.*

wo *adv* **1.** Zusammensetzung von „wo" mit Präpositionen werden in der volkstümlichen Rede meist getrennt; zum Beispiel: wo hast du das her? (woher hast du das?); wo man dran sehen kann (woran man sehen kann); wo er keine Ahnung von hat (wovon er keine Ahnung hat); wo er viel Geld für gegeben hat (wofür er viel Geld gegeben hat) usw. Diese und ähnliche Wendungen kamen im 18. Jh auf und sind heute vor allem in der zwanglosen Rede häufig.
2. i wo (ach wo)!: Ausdruck der Verneinung. Entstanden im frühen 19. Jh durch Kürzung „i wo werde ich denn?" für „ei, wie werde ich denn (so dumm sein und das tun)?". *Niederd* „i" = hd „ei". Berlin, *nordd* und nordostdeutsch.

Wobuko *m* Kulturbeutel. Abkürzung von „Wochenendbeischlafutensilienkoffer". 1930 *ff.*

Woche *f* **1.** angerissene ~ = über den Mittwoch hinausgediehene Woche. Angerissen = um ein Stück eines Ganzen verringert (angerissenes Dutzend). 1850 *ff.*
2. blaue ~ = Woche, in der an die Eltern jener Schüler, deren Versetzung gefährdet ist, schriftliche Mitteilungen verschickt werden. Anspielung auf den „blauen ↗Brief". 1950 *ff.*
3. stille ~ = Zeit der Menstruation. Übernommen

vom christlichen Begriff der Passions- oder Karwoche; hier bezogen auf die Enthaltsamkeit vom Geschlechtsverkehr. 1900 *ff.*
4. tausend ~n alt = zwanzigjährig; heiratsfähig. 1800 *ff.*
5. lieber in der ~ faulenzen, als sonntags arbeiten: Wahlspruch der Arbeitsscheuen. 1890 *ff.*
6. mit dem einen Auge in die andere ~ gucken = stark schielen. Seit dem späten 19. Jh.
7. unrechte ~n halten = zu früh niederkommen. Seit dem 19. Jh.
8. in unrechte ~n kommen = a) unehelich gebären. Seit dem 19. Jh. – b) eine Fehlgeburt haben. Seit dem 19. Jh. – c) die Leibesfrucht abtreiben (lassen). Seit dem 19. Jh.
9. lieber die ganze ~ saufen, als am Sonntag etwas arbeiten: Leitspruch von Gegnern der Sonntagsarbeit. 1920 *ff.*

Wochenbett *n* verfrühtes ~ = Fehlgeburt. Seit dem 19. Jh.

Wochenbettsuppe *f* Hafergrütze; gehaltlose Suppe. Die Wöchnerin erhielt früher in den ersten Tagen nach der Geburt tunlichst nur flüssige Nahrung in nicht zu reichlicher Menge. 1910 *ff, sold.*

Wochenendarrestler *m* Mann, der seine Freiheitsstrafe an den Wochenenden verbüßt. 1965 *ff.*

Wochenendbraut *f* Mädchen, mit dem man das Wochenende verbringt. 1930 *ff.*

Wochenende *n* heißes ~ = a) Wochenende mit besonders starkem Reiseverkehr. 1965 *ff.* – b) Wochenende, an dem das Kabinett zu einer Sondersitzung zusammenkommt. 1965 *ff.*

Wochenend-Ehe *f* Ehe, in der die Gatten aus beruflichen Gründen nur das Wochenende gemeinsam verbringen. 1955 *ff.*

Wochenend-Gammelei *f* nachlässiges Benehmen Verheirateter am Wochenende. ↗Gammelei. 1965 *ff.*

Wochenendgesicht *n* freundliche, entspannte Miene. Dem älteren „↗Sonntagsgesicht" nachgebildet. 1950 *ff.*

Wochenendhäuschen *n* Beichtstuhl. Katholiken gehen meistens am Samstag zur Beichte. 1970 *ff.*

Wochenendjunge *m* junger intimer Freund, mit dem man das Wochenende verbringt. 1960 *ff.*

Wochenendkapitän *m* Mann, der am Wochenende paddelt, rudert oder segelt. 1960 *ff.*

Wochenendlächeln *n* gelöstes, entspanntes Lächeln. 1950 *ff.*

Wochenendmann *m* Ehemann, der nur am Wochenende daheim ist. 1955 *ff.*

Wochenendneurose *f* durch die Muße des Wochenendes verursachte Nervosität. 1955 *ff, ärztl.*

Wochenendneurotiker *m* Mann, der durch die Muße des Wochenendes nervös wird. 1955 *ff.*

Wochenendprinz *m* junger Mann, mit dem ein Mädchen das Wochenende verbringt. 1960 *ff.*

Wochenendritter *m* Liebhaber für das Wochenende. 1960 *ff.*

Wochenendsäufer *m* Mann, der nur am Wochenende Alkohol zu sich nimmt (aber dann in großen Mengen). 1960 *ff*.

Wochenendstunk *m* Unfrieden daheim am Wochenende. ↗Stunk. 1960 *ff*.

Wochenend- und Beischlafutensilienkoffer *m* Kulturbeutel. *Vgl* ↗Wubuk. 1920 *ff*.

Wochenend- und Freizeitgammler *m* Mann, der sich am Wochenende und in seiner Freizeit ausschließlich dem Nichtstun überläßt. 1967 *ff*, polizeispr.

Wochenendvater *m* Vater, der aus beruflichen Gründen nur das Wochenende mit seiner Familie verlebt. 1955 *ff*.

Wochenklosetthosen *pl* Überfallhose. ↗Vierzehn-Tage-Klosett. *BSD* 1965 *ff*.

Wochenrückschau *f* Reste-Essen am Samstag. 1920 *ff*.

Wochenrundschau *f* Reste-Essen am Samstag. 1880 *ff*.

Wochenschau *f* **1.** Reste-Essen. Mit der Filmwochenschau gegen 1930 aufgekommen. **2.** tönende ~ = Erbsensuppe u. ä. Anspielung auf Blähungen. Die Bezeichnung geht zurück auf die Filmwochenschau der amerikanischen Gesellschaft „Twentieth Century Fox", bekannt unter dem Namen „Fox tönende Wochenschau". Etwa seit 1930, vorwiegend *sold*.

Wochenspiegel *m* Gemüsesuppe. In ihr sind die Gemüsereste der Woche verwertet. *BSD* 1965 *ff*.

Wochenübersicht *f* **1.** Reste-Essen; fasciertes Fleisch. 1900 *ff*, *österr*. **2.** gedrängte ~ = a) Reste-Essen, vielleicht in Berlin. – b) Deutsches Beefsteak; Frikadelle; Klops. 1910 *ff*. **3.** gehärtete ~ = Frikadelle. *BSD* 1965 *ff*.

Wöchner *m* Abendregisseur, der eine Woche lang Dienst hat. Theaterspr. 1920 *ff*.

Wöchnerinnenfraß *m* Brei und leichte Speisen. *Vgl* ↗Wochenbettsuppe; ↗Fraß 2. 1920 *ff*.

Wodka *m* christlicher ~ = verdünnter Wodka. ↗christlich 1. 1920 *ff*.

Wogebusen *m* üppig entwickelter, hin- und herschwingender Busen. Wahrscheinlich zusammenhängend mit (Wagner-)Opernsängerinnen. Seit dem späten 19. Jh.

wogen *intr* wer wogt, gewinnt = die Zurschaustellung eines üppigen Busens ist stets wirkungsvoll. Im Zusammenhang mit der kurz nach 1950 einsetzenden Wertschätzung der Vollbusigkeit aufgekommen nach dem Muster von „wer wagt, gewinnt".

woher *konj* ach ~ (ach ~ denn)!: Ausdruck der Verneinung und Ablehnung. ↗wo 2. Seit dem 19. Jh.

wohin *konj* **1.** ~ gehen = den Abort aufsuchen. Verkürzt aus hehlwörtlichem „irgendwohin". Seit dem 19. Jh. **2.** ~ müssen = den Abort aufsuchen müssen. Seit dem 19. Jh.

3. jm ~ treten = jm ins Gesäß treten. 1900 *ff*.

wohl *adv* **1.** ihm ist nicht ~ = er ist nicht recht bei Verstand. Nicht wohl = krank; hier im Sinne von „geisteskrank". Berlin 1850 *ff*. **2.** du 'bist ja ~! = du bist wohl nicht bei Sinnen? Hieraus verkürzt. 1870 *ff*. **3.** 'ist ja ~!: Ausdruck der Beteuerung. Verkürzt aus „es ist ja wohl wahr!" im Sinne von „trotz deiner gegenteiligen Ansicht es ist wahr". *Schül* 1900, *westd* und *nordd*.

wohlbetucht *adj* wohlhabend. ↗betucht. 19. Jh.

Wohle *f* Wohlfahrtsamt, -unterstützung. Hieraus verkürzt. Berlin und *nordd*, spätestens seit 1900.

Wohlfahrt *f* Wohlfahrtsamt, -unterstützung. Hieraus verkürzt. 1920 *ff*.

Wohlfahrtsamt *n* ich bin das reinste ~: Redewendung des Kartenspielers, der ständig verliert und also ständig zahlen muß. Kartenspielerspr. 1920 *ff*.

Wohlfahrtsimme *f* wohltätige, mitleidige weibliche Person. Imme = Biene; ↗Biene 2. *Schül* 1950 *ff*.

Wohlfahrtsinstitut *n* kein ~ sein = sein wohlverdientes Geld nicht zum Verschenken haben. 1960 *ff*.

Wohlfahrtsverein *m* kein ~ sein = seinen hart erworbenen Verdienst nicht verschenken. 1960 *ff*.

Wohlgefallen *n* sich in ~ auflösen = a) sich ohne Schwierigkeit auflösen; ohne Ärger auseinandergehen, sich leicht trennen (lassen). Ein Verein löst sich im Einverständnis seiner Mitglieder auf. Dieser oder jener chemische Stoff läßt sich auf einfache Weise in seine Bestandteile zerlegen. 1830 *ff*. – b) auseinanderfallen; zerfetzt werden; in Trümmer gehen. Meist bezogen auf ein abstürzendes Flugzeug, ein auf eine Mine geratenes Fahrzeug o. ä. *Sold* 1939 *ff*. – c) stark schwitzen. 1920 *ff*.

wohlgekurvt *adj* mit wohlgefälligen Körperformen versehen. ↗Kurve 1. 1955 *ff*.

Wohlgerüche *pl* alle ~ Arabiens = starker Parfümduft in einem Raum oder von einem Menschen ausströmend. Geht zurück auf Shakespeares „Romeo und Julia" (V 1). 1920 *ff*.

wohlhabend *adj* **1.** mit üppigem Busen versehen. 1930 *ff*. **2.** ~ aussehen = wohlgenährt, guterholt aussehen. Berlin 1900 *ff*.

wohlpopotioniert *adj* mit einem hübsch gerundeten Gesäß ausgestattet. Aus „wohlproportioniert" umgeformt unter Einwirkung von „↗Popo". 1960 *ff*.

wohlriechend *adv* schlafen Sie ~! = schlafen Sie gut! Scherzhafte Fortführung von „schlafen Sie wohl!". Oft mit dem Zusatz: „und trocken!". Berlin 1870 *ff*.

Wohlstandsadler *m* Brathähnchen o. ä. Spöttische Rangerhöhung. *BSD* 1965 *ff*.

Wohlstandsäquator *m* dicker Bauch. Äquator = (hier Leibes-)Umfang. 1960 *ff*.

Wohlstandsbaby (Grundwort *engl* ausgesprochen) *n* Säugling begüterter Eltern. 1960 *ff*.

Wohlstandsbauch *m* Beleibtheit des wohlhabend gewordenen Bundesbürgers. 1960 *ff*.

Wohlstandsbrause *f* Sekt. In Sekt und Brauselimonade steigen Kohlensäurebläschen auf. Anspielung auf den starken Sektverzehr in der „Wohlstandsgesellschaft". *BSD* 1965 *ff*.

Wohlstandsdieb *m* Mann, der ohne Not zum Dieb wird. 1960 *ff*.

Wohlstandsfett *n* Beleibtheit. 1960 *ff*.

Wohlstandsgesicht *n* Gesicht ohne „Sorgenfalten"; widerlich feistes Gesicht. 1965 *ff*.

Wohlstandsgrammophon *n* Plattenspieler. 1955 *ff*.

Wohlstands-Heidentum *n* Mangel der „Wohlstandsgesellschaft" an christlichem Verhalten. 1960 *ff*.

Wohlstandshügel *m* Beleibtheit vermögender Bundesbürger. 1950 *ff*.

Wohlstandshund *m* Hund, den sich ein Wohlhabender aus Mehrgeltungsstreben leistet. 1960 *ff*.

Wohlstandskalesche *f* Luxusauto. Kalesche = leichte einspännige Kutsche. 1965 *ff*.

Wohlstandskarosse *f* Luxusauto. Karosse = Prachtwagen. 1965 *ff*.

Wohlstandskrankheit *f* 1. Lebenshaltung ohne Rücksicht auf die Einkommensverhältnisse. 1965 *ff*.
  2. körperliche Übergewichtigkeit. 1970 *ff*.

Wohlstandskriminalität *f* Häufung von Verbrechen in Zeiten des Wohlstands. 1950 *ff*.

Wohlstandskugel *f* stark vorwölbender Leib des wohlhabenden Bundesbürgers. 1955 *ff*.

Wohlstandskutsche *f* Luxusauto. 1965 *ff*.

Wohlstandslimonade *f* Sekt. ↗ Wohlstandsbrause. 1965 *ff*.

Wohlstandsmolle *f* dicker Bauch. ↗ Molle 3. 1960 *ff*.

Wohlstandsmüll *m* Gegenstände, die man in guten Zeiten achtlos wegwirft, aber in Notzeiten ängstlich hütet und verwertet. 1955 *ff*.

Wohlstandsprotz *m* Mann, der mit seinem Wohlstand prunkt. ↗ Protz. 1970 *ff*.

Wohlstandsratte *f* (Dame im) Nerzmantel. 1955 *ff*.

Wohlstandsruine *f* wegen Bankrotts des Bauträgers unvollendet gebliebener Großbau. 1967 *ff*.

Wohlstandsrüpel *m* wohlhabend gewordener Bundesbürger mit rücksichtslosem, flegelhaftem Benehmen. ↗ Rüpel. 1955 *ff*.

Wohlstandssardinen *pl* Goldfische. 1965 *ff*.

Wohlstandsschachtel *f* große Geschenkpackung Zigaretten oder Pralinen; Luxuskiste Zigarren. 1958 *ff*.

Wohlstandsscheißer *m* Wohlstandsbürger *(abf)*. ↗ Scheißer. 1965 *ff*.

Wohlstandsspeck *m* Leibesfülle eines vermögenden Schlemmers. 1960 *ff*.

Wohlstandssprudel *m* Sekt. ↗ Wohlstandsbrause. 1960 *ff*.

Wohlstandssuff *m* Alkoholmißbrauch der wohlhabend gewordenen Bürger. 1958 *ff*.

Wohlstandsteich *m* Schwimmbecken im Garten. 1957 *ff*.

Wohlstandtruhe *f* 1. Musiktruhe mit Plattenspieler, Rundfunk- und Fernsehgerät. 1960 *ff*.
  2. Kühlschrank, Tiefkühltruhe. 1960 *ff*.

Wohlstandsverbrechen *n* durch den allgemeinen Wohlstand mitbedingtes Verbrechen. 1962 *ff*.

Wohlstandsvergehen *n* Vergehen, das in der „Wohlstandsgesellschaft" besonders häufig vorkommt. 1960 *ff*.

Wohlstandsvisitenkarte *f* Privatauto. Es zeugt angeblich vom Wohlstand seines Fahrers. 1960 *ff*.

Wohlstandswampe *f* Beleibtheit eines Wohlhabenden. ↗ Wampe. 1960 *ff*.

Wohlstandszigeuner *m* Urlauber mit Wohnwagen. 1970 *ff*.

Wohltaten *pl* geheime ~ = unerlaubte Liebesbeziehungen. 1965 *ff*.

Wohn-Apparat *m* Wohnung. Anspielung auf Unpersönlichkeit und Serienfabrikation. 1960 *ff*.

Wohnblockknacker *m* auf ein Stadtviertel (einen Häuserblock) abgeworfene Bombe (von 3,5 Tonnen TNT); viermotoriges US-Bombenflugzeug. *Sold* und *ziv* 1940 *ff*.

Wohnbunker *m* Wohnhochhaus aus Beton 1965 *ff*.

Wohncontainer (Grundwort *engl* ausgesprochen) *m* Wohnhochhaus. Anspielung auf Normung und Schmucklosigkeit. 1972 *ff*.

Wohncouch (Grundwort *engl* ausgesprochen) *f* ~ mit Kochklosett = äußerst beengte Wohnung. Spöttische Anspielung auf Mehrzweck-Einrichtungsgegenstände. 1950 *ff*.

wohnen *v* 1. wo ~ wir denn?: Ausdruck der Entrüstung über eine Ungehörigkeit oder Zumutung. Gemeint ist die Frage, ob man etwa unter unzivilisierten Völkern lebe oder im Wald. 1930 *ff*.
  2. geh heim ~!: Ausdruck der Geringschätzung und Abweisung. *Österr* 1955 *ff, schül*.
  3. nicht ~ = keine feste Unterkunft haben. Berlin, 1890 *ff*.
  4. ~ bleiben = den Besuch übergebührlich lange ausdehnen. 1890 *ff*.

Wohn-Etui *n* sehr bescheidene, beengte Unterkunft. 1955 *ff*.

Wohnfabrik *f* Wohnhochhaus. 1955 *ff*. In der Bedeutung „Vielparteienhaus" (o. ä.) schon 1913 belegt.

Wohnfelsen *m* Wohnhochhaus. 1970 *ff*.

Wohnfutterale *pl* Reihenhaussiedlung, Kleinsiedlung. 1955 *ff*.

Wohngetto *n* viele hohe Wohnblocks auf verhältnismäßig engem Raum; Stadtrandsiedlung ohne Wirtschaftsleben. 1970 *ff*.

Wohnhemd *n* eine Woche, zwei Wochen und länger getragenes Hemd. *Sold* 1939 *ff*; *ziv* 1950 *ff*.

Wohnhochburg *f* Wohnhochhaus. 1955 *ff*.

Wohnhöhle *f* armselige, sehr beengte Behausung. 1920 *ff*.

Wohnkiste *f* **1.** Wohnhochhaus; Vielparteienhaus. Anspielung auf die schmucklose Zweckform. 1920 *ff*.
   2. Wohnwagen. Er ähnelt einer auf Räder gesetzten Kiste. 1960 *ff*.

Wohnklo *n* **1.** enge Einzelzelle im Gefängnis. ↗ Klo 1. 1960 *ff*.
   2. sehr beengte Kleinwohnung. 1948 *ff*.
   3. ~ mit Kochnische = Einfachstwohnung; Notbehausung. 1948 *ff*.

Wohnklotz *m* plumpes, häßliches Mehrparteien-Miethaus. 1955 *ff*.

Eine Umkehrung des klassischen Motivs: Hier ist es nicht der Riesenaffe Kong, der die geliebte weiße Frau in seine Pranken nimmt und dann an dieser unerfüllbaren Liebe inmitten der Wolkenkratzerlandschaft Manhattans umkommt (vgl. **Wolkenkratzer**)*. Der etwas überdimensionierten Dame scheint es allerdings, wie die doch recht kokette und spielerische Pose, die sie einnimmt, vermuten läßt, an dem zu fehlen, was den Kinoaffen im Übermaße auszeichnete, an wirklicher Zuneigung. Außerdem bewegt sie sich auf ihrem eigenen Terrain (vgl.* **Wohnkratzer**, **Wohnmaschine 1., 2.**) *und in der Art und Weise, wie sie die Kreatur präsentiert, ist man fast versucht zu sagen, daß sie wohl die Affen wie ihre Wohnung wechselt (vgl.* **Wohnung 3.**)*.*

*Drei Frauen mit drei Wölfen, ein Gemälde des Jugendstilkünstlers Eugène Grasset. „Im Mondlicht standen mir gegenüber drei Frauen . . . Sie warfen keine Schatten und das Licht des Mondes leuchtete durch ihre Leiber . . . Sie (eine von den dreien) leckte ihre Lippen wie ein Tier." Das Bild sowie jene Episode aus dem mit Wolfsgeheul reich bedachten Roman „Dracula" (1897) von Bram Stoker mögen bei Redewendungen wie „hungrig wie ein Wolf" (**Wolf 9.**) und „mit den Wölfen heulen" (**Wolf 13.**) Vorstellungen evozieren, die damit, was die Umgangssprache anbelangt, nichts zu tun haben. Wer einen* **Wolfshunger** *hat, denkt an seinen Magen (vgl. jedoch* **Wolfsgrube**, **Wolfsschlucht**).*

Wohnkratzer *m* vielstöckiges Wohnhaus. Dem „Wolkenkratzer" nachgebildet. *Österr* 1958 *ff.*

Wohnlandschaft *f* Polstermöbelgarnitur aus verschieden zusammensetzbaren Einzelteilen, mit Schrankwand usw. Werbetexterspr. 1970 *ff.*

Wohnloch *n* elende, lichtarme Behausung. ↗ Loch 1. 1920 *ff.*

Wohnlokus *m* **1.** ~ mit Kochnische = Einfachstwohnung. ↗ Wohnklo 3. 1948 *ff.*
2. ~ mit Kochnische und germanischem Hockergrab = äußerst beengte Wohnung. Die Bezeichnung „germanisches Hockergrab" für die Sitzbadewanne soll von dem Arzt und Psychologen Prof. Alexander Mitscherlich stammen. 1948 *ff.*

Wohnmaschine *f* **1.** Wohnhochhaus. Wortprägung von Le Corbusier um 1920/21. Geläufig vor allem seit 1950/55.
2. Großhotel. 1970 *ff.*
3. Wohnwagen mit allem erdenklichen Luxus. 1964 *ff.*

Wohnmauken *pl* lange getragene Socken. ↗ Mauke 5. *Sold* 1939 *ff.*

Wohnriese *m* Wohnhochhausblock. 1950 *ff.*

Wohnschäse *f* geräumiges Auto. ↗ Schäse 1. Berlin 1935 *ff.*

Wohn-, Schlaf- und Eßklo *n* Einfachstwohnung. *Vgl* ↗ Wohnklo 3. 1948 *ff.*

Wohnschrank *m* **1.** sehr kleine Einzimmerwohnung. 1955 *ff.*
2. Haus mit vielen Kleinwohnungen. Die Wohneinheiten nehmen sich aus wie (Schub-)Fächer eines Schranks. 1955 *ff.*

Wohnsilo *m* Wohnhochhaus. 1960 *ff.*

Wohnung *f* **1.** fahrbare ~ = geräumiges Auto. 1935 *ff.*
2. eine feuchte ~ haben = weißhaarig sein. Feuchtigkeit erzeugt Schimmel, und Schimmel ist weißlich. 1920 *ff*, Berlin.
3. die Männer wie eine ~ wechseln = nur kurzfristige Liebesabenteuer (Ehen) eingehen. 1955 *ff.*

Wohnungsbulle *m* Vertreter, Beauftragter, Angestellter einer Wohnungsgesellschaft. ↗ Bulle. 1955 *ff.*

Wohnungsgangster (Grundwort *engl* ausgesprochen) *m* wucherischer Wohnungsmakler. 1963 *ff.*

Wohnungshai *m* wucherischer Vermieter, Wohnungsmakler. 1963 *ff.*

Wohnungsknacker *m* **1.** Besetzer einer leerstehenden Wohnung. ↗ Knacker 2. 1970 *ff.*
2. Wohnungseinbrecher. 1960 *ff.*

Wohnungsnot haben in Bedrängnis sein; ratlos sein; nicht schnell genug die treffende Antwort finden; Stuhldrang haben. Thüringen 1945 *ff.*

Wohnungswelle *f* weitverbreitetes Interesse an einer den verbesserten Vermögens- und Einkommensverhältnissen angepaßten Wohnung, an der Modernisierung der Wohnungseinrichtung o. ä. ↗ Welle 1. 1958 *ff.*

Wohnwabe *f* Kleinwohnung in einem Wohnhochhaus. Die Wohnungen ähneln einander wie die Honigwaben. 1958 *ff.*

Wohnwelle *f* weitverbreitetes Interesse am Eigenheimbau. ↗ Welle. 1958 *ff.*

Wohnzigarre *f* langer Wohnwagen mit technischen Bequemlichkeiten aller Art. 1972 *ff.*

Wohnzimmer *n* **1.** ~ von der Stange = Wohnzimmer ohne persönlichen Stil. ↗ Stange 8. 1930 *ff.*
2. zweites ~ des kleinen Mannes = Stammkneipe. ↗ Mann 48. 1960 *ff.*
3. ins ~ kommen = im Fernsehen auftreten. 1960 *ff.*

Woilach *m* Wintermantel, Postenumhang. Eigentlich die wollene Pferdedecke. ↗ Pferdedecke. *BSD* 1965 *ff.*

Wolchow-Toilette *f* primitiver Abort mit Sitzstange. Aufgekommen 1941 mit den Kämpfen im Wolchow-Kessel südlich von Leningrad.

Wolf *m* **1.** Wundsein zwischen den Oberschenkeln. Nach einer Deutung ist das Wundsein ähnlich „fressend" wie der Wolf gefräßig; andere meinen, man gehe lendenlahm wie ein gehetzter Wolf. Seit dem 15. Jh.
2. Schankergeschwür, Syphilis. 1900 *ff.*
3. Nasenschmutz. Gehört zu „wühlen = wälzen". *Westd* seit dem 19. Jh.
4. Frontsoldat, der sich wie ein Rasender gebärdet und alles Erreichbare zertrümmert. Übertragen vom angriffslüsternen und zubeißenden Wolf. *Sold* 1941 *ff*, Afrikafront.
5. Häftling, der in der Zelle Selbstmord heuchelt und den herbeigeeilten Wärter überfällt. 1950 *ff*, *rotw.*
6. Rufname des Hundes. Seit dem 19. Jh.
7. ~ und die sieben Geißlein = Wundsein zwischen den Oberschenkeln. Hehlausdruck, übernommen vom Titel des Märchens. *BSD* 1965 *ff.*
8. graue Wölfe = a) Unterseeboote. Grau spielt auf den Farbanstrich an. *Marinespr* 1939 *ff.* – b) Schnellboote. *BSD* 1965 *ff.*
9. hungrig wie ein ~ = sehr hungrig. Übernommen von der Gefräßigkeit des Wolfs. Seit dem 18. Jh.

10. jn durch den ~ drehen = jm mit peinlichen Fragen zusetzen; jn streng verhören; jn hart behandeln; jn brutal niederschlagen; jn heftig beschießen. „Wolf" ist die Fleischhackmaschine des Metzgers. Dadurch Analogie zu „aus jm ↗Hackfleisch machen". Seit dem frühen 20. Jh, anfangs *ziv,* seit 1914 auch *sold.*

11. Appetit auf einen ~ haben = großen Hunger verspüren. Verdreht aus dem Folgenden; wohl weil es unter hungrigen Wölfen auch zu Kannibalismus kommt. 1918 *ff.*

12. Hunger wie ein ~ haben = großen Hunger haben. Seit dem 18. Jh.

13. mit den Wölfen heulen = in schlechter Gesellschaft seine Eigenart verbergen; als einzelner sich der Mehrheit fügen. Hervorgegangen aus einem seit spät-*mhd* Zeit geläufigen Sprichwort, zusammenhängend mit der Lebensweise der Wölfe in Rudeln. Seit dem 15. Jh.

14. jn durch den ~ jagen = jn erledigen. ↗Wolf 10. Seit dem frühen 20. Jh.

Wolfram *Vn* ~ von Eschenbach, beginne!: Aufforderung an den unschlüssigen Kartenspieler zum Ausspielen. Fußt auf Richard Wagners Oper „Tannhäuser" (1845). Kartenspielerspr. 1870 *ff.*

Wolfsgrube *f* Vertiefung zwischen den weiblichen Brüsten. Eigentlich die Grube, in der man Wölfe fängt. 1900 *ff.*

Wolfshunger *m* arger Hunger; Heißhunger. ↗Wolf 9. Seit dem 18. Jh.

Wolfsschlucht *f* Vertiefung zwischen den weiblichen Brüsten. Aus „↗Wolfsgrube" umgeformt unter Einfluß der Wolfsschlucht in der Oper „Der Freischütz" von Carl Maria von Weber. 1900 *ff.*

Wolgadecke *f* Winter-, Postenmantel, -umhang. Erinnerung an die Winterkleidung der deutschen Soldaten an der Wolgafront 1941 *ff. BSD* 1965 *ff.*

Wolga lang *m* Wintermantel. *Vgl* das Vorhergehende. *BSD* 1965 *ff.*

Wolga-Nerz *m* pelzgefütterter Postenmantel. *BSD* 1965 *ff.*

Wolgaschlepper *m* Winter-, Postenmantel. Er lastet schwer und ist knöchellang. *BSD* 1965 *ff.*

Wölkchen *n* sich unter ein ~ hängen = im Segelflugzeug fliegen. Segelfliegerspr. 1920 *ff.*

Wolke *f* **1.** ausgezeichnete Sache; Außergewöhnliches; Unübertreffliches. Hergenommen entweder aus dem Wortschatz der Modeschöpfer, die mit „Wolke" einen dünnen, schleierartigen Stoff bezeichnen, oder verkürzt aus „Duftwolke", oder auf die Explosionswolke bezogen (in diesem Fall sachverwandt mit „↗Bombe 1 u. 5"). Wahrscheinlich in Berlin aufgekommen um 1930. Heute *jug.*

2. Person oder Sache, für die man schwärmt. *Halbw* 1955 *ff.*

3. ~ auf Eiern = ganz Vorzügliches. *Halbw* 1955 *ff.*

4. ~ von Kleid = Tüllkleid. 1920 *ff.*

5. ~ von Weib = sehr eindrucksvolle, außergewöhnliche Frau. 1930 *ff.*

5 a. dufte ~ = sehr sympathisches und hübsches Mädchen. *Jug* 1955 *ff.*

6. die letzte ~ = das Unübertreffliche. *Halbw* 1955 *ff.*

7. schöne ~ = große Menge. 1950 *ff.*

7 a. weiße ~ = die das Bett des Kranken umstehenden Ärzte, Assistenzärzte und Krankenschwestern. Krankenhausspr. 1950 *ff.*

8. eine ~ angeben = sich aufspielen. Geht zurück auf die Tabakswolke; *vgl* „↗rauchen = prahlen". 1920 *ff.*

9. etw in die ~n blasen = etw duch einen Volltreffer vernichten. *Sold* 1939 *ff.*

10. eine ~ drehen = kräftig rauchen. Wolke = Tabakswolke. 1950 *ff.*

11. den Ball in die ~n dreschen (schießen) = den Fußball steil treten. *Sportl* 1950 *ff.*

12. aus allen ~n fallen = a) sehr erstaunt sein; einer Sache völlig verständnislos gegenüberstehen; unvorbereitet vor einem schwerwiegenden Ereignis stehen. Man ist gänzlich unwissend wie einer, der vom Himmel plötzlich auf die Erde kommt und sich nicht zurechtfindet. Seit dem 18. Jh. *Vgl franz* „tomber des nues". – b) Fallschirmspringer sein. Fliegerspr. 1939 *ff.*

13. der Ball geht hoch in die ~n = der Fußballspieler spielt den Ball steil aufwärts. *Sportl* 1950 *ff.*

14. in die ~n gucken = bei einer Verteilung benachteiligt werden. Analog zu „in die ↗Röhre gucken" oder „in den Mond schauen" (↗Mond 25). *Sold* 1939 *ff.*

15. mach' nur keine ~! = prahle, übertreibe nicht ↗Wolke 8. *Schül* 1950 *ff.*

16. sich nicht an die ~n polken lassen = sich nicht dreinreden lassen; sich nicht beirren lassen. ↗polken. Beeinflußt von der Lust am Binnenreim. Berlin 1900 *ff.*

17. dicke ~n reden = leere Worte mit Schwulst verbrämen. *Vgl* ↗Wolke 8. 1920 *ff.*

18. es reißt ihn aus allen ~n = es ernüchtert ihn plötzlich. *Vgl* ↗Wolke 21. 1920 *ff.*

18 a. jn aus den ~n runterholen = jds Überheblichkeit (Hirngespinste) dämpfen. 1970 *ff.*

19. das schreit in die ~n = das ist unerhört, skandalös. Analog zu ↗himmelschreiend. 1950 *ff.*

20. ich bin die ~ = ich gehe aus. Gehört zur Vorstellung von einer Duftwolke und entspricht „verduften = weggehen". *Österr* 1950 *ff, jug.*

21. in den ~n schweben (sein) = geistesabwesend sein. Denker, Dichter und Träumer schweben nach gängiger Vorstellung mit ihren Gedanken und Phantasien in höheren Regionen. Seit dem 19. Jh.

Wolkenbruch *m* es klärt sich auf zum ~ = a) die Wetterbesserung ist nur vorübergehend. *Iron* Redewendung, 1920 *ff.* Aus Berlin ist für 1840 ver-

bürgt: ,,es klärt sich dick auf = es bleibt bewölkt". – b) das Abkommen entspannt die Lage nur vorübergehend (nur scheinbar). 1938 *ff.*

Wolken-Cowboy (Grundwort *engl* ausgesprochen) *m* Pilot, der mittels Chemikalien Wolken zum Abregnen bringt. 1966 *ff.*

Wolkenelefant *m* Luftschiff. 1930 *ff.*

Wolkenengel *m* Flugzeugstewardeß. 1950 *ff.*

Wolkengift *n* Rauschgift. Es ,,umwölkt" die Sinne und verschafft die Illusion schwerelosen Schwebens. *Halbw* 1965 *ff.*

Wolkenhüpfer *m* Flugzeug, das aus der Deckung niedriger Wolken plötzlich hervorkommt. *Sold* 1939 *ff. Vgl engl* ,,cloudhopper".

,,*Und wenn sie nun gar wieder allein war, und aus den Wolken, in denen seine Leidenschaft sie emportrug, herab in die Erkenntnis ihres Zustands fiel, dann war sie zu bedauern". (J. W. Goethe, zitiert nach Lutz Röhrich). Jene metaphorischen Wolken (vgl.* **Wolke 12 a.**), *ein Sinnbild der Entrücktheit, auch der Weltfremdheit (vgl.* **Wolke 18., 18 a., 21.**), *werden zu wirklichen, wenn mit dem einen, der aus allen Wolken fällt, ein Fallschirmspringer gemeint ist* (**Wolke 12 b.**), *selbst wenn dieser, wie die oben abgebildete Doppelbelichtung andeutet, einem solchen Unterfangen auch eine poetische Seite abzugewinnen vermag und so eigentlich eher in den Wolken schwebt* (**Wolke 21.**).

Wolkenkratzer *m* **1.** großwüchsiger Mensch. Meint eigentlich das Hochhaus (lehnübersetzt aus dem *angloamerikan* Scherzausdruck „skyscraper"). 1910 *ff.*
2. aufwendiger, hochgestalteter Damenhut. 1910 *ff.*
3. Flugzeugführer. *Sold* in beiden Weltkriegen.
4. überaus beliebte Schallplatte. Versteht sich vielleicht nach „↗Wolke 1". „Kratzen" kann auf den Lauf des Tonabnehmers in der Tonrille anspielen. *Halbw* 1965 *ff.*
Wolkenkutsche *f* Flugzeug. Analog zu ↗Luftkutsche. *Sold* in beiden Weltkriegen.
Wolkenmädchen *n* Flugzeugstewardeß. 1950 *ff.*
Wolkenmelker *m* Pilot, der Chemikalien über die Wolken versprüht und diese dadurch zum Abregnen veranlaßt. 1955 *ff.*
Wolkennase *f* Meteorologe. 1920 *ff.*
Wolkenquirl *m* Hubschrauber. Seine Luftschraube (Rotor) arbeitet wie ein Küchenquirl. 1940 *ff.*
Wolkenschieber *m* **1.** breitkrempiger Hut; hoher Dreispitzhut. In übertreibender Auffassung reicht er so hoch in die Wolken, daß er deren Lage verändern kann. Seit dem 19. Jh.
2. Mütze mit breitem Schirm. Seit dem 19. Jh.
3. Schnaps. Er schiebt gleichsam die Wolken des Unmuts beiseite. 1870 *ff.*
4. Kulissenschieber, Bühnenarbeiter. Theaterspr. 1900 *ff.*
5. Meteorologe. 1920 *ff.*
6. Flugzeugführer. *BSD* 1965 *ff.*
7. Müßiggänger; Arbeitsscheuer; Landstreicher. 1900 *ff.*
8. großwüchsiger Mensch. *Vgl* ↗Wolkenschieber 1. Seit dem 19. Jh.
9. unredlicher Großverdiener. Auch mit Wolken würde er „↗schieben", wenn er daran verdiente. 1916 *ff.*
Wolkenschiebermütze *f* Mütze mit breitem Schirm; Sportmütze. ↗Wolkenschieber 2. Vorform von „↗Schiebermütze". 1870 *ff.*
Wolkensheriff *m* Geistlicher. In England ist der Sheriff ein höherer Gerichtsbeamter. Bei uns scheint gemeint zu sein, daß das (Jüngste) Gericht des Geistlichen seinen Sitz in den Wolken hat. *Halbw* 1960 *ff.*
Wolkenstößer *m* Zylinderhut. *Vgl* ↗Wolkenschieber 1. Seit dem 19. Jh.
Wolkenverteiler *m* breitrandiger Hut; Schlapphut o. ä. Analog zu „↗Wolkenschieber 1" und „↗Gewitterverteiler". 1900 *ff.*
wolkenweich *adj* sehr weich. Werbetexterspr. 1975 *ff.*
wolkig *adj* **1.** undeutlich; vage; sich in Unklarheit hüllend (von Äußerungen gesagt). 1960 *ff.*
2. hervorragend. ↗Wolke 1. *Halbw* 1955 *ff.*
Wolle *f* **1.** sehr langes Kopfhaar; dickes, dichtes Kopfhaar. Vom Haarkleid der Schafe, Angorahasen usw. übertragen. 1870 *ff.*

2. Brustbehaarung des Mannes. 1920 *ff.*
3. Schamhaare der Frau. 1900 *ff.*
4. Marihuana u. ä. Übersetzt aus *angloamerikan* „cotton", was im Slang „Hanf = Haschisch = Marihuana" bedeutet. *Halbw* 1960 *ff.*
5. in der ~ gefärbt (eingefärbt) = unverfälscht; überzeugungstreu; charakterlich zuverlässig. Die Farbe bleibt länger erhalten, wenn man die Wolle färbt, wohingegen bei Färben des fertigen Gewebes die Farbe schneller vergeht. Etwa seit 1830/40. *Vgl engl* „dyed in the wool".
6. jn in die ~ bringen = jn in Erregung versetzen. „In der Wolle" meint soviel wie „in Hitze" (man kennt die „hitzige Debatte", den „Heißsporn", „hitzig werden" usw.). 1900 *ff.*
7. bei jm in die ~ gehen = bei jm beschäftigt sein. Bezieht sich ursprünglich wohl auf eine Tuchmanufaktur. Berlin 1840 *ff.*
8. jm in die ~ greifen = a) jn an den Haaren ergreifen, zerren. ↗Wolle 1. 1900 *ff.* – b) eine Frau intim betasten. ↗Wolle 3. 1900 *ff.* – c) jn hart anfassen, grob behandeln, vor anderen bloßstellen. 1500 *ff.*
9. einander (sich mit jm) in der ~ haben = miteinander streiten, handgreiflich werden. ↗Haar 16. Seit dem 19. Jh.
10. in die ~ kommen = aufbrausen. ↗Wolle 6. 1900 *ff.*
11. sich in die ~ kriegen (geraten) = zu streiten beginnen; zornig werden; aufeinander losgehen. Analog zu ↗Haar 31. Seit dem 19. Jh.
12. jn bei der ~ kriegen = jn am Haarschopf ergreifen. Seit dem 19. Jh.
13. jm die ~ scheren = a) jm die Haare schneiden. ↗Wolle 1. 1900 *ff.* – b) jn ausnutzen; jm Geld abnötigen. ↗scheren. *Nordd* 1900 *ff.*
14. in der ~ sein = eine Frau intim betasten. ↗Wolle 3. 1900 *ff.*
15. gut (warm) in der ~ sitzen (sein, sich befinden) = ein sorgloses Leben führen; gut versorgt sein; wohlhabend sein. Die Wolle der Schafe steht hier sinnbildlich für den Reichtum, auch für „Wärme" im Sinne von „Geborgenheit". *Vgl* auch „↗warm 23". Seit dem 18. Jh.
16. bei jm in der ~ sitzen = sich jds Wohlwollen erfreuen. 1900 *ff.*
Wolleköppchen *n* Wollperücke. *Halbw* 1965 *ff.*
wollen *v* **1.** jm etw ~ = jm etw zuleide tun wollen. Hinter „etwas" ergänze „Übles, Böses" o. ä. Seit dem 19. Jh.
2. wer nicht will, hat schon = wer nicht zugreift, ist bereits versehen. Erwiderung auf ein Danke, mit dem einer beim Essen nicht nochmals zugreifen möchte. 1850 *ff.*
3. wer will nochmal, wer hat noch nicht?: Frage an die Tischgäste, ob man noch einmal auffüllen darf. Hergenommen von der Einladung der Jahrmarktausrufer zum Betreten der Schießbude o. ä. 1920 *ff.*

4. dann wollen wir mal wieder!: ermunternder Ausruf zur Wiederaufnahme der Arbeit. Zu ergänzen ist „an die Arbeit gehen" oder „sich auf den Marsch machen" o. ä. 1930 *ff*.

5. mögen hätte ich schon ~, aber dürfen habe ich mir nicht getraut: gern hätte ich es getan, aber es fehlte mir der Mut dazu. 1920 *ff*.

Wollen-mal-sehen-Stimmung *f* abwartende, mißtrauische Haltung gegenüber einer Person oder Sache. 1962 *ff*.

Wollewöllchen *pl* Flocken aus Gewebehaaren; Wollflöckchen. *Sächs* 1900 *ff*.

Wollfärberei *f* Damenfrisörgeschäft. ↗Wolle 1. 1920 *ff*, Berlin.

Wollgras *n* Brustbehaarung des Mannes. 1920 *ff*.

Wollknäuel (Wollknäuerl) *n* lang- und rauhhaariger Hund. 1900 *ff*.

Wollkopf *m* **1.** gekräuseltes Haar. 1920 *ff*.
2. Neger. 1950 *ff*.

Wollkrabbe *f* Frisöse. Sie „krabbelt" den Frauen in der „↗Wolle". 1920 *ff*.

Wollmäuse *pl* Flocken aus Gewebehaaren unter Möbeln, in der Hosentasche o. ä. Sie sind grau und fassen sich wollig an. 1890 *ff*.

Wollmilchsau *f* eierlegende ~ = Mehr-, Allzweckgerät. ↗Wollschwein. 1970 *ff*.

Wollonkel *m* **1.** Landwirt, der nach der Ernte in die Stadt fährt und einige vergnügte Tage (Nächte) verlebt. Meint ursprünglich den Gutsbesitzer, der nach der Schafschur in die nächste Stadt reist und da fröhlich lebt. 1850 *ff*. Die heutige Bedeutung kam Ende des 19. Jhs auf; Berlin.
2. Landwirt als Besucher der Grünen Woche in Berlin. 1925 *ff*.

Wollschaf *n* **1.** Halbwüchsiger mit überlangen Haaren. 1960 *ff*.
2. Heranwachsender, der gegen Entgelt zu homosexuellen Handlungen bereit ist. Die langen Haare verleihen ihm ein weibisches Aussehen. Berlin 1960 *ff*.

Wollschwein *n* eierlegendes und milchgebendes ~ = Alleskönner. Karikaturistische Verbindung von Huhn, Kuh, Schaf und Schwein. *BSD* 1968 *ff*.

Wollustbremse *f* Regelbinde. 1935 *ff*.

Wollustfutter *n* intime Freundin. 1905 *ff*.

Wollusthügel *pl* Frikadellen. Wegen der Formähnlichkeit mit der Frauenbrust. 1920 *ff*.

Wollust-Knödel *m* intime Freundin; Prostituierte. Berlin 1910 *ff*.

Wollustmilch *f* Sperma. 1900 *ff*.

Wollustpuffer *pl* **1.** Frauenbrust. „Puffer" nennt man z. B. die aus Kartoffelbrei gebackenen kleinen Kuchen in Form von Berliner Pfannkuchen. *BSD* 1965 *ff*.
2. Frikadellen. *BSD* 1965 *ff*.

Wollustspender *m* weibliche Person. *BSD* 1965 *ff*.

Wollustutensilien *pl* weibliches Geschlechtsorgan. Seit dem späten 19. Jh.

Wollustzange *f* **1.** Vagina; Frauenschoß. 1920 *ff*.
2. intime Freundin; Prostituierte. 1920 *ff*.

Wonne *f* **1.** ~ in Dosen = sehr eindrucksvolle Sache. Hergenommen von Leckereien in Dosen (Geschenkpackungen). *Vgl* ↗Wucht 8. *Schül* 1950 *ff*; *sold* 1958 *ff*.
2. zur ~ der Gattin = Urlaub daheim. Deutung der *milit* Abkürzung „zWdG" (= zur Wiederherstellung der Gesundheit). *Sold* seit dem Ersten Weltkrieg.
3. ~ in Scheiben = hervorragende Sache. Hergenommen von Früchten, die in Scheiben verkauft oder vorgelegt werden (Ananasscheiben; kandierte Fruchtscheiben). *Vgl* ↗Wucht 10. 1950 *ff, jug*.
4. ~ in Tüten = großartige Angelegenheit. Geht zurück auf Tüten mit Gebäck- oder Pralinenmischungen oder auf die sogenannten „Wundertüten", in denen manche Überraschung versteckt ist. *Vgl* ↗Wucht 11 und 13. 1950 *ff, jug*.
5. ~ eingemacht = unübertrefflicher Vorfall. ↗Wonne 1; *vgl* ↗Wucht 15. *Schül* 1950 *ff*.
6. mit ~ (mit wahrer ~) = sehr gern. Analog zu „mit Freuden". Studenten-, Backfisch- oder Leutnantsdeutsch seit dem späten 19. Jh.
7. an etw eine wahre ~ haben = sich an (über) etw sehr freuen. 1830 *ff*.
8. in ~ panschen = sehr vergnügt sein. ↗panschen. 1960 *ff*.
9. das ist eine wahre ~ = das ist großartig, sehr erfreulich, ein wundervoller Anblick u. ä. 1920 *ff*.
10. dann war alles wieder ~ und Griesschmarrn = dann war alles wieder in schönster Ordnung. *Österr*, 1910 *ff*.
11. dann war alles wieder ~ und Waschtrog = dann war alles wieder gut. *Österr*, 1910 *ff*.

wonnebackig *adj* **1.** mit einem hübschen Gesäß versehen (auf weibliche Personen bezogen). 1950 *ff*.
2. sehr angenehm; sehr zusagend. 1950 *ff*.

Wonnebalken *m* Sitzstange der Feldlatrine. „Wonne" spielt auf den Umstand an, daß man während des Sitzens jeglichem Dienst und jeglicher Kontrolle enthoben ist. *Sold* 1939 *ff*; *jug* 1948 *ff*.

wonnebastisch *adj* wundervoll. Zusammengesetzt aus „Wonne" und „bombastisch" mit Einfluß von „Bombe = großartige Sache". *Halbw* 1955 *ff*.

Wonneberg *m* Mädchen. Anspielung auf Berg und Tal, Schlucht und Hügel des Frauenkörpers. *Sold* seit dem ausgehenden 19. Jh.

Wonnebibber *m* gallertartiger Pudding. ↗Bibber 3. 1910 *ff*.

Wonnebolzen *m* **1.** Penis. ↗Bolzen 3. 1920 *ff*.
2. nettes, dralles Mädchen. ↗Bolzen 6. 1920 *ff*.

Wonnebrocken *m* intime Freundin; Geliebte. ↗Brocken 9. 1955 *ff*.

Wonnebusen *m* Frauenbrust. 1955 *ff*.

Wonnedienst *m* Beischlaf. 1910 *ff*.

Wonneflöckchen *n* Kosewort. 1950 *ff.*

Wonnegatte *m* Ehemann. 1950 *ff.*

Wonnegattin *f* Ehefrau. 1950 *ff.*

Wonnegebirge *n* üppiger Frauenbusen. *Vgl* ↗Wonneberg. 1910 *ff.*

Wonnegrunzen *n* mit ~ = sehr gern. Das grunzende Schwein ist ein Bild der Behaglichkeit, des satten Behagens. *Vgl* das Folgende. *Österr* 1920 *ff.*

wonnegrunzen *intr* über etw ~ = sich über etw amüsieren. *Vgl* das Vorhergehende und das Folgende. 1920 *ff.*

wonnegrunzend *adj* hocherfreut; sich wohl fühlend; vor Heiterkeit strahlend. Wohl Nachahmung von Vokabeln wie „wonneschluchzend", „wonnetrunken" u. ä. 1920 *ff, jug, bayr.*

Wonnejucken *n* Orgasmus. 1900 *ff.*

Wonnekäfer *m* sehr liebes Mädchen. ↗Käfer 1. *Halbw* 1955 *ff.*

Wonnekleister *m* 1. Stärkepudding o. ä. ↗Kleister 1. Backfischspr. 1870 *ff.*
2. Sperma. *Sold* 1939 *ff.*

Wonnekloß *m* netter, lieber Mensch (auch *iron*). ↗Kloß 1 und 2. Berlin und *sächs,* 1870 *ff.*

Wonneklößchen *n* das ist mir ein ~ = das ist mir eine besondere Freude. *Westf* 1950 *ff.*

Wonneknabe *m* Junge (junger Mann), der gegen Bezahlung zu homosexueller Betätigung bereit ist. 1900 *ff.*

Wonnemaus *f* sympathisches Mädchen. ↗Maus. 1965 *ff, halbw.*

Wonnepaket *n* weibliche Person mit schönen Körperformen. ↗Paketchen 2. 1910 *ff.*

Wonnepfahl *m* erigierter Penis. ↗Pfahl 1. 1910 *ff.*

Wonnepfropfen (-proppen) *m* 1. Kosewort für eine weibliche Person. Pfropfen = untersetzter Mensch. Seit dem ausgehenden 19. Jh, *niederd,* Berlin und *sächs.*
2. kleinwüchsiger Mann. *BSD* 1965 *ff.*
3. mißliebiger Mann *(iron).* 1910 *ff.*

Wonneprügel *m* Penis. ↗Prügel 2. 1920 *ff.*

Wonneschinken *m* Mädchen (Kosewort). 1920 *ff.*

Wonneschrippen *pl* Frauenbrüste. Wegen der Formähnlichkeit mit „Schrippen = (Rund-)Brötchen". Berlin und *nordd,* 1920 *ff.*

Wonnestrolch *m* 1. junges Mädchen (Kosewort). ↗Strolch. 1920 *ff.*
2. käuflicher Homosexueller. 1960 *ff, prost.*

Wonne-Utensilien *pl* weibliches Geschlechtsorgan. 1900 *ff.*

Wonneweib *n* Geliebte; intime Freundin. 1920 *ff, halbw.*

Wonnewimmerln *pl* Frauenbrüste. ↗Wimmerl 2. *Österr* 1950 *ff, jug.*

wonnig *adj* schön, nett, reizvoll, angenehm. Eigentlich soviel wie „ein Wonnegefühl erregend" (Richard Wagner, „Die Walküre"); von daher im Backfischdeutsch zu superlativischer Geltung entwickelt. 1900 *ff.*

Wort *n* 1. ~ zum Bierholen = „Das Wort zum

Sonntag" im Deutschen Fernsehen. Anspielung auf den Umstand, daß der uninteressierte Fernsehzuschauer die Zeit lieber zum Bierholen nutzt. 1974 *ff.*

2. ~ Gottes in Feldgrau = Militärgeistlicher in Uniform. „Wort Gottes = Heilige Schrift". *Sold* 1914 *ff.*

3. ~ Gottes vom Lande (Gottes ~ vom Lande; wandelndes ~ Gottes vom Lande) = Dorfpfarrer. Etwa seit 1800.

4. dein ~ in Gottes Ohr (Gehörgang)! = möge es sich bewahrheiten! Fußt auf der jüdischen Vorstellung, daß Gott dem Beter sein Ohr leiht. Übliche Darstellung in der jüdischen bildenden Kunst. Spätestens um 1910 aufgekommen.

5. mit dürren ~en = ohne Umschweife; unverschönt. Dürr = trocken, mager, schmucklos. 1500 *ff.*

6. gestandene ~e = treffsichere Worte. ↗gestanden. *Bayr* 1920 *ff.*

7. krummes ~ = abträgliche, gehässige Äußerung. ↗krumm 13. 1920 *ff.*

8. jn mit leeren (glatten, trockenen) ~en abspeisen. ↗abspeisen 2.

9. ein großes ~ gelassen aussprechen = Bedeutendes bescheiden äußern; unbedacht eine dumme Äußerung machen. Ironisiert nach Goethes „Iphigenie" (1787). 1840 *ff.*

9 a. jn mit ~en besoffen machen = jn mit leeren, wohlklingenden Redensarten zu beschwatzen suchen. 1900 *ff.*

10. entschuldigen (verzeihen) Sie das harte ~: Redewendung, wenn man einen anstößigen oder derben Ausdruck verwendet hat (Beispiel: das ist eine beschissene Geschichte; entschuldigen Sie das harte Wort „Geschichte"). 1920 *ff, stud.*

11. das ~ haben = mit dem Ausspielen an der Reihe sein; die Spielfarbe zu bestimmen haben. Kartenspielerspr. seit dem 19. Jh.

12. hast du ~e (hast du ~e für so 'ne Sorte; hat der Mensch ~e)? = Ausdruck der Überraschung. Der Betreffende ist sprachlos. Berlin, etwa seit 1850; auch *sächs, rhein* u. a.

13. das große ~ haben = sich aufspielen; viel Wesens von sich machen. 1890 *ff.*

14. Wörter am Leibe haben = unfeine Ausdrücke verwenden. 1900 *ff.*

15. es nicht ~ haben wollen = es nicht wahr haben wollen; es nicht gelten lassen. Wort = entscheidendes Wort; bindende Zusage. 19. Jh.

16. immer (bei allem) das letzte ~ haben wollen (müssen) = rechthaberisch sein; nicht zu überzeugen sein. Seit dem 19. Jh.

17. zu ~ kommen = aus der Verteidigung zum Angriff übergehen. Meint eigentlich „ans Sprechen kommen; sich Gehör verschaffen". *Sportl* 1950 *ff.*

17 a. jm ~e in den Mund legen = dem Mitschüler vorsagen. 1960 *ff.*

18. jm das ~ im Munde rumdrehen (verdrehen) = jds Äußerung absichtlich mißverstehen; jds Worte aus Gehässigkeit anders auslegen. Umdrehen = das Innere nach außen, das Äußere nach innen drehen. 1500 *ff.*

18 a. im ~ sein (stehen) = durch ein Versprechen gebunden sein. 1965 *ff.*

19. ein paar warme ~e sprechen = ein paar Worte herzlicher Freude oder Anteilnahme sagen. „Warm" bezieht sich auf das menschlich-herzliche Empfinden, steht aber oft auch für eine gefühlstriefende Äußerung, auf die man lieber verzichten möchte. *Stud* 1920 *ff.*

20. jm jedes ~ aus der Nase ziehen müssen = von einem Wortkargen mühsam eine Antwort erwirken. Variante zu „jm die ↗Würmer aus der Nase ziehen". 1920 *ff.*

Wortbalgerei *f* Wortwechsel. ↗balgen. 1950 *ff.*

Wörtchen *n* **1.** ein ~ mitzureden haben = mitzuentscheiden haben. „Wörtchen" meint hier nur scheinbar das unbedeutende Wort; in Wirklichkeit ist das gewichtige Wort gemeint. 1800 *ff. Vgl engl* „to have a say in everything" und *franz* „avoir son mot à dire".

2. ein ~ mitreden wollen = Mitentscheidung fordern. 1955 *ff.*

3. mit jm ein ~ zu reden haben = jn streng zur Rede stellen. 1900 *ff.*

Wortdrescherei *f* Rede mit vielen Worten, die nichts sagen. 1920 *ff.*

wörteln *intr* in einen Wortwechsel geraten. Seit *frühnhd* Zeit. *Bayr* und *österr* bis heute.

Wörterbuch *n* **1.** im ~ blättern müssen = wegen der pathetischen oder fremdwortreichen Ausdrucksweise des Sprechers das Gemeinte nicht begreifen. Berlin 1955 *ff, jug.*

2. das steht nicht in meinem ~ = das gibt es nicht für mich; das ist bei mir nicht vorhanden. 1850 *ff.*

Wortfickerei *f* inhaltslose Rede; von Schwulst überlagerte Rede. Bezieht sich eigentlich auf einen, der mit seinem Geschlechtsvermögen prahlt, aber beim Beweis versagt. 1933 *ff.*

Wortfuchser *m* Wortklauber. Fuchsen = quälen. 1900 *ff.*

Wortgefuchtel *n* phrasenreiches Gerede; Geschwätz. ↗fuchteln. 1850 *ff.*

Wortgeklingel *n* wohlklingende Worte ohne Wert. 1890 *ff.*

Wortgeknatter *n* Geschwätz, Phrasenreichtum. 1900 *ff.*

Wortgerangel *n* Wortgefecht. ↗rangeln. 1950 *ff.*

Wortgewurstel *n* phrasenhafte, umständliche Umschreibung. ↗wursteln. 1950 *ff.*

Wortquark *m* phrasenreiches Geschwätz ↗Quark 1. 1930 *ff.*

wortreicheln *intr* schwätzen; leere Redensarten von sich geben. Man redet wortreich, aber substanzlos. 1930 *ff.*

Wortsalat *m* **1.** Fülle von Sprachunrichtigkeiten;

Versprecher; Gestotter; Druckfehler, die den Text unverständlich machen. ↗Salat 1. 1930 *ff.*

2. aus Wörtern verschiedener Sprachen gemischte Äußerung. 1950 *ff.*

Wortscheißerei *f* übertriebene Ausdrucksweise; Prahlerei. 1933 *ff.*

Wortstaub *m* **1.** leere Redensarten. Mit Worten wirbelt man Staub auf. 1910 *ff.*

2. jm ~ in die Ohren blasen = jn mit leeren schwülstigen Redensarten betören. 1910 *ff.*

Wotan *m* **1.** das walte ~!: Ausdruck der Hoffnung auf Eintritt des Gewünschten. Umgeformt aus „das walte Gott!", vielleicht als Spott auf deutsch-völkische Redewendungen. Wotan ist die höchste Gottheit der *germ* Mythologie. 1929 *ff.*

2. das walte ~ und die sieben Geißlein! = möge es so werden! einverstanden, ich billige es! Nach dem Muster des Vorhergehenden entstellt aus dem Märchen: „Der Wolf und die sieben Geißlein". 1933 *ff.*

Woyzeck *m* Angehöriger des Mannschaftsstandes. Geht zurück auf die Szenenfolge „Woyzeck" von Georg Büchner; sie spielt im Armeeleuteleben der Soldaten. Die Bezeichnung scheint 1970/71 durch einen Fernsehfilm aufgekommen zu sein. *BSD* 1971 *ff.*

Wrack *n* **1.** nicht mehr arbeitsfähiger, kranker, entkräfteter Mann. Übernommen von der Bezeichnung für das beschädigte Schiff. Seit dem 18. Jh.

2. nervliches ~ = Mensch mit schwerem Nervenleiden. 1920 *ff.*

3. jn zu einem ~ machen = jn streng behandeln, quälen. 1920 *ff.*

wringen *intr* sich umeinander ~ = sich umarmen, umhalsen. Wringen = windend drehen. *Jug* 1955 *ff.*

Wubuk *m* Kulturbeutel. Abkürzung von „↗Wochenend- und Beischlafutensilienkoffer". 1920 *ff.*

Wucherer *m* Vater mehrerer unehelicher Kinder. ↗wuchern 1. 1940 *ff.*

Wucherküste *f* Riviera. 1965 *ff.*

wuchern *v* **1.** *intr* = viel Nachwuchs zeugen. Soviel wie „üppig wachsen". 1900 *ff.*

2. sich ~ = sich sehr anstrengen. Man wuchert mit seinen Kräften. *Österr* 1940 *ff, jug* und *sportl.*

Wucherstier *m* Mann, der viel Nachwuchs zeugt. ↗wuchern 1. 1900 *ff.*

Wucherung *f* eine ~ haben = schwanger sein. 1900 *ff.*

Wucht *f* **1.** Prügel, Strafe o. ä. Nebenform zu „Gewicht", auch im Sinne von „schwere Last". 1840 *ff*, Berlin, *ostmitteld* u. a.

2. große Menge; heftiger Beschuß; sehr viel. Seit dem späten 19. Jh, vorwiegend *schül* und *sold.*

3. eine ~ (das ist 'ne ~; das ist die ~) = ausgezeichnete, unüberbietbare Sache; große Kostbarkeit; unüberbietbarer Könner. Spätestens seit dem ausgehenden 19. Jh; *schül, stud, sold* und *sportl.*

4. Essensportion. Meint die „große Menge" ernsthaft oder spöttisch. *Sold* in beiden Weltkriegen.

5. üppiges Kopfhaar. *Jug* 1955 *ff.*

6. unnötige Aufregung; übertriebene Umstände. Vom Begriff „Gewichtigkeit" weiterentwickelt zur Bedeutung „vermeintlich Wichtiges". 1900 *ff.*

7. großwüchsiger, kräftiger, massiger Mensch; Könner. 1890 *ff, nordd* und *westd.*

8. ~ in Dosen = großartige Sache. ↗Wonne 1. 1950 *ff.*

9. ~ in Säcken = sehr eindrucksvolle Sache. Übertragen von sackweise gelieferter Ware, vor allem von Obst. 1950 *ff.*

10. ~ in Scheiben = hervorragende Sache. ↗Wonne 3. 1950 *ff, jug.*

11. ~ in Tüten (in Tüten und Dosen) = unübertreffliche Sache. ↗Wonne 4. 1945 *ff, jug.*

12. ~ nebst Wolke = etw Vortreffliches. ↗Wolke 1. Berlin 1950 *ff.*

13. ~ in Zuckertüten = Unüberbietbares. 1950 *ff.*

14. eine schaffe ~ = etw Außerordentliches. ↗schaffe. Berlin 1955 *ff, jug.*

15. eingemachte ~ = großartige Leistung. ↗Wucht 8; *vgl* ↗Wonne 5. 1950 *ff, schül.*

15 a. einsame ~ = unerreichter Könner. 1920 *ff, jug.*

16. eine ~ machen = unnütze Aufregung verursachen; Unruhe um sich verbreiten. ↗Wucht 6. 1900 *ff, sold* in beiden Weltkriegen.

17. jm eine ~ verpassen = jn heftig verprügeln. ↗Wucht 1. 1920 *ff.*

Wuchtbrumme *f* **1.** munteres junges Mädchen in reizvoller Aufmachung. ↗Wucht 3; ↗Brumme 2. *Halbw* 1955 *ff;* von Berlin ausgegangen.

2. etw Hervorragendes, beifällig Aufgenommenes (Person oder Sache). 1955 *ff,* Berlin.

3. dralles Mädchen. Es ist schwer an Gewicht. *Halbw* 1965 *ff.*

wuchtbrummig *adj* nett, reizend, eindrucksvoll (auf ein junges Mädchen bezogen). ↗Wuchtbrumme 1. *Halbw* 1955 *ff.*

Wuchtbrummigkeit *f* Höchstmaß von anziehenden körperlichen und (oder) geistig-seelischen Eigenschaften eines Mädchens. *Halbw* 1955 *ff.*

Wuchtel I *n* Ball. Eigentlich eine Mehlspeise in Kugelform. *Österr* 1940 *ff.*

Wuchtel II *m* untersetzter Mensch. Nebenform zu „Wichtel = Kobold". *Ostmitteld* 1940 *ff.*

wuchten *v* **1.** *tr* = Schweres heben; schwere körperliche Arbeit verrichten. Gehört zu „Gewicht" und bezieht sich im besonderen auf den Hebelarm zum Bewegen schwerer Lasten. Seit dem späten 19. Jh; von Nord- und Ostmitteldeutschland ausgegangen.

2. *tr intr* = schießen; schwere Granaten abfeuern. *Sold* in beiden Weltkriegen.

3. *intr* = unter Einsatz aller Kräfte rudern. *Marinespr* und *sportl* 1930 *ff.*

4. *intr* = eine lange Strecke schwimmen. 1930 *ff.*

5. *intr* = den Ball sehr kräftig treten. *Sportl* 1930 *ff.*

6. *intr tr* = (viel) essen. ↗Wucht 4. *Sold* in beiden Weltkriegen.

7. *intr* = sich schwerfällig bewegen; sich wiegend bewegen; wie ein Seemann gehen. 1850 *ff.*

8. *tr* = jm schwer zu schaffen machen; jm absichtlich Schwierigkeiten bereiten. 1910 *ff, ziv* und *sold.*

9. jm eine ~ = jm eine schallende Ohrfeige geben. 1900 *ff,* Berlin und *nordd.*

wuchtig *adj* **1.** sehr beachtlich; hervorragend. ↗Wucht 3. *Jug* 1950 *ff.*

2. das ist halb so ~ = das ist halb so wichtig. 1930 *ff.*

Wuchtling *m* kräftiger, muskulöser Mann. 1950 *ff.*

Wuchtpar'tie *f* gesellschaftliche Veranstaltung mit sehr ausgelassener Stimmung. ↗Wucht 3. 1950 *ff.*

Wuchtpuppe *f* sehr nettes, anziehendes Mädchen. ↗Wucht 3. 1957 *ff, halbw.*

wuckeln *intr* angestrengt lernen. Vielleicht aus „↗wulacken" entwickelt. *Österr* 1950 *ff, schül.*

Wuckerln (Wuckeln) *pl* **1.** Locken; Lockenwickler. Fußt auf „wickeln" mit möglichem Einfluß von *franz* „la boucle = die Locke". *Bayr* und *österr,* seit dem 19. Jh.

2. krauses Haar. Seit dem 19. Jh.

wudeln *intr* Verwirrung, Unruhe stiften; aufwiegeln. Nebenform zu „↗wurlen", wohl verwandt mit „wühlen". Seit dem 19. Jh, *bayr* und *österr.*

'Wudl'wudl *f* Ente. Benannt nach dem Lockruf für die Ente; beeinflußt von „wühlen". *Oberd* seit dem 19. Jh.

Wuff *m* Rufname des Hundes. Schallnachahmend für das kurze Anschlagen des Hundes. 1920 *ff.*

Wüffel *m* Rufname des Hundes. *Vgl* das Vorhergehende. 1920 *ff.*

Wuffi *m* Rufname des Hundes. ↗Wuff. 1920 *ff.*

'Wuff'wuff *m* Hund. ↗Wuff. 1920 *ff.*

Wühl *m* Menge anstrengender Arbeit. Gehört zu „wühlen" und „Gewühl". *Rhein* 1900 *ff.*

Wühlarbeit *f* Durchstöbern der Tische mit den Stoffresten gelegentlich der Schlußverkäufe. 1960 *ff.*

wuhlen (wühlen) *intr* schwer, eifrig arbeiten. Eigentlich soviel wie „graben; aufwerfen; tief schürfen; durchsuchen". *Sold* 1900 bis heute.

Wühler *m* schwer und eifrig arbeitender Mensch; diensteifriger Soldat. 1900 *ff.*

Wühlfest *n* Schluß-, Ausverkauf. *Vgl* ↗Wühlarbeit. 1950 *ff.*

Wuhling *f* Wühlerei; Durcheinander; Gedränge. *Marinespr* 1900 *ff.*

Wühlmaus *f* **1.** Granate mit Verzögerungszünder. Sie wühlt sich wie eine Maus ein Loch in den Boden und explodiert erst dann. *Sold* in beiden Weltkriegen.

2. Grenadier. Notfalls gräbt er sich ein Deckungsloch. *BSD* 1965 *ff.*

Onomatopoetische Wortbildungen wie **wumm**, zack, peng usw. gehen zu einem Großteil auf Darstellungsformen des Comic zurück, wo der Text, meist in Form von Sprechblasen, im Bild selbst untergebracht werden muß, und auch Geräusche wie das Zuschlagen einer Tür oder das Knallen eines Schusses nach lautmalerischen und graphischen Versinnbildlichungen verlangen. Der diesem Genre eigene und durch das Bild ja auch abgesicherte Hang zu sprachlichen Verkürzungen läßt so manchen Sprach- und Kulturkritiker immer wieder gegen den, wie man vermutet, verderblichen Einfluß, den eine solche Lektüre auf die Sprach- und Schriftkultur ausübe, vom Leder ziehen. Im Comic würden solche Äußerungen, kleiner als normal geschrieben, in eine dafür um so größere Sprechblase gesetzt werden.

3. *pl* = Pioniere. *Sold* 1914 bis heute.
4. *sg* = Archäologe. 1920 *ff.*
5. *sg* = Straßenbauarbeiter, Erdarbeiter; im Tiefbau Tätiger. 1925 *ff.*
6. *sg* = Mann, der zwecks Einbruchs einen unterirdischen Gang gräbt. 1920 *ff.*
7. *sg* = Mensch mit unruhigem Geist; Aufwieglercharakter im Verborgenen. 1880 *ff.*
8. *sg* = zärtliche Freundin. 1920 *ff.*
9. *sg* = Heilgymnastin. *Stud* 1955 *ff.*
10. ~ spielen = Schanzarbeit verrichten. *BSD* 1965 *ff.*
Wühlmixtur *f* starkes Abführmittel. Es wühlt die Därme auf. 1910 *ff.*
Wühltisch *m* Verkaufstisch mit Waren, die der Kunde frei aussuchen kann. 1950 *ff.*
'wulacken ('wullachen) *intr* schwer arbeiten. Wahrscheinlich um die *slaw* Endung „-ak" (*dt* Schreibweise: Polack, Böhmack) erweitertes Verbum „wühlen". Vermutlich von Ostpreußen aus im Gefolge polnischer Bergleute und Landarbeiter zur Ruhr und an die Saar gewandert. 1920 *ff.*
Wule'wuh *m* Franzose. Entwickelt (verballhornt) aus der vielgebrauchten *franz* Wendung „voulez-vous = wollen Sie (...?)". *Sold* und *ziv*, 1914 *ff.*
Wulger *m* kugelig-beleibter Mann. *Vgl* das Folgende. *Oberd* und *ostmittel*, seit dem 19. Jh.
wulgern *tr* etw wälzen, rollen. Schallnachahmend für das dumpfe Geräusch, das beim Rollen von Fässern und Tonnen entsteht. *Oberd* und *ostmitteld*, seit dem 19. Jh.
wulig *adj* **1.** arbeitsam; übertrieben geschäftig. ↗wuhlen. 1900 *ff.*
2. nervös. Von der geschäftigen Arbeitsweise weiterentwickelt. 1900 *ff.*
3. geizig. Leitet sich her von einem, der gern in seinem Geld wühlt, aber sich von ihm nicht trennt. 1900 *ff.*
Wuling *f* ↗Wuhling.
Wulst *m* Kunst kommt von „können"; käme es von „wollen", hieße es ~: Redewendung laienhafter Kunstkritiker, meist bezogen auf handwerklich nicht meisterlich erscheinende Malweise. 1920 *ff.*
Wum-Frage *f* wie denn, wo denn, was denn? Geht zurück auf den von „Loriot" (Vicco von Bülow) geschaffenen Trickfilm-Hund „Wum", der im Dienste der „Aktion Sorgenkind" in Show-Serien („Drei mal neun", „Der Große Preis") des Zweiten Deutschen Fernsehens mit der stehenden Frage „wie denn, wo denn, was denn?" volkstümlich wurde. 1970 *ff.*
wumm *interj* **1.** Klangnachahmung eines heftigen Hiebes, Stoßes o. ä. Daher „wummen = dumpf dröhnen". Geht beim Fußballspiel der heftig getretene Ball hoch über oder weit neben das Tor,

ruft die Menge einstimmig „wumm!". Auch in den Sprechblasen der „Comic-Strips" kennzeichnet „wumm" den dumpfen Lärm beim Türenzuschlagen o. ä. 1920 *ff*.

2. Ausruf des Erstaunens. Meint eigentlich das dumpfe Geräusch beim Aufprall eines Niederstürzenden. Vor Überraschung verliert man das Bewußtsein. *Schül* 1950 *ff*, österr.

Wumm *m* Energie, Schwung. Vom Vorhergehenden übertragen im Sinne von Kraftfülle, Körperkraft o. ä. Vielleicht von der Reklame („Bier hat Wumm") entlehnt. 1968 *ff*.

Wumme *f* **1.** Stoßkraft des Fußballspielers. ↗wumm 1. *Sportl* 1969 *ff*.

2. Revolver, Pistole, Gewehr o. ä. Lautmalerei für das Geräusch beim Abfeuern. *Sold* 1939 bis heute.

3. munteres, reizvolles junges Mädchen. Vom Eindruck, den ein heftiger Stoß, ein Abschuß o. ä. hervorruft, übertragen auf ein Mädchen, das einen nachhaltigen Eindruck macht. *Halbw* 1955 *ff*.

wummen *intr tr* koitieren (vom Mann gesagt). Schallnachahmende Variante zu „↗schießen 11". 1950 *ff*.

wummern *intr* **1.** schießen. Lautmalend für den dumpfen Klang von Abschuß und Einschlag. *Sold* 1914 *ff*.

2. den Fußball heftig treten. ↗wumm 1. *Sportl* 1950 *ff*.

'Wumme-'Wumme *f* Bett. Ein kindersprachlicher Ausdruck aus Berlin, zusammenhängend mit den Geräuschen, die entstehen, wenn man auf der Matratze herumhüpft. *Vgl* ↗wummen. 1920/30 *ff*.

wummig *adj* unübertrefflich. ↗wumm 2. *Halbw* 1955 *ff*.

wumsen *v* einen tiefen, dumpfen Klang hervorrufen. ↗wumm 1. 1800 *ff*.

Wunde *f* **1.** offene ~ = Vagina. 1900 *ff*, sold und ziv.

2. die Alte wartet zu Hause schon mit offener ~ = die Frau erwartet sehnlichst die Heimkehr ihres Mannes. *Sold* 1920 *ff*.

wunder *adj präd* unübertrefflich. Verselbständigt aus „wundervoll", „wunderbar" o. ä. *Halbw* 1950 *ff*, österr.

Wunder *n* **1.** das deutsche ~ = a) Entstehung des kraftstrotzenden NS-Reiches aus „dem völlig erschöpften, ausgebluteten und ausgeplünderten deutschen Volk" (wörtliches Zitat aus einer Rede von Dr. Robert Ley, „Deutsche Arbeitsfront"). 1942 *ff*. – b) Gegenangriff der deutschen Truppen im November und Dezember 1944. Die Bezeichnung stammt aus der Presse der Alliierten. – c) Wiederaufschwung des Wirtschaftslebens in der Bundesrepublik Deutschland nach der Währungsumstellung des Jahres 1948. *Vgl* ↗Wirtschaftswunder 2.

2. des deutschen ~s liebstes Kind = Volkswagen. 1958 *ff*.

3. das weiß-blaue ~ = Auto, Marke BMW. Weiß-Blau = bayerische Landesfarben. 1966 *ff*.

4. sein blaues ~ erleben = peinlich überrascht werden; sehr enttäuscht werden; sich in seinen Erwartungen betrogen sehen. Leitet sich her von narkotisch wirkenden Dämpfen, mit welchen Zauberkünstler die Beobachtungsgabe der Zuschauer zu beeinträchtigen suchten. 1600 *ff*.

5. wenn ich dies ~ fassen will, so steht mein Geist vor Erfurt still: Redewendung, wenn ein Kartenspiel wider Erwarten gewonnen wurde. „Erfurt" ist aus „Ehrfurcht" entstellt. Die Textzeile fußt auf dem Kirchenlied „Dies ist der Tag" von Christian Fürchtegott Gellert. Kartenspielerspr. seit dem 19. Jh.

6. aus jm ein anatomisches ~ machen = jn bis zur Unkenntlichkeit verprügeln. 1920 *ff*.

7. aus dir hat wohl lange keiner ein anatomisches ~ gemacht?: Drohfrage. 1920 *ff*.

8. ein Schlag, und du bist ein anatomisches ~!: Drohrede. 1920 *ff*.

wunderbar *adj* ~ ist Dreck dagegen = es ist überaus schön. ↗bildschön 2. 1920 *ff*, jug.

Wunderblume *f* Penis. 1940 *ff*.

Wunderblüte *f* Prostituierte, die in Zeiten günstiger wirtschaftlicher Entwicklung nur zahlungskräftige Kunden empfängt. Sie ist Nutznießerin des „Wirtschaftswunders". Ihr Geschäft „blüht". *Vgl* auch ↗Blüte 3 und 4. 1965 *ff*.

Wunderbonbon *n* Beruhigungsmittel. ↗Bonbon 1. 1950 *ff*.

Wunderfitz *m* **1.** Neugierde. *Vgl* ↗wunderfitzig. *Oberd* seit dem 19. Jh.

2. neugieriger Mensch. *Oberd* seit dem 19. Jh.

wunderfitzig *adj* neugierig; starr blickend. Kann auf „witzig = wißbegierig" beruhen oder auf „fitzen" in der Bedeutung „(die Sinne) reizen". *Oberd* seit dem 19. Jh.

wunderhaftbarlich *adj adv* außerordentlich. Von Jugendlichen gegen 1950 scherzhaft zusammengesetzt aus „wunderbar", „wunderhaft" und „wunderlich".

Wunderkuchen *m* sich einen Teil aus dem deutschen ~ rausschneiden = als fremdländische Arbeitskraft in der Bundesrepublik Deutschland am wirtschaftlichen Wachstum teilhaben. 1960 *ff*.

Wunderland *n* Bundesrepublik Deutschland. Verkürzt aus „Wirtschaftswunderland". 1960 *ff*.

wunderlich *adj* schlechtgelaunt, launisch. Eigentlich soviel wie „sonderbar"; hier verengt auf ungewohnte Stimmung. Seit dem 15. Jh.

Wundermädchen *n* erfolgreiche deutsche Nachwuchs-Filmschauspielerin. 1960 *ff*.

Wundermann *m* **1.** Mann, dem man Wunderheilungen nachsagt. 1960 *ff*.

2. einen ~ machen = staunend zusehen. 1955 *ff*, halbw.

wundern *v* sich schwach ~ = die Beherrschung verlieren. Euphemismus. 1950 *ff*.

'wunder'nett *adj* überaus nett. *Bayr* und *österr,* 1900 *ff.*

wunderprächtig *adj* großartig. 1940 *ff.*

wunderprima *adj adv* hervorragend, unübertrefflich. Steigerung von ↗prima. 1950 *ff, jug.*

Wunderschabe *f* supermaximale ~ = Mädchen, das man sich nicht besser und netter wünschen kann. Schabe = Motte = Mädchen. Zürich 1960 *ff, halbw.*

wunderschön *adj* 1. ~ ist ein (der reinste) Dreck dagegen = es ist unübertrefflich. ↗bildschön 2. 1920 *ff.*
2. ~ ist nichts dagegen = das ist großartig (auch *iron*). Berlin 1880 *ff.*

Wundertier *n* 1. Mensch, von dem viel Aufhebens gemacht wird. Hergenommen von einem Tier, das auf dem Jahrmarkt o. ä. als „Wunder" vorgeführt wird. Seit dem 18. Jh auf Menschen angewandt.
2. jn ansehen wie ein ~ = jn erstaunt, befremdet, mißtrauisch anblicken. 1900 *ff.*

Wundertöner *m* Prahler, der seinen eigenen Worten glaubt. ↗tönen. 1920 *ff.*

Wundertrommel *f* Musikautomat. Übertragen von der Urwald-Trommel als Begleitinstrument der Eingeborenentänze. *Halbw* 1955 *ff.*

Wundertüte *f* 1. Kopf. Eigentlich die Tüte, in die man allerlei Überraschungen packt (z. B. eine kleine Puppe zwischen Backwerk). Ein Mensch, dessen Kopf man als „Wundertüte" bezeichnet, überrascht oft mit seinen Einfällen. *BSD* 1965 *ff.*
2. Präservativ. 1910 *ff.*
3. Kastenmine. Wer auf sie tritt, „wird sich wundern". *Sold* 1939 *ff.*
4. Panzerabwehrgeschoß. *Sold* 1939 *ff.*
5. Atombombe. 1945 *ff.*
6. Stahlhelm. ↗Tüte 4. *BSD* 1965 *ff.*
7. ABC-Munition. *BSD* 1965 *ff.*
8. Sonderling; Dummer. ↗Tüte 3. 1920 *ff.*
9. geschickt angelegter Plan zum Schaden eines anderen. 1950 *ff.*
10. du hast einen Kopf wie eine ~, in jeder Ecke eine Überraschung: Redewendung angesichts einer ungewöhnlichen Kopfform. 1935 *ff.*
11. es war wie eine ~, an jeder Ecke eine Überraschung = es war überaus spannend. 1930 *ff.*

Wunsch *m* 1. des Knaben ~ = Auto, Marke DKW. Die Abkürzung DKW entstand 1916 aus „Dampf-Kraft-Wagen"; von da 1919 übertragen auf einen Spielzeug-Zweitaktmotor, den J. S. Rasmussen „Des Knaben Wunsch" nannte. Aus diesem Motor wurde später der DKW-Zweitaktmotor für Motorräder und Personenkraftwagen entwickelt. *Jug* 1930 *ff.*
2. ~ eines Vorgesetzten = dienstlicher Befehl. Ironisierung. *BSD* 1965 *ff.*
3. der große ~ = Koten. 1900 *ff,* kinderspr.
4. der kleine ~ = Harnen. 1900 *ff,* kinderspr.
5. dein ~ ist mir Befehl = ich tue, was du willst. Scherzhafte Redewendung. 1880 *ff.*

Wunschbrei *m* phantastische Vorstellung. 1910 *ff.*

Wünschelrute *f* Penis. Rute = Schwanz. „Wünschel" bezieht sich hier auf die geschlechtlichen Wünsche. Auch Anspielung auf die Erektion bei geschlechtlichem Verlangen. 1600 *ff.*

Wünschelrutengänger *pl* ABC-Abwehrtruppe. Anspielung auf den Geigerzähler zur Bestimmung radioaktiver Strahlung. *BSD* 1965 *ff.*

wünschen *v* ich wünsch' dir was = ich wünsche dir guten Appetit. 1900 *ff.*

Wunschzettel-Samstag *m* einer der vier verkaufsoffenen Samstage vor Weihnachten. 1967 *ff.*

wupf *adj* hervorragend. Gehört vielleicht zu „wuff", dem Lautwort für einen kurzen Knall oder Stoß oder Schlag, auch für das kurze Anschlagen des Hundes. *Steir* 1960 *ff, jug.*

Wupp (Wups) *m* Ruck; plötzlicher Sprung; Hochschnellen. Gehört zu „wippen = schnellen". *Niederd* seit dem 19. Jh.

Wuppdich (Wuppdi) *m* 1. Schwung; schwungvoller Sprung; schnelle Bewegung. Substantivierung des Imperativs „wupp dich! = bewege dich schnell! schnelle hoch!". Seit dem 19. Jh.
2. kleines Glas Bier; kleiner Schnaps; Schluck Schnaps. Das Glas wird rasch geleert, mit ruckartiger Bewegung ausgetrunken. 1850 *ff.*
3. im (mit einem) ~ = schnell; mit Schwung. Seit dem späten 18. Jh.
4. einen ~ schieben = ein Glas leeren. 1920 *ff.*

Wuppdichbude *f* Schnellimbißstube; Automatenrestaurant. Berlin 1920 *ff.*

Wuppdizität *f* Schnelligkeit, Geschmeidigkeit. Eine Scherzbildung, entstanden aus „Wuppdich" und „Elektrizität". Gegen 1860 aufgekommen, vielleicht in Berlin.

wuppen *tr* etw mit Schwung bewerkstelligen. ↗Wupp. Seit dem 19. Jh.

Wupper *f* 1. über die ~ gehen = ins Unglück geraten; verkommen. Die Wupper fließt durch die Regierungsbezirke Köln und Düsseldorf und ist hier wohl als die Grenzlinie aufgefaßt, auf deren einer Seite man sich das Bergische Land denkt. *Vgl* auch „über den ↗Jordan gehen". *Westd* 1700 *ff.*
2. jn in die ~ gehen lassen = jn bei der Polizei anzeigen. 1920 *ff.*
3. in die ~ sein = verloren, zertrümmert sein. Verkürzt aus „in die Wupper gegangen sein". 1950 *ff.*
4. er ist über die ~ = er ist geflohen, entwichen, in Sicherheit, verschollen. 1700 *ff, westd.*

Wups *m* ↗Wupp.

wups *adv* rasch, flink. Interjektion zu „wippen = schnellen". *Niederd* seit dem 19. Jh.

'wurachen *intr* angestrengt arbeiten; schwere körperliche Arbeit verrichten. Im 19. Jh zusammengewachsen aus „würgen" und „marachen", beide in der Bedeutung „sich heftig anstrengen"; *nordd, ostd* und *westd.*

'wuracken *intr* angestrengt arbeiten. Vom Vorhergehenden beeinflußtes Verbum „↗wulacken". Seit dem 19. Jh.

würde ich würde sagen = dazu meine ich. Die Redewendung setzt eigentlich den Nebensatz „wenn ich gefragt worden wäre" voraus. Eine sprachliche Modetorheit oder bloße „Kunstpausen"-Überbrückung ist es, wenn der Betreffende tatsächlich gefragt worden ist und auch tatsächlich antwortet. 1950 *ff.*

Würdeprotz *m* auf seine Machtstellung eingebildeter Mann. ↗Protz. 1955 *ff.*

würdig *adj* fein, passend. *Schül* 1945 *ff, österr.*

Würdigkeitsexamen *n* Aufnahmeprüfung. *Schül* 1950 *ff.*

Würdigung *f* disziplinarische Bestrafung. Man „würdigt" damit das Vergehen des Soldaten. *BSD* 1965 *ff.*

Wurf *m* **1.** Stoß mit dem Ellbogen. Übernommen von der ausholenden Bewegung des Mähers oder Sämanns. *Bayr* 1900 *ff.*

2. Schluck Schnaps; kleiner Schnaps. Er ist schnell in den Mund geworfen. Seit dem 18. Jh.

3. Alkoholrausch. Er wirft den Zecher um. *Bayr* 1900 *ff.*

4. Rauschgift; Rauschgiftrausch. *Halbw* 1965 *ff, bayr.*

5. großer ~ = hervorragende Leistung; erfolgreiche Handlungsweise. Stammt aus dem Wortschatz der bildenden Künstler; eigentlich ist der Faltenwurf gemeint. *Vgl* „↗Schmiß 2". Seit dem 19. Jh.

6. schmaler ~ = unbedeutender Mensch; Schwächling. Wurf = Brut der Säugetiere. 1935 *ff.*

7. jm in den ~ kommen = jm zufällig begegnen. Wurf = Sensenschwung. Seit dem 16. Jh.

8. einen großen ~ machen = einen lohnenden Einbruch vollbringen. ↗Wurf 5. 1920 *ff.*

Würfel *pl* **1.** Zeugnisnoten. Die Schüler halten (nur die schlechten) Noten für Ergebnisse des Würfelns unter den Lehrern. Die Punkte auf den Würfeln entsprechen den Noten von 1 bis 6. 1950 *ff.*

2. mit drei ~n Zwanzig würfeln = für unmöglich Gehaltenes möglich machen. 1950 *ff.*

Würfelergebnis *n* Schulzeugnis, Zeugnisnoten. ↗Würfel 1. *Schül* 1950 *ff.*

Würfelhusten *m* Erbrechen. *Vgl* das Folgende. 1910 *ff, sold* und *stud.*

würfeln *intr* **1.** sich erbrechen. Die Nahrung wird in würfelförmigen Stücken erbrochen. 1910 *ff.*

2. (stark) essen. Hergenommen vom würfelförmigen Zuschneiden von Brot, Wurst und Speck, wenn man im Freien ißt. *Österr* 1940 *ff, sold* und *jug.*

3. Leistungen beurteilen. ↗Würfel 1. *Schül* 1950 *ff.*

Würfelspiel *n* **1.** Notenerteilung. ↗Würfel 1. 1950 *ff, schül.*

2. Musterung. Man meint, die Entscheidung falle nicht nach objektiven Maßstäben, sondern nach

Maßgabe des Zufalls. Die Vokabel scheint aus Schülerkreisen in die Bundeswehr eingeschleppt worden zu sein. 1965 *ff.*

Wurfkanone *f* tüchtiger Handballspieler. ↗Kanone 4. *Sportl* 1960 *ff.*

Wurfmaschine *f* kinderreiche Mutter. Wurf = Brut der Säugetiere. ↗Gebärmaschine. 1955 *ff.*

Wurfobjekt *n* Klops, Knödel. *BSD* 1965 *ff.*

Wurfprämie *f* Mütterehrenkreuz. Zur Erklärung *vgl* „↗Wurfmaschine". 1933 *ff.*

Wurfsendung *f* Bewurf mit Handgranaten; Bombenabwurf. Eigentlich die an alle Postkunden verschickte Sendung ohne Anschriftangabe. *Sold* und *ziv* 1939 *ff.*

würg *präd* langweilig, widerlich. Das Gemeinte wirkt wie ein Würgen im Hals. 1980 *ff, jug.*

Würgeknoten *m* Krawatte; Selbstbinder mit sehr dünnem Knoten. 1920 *ff.*

würgen *tr* jn umarmen, umhalsen. *Österr* 1920 *ff, stud.*

Würger *m* Wucherer; Preisüberforderer. Seit *mhd* Zeit.

Würge'rei *f* Mühsal; schwierige Arbeit. Bedeutungsverengung von „würgen = Speise mit Anstrengung in die Speiseröhre befördern". 1900 *ff.*

wurlen (wurln) *v* **1.** *intr* = wimmeln, krabbeln. Gehört zu „wirren = Unruhe verursachen" und ist wohl von „wirbeln" beeinflußt. *Bayr* und *österr,* seit dem 19. Jh.

2. *intr* = wühlen, bohren. *Österr* 1900 *ff.*

3. *intr* = grollen. *Österr* 1900 *ff.*

4. *tr* = etw betasten. *Österr* 1920 *ff.*

wurlert (wurlat) *adj* geschlechtlich erregt; mannstoll. ↗wurlen 1. Gemeint ist ein innerliches Krabbeln. 1920 *ff, österr.*

Wurlitzerorgel *f* Musikautomat. Eigentlich Bezeichnung für die Kinoorgel mit mechanischen Registern, benannt nach der Herstellerfirma in Cincinnati (Ohio/USA). 1950 *ff, halbw.*

Wurm I *m* **1.** Penis. Wegen der Formähnlichkeit. 1500 *ff.*

2. unbedeutender Untergebener. Er „kriecht" wie ein Wurm. 1930 *ff.*

3. Dienstgradabzeichen des Sanitätssoldaten. Die Äskulapschlange wird als Wurm aufgefaßt. *Sold* 1914 bis heute.

4. kunstvoll zusammengerollte Hängematte. Sie wird wurm- und wurstartig gerollt, nimmt auf diese Weise den geringsten Platz ein und kann in das vorgeschriebene Fach eingeschoben werden. *Marinespr* 1920 *ff.*

5. *pl* = Gesamtdauer des Freiheitsentzugs. Die Verbüßung der Freiheitsstrafe nennt man „brummen"; dasselbe Verbum hat auch die Bedeutung „sich mißvergnügt äußern; mürrisch sein". Damit bedeutungsverwandt ist „↗wurmen". Von da ergibt sich wohl die Brücke zu „Würmer". *Rotw* seit dem späten 19. Jh.

6. *pl* = erzielte Pluspunkte. Entweder hat man sie

im Sinne des Vorhergehenden „verhaftet", oder man hält es mit gespielter Geringschätzung. Kartenspielerspr. 1920 *ff.*

7. der ~ im Ganzen = verborgener Schaden. Übertragen vom wurmstichigen Obst. 1900 *ff.*

8. es geht ihm ein ~ ab = er gibt es ungern. Der Betreffende scheint dermaßen geizig zu sein, daß er nicht einmal seinen Bandwurm hergeben mag. *Westd* 1920 *ff.*

9. jm einen ~ (ein Würmchen) abtreiben = jn an straffe Zucht gewöhnen. Hergenommen von einem stark wirkenden Mittel gegen Bandwürmer. 1850 *ff.*

10. Würmer baden = angeln. Hergenommen vom Wurm als Köder an der Angel. Wird im Witz als Ausrede gebraucht von einem, der unbefugt angelt. 1900 *ff.*

11. auf jn fliegen wie die Würmer auf Aas = sich von jm unwillkürlich angezogen fühlen. ↗fliegen 5. 1960 *ff.*

12. unter die Würmer geraten = sterben; den Soldatentod erleiden. 1830 *ff.*

13. Würmer (einen ~) im Kopf haben = a) nicht recht bei Verstand sein; wunderliche Einfälle haben. Zur Erklärung *vgl* „↗Drehwurm 1". 1900 *ff.* – b) hochmütig sein. Hochmut gilt in volkstümlicher Auffassung als Zeichen von Dummheit. 1900 *ff.*

14. jm einen ~ unter das Dach jubeln = jm einen aufstachelnden Gedanken eingeben; jm etwas Unsinniges einreden. Wurm = wunderlicher Einfall. 1950 *ff.*

15. da kommt der ~ rein = da macht sich ein arger Schaden bemerkbar; da bahnt sich Unfriede an. ↗Wurm I 7. 1900 *ff.*

16. ihm kommt der ~ = er wird wütend, braust auf. ↗Wurm I 13; ↗wurmen. 1900 *ff.*

17. der ~ nagt = es kriselt. ↗Wurm I 15; ↗wurmen. 1900 *ff.*

18. dir nagt wohl ein ~ im Hirn? = du bist wohl nicht recht bei Verstand? ↗Wurm I 13. 1900 *ff.*

19. der ~ schwimmt im Wasser = da offenbart sich eine verlockende Sache; da macht sich ein Anreiz bemerkbar. Hergenommen vom Wurm als Köder an der Angel. 1920 *ff.*

20. den ~ schwimmen lehren = angeln. *Vgl* ↗Wurm I 10. 1900 *ff.*

21. jm den ~ segnen = jn heftig zurechtweisen. Unwissend und abergläubisch hielt man früher viele Krankheiten für Hervorbringungen von Würmern. Man glaubte, sie durch Segnungen bekämpfen zu können. 1900 *ff*; wohl älter.

22. da ist der ~ drin = die Sache hat einen mehr oder minder verborgenen Schaden; die Behauptung ist unhaltbar; die Ausrede ist nicht überzeugend; der Betreffende ist nicht unbescholten. Hergenommen vom Wurm im Obst. 1900 *ff*. *Vgl franz* „cela n'est pas piqué de ver" und *ital* „questo non ha i bachi".

23. der ~ tritt, wenn er gekrümmt wird: scherzhafte Verdrehung von „der Wurm krümmt sich, wenn er getreten wird". Mit der Verdrehung ist gemeint, daß auch der mißachtete Mensch (↗Wurm I 2) sich gegen Unrecht und Kränkung aufbäumt. Berlin seit dem frühen 20. Jh.

24. Würmer wässern = angeln. ↗Wurm I 10. 1900 *ff.*

25. jm die Würmer aus dem Arsch ziehen = jn zu übertölpeln suchen, um ihm ein Geständnis zu entlocken oder ihn zu einer Sache zu veranlassen. Derbe Variante zum Folgenden, hier bezogen auf die Abtreibung von Bandwürmern. 1935 *ff.*

26. jm die Würmer aus der Nase ziehen = jm ein Geheimnis nach und nach entlocken; jn scharf verhören. Hergenommen vom Eingriff des Arztes bei Nasenverstopfung, Polypen usw. Spätestens seit 1700. *Vgl franz* „tirer des vers du nez de quelqu'un", *ital* „tirar i maccheroni dal naso di qualcheduno", *engl* „to worm a secret out of a person".

Wurm II *n* **1.** Kind. Wegen der kriechenden Fortbewegungsweise des kleinen Kindes. Das grammatische Geschlecht ist durch das natürliche verändert. Seit dem 18. Jh.

2. Schüler der Unterstufe; Schulanfänger. 1930 *ff.*

3. armes ~ = bedauernswertes Kind. 1700 *ff.*

Wurmbader *m* Angler. ↗Wurm I 10. 1900 *ff.*

Würmchen *n* **1.** kleines Kind (Kosewort). ↗Wurm II 1. Seit dem 19. Jh.

2. Koseanrede an ein Mädchen. Seit dem 19. Jh.

3. armes ~ = ohnmächtiger, einflußloser, geschundener, mißachteter Mensch. *Vgl* ↗Wurm I 2. Seit dem 19. Jh.

wurmeln *intr* verdrießlich sein; trüben Gedanken nachhängen. Hängt zusammen mit der Vorstellung vom „nagenden Gewissenswurm". 1920 *ff.*

wurmen *v* **1.** das wurmt mich = das ärgert mich; das erregt mich immer von neuem; diese Hintansetzung läßt mir keine Ruhe. Beruht auf dem Vergleich mit dem Holzwurm, der sich immer tiefer ins Holz hineinbohrt. Seit dem 18. Jh.

2. ich wurme mich = ich ärgere mich. Seit dem 18. Jh.

Wurmer *m* **1.** Bohrer. Vom Holzwurm übertragen. *Rotw* seit dem späten 18. Jh.

2. Zorn. ↗wurmen 1. 1940 *ff.*

3. Penis. ↗Wurmer 1; ↗Wurm I 1. 1900 *ff.*

Wurmfortsatz *m* **1.** kleine Partei als Koalitionspartnerin einer großen Partei. Als „Blinddarm" aufgefaßt. 1969 *ff.*

2. überflüssig wie ein ~ = völlig überflüssig. 1920 *ff.*

Wurmhaufen *m* schlimmes Schimpfwort. Haufen = Kot; ein „Wurmhaufen" ist noch weniger (achtbar) als der „Scheißhaufen". *Bayr* 1930 *ff.*

wurmig *adj* schlecht, anrüchig, gefährlich. ↗Wurm I 22. 1900 *ff.*

wurmi'sieren *v* **1.** *intr* = über etw grübeln. Der

„nagende Gedanke" erscheint als Wurm, der einem keine Ruhe läßt. ↗wurmen 1. Seit dem 19. Jh.

2. *impers* = sich gekränkt fühlen. 1890 *ff*, Berlin und *ostd.*

Wurmkasten *m* Abteilung in der Badeanstalt mit niedrigem Wasserstand für Kinder und Nichtschwimmer. ↗Wurm II 1. 1930 *ff.*

wurmkopfsch (-koppsch) *adj* verrückt. *Vgl* ↗Wurm I 13. Berlin und *nordd,* 1920 *ff.*

Wurmloch *n* **1.** Vagina. ↗Wurm I 1. 1900 *ff.*

2. Wurmlöcher stopfen = beim Essen kräftig zulangen. Man denkt sich, daß in den Hohlräumen des menschlichen Körpers Würmer leben. 1900 *ff.*

wurmstichig *adj* **1.** alt und wunderlich; durch und durch krank. Hergenommen von Würmern sowie wurmähnlichen Larven und Maden, die sich im Obst einnisten. 1500 *ff.*

2. unehrlich, unzuverlässig; bedenklich; sittenwidrig. ↗Wurm I 22. 1500 *ff;* wiederaufgelebt im späten 19. Jh.

3. etw ∼ machen = a) etw nicht ordnungsgemäß handhaben. Analog zu „↗madig machen". 1900 *ff.* – b) etw vereiteln, hintertreiben, verleiden. 1900 *ff.*

Wurmtöter *m* Scheibe Brot o. ä., die man zur Stillung des ärgsten Hungers verzehrt. Der „Wurm" im Magen ist der „nagende" Hunger. 1960 *ff.*

Wurscht *f* Gummiknüppel. Wegen der Formähnlichkeit mit einer Wurst. Wien 1920 *ff.*

wurscht *adv präd* gleichgültig. Die Form mit „-sch-" ist ursprünglich im *Mitteld* und *Oberd* beheimatet, gilt aber heute gemeindeutsch. Die Bedeutung rührt wohl daher, daß es einem gleichgültig sein kann, ob die Wurst am einen oder anderen Ende angeschnitten wird. Vielleicht ist auch von der Ansicht auszugehen, daß es beim Schlachten auf eine Wurst mehr oder weniger nicht ankommt. 1800 *ff.*

Wurschtblatt *n* unbedeutende Zeitung. Das kann ein „↗Blatt" sein, in das man Wurst einpackt, oder die Bedeutung hängt mit dem Vorhergehenden zusammen. *Vgl* ↗Käseblatt. 1870 *ff.*

'wurschte'gal *adv* völlig gleichgültig. Pleonastische Verstärkung von „↗wurscht". 1900 *ff.*

Wurschtel *m* **1.** einfältiger Mensch. Verkürzende Verkleinerungsform von „↗Hanswurst". *Bayr* und *österr,* 1900 *ff.*

2. *pl* = überflüssige Umstände. Verkürzt aus ↗Extrawurst. *Bayr* und *österr,* 1900 *ff.*

Wurschte'lei *f* mühselige, unzweckmäßige Arbeitsweise. ↗wursteln. 1900 *ff.*

wurschtelig *adj* ungepflegt, zerzaust. ↗wursteln. 1900 *ff.*

wurschteln *v* **1.** *tr* = etw durcheinanderbringen. Hergenommen vom Wurstmachen. Seit dem 19. Jh.

2. *intr* = ohne rechten Fortgang arbeiten. Seit dem 19. Jh.

Eine Darstellung des „Wiener Hanswursts" von Jacques Callot (1593–1635). Komödianten aus der Heimat des Jack Pudding machten diese Gestalt anfangs des 16. Jahrhunderts auch auf deutschen Bühnen populär. Hierzulande ging es also um die Wurst (vgl. **Wurst 22.***), in Frankreich, wo der Jean Potage zu Hause war, um die Suppe, in den Niederlanden dagegen beherrschte der Pickelhering die Szene, und in Italien war's der Maccaroni. Die jeweiligen Lieblingsgerichte des einfachen Volkes gaben dieser erst später sehr umstrittenen Bühnenfigur den Namen. Und da die Rollen, die sie zu spielen hatte, die des Narren, des Spaßmachers war, bedarf es also nicht allzu vieler Phantasie, sich vorzustellen, was nun unter einem* **Wurschtel** *zu verstehen sein könnte.*

wurschter *adv* das ist mir noch ∼ als wurscht =das ist mir völlig gleichgültig. ↗wurscht. 1870 *ff.*

wurschtig *adj* gleichgültig, unbekümmert, phlegmatisch. ↗wurscht. Seit dem 19. Jh.

Wurschtigkeit *f* Gleichgültigkeit; allgemeine Interesselosigkeit. Seit dem 19. Jh.

Wurschtigkeitspillen *pl* Psychopharmaka; Beruhigungsmittel in Tablettenform. 1960 *ff.*

Wurschtikus *m* Phlegmatiker. Latinisiertes Substantiv zu „↗wurschtig". 1950 *ff.*

Wurst *f* **1.** längliche Form des menschlichen oder tierischen Kots. 1800 *ff.*

2. Penis. Wegen der Formähnlichkeit. 1700 *ff.*

3. zu enge Hose; zu enges Kleid. Dergleichen erinnert an den prall gefüllten Wurstdarm. 1900 *ff*.
4. Gummiknüppel. ↗Wurscht. *Österr* 1920 *ff*.
5. ~ im Blechdarm = Büchsenwurst. *Sold* 1939 *ff*.
6. Unternehmen ~ und Liebe = mit guter Verpflegung verbundenes Liebesverhältnis. *Sold* 1939 *ff*.
7. ~ in Pelle (Haut) = enganliegende Hose o. ä. ↗Wurst 3. 1940 *ff*.
8. ~ am Stiel = Maiskolben. Der Ausdruck geht angeblich auf Nikita Chruschtschow zurück. Gebildet nach dem Muster von „Eis am Stiel". 1959 *ff*.
9. errötende ~ = Wurst mit Nitrit-Zusatz. 1958 *ff*.
10. heiß eingefüllte ~ = enganliegende Damenhose. *Vgl* ↗heiß 1 und 2. 1955 *ff*.
11. lose ~ = Kothaufen. Los = ohne Umhüllung. 1939 *ff, sold*.
12. vegetarische ~ = saure Gurke. Nur in der Form ähnelt sie der Wurst. 1870 *ff*.
13. nicht für ein Pfund ~ = um keinen Preis; auf keinen Fall. Spätes 19. Jh, *stud* und *sold*.
14. nicht um 1000 Würste = unter keinen Umständen. 1920 *ff*.
15. ein Kerl wie ein Pfund (ein Viertel) ~ = energieloser Mann. Gemeint ist wohl Wurst von der billigen Sorte: mehr ist der Betreffende nicht wert. Seit dem späten 19. Jh, vorwiegend nördlich der Mainlinie.
16. ~ wider ~! = Gleiches wird mit Gleichem vergolten! Leitet sich her von der ländlichen Sitte, sich zur Zeit des Schlachtens gegenseitig mit frischen Würsten zu beschenken. Ein Sprichwort aus dem 15./16. Jh.
17. sich die ~ abbrechen = schwere körperliche Arbeit verrichten; sich überanstrengen; Übereifer entwickeln. Leitet sich her von einem, der vor lauter Eifer sein Exkrementieren abbricht. *Vgl* aber auch „↗abbrechen". *Sold* 1939 *ff*.
18. jm die ~ anschneiden = jn antreiben. Man droht ihm wohl eine Operation am Penis (Beschneidung) an, falls er nicht fleißiger arbeitet. 1900 *ff*.
19. die ~ am richtigen Ende anschneiden = zweckmäßig, erfolgversprechend vorgehen. Seit dem 19. Jh.
20. eine ~ in der Pfanne braten = koitieren. Wurst = Penis; Pfanne = Vagina. 1500 *ff*.
21. sich fühlen wie die ~ in der Pelle = ein zu enges Kleidungsstück tragen. ↗Wurst 3 und 7. 1950 *ff*.
22. es geht um die ~ = es geht um die Entscheidung. Leitet sich von volkstümlichen Wettkämpfen her, bei denen der Sieger eine Wurst erhielt oder (wie beim Wurstklettern, -schnappen, -angeln usw.) sich eine Wurst erringen mußte. 1850 *ff*. Beliebter Kartenspielerausdruck.
23. ihm hängt keine ~ zu hoch = geldlich ist ihm nichts unerreichbar. 1900 *ff*.

24. ~ machen = koten. ↗Wurst 1. Kinderspr. 1910 *ff*.
25. aus jm ~ machen = jn völlig erledigen. Vorwiegend als Drohrede gebräuchlich. 1870 *ff*.
25 a. sich die ~ vom Brot nehmen lassen = eine Interessenschädigung widerspruchslos hinnehmen. *Vgl* ↗Butter III 19. 1900 *ff*.
26. in der allerhöchsten (o. ä.) Not schmeckt die ~ auch ohne Brot: Redewendung, wenn einer Wurst ohne Brot ißt. 1920 *ff*.
27. die ~ schmeckt nach Seife = bei dieser Sache ist etw nicht in Ordnung. Berlin 1850 *ff*.
28. das ist mir ~ (das ist mir wurst) = das ist mir gleichgültig. ↗wurscht. 1800 *ff*, wahrscheinlich von Studenten ausgegangen.
29. das ist ~ wie Pomade = das ist völlig gleichgültig. ↗wurscht; ↗pomade 2. Berlin 1900 *ff*; auch *sold*.
30. verschwinde wie die ~ im Spinde! = geh weg! Um 1900 aufgekommen, beeinflußt von der Freude am Reimen.
31. mit der ~ nach der Speckseite (nach dem Schinken) werfen = mit Kleinem Großes erreichen wollen; Geringerwertiges hergeben, um Wertvolleres zu erhalten. Gemeint ist einer, der von der Hausschlachtung eine Wurst verschenkt und als Gegengabe eine Speckseite (o. ä.) erwartet. Seit *mhd* Zeit.

Wurstarme *pl* dicke, pralle Arme. 1900 *ff*.
Wurstathlet *m* kraftloser, energieloser Mann. Er kann allenfalls eine Wurst stemmen. 1920 *ff*.
Wurstbeine *pl* dicke, feiste Beine. 1900 *ff*.
Wurstblatt *n* unbedeutende Zeitung. ↗Wurschtblatt. 1870 *ff*.
Wurstbrühe *f* klar wie ~ = völlig einleuchtend. *Iron* Vokabel. *Vgl* ↗Kloßbrühe. 1900 *ff*.
Wurstbulle *m* (beleibter, stämmiger) Metzgermeister. ↗Bulle 1. Berlin 1900 *ff*.
Würstchen *n* **1.** einfältiger, energieloser Mann. Leitet sich wahrscheinlich von der Vorstellung des kleinen Penis her. 1900 *ff*; beliebtes Schimpfwort unter Jugendlichen.
2. Kosewort für einen kleinen Jungen oder ein kleines Mädchen. 1930 *ff*.
3. ahnungsloses ~ = argloser, unwissender Mann. 1920 *ff*.
4. armes ~ = bedauernswerter Mann; harmloser, unbedeutender Mensch. 1900 *ff*; in beiden Weltkriegen auf die Frontsoldaten bezogen.
5. armseliges ~ = unbedeutender, einflußloser Mensch in Abhängigkeit von der Willkür der Machthaber (der Vorgesetzten). 1950 *ff*.
6. doofes ~ = dümmlicher Mann. ↗doof 1. 1920 *ff*.
7. eingebildetes ~ = dünkelhafter Mann. 1930 *ff*.
7 a. elendes ~ = erbärmlicher, verachtungswürdiger Mensch. *Jug*, 1960 *ff*.
8. harmloses ~ = harmloser (argloser) Mensch. 1930 *ff*.

9. kleines ~ = unbedeutender Mensch; untergeordnete Person; Mensch ohne Einfluß. Pleonasmus, denn „Würstchen" ist schon *dim.* 1930 *ff.*

10. komisches ~ = Sonderling; dümmlicher Mann. ↗komisch 1. 1930 *ff.*

11. kümmerliches ~ = bedauernswerter, schwächlicher, wenig leistungsfähiger Mensch. *Sold* 1914 bis heute; *ziv* 1920 *ff.*

12. trauriges ~ = bedauernswerter Mensch; Versager. 1935 *ff.*

13. ungares ~ = Versager. Ungar = nicht ↗ausgekocht; unreif. *BSD* 1965 *ff.*

14. unmilitärisches ~ = unmilitärischer Soldat. *Sold* 1939 *ff.*

15. warmes ~ = Homosexueller; Homosexuellenpenis. ↗warm 1. 1910 *ff.*

16. das Kind drechselt ~ = das Kind exkrementiert. ↗Wurst 1; drechseln = rund formen. Kinderspr. 1920 *ff.*

Würstchenfinger *pl* dicke, plumpe Finger. ↗Wurstfinger. 1900 *ff.*

Würstchenfrau *f* Abortwärterin. ↗Wurst 1. Berlin 1930 *ff.*

wurstegal *adv* völlig gleichgültig. ↗wurschtegal. 1900 *ff.*

Wurstel *m* **1.** unselbständiger Mensch; verzärtelter Junge; Zauderer. ↗Wurschtel 1. 1900 *ff, bayr* und *österr.*

2. da helfen keine Würstel = das ist unvermeidlich. Versteht sich nach „↗Extrawurst". 1900 *ff, bayr* und *österr.*

3. da gibt es keine Würstel mehr = da helfen keine Ausflüchte und keine Widerworte mehr; da gibt es keine Ausnahmen; diese Sache muß jetzt ihren Lauf nehmen. Hergenommen von der „Extrawurst". *Bayr* und *österr,* 1900 *ff.*

Wurste'lei *f* schlechte Arbeit; planlose Arbeitsweise. *Vgl* das Folgende. Seit dem 19. Jh.

wursteln *v* **1.** *intr* = unüberlegt arbeiten; Kleinarbeit verrichten; mit der Arbeit nicht vorankommen. Leitet sich angeblich von einem Kleinbauern her, der nur in geringem Umfang hausschlachtet und das Schlachtgut auf seine gewohnte, recht laienhafte Weise verarbeitet. Nach anderen Quellen ist auf „worsteln = vergeblich ringen" zurückzugehen. Seit dem 19. Jh.

2. sich nach oben ~ = unter Mühen wirtschaftlich (gesellschaftlich) aufsteigen. 1950 *ff.*

Würsteltourist *m* Urlaubsreisender, der hohe Ausgaben vermeidet. Er ernährt sich bescheiden von Würstchen. *Österr* 1955 *ff.*

Würstelzentrale *f* Abort. ↗Wurst 1. *Schül* 1960 *ff, österr.*

wursten *intr* schlecht, langsam, wenig planvoll arbeiten. ↗wursteln 1. 1800 *ff.*

Wurstengel *m* **1.** Kind mit dicken, prallen Armen. Berlin 1890 *ff.*

2. Metzgergeselle. Berlin 1850 *ff.*

3. Verkäuferin in einer Metzgerei. 1950 *ff.*

wurster *adv* es ist mit ~ es ist mir völlig gleichgültig. Erste Steigerungsstufe von „wurst"; ↗wurscht. 1870 *ff.*

Wurstfinger *pl* dicke, fleischige, plumpe Finger. 1870 *ff.* Für 1658 ist gebucht: „Finger . . . wie ausgestopfte Würstchen".

Wurstgriffel *pl* dickliche Finger. ↗Griffel 1. 1900 *ff.*

Wursthaut *f* **1.** enganliegendes Kleid. ↗Wurst 3. 1900 *ff.*

2. ausgezullte ~ = hagerer, kränklicher Mensch. Auszullen = aussaugen. *Bayr* 1920 *ff.*

3. voll wie in einer ~ = dichtbesetzt; überfüllt. 1870 *ff.*

wurstig *adj* **1.** dicklich-fleischig (auf Finger bezogen). 1900 *ff.*

2. *adj adv* = gleichgültig. ↗wurscht. 1800 *ff.*

Wurstigkeit *f* Gleichgültigkeit. Seit dem 19. Jh.

Wurstigkeitspillen *pl* Psychopharmaka. 1960 *ff.*

Wurstkessel *m* **1.** Bedrängnis; unangenehme Lage; gefährliches Gedränge. Im Wurstkessel werden viele Würste gleichzeitig gekocht; sie werden dabei dick und prall. 1840 *ff,* vorwiegend *sold.*

2. Tanzlokal; dichtbesetzte Tanzfläche. *Sold* in beiden Weltkriegen.

3. sich im ~ auskennen = a) wissen, wo man seines Vorteils sicher ist. 1900 *ff.* – b) wissen, wie man Frauen zu behandeln hat. 1965 *ff.*

4. jn im ~ haben = jn in seiner Gewalt haben. *Sold* 1914 *ff.*

5. im ~ sein (liegen, sitzen) = in Bedrängnis sein; verloren sein. ↗Wurstkessel 1. Berlin 1840 *ff.*

Wurstkesselaspirant *m* Schlachtschwein. 1960 *ff.*

Wurstkopf *m* Mensch mit feistem Gesicht. 1920 *ff.*

Wurstlabbe *f* ausdrucksloses, feistes Gesicht. ↗Labbe. *Sächs* 1920 *ff.*

Wurstler *m* **1.** Mensch, der keine brauchbare Arbeit zustandebringt. ↗wursteln 1. 1900 *ff.*

2. Mensch, der ohne feste Richtschnur lebt und auch anderen keine Regeln aufdrängt. 1950 *ff.*

Wurstlinge *pl* dicke Finger. 1900 *ff.*

Wurstmanscher *m* betrügerischer Wursthersteller. ↗manschen. 1955 *ff.*

Wurstmaschine *f* **1.** After, Mastdarm. Eigentlich die Maschine, mit der das Fleisch für die Wurstbereitung zerkleinert wird. 1900 *ff.*

2. Maschine, aus der im Straßenbau die vorgeformte Bordkante aus Asphaltmasse gelegt wird. 1963 *ff.*

3. die ~ anstellen = koten. 1900 *ff.*

4. in die ~ kommen = streng behandelt werden. Analog zu „jn durch den ↗Wolf drehen". 1960 *ff.*

Wurstmaxe *m* Wurstverkäufer auf der Straße, auf Jahrmärkten o. ä. Ursprünglich Spitzname eines Berliner Wurstverkäufers, der sich „Akademischer Wurstmaxe" nannte, ohne je studiert zu haben; sein Standplatz war Unter den Linden, Ecke Friedrichstraße, später an der Weidendammer

Brücke. Etwa seit 1890, vorwiegend nördlich der Mainlinie verbreitet.

Wurst-Miß *f* Verkäuferin am Fleischwarenstand eines Kaufhauses, eines Einkaufszentrums. 1950 *ff*.

Wurst-Nomade *m* Straßenhändler, der heiße Würstchen feilbietet. Berlin 1920 *ff*.

Wurstpelle *f* **1.** enganliegendes Kleid. *Vgl* ↗ Pelle 1 und 2; ↗ Wurst 7. 1900 *ff*.
2. Hängematte. *Marinespr* 1914 *ff*.
3. Präservativ. ↗ Wurst 2. 1930 *ff*.

Wurstpellenpulli *m* enganliegender Pullover. ↗ Wurstpelle 1. 1955 *ff*.

Wurstspritze *f* Klistier. ↗ Wurst 1. *Sold* seit dem Zweiten Weltkrieg.

Wurststulle *f* mit Wurst belegte Scheibe Brot. ↗ Stulle. 1870 *ff*.

Wurstsuppe *f* klar wie ~ = völlig einleuchtend. Ironie. *Vgl* ↗ Kloßbrühe. 1900 *ff*.

Wurst- und Käseblatt *n* unbedeutende Zeitung. ↗ Wurschtblatt. 1870 *ff*.

Wurzel *f* **1.** Penis. Formverwandt mit der Rübenwurzel. 1910 *ff*, *sold* und *rotw*.
2. Klarinette. Sie ist form- und farbähnlich der ungeschabten Schwarzwurzel. *Halbw* 1955 *ff*.
3. gelbe ~n = schmutzige Füße. *Schül* 1950 *ff*.
4. eine ~ eingraben = koitieren (vom Mann gesagt). ↗ Wurzel 1. 1940 *ff*.
5. ~n haben = muskulös sein. Die Muskelstränge sind deutlich sichtbar wie halb oberirdisch verlaufende Baumwurzeln. *Österr* 1960 *ff*, *jug*.
6. ~n schlagen (ziehen) = a) seßhaft werden; sich ansiedeln. Aus der Botanik übernommen. 1900 *ff*. – b) lange stehen; den Besuch übergebührlich ausdehnen. 1900 *ff. Vgl franz* „prendre racine".
7. sich die ~ schrubben = onanieren. ↗ Wurzel 1. Schrubben = reibend hin- und herbewegen. 1950 *ff*.
8. jn stehen lassen, bis er ~n schlägt = jn lange Zeit stehen (warten) lassen. 1920 *ff*.
9. warten, bis man ~ schlägt = ausdauernd warten. 1920 *ff*.

Wurzelbrecher *m* Zahnarzt. *BSD* 1965 *ff*.

Wurzelbunker *m* vegetarisches Restaurant. Anspielung auf Wurzelgemüse. 1930 *ff*.

Wurzelbürste *f* dicker, voller, borstiger Oberlippenbart. Er erinnert an die grobborstige Bürste. 1920 *ff*.

Wurze'lei *f* arge Mühe. ↗ wurzeln. Seit dem späten 19. Jh.

Wurzelgemüse *n* krumme Beine. Meint eigentlich die Möhren, die krumm und verschlungen wachsen können. 1870 *ff*.

Wurzelgicht *f* Geschlechtskrankheit des Mannes. ↗ Wurzel 1. 1910 *ff*.

Wurzelhaut *f* mir schaudert die ~ = es graust mich. „Wurzelhaut" ist die Faserschicht, die Zahnwurzel und Zahnfach verbindet. 1920 *ff*; *halbw* 1950 *ff*.

Wurzel-Ischias *f* Geschlechtskrankheit des Mannes. ↗ Wurzel 1. 1910 *ff*.

Wurzelknollenbaß *m* tiefer Baß. Scherzhaft meint man, er komme so tief aus dem Innern des Menschen hervor wie die Wurzel aus dem Erdreich. 1930 *ff*.

Wurzelmechaniker *m* Zahnarzt. *BSD* 1965 *ff*.

wurzeln *intr* mühsam arbeiten. Übertragen vom mühseligen Wurzelausgraben. Spätes 19. Jh.

Wurzelsau *f* Schimpfwort auf einen ungesitteten, plumpen Menschen. Meint eigentlich das nach Wurzeln grabende Wildschwein. ↗ Wildsau. Seit dem späten 19. Jh.

Wurzelschnupfen *m* Tripper o. ä. ↗ Wurzel 1. Der Penis tropft wie die Nase bei Erkältung. 1935 *ff*.

Wurzelsepp *m* **1.** Mann in oberbayerischer Gebirglertracht. ↗ Seppel 1. Meint eigentlich den Kräutersammler in den Alpen. 1890 *ff*.
2. Naturbursche; gutmütiger, derber Mann. 1890 *ff*, *bayr* und *österr*.
3. Arzt. Unter bayerischen Soldaten in beiden Weltkriegen verbreitet; wahrscheinlich Anspielung auf den aus Wurzeln gewonnenen Schnaps (Enzian), der auch als Arznei genommen wird.
4. Sanitätssoldat. *Sold* 1914–1945.
5. Apotheker, Drogist. Wegen des Handels mit Heilkräutern. 1920 *ff*.
6. Botaniklehrer. *Schül* 1950 *ff, bayr*.
7. alter Mann. Sein bärtiges Gesicht erinnert an moosbewachsene Baumwurzeln. 1920 *ff*.
8. Landstreicher. 1920 *ff*.

Wurzelstampfer *pl* breite Füße. Sie eignen sich zum Festtreten von Wurzelballen. 1950 *ff, schül*.

Wurzelstolperer *m* Wanderer. *Südwestd*, 1920 *ff*.

Wurzelstrategie *f* ~ treiben = im Grab liegen. *Sold* 1939 *ff*.

Wurzelzeugindianer *m* Gemüsehändler. 1920 *ff*, *schles*.

Wurzelzwerg *m* **1.** kleinwüchsiger Mensch. Meint entweder die der menschlichen Gestalt ähnelnde Wurzel (Mandragora, Alraune) oder die aus Wurzelholz geschnitzte Menschenfigur. 1930 *ff*.
2. kichern wie ein ~ = leise kichern. 1960 *ff*.

wurzen *v* **1.** *intr* = hart arbeiten. ↗ wurzeln. 1870 *ff, österr*.
2. *tr* = jds Freigebigkeit ausnutzen; jn ausbeuten; bei jm schmarotzen; jn übertölpeln. Im Sinne des Folgenden zu verstehen als „jn wie ein kleines Kind behandeln"; „als Größerer dem Kleineren überlegen sein". *Bayr* und *österr*, seit dem 19. Jh.

Wurzen *f* **1.** kleinwüchsiger Mensch. Meint eigentlich den Krautstock, den Strunk, die Wurzel. Von hier übertragen auf den kleinwüchsigen, untersetzten Menschen. *Österr* seit dem 19. Jh.
2. leichtgläubiger, zu seinem Schaden gutmütiger Mensch; willfähriges Opfer von Betrügern u. a.; unschuldig Benachteiligter. ↗ wurzen 2. Vorwiegend *bayr* und *österr*, seit dem 19. Jh.

Durstgefühle, denen auf der links wiedergegebenen Fotomontage ähnlich, kommen in der Wüste, welche die Umgangssprache kennt, nur in einem gleichfalls übertragenen Sinne vor: Denn wer dort in die Wüste geht (**Wüste 2.**) *oder, weniger freiwillig, in eben diese geschickt wird* (**Wüste 3.**), *sehnt sich vielleicht nach dem, wovon er in gesegneteren Gefilden genug hatte, vielleicht sogar mehr als genug, nach Arbeit nämlich. Daß also ausgerechnet das, was ansonsten den Schweiß auf die Stirn treibt, selbst dann, wenn es daran fehlt, ein Gleiches bewirken kann, das Gefühl eines Verlustes, eines Mangels, einmal an Freizeit, dann an Arbeit, zeigt letztendlich nur auf, daß das eine eine Funktion des anderen ist.*

3. Betrug. *Österr* 1920 *ff.*

4. unbedeutende Bühnenrolle; Rolle, in der sich der Schauspieler nicht voll entfalten kann; Rolle, die dem Können eines Schauspielers nicht angemessen ist. Die Rolle ist unbedeutender als der Künstler. Theaterspr. 1920 *ff.*

5. Naturbursche, Sonderling. Meint im engeren Sinne den Wurzel- und Kräutersammler (↗Wurzelsepp), dann auch den knorrigen Mann. Von „Wurz, Wurzel" ergibt sich außerdem die Parallele zu „↗Pflanze 2" im Sinne von „wunderlicher Mensch". *Bayr* und *österr*, 1900 *ff.*

Wurzer *m* angestrengt Arbeitender. ↗wurzen 1. 1870 *ff*, *österr*.

Wurze'rei *f* Übervorteilung, Ausbeutung. ↗wurzen 2. *Bayr* und *österr*, seit dem 19. Jh.

würzig *adj* sinnlich veranlagt. Herzuleiten vom Pfeffergewürz. *Vgl* ↗Pfeffer 3. *BSD* 1965 *ff.*

Wurzinger *m* Betrug; Betrüger. ↗wurzen 2. *Österr* 1920 *ff.*

Wurzlokal *n* Lokal, in dem überhöhte Preise verlangt werden. ↗wurzen 2. *Österr* 1900 *ff.*

Wurzung *f* Ausbeutung, Übertölpelung, Betrügerei. ↗wurzen 2. *Österr* seit dem 19. Jh.

Wuschel *m* **1.** Kosewort. Gemeint ist wohl einer, den man „↗wuscheln" kann. 1920 *ff.*
2. Rufname des Hundes. 1920 *ff.*
3. Rufname der Katze. 1920 *ff.*

Wuschelfrisur *f* ungepflegte, ungekämmte Haartracht. ↗wuscheln. 1870 *ff.*

Wuschelhaar *n* ungepflegte Frisur. Seit dem 19. Jh.

wuschelig *adj* ungepflegt, unordentlich, zerzaust (vom Haar gesagt). ↗wuscheln. Seit dem 19. Jh.

Wuscheligkeit *f* Ungepflegtheit der Haare. Seit dem 19. Jh.

Wuschelkopf *m* Kopf mit dichtem, ungekämmtem Haar. Seit dem 19. Jh.

wuschelköpfig *adj* mit wirren Haaren. Seit dem 19. Jh.

Wuschellocken *pl* zerzauste Locken. 1900 *ff.*

Wuschel-Look (Grundwort *engl* ausgesprochen) *m* Mode der krausen, zerzausten Haare. ↗Look. 1972 *ff.*

wuscheln *tr intr* unordentlich sein; in Unordnung bringen; zerzausen, zerwühlen. Mundartliche Nebenform zu „wischen = mit kurzen, schnellen Bewegungen zerzausen". Seit dem 19. Jh.

Wuschelpuppe *f* Puppe aus (langhaarig) flauschigem Material. 1965 *ff.*

Wuschelteppich *m* flauschig-weicher Teppich. 1965 *ff.*

Wuschel-Weste *f* Weste aus Schaffell. 1965 *ff.*

wuschig *adj* geistesverwirrt, benommen. Wuschen = verwirren. 1820 *ff.*

Wusel *n* lebhaftes Kind. ↗wuseln 1. *Oberd* und *mitteld*, seit dem 19. Jh.

wuselig *adj* lebhaft, ruhelos, leichtbeweglich. Seit dem 19. Jh.

wuseln *v* **1.** *intr* = flink kriechen; lebhaft sich hin- und herbewegen; geschäftig sein. Verwandt mit „wischen = schnell über etw hinfahren", vielleicht auch mit „Wiesel". Seit dem 17. Jh, *mitteld, westd* und *oberd.*
2. *refl* = sich regen; rege sein. 1920 *ff.*

Wuserl *n* lebhaftes kleines Kind. ↗wuseln 1. *Bayr* 1900 *ff.*

wüst *adj adv* **1.** sehr ausgelassen; unbändig; unbeherrscht; ungesittet. Meint eigentlich „öde, ohne Vegetation"; von da weiterentwickelt zu „unkultiviert" und „wild". 1700 *ff*, *stud.*
2. draufgängerisch, mutig, verwegen. *Sold* 1870 *ff.*
3. *adv* = sehr (es ist wüst teuer; es ist wüst schön). Seit dem 19. Jh.
4. *adv* = sehr; grob, unflätig (jn wüst beschimpfen, wüst bestehlen, wüst angreifen). Seit dem 19. Jh.

Wüste *f* **1.** Kahlkopf. Eine Fläche ohne Vegetation. 1950 *ff, jug.*
2. in die ~ gehen = in Pension gehen. *Vgl* das Folgende. 1960 *ff.*
3. jn in die ~ schicken = jn seiner Stellung entheben. Fußt auf einem altjüdischen Brauch: am Versöhnungstag wurde der „↗Sündenbock" in die Wüste getrieben. Offiziersspr. und politikerspr. seit dem ausgehenden 19. Jh.
4. geh in die ~ staubwischen! = geh' weg! Berlin 1955 *ff, halbw.*

wüsten (wusten) *intr* verschwenderisch leben; unsorgfältig zu Werke gehen. ↗wüst 1. Seit dem 18. Jh.

Wüstenbrikett *n* **1.** Fladen aus getrocknetem Kamelmist für Feuerungszwecke. Aufgekommen im Ersten Weltkrieg bei den Angehörigen des Deutschen Asienkorps an der Palästinafront, wiederaufgelebt im Zweiten Weltkrieg an der Afrikafront.
2. Kothaufen. *Sold* 1914–1945.

Wüstenfilm *m* langweiliger, witz- und geistloser Film. Weite Strecken des Films sind sehr „trocken". Berlin 1960 *ff*

Wüstenfloh m kleines Kraftfahrzeug mit starkem Motor. „Floh" spielt auf die Wendigkeit und Schnelligkeit an. *Sold* 1941 *ff*, Afrikakorps.

Wüstenfüchse *pl* Deutsches Afrikakorps im Zweiten Weltkrieg. Benannt nach dem in Wüstenregionen Afrikas und Westasiens lebenden kleinen Fuchs (Fenek, Fennek), dessen fahler Fellfarbe die Uniformfarbe des Afrikakorps ähnelte.

Wüstenhase m alter ~ = erfahrener Angehöriger des Deutschen Afrikakorps. ↗ Hase 7. *Sold* 1941 *ff*.

Wüstenrenner m altes Fahrrad. 1950 *ff*, *jug*.

Wüstenroß n altes ~ = halbgemütliche Schelte. Eigentlich ist das Kamel (Dromedar) gemeint. *Sold* in beiden Weltkriegen; *ziv* 1950 *ff*.

Wüstensau f Schimpfwort. *Jug* 1965 *ff*.

Wüstenschiff n 1. Kamel. Die Wüste gilt als „Sandmeer", und der Paßgang des Kamels läßt den Reiter schaukeln wie an Bord eines Schiffes bei mittlerem Seegang. Seit dem 19. Jh.
2. breites Luxusauto. Hat mit der Bezeichnung für das Kamel nur den Namen gemeinsam. „Schiff" spielt auf die Breite und Größe des Fahrzeugs an. 1950 *ff*.
3. dummer Mensch. ↗ Kamel 3. 1880 *ff*.

Wüstentaxi n 1. Panzerspähwagen, der bei einer Gefechtshandlung in der Wüste versprengte Soldaten aufspürt und zur Truppe zurückbefördert. *Sold* 1941 *ff*, Afrikafront.
2. sehr altes, klapperndes Taxi. Die Panzerspähwagen wurden in der Wüste sehr stark strapaziert. 1960 *ff*, Ost-Berlin.

Wut f 1. kochende ~ = Wutanfall. ↗ kochen 1. Seit dem 19. Jh.
2. nackte ~ = offene, unverhohlene Wut. 1920 *ff*.
3. von kalter ~ gepackt sein = überaus wütend sein. 1950 *ff*.
4. die ~ im Bauch (Balg, Leib) haben = sehr wütend sein. 1900 *ff*.
5. vor ~ kochen = hochgradig erregt sein. ↗ kochen 1. Seit dem 19. Jh. *Vgl engl* „to boil with rage".
6. vor ~ platzen = sich vor Wut nicht (kaum mehr) beherrschen können. Seit dem 19. Jh.
7. die ~ runterfressen = die Wut nicht äußern. *Vgl* ↗ runterschlucken. 1920 *ff*.
8. vor ~ zerspringen = vor Wut die Beherrschung verlieren. 1900 *ff*, *nordd* und *mitteld*.

wüten *refl* sich ärgern. Seit dem 19. Jh.

wutig *adj* wütend. 1500 *ff*.

Wutki m Schnaps. *Slaw* Nebenform von „Wodka". Von deutschen und österreichischen Soldaten in beiden Weltkriegen an der Ostfront übernommen.

Wutki-Bruder m Russe; russischer Soldat. Über das Vorhergehende soviel wie „↗ Schnapsbruder". *Sold* 1914–1945.

wutkochend *adj* sehr wütend. ↗ kochen 1. Seit dem 19. Jh.

Wutkopf m jähzorniger Mensch. 1900 *ff*.

Wutmilch f vor dem Angriff ausgegebener Schnaps. Er soll die Angriffswut steigern. *Sold* in beiden Weltkriegen.

Wutnickel m wütender Mensch. ↗ Nickel 2. Seit dem 19. Jh.

Wutrahm m vor dem Angriff ausgegebener Schnaps. ↗ Wutmilch. *Sold* in beiden Weltkriegen.

wutschen *intr* huschen; sich flink bewegen. Nebenform zu ↗ witschen. 1800 *ff*.

Wutschnapper m 1. plötzliches Aufhören des feindlichen Beschusses. Meint eigentlich die Atemstockung in der Erregung. *Sold* 1939 *ff*.
2. einen ~ machen = im Zorn plötzlich nicht weitersprechen können. *Sold* 1939 *ff*.

Wutz n 1. Schwein. Entweder Nachahmung der Stimme des grunzenden Schweins oder Ablautform zu „Watz = Eber". *Mitteld* und *oberd*, seit dem 19. Jh.
2. sich beschmutzender Mensch. Seit dem 19. Jh.
3. Zotenerzähler o. ä. Seit dem 19. Jh.
4. kleinwüchsiger Mensch. Meint hier eigentlich das Ferkel. 1920 *ff*.
5. die ~ rauslassen = sich unbeherrscht, ausgelassen aufführen. *Vgl* ↗ Sau 66 a. 1960 *ff*.

Wutzappel (Wut-Zappel) m Anfall von Jähzorn. Kadettenspr. 1900 *ff*; *sold* in beiden Weltkriegen.

Wutzelfinger (Wuzzelfinger) *pl* dickliche, plumpe Finger. *Vgl* das Folgende. *Österr* und *bayr*, seit dem 19. Jh.

wutzeln (wuzzeln) v 1. *tr intr* = mit den Fingern hin- und herdrücken; hantieren, wühlen, bohren o. ä. *Oberd* Nebenform zu ↗ wuseln. Seit dem 18. Jh.
2. *intr* = wimmeln, durcheinanderpurzeln; schnelle Schrittchen machen. *Bayr* und *schwäb*, seit dem 19. Jh.
3. sich eine ~ = sich eine Zigarette drehen. *Bayr* und *österr*, seit dem 19. Jh.
4. *intr* = onanieren. Seit dem 19. Jh.
5. *refl* = sich drehen, winden. *Österr*, 1900 *ff*.
6. *refl* = weggehen. *Österr*, 1900 *ff*.
7. sich vor Lachen ~ = hellauf lachen. Man windet sich vor Lachen. *Österr*, 1920 *ff*.

wutzen *intr* zotige Reden führen. ↗ Wutz 3. *Mitteld*, 1900 *ff*.

Wutze'rei f 1. Unsauberkeit. ↗ Wutz 2. 1900 *ff*.
2. Obszönität, Pornografie o. ä. 1920 *ff*.

Wutzerl n 1. kleines, untersetztes Kind. Eigentlich das Ferkel. *Bayr* und *österr*, 1900 *ff*.
2. hübsches, dralles Mädchen. *Österr*, 1900 *ff*.
3. beleibter Erwachsener. Wien, 1900 *ff*.
4. kleiner Hund. Wien, 1900 *ff*.

wutzerldick *adj* dick; drall. *Österr*, 1900 *ff*.

wutzerlfett n drall. *Österr* seit dem 19. Jh.

wutzig *adj* unsauber; unsittlich. ↗ Wutz 1. 1900 *ff*.

Wutzigkeit f Unreinlichkeit, Unsittlichkeit. 1900 *ff*.

wuzeln (wuzzeln) v ↗ wutzeln.

x 1. unzählig viel. Das mathematische Zeichen x ist entstellt aus „co", der *ital* Abkürzung für „cosa" im Sinne der unbekannten mathematischen Größe. In der zweiten Hälfte des 19. Jhs aufgekommen.

2. jm ein X für ein U vormachen = jn betrügen, täuschen. „U" ist in Lateinschrift das Zeichen „V" mit dem Zahlwert 5, während „X" den Zahlwert 10 hat. Wer ein „X" für ein „U" macht, schreibt also eine Zehn für eine Fünf. Seit dem 15. Jh.

3. ein X sein = a) ein Mensch sein, dessen Können und Eigenarten man nicht kennt. Der Betreffende ist eine „unbekannte ↗Größe". 1900 *ff.* – b) undurchschaubar, unergründbar sein. 1900 *ff.*

4. ein X von einem U unterscheiden können = sich nicht übertölpeln lassen. ↗x 2. 1920 *ff.*

Xanthippe *f* **1.** unverträgliche Frau. Der Frau des

Sokrates sagt die Mit- und Nachwelt nach, sie habe ihrem Mann ständig mit Gezänk zugesetzt. 1747 versuchte Gotthold Ephraim Lessing eine Ehrenrettung Xanthippes, jedoch ohne Erfolg: Xanthippes angebliche Unverträglichkeit behielt sprichwörtliche Geltung. 1700 *ff.*

2. ~s Becken = Nachtgeschirr. 1900 *ff.*

xanthippisch *adj* zänkisch. Seit dem 19. Jh.

X-Bein *n* **1.** Mensch mit nach innen gekrümmten Beinen. Seit dem 19. Jh.

2. *pl* = seitlich zu den Knien hin durchgebogene Beine. Die nebeneinanderstehenden Beine formen den Buchstaben X. Seit dem 19. Jh.

x-beinig *adj* mit sich an den Knien berührenden Beinen. Seit dem 19. Jh.

x-beliebig *adj* jede beliebige Person oder Sache betreffend; irgendein(e); irgendwelche(s). *Vgl* ↗x 1. Seit dem 19. Jh.

x-fach *adj* vielfach. ↗x 1. Seit dem 19. Jh.

X-Haxen *pl* zu den Knien hin gekrümmte Beine. ↗Haxe 1. Seit dem 19. Jh.

x-mal *adv* unzählige Male; sehr oft. ↗x 1. Seit dem 19. Jh.

X-te(r) *m f* die soundsovielte Person. ↗x 1. 1870 *ff.*

xtmal („ixtmal" gesprochen) *adv* soundsooft. ↗x 1. 1870 *ff.*

XY 1. XY antwortet nicht = der Mitschüler sagt bei Klassenarbeiten nicht vor. Entstellt aus dem Titel des 1932 mit Hans Albers gedrehten *dt* Spielfilms „F P 1 antwortet nicht". *Schül* 1935 *ff.*

2. XY ungelöst = Schülerkennwort für das unergründliche Zustandekommen der Leistungsnoten. Die Bezeichnung fußt auf dem gleichlautenden Titel einer Sendereihe von Eduard Zimmermann im Zweiten Deutschen Fernsehen. 1970 *ff.*

Es bleibt dem Betrachter überlassen, ob er die Dame mit (selbstverständlich aufgeklebtem) Schnurrbart als **Xanthippe** *akzeptieren kann, denn die hatte einer nicht immer ernst zu nehmenden Überlieferung zufolge die Haare eher auf als über den Zähnen. Der schlechte Ruf der Gattin des Sokrates ist wohl auch auf die auffälligen Gegensätzlichkeiten zwischen der Lehre und der Vita des Philosophen zurückzuführen: „die kriegerische Tüchtigkeit des Friedfertigen, die Trinkfestigkeit des Mäßigen und", das darf dann natürlich nicht fehlen, „das häusliche Dilemma des Überlegenen, das durch die von den späteren antiken Schriftstellern erzählten Anekdoten über seine Frau Xanthippe beleuchtet wird" (Elisabeth Frenzel, Stoffe der Weltliteratur). Das Bild, das beispielsweise Christoph Martin Wieland (1733–1813) in seinem Briefroman „Aristipp und einige seiner Zeitgenossen" von Sokrates gibt – „Ich habe ihn während dieser Zeit, da ich selten von seiner Seite komme, nicht einen Augenblick anders als heiter und freundlich gesehen" – verlangt dann ja geradezu nach Versen wie „Xanthippe war ein böses Weib, der Zank war ihr ein Zeitvertreib" (zitiert nach Lutz Röhrich).*

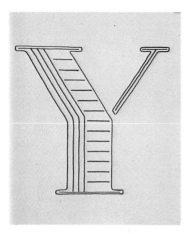

Y Bundeswehr. Übernommen vom amtlichen Kraftfahrzeug-Kennzeichen der Bundeswehr. Witzbolde sagen, das „Y" sei „das Ende von Germany". *BSD* 1970 *ff.*

Yogis schwenken onanieren. Die altindische Yoga-Lehre (deren Ausübender „Yogi" heißt) beinhaltet Entspannungsübungen auch im geschlechtlichen Bereich. 1960 *ff.*

Yoyo *n* ~ mit Jadeschlamm = Roulade mit Kartoffelbrei. „Yoyo (Jojo)" ist der Name eines Geschicklichkeitsspiels mit einer an einer Schnur hängenden Spule. An dieses Spiel erinnert das Abrollen des Fadens von der Fleischrolle. ↗Jadeschlamm. *Sold* 1939 *ff.*

Yul-Brynner-Locken *pl* Kahlkopf. Ironie. Der amerikanische Filmschauspieler Yul Brynner trägt Glatze. Etwa seit 1957, *schül* und *stud.*

Yul-Brynner-Look (Grundwort *engl* ausgesprochen) *m* Kahlköpfigkeit. ↗Look. 1957 *ff.*

Yul-Brynner-Scheitel *m* Vollglatze; kahlrasierter Schädel. 1957 *ff.*

Das Foto zeigt einen Herrn im **Yul-Brynner-Look**. *Der große Bekanntheitsgrad dieses Mimen ist nicht zuletzt der von ihm getragenen Haartracht zu verdanken, den* **Yul-Brynner-Locken**, *die allerdings auch unter denen, die nicht zur Fangemeinde dieses Schauspielers gehören, weit verbreitet sind.*

Z Zuchthaus, Zuchthausstrafe. Hieraus verkürzt. 1870 *ff.*

Z-Acht *m* ~ in Lauerstellung = Zeitsoldat, der sich für 8 Jahre verpflichtet hat. *BSD* 1965 *ff.*

Z-Ewig *m* Berufssoldat. Gemeint ist der Zeitsoldat auf ewige Zeit. *BSD* 1965 *ff.*

Z-Grabstein *m* Berufssoldat. Gemeint ist „bis der Tod uns scheidet". *BSD* 1965 *ff.*

z. K. Ausdruck des Überdrusses, der Verzweiflung. Abkürzung von „(es ist) zum Kotzen!". 1920 *ff.*

Z-Keiler *m* Zeitsoldat. ↗Keiler. *BSD* 1965 *ff.*

Z-Keule *f* Soldat auf Zeit. ↗Keule. *BSD* 1965 *ff.*

Z-Knüppel *m* Soldat auf Zeit. ↗Knüppel 1. *BSD* 1965 *ff.*

Z-Koffer *m* Zeitsoldat. ↗Koffer 6 und 7. *BSD* 1965 *ff.*

Z-Kopf (Z-Kopp) *m* Zeitsoldat. Variante zu ↗Kommißkopf. *BSD* 1965 *ff.*

Z. L. Z. Ausruf in Richtung auf einen widerwärtigen Menschen. Die Abkürzung besagt „zerreißen, in die Latrine schmeißen und zuscheißen". *Sold* 1939 *ff.*

Z-Mucke *f* Soldat auf Zeit. „Mucke" meint hier die närrische Angewohnheit und kennzeichnet die Längerverpflichtung als einen unsinnigen Einfall. *BSD* 1965 *ff.*

Z-Muli *m* Soldat auf Zeit. „Muli = Maulesel" tarnt den Begriff „Esel = dummer Mensch". *BSD* 1965 *ff.*

ZPL Taschentuch. Abkürzung von „↗Zinkenputzlappen". *BSD* 1965 *ff.*

Z-Prügel *m* Soldat auf Zeit. ↗Prügel 4. *BSD* 1965 *ff.*

Z-Qualle *f* Zeitsoldat. ↗Qualle 1. *BSD* 1965 *ff.*

Z-Sau *f* Soldat auf Zeit. *BSD* 1965 *ff.*

Z-Schuppen *m* Soldatenkneipe. ↗Schuppen 1. Ein beliebter Treffpunkt der Zeit- und Berufssoldaten. *BSD* 1965 *ff.*

Z-Schwein *n* Zeitsoldat. Bundeswehrsoldaten sagen, der Betreffende mäste sich während der Wehrdienstzeit wie ein Schwein und werde dadurch zum Nachfolger des „↗Etappenschweins". *BSD* 1965 *ff.*

Z-Vierer *m* Zeitsoldat, der sich auf vier Jahre verpflichtet hat. *BSD* 1965 *ff.*

z. W. Zuruf beim Trinken. Abkürzung von „zum Wohl!". 1950 *ff.*

z. W. d. G. ↗Wonne 2.

Z-Zwölfer *m* Zeitsoldat, der sich zu 12 Jahren Wehrdienst verpflichtet. *BSD* 1965 *ff.*

Zabel *m* Zigarette. Mundartliche Nebenform zu „Säbel", der auch den Penis bezeichnet; für „Penis" sagt man auch „Lülle", und „Lülle" ist zugleich die Zigarette. *BSD* 1965 *ff.*

za'brali sein gestohlen sein. ↗zapralisieren. *Österr* 1945 *ff.*

zach *adj* **1.** schüchtern. Nebenform zu „zag = verzagt, eingeschüchtert". Seit dem 19. Jh, *nordd* und *sächs*.

2. geizig. Gehört zu „zäh" und spielt auf Ausdauer im Ablehnen an. *Ostmitteld* seit dem 19. Jh.

Zachlinder *m* Zylinderhut. „Zach = schüchtern" bildet die Brücke zu der Vorstellung, die mit der Vokabel „↗Angströhre" verbunden ist. *Nordd* 1925 *ff*, *stud.*

zack I *interj* Ausruf zur Bezeichnung der Schnelligkeit (zack saß der Nagel in der Wand; zack habe ich ihm eine Ohrfeige gegeben). Die Interjektion ersetzt „das sitzt" im Sinne von „das haftet, ist unerschütterlich". 1920 *ff.*

zack II *adv präd* einwandfrei, tadellos. *Vgl* das Folgende. *Sold* 1925/30 bis heute.

Zack *m* **1.** militärische Straffheit; vorbildliche Ordnung; Einklang mit den Vorschriften. Außer den Bemerkungen zu „↗zack I" ist hier auch das Adjektiv „zackig" heranzuziehen, das zu „zucken = sich ruckartig bewegen" gehört und insbesondere die abgezirkelten, eckigen, knappen und straffen Bewegungen meint. *Sold* 1925 *ff.*

1 a. scharfe Kursänderung. *Marinespr* 1900 *ff.*

2. jn auf (unter) ~ bringen = jn zu vorschriftsmäßigem Verhalten anleiten; jn gründlich einweisen, drillen. *Sold* 1925 *ff.*

3. etw auf ~ bringen = etw in Ordnung bringen; etw sachgemäß herrichten. 1930 *ff.*

4. ~ haben = gute Umgangsformen haben. *Sold* und *ziv*, 1930 *ff.*

5. keinen ~ mehr haben = ohne Geld sein. „Zack" meint hier den Schwung, den Unternehmungsgeist. *BSD* 1965 *ff.*

6. jn auf dem ~ haben = jn nicht leiden können; es jm gedenken. Mit dem Ausruf „zack!" wird das Gewehr fest aufgelegt, und mit „zack!" feuert man den Schuß ab. Ausdrücke, die besagen, daß man es auf einen – in gutem oder bösem Sinne – abgesehen hat, fußen vielfach auf der Schießlehre. *Schül* 1945 *ff.*

7. auf ~ kommen = in die gewünschte Ordnung kommen. 1930 *ff.*

8. auf ~ sein = einer Lage gewachsen sein; seinen

Vorteil wahrnehmen; in tadelloser Ordnung sein; gut bewandert sein; schlagfertig sein. In der Reichswehrzeit gegen 1925 aufgekommen und schnell von Schülern und Studenten aufgegriffen.

'zack'bumm *adv* sehr schnell. Mit „zack" begleitet man den Abschuß und mit „bumm" den Einschlag. Parallel zu „↗Knall und Fall". 1930 *ff.*

Zacke *f* **1.** sich eine ~ aus der Krone brechen = sich etw vergeben; unter seiner (vermeintlichen) Würde handeln. Anspielung auf die Zahl der Zakken in der Krone zur Unterscheidung der aristokratischen Würde (9 Zacken = Grafenkrone; 7 Zacken = Freiherrenkrone; 5 Zacken = Briefadelskrone). Fußt auf der Vorstellung vom Hochmut des Adels. 1920 *ff.*

2. ihm fällt deswegen keine ~ aus der Krone = dadurch büßt er an Achtung nicht ein. 1920 *ff.*

'Zacke'kerl *m* strammer, draufgängerischer Mann. ↗Zack 1. 1950 *ff.*

zackeln *intr* gestelzt gehen. Bezieht sich auf die „zackigen" (= eckigen) Bewegungen. 1930 *ff.*

Zacken *m* **1.** (aufgebogene) Nase. Die Nasenspitze ragt empor. 1900 *ff.*

2. kurze Tabakspfeife. Bezeichnet eigentlich das derbe, kurze Stück, auch den Knorren. Von da wegen der Formähnlichkeit auf die Pfeife übertragen. Berlin 1840 *ff.*

3. Zigarette. Die Zigarette im Mund wirkt wie der spitz vorragende Teil eines Gegenstands. *BSD* 1965 *ff.*

4. Alkoholrausch. Meint wohl den „Zacken in der Krone" im Sinne von Dünkelhaftigkeit, weiterentwickelt zur Bedeutung „Narrheit" (der Hochmütige gilt volkstümlich als Narr). Der Betrunkene benimmt sich närrisch. Seit dem 19. Jh.

5. ganz sauberer ~ = hochgradige Trunkenheit. *Vgl* das Vorhergehende. 1940 *ff.*

6. mit einem großen (ungeheuren) ~ = mit hoher (sehr hoher) Geschwindigkeit. „Zacken" ist hier der Zahnradzahn. Der Handgashebel wurde früher an der gezähnten Oberfläche eines Kreissegments entlanggeführt; je mehr man sich der Grenze des Segments näherte, „einen um so größeren Zacken hatte man drauf". 1920 *ff.*

7. ihm bricht ein ~ aus der Krone = er verliert an Ansehen. ↗Zacke 1. 1920 *ff.*

8. einen ~ draufhaben (zulegen) = sehr schnell fahren. ↗Zacken 6. 1920 *ff.*

9. sich einen ~ einbilden = sich viel einbilden; überheblich sein. Gehört zu der Vorstellung von Hochmut des eine Zackenkrone tragenden Adligen. 1920 *ff.*

10. einen ~ haben = a) eingebildet sein. *Vgl* das Vorhergehende. Die Zahl der Zacken in der Krone versinnbildlicht die Höhe des gesellschaftlichen Rangs. Da „Zacken" auch die Nase bezeichnet, ist auch die Vorstellung der Hochnäsigkeit heranzuziehen. 1920 *ff.* – b) nicht bei Verstand sein. In volkstümlicher Auffassung ist der Dün-

*Um die Autorität dessen, der einen Zacken in der Krone hat (***Zacken 12 a.***), steht es augenscheinlich nicht mehr zum besten. Bei Jupp Derwall, der nach einem beinahe schon plebiszitär zu nennenden Votum fast der ganzen Nation schließlich seines Postens als Bundestrainer enthoben wurde, handelt es sich zwar nicht unbedingt um ein gesalbtes und gekröntes Haupt; doch wiegt die Verantwortung um das Wohl Fußball-Deutschlands, die auf den Schultern eines Mannes in dieser Position lastet, manchmal so schwer, daß es dafür eigentlich eines wirklichen Kaisers bedarf.*

kelhafte von Sinnen. 1920 *ff.* – c) betrunken sein. ↗Zacken 4. 1840 *ff.*
11. einen zackigen ~ haben = stark betrunken sein. ↗zackig; ↗Zacken 4. 1940 *ff.*
12. einen ~ in der Krone haben = a) hochmütig sein. ↗Zacken 10 a. 1920 *ff.* – b) bezecht sein. ↗Zacken 4. 1920 *ff.*
13. einen ~ weghaben = betrunken sein. 19. Jh.
zacken *intr* Zickzackkurs fahren. *Marinespr* 1900 *ff.*
zackerig *adj* unverträglich, zanksüchtig. ↗zackern. Seit dem 19. Jh.
zackerlot *interj* ↗sackerlot.
Zacker-Macker *m* fester Freund einer Halbwüchsigen. ↗Macker. „Zacker“ ist aus „Sacker“ = „Sakra“ entstellt und meint hier soviel wie einen positiven Superlativ, etwa wie „↗Sackermentskerl“. *Nordd* 1950 *ff.*

zackern *intr* zetern, nörgeln. Verkürzt aus „zackermentern“ im Sinne von „fluchen“ (unter Verwendung von Flüchen mit „Sakrament“). Seit dem 19. Jh.
zackig *adj* straff; militärisch einwandfrei; hervorragend. ↗Zack 1. Im späten 19. Jh in Militärkreisen aufgekommen und bis heute geläufig.
Zackiger *m* vorbildlicher Soldat. *Vgl* das Vorhergehende. *Sold* 1900 *ff.*
Zackigkeit *f* Strammheit; vorbildliches militärisches Verhalten im Äußeren. 1900 *ff.*
'Zack-'Zack *m* **1.** militärische Straffheit. ↗Zack 1. 1930 *ff.*
2. diensteifriger, vorbildlicher Soldat. 1930 *ff.*
'zack'zack *adv* schnell, entschlußfreudig. Verdoppelung von ↗zack I. 1930 *ff*, *sold* und *ziv.*
Zadder *m* **1.** sehnige Streifen im Fleisch; Abfall bei Fleischstücken. Meint eigentlich in der Form „Zatteln“ die Streifen an der Männerkleidung. Nebenform zu „↗Zotte“ (= Haarsträhne). *Nordd, ostd* und *mitteld,* seit dem 19. Jh.
2. das ist ~ = das ist sehr minderwertig, schlecht, aussichtslos, mißglückt. *Sold* in beiden Weltkriegen.
zadderig *adj* **1.** sehnig, faserig. ↗Zadder 1. Seit dem 19. Jh.
2. unausgeglichen, mißgestimmt. 1950 *ff.*
Zä'fix *interj* Ausruf des Unmuts. Entstellt aus „↗Kruzifix“. *Bayr* 1900 *ff.*
Zagel *m* Penis. Meint seit dem Mittelalter den „Schwanz“, das Zeugungsglied des Hengstes. *Vgl engl* „tail“.
zäh *adj* **1.** langweilig. Weiterentwickelt aus der Vorstellung „zähflüssig“ mit bezug auf eine ereignisarme Veranstaltung. 1975 *ff,* *jug.*
2. unübertrefflich. Die Vorstellung „zähe Ausdauer“ oder „Zählebigkeit“ nimmt superlativischen Sinn an. 1975 *ff,* *jug.*
Zähflüssige *f* sprödes Mädchen. Es hat kein „leichtes Blut“. *BSD* 1965 *ff.*
Zahl *f* **1.** krumme ~ = 3 Mark 97 (statt 4 Mark). Kaufmannsspr. 1900 *ff.*
2. rote ~ = schlechte Note. Man „kommt in die roten Zahlen“, wenn das Bankkonto nicht mehr gedeckt ist. *Schül* 1955 *ff.*
3. in rosarote ~en geraten = nur geringen Gewinn erzielen. Kaufmannsspr. 1950 *ff.*
4. in die roten ~en geraten = mit Verlust arbeiten; ins Defizit geraten. Verlustziffern werden rot ausgewiesen. 1950 *ff.*
5. rote ~en (mit roten ~en) schreiben = mit Verlust arbeiten. 1950 *ff.*
zahlbar werden plötzlich zahlungsfähig werden. Von der Pflichtheit scherzhaft weiterentwickelt zur Fähigkeit. Berlin 1930 *ff.*
Zahlchrist *m* Christ, dessen Kirchenzugehörigkeit sich in der Entrichtung der Kirchensteuer erschöpft. 1960 *ff.*
Zahlemann *m* **1.** (Ehe-)Mann, der alle Ausgaben

(einer anderen Person, der Familie, einer Gruppe) finanziert. 1955 *ff*.

2. Bargeldautomat. 1980 *ff*.

3. ~ und Söhne = Begleichung der Zeche (o. ä.). Seit 1955 als Firmennamen getarnt.

zahlen *v* ~ und drum anschaffen können = als Zahlender bestimmte Forderungen erheben können. ↗anschaffen 1 und 4. *Bayr* 1900 *ff*.

zählen *v* **1.** zähle bis drei und bete = a) Mathematikstunde. Übernommen vom *dt* Titel eines amerikanischen Wildwestfilms mit Glenn Ford. *Schül* 1959 *ff*. – b) Religionsunterricht. *Schül* 1959 *ff*. – c) Gefechtsschießen. *BSD* 1965 *ff*.

2. ~ gehen = gewissenhaft Dienst tun. Entwickelt aus dem Kommando „abzählen zu vier!". *BSD* 1965 *ff*.

Zahlenakrobat *m* **1.** Rechenkünstler. 1910 *ff*.

2. Buchhalter. 1920 *ff*.

3. Mathematikprofessor. 1920 *ff*, *schül* und *stud*.

Zahlenhengst *m* Finanzminister. ↗Hengst. 1950 *ff*.

Zahlenknecht *m* **1.** Finanzsenator o. ä. Berlin, 1965 *ff*.

2. Statistiker. 1965 *ff*.

Zahlenlaboratorium *n* Statistisches Amt; Rechnungshof u. ä. 1900 *ff*.

Zahlenmensch *m* **1.** Statistiker. 1955 *ff*.

2. Rechnungsprüfer. 1955 *ff*.

Zahlenmuffel *m* Buchhalter. ↗Muffel 1. 1970 *ff*.

Zahlenpest *f* Lotto. 1955 *ff*, Berlin.

Zahlensalat *m* Durcheinander von Zahlen. ↗Salat 1. 1930 *ff*.

Zähler *m* **1.** etw auf dem ~ haben = etw erlebt haben; reiche Lebenserfahrung haben. Hergenommen vom Kilometerzähler o. ä. 1950 *ff*.

2. fünfzig auf dem ~ haben = fünfzig Jahre alt sein. 1950 *ff*.

Zahlmaid *f* Kellnerin, Kassiererin. ↗Maid 1. 1955 *ff*.

Zahlmeister *m* **1.** freigebiger Gast. Er gilt als Meister im Zahlen. 1960 *ff*.

2. Ehemann, der nur für den Lebensunterhalt seiner Frau aufzukommen hat (den Geschlechtsverkehr nimmt sie anderer wahr). Seit dem frühen 20. Jh, *ziv* und *sold*.

3. lieber Rittmeister als ~ ↗Rittmeister 3 und 4.

4. ausreißen wie ein ~ = bei geringstem Anlaß davonlaufen. Zahlmeistern sagte man nach, sie hätten als erste Angst um ihr Leben. *Sold* in beiden Weltkriegen.

5. ihr bildet euch wohl ein, ich sei heute der ~: Redewendung des oftmaligen Verlierers beim Karten- oder Würfelspiel. 1930 *ff*.

Zahlmeisterinstinkt *m* Witterung für Gefahr und Gefahrlosigkeit. ↗Zahlmeister 4. *Sold* 1939 *ff*.

Zahlmops *m* Zahlmeister, Rechnungsführer. „Mops" spielt auf die Beleibtheit an sowie auf den mürrisch-abweisenden Gesichtsausdruck. *Sold* 1939 bis heute.

Zahlmopsgratifikation *f* Kriegsverdienstkreuz. Angeblich wurde es bevorzugt an Zahlmeister u. ä. verliehen. *Sold* 1939 *ff*.

zahlreich sein vermögend sein; viel Geld bei sich tragen. Berlin 1920 *ff*.

Zahltag *m* Tag der Zeugnisausteilung, der Rückgabe der zensierten Klassenarbeiten. Eigentlich der Tag, an dem der Arbeitnehmer seinen Lohn erhält. Hier ist es der „Lohn" für den Lerneifer. *Schül* 1955 *ff*.

zahlungsfaul *adj* säumig im Begleichen von Schulden. 1955 *ff*.

zahlungsmürrisch *adj* nicht bereit, eine fällige Rechnung zu begleichen. 1960 *ff*.

Zahl-Vater *m* Alimentenzahler. Klingt wie Amtsdeutsch. 1960 *ff*.

Zählwerk *n* automatisches ~ = Adamsapfel. *Vgl* ↗Bierzähler. *Nordd*, Berlin, *sächs* 1920 *ff*.

zähmen *v* sich etw ~ = sich etw gönnen. In gespielter Großartigkeit macht man es sich gefügig und untertan. Seit dem 19. Jh.

Zahn *m* **1.** Taste am Rundfunkgerät. ↗Gebiß 3. Technikerspr. 1955 *ff*.

2. Alkoholrausch. Analog zu ↗Zacken 4. *Österr* 1950 *ff*, *jug*.

3. Mädchen; intime Freundin. Fußt auf *jidd* „sona = Dirne". Am bekanntesten (wiewohl unverstanden) in der „Dreigroschenoper" von Bert Brecht: „Und der Haifisch (aus *jidd* „cheifez =Zuhälter"), der hat Zähne, und die trägt er im Gesicht" (und der Zuhälter, der hat Dirnen, und die hält er unter Aufsicht). Aufgekommen gegen 1950 als Halbwüchsigenvokabel mit hohem Beliebtheitsgrad.

4. Prostituierte. 1920 *ff*.

5. intimer Freund eines Mädchens. *Jug* 1965 *ff*.

6. ~ der Zeit = falsches Gebiß; Stiftzahn. Meint seit Shakespeare („Maß für Maß") eigentlich die langsam fortschreitende, unausbleibliche Zerstörung. 1900 *ff*.

7. abgelaufener ~ = verlassenes Mädchen. ↗abgelaufen; ↗Zahn 3. *Halbw* 1955 *ff*.

8. bedienter ~ = Mädchen mit starker geschlechtlicher Anziehungskraft. ↗bedienen 3. *Halbw* 1955 *ff*.

9. blonder ~ = blonde Freundin eines Halbwüchsigen. ↗Zahn 3. 1955 *ff*, *halbw*.

10. die dritten Zähne = künstliches Gebiß. ↗Zahn 82. 1900 *ff*.

11. dufter ~ = hübsches Mädchen. ↗dufte 1; ↗Zahn 3. *Halbw* 1950 *ff*.

12. falscher ~ = untreue Freundin. 1960 *ff*, *halbw*.

13. fauler ~ = a) Turmruine der Kaiser-Wilhelm-Gedächtniskirche in Berlin. 1950 *ff*. – b) Mädchen, dessen Zuneigung man verliert; Mädchen, das seines Freundes überdrüssig ist. *Halbw* 1955 *ff*. – c) Ältlicher. Von der Zahnfäule übertragen. 1955 *ff*, *jug*.

14. flotter ~ = Mädchen, das sich von der Geselligkeit nicht ausschließt. ↗flott 1. *Halbw* 1955 *ff.*

15. geiler ~ = Soldatenhure mit großen geschlechtlichen Ansprüchen; Mannstolle. ↗Zahn 4. *Sold* 1942 *ff.*

16. geschaffter ~ = geschlechtlich sehr anziehendes Mädchen. ↗geschafft 1. *Halbw* 1955 *ff.*

17. goldener ~ = reiche Freundin eines jungen Mannes. ↗Goldzahn. *Halbw* 1960 *ff.*

18. großer ~ = hohe Fahrgeschwindigkeit. *Vgl* ↗Zacken 6. 1920 *ff.*

19. hohler ~ = Turmruine der Kaiser-Wilhelm-Gedächtniskirche in Berlin. 1950 *ff.*

20. irrer ~ = sehr anziehendes Mädchen. ↗irr 1; ↗Zahn 3. *Halbw* 1955 *ff.*

21. irrsinniger ~ = überhöhte Fahrgeschwindigkeit. ↗Zahn 18. 1955 *ff.*

22. einen kleinen ~ zu brav = übertrieben brav; unnatürlich artig. „Ein kleiner Zahn" meint „etwas (um ein geringes Maß)" oder *(iron)* „viel"; zur Erklärung *vgl* „↗Zacken 6". *Halbw* 1960 *ff.*

23. leckerer ~ = nettes Mädchen. ↗lecker 1; ↗Zahn 3. *Halbw* 1955 *ff.*

24. lockerer (loser) ~ = untreue Freundin. ↗los I 2. *Halbw* 1950 *ff.*

25. mürber ~ = beischlafwilliges Mädchen. Mürbe = widerstandslos. *Halbw* 1955 *ff.*

26. nasser ~ = junges, geschlechtlich noch unerfahrenes (unaufgeklärtes) Mädchen. Es ist noch „naß hinter den ↗Ohren". *Halbw* 1955 *ff.*

27. nervöser ~ = nettes, reizendes, anziehendes Mädchen. ↗nervös. *Halbw* 1955 *ff.*

28. neuer ~ = neues Mädchen in einer Gruppe. *Halbw* 1960 *ff.*

28 a. satter ~ = sympathisches Mädchen. ↗satt 2; ↗Zahn 3. 1970 *ff, jug.*

29. saurer ~ = ältliches Mädchen inmitten wesentlich jüngerer Leute; unleidliche weibliche Person. ↗sauer 2. *Halbw* 1955 *ff.*

30. scharfer ~ = liebesgieriges Mädchen. ↗scharf 4. 1950 *ff, halbw.*

31. schräger ~ = leichtes Mädchen. ↗schräg 1. *Halbw* 1955 *ff.*

32. spitzer ~ = sinnlich veranlagtes Mädchen. ↗spitz 3. *Halbw* 1955 *ff.*

33. ständiger ~ = fester Freund einer Halbwüchsigen. ↗Zahn 5. 1955 *ff.*

34. steiler ~ = a) sehr hübsches Mädchen in reizvoller Aufmachung. ↗steil 1. 1955 *ff.* Sehr beliebter Ausdruck unter Jugendlichen. – b) großwüchsige, schlanke Freundin eines Halbwüchsigen. *Halbw* 1955 *ff.* – c) Prahler; Mensch, der sich aufspielt, sich übertrieben gebärdet. ↗steilen 2. *Halbw* 1960 *ff.* – d) Fernsehturm in Ost-Berlin. 1969 *ff.* – e) Obelisk. 1970 *ff.*

35. supersteiler ~ = äußerst anziehendes Mädchen. ↗supersteil; ↗Zahn 3. *Halbw* 1955 *ff.*

36. süßer ~ = Lust auf Leckereien; Naschsucht. 1870 *ff.*

37. tippender ~ = Stenotypistin. ↗tippen 2; ↗Zahn 3. 1955 *ff.*

38. toller ~ = a) sehr hohe Fahrgeschwindigkeit. *Vgl* ↗Zahn 48. 1920 *ff.* – b) sehr nettes Mädchen. ↗toll 1. *Halbw* 1955 *ff.*

39. toter ~ = häßliches Mädchen. ↗tot 5. *Halbw* 1955 *ff.*

40. weicher ~ = nachgiebiges Mädchen. ↗Zahn 3. *Halbw* 1955 *ff.*

41. so ein ~! = völlig veraltet! längst bekannt! Zur Herleitung und Gebärde *vgl* „↗Stoßzahn 5". 1955 *ff.*

42. noch einen ~ mehr! = schneller fahren! ↗Zahn 48; ↗Zacken 6. 1920 *ff.*

43. ein ~ zuviel = übertrieben; geprahlt. Von der Fahrgeschwindigkeit hergenommen. Zur Erklärung *vgl* ↗Zahn 48. 1930 *ff.*

44. jm einen ~ abschrauben = jm die Freundin abspenstig machen. ↗Zahn 3. Abschrauben = schraubend entwinden. *Halbw* 1955 *ff.*

45. einen tollen ~ abstauben = ein sehr eindrucksvolles Mädchen kennenlernen. ↗Zahn 3; ↗abstauben. *Halbw* 1955 *ff.*

46. einen ~ anbohren = die nähere Bekanntschaft eines Mädchens zu machen suchen. Von der zahnärztlichen Behandlung übernommen und an „↗Zahn 3" angelehnt. *Halbw* 1955 *ff.*

47. vom ~ der Zeit angenagt = ältlich, beschädigt. Die Metapher „Zahn der Zeit" stammt aus Shakespeares Drama „Maß für Maß". 1900 *ff.*

48. einen ~ aufdrehen = schnell fahren. Früher wurde der Handgashebel an einem gezähnten Kreisausschnitt entlanggeführt. Mit jedem Zahn, um den man sich der oberen Grenze näherte, nahm die Fahrgeschwindigkeit zu. 1920 *ff.*

49. noch einen ~ mehr aufdrehen = die Fahrgeschwindigkeit weiter erhöhen. *Vgl* das Vorhergehende. 1920 *ff.*

50. sich einen ~ aufreißen = die Bekanntschaft eines netten Mädchens machen. ↗Zahn 3; ↗aufreißen 8. *Halbw* 1955 *ff.*

51. sich an etw die Zähne ausbeißen = sich um etw vergeblich bemühen; einer Aufgabe nicht gewachsen sein. Bezieht sich ursprünglich auf eine harte Frucht (Nuß), die man mit den Zähnen nicht zerkleinern kann. Seit dem 19. Jh.

52. einem literarischen Werk ein paar Zähne ausbrechen = unerwünschte, anstößige Stellen aus einem literarischen Werk tilgen. Übertragen von den Giftzähnen der Schlange. 1920 *ff.*

53. jm die Zähne auseinanderbrechen = jm gewaltsam ein Geständnis entreißen. 1920 *ff.*

54. wie ein hohler ~ aussehen = verkommen, unvorteilhaft aussehen. 1920 *ff.*

55. jm einen ~ ausziehen = jm beim Spiel viel Geld abgewinnen. Seit dem 18. Jh, kartenspielerspr.

56. auf die Zähne beißen = sich bezwingen; sich beherrschen; sich zurückhalten. Beruht auf der alltäglichen Beobachtung, daß man vor Zorn und Verbitterung, auch bei körperlicher Anstrengung die Zähne zusammenbeißt. 1500 *ff*.

57. das bleibt nicht im hohlen ~ = das geht einem seelisch nahe. Veranschaulichung tiefen Berührtseins. 1935 *ff*.

58. einen ~ draufhaben = sehr schnell fahren; eilig sein. ↗Zahn 48. 1920 *ff*.

59. einen ~ zuviel draufhaben = die zulässige Höchstgeschwindigkeit überschreiten. 1955 *ff*.

60. einen guten ~ draufhaben = eilig fahren; eilig gehen. 1930 *ff*.

60 a. einen tollen ~ draufhaben = rege, schwungvoll sein. 1975 *ff*.

61. einen schönen ~ draufkriegen = eine hohe Fahrgeschwindigkeit erzielen. ↗Zahn 48. 1950 *ff*.

62. einen ~ drauflegen = schneller fahren; sich beeilen; schneller laufen. ↗Zahn 48. 1925/30 *ff*.

63. einen ~ mehr drauftun = die Fahrgeschwindigkeit erhöhen. ↗Zahn 48. 1925/30 *ff*.

64. mit langen Zähnen essen = ohne Appetit essen. Hergenommen von den Hunden, die die Lefzen hochziehen, wenn ihnen das Futter nicht schmeckt. Seit dem 19. Jh, vorwiegend nördlich der Mainlinie.

65. jm auf den ~ fühlen = jn prüfen; jds Wissen prüfen. Hergenommen von den Pferdehändlern, die das Gebiß der Tiere begutachten. 1700 *ff*.

66. jm auf den hohlen ~ fühlen = jds Schwächen oder Unwissen rücksichtslos bloßstellen. Erweiterung des Vorhergehenden. 1880 *ff*.

67. einen ~ Gas mehr geben = schneller fahren; sich mit der Arbeit beeilen; schneller gehen. ↗Zahn 48. 1920 *ff*.

67 a. den Leuten zwischen die Zähne geraten ↗Zahn 81.

68. einen auf den hohlen ~ gießen = ein Glas Alkohol zu sich nehmen. 1900 *ff*.

69. auf (gegen) jn einen ~ haben = jn nicht leiden können; gegen jn auf Rache sinnen. Leitet sich wohl her vom Zahn des bissigen Tieres; doch *vgl* auch ↗Zahn 72. Seit dem 18. Jh, vorwiegend *südd* und *westd*. *Vgl franz* „avoir une dent contre quelqu'un".

70. einen süßen ~ haben = gern Süßigkeiten essen. *Vgl* ↗Naschzahn. 1870 *ff*.

71. einen ~ in der Mache haben = sich mit einem Mädchen anfreunden. ↗Zahn 3; ↗Mache 4. *Halbw* 1955 *ff*.

72. jn auf dem ~ haben = jn nicht leiden können. Mit dem „Zahn" ist hier das „Korn" der Visiereinrichtung an Schußwaffen gemeint; *vgl* ↗Korn 4. 1930 *ff*.

73. jn zwischen den Zähnen haben = mißgünstig über einen Abwesenden reden. *Westd* 1800 *ff*.

74. lange Zähne haben = auf etw begierig sein; habgierig sein; Gelüste haben. Hergenommen vom Hund, der die Zähne fletscht, wenn man ihm das Futter wegnehmen will. Seit dem 16. Jh.

75. jm in die Zähne hauen = jm ins Gesicht schlagen. Seit *mhd* Zeit.

76. die Zähne heben = ohne Appetit essen. ↗Zahn 64. Seit dem 19. Jh, vorwiegend *ostmittelteld*. *Vgl franz* „ne manger que du bout des dents".

77. einen guten (ordentlichen o. ä.) ~ hinlegen = sehr hohe Geschwindigkeit entwickeln. ↗Zahn 48; ↗hinlegen 2. 1920 *ff*, kraftfahrerspr.

78. die Zähne hobeln = die Zähne putzen. 1956 *ff*, *jug*.

79. auf einem hohlen ~ kauen = sehr wenig zu essen bekommen. 1920 *ff*.

80. durch die Zähne kauen = nachlässig, schwerverständlich sprechen. Man spricht mit fast geschlossenen Lippen, wie mit vollem Mund beim Kauen. 1950 *ff*.

81. den Leuten in die Zähne kommen = in üble Nachrede geraten. 1700 *ff*.

82. zum dritten Mal Zähne kriegen = ein künstliches Gebiß bekommen. Die beiden ersten Gebisse bekommt man von der Natur, das dritte dann vom Zahnarzt. 1900 *ff*.

83. lange Zähne kriegen = auf etw Lust bekommen. ↗Zahn 74. Seit dem 19. Jh.

84. von etw lange Zähne kriegen = ein unbehagliches Gefühl im Mund bekommen; einer Sache überdrüssig werden. ↗Zahn 64. Seit dem 19. Jh.

85. etw vor die Zähne kriegen = etw zu essen bekommen. 1900 *ff*.

86. auf den hintersten Zähnen lachen = hämisch lachen. 1920 *ff*.

87. ein paar Zähne laufen haben = Prostituierte für sich arbeiten lassen; Zuhälter sein. ↗Zahn 3 und 4. 1920 *ff*, Berlin, Hamburg u. a.

88. jm die Zähne langmachen (jm lange Zähne machen) = jn auf etw begierig machen. ↗Zahn 74. 1600 *ff*.

89. eine auf den ~ legen = eine Zigarre (Zigarette) rauchen. 1960 *ff*.

90. lange Zähne machen = a) etw gern besitzen wollen. ↗Zahn 74. Seit dem 19. Jh. – b) ohne Appetit, mit Widerwillen essen. ↗Zahn 64. Seit dem 19. Jh.

91. eins auf den ~ nehmen = ein Glas Alkohol trinken. *Vgl* ↗Zahn 2. 1900 *ff*.

92. wissen, durch welchen ~ gepfiffen werden muß = sich auskennen; genau Bescheid wissen. Übertragen vom Pfeifsignal, mit dem die Diebe o. ä. sich untereinander verständigen. 1950 *ff*.

93. jm die Zähne plombieren = a) jm etw gründlich verleiden; jn gegen etw abstumpfen (abhärten). Zähneplombieren ist keinem Patienten angenehm. Die Bedeutung des Abstumpfens hängt wohl mit der örtlichen Betäubung zusammen. 1935 *ff*. – b) jm ins Gesicht schlagen. Euphemismus. 1940 *ff*.

94. da war der ~ raus = da (dadurch, damit) war die Schwierigkeit behoben. 1950 *ff*.

Was man von Zähnen wissen muß!

Alexander Knuth hat hier die „Teenager" und ihre Freunde beobachtet. Er hat ihnen ein bißchen „auf den Zahn" gefühlt und dabei entdeckt, daß die jungen Burschen von heute mit „Zähnen" etwas ganz anderes meinen — ihre kleinen Freundinnen nämlich. Und wenn man das in die Bildsprache übersetzt, dann sieht das so aus:

Berichtet von
Alexander Knuth

Lilli ist ein „blonder Zahn"

Marion dagegen
mehr ein „steiler Zahn"

Rosemarie, unser „Eckzahn"
(soviel wie Mauerblümchen)

Erna ist sozusagen ein „Weisheits-Zahn"

...mein „Stamm-Zahn" ist Karin. Mit ihr fahre ich
auf meinem Baby-Roller (Motorroller) immer auf
Wochenend!

Am meisten imponiert uns allen natürlich Charli. Er hat immer ein ganzes „Gebiß" um sich !!"

Links: Eine Typologie des Zahns der Teenager-Sprache (vgl. **Zahn 3.**). *Vorgestellt werden der blonde Zahn* (**Zahn 9.**), *der steile Zahn* (**Zahn 34a., b.**), *der* **Eckzahn**, *sowie* **Weisheits- und Stammzahn**. *Damit ist es aber noch lange nicht getan; denn solche Zähne können auch flott, geil, geschafft und golden sein* (**Zahn 14.–17.**) *sowie irre* (**Zahn 20.**), *lecker, locker, mürb, naß, nervös, neu, satt, sauer, scharf, schräg, spitz, ständig* (**Zahn 23.–33.**), *supersteil* (**Zahn 35.**), *toll, tot und weich* (**Zahn 38.–40.**). *Wollte man alle diese Zähne so präsentieren, wie das links der Fall ist, reichte eine Seite nun wirklich nicht aus. Ein besonderes Kapitel sollte dann aber davon handeln, wie mit diesen Zähnen umgegangen wird. Gepflegt werden sie nämlich so gut wie gar nicht.*

94 a. ich haue dich, daß dir die Zähne zum Arsch rausfliegen (ich haue dir die Zähne ein, daß sie dir zum Arsch rausfahren)!: Drohrede. 1930 ff.

95. das reicht nur für einen hohlen ~ = das ist sehr wenig zu essen. Scherzhafte Übertreibung, seit dem 18. Jh.

96. einen ~ reißen = ein Mädchen erobern. *Vgl* ↗ Zahn 50. *Halbw* 1960 ff.

97. jm einen ~ über das Chemisett rollen lassen = jm einen Zahn ausschlagen. 1910 ff.

98. jm etw aus den Zähnen rücken = jm einen Bissen wegnehmen. 1920 ff.

99. einen ~ runtertun = die Geschwindigkeit verlangsamen. ↗ Zahn 48. Kraftfahrerspr., 1930 ff.

100. über die Zähne scheißen = sich erbrechen. 1700 ff.

101. einen steilen ~ schwingen = mit einem netten Mädchen tanzen. ↗ Zahn 34. *Halbw* 1955 ff.

102. das ist für mich ein ~ zuviel = das geht mir zu schnell; das halte ich für voreilig. Von der Fahrgeschwindigkeit übertragen. 1950 ff.

103. einen ~ schneller sein = schneller fahren als andere. ↗ Zahn 48. 1930 ff.

104. etw im kleinen ~ spüren = etw ahnen. Entstellt aus „etw im kleinen ↗ Zeh spüren", wohl in Anlehnung an die Hochempfindlichkeit schadhafter Zähne. 1930 ff.

105. etw hinter die Zähne stecken = etw essen. 1860 ff.

106. jm auf einen bestimmt ~ tasten = jn über gewisse Dinge vernehmen oder aushorchen. ↗ Zahn 65. 1920 ff.

107. jm auf den ~ tippen = jm eine heftige Ohrfeige geben. *Iron* Verharmlosung. 1930 ff.

108. die Zähne überleben = sehr alt werden (sein). Gemeint ist, daß man länger lebt, als die natürlichen Zähne halten. 1940 ff.

109. jm die Zähne verrücken = jm heftig ins Gesicht schlagen. 1955 ff, jug.

110. etw mit Zähnen und Klauen verteidigen = sich gegen die Hergabe eines Gegenstands heftig wehren; mit Nachdruck auf einem Plan beharren. Übertragen von der Gegenwehr eines Tieres. 1900 ff.

110 a. jn mit Zähnen und Krallen verteidigen = sich mit allen Kräften für jn einsetzen. *Vgl* das Vorhergehende. 1900 ff.

111. ein paar Zähne wegnehmen = die Fahrgeschwindigkeit verringern. ↗ Zahn 48. 1920 ff.

112. ihm tut kein ~ mehr weh = a) er ist tot. Spätestens seit dem 19. Jh. – b) er hat ein künstliches Gebiß. 1920 ff.

113. jm die Zähne zeigen (weisen) = jm drohend entgegentreten; tapfer aufbegehren. Hergenommen vom Zähnefletschen der Hunde. 1500 ff.

114. jm den ~ ziehen = a) jm eine törichte Absicht ausreden. Wohl hergenommen von der durch heftige Zahnschmerzen o. ä. bewirkten Unbeherrschtheit; ist der Zahn gezogen, kehrt das Normalverhalten zurück. 1700 ff. – b) die Anzüglichkeit einer Bemerkung zunichte machen. Beruht auf der Vorstellung vom Giftzahn der Schlange. 1950 ff.

115. diesen ~ laß dir ziehen (ausziehen)! = diesen törichten Gedanken (diese unsinnige Laune) mußt du aufgeben! trenne dich von deinem Hirngespinst! 1700 ff.

116. jm einen ~ ziehen = jm ein Mädchen abspenstig machen. ↗ Zahn 3. *Halbw* 1955 ff.

117. einer Sache den ~ ziehen = eine Hauptschwierigkeit beseitigen. ↗ Zahn 114 b. 1920 ff.

118. jm einen dicken ~ ziehen = jn nachdrücklich eines Besseren belehren; jn von einem unsinnigen Plan abbringen. ↗ Zahn 114 a. 1900 ff.

119. jm etw aus den Zähnen ziehen = jn unter Mühen zu einer Aussage bewegen; jn mit viel Geduld und Mühe zur Hergabe von etw bestimmen. Übertragen vom Versuch, einem Tier etwas abzunehmen, was es mit den Zähnen gepackt hat. Seit dem späten 19. Jh.

120. jm eine(n) aus den Zähnen ziehen = jm einen Menschen abspenstig machen. 1950 ff.

121. jn durch die Zähne ziehen = über einen Abwesenden mißgünstig reden. Hergenommen von den Zähnen der Hechel, des kammartigen Werkzeugs, mit dem Fasern gereinigt und getrennt werden; zusammenhängend mit ↗ durchhecheln. 1800 ff, vorwiegend nordd.

122. einen ~ zulegen = a) die Geschwindigkeit erhöhen; mehr Energie entwickeln; schneller gehen. ↗ Zahn 48. 1925 ff. – b) lauter schnarchen. 1940 ff. – c) mehr Kampfkraft entwickeln. *Sportl* 1950 ff. – d) noch beweiskräftigere Gesichtspunkte vorbringen; die Kritik steigern. 1960 ff. – e) die Dividende, das Gehalt o. ä. erhöhen. 1960 ff.

123. einen ~ zurückschalten = sein Temperament zügeln; sich mäßigen; besonnener vorgehen. Von der Verminderung der Fahrgeschwindigkeit übertragen; ↗ Zahn 48. 1960 ff.

124. einen ~ zurückstecken = Forderungen herabsetzen. 1960 ff.

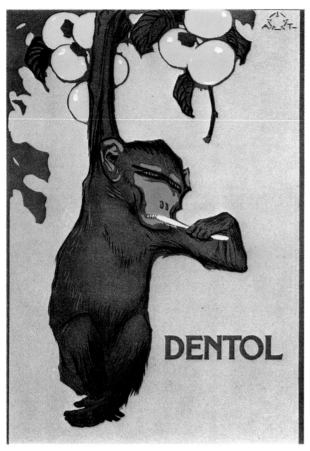

Dentol, Werbegraphik von Aleardo Terzi (1914). Es wäre wohl nicht angebracht, in jenem reinlichen Affen eine Ironisierung der lebendigen **Zahnpastareklame** *zu sehen, auch wenn es diesen Tieren eigen ist, ihre Lippe so stülpen zu können, daß in der Tat das ganze Gebiß sichtbar wird (vgl.* **Zahnpastalächeln**). *Ein solcher Vergleich nämlich stünde dem ersten Gebot jedweder Werbung diametral entgegen. Und so muß das ganz und gar unäffische Tun dieses Affen ganz einfach von der besonderen Anziehung des angepriesenen Produkts herrühren, das also, wenn man so will und dabei kein Zahnweh kriegt (vgl.* **Zahnweh 2.**), *selbst aus einem Affen einen kultivierten Menschen machen kann.*

Zahnappell *m* gemeinsame Einnahme einer Mahlzeit. 1920 *ff, sold.*

Zahnarzt *m* das war ~ = das war schlecht (knarrend) geschaltet. Anspielung auf die Bohrmaschine des Zahnarztes. Kraftfahrerspr. 1955 *ff.*

Zahnarzteffekt *m* Nachlassen der Zahnschmerzen beim Betreten des Wartezimmers einer Zahnarztpraxis. 1930 *ff.*

Zahnathlet *m* Zahnarzt. Das Zahnziehen erfordert körperliche Kraft. Seit dem späten 19. Jh.

Zahnausbeißer (-ausbrecher) *m* Zwieback o. ä. *Sold* 1914 *ff.*

Zahnbrecher *m* wie ein ~ schreien = laut schreien. Auf Jahrmärkten machten sich früher die zahnziehenden Kurpfuscher durch lautes Schreien bemerkbar. 1500 *ff.*

Zahnbürste *f* 1. gestutzter Oberlippenbart. Wegen der Formähnlichkeit. 1900 *ff.*

2. kleiner, schmaler Waldstreifen. *Sold* 1920 *ff.*

3. abgebrochene ~ = sehr kleines Oberlippenbärtchen. 1900 *ff.*

Zähnchen zeigen beim Fotografiertwerden lächeln. 1950 *ff.*

Zähneknirschen *n* knarrendes Schalten der Gänge. Die Zahnräder des Getriebes „knirschen". Kraftfahrerspr., 1955 *ff.*

zahnen *intr* 1. winseln, jammern. Hergenommen vom Jammern des zahnenden Kindes. *Bayr* und *österr,* 1900 *ff.*

2. schimpfen, zetern. Gemeint ist wohl, daß einer den Mund so weit wie möglich aufreißt und alle Zähne sehen läßt. *Bayr* 1900 *ff.*

3. lächeln, daß alle Zähne sichtbar werden; höhnisch lachen. *Bayr* 1900 *ff.*

Zahnersatz *m* Mädchen, mit dem man vorlieb nimmt, solange die feste Freundin verhindert ist. ↗Zahn 3. *Halbw* 1955 *ff.*

Zähnezieher *m* Rahmbonbon. Parallel zu ↗Plombenzieher. 1920 *ff.*

Zahnfleisch *n* 1. junge Mädchen. ↗Zahn 3. Das „Fleisch" zur Ware herabgewürdigt. 1960 *ff, halbw.*

2. etw bis aufs ~ auskosten = etw bis zur Neige betreiben. 1955 *ff.*

3. auf dem ~ daherkommen = völlig erschöpft daherkommen. Vielleicht hergenommen vom Bild des Dürstenden in der Wüste, der mit letzter Kraft, schon mit dem Mund am Boden, zu einem Wasserloch kriecht. 1930 *ff.*

4. auf dem ~ fahren = auf abgenutzten Reifen fahren; auf der Felge fahren (wenn der Reifen geplatzt ist). Weiterentwickelt aus dem Vorhergehenden. Kraftfahrerspr. 1940 *ff.*

5. jm eine ins ~ geben = jn heftig ins Gesicht schlagen. 1950 *ff.*

6. auf dem (rohen) ~ gehen (laufen, krauchen, kriechen o. ä.) = völlig erschöpft sein; sich die Füße wundgelaufen haben; müde vom Marschieren sein; mittellos sein. ↗Zahnfleisch 3. *Sold, schül, stud* und bergsteigerspr. seit 1930. *Vgl franz* „être sur les dents".

7. ihm kräuselt sich das ~ = er wird wütend, verliert die Beherrschung. Hergenommen vom Hund, der die Lefzen hebt. 1950 *ff.*

8. auf dem ~ laufen = nicht vom Fleck kommen; keinen Schwung haben; kein Geld mehr besitzen. ↗Zahnfleisch 3. 1930 *ff.*

9. auf blankem ~ laufen = aufs äußerste erregt sein. 1950 ff.

10. jn auf dem ~ nach Hause schicken = jn überlegen besiegen. Der Besiegte liegt mit dem Mund am Boden; vgl ↗Zahnfleisch 3. *Sportl* 1950 ff.

Zahnflicker m Zahnarzt. ↗Flicker. *BSD* 1965 ff.

zahngeben intr Gas geben. ↗Zahn 48. Kraftfahrerspr. 1930 ff.

Zahnhobel m Mundharmonika. ↗Maulhobel. *Marinespr* und *jug*, 1930 ff.

Zahnitätsrat m Zahnarzt. Dem „Sanitätsrat" nachgebildet. 1914 ff.

Zahnkeule f Sanitätsdienstgrad in der Zahnstation; Zahnarzt. ↗Keule 12. *BSD* 1965 ff.

Zahnklempner m Zahnarzt. ↗Klempner 2. Seit dem ausgehenden 19. Jh. *Vgl engl* „toothplumber".

Zahnklempnerei f Zahnarztpraxis; Zahnklinik; militärische Zahnstation. 1910 ff.

zahnlos adj nicht angriffslüstern; nicht verletzend; einfallslos, ideenarm. 1975 ff.

Zahnlücke f unbebautes Grundstück in geschlossener Häuserreihe. 1920 ff.

Zahnmensch m Zahnarzt. 1960 ff.

Zahnpastalächeln (**-lachen**; **-Reklamelächeln**) n Lächeln, bei dem beide Zahnreihen zum Vorschein kommen. Hergenommen von den Reklamebildern der Zahnpasta-Industrie. 1920 ff.

Zahnpastareklame f lebende ~ = Mensch mit makellos weißen Zähnen. 1955 ff.

zahnpastaschmunzeln intr aus Reklamegründen die Zahnreihen entblößen. 1920 ff.

zahnpastaweiß adj reinweiß. 1930 ff.

Zähneputzen machen gefühllos, knarrend die Gänge schalten. Das knirschende Geräusch erinnert an das Zähneputzen mit Schlämmkreide. Kraftfahrerspr. 1955 ff.

Zahnputz-Muffel m Mensch, der seine Zähne nicht pflegt. ↗Muffel 2. 1970 ff.

Zahnrad n Angehöriger des technischen Personals. Das Zahnrad ist das Abzeichen des technischen Fliegerpersonals, auch des Maschinenpersonals bei der Marine. *Marinespr* und fliegerspr. 1914 ff.

Zahnradgymnasium n Schule der Technischen Truppe. Das Zahnrad ist das Abzeichen des Bodenpersonals der Luftwaffe. *BSD* 1965 ff.

Zahnraffel f Mund. ↗Raffel 1. Seit dem 19. Jh.

Zahnreißer m lügen wie ein ~ = dreist lügen. ↗Zahnbrecher. *Vgl franz* „mentir comme un arracheur de dents".

Zahnsalat m gefühlloses, knirschendes Schalten der Gänge beim Autofahren. Man denkt sich, die Zähne der Räder im Getriebe müßten abbrechen und durcheinanderwirbeln; ↗Salat 1. Kraftfahrerspr. 1955 ff.

Zahnschinder m Zahnarzt. 1920 ff.

Zahnschlosser m Zahnarzt. Man betrachtet ihn als Reparaturhandwerker. Seit dem ausgehenden 19. Jh, vorwiegend sold.

Zahnschmerzen pl **1.** Liebeskummer. ↗Zahn 3 und 5. *Halbw* 1960 ff.

2. seelische ~ = bohrender, nagender Kummer. 1950 ff.

3. da kriegt man ja ~ = da verschlechtert man sich; da bringt man sich selbst in Nachteil. 1950 ff.

Zahnschmied m Zahnarzt. 1915 ff.

Zahnschuster m Zahnarzt. ↗Schuster. 1920 ff.

Zahnspengler m Zahnarzt. Parallel zu ↗Zahnklempner. Vorwiegend *südd*, seit dem ausgehenden 19. Jh.

Zahnstierer m Bajonett; Messer. ↗stieren 2. *Vgl* das Folgende. *Sold* und *rotw* seit dem frühen 20. Jh, *bayr* und *österr*.

Zahnstocher m **1.** Seitengewehr, Dolch o. ä. *Sold* 1914 bis heute. *Vgl engl* „tooth-pick".

2. spitzer Kirchturm. 1920 ff.

3. schlanker Fernsehmast. 1960 ff.

4. Zigarette. *Halbw* 1955 ff.

5. hagerer Mensch. 1920 ff.

6. (erigierter) Penis. Analog zu ↗Dolch 1. 1920 ff.

Zahnstummel m Zahnrest. ↗Stummel. 1900 ff.

Zahnwechsel m **1.** Wechsel von einer Freundin zur anderen. ↗Zahn 3. *Halbw* 1970 ff.

2. zweiter ~ = Einsetzung eines künstlichen Gebisses. 1900 ff.

Zahnweh n **1.** Liebeskummer. ↗Zahnschmerzen 1. *Halbw* 1955 ff.

2. ~ kriegen = sich in seinem guten Geschmack verletzt fühlen. 1950 ff.

Zammeln pl lang herabhängendes Haar. Gehört zu „zappeln = sich unruhig bewegen; lose baumeln". 1920 ff.

'Zampano m großer ~ = Mann, dem man die Bewältigung größter Schwierigkeiten zutraut; Wundermann; Anführer. Zampano heißt der Schausteller in dem *ital* Spielfilm „La Strada" (1954) von Federico Fellini. 1970 ff.

Zampel I f **1.** Pferd, Stute. Gehört wohl zu „zammeln = langsam gehen" und meint ein altes Tier mit schwerfälligem, unsicherem Gang, mit herabhängendem Kopf u. ä. Verwandt mit „zappeln = hin- und herbaumeln". Seit dem 19. Jh.

2. Dampfer, Schiff. Aufgefaßt als ein braves, aber altes Last- oder Zugtier. 1900 ff.

3. nachlässige Frau. Parallel zu ↗Stute 1. Seit dem 19. Jh.

Zampel II m **1.** Leinensack der Hamburger Hafen- und Werftarbeiter. Verkürzt aus ↗Zampelbüdel. 1900 ff.

2. mageres, sehniges Fleisch. Meint eigentlich das Fleisch eines alten Pferdes. 1900 ff.

Zampelbüdel m (n) Arbeits- und Frühstücksbeutel der Schauerleute. Ursprünglich der Mantelsack, den man auf das Pferd legt. Hamburg 1900 ff.

Zamperl m (n) nicht rassereiner Hund. Fußt auf „zempern = vor Ungeduld trippeln". *Bayr* 1920 ff.

*Jener Herr auf dem Foto oben, der da zur Zange greift und mit Hilfe dieses Werkzeugs sich eines Korkens entledigt, scheint sich, wie die Gesichtszüge verraten, bei dieser Operation sichtlich wohl zu fühlen. Einmal abgesehen von dem durchaus obszön zu nennenden Anstrich, den dieses Bild in der Umgangssprache annehmen könnte, dann nämlich, wenn man sie wörtlich nimmt (vgl. **Zange 2.** und **verkorken**), ist es in der Regel aber doch so, daß die Empfindungen, welche dem Gebrauch dieser Vokabel zugrundeliegen, in erster Linie davon abhängen, ob man dieses Ding selbst in der Hand hat (vgl. **Zange 4., 8., 10., 12.**) oder aber in eigener Person in die Zange genommen wird (vgl. **Zange 14., 15.**).*

Zandermaid *f* Heilgymnastin. Benannt nach dem schwedischen Arzt Jonas Gustav Zander (1835–1920), der in der Heilgymnastik führend wurde. *Sold 1939 ff.*

Zange (Zangen) *f* **1.** unverträgliche Frau. Das Werkzeug meint eigentlich die „Beißerin", ganz deutlich in „Beißzange". Von hier übertragen auf die ungesellige, mit Worten verletzende (um sich beißende) Frau. Seit dem 19. Jh.
2. Vagina. Aufgefaßt als Werkzeug zum Festhalten eines Gegenstands. *1900 ff.*
3. Handfessel. *1920 ff.*
4. Würgegriff. *1920 ff.*
5. Motorrad. Fußt wohl auf dem Vergleich der Lenkstange mit den Griffen einer (Hebelzwick-)Zange. *1955 ff,* kraftfahrerspr.
6. Dienstgradabzeichen des Hauptfeldwebels. Es ähnelt einer geschlossenen Zange. *BSD 1965 ff.*
7. etw (jn) nicht mit der ~ anfassen mögen = gegenüber einer Person oder Sache heftigen Abscheu empfinden. Hergenommen von der Brikett- oder Feuerzange, deren langer Griff den Abstand betont, den man zwischen sich und der Sache (oder Person) einzuhalten wünscht. Seit dem 18. Jh.

8. die ~ ansetzen = den Spieler in Mittelhand nehmen. Die Gegenspieler wirken auf den Spieler wie die Backen einer Zange. Kartenspielerspr. seit dem 19. Jh.
9. jm eine ~ bringen = jn zu schnellerer Verrichtung (seiner Notdurft) anhalten; jn anfeuern. Gemeint ist, daß man dem Abortbenutzer eine Zange bringen will, damit er die Kotwurst abkneife. *Sold 1910 ff.*
10. jn in der ~ haben = a) jn in der Gewalt haben. ↗Zange 12. Seit dem 19. Jh. – b) jn militärisch eingekreist haben. *Sold* in beiden Weltkriegen.
11. die ~ machen = stehlen. Parallel zu ↗Schere 4. *1920 ff.*
12. jn in die ~ nehmen = a) jm von zwei Seiten zusetzen. Hergenommen vom Schmied, der ein Stück glühendes Eisen in die Zange nimmt, oder von der Zangenfolter. Seit dem 19. Jh. – b) jn in die Enge treiben; jn streng verhören. Seit dem 19. Jh. – c) den Spieler durch zwei Gegenspieler bedrängen. Kartenspielerspr. seit dem späten 19. Jh; *sportl 1920 ff.*
13. sich auf eine ~ schmeißen = sich auf das Motorrad setzen. ↗Zange 5. Kraftfahrerspr. *1955 ff.*
14. in der ~ sein = sich in unentrinnbarer Lage befinden; zur Entscheidung gezwungen sein. ↗Zange 12. Seit dem 19. Jh.
15. auf das Ansetzen der ~ warten = sich auf Schlimmes gefaßt machen. Der Zahnarztpraxis entlehnt. *Sold 1939 ff.*

Zangel *f n* intime Freundin. Anspielung auf die Beinschere. *1950 ff.*

zangen *tr* etw entwenden. ↗Zange 11. *1920 ff.*

Zangendirektor *m* Beamter an der Bahnsteigsperre. Anspielung auf die Knipszange. *1920 ff.*

Zangengeburt *f* **1.** sehr schwieriges Unterfangen. *1900 ff.*
2. militärisches Unternehmen, bei dem der Erfolg durch Tricks usw. erreicht wird. *Sold* in beiden Weltkriegen.
3. unter sehr großen Schwierigkeiten bestandene Prüfung. *Schül* und *stud, 1920 ff.*

Zankeisen *n* zänkische Frau. Eigentlich „Zangeisen", ein Kunstschloß, dessen Handhabung viel Geduld und Geschick erfordert. Umgeformt unter Einfluß von „zanken". Seit dem 18. Jh.

zanken *v* **1.** liebe Kinder, zankt euch nicht, spuckt euch lieber ins Angesicht!: scherzhafte Mahnrede an Leute, die sich zanken. *1920 ff.*
2. zankt euch nicht und streit't euch nicht, kriegt euch lieber in die Haare (bei die Köppe)!: scherzhaft begütigende Rede an Leute, die in einen Wortwechsel geraten sind. *1900 ff,* Berlin.

Zänker *m* Polizeibeamter. Versteht sich nach „zanken = schimpfen; Unfrieden stiften". *Rotw 1840 ff.*

Zankhippe *f* zänkische, ungesellige Frau. „Hippe" steht in Analogie zu „↗Ziege 1". Doch ist auch scherzhafte Eindeutschung von „↗Xanthippe" möglich. 1900 *ff.*

Zankteufel *m* zänkischer Mensch. 1800 *ff.*

Zanktippe (Zankthippe) *f* unverträgliche Frau. Scherzhafte Eindeutschung von „↗Xanthippe". In der zweiten Hälfte des 19. Jhs aufgekommen, wahrscheinlich in Berlin.

Zapf *m* **1.** mündliche Prüfung. ↗zapfen 1. *Österr* 1920 *ff, schül* und *stud.* **2.** Hochschulübung mit Frage und Antwort. *Österr* 1920 *ff.*

Zäpfchen *n* **1.** einen hinter das ~ gießen = ein Glas Alkohol zu sich nehmen. Zäpfchen = Verlängerung des Gaumensegels. 1920 *ff.* **2.** der Alkohol steht ihm bis hoch zum ~ (Zapferl) = er ist volltrunken. 1920 *ff.*

Zäpfchenparade *f* weites Öffnen des Mundes beim Singen oder Gähnen. 1920 *ff.*

Zapfen *m* **1.** Penis. Aufgefaßt als walzenförmiger Verschluß. 1900 *ff.* **2.** Zapfenstreich. Hieraus verkürzt. *Sold* 1900 *ff.* **3.** Flirt. Versteht sich aus „anzapfen" im Sinne von „die Reaktion ergründen". *Halbw* 1960 *ff.* **4.** vierschrötiger Mensch mit mehr Muskel- als Geisteskraft. Übertragen von der gedrungenen Form des Spundlochverschlusses. 1910 *ff.* **5.** wehleidige, energielose weibliche Person. Hängt über „↗Zipf" wohl mit der Zipfelmütze (↗Schlafmütze) zusammen. Doch kann auch vom tropfenden Eiszapfen ausgegangen werden. *Österr* 1900 *ff.* **6.** Kälte. Anspielung auf die Eiszapfen. *Österr* 1920 *ff.* **7.** fader ~ = langweiliger Mensch. ↗Zipf. *Österr* 1920 *ff.* **8.** ~ rein! = Gas geben! Mit dem Zapfen ist hier der Gashebel gemeint. Fliegerspr. 1935 *ff.* **9.** der ~ ist ab = die Sache ist gescheitert; die Lage ist verloren; jetzt ist die Geduld am Ende. Ohne den Zapfen läuft das Bierfaß (o. ä.) leer. 1900 *ff.* **10.** jetzt ist aber der ~ ab!: Ausdruck der Unerträglichkeit, der sehr unangenehmen Überraschung. 1900 *ff.* **11.** mir jagt's den ~ aus!: Ausruf des Unwillens, des Erschreckens o. ä. 1920 *ff.* **12.** über den ~ brennen = die Ausgangserlaubnis überschreiten. ↗Zapfen 2; ↗brennen 2. *Sold* 1910 *ff.* **13.** einen ~ haben = a) leidenschaftslos sein. Zapfen = Eiszapfen. *Österr,* 1920 *ff.* – b) Angst haben; aufgeregt sein. „Zapfen" meint die zapfenförmige Kotmasse im Darm und spielt auf Stuhldrang an. *Sold* in beiden Weltkriegen. **14.** über den ~ hauen = a) die Ausgangserlaubnis überschreiten. ↗Zapfen 2. „Hauen" kann sich auf das Kartenspielen beziehen (man schlägt die Karten laut auf die Tischplatte). *Sold* 1900 *ff.* – b) verschwenderisch leben. 1920 *ff.*

15. ihm guckt der ~ raus = er hat Angst. ↗Zapfen 13 b. 1914 *ff.* **16.** ~ streichen = die Ausgangserlaubnis überschreiten. Verkürzt aus „über den Zapfen streichen", wobei „streichen" für „umherstreichen, umherschweifen" steht. *Sold* 1900 *ff.* **17.** den ~ streichen = a) harnen. ↗Zapfen 1. 1920 *ff, sold.* – b) onanieren. 1920 *ff.* **18.** den ~ (über den ~) wichsen = den Abendurlaub überschreiten. „Wichsen" bezieht sich entweder auf Zechen oder auf Koitieren. *Sold,* spätestens seit 1900.

zapfen *tr* **1.** jn einer Prüfung unterwerfen. Zapfen = dem Faß einen kleineren Teil seines Inhalts entnehmen; hier weiterentwickelt im Sinne von „Stichprobe". *Österr* 1920 *ff, schül* und *stud.* **2.** vom Banknachbarn abschreiben. 1950 *ff.* **3.** jm Geld abgewinnen, abnehmen, ablisten. ↗anzapfen 2. 1950 *ff.*

Zapfenloch *n* Vagina. ↗Zapfen 1. *Sold* 1900 *ff.*

Zapfenstreich *m* **1.** Polizeistunde. 1930 *ff.* **2.** dann ist ~ = dann ist Schluß. 1930 *ff.* **3.** über den ~ wichsen = die Ausgehfrist überschreiten. ↗Zapfen 18. *Sold* 1900 *ff.*

Zapfenstreik *m* Streik der Tankwarte. Angelehnt an „Zapfenstreich" mit Anspielung auf die Zapfsäule. 1963 *ff,* Berlin.

Zapfenwichsen *n* Übertretung der Ausgehfrist. ↗Zapfen 18. *Sold* 1900 bis heute.

Zapfenwichser *m* Soldat, der die Ausgeherlaubnis überschreitet. ↗Zapfen 18. *Sold* 1900 bis heute.

Zapfer *m* Lehrer. ↗Zapf 1. *Österr* 1920 *ff, schül.*

Zapferl *n* Schankmädchen. *Bayr* 1920 *ff.*

Zapferschürze *f* stinken wie eine ~ = stark nach Alkohol riechen. Gemeint ist das Bekleidungsstück des Bierzapfers. 1920 *ff.*

Zapfrohr *n* Penis. Eigentlich das Rohr, mit dem man eine Leitung, ein Faß anzapft. *Vgl* aber auch „↗Zapfen 1" und „↗Rohr 1". 1910 *ff.*

Zapfstelle *f* **1.** Mann, bei dem man borgen kann. Eigentlich die Schank- oder Tankstelle. ↗tanken 4. 1925 *ff.* **2.** Geldbeutel des Ehemanns. 1925 *ff.* **3.** Kasse, an der man sich widerrechtlich bereichert. 1950 *ff.* **4.** Konto mit nichtverbuchten Einnahmen zur Verwendung für eigene Zwecke. 1950 *ff,* finanzamtsspr. **5.** Verkaufsstelle von Flaschenbier; Bierlokal. 1920 *ff.*

Zapfung *f* Prüfung. ↗zapfen 1. *Österr* 1920 *ff, schül* und *stud.*

Zappelfritze *m* **1.** nervöser, ruheloser Mensch. ↗Fritze. 1890 *ff.* **2.** Radfahrer. 1900 *ff.*

Zappelgarten *m* **1.** Zoologischer Garten. Berlinische Umdeutung von „zoologisch" durch Annäherung an ↗zappelig. 1880 *ff.*

2. Kinderspielplatz. Berlin, im frühen 20. Jh aufgekommen.

Zappelgreis *m* **1.** Versager. Wohl vom Bild eines alten Mannes mit Schüttellähmung übertragen. 1900 *ff.*

2. alter Mann mit heftigem geschlechtlichen Verlangen. 1900 *ff.*

zappelig *adj* unruhig, ungeduldig, nervös-hastig. Zappeln = sich hastig (in raschen Bewegungsfolgen) bewegen. 1600 *ff.*

Zappeligkeit *f* Ruhelosigkeit, Nervosität. Seit dem 19. Jh.

Zappe'linder *m* Zylinderhut. Der Bezeichnung liegt die Vorstellung des Zappelns aus Angst zugrunde, woraus sich Analogie zu „↗Angströhre" ergibt. 1920 *ff.*

zappeln lassen *tr* jn in Ungewißheit halten; jn in peinlicher Lage hinhalten. Hergenommen vom Vogel, der an der Leimrute oder im Netz zappelt, oder vom Fisch an der Angelschnur usw. 1500 *ff.*

Zappelphilipp *m* **1.** unruhiges Kind; lebhafter, nervöser Mensch. Stammt aus Heinrich Hoffmanns „Der Struwwelpeter" (1845). 1870 *ff.*

2. Radfahrer; Angehöriger einer Radfahrtruppe. 1900 *ff.*

3. bejahrter, impotent gewordener Mann. 1920 *ff, prost.*

Zappeltanz *m* Charleston u. ä. 1925 *ff.*

Zappen *m* ↗Zapfen.

Zappenduster *m n* **1.** Düsternis; Dunkelheit. ↗zappenduster. 1900 *ff.*

2. Entlassung am Ende der Dienstzeit. *BSD* 1965 *ff.*

zappenduster (-düster) *adj* **1.** da ist ~ = da ist es völlig dunkel. Nach dem Zapfenstreich wurden die Lichter in den Kasernen gelöscht. 1900 *ff, sold* und *stud;* vorwiegend nördlich der Mainlinie.

2. da ist (nun ist's; damit ist's) ~ = nun ist's zu Ende; jetzt ist nichts mehr zu ändern; jede weitere Bemühung ist aussichtslos. Weiterentwickelt aus dem Vorhergehenden. 1900 *ff, sold* u. a.

3. bei mir ist es ~ = ich weiß es nicht. Im Kopf bleibt es dunkel. Berlin 1950 *ff, schül.*

Zappenwichsen *n* ↗Zapfenwichsen.

zappza'rapp *interj* schnell! Bezieht sich im Sinne des Folgenden auf die Schnelligkeit, mit der der Dieb zugreift. *Sold* 1939 *ff.*

zappza'rapp machen etw stehlen, entwenden. Weiterentwickelt aus russisch „zabrat' = wegnehmen" unter Einfluß von „zappen, zapfen" und „raffen". ↗sapralisieren. *Sold* 1941 *ff.*

zappza'rappsen *tr* stehlen. *Sold* 1941 *ff.*

zappza'rieren *intr* diebisch sein. *Sold* 1941 *ff.*

zapralisieren *tr* etw entwenden; sich etw listig beschaffen. ↗sapralisieren. *Österr* 1941 *ff.*

Zara (Zaras) *f* böse, unverträgliche, unordentliche Frau. Eigentlich Name eines Schreckgespenstes. *Westd* 1900 *ff.*

Zarah-Leander-Suppe *f* Hülsenfrüchtesuppe. Be-

nannt nach der schwedischen Filmschauspielerin und Sängerin Zarah Leander im Zusammenhang mit dem Lied „Der Wind hat mir ein Lied erzählt" aus dem Film „La Habanera" (1937). Hier ist der Darmwind gemeint. *Sold* 1939 *ff.*

Zarathustra *Pn* na also, sprach ~ = was willst du noch? das ist doch längst erledigt! Zusammengesetzt aus „na also" und dem Buchtitel „Also sprach Zarathustra" von Friedrich Nietzsche. 1900 *ff.*

Zarette *f* Zigarette. Hieraus verkürzt. *Sold* 1939 *ff;* *halbw* 1960 *ff.*

zarken *intr* **1.** Darmwinde entweichen lassen. Nebenform zu *bayr* „zörgen, zürken = misten, exkrementieren". Vom Stalltier auf den Menschen übertragen. 1920 *ff.*

2. verdorben riechen. *Vgl jidd* „sarchenen = übel riechen, stinken". 1920 *ff.*

Zaster *m* **1.** Geld, Sold. Stammt aus *zigeun* „sáster = Eisen". *Rotw* seit dem frühen 19. Jh; *sold* 1870 *ff.*

2. Munition. Ausdrücke für Munition werden in der Umgangssprache ausgetauscht gegen Ausdrücke für Geld und umgekehrt. *Sold* 1900 *ff.*

3. auf dem Arsch liegend sich den ~ verdienen = Prostituierte sein. *Sold* 1910 *ff.*

Zasterbude *f* **1.** Bank, Sparkasse. ↗Zaster 1; ↗Bude 2. 1920 *ff.*

2. Wechselstube, in der Ost-Geld gegen West-Geld und umgekehrt umgetauscht wird. Berlin 1948 *ff.*

Zasterbulle *m* Rechnungsführer. ↗Bulle 1. *BSD* 1965 *ff.*

Zaster-Ede *m* Rechnungsführer. „Ede" ist berlinische Form des Vornamens Eduard. *BSD* 1965 *ff.*

Zasterhase *m* dicker (fetter) ~ = wohlhabender Mann. 1950 *ff.*

Zasterhöhle *f* Reichs-, Bundesbank. Der „Lasterhöhle" nachgebildet. 1920 *ff.*

Zasterklötzchen *pl* (gemünztes) Geld. *Stud* seit dem frühen 20. Jh.

zastern *intr* bezahlen. ↗Zaster 1. Seit dem frühen 19. Jh, *ostd* und *milteld.*

Zasterpatron *m* Bankdirektor. 1950 *ff.*

Zastersack *m* Rechnungsführer. Dem „Geldsack" nachgebildet. *BSD* 1965 *ff.*

Zauber *m* **1.** Unsinn, Schwindel; Lug und Trug. Hergenommen vom Trick der Zauberer oder vom Spuk des früheren Zaubertheaters. 1840 *ff.*

2. angeblich spontane, in Wirklichkeit lang eingedrillte Truppenvorführung. *Sold* 1870 *ff.*

3. Gefecht; Gefechtslärm usw. Im Zaubertheater von einst gab es lärmenden Spuk, bengalisches Feuer u. ä. *Sold* in beiden Weltkriegen.

4. Sache, Angelegenheit *(abf).* 1870 *ff.*

5. fauler ~ = durchschaubare Täuschung; Sache, die keine Mühe wert ist; grobe Ungehörigkeit. ↗faul 1. Etwa seit 1850.

6. der ganze ~ = das alles *(abf).* 1900 *ff.*

7. den ~ kennen = a) auf Grund böser Erfahrungen Bescheid wissen; sich nicht nochmals übertölpeln lassen. 1900 *ff.* – b) mit allen militärischen Dienstobliegenheiten vertraut sein. 1900 *ff.*

8. mach' keinen ~! = übertreibe nicht! bleibe sachlich! 1870 *ff.*

9. das ist ~ = das ist unübertrefflich. Hängt mit der positiven Geltung von „↗zauberhaft" zusammen. *Halbw* 1955 *ff.*

Zauberbursche m sehr anstelliger junger Mann. Man findet ihn „↗zauberhaft". *Halbw* 1955 *ff.*

Zauberflöte f **1.** Penis. Weiterführung von „↗Flöte 1" in Anlehnung an die Oper von Wolfgang Amadeus Mozart. 1950 *ff.*

2. unansehnliche, reizlose weibliche Person. In wortwitzelnder Meinung ist bei ihr der Zauber „flöten"; *vgl* ↗flötengehen 1. 1935 *ff.*

3. weibliche Person, die ihrer Figur mit künstlichen Mitteln zu vermehrtem Reiz verhilft. *Halbw* 1955 *ff.*

zauberhaft adj **1.** vorzüglich; überaus reizend; unvorstellbar gut. Gegen 1950 aufgekommen.

2. *adv* = sehr. 1950 *ff.*

Zauberkammer f Physiksaal in der Schule. Die Vorführung mancher physikalischen Eigenschaften erscheint den Schülern als Zauberei. 1960 *ff.*

Zauberkasten m **1.** Kasten-, Tretmine. Eigentlich der Kasten, in dem der Zauberkünstler sein Arbeitsgerät aufbewahrt; hier ist gemeint, daß, wenn man auf die Mine tritt, der „↗Zauber 3" losgeht. *Sold* 1939 *ff.*

2. Fernsehgerät. Die Bezeichnung kann lobend gemeint sein, weil das Fernsehen die weite Welt ins Zimmer „zaubert"; hingegen sehen Spötter in ihm nur den „faulen ↗Zauber". 1955 *ff.*

Zauberkünstler m Chemielehrer; Dozent für Chemie. *Schül* und *stud* seit dem frühen 20. Jh.

Zauberlehrling m Chemiestudent; Chemielaborant. Vielleicht übernommen vom Titel der Ballade Goethes. 1910 *ff.*

Zaubermantel m Richter-Robe. Sie ähnelt dem Mantel, mit dem sich manche Zauberkünstler bei ihren Vorführungen umhüllen. Juristenspr. 1920 *ff.*

zaubern v **1.** *tr* = etw stehlen. Man praktiziert es weg, wie der Zauberer Gegenstände verschwinden läßt. 1950 *ff.*

2. nicht ~ können = nicht schneller handeln können. Seit dem 19. Jh.

Zauberstab m Penis. Er „zaubert" die Frau schwanger. 1900 *ff.*

Zauberstall m Chemiesaal in der Schule. ↗Zauberkammer. 1960 *ff, schül.*

Zaubertor n mit großem Einfallsreichtum (großer Geschicklichkeit) erzielter Tortreffer. *Sportl* 1955 *ff.*

Zaubertrank m starkes Abführmittel; Rizinus. Rizinusöl als eine der drei „Soldatenmedizinen" wird bei zweifelhafter Diagnose in großer Dosis

verordnet, bis der Patient es vorzieht, sich als geheilt zu melden, oder bis ein handgreiflicher Befund zutage kommt. Durch Verabreichung von Rizinusöl werden viele Soldaten wie durch einen Zauber gesund. *Sold* in beiden Weltkriegen.

Zauche f **1.** weibliches Tier (Hündin, Füchsin o. ä.). Fußt auf *ahd* „zoha = Hündin". *Mitteld* seit dem 19. Jh.

2. Prostituierte; Hure. Seit dem 19. Jh.

3. mannstolle Frau. *Mitteld* und Berlin, 19. Jh.

4. unverträgliche Frau. 1900 *ff.*

Zauchtel f **1.** unordentliche Frau. Nebenform zu ↗Zuchtel. 1900 *ff,* Berlin und südostd.

2. schlimme, streitsüchtige Frau. 1900 *ff.*

Zaumzeug n Taillengürtel. Eigentlich das Riemenzeug am Kopf des Reit- und Zugtiers. 1960 *ff.*

Zaun n **1.** es (etw) vom ~ brechen. ↗Streit 2.

2. den ~ nicht einreißen = gute Nachbarschaft pflegen, aber zurückhaltend bleiben. *Österr* 1900 *ff.*

3. für jn einen ~ flicken = jds Schuld (Schulden) in Ordnung bringen. 1960 *ff.*

4. übern ~ gehen (durch den ~ grasen) = ehebrechen. Seit dem 19. Jh.

5. mit etw hinter dem (hinterm) ~ halten = nicht alles sagen, was man weiß. Seit dem 19. Jh.

6. hier möchte ich nicht tot überm ~ hängen = hier möchte ich nicht immer leben müssen. *BSD* 1965 *ff.*

7. wir werden den ~ schon pinseln = wir werden die Sache meistern. 1900 *ff,* nördlich der Mainlinie.

8. jm den ~ pinseln = jn zurechtweisen, eines Besseren belehren. Parallel zu „jm etw ↗anstreichen". 1900 *ff.*

9. jn über den ~ schippen = jn übertölpeln, ausnutzen. ↗Schippe 6. Was man über den Zaun schaufelt, hält man für wertlos – wie den Menschen, den man ausgenutzt hat. 1930 *ff.*

Zaunbillett n (kostenloser) Zuschauerplatz außerhalb der Einzäunung o. ä. *Nordd, mitteld* und Berlin, 1850 *ff.*

'zaun'dürr adj hager, knochig. Man ist dürr (= ausgetrocknet) wie ein alter Bretterzaun. ↗Zaunlatte 2. *Oberd* und *rhein,* seit dem 18. Jh.

Zaungast m Zuschauer außerhalb der Einfriedigung. Seit dem 19. Jh.

Zaunkarte f eine ~ haben = nach Ablauf der Ausgeherlaubnis in die Kaserne zurückkehren. Man steigt über den Zaun des Kasernenbereichs. *BSD* 1965 *ff.* Im Ersten Weltkrieg „nahm" bzw. „hatte" man ein „Zaunbillett", wenn man ohne Erlaubnisschein über den Zapfenstreich hinaus ausblieb.

Zaunkönig m **1.** Mensch, dem es gelingt, aus der Deutschen Demokratischen Republik in die Bundesrepublik Deutschland zu entkommen. Der Betreffende muß u. a. einen Zaun überwinden. 1962 *ff.*

2. *pl* = Wachsoldaten. Sie stehen am Drahtzaun und verfügen über besondere Vollmachten. *BSD* 1965 *ff.*

'zaun'krach'dürr *adj* sehr dürr; ausgemergelt. ↗zaundürr. 1800 *ff.*

Zaunlatte *f* **1.** großwüchsiger schmächtiger Mensch. ↗Latte 13. Seit dem 19. Jh.
2. dürr wie eine ~ = hager. 1900 *ff.*
3. eine ~ verschluckt haben = steif, ungelenk sein; keine Verbeugung machen. 1920 *ff.*

Zaunpfahl *m* **1.** hölzern wie ein ~ = lebensungewandt. Veranschaulichung von „↗hölzern". 1950 *ff.*
2. mit dem ~ winken = jm einen unmißverständlichen Hinweis geben; plump auf etw anspielen. ↗Wink 11. Spätestens seit 1850.

'zaun'racker'dürr *adj* sehr hager. ↗zaundürr. Seit dem 19. Jh.

Zaunratte *f* Straßenprostituierte. Sie geht an abgezäunten Grundstücken (Kasernen) entlang auf Kundensuche. ↗Ratte 3. *BSD* 1965 *ff.*

Zaunschleicher *m* Spion. Im 18. Jh soviel wie der Strauchdieb, im 19. Jh der hinterlistige Mensch. In der Bedeutung „Spion" *sold* in beiden Weltkriegen.

Zaunstecken *m* **1.** großwüchsiger, hagerer Mensch. Parallel zu ↗Zaunlatte 1. Seit dem 19. Jh.
2. einen ~ geschluckt (verschluckt) haben = steif, ungelenk gehen; sich nicht verbeugen. ↗Zaunlatte 3. 1900 *ff.*

Zaupe (Zaupel) *f* **1.** Hündin. Verwandt mit ↗Zauche. *Oberd* 1700 *ff.*
2. Prostituierte. *Oberd* 1700 *ff.*
3. unordentliche weibliche Person. *Sold* in beiden Weltkriegen.

Zausel *m* **1.** Pferd *(abf).* Gehört zu „zausen =struppig machen" und ist wohl beeinflußt von *gleichbed* „↗Zossen". 1900 *ff, österr, bayr,* südostdeutsch und niedersächsisch.
2. dummer Bursche. Parallel zu ↗Roß 1. 1920 *ff.*
3. alter ~ = alter Mann; alter Lüstling. 1920 *ff.*

Zauselbart *m* gutmütiger, leicht abständiger Mann. Wohl beeinflußt von „↗Rauschebart". Berlin 1920 *ff.*

Zauselkopf (-kopp) *m* **1.** zerzaustes Kopfhaar. ↗Zausel 1. 1900 *ff.*
2. Mensch mit wirren Ansichten; Mensch, der nicht weiß, was er will. Gehört zu „zausen = zerren, wirr machen". Berlin 1920 *ff.*

Zauserl *m* schwächlicher Mensch. *Vgl* ↗Zausel 1. *Österr* 1900 *ff.*

zausig *adj* zerzaust. *Bayr* und *österr,* 1800 *ff.*

Zava'lier *m* Pseudo-Kavalier; Draufgänger in Liebesabenteuern; ungesitteter Mann, der sich gute Umgangsformen einbildet. Hervorgegangen aus der Schreibung „Cavalier". Seit dem späten 19. Jh.

'zeam *adj* zünftig. ↗zerm. *Bayr* 1900 *ff.*

Zebra-Mädchen *auf einem* **Zebrastreifen***. Jenes in Afrika beheimatete Tier wird seiner sonderbaren Färbung wegen zur Metapher für fast alles Schwarz-Weiß-Gestreifte. Die Signalwirkung, die diesem einfachen Muster eigen ist, dient allerdings den verschiedensten Zwecken: der Verkehrssicherheit, wenn damit ein Fußgängerüberweg gekennzeichnet werden soll, und der Ausbruchssicherheit, wenn den Insassen einer Strafanstalt ein derart gemustertes Habit übergezogen wird (vgl.* **Zebra 2.**, **Zebra-Anzug**, **Zebra-Kluft**)*. Die Aufmerksamkeit, die es außerhalb der Mauer, wo es fast ein jeder trägt, auf sich ziehen könnte, zwingt den, der sich, ohne vorher um Erlaubnis zu fragen, einfach davon macht, also zu einem raschen Kleidungswechsel.*

Zebe'däus *m* **1.** Penis. Die Bibel benennt Zebedäus, Fischer am See Genezareth, als Vater der Apostel Johannes und Jakobus, die als unzertrennlich gelten. Hieraus ergab sich im *Ital* die Bezeichnung „zebedei = Hoden". Seit dem 18. Jh.
2. Zeigestab. Anspielung auf den erigierten Penis, vielleicht auch auf Exhibitionismus oder Zeigezwang. *Schül* 1955 *ff.*
3. den ~ melken = harnen (vom Mann gesagt). 1920 *ff.*

Zebe'dillerich *m* Penis. Zusammengewachsen aus „Zebedäus" und „Schnippeldilderich" (= Penis). Seit dem 19. Jh.

Zebra *n* 1. mehr als viel. Beruht auf Wortspielerei: Studenten nennen „Streifen" den großen Schluck Bier (⁊Streifen 1). Da das Zebra viele Streifen hat, ist „ein Zebra" mehr als „ein Streifen". *Stud* 1920 *ff.*
2. Zuchthäusler. Wegen der gestreiften Anstaltskleidung. 1920 *ff.*
3. „Zebrastreifen"; gekennzeichneter Übergang für Fußgänger über die Fahrbahn. *Vgl* ⁊Lex Zebra. 1955 *ff.*
4. Hauptgefreiter. Er trägt auf dem Oberärmel drei Streifen. *BSD* 1965 *ff.*

Zebra-Anzug *m* Häftlingskleidung. ⁊Zebra 2. 1920 *ff.*

Zebra-Beine *pl* Mädchenbeine in zebragestreifter Strumpfhose o. ä. 1955 *ff.*

Zebra-Igel *pl* NATO-Truppen. Der nur auf Verteidigung eingestellte Igel ist das Sinnbild des „bewaffneten Friedens". *BSD* 1965 *ff.*

Zebra-Kluft *f* Häftlingskleidung. ⁊Zebra 2; ⁊Kluft. 1920 *ff.*

Zebra-Mädchen *n* Mädchen in gestreiftem Kleid. 1955 *ff.*

Zebra-Röhren *pl* mehrfarbig längsgestreifte, enge Damenhosen. 1959 *ff.*

Zebraspringer *m* Fußgänger, der die Fahrbahn eilig (ängstlich hastend) auf dem „⁊Zebrastreifen" überquert. 1955 *ff.*

Zebra-Stock *m* schwarz-gelb quergestreifter Spazierstock für alte Leute. 1967 *ff.*

Zebrastreifen *m* mit schwarz-weißen Streifen auf der Fahrbahn markierter Fußgängerüberweg. 1955 *ff.*

Zebrastrick *m* gestreifte Krawatte. ⁊Kulturstrick. *Halbw* 1955 *ff.*

Zebra-Uniform *f* Häftlingskleidung. ⁊Zebra 2. 1920 *ff.*

Zechbruder *m* 1. Zechgenosse. Seit dem 18. Jh.
2. Trinker. Seit dem 18. Jh.

Zechbummel *m* Aufsuchen mehrerer Wirtshäuser. 1920 *ff.*

Zeche *f* 1. die ~ bezahlen = für die unliebsamen Folgen einer gemeinschaftlichen Tat allein einstehen (müssen). Zeche = Gesamtbetrag des Verzehrs. 1500 *ff.*
2. eine ~ treiben = die männlichen Gäste eines Vergnügungslokals zu hoher Zeche verleiten. 1925 *ff.*
3. die ~ zahlen = für das Verschulden anderer haftbar gemacht werden. 1500 *ff.*

Zechenbaron *m* Bergbauindustrieller. „Baron" spielt auf den Umstand an, daß vor 1918 viele von ihnen in den Freiherrenstand erhoben wurden. Die Bezeichnung hat die Jahrzehnte bis heute überdauert, wird allerdings häufig in unternehmerfeindlichem Sinn gebraucht.

Ze'chinen *pl* 1. Geld. Die Bezeichnung geht zurück auf die 1280 unter dem Namen „zecchino" eingeführte venezianische Goldmünze. Seit dem 19. Jh.
2. zum Vertrinken bestimmtes Geld. Scherzhaft beeinflußt von „zechen". 1910 *ff.*

Zechkompanie *f* Zechergesellschaft; Stammtischbrüder. 1920 *ff.*

Zechkumpan *m* Zechgenosse. ⁊Kumpan. 1900 *ff.*

Zechkumpanei *f* Zecherrunde. 1900 *ff.*

Zechkumpel *m* Zechgenosse. ⁊Kumpel. 1950 *ff.*

Zechpreller *m* 1. Mann, der die Prostituierte um das Entgelt zu prellen versucht. 1920 *ff, prost.*
2. Entgeltspreller gegenüber dem Abortwärter. Berlin 1900 *ff.*

Zechprellerei *f* Entgeltsprellerei bezüglich der Prostituierten. 1920 *ff,* Berlin.

Zechtour *f* Ausflug mit reichlichem Alkoholgenuß; Einkehr in verschiedene Gastwirtschaften. 1920 *ff.*

Zeck *m* 1. Laufspiel, Streich, übermütiges Benehmen; Haschen. Gehört zu „zecken = einen leichten Schlag geben; den Erhaschten abschlagen", vielleicht beeinflußt von „Zicken = Kapriolen". Seit dem 18. Jh, vorwiegend Berlin.
2. ~ abreißen = ein steifes Zeremoniell entwickeln. Dem Außenstehenden erscheint es wie ein Spiel nach strengen Regeln. 1950 *ff.*
3. ~ spielen = Haschen spielen. 1700 *ff.*

Zecke *f* 1. aufdringlicher Mann. Übertragen vom zähen Festhalten der saugenden Hundszecke. Seit dem 19. Jh.
2. intime Freundin, die sich nicht abschütteln läßt. Seit dem 19. Jh.
3. zänkische, mit Worten verletzende Frau. Seit dem 19. Jh.
4. *pl* = die jüngeren Geschwister. Die älteren empfinden sie als lästig. 1930 *ff.*
5. an jm hängen wie die ~ = sich an jn anklammern. Seit dem 19. Jh.
6. kleben wie die ~n = fest zusammenhalten. 1500 *ff.*
7. saufen wie eine ~ = wacker zechen. Das Blutsaugen der Zecken erstreckt sich über mehrere Tage und endet erst, wenn ihr Körper ein Vielfaches seiner ursprünglichen Größe erreicht hat. Seit dem 19. Jh.
8. so fest sitzen wie eine ~ im Jungfernfleisch = nicht wanken und nicht weichen; seinen Besuch übergebührlich in die Länge ziehen. 1960 *ff.*
9. zusammenhalten wie die ~n = fest zusammenhalten; treu zueinander stehen. Seit dem 19. Jh.

zecken *tr* jn zänkisch necken; mit jm seinen Spaß treiben. ⁊Zeck 1. Seit dem 19. Jh.

Ze'fix *interj* Ausruf des Unwillens. Verkürzt aus „Kruzifix". *Bayr* 1900 *ff.*

Zeh (Zehe) *m (f)* 1. garnierte ~en = lackierte Zehennägel. 1955 *ff.*
2. dem Herrgott die ~en abschlecken (abbeten) = übertrieben fromm sein. Hergenommen von der

in der katholischen Kirche weitverbreiteten Sitte, einer Christusfigur (zu Ostern) die Füße zu küssen. 1900 *ff.*

3. sich in den dicken ~ beißen (beißen mögen) = vor Ärger, Wut, Enttäuschung, Ratlosigkeit o. ä. etwas Unsinniges tun wollen. 1900 *ff.*

4. da schlafen einem die ~en paarweise ein = es ist überaus langweilig. Fußt auf der Metapher von den „eingeschlafenen Füßen". *Sold* 1935 *ff.*

5. über den großen ~ laatschen = mit einwärtsgerichteten Füßen gehen. ↗laatschen. 1870 *ff, jug.*

6. jm auf den ~en rumtrampeln = jds Ehre zu nahe treten. ↗Zeh 10. 1920 *ff.*

7. es im kleinen ~ spüren = es zutreffend ahnen. Hergenommen vom Auftreten rheumatischer Schmerzen im Zeh bei Witterungswechsel o. ä. 1900 *ff.*

8. jm auf den ~en stehen = einen Fußballspieler scharf bewachen. *Sportl* 1955 *ff.*

9. jm auf die ~en steigen = a) jn verletzen, beleidigen. ↗Zeh 10. Seit dem 19. Jh. – b) jm Einhalt gebieten. 1920 *ff,* bayr und *österr.*

10. jm auf die ~en treten = a) jn kränken. Handgreifliche Veranschaulichung von „jm zu nahe treten". 1850 *ff. Vgl engl* „to step on one's toes". – b) jm einen unmißverständlichen Wink geben. 1850 *ff.* – c) gegen jn rücksichtslos vorgehen; jn gefügig machen. 1900 *ff.* – d) jn antreiben. 1930 *ff.*

11. tritt dir nicht auf den ~! = hüte dich vor einer Dummheit! bring' dich nicht selbst in Ungelegenheiten! 1900 *ff.*

12. sich die ~en verbiegen = a) in eine gefährliche Lage geraten. 1917 *ff.* – b) einen körperlichen Schaden davontragen. 1917 *ff.*

13. sich die ~en verrenken = sich durch geheuchelten Diensteifer hervortun; ein widerwärtiger Streber sein; entwürdigend liebedienern. *Sold* 1910–1945.

Zehengänger *m* **1.** Heimlichtuer. 1870 *ff.*

2. Ehemann, der bei nächtlicher Heimkehr äußerst leise auftritt. 1870 *ff.*

Zehenkäse *m* verhärteter Fußschweiß. ↗Käse 2. 1900 *ff.*

Zehenmechanik *f* Ballett; akrobatischer Tanz. 1870 *ff.*

Zehenquäler *pl* vorn spitz zulaufende Schuhe. 1920 *ff.*

Zehenspitzen *pl* sich auf die prüden ~ stellen = in harmloser Sache Anstößiges entdecken wollen. 1940 *ff.*

Zehenzauberer *m* hervorragender Fußballspieler. *Sportl* 1955 *ff.*

Zehner *m* bei ihm ist der ~ gefallen = er hat endlich begriffen. Parallel zu „bei ihm ist der ↗Groschen gefallen". 1920 *ff.*

Zehnerstutzen *pl* zehn Mark. Herleitung unbekannt. *Bayr* 1900 (?) *ff.*

Zehnfingersystem *n* die Hände (verwendbar zum Schlagen oder Kratzen). Hergenommen vom

Schreiben auf der Schreibmaschine mit allen Fingern. 1960 *ff.*

Zehnmarkschein *m* wenn du ihn (sie) auf einen ~setzt, gucken an der Seite 9 Mark 50 raus: Redewendung auf eine sehr schmächtige (magere, hagere) Person. 1955 *ff.*

Zehnminutenbrenner *m* langer, inniger Kuß. ↗Fünfminutenbrenner 1. Berlin 1900 *ff.*

Zehnprozent *m* **1.** Herr ~ = Kellner, Oberkellner. Wegen des zehnprozentigen Bedienungsgelds. 1965 *ff.*

2. Mister ~ = Fußballmakler, der von der Ablösesumme des Vereins 10 Prozent Einnahmen hat. 1965 *ff.*

Zehntausend *pl* die oberen ~ = a) das Lehrerkollegium. Fußt auf dem *dt* Titel des 1956 gedrehten Spielfilms „High Society". *Schül* 1959 *ff.* – b) die Schüler der Oberstufe; die Gymnasiasten. Man hält sie für die führende Gesellschaftsschicht. 1960 *ff.*

Zehntonner *m* mit ~ = sehr gern. Das Ausmaß der Freude wird hier durch das Fassungsvermögen eines Lastkraftwagens wiedergegeben. *Jug* 1955 *ff.*

Zehntonner-Lastwagen *m* mit ~ = mit dem allergrößten Vergnügen! *Vgl* das Vorhergehende. 1955 *ff, jug.*

Zehnührchen *n* Imbiß um 10 Uhr vormittags. 1900 *ff. Vgl engl* „elevens".

Zeichen *n* **1.** seines ~s = von Beruf (er ist seines Zeichens Maler; seines Zeichens ist er Rechtsanwalt). Übernommen von den Handwerks- und Zunftzeichen. Etwa seit dem frühen 19. Jh.

2. es geschehen noch ~ und Wunder = es ereignen sich unerwartete (ungeahnte) Dinge (zum Beispiel wenn man nach langer Zeit zufällig einen alten Bekannten wiedersieht). Stammt aus der Bibelsprache, ist aber erst durch Schillers „Wallensteins Lager" volkstümlich geworden. Seit dem 19. Jh.

3. ~ setzen = Grundsätze aufstellen. Hergenommen vielleicht von den Feldzeichen, die früher den Truppen vorangetragen wurden, oder – moderner – von den Verkehrszeichen, die für alle Verkehrsteilnehmer bindend sind. Politikerspr. und *journ* 1960 *ff.*

4. ein ~ setzen = die Leute aufrütteln. Beruht wohl auf der Vorstellung des biblischen Menetekels. 1960 *ff.*

Zeichenknecht *m* technischer Zeichner. 1960 *ff.*

Zeichenpepi *m* Kunsterzieher. Pepi ist Koseform des Vornamens Josef. *Österr* 1960 *ff.*

Zeichenschorsch *m* Kunsterzieher. Schorsch = Georg. *Rhein* 1970 *ff.*

Zeichner *m* gebückter ~ = Pflastermaler. 1960 *ff.*

Zeigefinger *m* **1.** Stangenkäse. Entstellung aus ↗Polizeifinger. 1920 *ff.*

2. ~ des lieben Gottes = Turmstumpf der Kaiser-Wilhelm-Gedächtniskirche in Berlin. 1950 *ff.*

Zeigefingergedanken *pl* aufdringliche, lebensfeindliche Moralität. Der Zeigefinger als Sinnbild sittlicher Entrüstung. 1955 *ff.*

zeigen *v* **1.** es jm zeigen = jn seine Überlegenheit spüren lassen. Verkürzt aus „zeigen, wer Herr im Haus ist" oder aus „zeigen, wozu man fähig ist". Seit dem 17. Jh. **2.** ich zeig' dir's gleich!: Drohrede, Warnrede. 1920 *ff.*

Zeiger *m* **1.** das haut auf den ~ = das ist eine beachtliche Leistung; das fördert die Sache. Hergenommen von einer Kraftprobe („haut den Lukas!"), bei der man auf einen Bolzen so kräftig schlägt, daß der Wertungszeiger ausschlägt. *Sold* 1935 *ff; jug* 1950 *ff.* **2.** da bleibt einem glatt der ~ stehen!: Ausdruck der Verwunderung. Übertragen vom Zeiger der Weckeruhr in Verbindung mit „↗Wecker 4". 1950 *ff.* **3.** den ~ weiterdrehen = die Schuld (Verantwortung) einem anderen zuschieben. Man verstellt die Uhr, um sich eine bequeme Ausrede zu verschaffen. 1930 *ff.*

Zeigestäbe *pl* Finger. 1920 *ff.*

Zeile *f* ~n schinden = einen Text längen, um mehr Zeilenhonorar zu erhalten. ↗schinden 1. 1870 *ff, journ.*

Zeilenfresser *m* eifriger Leser, der der Qualität seines Lesestoffs die Quantität vorzieht. Fressen = gierig verschlingen. 1930 *ff, jug.*

Zeilengeldschmierer *m* Verfasser sehr ausführlicher Zeitungsaufsätze *(abf)*. ↗Schmierer 3. 1925 *ff, journ.*

Zeilenhonorar *n* ~ schinden = inhaltsleer, aber weitschweifig schreiben. Das Honorar bemißt sich nach der Zahl der Druckzeilen. ↗schinden 1. *Journ* 1900 *ff.*

Zeilenschinder *m* Verfasser von gedehnten Zeitungsaufsätzen. ↗Zeile. 1870 *ff, journ.*

Zeilenschinderei *f* Abfassung viel zu ausführlicher Zeitungsbeiträge. ↗Zeile. 1870 *ff.*

Zeilenschmierer *m* Verfasser, der möglichst viele Zeilen schreibt. Je länger der Text, desto höher das Honorar. ↗Schmierer 3. Spätestens seit 1900.

Zeilenschreiber *m* Tagesschriftsteller, der über Belanglosigkeiten ausführlich schreibt. 1870 *ff, journ.*

Zeilenspringer *m* flüchtiger Leser. 1920 *ff.*

Zeiserlwagen *m* Gefangenentransportwagen; Polizeiauto. „Zeiserl" ist der Zeisig oder der Stieglitz (Distelfink). Die Fahrzeuge sind „zeiserlgelb" lakkiert. *Bayr* und *österr,* 1920 *ff.*

Zeisig *m* **1.** leichtfertiges Mädchen; Straßenprostituierte. Übertragen von der Geltung des Zeisigs als Strich- oder Standvogel. Seit dem 19. Jh. **2.** lockerer ~ = leichtsinniger, ausschweifend lebender Mensch. Seit dem 18. Jh. **3.** lustiger ~ = lustiger Mensch; Mensch, der sich seines Lebens freut. Seit dem 18. Jh.

Zeit *f* **1.** Geld. Um anzudeuten, daß „Zeit" hier anders aufzufassen ist, macht man mit Daumen und Zeigefinger die Bewegung des Geldzählens. Versteht sich nach dem Sprichwort „Zeit ist Geld". 1920 *ff, schül, stud* und *sold.* **1 a.** ~ der kleinen Brötchen = Zeitläufte, in denen Bescheidenheit, Anspruchseinschränkung o. ä. angebracht sind. ↗Brötchen 27. 1973 *ff.* **2.** ~ der langen Nasen und der kleinen Pipimänner = die ersten feuchtkalten Wintertage. Niederhängende Tropfen „verlängern" die Nase; Pipimann = Penis. 1950 *ff, stud.* **3.** braune ~ = NS-Zeit. ↗braun 1. Kurz nach 1945 aufgekommen. **4.** alle heiligen ~en = sehr selten. Meint im kirchlichen Sinne alle Tage, an denen das übliche Tätigsein verboten und Ruhe, Fasten und Feiergesinnung geboten sind. *Bayr* und *österr,* 1900 *ff.* **5.** alle heiligen ~en einmal = überaus selten. 1900 *ff.* **6.** krumme ~ = Uhrzeit mit einer nicht durch 5 oder 10 teilbaren Minutenzahl. Vom kaufmännischen Begriff der „krummen Preise" übernommen. 1950 *ff.* **7.** du liebe ~!: Ausruf des Erstaunens, des Entsetzens, der Entrüstung o. ä. Da „liebe" stark betont ist, scheint „Zeit" Ersatz für eine geheiligte Person oder Sache zu sein, die man in der Not anruft. Seit dem 18. Jh. **8.** du 'meine ~!: Ausruf der Verwunderung. Seit dem 18. Jh. **9.** tolle ~ = Bestzeit in sportlichen Wettkämpfen. ↗toll 1. *Sportl* 1930 *ff.* **10.** tote ~ = Zeit zwischen Mitternacht und 5 Uhr. Wegen des geringen Straßenverkehrs. Polizeispr. 1950 *ff.* **11.** als die ~ groß wurde = a) als im Weltkrieg der Sieg nahegerückt schien. Fußt auf den schwülstigen Reden der Staatsmänner. 1915 *ff.* – b) als Hitler Deutschland hoffnungsvollen Zeiten entgegenzuführen versprach. 1933 *ff.* **12.** eine ~ abrackern = eine Zeit mühselig, mehr schlecht als recht verbringen. ↗abrackern. 1920 *ff.* **13.** aussehen wie die teure ~ = blaß und abgemagert aussehen. Teure Zeit = Zeit der Teuerung; Notzeit. 1700 *ff.* **14.** mal sehen, ob ich ~ habe: Redewendung, bei der man den Geldbeutel öffnet und nachsieht, wieviel Geld man bei sich hat. ↗Zeit 1. 1920 *ff.* **15.** keine ~ haben = ohne Geld sein. ↗Zeit 1. 1920 *ff, schül, stud* und *sold.* **16.** viel ~ haben = gut mit Geld versehen, reich sein. ↗Zeit 1. 1920 *ff.* **17.** neben der ~ leben können = sich in aller Ungestörtheit erholen. „Neben der Zeit" meint soviel wie „ohne an eine Frist gebunden zu sein" oder „ohne sich um die Neuigkeiten des Tages zu kümmern". 1960 *ff.*

Auch die Gegenwart hat noch ihre Mystizismen. Dazu gehört auch der beliebte und oft gebrauchte Satz, wonach Zeit Geld sei oder, wie die oben abgebildete Werbung verspricht, solches bringe. Schließlich ist Geld nichts anderes als ein allgemeines Äquivalent für den Wert ansonsten nur sehr schwer austauschbarer Waren; und die Absurdität der oben wiedergegebenen Sentenzen springt um so deutlicher ins Auge, wenn an die Stelle des Geldes ein anderes Äquivalent tritt, etwa Käse. Es hieße dann: Zeit ist Käse oder Zeit bringt Käse. Auch wenn dies jetzt sehr verquer klingt, so werden hier die Dinge doch immerhin noch als das beschrieben, was sie sind, verquer nämlich. So ist es, um ein anderes Beispiel heranzuziehen, natürlich unmöglich, jemandem die Zeit zu stehlen, wenngleich offensichtlich jedem klar ist, was darunter zu verstehen ist (vgl. **Zeit 21.***).*

18. die ~ ruinieren = Zeit vergeuden; sich mit Unwichtigem zu lange aufhalten. 1920 *ff.*
19. ~ schinden = mit Lug und Trug Zeit zu gewinnen suchen. ↗schinden. 1920 *ff.*

20. sich die ~ um die Ohren schlagen. ↗Ohr 73.
21. jm die ~ stehlen = jm mit belanglosen Dingen lästig fallen; jn mit seinem Besuch belästigen. 1500 *ff.*
22. ich habe meine ~ nicht gestohlen = ich habe keine Zeit, mich mit unnützen Dingen abzugeben. Seit dem 19. Jh.
23. mit etw die ~ totschlagen (totmachen) = die Zeit ohne ernste Beschäftigung verbringen. 1840 *ff. Vgl franz* „tuer le temps", *engl* „to kill time", *span* „matar el tiempo", *ital* „ingannare il tempo".
24. an der ~ vorbeitanzen = sich amüsieren und die Tagesereignisse nicht zur Kenntnis nehmen. 1960 *ff.*
Zeitbombe *f* **1.** Enthüllung, die nach einiger Zeit weite Kreise zieht und sich zu einem umfangreichen Skandal entwickelt. 1930 *ff.*
2. eine ~ legen = eine Kränkung (Hintanstellung o. ä.) nicht vergessen und auf eine Gelegenheit zur Vergeltung warten. 1950 *ff.*
3. eine ~ tickt = eine gefährliche Entwicklung mit schlimmen Folgen deutet sich an. 1960 *ff.*
Zeitbremser *m* Soldat auf Zeit. ↗bremsen = schlafen. Anspielung auf wenig Arbeit. *BSD* 1965 *ff.*
Zeit-Ei *n* Uhr. Wohl eine späte Erinnerung an die Eiform früherer Taschenuhren („Nürnberger Ei", 16. Jh). 1955 *ff*, lehrerspr., *sächs.*
Zeiteisen *n* Uhr. Sold 1939 *ff; schül* 1950 *ff*, *oberd.*
Zeitgefängnis *n* Schule. Die Schüler fühlen sich in einem „Gefängnis auf Zeit", weil sie einen Teil der Tageszeit in der Schule verbringen. *Österr* 1950 *ff.*
Zeitklau *m* Mensch, der andere unnötig aufhält. ↗Zeit 21. Ein später Nachfolger des „Kohlenklau". 1955 *ff.*
Zeitklauer *m* Hausaufgaben. Sie „stehlen" dem Schüler die freie Zeit. 1955 *ff.*
Zeitknolle *f* Taschenuhr. Anspielung auf die Rundlichkeit und Dicklichkeit der früheren Taschenuhren. Parallel zu ↗Zwiebel. 1920 *ff.*
Zeitlang *n* nach etw ~ haben = sich nach etw sehnen. Es wird einem die „Zeit lang" vor Ungeduld. *Bayr* 1920 *ff.*
Zeitlupen-Fußball *m* schwungloses Fußballspiel. *Sportl* 1955 *ff.*
Zeitlupengrusel *m* breit ausgeführte szenische Darstellung einer Schauerbegebenheit. 1953 *ff.*
Zeitlupenschwitzer *m* phlegmatischer, träger Mensch. 1940 *ff.*
Zeitlupentempo *n* im ~ = langsam. 1930 *ff.*
Zeitmaschine *f* Uhr. Vielleicht angeregt durch den Titel eines sozialutopischen Romans des Engländers H. G. Wells (1895); *dt* (1904). 1930 *ff.*
Zeitmine *f* die ~ geht hoch = eine üble Entwicklung wird plötzlich ausgelöst. 1950 *ff.*
Zeitpolster *n* geraume Zeit für die Ausführung eines Plans. ↗Polster. 1970 *ff.*

Zeit-Qualle *f* Soldat mit längerer Dienstzeit-Verpflichtung. ↗Qualle. *BSD* 1965 *ff*.

Zeitrübe *f* Uhr, Weckeruhr. ↗Zeitknolle. 1920 *ff*.

Zeit-Sau *f* freiwillig längerdienender Soldat. Vergröberung von ↗Zeit-Schwein. *BSD* 1965 *ff*.

Zeitschnitzer *m* Anachronismus. ↗Schnitzer. 1930 *ff*.

Zeit-Schwein *n* Zeitsoldat. Hergeleitet vom ↗Frontschwein. *BSD* 1965 *ff*.

Zeitung *f* 1. Abortpapier. Als solches dient oft Zeitungspapier, vor allem in Massenunterkünften. Außerdem wird von mancher Zeitung behauptet, ihr Hauptzweck erfülle sich in der Verwendung als Abortpapier. *BSD* 1960 *ff*.
2. lebendige ~ = schwatzhafter Mensch. Seit dem 19. Jh.
3. die ~ abbestellen = sterben; den Soldatentod erleiden. Tarnausdruck. 1930 *ff*.
4. ~ lesen = den Sitzabort benutzen. ↗Zeitung 1. *BSD* 1960 *ff*.
5. eine ~ verhaften = eine Zeitungsausgabe beschlagnahmen. 1950 *ff*.

Zeitungsanna *f* Zeitungsausträgerin. 1935 *ff*.

Zeitungsblattlaus *f* 1. Hetzjournalist. ↗Blattlaus. 1920 *ff*.
2. Aufsatz in einer Skandalzeitung. 1920 *ff*.

Zeitungs-Cäsar *m* Leiter eines Großunternehmens der Presse. 1920 *ff*.

Zeitungsente *f* 1. Falschmeldung in der Presse. ↗Ente 1.
2. eine ~ abschießen = eine falsche Pressemeldung widerrufen. 1920 *ff*.

Zeitungsfritze *m* Journalist. ↗Fritze. 1900 *ff*.

Zeitungsfrömmigkeit *f* Glaube an die Wahrheit der Zeitungsmeldungen. 1900 *ff*.

Zeitungshase *m* erfahrener Schriftleiter. ↗Hase 7. 1920 *ff*.

Zeitungsheini *m* 1. Zeitungsschriftsteller; Mitarbeiter einer Zeitung. ↗Heini. 1930 *ff*.
2. Zeitungsverkäufer; Inhaber eines Zeitungsstands. 1930 *ff*.

Zeitungshengst *m* Journalist. ↗Hengst. 1940 *ff*.

Zeitungsjule *f* Zeitungsausträgerin. ↗Jule. Berlin 1870 *ff*.

Zeitungsklau *m* Mann, der Zeitungsexemplare stiehlt, die aus dem Briefkasten hervorragen oder auf die Haustreppe gelegt wurden. 1965 *ff*.

Zeitungsmann *m* Zeitungsreporter o. ä. 1950 *ff*.

Zeitungsmarder *m* Mann, der Zeitungen aus Briefkästen stiehlt. ↗Marder. 1950 *ff*.

Zeitungsmensch *m* Journalist. 1870 *ff*.

Zeitungsmogul *m* Leiter eines Pressekonzerns. ↗Mogul. 1955 *ff*.

Zeitungsonkel *m* Journalist. ↗Onkel 1. 1870 *ff*.

Zeitungspapier *n* platt wie ~ = sehr erstaunt, verblüfft. Scherzhafte Veranschaulichung von „↗platt 7". 1950 *ff*.

Zeitungspferd *n* Journalist. Wohl weil er viel unterwegs ist. 1965 *ff*.

Zeitungsplantage *f* Anzeigenteil der Zeitung. 1920 *ff*.

Zeitungsschlucker *m* Leiter eines Zeitungskonzerns. Er „schluckt" (= eignet sich an) die kleineren Zeitungen. 1960 *ff*.

Zeitungsschmierer *m* Journalist, Zeitungsreporter. ↗Schmierer 3. 1870 *ff*.

Zeitungsschnitte *f* sehr dünne Brotschnitte. Durch sie hindurch kann man die Zeitung lesen. 1920 *ff*, *ostd*, *mitteld*, Berlin u. a.

Zeitungs-Strichmädchen *n* Prostituierte auf Kundenfang durch Zeitungsanzeigen. ↗Strichmädchen. 1965 *ff*.

Zeitungstiger *m* 1. neugieriger Mitleser in der Zeitung des Sitznachbarn (in öffentlichen Verkehrsmitteln); Mensch, der sich vom Mitfahrenden die Zeitung leiht. Er hat den Raubtierinstinkt des Tigers. 1920 *ff*.
2. Mensch, der im Lokal viele Zeitungen mit Beschlag belegt. 1920 *ff*.
3. Zeitungsreporter. Er ist nachrichtengierig; wohl auch beeinflußt von „↗tigern". 1920 *ff*.

Zeitungswald *m* Gesamtheit der Presse. Parallel zu ↗Blätterwald. 1960 *ff*.

Zeitungszar *m* Leiter eines Pressekonzerns. ↗Zeitungs-Cäsar. 1955 *ff*.

Zeitverdrückung *f* in ~ geraten = mit der verfügbaren Zeit nicht auskommen. ↗Verdrückung 1. 1950 *ff*.

Zeitverschwendung *f* 1. Strafstunde des Schülers. 1900 *ff*.
2. Anfertigung der Hausaufgaben. 1900 *ff*.

Zeitverschwendungsraum *m* Schule. 1900 *ff*.

Zeitvertreib *m* 1. Flirt, Geschlechtsverkehr. 1920 *ff*.
2. Strafstunde; häusliche Schularbeiten. Ironie. *Schül* 1960 *ff*.

Zeitvertreiber *m* Gelegenheitsfreund als Ersatz für den abwesenden intimen Freund. *Halbw* 1960 *ff*.

Zeitvertreiberin *f* professionelle ~ = Prostituierte. ↗Zeitvertreib 1. 1960 *ff*.

Zeitzünder *m* 1. begriffsstutziger Mensch. Der Zeitzünder löst die Explosion erst mit zeitlicher Verzögerung aus. 1920 *ff*, *sold* und *jug*.
2. Witz, dessen Sinn erst nach einer Weile verstanden wird. 1920 *ff*, *sold* und *jug*.
3. mit ~ = mit Verspätung; mit langsamer Wirkung. 1950 *ff*.
4. einen ~ haben = Temperament erst spät entwickeln. 1925 *ff*.

Zeitzündung *f* mit ~ = langsam wirkend; eine lange Anlaufzeit benötigend. 1950 *ff*.

zelebrieren *tr* 1. etw feierlich, vorschriftsmäßig ausführen, vorführen, darstellen. Bezieht sich eigentlich auf die weihevolle Handlung, etwa beim Gottesdienst o. ä. 1930 *ff*.
2. Geschäftigkeit, Diensteifer vorgaukeln. *BSD* 1965 *ff*.

Zelle *f* Klassenzimmer in der Schule. Es wird als eine Zelle im „Gefängnis" der Schule empfunden. 1950 *ff.*

Zellenkind *n* in der Haftanstalt geborenes Kind. 1960 *ff.*

Zellenkoller *m* Zornesausbruch eines Häftlings. ↗ Koller. 1920 *ff.*

Zellenkumpel *m* Mithäftling. ↗ Kumpel. 1950 *ff.*

Zellenpraktikum *n* Klausurarbeit. 1960 *ff, stud.*

Zellophansarg *m* Zellophanhülle für den Blumenstrauß. 1983 *ff.*

Zelluloid *n* **1.** Tischtennisball. *Sportl* 1960 *ff.*
2. jn (etw) auf (auf das) ~ bannen = eine Person oder einen Gegenstand filmen, fotografieren. 1920 *ff.*

Zelluloid-Akrobat *m* guter Tischtennisspieler. 1960 *ff.*

Zelluloidberuf *m* Filmberuf. 1925 *ff.*

Zelluloidbranche (Grundwort *franz* ausgesprochen) *f* Filmwesen. 1930 *ff.*

Zelluloidfabrik *f* Filmatelier. 1950 *ff.*

Zelluloidgeschehen *n* Filmhandlung. 1950 *ff.*

Zelluloidkarriere *f* erfolgreiche Laufbahn beim Film. 1955 *ff.*

Zelluloid-Klassiker *m* bedeutender, wertvoller, beispielhafter Film. 1960 *ff.*

Zelluloid-König *m* Filmproduzent. 1920 *ff.*

Zelluloid-Konserve *f* Film. ↗ Konserve. 1955 *ff.*

Zelluloidkopf *m* Kahlkopf. Er sieht aus wie eine Zelluloidkugel. 1920 *ff.*

Zelluloid-Mime *m* Filmschauspieler. 1960 *ff.*

Zelluloid-Musen *pl* Filmschauspielerinnen. 1960 *ff.*

Zelluloid-Paradies *n* Filmstadt Hollywood. 1960 *ff.*

Zelluloid-Potentat *m* Filmproduzent. 1930 *ff.*

Zelluloid-Prinzessin *f* junge Filmschauspielerin. 1955 *ff.*

Zelluloid-Prominenz *f* die führenden Filmhersteller und/oder -schauspieler(innen). 1955 *ff.*

Zelluloid-Schlager *m* Erfolgsfilm. 1960 *ff.*

Zelluloid-Schurke *m* Filmschauspieler in der Rolle des Bösewichts. 1930 *ff.*

Zelluloidspektakel (-streifen) *n (m)* Film. ↗ Streifen 2. 1920 *ff.*

Zelluloid-Tragödie *f* ergreifende Filmhandlung *(iron).* 1920 *ff.*

Zelluloid-Traum *m* Idealvorstellung nach Art bestimmter Filme. 1930 *ff.*

Zelluloid-Ware *f* Film. 1930 *ff.*

Zelluloid-Wettkampf *m* Filmfestspiele. 1961 *ff.*

Zelluloid-Wildfang *m* Filmschauspieler in der Rolle des Draufgängers. ↗ Wildfang. 1954 *ff.*

Zelt *n* **1.** ~ in der Hose = erigierter Penis. 1930 *ff.*
2. die ~e abbrechen = aufbrechen, abreisen, umziehen; zu einer anderen Gruppe wechseln. Aus dem Nomadenleben verallgemeinert. 1870 *ff.*
3. seine ~e aufschlagen = sich niederlassen. 1870 *ff.*

4. ein ~ bauen = sich geschlechtlich erregen (vom Mann gesagt). ↗ Zelt 1. 1930 *ff.*
5. hier laßt uns ~e bauen! = lassen wir uns hier nieder! Parallele zu „↗ Hütten bauen". 1870 *ff.*

Zelten (Zeltn) *m* langweiliger Bursche. Gehört wohl zu „Lebzelten = Lebkuchen". „Lebzelter" ist der Lebküchner, auch der Metsieder und der Wachsverarbeiter. Von hier ergibt sich die Parallele zu „↗ Seifensieder 1". *Bayr* 1920/30 *ff.*

Zeltfrau *f* Partnerin eines Zeltenden. 1955 *ff.*

Zeltlermaid *f* Mädchen im Campingzelt. ↗ Maid. 1960 *ff.*

Zeltstuhl *m* Abort auf dem Campingplatz; Abortbenutzung auf dem Campingplatz. 1959 *ff.*

Zement *m* **1.** Geld, Sold. Meint vor allem das Hartgeld und ist analog zu „↗ Kies", „↗ Schamott", „↗ Schotter", „↗ Stein" u. a. *Sold* in beiden Weltkriegen.
2. ~ fahren = Bombenübungsflüge veranstalten. Die Übungsbomben sind aus Zement gegossen. *Fliegerspr.* 1935 *ff.*
3. bei mir ~, da kannst du lange kratzen!: Ausdruck der Ablehnung. 1920 *ff.*

Zementbaß *m* schwere, kraftvolle Baßstimme (öfter auf die weibliche Alt-Stimme bezogen). „Zement" spielt auf die „Härte" der Stimme an. *Theaterspr.* 1920 *ff.*

Zementbinder *m* vorgeformter Querbinder. Er ist unverformbar und sitzt fest „wie Zement". 1930 *ff.*

Zementblock *m* Kunsthonig in Würfelform. *Sold und ziv* 1918 *ff.*

Zementbrot *n* Kommißbrot. Meint allgemein das festgebackene (harte) Brot. 1930 *ff.*

Zementbuletten *pl* Bratlinge. ↗ Bulette 1. *Sold* 1939 *ff.*

Zementburg *f* Betonhochhaus. 1965 *ff.*

Zementfliege *f* vorgeformter Querbinder. ↗ Zementbinder; ↗ Fliege 3. 1920 *ff.*

Zementfürst *m* Baumeister, Architekt; Baustoffhändler; Bauunternehmer. 1910 *ff,* Berlin.

zementieren *tr* **1.** etw unverbrüchlich festsetzen, festigen. *Journ* und politikerspr. Wahrscheinlich dem *Engl* nachgebildet (to cement relations). 1950 *ff.*
2. Mittel gegen Durchfall (Ruhr) anwenden. *Marinespr* 1950 *ff.*

Zementierung *f* unwiderruflich-bindende Festsetzung. 1950 *ff.*

Zementinjektion *f* jm eine ~ machen = jds Entschlußkraft (Widerstandswillen) stärken. 1942 aufgekommen im Zusammenhang mit der Sportpalastrede von Dr. Joseph Goebbels („wollt ihr den totalen Krieg?").

Zementkäse *m* **1.** Hartkäse. *Sold* 1939 *ff.*
2. Quark. *Sold* 1935 *ff.*

Zementkragen *m* steifer Kragen. 1920 *ff.*

Zementkragenträger *m* katholischer Geistlicher. 1920 bis heute.

Zementkrawatte *f* vorgeformter Einhängeschlips. ↗Zementbinder. Spätestens seit 1900.

Zementkuli *m* Bauhilfsarbeiter. ↗Kuli. 1960 *ff*.

Zementmarine *f* Küstenschutz. Anspielung auf die Bunkerstellungen. *BSD* 1968 *ff*.

Zementmixer *m* Maurer. 1950 *ff*.

Zementorden *m* Schutzwall-Ehrenzeichen. 1939 *ff*.

Zement-Pappagallo *m* italienischer Bauarbeiter in der Bundesrepublik Deutschland. ↗Pappagallo. 1960 *ff*.

Zementplatte *f* Scheibe Hartwurst. *BSD* 1965 *ff*.

Zementschlips *m* vorgeformter Einhängeschlips. ↗Zementbinder. Spätestens seit 1900.

Zementschnupfen *m* Arterienverkalkung. Berlin seit dem frühen 20. Jh.

Zementspecht *m* Verputzer am Bau. 1950 *ff*.

Zementspritze *f* Rede, mit der man den Widerstandswillen der Zuhörer stärken will. ↗Zementinjektion. 1942 *ff*.

Zementwurst *f* (harte, grobe) Leberwurst. Der Ausdruck spielt auf die graue Farbe an. *Marinespr* und *sold* seit dem frühen 20. Jh. bis heute.

Ze'nobel *n (f)* vorgetäuschte Geldsumme, mit der man Kredit zu erhalten sucht. Herleitung unbekannt *(slaw?)*. *Rotw* 1950 *ff*.

Zensurbremse *f* die ~ ziehen = gegen „Schmutz und Schund" einschreiten. Der „Notbremse" in den Eisenbahnwagen nachgebildet. 1970 *ff*.

Zensurenschrauberei *f* Erteilung von Leistungsnoten nach sehr strengen Grundsätzen. Hergenommen vom Bild der Schraube, die man fest anzieht. 1965 *ff*.

Zentralfriedhof *m* Stadt ohne künstlerische Betriebsamkeit. 1880 *ff*.

Zentralheizung *f* **1.** Magen. 1910 *ff*.
2. die ~ anfeuern = zechen. 1910 *ff*.
3. jn mit etw nicht hinter der ~ hervorlocken = mit etw keinen Anreiz auf jn ausüben. Bezieht sich eigentlich auf den Hund; *vgl* ↗Hund 134. 1960 *ff*.

Zentralirre *f* großer Irrtum. ↗Irre. 1970 *ff*.

Zentralmolkerei *f* Bundesfinanzministerium. ↗melken 1. 1958 *ff*.

Zentralschaffe *f* **1.** außerordentlich eindrucksvoller Vorfall; unübertreffliches Können. ↗Schaffe 2. *Halbw* 1955 *ff*.
2. sehr sympathisches Mädchen. *Halbw* 1955 *ff*.
3. steile ~ = sehr eindrucksvolles, nettes, zugängliches Mädchen. ↗steil 1. *Halbw* 1955 *ff*.

Zenzi-Look (Grundwort *engl* ausgesprochen) *m* Dirndl-Kleider-Mode. „Zenzi" ist Koseform des weiblichen Vornamens Crescentia. ↗Look. 1965 *ff*.

Zeppelin *m* **1.** Versager. Anspielung auf den Hohlraum. 1950 *ff*.
2. ~ mit Schlamm = frische Wurst mit Kartoffelbrei. Die Wurst hat Zeppelinform. Zu „Schlamm" *vgl* „↗Jadeschlamm". 1910 *ff*, *nordd*.

Der Zeppelin-Schreck, eine sich auf den Einsatz solcher Luftschiffe als Kriegsgerät beziehende Zeichnung von D. Wilson (1915). Umgangssprachlich fällt an dieser Erfindung des gleichnamigen Grafen vom Bodensee in erster Linie deren äußeren Form auf, die allerdings flugs in ganz andere Regionen projiziert wird. Der Zeppelin gerät zum Würstchen, das natürlich statt in die Wolken nun in einen Brei von völlig anderer Konsistenz stößt (**Zeppelin 3.***), oder wird gar, noch eine Dimension kleiner, zum Gerstenkorn (* **Zeppelinbohne***) und dann auch zum Attribut des daraus produzierten Gebräus (* **Zeppelinkaffe***).*

3. ~ in Wolken = Würstchen in Kartoffelbrei. Das Würstchen ragt aus dem flockigen Brei heraus. *Fliegerspr* 1935 *ff*.

Zeppelinbohne *f* Gerstenkorn; Malzkaffee. Wegen der Formähnlichkeit des Korns mit dem Zeppelin-Luftschiff. Seit dem frühen 20. Jh.

Zeppelinhalle *f* geräumige Scheune o. ä. 1950 *ff*.

Zeppelinkaffee *m* Gersten-, Malzkaffee. ↗Zeppelinbohne. Seit dem frühen 20. Jh.

Zeppelinkopf *m* länglicher Hinterkopf. 1920 *ff*.

zer'ackern *refl* mit etw sich bis zur völligen Erschöpfung beschäftigen. ↗ackern. Seit dem 19. Jh.

Laatschen sind eigentlich Pantoffeln oder Hausschuhe, und wenn festes Schuhwerk ihnen gleichgemacht, zerlaatscht wird (vgl. **zerlaatschen**), *so besagt das nicht, daß der, der solches tut, sich dort, wo dies geschieht, ebenso zu Hause fühlt, wie das vielleicht innerhalb der eigenen vier Wände (und in den Pantoffeln) der Fall ist. Denn Nachlässigkeiten, die innerhalb dieser privaten Sphäre nicht weiter auffallen, werden außerhalb derselben bei weitem seltener toleriert. Und das bekommt man dann auch zu spüren.*

zerbeißen *tr* ein Glas ~ = ein Glas Alkohol trinken. ↗abbeißen 3. 1950 *ff.*

Zerberus *m* **1.** Pförtner, Gefängniswärter, Türsteher, Schulhausmeister o. ä. Zerberus ist in der *griech* Mythologie der dreiköpfige Höllenhund, der darüber wacht, daß die Toten nicht zur Welt der Lebenden entfliehen. Er ist der Typus des grimmigen Aufpassers, der keine Nachsicht kennt. *Schül, stud* u. a. seit dem späten 19. Jh.
1 a. Begleiter(in) eines jungen Paares aus Schicklichkeitsgründen. Seit dem späten 19. Jh.
2. aufsichtführende Lehrkraft. 1920 *ff.*
3. Vorzimmersekretär, -dame. 1930 *ff.*
4. Torwart. *Sportl* 1950 *ff.*

zerbiegen *refl* laut und anhaltend lachen. Man biegt sich vor Lachen. 1920 *ff.*

zerbleuen *tr* jn heftig prügeln. ↗bleuen. 1500 *ff.*

zerbröseln *v* **1.** *intr* in Auflösung geraten. Brösel = Brotkrume. 1920 *ff.*
2. *tr* = etw durch überlange Erörterung „zerreden". 1920 *ff.*
3. *tr* = jn verprügeln. 1920 *ff.*

zerdatschen (-dätschen) *tr* etw zerdrücken, verbeulen. ↗datschen. *Bayr* seit dem 19. Jh.

zerdivi'dieren *tr* etw durch allzu ausführliche Erörterung unter allen möglichen Gesichtspunkten „zerreden". 1920 *ff.*

Zeremonienmeister *m* Flugzeug, das dem Verband vorausfliegt und die Leuchtzeichen für den Angriff setzt. Eigentlich der Mann, der das Zeremoniell überwacht. Fliegerspr. 1939 *ff.*

Zerfe'lette *f* Mundtuch. Aus „Serviette" umgemodelt. Angeblich *halbw* 1960 *ff.*

zerferzeln *refl* sich heftig anstrengen. ↗ferzeln. Seit dem 19. Jh.

zerfetzen *v* **1.** *tr* = jn scharf verhören; jn zu einem Geständnis zwingen. 1933 *ff.*
2. es zerfetzt mich = es strengt mich übergebührlich an; es macht mich nervös. ↗fetzen 6. 1930 *ff.*
3. *refl* = überaus belustigt sein. ↗fetzen 8. *Österr* 1950 *ff.*

zerfransen *refl* **1.** sich abmühen. Man löst sich gewissermaßen in Fransen auf wie ein verschlissenes Gewebe. *Österr* und *bayr*, 1900 *ff.*
2. heftig lachen. *Österr* und *bayr*, 1900 *ff.*

'Zerge *f* heftige Kritik. ↗zergeln. Berlin und *sächs*, seit dem 19. Jh.

Zerge'lei *f* fortwährendes Rügen. Seit dem 19. Jh.

zergeln (zergen) *tr* jn aufstacheln, dauernd rügen; jn zerrend necken. Gehört zu mittel-*niederd* und *ndl* „tergen = reizen", beeinflußt von „zerren". Seit dem 16. Jh, *niederd, mitteld* und *ostd.*

Zerge'rei *f* fortwährendes Necken; Veralberung. *Vgl* das Vorhergehende. Seit dem 19. Jh.

zerhakelt *adj* entzweit, verfeindet. ↗hakeln. *Bayr* seit dem 19. Jh.

zerhauen *tr* etw zerschlagen, zertrümmern. ↗hauen 1. Seit dem 15. Jh.

zerkiefeln (zerkiefen) *tr* **1.** etw zerkauen, beißen, essen. ↗kiefeln. 1500 *ff, oberd.*
2. etw zu begreifen suchen. *Oberd,* 1900 *ff.*

zerknallen *v* die Freundschaft (Verlobung o. ä.) zerknallt = die Freundschaft zerbricht. Anspielung auf ein lautes Zerwürfnis. 1930 *ff.*

zerknatschen *tr* etw zerdrücken, zerkauen. ↗knatschen. Seit dem 19. Jh.

zerknautschen *tr* etw zerknittern. ↗knautschen 1. Seit dem 19. Jh, *nordd.*

zerknautscht *adj* erschüttert; reuig; niedergeschlagen; sorgenvoll. Hergenommen vom Gesicht, das von Kummer- und Sorgenfalten durchzogen ist. ↗knautschen 4. 1920 *ff.*

zerknietschen *tr* etw zerdrücken. ↗knietschen 1. 1700 *ff.*

zerknittert *adj* **1.** bestürzt, niedergeschlagen. Anspielung auf die Sorgenfalten auf der Stirn, auf den bekümmerten Gesichtsausdruck. 1800 *ff.*

2. von Sorge ~ sein = sorgenvoll sein. Seit dem 19. Jh.

3. seelisch ~ sein = bekümmert sein. Seit dem 19. Jh.

zerknüllen *tr* etw zerknittern. ↗knüllen 1. 1600 *ff.*

zerknüllt *adj* zerfurcht, faltenreich, sorgenvoll. 1900 *ff.*

zerknutschen *tr* **1.** etw zusammendrücken. ↗knutschen 1. Seit dem 18. Jh.

2. jn stürmisch küssen, umarmen, betasten o. ä. Seit dem 19. Jh.

zerkrachen *v* sich mit jm ~ = sich mit jm entzweien. ↗krachen 1. Seit dem 19. Jh.

zerkrakeln *tr* etw durch (Schrift-)Zeichen undeutlich machen, verderben. ↗krakelig. Seit dem 19. Jh.

zerkriegen *v* sich mit jm ~ = sich mit jm entzweien. ↗kriegen 5. *Oberd*, 1700 *ff.*

zerkriegt sein verfeindet sein. *Oberd*, 1700 *ff.*

zerkrümeln *v* **1.** *tr* = etw aufteilen, parzellieren; den Großgrundbesitz zerschlagen. Krümel = Brotteilchen, Brösel. Seit dem 19. Jh.

2. *tr* = jn roh behandeln, schinden, entwürdigend ausschimpfen. In übertragenem Sinne wird der Betreffende kleingeschlagen, so daß er sich in Teilchen auflöst. 1933 *ff.*

zerkugeln *v* es ist zum ~ = es ist überaus erheiternd. ↗kugeln 1. 1900 *ff.*

zerlaatschen *tr* Schuhwerk durch nachlässiges Gehen breittreten. ↗laatschen. 1900 *ff.*

zerlabern *tr* etw zerreden. ↗labern 1. 1970 *ff.*

zerlachen *tr* etw durch lautes, anhaltendes Gelächter stören. 1920 *ff.*

zerlaufen aussehen verweint aussehen. Die Tränen haben Rinnsale gebildet, als ob das Gesicht sich verflüssige; zerlaufen = schmelzen, geschmolzen. 1950 *ff.*

zerlebt *adj* verbraucht, reizlos geworden (durch leichtlebigen Lebenswandel). 1950 *ff.*

zerlegen *tr* **1.** jn sehr strenger Kritik unterziehen. Man zerlegt ihn gewissermaßen in seine Einzelteile wie einen Apparat, den man auseinandernimmt. *Vgl* ↗auseinandernehmen 1 und 4. Seit dem späten 19. Jh.

2. jn verprügeln. Meist Drohrede. Man will den Betreffenden zerlegen, wie es der Metzger mit dem getöteten Schlachttier tut. *Vgl* ↗auseinandernehmen 3 und 5. *Österr* 1945 *ff, jug.*

3. jn knockout boxen. *Sportl* 1950 *ff.*

zerlempern *tr* etw beschädigen, zerstören; jn verletzen. Meint eigentlich „zu Lappen (Lumpen) zerreißen" und ist beeinflußt von „lempen, lampen = schlaff herabhängen". *Österr*, 1900 *ff.*

zerlempert *adj* altersschwach. *Österr*, 1900 *ff.*

zerm *adj* zünftig, sehr eindrucksvoll, großartig. Entstanden aus „sich ziemen"; gemeint ist hier „wie sich's gehört". ↗Zeam. *Bayr* 1900 *ff.*

zermanschen *tr* **1.** etw zu Brei zerdrücken. ↗manschen 1. Seit dem 19. Jh.

2. etw vernichten, zerbrechen u. ä. 1900 *ff.*

3. jn bis zur Unkenntlichkeit zurichten. *Sportl* und *sold*, 1910 *ff.*

4. jn umbringen, erschießen. 1950 *ff.*

zermanscht *adj* niedergeschlagen, unfroh, lustlos. Man macht ein „gedrücktes" Gesicht. 1920 *ff.*

zermatschen *tr* etw zerdrücken. ↗matschen. 1600 *ff.*

zermatscht *adj* geistig ~ = dümmlich. Anspielung auf Gehirnerweichung; auch auf „weiche ↗Birne". *Jug* 1930 *ff.*

Zermatschtes *n* Kartoffelbrei o. ä. 1900 *ff.*

zermörsern *tr* **1.** jn schinden, körperlich (moralisch) entkräften. Wie in einem Küchenmörser wird er „aufgerieben". *Sold* 1914 *ff.*

2. etw mutwillig zerstören. 1920 *ff.*

zermurksen *tr* etw gründlich verderben. ↗murksen. Seit dem 19. Jh.

zerpecken *refl* heftig lachen. Pecken = klopfen, schlagen. Vor Lachen schlägt man sich auf den Leib oder die Oberschenkel. *Österr* 1930 *ff, jug.*

Zerpecker *m* lustiger Mensch; guter Witz. *Österr* 1930 *ff.*

zerpflastern *tr* jn ärztlich falsch behandeln. Pflastern = medizinische Pflaster auflegen; weiterentwickelt zu „ärztlich behandeln". *Sold* 1939 *ff; ziv* 1945 *ff.*

zerplatzen *v* und wenn du zerplatzt! = und wenn es dich noch so sehr ärgert! 1920 *ff.*

zerquält *adj* eifersüchtig. Meint soviel wie „seelisch tief, schmerzlich getroffen". *Halbw* 1960 *ff*, Berlin.

zerquatschen *tr* etw durch vieles Reden unwirksam machen. ↗quatschen. 1920 *ff.*

Zerquetschte *pl* **1.** heimlich beiseite Gebrachtes. Parallel zu ↗Verdrückte. 1910 *ff, sold* und *ziv.*

2. ein paar Münzen; kleinere Geldscheine. Meist in Verbindungen wie „tausend Mark und ein paar Zerquetschte = kleine unbestimmte Summe über tausend Mark". Kurz nach 1925 aufgekommen, vielleicht bei Schülern oder Studenten entstanden.

3. 1840 und ein paar ~ = kurz nach 1840. Etwa seit 1950 gebräuchlich.

Zerre *f* jn in der ~ haben = jn heftig kritisieren. Man zerrt ihn hin und her. *Vgl* auch ↗zergeln. Seit dem 19. Jh, *ostd.*

zerreißen *v* **1.** *tr* = eine größere Banknote wechseln. *Österr*, 1950 *ff.*

2. es zerreißt ihn = es trifft ihn schwer, macht ihn unglücklich. Es zerreißt ihm das Herz, ist herzzerreißend. 1950 *ff.*

3. ihn hat's zerrissen = a) Antwort auf die Frage, wo einer ist. Hergenommen von der Granate, die einen Menschen zerreißt, so daß von ihm kaum noch etwas wiederzufinden ist. *Bayr* 1920 *ff.* – b) er hat die Beherrschung verloren. 1950 *ff.*

4. *refl* = sich heftig abmühen; sich völlig verausgaben. Gemeint ist etwa, daß man sich in Stücke reißen möchte, um gleichzeitig hier und dort (tätig) sein zu können. 1800 *ff. Vgl franz* „se mettre en quatre".

5. *refl* = heftig lachen. *Österr* 1920 *ff, jug.*

6. sich nicht ~ können = nicht mehr tun können, als die Kräfte zulassen. ˙ *Vgl* ↗zerreißen 4. Seit dem 19. Jh.

7. nicht viel ~ = nicht viel leisten. Leitet sich von geringem Kleiderverschleiß her. 1920 *ff.*

Zerreißer *m* zusagende Sache; hervorragender Witz o. ä. ↗zerreißen 5. *Österr* 1920 *ff, jug.*

zerren *refl* davongehen (in der Befehlsform: Geh, zar di!). Meint soviel wie „sich verziehen", auch „↗ausreißen". *Österr* 1920 *ff.*

Zerrwanst *m* Ziehharmonika. Zur Winderzeugung wird der „Wanst" (= Leib) des Musikinstruments hin- und hergezerrt. Kundenspr. seit dem späten 19. Jh, auch *sold* und *jug;* vorwiegend *mitteld* und *nordd.*

zersäbeln *tr* etw zerschneiden, zerstückeln. ↗säbeln. Seit dem 19. Jh.

zersägen *tr* jn im Fahren überholen. ↗sägen 4. Kraftfahrerspr. 1960 *ff.*

zerschmeißen *tr* etw entzweiwerfen, zerschlagen. ↗schmeißen 1. 1600 *ff.*

zerschnippeln *tr* etw in kleine Stücke zerschneiden. ↗schnippeln 1. Seit dem 19. Jh.

zersingen *tr* etw ausdruckslos singen; etw so oft singen, bis man des Vortrags überdrüssig wird. 1920 *ff.*

zerspragein *refl* sich abmühen. ↗spragein. Bezieht sich wohl auf eine unübliche, übertriebene oder umständliche Arbeitsweise. *Österr* 1900 *ff.*

zerspringen *v* **1.** sehr erregt sein; die Beherrschung verlieren. Parallel zu „↗platzen 4". Seit dem 19. Jh, vorwiegend *österr.*

2. zerspring!: Zuruf an einen Niesenden. Scherzhaft wünscht man ihm, daß er beim Niesen zerplatzen möge. *Österr* 1930 *ff, jug.*

Zerstäuber *m* Gewehr. Analog zu ↗Spritze. *BSD* 1965 *ff.*

zerstören *v* mich zerstört's!: Ausruf des Erschreckens, des Unwillens, der Überraschung o. ä. *Südd* 1935 *ff, sold* und *ziv.*

Zerstörer *m* **1.** junger Mann, der die Freundin eines anderen begleitet. Eigentlich das torpedoarmierte Kriegsschiff. Torpedieren = vereiteln. *Halbw* 1950 *ff.*

2. schwerer ~ = unschönes, unansehnliches Mädchen. Es zerstört durch seine Erscheinung alle Liebesgefühle. *Sold* 1939 *ff.*

zerstörungsgeil *adj* zerstörungslüstern. ↗geil 6. 1955 *ff.*

Zerstreuer *m* Zerstörer. Er zerstreut den feindlichen Flottenverband. Zusammengesetzt aus *dt* „Zerstörer" und *engl* „destroyer". *BSD* 1968 *ff.*

Zerstreuungshalle *f* ~ des kleinen Mannes = Spielhalle. 1955 *ff.*

zerstrubbelt *adj* struppig, zerzaust. ↗Strubbel 1. Seit dem 19. Jh.

zerteilen *v* sich nicht ~ können = nicht gleichzeitig überall sein können. Analog zu ↗zerreißen 4 u. 6. 1900 *ff.*

zertepschen *tr* etw verbeulen, zerdrücken. ↗datschen. *Österr* und *bayr,* seit dem 19. Jh.

zertepscht *adj* **1.** verwahrlost. *Österr* 1900 *ff.*

2. reuig. Anspielung auf den „gedrückten" Eindruck. 1900 *ff, österr.*

zerteufeln *tr* etw zertrümmern, zerbrechen o. ä. Es „geht zum Teufel"; ↗Teufel 40. *Österr* 1920 *ff.*

zertöppern (zerteppern) *tr* Geschirr zerbrechen, mutwillig zerstören. ↗töppern. Seit dem 19. Jh.

zertrümmern *tr* jn im Boxkampf besiegen. *Sportl* 1955 *ff.*

zerwalten *tr* Gelder für Verwaltungszwecke ausgeben; öffentliche Gelder unzweckmäßig ausgeben. *Vgl* ↗ververwalten. 1955 *ff.*

Zerwaltung *f* übermäßiger Verwaltungsaufwand. 1955 *ff.*

zerwichsen *tr* etw zerbrechen, zerschlagen, völlig zerstören. ↗wichsen 1. Seit dem ausgehenden 19. Jh.

zerwutzeln *v* **1.** *tr* = etw zerdrücken, zerkneten. ↗wutzeln 1. *Österr* seit dem 19. Jh.

2. *refl* = sich abmühen. ↗wutzeln 5. *Österr* 1920 *ff.*

3. sich vor Lachen ~ = heftig lachen. Vor Lachen dreht und biegt man sich. *Österr* 1920 *ff.*

Zet *n* Zuchthaus, Zuchthausstrafe. Ausgesprochener Buchstabe „↗Z" als verschleiernde Abkürzung. 1870 *ff,* kundenspr.

Zetermordio (Zeter und Mordio; Zeter und Mord) *n* ~ schreien = laut schreien. „Zeter" ist hervorgegangen aus „ziehet her = zur Verfolgung her!"; eigentlich ein Notruf, der die Mitbürger zu sofortiger Hilfeleistung verpflichtete. Aus „um Hilfe schreien" hat sich die heutige Bedeutung im 18. Jh entwickelt.

Zeter- und Mordgeschrei (Zeter- und Mordio-Geschrei) *n* lautes Geschrei; Hilfeschrei. *Vgl* das Vorhergehende. Seit dem 19. Jh.

Zett *n* **1.** Zuchthaus, Zuchthausstrafe. ↗Zet. 1870 *ff.*

2. ~ ziehen = mit Zuchthaus bestraft werden. „Ziehen" erinnert an eine Lotterie. 1900 *ff,* kundenspr.

Zettel *m* **1.** gutes Zeugnis. Versteht sich im Unterschied zum „↗Giftzettel". 1950 *ff, schül.*

2. halber ~ = 500 Mark. Gegen 1960 aufgekommen, als die Ausgabe von Fünfhundert- und Tausendmarkscheinen angekündigt wurde.

3. etw auf dem ~ haben = etw beabsichtigen. Leitet sich her vom Einkaufs- oder Notizzettel. 1930 *ff.*

Zettelarbeit *f* Klassenarbeit. Bei ihr kommt der selbstverfertigte Täuschungszettel zur Geltung. 1940 *ff.*

Zetter *m* Zeitsoldat. Entstanden aus der Abkürzung „Z" für „(Soldat auf) Zeit". *BSD* 1965 *ff.*

Zetterer *m* Zeitsoldat. *BSD* 1965 *ff.*

Zetti (Zettie) *m* Soldat auf Zeit. ↗Zetter. *BSD* 1965 *ff.*

Zettig (Zettiger) *m* Soldat auf Zeit. ↗Zetter. *BSD* 1965 *ff.*

Zettler *m* Soldat auf Zeit. ↗Zetter. *BSD* 1965 *ff.*

Zettzett *f* Frauenbrust. Gegen 1920 verkürzt aus „Ziegenzitze".

Zeug *n* **1.** Schlechtes, Minderwertiges, Wertloses. Sammelausdruck für Gegenstände aller Art, auch für mündliche Äußerungen, künstlerische Vorträge und Darstellungen, weltanschauliche Überzeugungen usw. 1600 *ff.*

2. blödes ~ = unsinniges Geschwätz. Seit dem 19. Jh.

3. dummes ~ = Unsinn; Albernheit; großer Irrtum; unausstehliche Rede. 1700 *ff.*

3 a. dünnes ~ = oberflächliche, substanzlose Reden. 1900 *ff.*

4. elendes ~ = wertlose Sache. Friedrich der Große nannte 1784 die mittelhochdeutsche Dichtung „elendes Zeug".

5. heißes ~ = a) hot music. *Halbw* 1960 *ff.* – b) Diebesgut. ↗heiß 5. 1914 *ff.*

6. hinterlistiges ~ = alkoholische Mischgetränke. Sie schmecken verlockend, aber machen schnell betrunken und verursachen arge Nachwehen am nächsten Tag. 1955 *ff.*

7. tolles ~ = unsinniges Gerede. Seit dem 18. Jh.

8. ungereimtes ~ = Unsinniges, Unverständliches. ↗ungereimt. 1800 *ff.*

9. ungewaschenes ~ = Unsinn; unklare, unlogische Äußerung. Ungewaschen = unklar, getrübt. Seit dem 18. Jh.

10. warmes ~ = Werkzeug zum Aufschweißen von Geldschränken. ↗warm 8. 1910 *ff.*

11. jm am ~ flicken = jn (kleinlich) tadeln; an jm (unberechtigt) etwas auszusetzen haben. „Zeug" ist hier die Kleidung, der Kleiderstoff; hieran will der Tadler etw ausbessern, wobei das Flicken mehr oder minder berechtigt oder unberechtigt sein kann. 1700 *ff.*

12. forsch (scharf) ins ~ gehen = streng vorgehen; rücksichtslos handeln. Zeug = Zaumzeug, Geschirr der Zugtiere. 1800 *ff.*

13. das ~ zu etw haben = zu etw befähigt, begabt sein. „Zeug" meint hier das Werkzeug, das Rüstzeug (Zurüstung) zu einer Sache. Seit dem 18. Jh. *Vgl* franz „avoir l'étoffe pour faire quelque chose", *engl* „to get the stuff for it".

14. was das ~ hält = mit allen Kräften; aus Leibeskräften (er rennt, was das Zeug hält; er lügt, was das Zeug hält). Übertragen von „Zeug = Geschirr der Zugtiere" oder vom Werkzeug des Handwerkers. Sachverwandt mit der modernen Redewendung „was der Motor hergibt". Seit dem 18. Jh.

15. sich ins ~ legen = sich anstrengen; energisch werden. Das Zugtier legt sich kräftig ins Geschirr, um den Wagen vorwärtszubewegen. Spätestens seit 1800.

16. sich für jn ins ~ legen = sich für jn tatkräftig einsetzen. *Vgl* das Vorhergehende. Seit dem 19. Jh.

17. mach' kein ~! = a) tu' nichts Unerlaubtes, Ungehöriges! Parallel zu „mach' keine ↗Sachen!". 1900 *ff.* – b) mach' keine Ausflüchte! 1900 *ff.*

18. gut (schlecht) im ~ sein = mit Kleidung gut (schlecht) versehen sein. Zeug = Kleiderstoff. Seit dem 19. Jh.

19. sich ins ~ werfen = sich ankleiden, einkleiden. 1920 *ff.*

Zeugenbank *f* die ~ drücken = auf der Zeugenbank sitzen. Nachbildung von „die ↗Schulbank drücken". 1920 *ff.*

Zeugenmassage *f* Beeinflussung eines Zeugen zu einer für den Angeklagten günstigen Aussage. Der „↗Seelenmassage" nachgeahmt. 1950 *ff.*

Zeughaus *n* Bekleidungsgeschäft. Eigentlich der Aufbewahrungsort des *milit* Rüstzeugs; hier ist „Zeug" das Tuch. 1915 *ff.*

Zeugnis *n* das stellt ihm kein gutes ~ aus = das kann man ihm nicht zum Vorteil anrechnen; das offenbart seine Unfähigkeit; das stellt ihn in peinlicher Weise bloß. 1920 *ff.*

Zeugs *n* Gegenstand *(abf)*. Eigentlich der Genitiv von „Zeug". Entstanden aus Aufzählungen, an deren Schluß „und derlei Zeugs mehr" stand. Seit dem 17. Jh.

Zeugungskommando *n* Hochzeitsurlaub. Scherzhaft aufgefaßt als eine dienstliche Abordnung zum Sondereinsatz. *BSD* 1965 *ff.*

Zeus *m* **1.** Oberstudiendirektor o. ä. Die Gymnasiasten fühlen sich von (unnahbaren) Göttern regiert und betrachten den Schulleiter als den obersten dieser Götter. Seit dem späten 19. Jh.

2. was tun?, spricht ~: Frage eines Ratlosen. Scherzhaft entlehnt aus Schillers „Die Teilung der Erde" (1795). 1900 *ff.*

3. Frage an ~: was tun?: Redewendung eines Ratlosen. Aus dem Vorhergehenden verdreht. 1920 *ff.*

Zibbe *f* **1.** Mädchen. Bezeichnet eigentlich das weibliche Tier (bei Ziege, Kaninchen u. a.). Berlin und *ostd* seit dem späten 19. Jh.

2. Prostituierte. 1920 *ff.*

3. die ~ zwischen die Hörner küssen = ein schwieriges Vorhaben verwirklichen wollen. *Vgl* ↗Ziege 15. 1945 *ff.*

Zibbel *m* **1.** Penis. *Niederd* Variante zu ↗Zipfel. Seit dem 19. Jh.

2. banger ~ = furchtsamer, feiger Mann. *Niederd* seit dem 19. Jh.

3. nervöser ~ = a) unruhiger Penis. 1900 *ff.* – b) nach Geschlechtsverkehr verlangender Mann. 1900 *ff.* – c) nervöser, unruhiger, rastloser Mann. *Mitteld* und *niederd*, 1900 *ff.*

zibbelig *adj* ängstlich, feige. *Westd* 1900 *ff.*

Zibbe'line *f* albernes Mädchen. Erweiterung von „↗Zibbe 1". Seit dem frühen 20. Jh, Berlin.

Zibebenklauber *m* griechischer Student *(abf)*. Zibebe = große Rosine. *Österr* 1955 *ff, stud.*

Zichte *f* Zigarette. Hieraus entstellt. 1960 *ff, halbw.*

Zicke *f* **1.** weibliche Person *(abf)*. *Ostmitteld* und berlinische Variante zu „↗Ziege". Die Ziege gilt als knochig, unansehnlich, unschön, und sie „meckert" obendrein. Von da übertragen auf eine weibliche Person mit ähnlichem Äußeren und Verhalten. Seit dem frühen 19. Jh.
2. Dreirad-Fahrzeug. Kraftfahrerspr. 1955 *ff.*
3. mageres, abgetriebenes Pferd. Wie bei der Ziege tritt das Knochenskelett hervor. 1870 *ff*, Berlin.
4. alte ~ = (alte) weibliche Person. Seit dem 19. Jh.
5. blanke ~ = die „blanke Zehn" in den Spielkarten. Kartenspielerspr. 1870 *ff.*
6. doofe (dumme) ~ = langweilige, schwunglose weibliche Person. ↗doof 1. 1900 *ff.*
7. dürre ~ = hagere, magere Frau. 1900 *ff.*
8. faule ~ = törichte, durchschaubare Ausrede. ↗Zicke 17; ↗faul 1. 1910 *ff.*
9. gleichberechtigte ~ = unliebsame, unverträgliche, streitbare Frau. 1950 *ff.*
10. lahme ~ = a) altes Auto, dessen Motor nicht anspringen will. Im frühen 20. Jh aufgekommen. – b) Auto mit geringer Anzugskraft. Kraftfahrerspr. 1950 *ff.*
11. neugierige ~ = neugierige Frau. Seit dem 19. Jh.
12. trübe ~ = langweilige Frau. ↗trübe 3. *Halbw* 1960 *ff.*
13. eine ~ abschlachten = dem Gegner im Kartenspiel eine Zehn abfangen. ↗Zicke 5. 1870 *ff.*
14. eine ~ abziehen = einen (alten) Film vorführen. *Vgl* ↗Zickenfilm. *Halbw* 1955 *ff.*
15. sich aufführen wie eine ~ am Strick = sich widerspenstig zeigen; wegen einer Belanglosigkeit sich übertrieben benehmen. 1900 *ff.*
16. einer ~ die ~n austreiben = dem Gegner im Kartenspiel eine Zehn abgewinnen. Wortspiel mit „↗Zicke 5" und der nachfolgenden Redewendung. Kartenspielerspr. 1870 *ff.*
17. ~n machen = dumme (dreiste) Streiche begehen; Schwierigkeiten machen. Leitet sich her entweder vom unberechenbaren Verhalten der Ziegen (Ziegensprünge; *vgl* ↗Kapriolen) oder gehört zu „Zickzack = ruckartige, gewaltsame Bewegung". „Zickzackweg" (berlinisch „Zicke") steht für „↗Bummel". Seit dem späten 19. Jh, Berlin und *mitteld;* heute auch südwärts vorgedrungen.

Zickenbart *m* **1.** Kinnbart. Wie ihn Ziegen haben. 1870 *ff.*
2. Kinnbartträger. Pars pro toto. 1870 *ff.*
3. Schneider. Weil der (kinnbärtige) Schneider mit dem Ziegenlaut „meck" verspottet wird. *Vgl* ↗Ziegenbock 1. 1930 *ff.*

Zicken-Chefeuse (Grundwort *franz* ausgesprochen) *f* **1.** Leiterin eines Damenstifts. ↗Zicke 1. „Chefeuse" ist hier französierende Verweiblichung von „↗Chef 2". 1935 *ff.*
2. Lazarett-Oberschwester als Oberhaupt des weiblichen Personals. *Sold* 1939 *ff.*

Zickendraht *m* **1.** Mitgift. ↗Zicke 1; ↗Draht 1. 1910 *ff*, Berlin und *schles.*
2. Geld, das die Prostituierte an den Zuhälter abzuliefern hat. 1910 *ff*, Berlin.
3. Schuster. Er zieht den Pechdraht. 19. Jh.
4. Musiker, der in veraltetem Stil spielt. Im Zusammenhang mit dem Vorhergehenden analog zum Scheltwort „↗Schuster 1". Auch meint „Zikken-" ältliche weibliche Personen, die solchen Musikstil lieben. Überdies ist Anspielung auf die Herkunft der Saiten von Ziegenlämmern möglich. 1930 *ff.*
5. enggeistiger, verschrobener Mann. Verallgemeinert aus der Berufsschelte für den Schuster. Seit dem frühen 20. Jh.
6. Einzelgänger; Junge, der sich von den Gleichaltrigen fernhält. *Halbw* 1955 *ff.*
7. finsterer ~ = Mädchen ohne Liebreiz. ↗finster. *Halbw* 1955 *ff.*
8. prüder ~ = geschlechtlich abweisendes Mädchen. *Halbw* 1955 *ff.*

Zickenfilm *m* alter Film, der höchstens noch in ländlichen Gegenden (vorwiegend bei weiblichem Publikum) Anklang findet. *Vgl* ↗Zicke 14. Berlin 1950 *ff.*

Zickenfutter *n* Gemüse. 1920 *ff*, Berlin.

Zicken-Jazz (Grundwort *dt* oder *engl* ausgesprochen) *m* **1.** langsamer, gefühlvoller Tanz für Frauen im vorgerückten Alter. ↗Zicke 1. 1960 *ff.*
2. ungekonntes, ungelenkes Tanzen. 1960 *ff.*

Zickenverlade *f* langweilige Veranstaltung für Jugendliche beider Geschlechter unter Aufsicht engherziger Erwachsener. ↗Zicke 1; ↗Verlade 1. *Halbw* 1955 *ff.*

Zicke'rei *f* Albernheit; Ziererei prüder Mädchen. ↗Zicke 1 und 17. 1950 *ff.*

---

*Wollte man dem rechts wiedergegebenen Gemälde „Mädchen mit Ziege" von Carl Spitzweg (1808–1885) einen umgangssprachlichen Titel geben, so könnte der durchaus „Die zwei Ziegen" lauten (vgl. **Ziege 1.**, 2., 5.–7., 9.); allerdings täte man dem Modell dabei vermutlich ebenso Unrecht wie dem Maler, dessen Vorliebe für bestimmte Sujets dann auch zum Anlaß genommen wurde, sein Werk eben damit zu identifizieren. Spitzweg war nun wirklich kein biedermeierlich-beschränkter Zickendraht (vgl. **Zickendraht 5.**); er war fast ständig auf Reisen und ließ die dabei gewonnenen Eindrücke in sein Werk einfließen. Davon zeugt auch das Kolorit dieses Gemäldes, seine differenziert-atmosphärischen Farbwerte.*

'zicke'zacke, 'hoi 'hoi 'hoi *interj* Anfeuerungsruf; Trinkspruch. Leitet sich her von den zeremoniell eckigen Bewegungen, bevor man das Glas an den Mund setzt. Das dreimalige „hoi" ist gekürzt aus dem Achtungs- und Anfeuerungsruf „ahoi". *Stud* und *schül*, 1920 *ff*.

zickig *adj* **1.** dürr, mager, knochig. ↗Zicke 1. 1870 *ff*.
2. gelangweilt, schwunglos, freudlos, unfreundlich, verkümmert. 1870 *ff*.
3. albern (auf junge Mädchen bezogen). *Halbw* 1925 *ff*.
4. linkisch im Benehmen; durch unnatürliches Verhalten Beachtung heischend; launisch. Hergenommen von den mutwilligen Sprüngen der jungen Ziegen-, Schafböcke. 1900 *ff*.
5. geschlechtlich abweisend; allzu brav; gespielt züchtig. 1870 *ff*; heute beliebte Halbwüchsigenvokabel.
6. stilistisch veraltet. ↗Zickendraht 4. Musikerspr. 1930 *ff*.
7. ~ schlagen = genau im Takt (musikalisch einfallslos) das Schlagzeug schlagen. *Vgl* das Vorhergehende. 1950 *ff*.

Zickigkeit *f* geschlechtlich abweisendes Verhalten; Altjüngferlichkeit; Albernheit; Ziererei, Launischsein u. ä. ↗Zicke 1. 1900 *ff*.

Zickzacken *m* Einbildung, Illusion; Überheblichkeit. Anspielung auf den „↗Zacken in der Krone" in Verbindung mit zeremoniell eckigen Bewegungen. 1950 *ff*, Berlin.

zickzacken *intr* torkelnd gehen; in Schlangenlinien fahren. 1920 *ff*.

Zickzack-Kurs *m* schwankendes Verhalten; charakterliche Unbeständigkeit; politische Richtungslosigkeit. Aus der Seeschiffahrt übernommen. Seit dem ausgehenden 19. Jh.

'zick'zack'zive *adv* **1.** allmählich; nacheinander. Aus „sukzessive" abgewandelt unter Einfluß von „zickzack". 1900 *ff*.
2. gewunden. 1900 *ff*.

Ziefer (Ziefern) *f* dümmliche, (durch Geschwätz) lästig werdende Frau. Eigentlich soviel wie „Klein-, Federvieh"; dadurch analog zu „↗Gans", „↗Huhn" u. ä. *Oberd*, spätestens seit 1900.

Ziege *f* **1.** weibliche Person *(abf)*. ↗Zicke 1. Schon seit *mhd* Zeit.
2. alberne Frau. Seit dem 18. Jh.
3. *pl* = Mannschaften. Anspielung auf Unmutsäußerungen: Ziegen „↗meckern". *BSD* 1965 *ff*.
4. ausgemolkene ~ = weibliche Person mit schlaffem Busen. Wegen dieser hämischen Charakterisierung einer Fernsehansagerin durch eine Illustrierte Zeitschrift wurde der Betroffenen vom Gericht eine Entschädigung von 10 000 DM zugesprochen. 1960 *ff*.
5. blöde ~ = dumme weibliche Person. Seit dem 19. Jh.

6. doofe ~ = langweilige, dümmliche weibliche Person. ↗doof 1. 1900 *ff*.
7. dumme ~ = dumme Frau. Seit dem 19. Jh.
8. dürre ~ = hagere, magere Frau. 1900 *ff*.
9. kalte ~ = temperamentlose, berechnende Frau. 1920 *ff*.
10. magere ~ = sehr hagere, schmächtige weibliche Person. 1920 *ff*.
11. neugierige ~ = neugieriger Mensch. Seit dem 19. Jh.
12. ungefährliche ~ = Frau, die durch ihr Äußeres und ihr Wesen keinen Mann reizt. 1920 *ff*.
13. neugierig wie eine ~ = überaus neugierig. Seit dem 19. Jh.
14. aussehen wie eine gemolkene ~ = einen schlaffen Busen haben. ↗Ziege 4. 1960 *ff*.
15. eine ~ zwischen die Hörner küssen können = hager sein; ein sehr schmales Gesicht haben. Seit dem 19. Jh.
16. eine ~ melken = einer heiratswilligen Frau Geld und Gut abgewinnen; sich als Heiratsschwindler betätigen. ↗melken 1. 1920 *ff*.
17. es hört sich an, als ob eine ~ aufs Trommelfell scheißt = der Marschtritt ist ungleich. Kasernenhofjargon seit dem frühen 20. Jh bis heute. Bezog sich früher auf den ungleich ausgeführten Gewehrgriff oder auf eine nicht schlagartig geschossene Gewehrsalve (bei einer Beerdigung), auch auf schlechte Ausführung des Kommandos „Stillgestanden!".

Ziegel *m* **1.** feiner, anstelliger, zuverlässiger Bursche. Übersetzt aus *engl* „brick". *Jug* 1960 *ff*, österr.
2. dicke Brotschnitte. Wegen der Formähnlichkeit mit einem Dachziegel oder Ziegelstein. 1870 *ff*.
3. nicht alle ~ auf dem Dach haben = nicht recht bei Verstand sein. Umschreibung für ↗Dachschaden. 1920 *ff*.
4. rote ~ auf dem Dach haben = rothaarig sein. Analog zu ↗Pfanne 16. 1900 *ff*.

Ziegelstein *m* Notizbuch des Hauptfeldwebels. Parallel zu ↗Backstein. *Sold* in beiden Weltkriegen.

Ziegenbart *m* **1.** Kinnbart. 1870 *ff*.
2. Kinnbartträger. Pars pro toto. 1870 *ff*.

Ziegenbeine *pl* dünne Frauenbeine ohne ausgeprägte Waden. 1920 *ff*.

Ziegenbock *m* **1.** Schneider. Hängt zusammen mit dem Ziegenlaut „meck" als Spottruf auf den Schneider. *Vgl* ↗Zickenbart 3. 1600 *ff*.
2. Maschinengewehr. Anspielung auf das „mekkernde" Abschußgeräusch. *Gleichbed* „dreibeinige Ziege". *Sold* in beiden Weltkriegen.
2 a. nörglerischer Mann. ↗meckern. 1930 *ff*.
3. Gesicht wie ein ~ = boshafter Gesichtsausdruck. 1960 *ff*.
4. einen ~ melken = unsinnig handeln. Seit dem 19. Jh.
5. stinken wie ein ~ = üblen Geruch verbreiten.

Zur Ikonographie des Pan gehören seine starke Behaarung und die Füße und Hörner eines Ziegenbocks. Er verhält sich dann auch so, wie er aussieht, und stellt, wenn er nicht gerade auf seiner Flöte spielt, mit Vorliebe irgendwelchen Nymphen nach. In dieser Funktion wird der göttliche **Ziegenbock** *umgangssprachlich allerdings zum Bock verkürzt (vgl.* **Bock 1., 2.**).

1900 ff.
6. verstockt wie ein ~ = nicht aussagebereit. Der Ziegenbock ist störrisch. 1920 ff.

Ziegenbrüste pl weitausladende Brüste in schlaffer Beutelform. 1910 ff, halbw.

Ziegendreck m Kautabak. Bergmannsspr. 1920 ff.

Ziegenfutter n Salat o. ä. 1920 ff.

Ziegenhainer m Knotenstock. Benannt nach Ziegenhain, einem Vorort von Jena. Seit dem 19. Jh.

Ziegenklempner pl Instandsetzungstruppe. ↗NATO-Ziege. BSD 1965 ff.

Ziegenknödel pl schlaffe, herabhängende Brüste. 1910 ff.

Ziegenkötel m **1.** Korinthe. Wegen der Form- und Farbähnlichkeit. 1900 ff.
2. mit ~n werfen = mit kleiner Trumpfkarte einstechen und dadurch Punkte sammeln. Kartenspielerspr. 1900 ff.

Ziegenleder n zähes Stück Fleisch. BSD 1965 ff.

Ziegenmelker m Heiratsschwindler. ↗Ziege 16. Berlin 1920 ff.

Ziegenmilch f **1.** alkoholfreie (keimfreie) ~ = Mineralwasser. 1930 ff.
2. mit ~ großgezogen sein = nörglerisch sein. Anspielung auf ↗meckern 1. 1920 ff.
3. du hast wohl ~ getrunken?: Frage an einen Nörgler. ↗meckern 1. 1920 ff.

Ziegenpeter m **1.** Parotitis; Entzündung der Ohrspeicheldrüse. Nach einer Deutung bekommt der Erkrankte zuweilen ein tölpelhaftes Aussehen nach Art der Ziege; nach anderen Quellen ist ein solches Leiden zuerst bei Ziegen beobachtet worden, und man nannte dann einen Menschen mit ähnlichen Symptomen einen „Ziegenpeter". Etwa seit 1830.
2. Zuhälter. Für ihn sind die Prostituierten „Ziegen", die er „melkt". 1920 ff.
3. Junge, der Mädchen nachstellt. Halbw 1955 ff.
4. Junge, der mit Mädchen nichts anzufangen weiß. Wohl iron gemeint. 1955 ff.

Ziegenpisse f hochprozentiger Schnaps. Anspielung auf die Schärfe des Ziegenharns; ↗scharf 6. 1900 ff.

Ziegenscheiße f scharf wie ~ = sehr sinnlich veranlagt. Ziegenexkremente riechen streng. Vgl ↗scharf 4. 1960 ff, BSD.

Ziegenschule f Mädchenschule. ↗Ziege 1. Schül 1960 ff.

Ziegenstall m **1.** Damenstift; Altersheim für Frauen. 1920 ff.
2. Damensalon (im Hotel, auf dem Schiff o. ä.). 1920 ff.
3. Frauenabteil in der Eisenbahn; Abteil für Mutter und Kind. 1920 ff.
4. Studentinnenwohnheim. 1950 ff, stud.
5. Vergnügungsstätte mit stark überhöhten Preisen. Die Gäste werden „gemolken" (↗melken 1) und sind darüber ungehalten (↗meckern 1). 1960 ff.

Ziegentitten pl schlaff herabhängende Brüste. ↗Titte. 1910 ff.

ziegig adj unangenehm im Wesen (auf weibliche Personen bezogen). ↗Ziege 1; ↗zickig. 1900 ff.

Ziehe f Zwangserziehung; Besserungsanstalt. Ziehen = erziehen. Berlin 1900 ff.

ziehen v **1.** intr = das Arbeitsverhältnis aufgeben. Ziehen = sich wegbegeben. 1870 ff.
2. es zieht: sagt man, wenn einer beim Gähnen o. ä. den Mund weit öffnet und nicht die Hand vorhält. Oft mit dem Zusatz: „mach' die Klappe zu!" Übertragen vom Durchzug bei offener Tür o. ä. 1900 ff.
3. hier zieht es = a) hier fliegen Granatsplitter u. ä. Anspielung auf „eisenhaltige Luft" und „scharfen Wind". Sold 1939 ff. – b) hier läßt einer Darmwinde entweichen. ↗ziehen 17. Sold 1914 ff.
4. zieh!: ermunternder Zuruf an den Läufer. Ziehen = sich wegbewegen; davoneilen. Sportl und schül 1920 ff.
5. das zieht nicht = das hat keinen Erfolg; das macht keinen Eindruck, ist nicht werbewirksam. Verkürzt aus „das zieht die Leute nicht an", nämlich zum Kaufen, zum Besuch der Vorstellung usw. Seit dem 18. Jh.
6. er zieht nicht = er geht auf eine Sache nicht

KRONE

20

KRONE
EXTRA FEINGERIEBEN
PER HANDEL ERFAHRENER HAUSFRAUEN

Wo guter Geschmack zu Hause ist.

Der Bundesgesundheitsminister: Rauchen gefährdet Ihre Gesundheit. Der Rauch einer Zigarette dieser Marke enthält 0,5 mg Nikotin und 10 mg Kondensat (Teer). (Durchschnittswerte nach DIN).

---

*Es geht hier ums Ziehen – und das gleich in seiner dreifachen Bedeutung: Sinnlich wahrnehmbar ist die erste, ganz konkret zu nehmende, auf die Sinne zielt aber auch das Ganze; es soll den Betrachter anziehen (vgl. **ziehen 5., 6.**) und ihn schließlich dazu bewegen, eine zu ziehen (**ziehen 14**, vgl. **Ziehstengel**). Auffällig ist, daß darauf verzichtet wird, die beiden Modelle selbst zum Glimmstengel greifen zu lassen. Man beläßt es bei der Packung. Überdimensioniert, noch ganz gefüllt, aber so drapiert, daß ein Raucher unwillkürlich zugreifen möchte, sorgt sie dafür, daß die auch farblich auf das Produkt abgestimmte Anzeige so interpretiert wird, wie ihre Regisseure sich das gedacht hatten. Wer schließlich wollte es jenen schönen und heiteren Menschen, deren Glück durch diese Zigarette jetzt noch die Krone aufgesetzt wird, nicht gleichtun – und sei's auch nur beim Ziehen.*

---

ein. Eigentlich: die Sache übt auf ihn keine Anziehungskraft aus. 1955 *ff.*

7. die Kiste zieht = das Flugzeug steigt, gewinnt an Höhe. Der Steuerknüppel wird angezogen. Fliegerspr. in beiden Weltkriegen.

8. *intr* = Marihuana rauchen. Eigentlich „einen

Zug aus der Zigarette nehmen". Hier aus Tarngründen verkürzt. *Halbw* 1965 *ff.*

9. *tr* = für jn den Umzug besorgen. 1900 *ff.*

10. einen ~ = Alkohol zu sich nehmen; zechen. Meint eigentlich den Zug aus der Flasche. 1900 *ff.*

11. *tr intr* = Taschendiebstahl begehen. Man zieht dem Opfer etw aus der Tasche. ↗zupfen 1. 1900 *ff.*

12. *tr* = jn ausnutzen, zu hohen Geldausgaben veranlassen. Analog zu ↗melken 1. 1900 *ff.*

13. ~ und melken = dem Prostituiertenkunden mehr Geld abzufordern suchen als vereinbart. 1960 *ff, prost.*

14. eine ~ = eine Zigarette (langsam) rauchen. 1910 *ff.*

15. *refl* = schleunigst verschwinden. Man „verzieht sich". *Bayr* 1900 *ff.*

16. jn ~ lassen = jn wegschicken, abweisen, ablehnen. Seit dem 19. Jh.

17. einen ~ lassen = einen Darmwind abgehen lassen. Ziehen = sich wegbegeben; hier wohl verbunden mit der Vorstellung vom „Luftzug = Zugwind". Seit dem 19. Jh.

18. *intr* = falschspielen. Der Falschspieler zieht dem Opfer das Geld aus der Tasche. 1850 *ff.*

19. daran ~ müssen = sich geldlich einschränken. Ziehen = strecken, längen. Mit Bezug auf die Butter sagt man, man „ziehe" sie, wenn man sie dünn aufstreicht. 1920 *ff.*

Zieher *m* **1.** Falschspieler. ↗ziehen 18. 1870 *ff.*

2. (Glücks-)Spieler. 1870 *ff.*

3. Bankhalter. 1870 *ff.*

4. Taschendieb. ↗ziehen 11. 1900 *ff, rotw.*

5. Mann, der Leute in Ruinengrundstücke lockt und ausbeutet (ausraubt). *Rotw* 1945 *ff.*

6. Abwerber von Arbeitskräften. Er sucht sie von anderen Arbeitsstätten abzuziehen. 1910 *ff, nordd* und Berlin.

7. Drogensüchtiger; Raucher von Marihuana-Zigaretten. ↗ziehen 8. 1965 *ff, halbw.*

Zieherlokal *n* Lokal, in dem Taschendiebe, Prostituierte, Falschspieler u. ä. verkehren. 1900 *ff.*

'Ziehgarre *f* (Berlin: *m*) Zigarre *(abf)*. Ein sprachlicher Spaß: Die Zigarre ist zu fest gewickelt, weswegen man an ihr kräftig ziehen muß. Wohl in Berlin aufgekommen; 1840 *ff.*

Ziehharmonika *f* **1.** Verbindungsteil der D-Zugwagen. Es wird zusammengeschoben und auseinandergezogen wie der Blasebalg einer Ziehharmonika. Daher nannte man die Schnellzüge früher auch „Harmonikazüge". 1900 *ff.*

2. harmonikaartig zusammengefalteter Zettel; Leporello. 1950 *ff.*

3. Brieftasche. 1940 *ff.*

4. zähes Fleisch. Es läßt sich dehnen und strecken. *Sold* 1939 *ff.*

Ziehharmonika-Bühnenbilder *pl* nach Bedarf ausziehbare und zusammenschiebbare Kulissen. Theaterspr. 1920 *ff.*

Ziehharmonikahosen *pl* Herrenhose mit vielen Querfalten; Hose, die am Boden aufstaucht. Etwa seit dem ausgehenden 19. Jh.

Ziehharmonika-Taktik *f* Spielweise, bei der die Fußballspieler je nach Spiellage geschlossen verteidigen oder vorwärtsstürmen. *Sportl* 1955 *ff*.

Ziehharmonikatür *f* aus schmalen, mit Lederstreifen o. ä. verbundenen Gliedern bestehende Falttür (Zwischenwand). 1920 *ff*.

Ziehhund *m* den ~ machen = dem Gegner beim Kartenspiel verlockende Karten vorsetzen, um ihn zum Stechen zu reizen. Meint eigentlich den Karrenhund (Hund des Scherenschleifers), der den Karren zieht, während der Mensch ihn lenkt. Kartenspielerspr. 1870 *ff*.

Ziehmann *m* Möbelträger beim Umzug; Möbelspediteur. ↗ziehen 9. 1900 *ff*, Berlin, Hamburg u. a.

Ziehmutter *f* Bordellbesitzerin. Eigentlich die Pflegemutter. Sie betrachtet die Bordellprostituierten als ihre „Ziehkinder". 1910 *ff*, *ziv* und *sold*.

Ziehpuste *f* Posaune; Mundharmonika. Bei der Posaune wird der Stimmzug „gezogen", und in das Mundstück „pustet" man Luft; das Mundharmonikaspiel erfolgt durch „Blasen = Pusten" und „Saugen = Ziehen". *Sold* seit dem frühen 20. Jh.

Ziehpuster *m* Posaunist; Mundharmonikaspieler. 1900 *ff*.

Ziehstengel *m* Zigarette. ↗Stengel 1. 1950 *ff*, *österr*.

Ziehtrompete *f* Posaune. ↗Ziehpuste. 1870 *ff*.

Ziehung *f* letzte ~ = Schulzeugnis. Es gilt als Ergebnis einer Lotterie. 1950 *ff*.

Ziehungsamt *n* Kreiswehrersatzamt. Die Wehrpflichtigen werden „gezogen = eingezogen, einberufen"; dies geschah lange Zeit durch Losentscheid. *BSD* 1965 *ff*.

Ziehvogel *m* Mensch, der nie lange in einer Wohnung bleibt oder die Inneneinrichtung oft umstellt. Abwandlung von „Zugvogel" 1870 *ff*.

Ziel *n* 1. das ~ der Klasse erreichen = als Bewerber angenommen werden. ↗Klassenziel 1. Gegen 1920 aus der Schulsprache übernommen.
2. das ~ der Klasse nicht erreichen = a) keinen Anklang finden; dem Publikum mißfallen. ↗Klassenziel 2. 1950 *ff*. – b) in die Regionalliga absteigen. *Sportl* 1955 *ff*.
3. das ~ der Klasse erreicht haben = genug Alkohol getrunken haben. 1950 *ff*.

Zielansprache *f* Bekanntschaftsanknüpfung mit einem Mädchen. Meint im *Milit* die Beschreibung (Erkennung) eines Schieß- bzw. Angriffsziels. *Ziv* und *sold* 1935 *ff*.

Zielgerade *f* in die ~ gehen = der entscheidenden Auseinandersetzung entgegengehen. Vom Pferderennsport übertragen. 1920 *ff*.

Zielgrube *f* Stehabort. *BSD* 1965 *ff*.

Zielscheibe *f* 1. Schweizer Käse. Die Löcher deu-

ten auf erfolgreichen Beschuß hin. *BSD* 1960 *ff*.
2. Bildschirm. Er ist die „Zielscheibe" der Augen oder der Kritik. Manche Darbietungen sind „zum Abschießen". 1960 *ff*.

Zielwasser *n* 1. Rum, Weinbrand, Alkohol. Fälschlich als der Zielsicherheit förderliches Hilfsmittel gedeutet. Früher nannte man so das Wasser, das auf dem Schießplatz zur Strafe für Fehlschüsse getrunken werden mußte. Im späten 19. Jh aufgekommen; *sold*, jägerspr., keglerspr. und *halbw*.
2. Sie haben wohl kein ~ getrunken?: Frage an einen, der die Zielscheibe verfehlt hat. *Sold* 1900 *ff*.
3. kein ~ getrunken haben = das gegnerische Tor verfehlen. *Sportl*. 1955 *ff*.

ziemlich *adj* 1. sehr stark; sehr heftig; beträchtlich (ein ziemlicher Knall: ein ziemlicher Waldbestand). Eigentlich soviel wie „geziemend, gebührlich; den Gegebenheiten angemessen". Seit dem 19. Jh.
2. so ~ = ungefähr; nahezu ganz (er hat seinen Teller so ziemlich geleert). Seit dem 19. Jh.
3. nach ~ vier Wochen = nach ungefähr vier Wochen. Seit dem 19. Jh.

Ziemlicher *m* sehr dummer Mensch. *Vgl* ↗ziemlich 1. 1955 *ff*, *jug*.

Ziep *m* Gier. *Vgl* das Folgende. *Nordd* und *mitteld*, seit dem 19. Jh.

ziepen *v* 1. *tr* = etw wegnehmen, entwenden. Gehört zu „zupfen". *Nordd* und *ostd*, 1900 *ff*.
2. *intr* = Taschendieb sein. Berlin 1900 *ff*.
3. *intr* = an der Mutterbrust saugen. *Nordd* und *mitteld*, seit dem 19. Jh.
4. einen ~ = ein Glas Alkohol zu sich nehmen; zechen. Analog zu „ ↗lutschen", „saugen" o. ä. Berlin und *schles*, seit dem 19. Jh.

Zieper *m* unehrlicher Mensch; Kameradenbetrüger; Mensch, der bei einer Verteilung o. ä. mehr nimmt, als ihm zusteht. ↗ziepen 1. 1925 *ff*.

Zieps *m* Eßlust. Ziepen = zupfen, reizen. *Ostd* seit dem 19. Jh.

Zieraffe *m* Stutzer; putzsüchtiges Mädchen. ↗Affe 1 u. 2. 1700 *ff*.

Zierbalg *m* affiger ~ = aufgeputztes, eingebildetes Mädchen mit unnatürlichem Benehmen. ↗Balg 1; ↗affig. 1910 *ff*.

Zierbengel *m* Stutzer. ↗Bengel 4. Spätestens seit dem 18. Jh.

Zierfleck *m* Schmutzfleck. *Iron* Bezeichnung. 1930 *ff*.

Ziergans *f* eitles Mädchen. ↗Gans 1. Seit dem 19. Jh.

Zierlapp (-lappen) *m* Mensch mit unnatürlichem, gekünsteltem Benehmen. ↗Lapp. Berlin, seit dem 19. Jh.

Zierleiste *f* kesse ~ = auffallender, schöner Halsschmuck. Eigentlich Bezeichnung für eine Ornamentform. 1950 *ff*, *halbw*.

Zierliese *f* weibliche Person, die „sich ziert = sich

(gespielt) schamhaft gebärdet". Seit dem 19. Jh.

Zierpflanze *f* **1.** weibliche Person, die sich überelegant oder geschmacklos kleidet. Eigentlich Bezeichnung für eine Schmuckpflanze. „Pflanze" ist im Umgangsdeutsch der Ab- oder Herkömmling, im engeren Sinne der Mensch mit wunderlicher Lebensart. 1900 *ff*, heute *halbw*. **2.** geschlechtlich abweisendes Mädchen. ↗Zierliese. 1900 *ff; halbw* 1960 *ff*.

Zierpuppe *f* Frau, die sich unnatürlich benimmt; Frau, die sich gern gut kleidet und ungern arbeitet. Sie ähnelt den Puppen, die nicht zum Spielen, sondern nur zur Dekoration taugen. Seit dem 18. Jh.

Zierstengel *m* Stutzer. Zusammengewachsen aus „↗Zierbengel" und „↗Pussierstengel". Seit dem 19. Jh.

Zieten *Fn* (wie) ~ aus dem Busch = überraschend, unversehens. Leitet sich her vom Reitergeneral Hans Joachim von Zieten (von Ziethen; 1699–1786), der völlig unerwartet, unverhofft auf dem Schlachtfeld aufzutauchen pflegte. Seit dem 18. Jh. Volkstümlich geworden vor allem durch Theodor Fontanes Gedicht „Der alte Zieten".

Ziff *m* ohne ~ = langweilig, schwunglos. Beruht auf *engl* „to chivy, chivvy = hetzen, jagen, rennen". *Halbw* 1960 *ff*.

Zifferblatt *n* **1.** Gesicht. Wie man auf dem Zifferblatt die Uhrzeit ablesen kann, so kann man dem Gesicht ansehen, „was die Uhr geschlagen hat". Etwa seit 1870. *Vgl gleichbed engl* „dial". **2.** das ~ abstauben = das Gesicht nur oberflächlich waschen. 1914 *ff*. **3.** jm das ~ justieren = jm ins Gesicht schlagen. Justieren = einrichten, zurechtsetzen. 1950 *ff*. **4.** bis aufs ~ sehen = in ein tiefes Dekolleté blicken. Die Kleidung gilt hier als Uhrdeckel. 1930 *ff*. **5.** ich soll dir wohl mal die Zeiger in deinem ~verrücken?: Drohfrage. Berlin 1920 *ff*. **6.** jm das ~ zerkratzen = jn im Gesicht verletzen. *Sold* 1914 *ff*.

zi'fix *interj* Ausruf des Unmuts. Verkürzt aus „↗Kruzifix". *Bayr*, 1900 *ff*.

zig *adv* unzählig viel(e); unzählig oft. Verstümmelt aus den Zehnerzahlen von 20 bis 90. 1870 *ff*.

Zig *f* Zigarette. Beliebte Verkürzung unter Jugendlichen; vornehmlich in Österreich. 1955 *ff*.

Zigags *pl* Zigarren, Zigaretten, Zigarillos. Verkürzung. *Halbw* 1955 *ff, bayr*.

Zigarette *f* **1.** gelinde Rüge. Versteht sich nach „↗Zigarre 5". *Sold* 1910 *ff*. **2.** ~ mit orthopädischer Einlage = Filterzigarette. „Orthopädische Einlage" ist eigentlich die Stützsohle im Schuh. 1955 *ff*. **3.** ~ mit Tampax-Hygiene = Filterzigarette. ↗Tampax. 1950 *ff*. **4.** aktive ~ = nicht selbstgedrehte Zigarette. „Aktiv" meint soviel wie „vollwertig" im Zusammenhang mit dem *milit* Sprachgebrauch, d. h. der Ge-

Ob das so wohl beabsichtigt war: Zum Slogan „Die Zeit hat ein neues Gesicht" der Blick auf das alte Florenz und die von Filippo Brunneleschi (1377–1446) entworfene Kuppel des Doms. Der darauf folgende Text, in dem von einem „klassisch-modernen Styling" und einer „revolutionären Konstruktion" die Rede ist, zeugt allerdings davon – und das war nun wirklich nicht zu ahnen –, daß der Hersteller mit seinem Produkt wieder einmal eine neue Renaissance gekommen sieht. In der Umgangssprache werden von einem Zifferblatt ganz andere Dinge abgelesen (vgl. Stichwortartikel **Zifferblatt 1.***). Und geübte Strichzeichner verstehen sich ja auch darauf, allein durch die Stellung der Mundwinkel anzudeuten, was die Uhr geschlagen hat. Man vergegenwärtige sich einmal die leicht verkniffene Miene, wenn die Zeiger auf ein Viertel vor vier stehen und das Lächeln um zehn vor zwei.*

ringschätzung des Reservisten im Vergleich zum aktiven Soldaten. 1939 *ff*. **5.** blonde ~ = Zigarette aus hellem (türkischem, mazedonischem) Tabak. 1940 *ff*. **6.** heiße ~ = Rauschgiftzigarette. „Heiß" spielt auf erhöhte Wirkung an. 1960 *ff*. **7.** kastrierte ~ = a) nikotinarme Zigarette. ↗Kastrierte. 1950 *ff*. – b) Filterzigarette. 1950 *ff*. **7 a.** lahme ~ = nikotinarme Zigarette. Lahm = schwunglos. 1950 *ff*. **8.** orthopädische ~ = Filterzigarette. ↗Zigarette 2. 1950 *ff*. **9.** er drückt die ~ in der Hosentasche aus = er ist überaus dumm. 1939 *ff*.

zigaretten *intr* **1.** eine Zigarette rauchen. 1920 *ff*. **2.** es zigarettet ihn = er hat Verlangen nach einer Zigarette. 1945 *ff*.

Zigarettenanzünder *m* Flammenwerfer. Euphemismus. *BSD* 1965 *ff*.

Zigarettenautomat *m* Patronentaschen; Magazintasche für Patronen. Sie können (aber dürfen nicht) als Versteck für Zigaretten dienen. *BSD* 1965 *ff*.

Zigarettenbiene *f* Zigarettenverkäuferin. ↗Biene 3. Seit dem ausgehenden 19. Jh.

Zigarettenbürschchen *n* halbwüchsiger Müßiggänger. 1950 *ff*.

Zigarettendose (-kiste) *f* ABC-Schutzmaskentasche. *BSD* 1965 *ff*.

Zigarettenfabrik *f* kleiner Apparat zum Selbstdrehen von Zigaretten. *Sold* und *ziv* 1939 *ff*.

Zigarettenhose *f* enganliegende Hose. Wegen der Formverwandtschaft. 1955 *ff*.

Zigarettenlänge *f* Zeitspanne, in der man eine Zigarette raucht; kurze Zeit. 1910 *ff*.

Zigarettenmaschine *f* kleiner Apparat zum Selbstdrehen von Zigaretten. *Sold* und *ziv* 1939 *ff*.

Zigarettenoase *f* zollfreier Bereich. 1920 *ff*.

Zigarettenpause *f* Pause, in der man eine Ziga-

rette rauchen darf; kurze Beratungspause. 1930 *ff.*

Zigarettenstummel *m* Zigarettenendstück.
↗Stummel 1. 1900 *ff.*

Zigarettenverhältnis *n* Liebschaft um der Zigaretten willen. Die Partnerin verzichtet auf die ihr
bei der staatlichen Warenbewirtschaftung zuste-
henden Zigaretten. 1939 *ff.*

Zigarettenwährung *f* Zigaretten als Wertmesser
beim Tauschhandel. ↗Währung 1. 1945 *ff.*

Zigarre *f* **1.** Zeppelin-Luftschiff. Wegen der Formähnlichkeit. 1908 *ff.*

   2. Torpedo. *Marinespr* 1939 bis heute.

   3. Fliegerbombe. 1916–1945, *sold* und *ziv.*

   4. Rakete „V 1". *Sold* 1942 *ff.*

   5. Rüge; Strafrede des Vorgesetzten. Hergenommen vom höflichen Anbieten einer Zigarre als
Zeichen freundlicher Gesinnung. Hier *iron* umgedeutet zur ungern entgegengenommenen Rüge.
Der zu Rügende wird „angeblasen", „ange-
haucht" o. ä. Etwa seit 1900, vorwiegend *sold.*

6. ∼ mit Stahlhelm = sehr heftiger Verweis. Zur
Meldung beim Disziplinarvorgesetzten ist der
Stahlhelm aufzusetzen. *Sold* 1939 *ff.*

7. ∼ mit verschiebbarem Deckblatt = Penis. Polizeispr. und *prost* 1950 *ff.*

8. ∼ mit vierteljährlicher Kündigung = minderwertige Zigarre. Wortwitzelei: wer an einer solchen Zigarre zieht, muß alsbald ausziehen (wegen
des unangenehmen Geruchs). *Sold* 1914 *ff.*

9. blonde ∼ = Zigarre aus hellem Tabak. 1940 *ff.*

10. dicke ~ = scharfe Rüge. ↗Zigarre 5. *Sold* in beiden Weltkriegen, seither auch *ziv*.

11. fliegende ~ = a) Zeppelin-Luftschiff. 1908 *ff*. – b) langes, schmales, schlankes Flugzeug. *Sold* 1935 *ff*.

12. leichte ~ = milde Rüge. ↗Zigarre 5. *Sold* in beiden Weltkriegen.

13. meterlange ~ = heftige Rüge. *Sold* 1914–1945; *ziv* 1920 *ff*.

14. starke ~ = sehr scharfe Rüge. ↗Zigarre 5. *Sold* in beiden Weltkriegen.

15. vor Schreck geht die ~ aus = man ist erschüttert, fassungslos. 1920 *ff*.

16. eine ~ austeilen = einen Verweis aussprechen. ↗Zigarre 5. *Sold* 1900 *ff*.

17. eine ~ einstecken = einen Vorwurf widerspruchslos hinnehmen. ↗einstecken 2. 1914 *ff*.

18. eine ~ empfangen = gerügt werden. ↗Zigarre 5. 1900 *ff*, *sold*.

19. sich an einer ~ festhalten = die Zigarre nicht auf den Aschenbecher legen; sehr lange an einer Zigarre rauchen. *Vgl* ↗Flasche 13 b. 1950 *ff*.

20. an einer ~ lutschen = eine Zurechtweisung nicht verwinden. Meint eigentlich das Einnässen des Zigarren-Mundstücks mit Speichel; hier Bedeutungsabwandlung unter Einfluß von „↗Zigarre 5“. 1925 *ff*.

21. ~n rauchen = ein umgänglicher Mensch sein. Geht zurück auf einen Vers im „Humoristisch-satirischen Volkskalender“ auf das Jahr 1850 von David Kalisch: „Wo man raucht, da kannst du ruhig harren: böse Menschen haben nie Zigarren“. Dies ist eine Parodie auf das Gedicht „Die Gesänge“ von Johann Gottfried Seume (1804) mit dem Text „Wo man singet, laß dich ruhig nieder, . . . Bösewichter haben keine Lieder“. Berlin 1850 *ff*.

22. jm eine ~ verpassen = jn heftig rügen. ↗Zigarre 5. *Sold* 1900 bis heute.

23. eine ~ verpaßt kriegen = zurechtgewiesen werden. ↗Zigarre 5. *Sold* 1900 *ff*.

Zigarrenanzünder *m* Flammenwerfer. Euphemismus. *BSD* 1965 *ff*.

Zigarrenbauchbinde *f* Etikettstreifen um die Zigarre. ↗Bauchbinde 1. Seit dem späten 19. Jh.

Zigarrenempfang *m* Meldung in vorgeschriebener Uniform beim Kompaniechef (o. ä.) zwecks Entgegennahme einer Rüge. ↗Zigarre 5. *Sold* 1900 *ff*.

Zigarrenfabrikant *m* Vorgesetzter, der oft Rügen erteilt. ↗Zigarre 5. *Sold* in beiden Weltkriegen.

Zigarrenfritze *m* Tabakwarenhändler. ↗Fritze. Berlin 1840 *ff*.

Zigarrenguillotine *f* Zigarrenabschneider. 1900 *ff*.

Zigarrenhändler *m* strenger Vorgesetzter. Er handelt mit „↗Zigarre 5“. *Sold* 1939 *ff*.

Zigarrenkiste *f* **1.** Wohnbaracke. Sie steht quaderförmig auf der Breitseite. *Sold* in beiden Weltkriegen; *ziv* 1943 *ff*.

2. schmales Hochhaus. Es ähnelt einer auf der kurzen Schmalseite stehenden Zigarrenkiste. 1950 *ff*.

3. kleines Kammertheater. Berlin 1905 *ff*.

Zigarrenklo *n* Aschenbecher. *BSD* 1965 *ff*.

Zigarrenleibbinde *f* Etikettstreifen der Zigarre. ↗Bauchbinde 1. Seit dem späten 19. Jh.

Zigarrenstummel *m* Zigarrenendstück. ↗Stummel 1. Seit dem 19. Jh.

Zige *f* Zigarette. *Schül* Verkürzung, 1955 *ff*.

Zigeuner *m* **1.** aus dem Hals stinken wie der ~ aus dem Hosenlatz = widerlichen Mundgeruch verströmen. Gehässige Redewendung, die sich selbst entlarvt: der sie Aussprechende hat wohl schon sehr angelegentlich Zigeunern am Hosenlatz gerochen. 1950 *ff*.

2. da fahren sogar die ~ im Trab vorbei = das ist eine unfreundliche, zivilisationsarme Gegend mit lauter ärmlichen Leuten. 1930 *ff*.

Zigeunerartillerie *f* Infanteriegeschütz; Gebirgs-, Luftlandeartillerie; leichte Artillerie; Mörser, Minenwerfer o. ä. Anspielung auf häufigen Standortwechsel. *Sold* 1914 bis heute.

Zigeunerflak *f* **1.** Mörser. Er ist auf ein Ladefahrzeug montiert. *BSD* 1965 *ff*.

2. Flugabwehr-Rakete „HAWK“. *BSD* 1965 *ff*.

Zigeunerkutsche *f* Kübelwagen, Jeep. Anspielung auf Format und Leichtbeweglichkeit. *BSD* 1965 *ff*.

Zigeunerleben *n* Manöver. Man entbehrt feste Unterkünfte. *Sold* 1935 *ff*.

Zigeunerloge *f* Sitzplatz in der vorderen Reihe des Kinos. 1950 *ff*.

zigeunern *intr* **1.** keinen festen Platz haben (auf Gegenstände bezogen). 1900 *ff*.

2. betrügen; diebisch sein. Eine offenbar unausrottbare, internationale Verunglimpfung der Zigeuner. Seit dem späten 19. Jh. *Vgl engl* „to gyp“.

Zigeunervilla *f* Zwei-Mann-Zelt. *BSD* 1965 *ff*.

zigfach *adj* mehrfach. ↗zig. 1870 *ff*.

zigmal *adv* oftmals. ↗zig. 1870 *ff*.

Zigori *m* **1.** Lüge, Unsinn, Prahlerei. Geht zurück auf „Ziger = Käse, Quark“. Parallel zu ↗Käse 1; ↗Quark 1. *Österr* 1950 *ff*, *rotw*.

2. minderwertiges Getränk. *Österr* 1950 *ff*, *rotw*.

Zi'gorie *f* minderwertige Zigarre. Aus „Zigarre“ entstellt unter Einfluß von „Zichorie“ (= Wegwarte). 1914 *ff*.

zigst *adj* wiederholt. ↗zig. 1870 *ff*.

Zigstel *n* soundsovielter Teil. ↗zig. 1870 *ff*.

zigstündig *adj* vielstündig. 1920 *ff*.

zigtausend *num* zwanzig-, dreißigtausend (und mehr). ↗zig. 1870 *ff*.

zigtausendfach *adj adv* (oftmals) wiederholt. 1920 *ff*.

Zilla *f* **1.** ältere weibliche Person; einfältige Frau. Meint entweder die Koseform des weiblichen Vornamens Cäcilia oder den zoologischen Gattungsnamen einer Radnetzspinne. 1920 *ff*.

2. Geliebte; intime Freundin. 1920 *ff*.

Zille *f* **1.** Flußschiff mit geringem Tiefgang. Geht zurück auf *mhd* „zülle" und ist vielleicht *slaw* Ursprungs. 1500 *ff*, *oberd* und Berlin.

2. Penis. Wegen einer gewissen Formähnlichkeit. 1900 *ff*.

3. Zigarette. Bezeichnungen für die Zigarette dekken sich umgangssprachlich mit solchen für den Penis. 1955 *ff*.

4. *pl* ungewöhnlich lange Schuhe. 1920 *ff*.

Zillertal *n* Einsenkung zwischen den Frauenbrüsten. Hängt zusammen mit dem Volkslied „Zillertal, du bist mei Freud". 1890 *ff*.

Zim'bumm *m* äußeres Beiwerk; überflüssige Sache; vermeidbarer Aufwand; das Ganze *(abf)*. Lautmalender Herkunft. „Zim" gibt den hellen Ton des Zimdeckels (= beckenartiges Schlaggerät aus Metall) wieder, „bumm" den dumpfen Schall des Trommelfells. 1900 *ff*.

Zimmer *n* **1.** ~ mit Fernsehen = Zimmer mit schöner Aussicht. Scherzhafte Entstellung aus „Fernsicht". 1960 *ff*, gaststättenspr.

2. gefangenes ~ = Zimmer, dessen Zugang nur durch einen anderen Wohnraum führt. 1950 *ff*.

3. gutes ~ = Salon, Speisezimmer; Zimmer, das nur bei festlichen Anlässen benutzt wird. 19. Jh.

4. sturmfreies ~ ↗sturmfrei.

5. ungeniertes ~ = Zimmer, in dem man vor Überraschung durch den Vermieter sicher ist. 1870 *ff*.

6. vermöbeltes ~ = möbliertes Zimmer. 1920 *ff*.

7. jn ans ~ fesseln = jn zu einer Freiheitsstrafe verurteilen. Übernommen von „ans Bett gefesselt sein = bettlägerig krank sein". 1925 *ff*.

8. ans ~ gefesselt sein = eine Freiheitsstrafe verbüßen. *Vgl* das Vorhergehende. 1925 *ff*.

Zimmerartillerie *f* Pistole, Revolver. *Sold* 1939 *ff*.

Zimmerfee *f* Zimmermädchen im Hotel o. ä. ↗Fee. 1920 *ff*.

Zimmerfla *f* Maschinenpistole. *BSD* 1965 *ff*.

Zimmerflak *f* **1.** Pistole, Maschinenpistole o. ä. *Sold* 1939 bis heute; polizeispr. 1945 *ff*.

2. lautes Entweichenlassen von Darmwinden in Räumen. 1940 *ff*.

Zimmerflinte *f* Faustfeuerwaffe. *BSD* 1965 *ff*.

Zimmerfrau *f* Zimmervermieterin. *Österr*, 1870 *ff*.

Zimmerhuste *f* Faustfeuerwaffe. ↗Huste. *BSD* 1965 *ff*.

Zimmerkino *n* Fernsehgerät. 1963 *ff*.

Zimmerlinde *f* **1.** Ehefrau. Meint vor allem die häusliche Frau. Übertragen vom *dt* Namen der „Sparmannia", 1930 *ff*.

3. Zimmervermieterin. 1930 *ff*.

Zimmerling *m* Zimmermann. *Marinespr* 1900 *ff*.

Zimmermädchen *n* **1.** Soldat vom Stubendienst. Eigentlich das Mädchen, das die Hotelzimmer herrichtet. *Sold* 1920 *ff*.

2. weibliche Person, die sich von einem Mann auf sein Zimmer mitnehmen läßt. 1925 *ff*.

Zimmermann *m* **1.** Bewohner eines möblierten Zimmers. Berlin 1920 *ff*.

2. sehen, wo der ~ das Loch gelassen hat = sich nach der Tür umsehen, um schnell davonzukommen. Geht zurück auf den Fachwerkbau: im Gebälk der Wände ließ der Zimmermann eine Lücke für die Tür. 1600 *ff*.

3. jm zeigen, wo der ~ das Loch gelassen hat = jn derb zum Gehen veranlassen. 1600 *ff*.

Zimmermannsbleistift *m* das haben Sie wohl mit dem ~ gemacht?: Frage an einen, der eine Arbeit grob und ungenau verrichtet hat. Mit seinem dicken Bleistift kann der Zimmermann keine feinen Striche ziehen. 1870 *ff*.

Zimmermannshaar *n* **1.** auf ein ~ kommt es nicht an = auf Genauigkeit wird kein Wert gelegt. Als „Zimmermannshaar" kennzeichnet man scherzhaft die Entfernung, die der Zimmermann mit seiner Axt erreichen kann. Hieraus weiterentwickelt zu einem Sinnbildwort für Ungenauigkeit und ein allzu großes Maß. 1830 *ff*.

2. es stimmt auf ein ~ = es stimmt sehr ungenau. 1830 *ff*.

Zimmermannsknopf *m* behelfsmäßige Knopfbefestigung. 1920 *ff*, *westd*.

Zimmermannslaus *f* Bluterguß am Finger. 1920 *ff*, *westd*.

zimmern *v* etw (an etw) ~ = etw zu gestalten suchen (Leben, Glück, Zufriedenheit, Behaglichkeit, Gesetzestext o. ä.). Das Gemeinte bearbeitet man wie Bauholz. Seit dem 18. Jh.

Zimmerpalme *f* Zimmerpflanze, -linde. 1920 *ff*.

Zimmerpflanze *f* häuslicher Mensch; Stubenhokker. *Vgl* ↗Zimmerlinde 1. 1900 *ff*.

zimmerrein *adj* nicht ganz ~ sein = leicht verrückt sein. Übertragen vom Hund, der nicht stubenrein ist. 1920 *ff*, *österr*.

Zimmersatellit *m* knallender, von der Flasche fliegender Sektkorken. Vom Start der Weltraumraketen übernommen. 1960 *ff*.

Zimmerschlacht *f* gegenseitige Verprügelung daheim; schwere eheliche Auseinandersetzung. Gegen 1930 von der „Saalschlacht" übernommen.

Zimmersportplatz *m* Bar, Tanzdiele, Diskothek. 1965 *ff*.

Zimmerstutzen *m* Faustfeuerwaffe. Stutzen ist das kurze Gewehr. *Sold* seit dem späten 19. Jh, vorwiegend *bayr*.

Zimper *f* ohne mit der ~ zu wucken: verdreht aus „ohne mit der ↗Wimper zu zucken". 1950 *ff*.

Zimperliese (-liesl, -lieschen) *f (f, n)* zimperliche weibliche Person. 1870 *ff*.

Zimperling *m* zimperlicher Mensch. 1870 *ff*.

Zimperpimper *m* überempfindlicher, weichlicher, wasserscheuer Mann. Zusammengewachsen aus „zimperlich" und „↗pimpeln". 1930 *ff*, *schweiz*.

Zimpertrine *f* zimperliche Frau. ↗Trina 1. 1930 *ff*.

Zimt *m* **1.** Unwichtigkeit, Unsinn. Möglicherweise umgestellt aus *gleichbed* „↗Mist". Etwa seit 1870,

anfangs Berlin und *sächs;* seit dem Ersten Weltkrieg weitverbreitet nördlich der Mainlinie.
2. Geld. Fußt auf dem Farbenvergleich zwischen Zimt und Gold, kann sich aber auch im Sinne der vorhergehenden Bedeutung mit „Geld haben wie ↗Mist" berühren. 1870 *ff, rotw.*
3. Schmuck, Goldsachen. *Rotw* 1900 *ff.*
4. längst Überholtes. 1920 *ff.*
5. fauler ~ = a) unsinniges Geschwätz; verfehlte Maßnahme; törichte Fehlleistung. 1920 *ff.* – b) rechtswidrige, fragwürdige Sache. ↗faul 1. 1920 *ff.*
6. der ganze ~ = das alles *(abf).* ↗Zimt 1. 1870 *ff.*
7. jm den ~ besorgen = a) jn heftig zurechtweisen. Parallel zu „jm den ↗Kümmel reiben". 1870 *ff,* Berlin und *sächs.* – b) koitieren. 1900 *ff.*
8. den ~ kennen = mit einer Sache gründlich vertraut sein. 1900 *ff.*
9. ~ machen = sich zieren; sich unnatürlich benehmen; sich effekthascherisch aufregen. Berlin und *sächs,* 1870 *ff.*
10. mach' keinen ~! = mach' keinen Unsinn. ↗Zimt 1. 1870 *ff,* Berlin und *sächs.*
11. aus einer Sache ~ machen = eine Sache aufbauschen. 1900 *ff.*
12. langen ~ machen = weitschweifig reden, ohne viel zu sagen. 1920 *ff.*
13. ~ quatschen (schwatzen) = Unsinn reden; dummschwätzen. ↗Zimt 1. 1890 *ff.*
Zimtbock *m* **1.** Schimpfwort. Ist „Zimt" aus „Mist" umgestellt, ist der „Zimtbock" ein „Mistbock", nämlich der verschnittene Schafbock, der mit seinem Fell auch Kotklumpen u. ä. aufnimmt. 1930 *ff, jug.*
2. unangenehmer, widerwärtiger, häßlicher Mann. 1930 *ff.*
zimtig *adj* ~ tun = sich zieren. ↗Zimt 9; vielleicht verquickt mit „zimperlich". 1870 *ff.*
Zimtliese *f* Mädchen mit unnatürlichem Benehmen. ↗Zimt 9. 1900 *ff.*
Zimtnelke *f* zimperliches, hochempfindliches, sich zierendes Mädchen. ↗Nelke 1. 1900 *ff.*
Zimtprise *f* zimperliche weibliche Person. ↗Zimt 9; ↗Prise 1 u. 2. *Sächs* 1900 *ff.*
Zimtpuppe *f* unnahbares Mädchen. ↗Zimt 9; ↗Puppe 1. 1900 *ff.*
Zimtrieke *f* zimperliche, wenig energische Frau. ↗Rieke. 1900 *ff,* Berlin und *sächs.*
Zimtstange *f* großwüchsige, hagere und unansehnliche Frau vorgerückten Alters. Kreuzung von „↗Zimt 9" und „↗Stange 1". 1900 *ff.*
Zimtstengel *m* **1.** großwüchsige, schmächtige Person. Berlin 1870 *ff.*
2. lange, dünne Beine. 1920 *ff.*
Zimttüte *f* empfindliche, ängstliche Frau. ↗Zimt 9; ↗Tüte 3. *Sächs* 1890 *ff.*
Zimtzicke *f* mäklige alte Jungfer; Frau von unangenehmem Wesen; albernes, langweiliges Mädchen. ↗Zimt 9; ↗Zicke 1. 1920 *ff.*

zimtzickig *adj* zimperlich. 1920 *ff,* Berlin.
Zimtziege *f* zimperliche, schnell gekränkte Frau; dumme, einfältige, unansehnliche Frau. ↗Zimt 9; ↗Ziege 1. 1920 *ff.*
zingeln *intr* helle Töne hervorbringen. Schallnachahmung. 1900 *ff.*
zingern (zinkeln) *intr* zwicken, jucken; Juckreiz verspüren. Lautmalend für einen hellen Ton; er wirkt wie ein Stich auf die Gehörnerven. *Niederd* und *mitteld,* 1700 *ff.*
Zink *m* Wink; Zeichen; geheime Verständigung. Geht zurück auf *franz* „signe = Zeichen". *Rotw* 1733 *ff.*
Zinken *m* **1.** Nase. Scherzhaft aufgefaßt als hervorstehender Zacken. 1500 *ff.*
2. heiler Zahn (neben vielen abgebrochenen o. ä.). 1700 *ff.*
3. Penis. 1500 *ff.*
4. Tabakspfeife. 1930 *ff.*
5. Turmruine der Kaiser-Wilhelm-Gedächtniskirche in Berlin. 1950 *ff.*
6. Alkoholrausch. Parallel zu ↗Zacken 4. *Nordd* und *mitteld,* 1840 *ff.*
7. Stempel, Siegel. Fußt auf *franz* „signe = Zeichen". *Rotw* 1726 *ff.*
8. blutiger ~ = kupferrote Nase. ↗Zinken 1. 1820 *ff,* nordostdeutsch und Berlin.
9. verschämter ~ = hochrote Nase. Rot als Sinnbildfarbe der Scham. ↗Zinken 1. 1910 *ff.*
10. ~ stechen = Zeichen geben. ↗Zink. *Vgl* „es jm ↗stecken". 1700 *ff, rotw.*
11. jm einen ~ stecken = a) jm einen Wink geben. *Rotw* 1733 *ff.* – b) jn derb zurechtweisen. Aus dem Vorhergehenden weiterentwickelt nach dem Muster von „jm Bescheid sagen". Berlin und *sächs,* seit dem 19. Jh.
zinken *v* **1.** *tr* = Geheimzeichen anbringen; etw mit geheimen Zeichen versehen; Spielkarten betrügerisch kennzeichnen. Geht zurück auf *franz* „signe = Zeichen" oder übernimmt die Bedeutung „Steinmetz- und Hauszeichen". 1900 *ff.*
2. *tr* = etw fälschen. *Rotw* 1900 *ff.*
3. *tr* = jn zu einer Aussage oder Handlung beeinflussen. Der Betreffende wird präpariert wie eine Spielkarte. *Rotw* und *sold* 1900 *ff.*
4. *intr* = einen Wink, ein Zeichen geben. ↗Zinken 11. *Rotw* seit dem 18. Jh.
5. *intr* = ausplaudern, verraten, denunzieren. 1900 *ff.*
6. *tr intr* = koitieren. ↗Zinken 3. 1900 *ff.*
Zinkenkönig *m* Mensch mit übergroßer Nase. ↗Zinken 1. Seit dem 19. Jh.
Zinkenpflanzer *m* Stempel-, Ausweisfälscher. ↗Zinken 7; ↗pflanzen 1. *Rotw* 1820 *ff.*
Zinkenputzlappen *m* Taschentuch. ↗Zinken 1. *BSD* 1965 *ff.*
Zinkenstecher *m* Mann, der einem anderen ein geheimes Zeichen gibt. ↗Zinken 10. *Rotw* 1754 *ff,* österr.

*Die Abbildung zeigt das Titelblatt der Partitur eines mittlerweile in Vergessenheit geratenen „Charakterstücks", dessen Protagonisten, die Zinnsoldaten, in der Regel aber ohnehin nur eine Staffage abgeben. Auch die Zinnsoldaten der Umgangssprache sind, was nahe liegt, allein fürs Auge da, zum Marschieren und zum Exerzieren (vgl. **Zinnsoldat**). In seinem Märchen „Nußknacker und Mausekönig" schildert E. T. A. Hoffmann (1776–1822) – übrigens ganz im Sinne des üblichen Gebrauchs dieser Vokabel – dann auch die unrühmliche Rolle, welche der Armee der Zinnsoldaten im Kampf gegen das feindliche Mäuseheer spielt: „Fritzchens Husaren wurden von der Mäuseartillerie mit häßlichen, übelriechenden Kugeln beworfen, die ganz fatale Flecke in ihren roten Wämsern machte, weshalb sie nicht recht vor wollten."*

Zinker *m* **1.** Stempel-, Spielkartenfälscher. ↗zinken 1. 1900 *ff*, *rotw*.
2. Falschspieler. 1900 *ff*.
3. Verräter, Spitzel. ↗zinken 5. 1900 *ff*.
Zinkfleppe *f* Steckbrief. Der zur Fahndung Ausgeschriebene wird öffentlich „gezinkt = gezeichnet". ↗Fleppe 1. *Rotw* 1900 *ff*.
zinkig *adj* langnasig. ↗Zinken 1. 1955 *ff*.

Zinne *f* auf ~ sein = sehr erregt sein. Zinne = flaches Hausdach; Empore. Analog zu ↗hochgehen 2. 1935 *ff*.
Zinnober *m* **1.** Wertlosigkeit; Unsinn; überflüssige Umstände; Lüge; Prahlerei. Die Herleitung ist umstritten. Nach den einen ist von der Praxis der Alchimisten auszugehen, die bei ihren Versuchen einer Synthese von Schwefel und Quecksilber nur Zinnober und nie Gold gewannen; andere gehen auf die künstliche Nachahmung der natürlichen Zinnoberfarbe zurück. Auch wird Entstellung aus „Zimt" angenommen. Etwa seit 1900, anfangs vorwiegend *sold*.
2. der ganze ~ = das alles; die gesamte Habe *(abf)*. *Sold* 1914 *ff*.
3. verfluchter ~!: Ausruf des Unwillens. 1920 *ff*.
Zinnsoldat *m* für den Felddienst untauglicher (Parade-)Soldat. Er taugt nur zur Spielzeugfigur. *Sold* 1914 *ff*. *Vgl engl* „toy-soldier".
Zins *m* **1.** schwarze ~en = Zinsen, die steuerlich nicht zu erfassen sind. ↗schwarz 5. 1950 *ff*.
2. jm etw mit ~ und Zinseszins heimzahlen = an jm Vergeltung üben. Übertragen vom geliehenen Geld, das man mit Zinsen und Zinseszinsen zurückzahlt. 1920 *ff*.
3. sich ~en holen = um Geld betteln; jn erpressen. „Zins" hat im *Rotw* die Bedeutung „Almosen": auf solche „Zinsen" glaubt man ein Anrecht zu haben. 1900 *ff, rotw*.
4. ~en schinden = Überweisungsaufträge verzögern, um in den Genuß von Zinsen zu kommen. ↗schinden 1. 1960 *ff*.
5. etw mit ~en zurückgeben = einen Streich mit einem stärkeren vergelten. 1920 *ff*.
Zinsbonbon *n* vorteilhafte Verzinsungsmöglichkeit. ↗Bonbon 1. 1955 *ff*, bankenspr.
zinsenbrütend *adj* verzinslich; zinsbringend. Wohl anspielend auf das sprichwörtliche „Huhn, das goldene Eier legt" (↗Huhn 36). 1950 *ff*.
Zinsfuß *m* auf großem ~ leben = von den Zinsen eines größeren Kapitals angenehm leben. Modernisierung von „auf großem ↗Fuß leben". 1950 *ff*.
Zinsgeier *m* Vermieter, der den Mietern kündigt, sobald sie den Mietpreis nicht mehr zahlen können. „Miete" heißt vor allem im *Südd* „Mietzins". Der Geier ist in seiner Eigenschaft als Raubvogel zitiert. 1914 *ff*.
Zinshahn *m* **1.** aufgeregter (nervöser) ~ = Mensch, der andere nervös macht; ruheloser Mensch. Leibeigene Bauern mußten früher ihren Herren als Bodenzins Hühner und Hähne liefern; darunter durften sich keine alten Tiere befinden. Um die Herren zu betrügen, entwickelten die Bauern Kunstgriffe, um auch ältere Hähne jugendlichlebhaft erscheinen zu lassen. Seit dem 19. Jh.
2. wie ein ~ krähen (schimpfen, springen) = aufgeregt schreien o. ä. Seit dem 19. Jh.
3. zornig (rot) werden wie ein ~ = hochrot vor Wut werden; heftig erröten. Bei den früher den

Lehnsherren abzuliefernden Hähnen mußte der Kamm hochrot durchblutet sein. Seit dem 19. Jh.

Zinsholer *m* Bettler, Erpresser. ↗Zins 3. *Rotw* 1900 *ff*.

Zinskaserne *f* Vielparteienwohnhaus, dessen Besitzer hohe Mieten verlangt. Zur Erklärung *vgl* „↗Zinsgeier". *Bayr* und *österr*, 1914 *ff*.

Zinskneifer *m* Wucherer; unerbittlicher Gläubiger. ↗kneifen 3. 1850 *ff*, *nordd* und Berlin.

Zinti *pl* ↗Sinte.

Zipf *m* **1.** Wiederholungs-, Ergänzungsprüfung. Zipf = Schweif; daher analog zu „↗Schwanz 5". *Bayr* und *österr*, 1900 *ff*.
2. fader ~ = Schimpfwort. Anspielung auf „Zipf = Schwanz = Penis". Pars pro toto. 1900 *ff*.

Zipfel *m* **1.** Penis. Fußt auf der Vorstellung von spitz Zulaufendem. *Oberd* 1600 *ff*.
2. Mann. Pars pro toto im Sinne des Vorhergehenden. *Oberd* seit dem 18. Jh.
3. dummer Mann. *Oberd* seit dem 18. Jh.
4. frecher Mann; Versager. *Oberd* seit dem 18. Jh.
5. nervöser ~ = nervöser Mann. *Südd* 1900 *ff*.

Zipfelmütze *f* eine ~ aufhaben = nichts merken; einfältig-dümmlich sein. Zusammenhängend mit der Mütze, die der „deutsche Michel" trägt. 1900 *ff*.

zipfig *adj* langweilig, schwunglos. *Oberd* Form des Folgenden. *Halbw* 1950 *ff*.

zipp *adj* **1.** schämig, schnippisch. Hergenommen von der unnatürlichen Aussprache mit zugespitztem Mund. *Nordd* 1700 *ff*.
2. müde. 1900 *ff*, *nordd* und Berlin.
3. nicht ~ sagen können = sich zieren; zimperlich tun. 1700 *ff*.
4. nicht mehr ~ sagen können = erschöpft sein. Seit dem 19. Jh.

Zipp *m* Reißverschluß. Gehört zu „zupfen". *Österr* 1930 *ff*.

Zippe *f* **1.** Frau. ↗Zibbe 1. *Nordd* und *ostmitteld*, seit dem 19. Jh.
2. Krankenpflegerin, -schwester. Meint vor allem die unfreundliche, hagere, unansehnliche Betreuerin. *BSD* 1965 *ff*.

Zippel *m* **1.** Penis. *Niederd* Form zu ↗Zipfel 1. 1900 *ff*.
2. *pl* = Schamlippen. 1920 *ff*.
3. Rufname des Hundes. Meint vor allem den kleinen Hund. 1900 *ff*.
4. kleiner Junge (Kosewort). 1900 *ff*.
5. dummer Mann. ↗Zipfel 3. Seit dem 19. Jh.
6. sich am ~ reißen = sich energisch aufraffen. Analog zu „↗Riemen 6". 1910 *ff*.

Zippelfransen *pl* kurze, gestutzte Haarsträhne (über der Stirn). Wohl Anlehnung an „↗Simpelfransen" unter Einfluß von „Zipfel". 1920 *ff*.

Zippelpiepel *m* nervöser, unruhiger Mann. Fußt auf „zippern = kurze Schritte machen; trippeln", formal angeglichen an „↗Piepel = Penis = Mann". Berlin 1920 *ff*.

Zippelziege *f* sich geziert benehmende weibliche Person. Gehört zu „↗zipp 1" im Sinn von „prüde" und „zippern = trippeln". Nordostdeutsch und Berlin, 1830 *ff*.

Zipper *m* ängstlicher, ruheloser Mensch. ↗Zippelpiepel. 1939 *ff*.

Zipperlein *n* **1.** Gelenkschmerzen; Gicht an Händen und Füßen. Gehört zu „zippern = trippeln" und spielt auf die Gangart der Erkrankten an. Seit dem 15. Jh.
2. das ~ haben = übernervös sein. 1920 *ff*.

Zips *m* **1.** Gicht. Verkürzt aus „Zipperlein". Seit dem 19. Jh.
2. Eßlust; Gelüsten. Gehört zu „ziepen = zupfen". *Vgl* ↗Zieps. Seit dem 19. Jh, Berlin.

zirbeln *intr* lüstern sein; Mädchen nachstellen. Mit Konsonantenumstellung zu „zippern = trippeln, zappeln" gehörig, vielleicht beeinflußt von „wirbeln = sich schnell im Kreis bewegen". 1950 *ff*.

Zirkel *m* böhmischer ~ = Diebstahl. Bezeichnung für die Gebärde des Einsackens: der rechte Daumen ist der eine Zirkelschenkel, die vier übrigen Finger beschreiben einen Kreis. Im 19. Jh in Österreich aufgekommen und von da nach Westen und Norden gewandert.

Zirkus *m* **1.** Aufregung, Gezänk; Durcheinander; übertriebene Umstände; steifes Zeremoniell; Salutieren; förmliche Erstattung einer Meldung. Von der Dressurvorführung, der Vorführung akrobatischer Leistungen, den Clownauftritten und dem gesamten Schaugepränge weiterentwickelt zur Vorstellung übertriebener Geschäftigkeit im Äußerlichen. 1900 *ff*, theaterspr. und *sold*.
2. Kurvenfliegen eines Flugzeugs. Es erinnert an die Dressurvorführung im Zirkus. Fliegerspr. 1935 *ff*.
3. Formaldienst. *BSD* 1965 *ff*.
4. Appell mit Uniformwechsel. *BSD* 1965 *ff*.
5. die den ausbildenden Lehrer begleitenden Lehramtskandidaten. 1945 *ff*, *schül* und lehrerspr.
6. Klublokal. Anspielung auf das ausgelassene Treiben: es geht „↗rund" wie in der Manege. *Halbw* 1955 *ff*.
7. ~ Karajani = Neubau der Philharmonie in West-Berlin. Der Bau wirkt zeltartig. Anspielung auf Herbert von Karajan, den Chefdirigenten der Berliner Philharmoniker (seit 1955); angelehnt an den in Dresden beheimateten, früheren Zirkus Sarrasani. 1963 *ff*.
8. der ganze ~ = all die Betriebsamkeit; all der (Arbeits-)Aufwand *(abf)*. 1900 *ff*.
9. verlogener ~ = heuchlerische Geschäftigkeit. 1950 *ff*.
10. einen ~ aufführen = sich heftig aufregen; sich fassungslos gebärden (ohne es zu sein). 1920 *ff*.
11. ~ fliegen = rundfliegen. ↗Zirkus 2. *Sold* 1935 *ff*.
12. ~ machen = Umstände, Schwierigkeiten machen. 1939 *ff*.

13. mit jm ~ machen = jn beim Strafexerzieren schikanös behandeln. So stellt der Laie sich die Behandlung des zur Dressur bestimmten Tieres vor. *Sold 1939 ff.*

14. um jn einen ~ machen = um jn eine vielseitige Reklametätigkeit entfalten. *1950 ff.*

15. sich selber ~ vormachen = sich selbst belügen. *1950 ff.*

Zirkusfritze m Zirkusbesitzer, -angestellter. ↗Fritze. *1900 ff.*

Zirkushase m alter ~ = erfahrener Mitarbeiter eines Zirkus. ↗Hase 7. *1920 ff.*

Zirkuslivree f Ausgehuniform mit glänzenden Knöpfen und silbernen Schnüren. Sie erinnert an die Tracht der Zirkusdiener. *Sold 1935 ff.*

Zirkusmanege f Turnhalle. *Schül 1960 ff.*

Zirkuspferd n **1.** Mensch, der beim Arbeiten seine Wirkung auf Zuschauer beachtet; Künstler im Schaugeschäft. *1950 ff.*

2. Straßenprostituierte. Sie tänzelt die Straßen auf und ab und achtet auf gewerbegemäß vorteilhafte Wirkung. *1950 ff.*

3. sich aufputzen (aufdonnern) wie ein ~ = sich geschmacklos kleiden. *1950 ff.*

Zirkusschau (-show) f Manöver. *BSD 1965 ff.*

Zirkusschnulze f rührseliger Zirkusfilm o. ä. ↗Schnulze 1. *1955 ff.*

Zirpe f Sängerin mit schwacher Stimme. Sie zirpt wie eine Grille. *1910 ff.*

zirpen tr einen ~ = ein Glas Alkohol zu sich nehmen. Analog zu ↗zwitschern. *1920 ff.*

Zirze f flaue ~ = nettes, aber geschlechtlich abweisendes Mädchen. ↗bezirzen. Das betreffende Mädchen wirkt zwar verführerisch, läßt sich aber nicht verführen. „Flau" heißt in der Börsensprache soviel wie „lustlos". *1960 ff, halbw.*

Zisch m **1.** Alkoholmenge. ↗zischen 3. *1950 ff.*

2. Brauselimonade o. ä. Beim Öffnen der Flasche entsteht ein zischendes Geräusch. *1950 ff, halbw.*

3. seinen täglichen ~ haben = seine übliche Tagesmenge an Alkohol getrunken haben. *1950 ff.*

zischen v **1.** *intr* = harnen. Schallnachahmender Natur. Seit dem 19. Jh.

2. es zischt bei ihm = er ist nicht recht bei Verstand. Sein „Denkmechanismus" ist heißgelaufen; aus seinem Kopf entweicht der Überdruck oder „nichts als heiße Luft". *1910 ff, schül und stud.*

3. einen ~ = ein Glas Alkohol trinken. „Zischen" gibt lautmalend das Geräusch wieder, das entsteht, wenn eine kalte Flüssigkeit auf einen heißen Gegenstand trifft. Das Bier „zischt", wenn es auf den „↗Brand" im Hals trifft. Seit dem frühen 20. Jh, *sold, stud,* gaststättenspr. u. a.

4. das Bier zischt = das Bier löscht den Durst. *1900 ff.*

5. *intr* = üble Nachrede führen; anzüglich reden. Eigentlich soviel wie „zischend flüstern"; gern bezogen auf das Zischen giftiger Schlangen. *1900 ff.*

6. *intr* = schnell fahren; eilen; schnell laufen; im Düsenflugzeug fahren. Schallnachahmung. *1950 ff, halbw.*

7. jm eine ~ = jn heftig ohrfeigen. Die schnell geschwungene Klinge, Sense, Peitsche oder auch Geschosse erzeugen ein zischendes Geräusch; von da übertragen auf die heftige Ohrfeige. *1930 ff.*

8. gleich zischt es = gleich gibt es Prügel. *Vgl* das Vorhergehende. *Schül 1930 ff.*

9. jm eine ~, daß die Schuhe allein dastehen = jm einen heftigen Schlag versetzen, so daß er niederstürzt. *1950 ff,* Berlin, *jug.*

Zischer m flotter ~ = angenehm zu trinkendes alkoholisches Getränk. ↗zischen 3. *1950 ff.*

Zischglas n zylindrisches Bierglas. ↗zischen 3. *1960 ff,* werbetexterspr.

Zischkonzert n anhaltendes Zischen vieler unzufriedener Leute. Zischen = sich erbost äußern. *1920 ff.*

Zischröhre f schlankes, hohes Glas für Bier oder Limonade. ↗zischen 3; ↗Röhre 9. *Halbw 1955 ff.*

Zisla'weng m ↗Cislaweng.

Zispen *pl* hohe Stiefel (Uniform-Schaftstiefel). Geht zurück auf *ung* „csizma = Stiefel", vielleicht beeinflußt von *mhd* „zispen = schleifend gehen". *1820 ff, bayr.*

Zi'tateles m Mensch, der in Zitaten zu schwelgen liebt. Der Name Aristoteles ist hier von „Zitat" überlagert. *1930 ff.*

Zitatenfriedhof m Mensch, der gern in Zitaten spricht; Text, in dem Zitate aller Art (Bibelsprüche) vorkommen. *1955 ff.*

Zitatenheini m Mensch, der gern Zitate verwendet. ↗Heini. *1950 ff.*

Zitaterich m Mensch, der sich Aussprüche anderer zunutze macht. *1910 ff.*

Zither f ~ spielen = intim betasten. *1900 ff.*

zithern *intr* Zither spielen. *1900 ff.*

Zitherspieler m **1.** Mann, der die Frau intim betastet. *1900 ff.*

2. Gefängnisbeamter, der mit einem Stück Eisen über die Gitterfenster der Zellen fährt, um am Klang zu hören, ob ein Stab angefeilt ist. *1920 ff.*

Zitrone f **1.** ausgepreßte (ausgequetschte) ~ = a) Mensch, der all sein Geld hergegeben hat. *1850 ff.* – b) ausgemergelter energielos gewordener Mensch. *1850 ff.*

2. ein Gesicht, sauer wie eine unreife ~ = mürrischer Gesichtsausdruck. ↗sauer 1. *1950 ff.*

3. jn wie eine ~ auspressen (ausquetschen) = a) jn gründlich ausfragen, scharf verhören. Seit dem 19. Jh. – b) jn schröpfen, arm machen; jm das Letzte abnehmen; jn im Kartenspiel gründlich besiegen. *1900 ff.* – c) jm sehr hohe Steuern abverlangen. *1920 ff.* – d) jm einen körperlich anstrengenden Dienst abverlangen. *Sold 1939 ff.*

4. jn fallen lassen wie eine ausgepreßte ~ = sich von jm plötzlich trennen; jm die Gunst entziehen. *1950 ff.*

4 a. in eine ~ gebissen haben = lustig sein. Fußt

t mal ab —
trink DAB

Frische Zischblumen . . .

allseits beliebte Tischdekoration.
Zum Zuprosten. Zum Zischen. Zum Auftischen:
Dortmunder Actien-Bier. (Männer sagen knapp: DAB)
würzig, frisch – für Freunde schöner Blumen.

Dortmunder Actien Bier

auf dem Sprichwort „sauer macht lustig". 1920 *ff.*

5. mit ~n handeln = ein aussichtsloses Geschäft eingehen; einen Fehlschlag erleiden; einen wichtigen Umstand außer acht lassen. Der Benachteiligte zeigt kein freundliches Gesicht. *Vgl* ↗Zitrone 2. 1915 *ff.*

6. sauer prekeln wie eine ~ = eine aufgetragene Arbeit unwillig verrichten. „Prekeln" ist Nebenform zu „prickeln = stechen, stochern". *Sold* 1940. – b) übellaunig, mürrisch, abweisend sein. *Sold* 1940 *ff.*

7. das ist (damit ist es) ~ = das ist gescheitert. Analog zu „damit ist es ↗Essig". 1950 *ff.*

8. jm eine ~ überreichen = sich gegenüber jm niederträchtig äußern; auf jn bösartig-anzügliche Bemerkungen machen. Zitrone = saure Sache; Unfreundlichkeit. 1933 *ff.*

Zitronenfalter *m* **1.** *pl* = Nachrichten-, Fernmeldetruppe. Wegen der zitronengelben Waffenfarbe. *Sold* 1939 bis heute.

2. *sg* = Büstenhalter ohne Träger für ein junges Mädchen. Anspielung auf feste, spitze Brüste wegen der Formähnlichkeit mit halbierten Zitronen. Die BH-Körbchen erinnern an Schmetterlingsflügel. *Halbw* 1950 *ff.*

Zitronenfragen *pl* eingehende Wissensfragen. Der Befragte wird „ausgepreßt wie eine ↗Zitrone 3". *Schül* 1965 *ff.*

Zitronenfresse *f* mißmutiger, verdrossener Ge-

Die „Zischblume" kam nicht zum Blühen und gehört so zu den Wortschöpfungen der Werbung, denen der Eingang in die Umgangssprache (bis jetzt) verwehrt blieb. Volkstümlichkeit und Popularität lassen sich also doch noch nicht so genau vorausplanen, wie man das wohl gerne hätte. Dabei schienen die Voraussetzungen ja nicht einmal schlecht zu sein, denn das lautmalerische Zisch (vgl. **Zisch 1., 3. und zischen 3., 4.**) *und die hier den Bierschaum meinende Blume (vgl.* **Blume 2., 3.**) *gehören schon seit langem zum Vokabular eines Biertrinkers. Vielleicht lag's aber auch daran, daß die eher poetische Blume sich nur sehr schwer mit dem schrillen Zisch verträgt – ein Hindernis, das einem anderen, ebenfalls der Werbesprache entwachsenen Kompositum, dem allerdings recht profanen* **Zischglas**, *nicht im Wege stand. Räumte man noch eine andere Barriere beiseite, jenen Zusammenhang nämlich, aus dem ein Zitat besser nicht gerissen werden sollte, so könnte man es hier auch mit Novalis halten, in dessen „Heinrich von Ofterdingen" die folgende Stelle zu finden ist: „Findet man in der Einsamkeit eine solche Blume, ist es dann nicht, als wäre alles umher verklärt und hielten sich die kleinen befiederten Töne am liebsten in ihrer Nähe auf* (**zwitschern**). *Man möchte vor Freuden weinen und abgesondert von der Welt nur seine Hände und Füße in die Erde stecken, um Wurzeln zu treiben und nie diese glückliche Nachbarschaft zu verlassen."*

sichtsausdruck. Von der sauren Zitrone auf das „saure" Gesicht übertragen. ↗sauer 1; ↗Fresse 1. 1920 *ff.*

Zitronengelbe *pl* Fernmeldetruppe. Wegen der zitronengelben Waffenfarbe. *BSD* 1965 *ff.*

Zitronengesicht *n* verdrossene Miene. ↗Zitronenfresse. 1920 *ff.*

Zitronenköpfe *pl* Feldjäger. Die Waffenfarbe ist gelb-orange. *BSD* 1968 *ff.*

Zitronenmethode *f* gründliches Ausfragen. ↗Zitronenfragen. 1965 *ff.*

Zitronenpresse *f* sehr strenger Vernehmungsoffizier. ↗Zitrone 3 a. Kriegsgefangenenspr. 1943 *ff* (Ostfront).

Zitronenpresser *m* vernehmender Polizeibeamter. ↗Zitrone 3 a. *Halbw* 1960 *ff.*

zitronensauer sein sehr verärgert, beleidigt sein. Verstärkung von „↗sauer 1". 1955 *ff.*

Zitronenschüttler *m* Italiener. In volkstümlicher Vorstellung schüttelt er zu Hause die Zitronen von den Bäumen. 1960 *ff.*

Zitronenstiefel *m* Italien. ↗Stiefel 24. 1920/30 *ff.*

Zitro'nese *m* Italiener. Hergenommen vom Zitronenreichtum Italiens. Wortbildung nach dem Muster von Balkanese, Chinese, Irokese u. ä. *Sold* 1939 *ff.*

Zitro'nesien *Ln* Italien. *Sold* 1939 *ff.*

Zi'tronien *Ln* Italien. 1955 *ff.*

Zitsch (Zitschwasser) *m (n)* Zitronenlimonade. Erscheint zusammengezogen aus „Zitrone" und „↗Zisch 2". Seit dem frühen 20. Jh.

Zitteraal *m* **1.** Schlagersänger, der seinen Gesangsvortrag mit Gliederverrenkungen begleitet. 1955 *ff.*

2. sehr nervöser Mensch. 1955 *ff.*

3. alter Mann (mit Schüttellähmung). 1955 *ff.*

Zitterakrobat *m* Twist-Tänzer. Anspielung auf die Körperverrenkungen. 1962 *ff.*

Zitterbalken *m* Schwebebalken. 1950 *ff.*

Zitterbraut *f* Motorradmitfahrerin. 1930 *ff.*

Zitterfleisch *n* Sülze. Seit dem frühen 20. Jh.

Zitterflossen *pl* zitternde, rheumatische Hände. ↗Flosse 1. 1920 *ff.*

Zittergroschen *pl* **1.** Frontzulage. *Sold* 1939 *ff.*

2. Steuervergünstigung für Berliner Betriebe. 1950 *ff.*

Zitterjule *f* Motorradmitfahrerin. ↗Jule. 1920 *ff.*

Zitterkaffee *m* Bohnenkaffeezuteilung an die Zivilbevölkerung nach einem Bombenangriff. Aufgefaßt als Entschädigung für die ausgestandene Angst. 1943 *ff*, ziv.

Zitterloch *n* intime Freundin. ↗Loch 17; ↗zittern 3. *Halbw* 1962 *ff.*

Zittermasche *f* Zittertanz, Twist-Tanz o. ä. ↗Masche 1. 1960 *ff.*

Zittermuse *f* Freilicht-Theateraufführung bei kühler Witterung. Man zittert vor Kälte. 1970 *ff.*

zittern *intr* **1.** Zither spielen. ↗zithern. 1950 *ff.*

2. davongehen, -eilen. Man geht mit unsicheren,

hastigen Bewegungen. 1870 *ff.*

3. koitieren. ↗Schuß 48. 1910 *ff.*

4. ich kann nicht so schnell ~, wie ich friere = mich friert es sehr. 1930 *ff, sold* und *ziv.*

5. mit ~ nicht nachkommen (nicht Schritt halten) = sehr stark zittern (vor Kälte oder Angst). 1930 *ff.*

6. eine Zwei zittert im Zeugnis = man hat im Zeugnis (nur) eine Zwei. Sie bietet dem Schüler keine Sicherheit auf Versetzung angesichts der anderen, schlechteren Noten. *Schül* 1955 *ff.*

7. einen ~ = ein Glas Alkohol zu sich nehmen. Man tut es wohl schon mit zittriger Hand. 1955 *ff.*

Zitterpappel *f* Schauspielerin in sehr unbedeutender Nebenrolle. Sie „zittert" nur selten über die Bühne und „pappelt" nur wenige Worte. Theaterspr. 1930 *ff.*

Zitterpartie *f* Bangen um den Ausgang einer Wahl, besonders für eine Partei, die möglicherweise keinen Parlamentssitz mehr erringen kann. *Journ* und politikerspr., 1984 aufgekommen im Anschluß an ↗Zitterspiel.

Zitterprämie *f* Gefahrenzulage. 1960 *ff.*

Zitterpudding *m* Gelatine-Pudding; „Götterspeise". 1900 *ff.*

Zitterrochen *m* **1.** Mann, der vor Angst oder aus Übernervosität zittert. Dem Namen des Fisches unterlegte neue Bedeutung. 1939 *ff, sold* und *ziv.*

2. vor Kälte zitternder Badender. 1950 *ff.*

3. Schlagersänger, der seinen Gesangsvortrag mit Zitterbewegungen begleitet. 1955 *ff.*

Zitterröhre *f* Fernsehgerät. Anspielung auf das Flimmern des Bildes in der Anfangszeit. 1955 *ff.*

Zitterschnaps *m* Sonderzuteilung von Schnaps nach einem schweren Bombenangriff. *Vgl* ↗Zitterkaffee. *Ziv* 1943 *ff.*

Zitterspiel *n* **1.** über den Abstieg in die Regionalliga entscheidendes Fußballspiel. *Sportl* 1960 *ff.*

2. Fußballspiel, bei dem der Sieg der eigenen Mannschaft bis zum Schluß fraglich ist. *Sportl* 1960 *ff.*

Zitterstunde *f* **1.** im Luftschutzbunker verbrachte Stunde. 1940 *ff, ziv.*

2. Unterrichtsstunde, auf die man nicht hinreichend vorbereitet ist oder für deren Lehrstoff man keine Begabung hat (zu haben meint). 1950 *ff.*

3. *pl* = Prüfungen in der Schule. 1960 *ff.*

Zittertänze *pl* moderne Tänze (Boogie Woogie, Rock'n'Roll, Twist u. a.). 1950 *ff.*

Zittertorwart *m* unsicherer, ängstlicher Torwart. *Sportl* 1960 *ff.*

Zittertruppe *f* Beatles u. a. 1960 *ff.*

Zitterware *f* Sonderzuteilung von Genußmitteln an die Zivilbevölkerung nach Fliegerangriffen. 1943 *ff.*

Zitterwinter *m* Winter mit Heizmaterialmangel. 1940 *ff.*

Zitterwochen *pl* Flitterwochen. ↗zittern 3. 1935 *ff.*

Zitzen *pl* **1.** Frauenbrüste. Eigentlich das Euter der Säugetiere. 1600 *ff.*

2. wüste ~ = unvorteilhafte, pralle Brüste. 1920 *ff.*

Zitze'rine *f* vollbusige weibliche Person. *Vgl* das Vorhergehende. 1950 *ff.*

Zitzerl *n* Kleinigkeit; Stückchen. Meint eigentlich die kleine Brustwarze, dann auch jedes kleine Ding. Sachverwandt mit ↗Tüttelchen. *Bayr* und *österr,* 1800 *ff.*

zitzerlweise *adv* in kleiner Menge; nacheinander (die Gäste trafen zitzerlweise ein). *Vgl* das Vorhergehende. *Bayr* und *österr,* seit dem 19. Jh.

zitzern *intr* sich über etw entrüsten. Man stößt den Laut „ts, ts" aus. 1930 *ff.*

Zivi *m* **1.** Polizeibeamter in Zivil; Zivilfahnder. Hieraus verkürzt. 1975 *ff.*

2. Zivildienstleistender. 1975 *ff.*

Zivil *n* in ~ umsteigen = die Uniform gegen Zivilkleidung vertauschen. Übertragen vom Wechsel des Verkehrsmittels, beeinflußt von „(in die Hosen) steigen", „(in die Ärmel) fahren". *Sold* 1930 *ff.*

Zivilbrocken *pl* Zivilkleidung. ↗Brocken. 1930 *ff.*

Zivilbruder *m* Zivilist *(abf). BSD* 1965 *ff.*

Zivilbulle *m* ziviler Verwaltungsbeamter in Diensten der Bundeswehr. ↗Bulle 1. *BSD* 1965 *ff.*

Zivilcourage (Grundwort *franz* ausgesprochen) *f* Bürgermut; Mut zur eigenen Überzeugung im

Zivilcourage *ist ein Lehnwort; eine Gleiches ausdrückende deutsche Vokabel gibt es nicht. Also ein weiteres (diesmal semantisch fundiertes) Indiz dafür, daß es den „häßlichen Deutschen" doch gibt? (Vgl. dazu die rechts wiedergegebene Titelseite der Illustrierten „Stern"). Eine solche Argumentation griffe indes wohl zu kurz: Zivilcourage setzt eine „bürgerliche Gesellschaft" voraus, die sich als Pendant zur Obrigkeit versteht und nach einer Politik im Namen der Moral verlangt. Diese eher anthropologische Position ist bereits bei I. Kant (1724–1804), der in seiner berühmten „Beantwortung der Frage: Was ist Aufklärung?" Faulheit und Feigheit als Ursachen träger Unmündigkeit hinstellte, theoretisch ausgebildet. Und auch G. W. F. Hegel (1770–1831) faßte die der bürgerlichen Gesellschaft vorausgegangenen und in ihr aufgehobenen Rechtsformen mit der Kategorie der Sittlichkeit. In einer solchen Idealgestalt entwickelte sich diese Gesellschaft allerdings nur in den Köpfen ihrer Apologeten. Die Praxis ging ganz andere Wege. „Deutschland überhaupt, dem bis 1918 keine bürgerliche Revolution gelungen war, ist im Unterschied zu England, gar Frankreich das klassische Land der Ungleichzeitigkeit, das ist, der unüberwundenen Reste älteren ökonomischen Seins und Bewußtseins ... der Sieg der Bourgeoisie (bildete sich) nicht einmal wirtschaftlich, geschweige politisch und ideologisch im gleichen Maß aus" (Ernst Bloch, Erbschaft dieser Zeit).*

bürgerlichen Leben. Wortprägung von Bismarck, 1864.

zivilkouragiert (*dt-franz* ausgesprochen) *adj* politisch beherzt als Bürger. Seit dem 19. Jh.

Zivilfahnder *m* Polizeibeamter in Zivil. Eigentlich der Steuer- oder Zollfahnder. 1960 *ff.*

Zivilfurzer *m* höherer Beamter in ziviler Dienststelle. ↗ Furzer. 1930 *ff.*

Zivilgelump *n* Zivilkleidung. ↗ Gelump 1. 1870 *ff.*

Zivilheini *m* Zivilist. ↗ Heini. *Sold* 1939 *ff.*

Zivilhelm *m* Zylinderhut; steifer Hut; Hut. Zivilistisches Konkurrenzwort zum militärischen „Helm". In Berlin aufgekommen und südwärts gewandert; 1840 *ff.*

Zivilisation *f* achtlos weggeworfenes Papier; an Raststätten zurückgelassene Bierflaschen, Konservendosen usw. Ein anklägerisches Hohnwort, in den dreißiger Jahren des 20. Jhs aufgekommen.

Zivilisationsmöbel *n* Fernsehgerät. 1958 *ff.*

zivilisationsscheu sein *n* während des Urlaubs im Zelt übernachten. 1960 *ff.*

Zivilisationsstrippe *f* Krawatte. ↗ Kulturstrippe. *BSD* 1965 *ff.*

Zivilist *m* **1.** Soldat, der sich unmilitärisch benimmt. *Sold* 1900 bis heute.

2. ~ mit mildernden Umständen = Reserveoffizier. Die „mildernden Umstände" bestehen in der Tatsache, daß er von Zeit zu Zeit wieder militärischen Dienst wahrnimmt. 1900 *ff.*

3. gelernter ~ = unmilitärischer Mann; Mann, der für Wehrmacht, Wehrdienst usw. keinen Sinn hat. *Sold* 1939 *ff.*

4. verkleideter ~ = Soldat, der trotz Uniform in seinem Empfinden, Denken und Handeln Zivilist bleibt (bleiben möchte). *Sold* 1939 *ff.*

5. ~ gesehen, – ganzer Tag versaut!: Kraftwort eines Soldaten, der Zivilisten für minderwertig hält. Dem einstigen preußischen Offiziersjargon nachgeahmt. *BSD* 1965 *ff.*

Zivilklamotten *pl* Zivilkleidung. ↗ Klamotte 7. 1920 *ff.*

Zivilkluft *f* **1.** Eigentumsuniform des Soldaten. ↗ Kluft. 1870 *ff.*

2. Zivilkleidung. *Sold* 1914 *ff.*

Zivil-Lump *m* Zivilist *(abf).* ↗ Lump 1. *BSD* 1965 *ff.*

Zivilpelle *f* Zivilkleidung. ↗ Pelle 2. *Sold* 1914 bis heute.

Zivilpenner *m* ziviler Truppenverwaltungsbeamter. Er gilt als Büroschläfer; ↗ pennen. *BSD* 1965 *ff.*

Zivilstratege *m* Zivilist, der sich in Dingen der Kriegsführung ein Urteil anmaßt. 1914 *ff.*

Zivilstrick *m* Langbinder. ↗ Kulturstrick. *BSD* 1965 *ff.*

Zivi'lunke (Zi'villunke) *m* Zivilist; ziviler Truppenverwaltungsbeamter. Kann zusammengezogen sein aus „ziviler ↗ Halunke" oder hängt zusammen mit „Lunken = Lumpen". 1939 *ff.*

Zivilversager *m* Längerdienender; Zeitsoldat. Gehässig nimmt man an, er habe sich weiterverpflichtet, weil er im zivilen Leben ein Nichtskönner sei. *BSD* 1965 *ff.*

zobeln *tr* **1.** jn an den Schläfenhaaren ziehen. Nebenform zu „zupfen". 1700 *ff, oberd.*

2. jn necken, veralbern. Meint soviel wie „sticheln; jn an seinen Eigentümlichkeiten zupfen". 1900 *ff, schül.*

zockeln (zuckeln) *intr* **1.** langsam traben; schlendern. Beruht auf mundartlicher Weiterbildung zu „ziehen". Seit dem 18. Jh.

2. langsam fahren. Seit dem 19. Jh.

Zockeltempo *n* mäßige Geh-, Fahrgeschwindigkeit. 1900 *ff.*

Zockeltrab *m* langsame Gangart des Pferdes. ↗ zockeln 1. Seit dem 18. Jh.

zocken *intr* **1.** Glücksspiel betreiben. Fußt auf *jidd* „zachkenen, zchoken = spielen". Berlin seit dem

So manche Wendung der Soldatensprache widerlegt das beliebte Schlagwort vom Soldaten als „Bürger in Uniform" aufs gründlichste. Das schnoddrig-überhebliche „Zivilist gesehen – ganzer Tag versaut", wohlgemerkt: geprägt 1965 (vgl. **Zivilist 5.**)*, zeugt davon, daß nicht wenige der ehemaligen Wehrmachtssoldaten, ohne die die Bundeswehr nicht auszukommen glaubte, dort nicht nur ihre alten Erfahrungen einbrachten, sondern auch ihre alten Gesinnungen. Die besseren, die uniformierten Menschen schauen noch immer von den Höhen, auf die ihr Dünkel sie trägt, auf* **Zivi-Lump** *und* **Zivilunke** *herab.*

späten 19. Jh; später auch in anderen Großstädten geläufig.

2. musizieren; Gitarre spielen. „Zocken" gehört zu „ziehen" und spielt hier auf das Zupfen der Saiten an. *Halbw* 1950 *ff.*

3. Petting betreiben. Versteht sich nach dem Vorhergehenden. *Halbw* 1950 *ff.*

4. Fußball spielen. Kindurspr. 1920, Essen.

Zocker *m* **1.** Glücksspieler. ↗zocken 1. 1870 *ff,* Berlin u. a.

2. Handtaschenräuber. Polizeispr. 1960 *ff.*

Zockerwinde *f* Lokal, in dem Glücksspiel betrieben wird. ↗Zocker 1; ↗Winde 2. Polizeispr. 1960 *ff.*

Zockung *f* Glücksspielen. ↗zocken 1. 1960 *ff.*

'zock'zock *interj* Ausruf zur Beschleunigung. Gehört zu „zocken = ziehen" (den Läufer feuert man mit dem Zuruf „zock!" an), ist aber wohl von „↗zackzack" beeinflußt. Fliegerspr. 1935 *ff.*

Zoff *m* **1.** Unfrieden, Händel, Streit, Wut. Stammt aus *jidd* „zoff = Ende" und meint wohl das Ende der Freundschaft, des Einvernehmens. 1850 *ff.* Neuerdings eine beliebte Halbwüchsigenvokabel.

2. mieser ∼ = schlechter Ausgang eines Geschäfts, eines Rechtsstreits o. ä. ↗mies. 1920 *ff.*

3. ∼ machen = a) Schluß machen. 1920 *ff.* – b) Widerstand leisten; Ausschreitungen veranlassen; Streit suchen. 1950 *ff.*

Zöliba'tesse *f* Haushälterin eines katholischen Geistlichen. Der „Hostesse", „Politesse" u. ä. nachgeahmt mit Anspielung auf „Zölibat". 1970 *ff.*

Zölibatsverstärker *m* **1.** unansehnliches Mädchen. Es erleichtert dem katholischen Geistlichen die Einhaltung des Keuschheitsgelübdes. 1960 *ff.*

2. unsympathische Pfarrhaushälterin. 1960 *ff,* theologenspr.

Zoll *m* den ∼ unbeanstandet passiert haben = als Prostituierte die amtsärztliche Kontrolluntersuchung ohne Befund einer Geschlechtskrankheit überstanden haben. Berlin 1925 *ff.*

Zolleintreiber *m* Bettler. Zur Sache *vgl* „↗Zins 3". 1900 *ff,* rotw.

Zollheini *m* Zollbeamter. ↗Heini. 1950 *ff.*

Zollhengst *m* Zollbeamter. ↗Hengst. 1900 *ff.*

Zollmensch *m* Zollbeamter. 1920 *ff.*

Zollmops *m* Zollbeamter. „Mops" meint entweder den mürrischen oder den dicklichen Menschen. Vielleicht beeinflußt von „↗Zahlmops" und/oder „Rollmops". 1950 *ff.*

Zollschein *m* polizeiliches Prostituierten-Kontrollbuch. ↗Zoll. Berlin 1925 *ff.*

Zoo *m* **1.** Kaserne. Aufgefaßt als Tiergehege und als ein Stück vom „Tiergarten Gottes". ↗Tiergarten. *BSD* 1965 *ff.*

2. Bordell. *BSD* 1965 *ff.*

3. ∼ zu, Affe tot!: Schluß! Polizeistunde! ↗Bude 15. 1945 *ff.*

Zoo-Diner (Grundwort *franz* ausgesprochen) *n*

Gala-Essen. Versteht sich als „↗Abfütterung" gefräßigen Viehs. 1933 *ff.*

Zoohandlung *f* Biologiesaal in der Schule. 1950 *ff.*

Zopf *m* **1.** Alkoholrausch. Analog zu ↗Haarbeutel. Der Zopf war die Haartracht der Männer seit dem 18. Jh; durch König Friedrich Wilhelm I. im preußischen Heer eingeführt, wurde er im Lauf des Jhs bürgerlich. Etwa seit 1800.

2. starres Festhalten an Überkommenem (Veraltetem). Aufgekommen gegen Ende des 18. Jhs, als der Zopf zum Sinnbild der befehdeten Herrschaftsschicht wurde.

3. fortschrittsfeindlicher Mensch. Seit dem 19. Jh.

4. Oberstudiendirektor. Man hält ihn für einen Gegner modernen Geistes. *Schül* 1890 *ff, österr.*

5. alter ∼ = bejahrter „weiblicher" Typ des Homosexuellen. Er fühlt sich als „Dame". 1960 *ff.*

6. einen ∼ abschneiden = überalterte Gewohnheiten abschaffen. Seit dem 19. Jh.

7. das hat keinen ∼ = das hat keinen Zweck. „Zopf" meint hier den Baumwipfel, die Baumspitze. *Südwestd* 1900 *ff.*

8. einen ∼ heimschleifen = betrunken sein. ↗Zopf 1. 1800 *ff.*

zopfen *tr* etw stehlen. Nebenform zu „zupfen = ziehen, heranziehen". *Rotw* seit dem späten 17. Jh, vorwiegend *oberd.*

Zopfgöre *f* Schulmädchen (auch ohne Zopf). ↗Göre. Berlin 1920 *ff.*

zopfig *adj* **1.** altertümlich, altmodisch. ↗Zopf 2. Seit dem 19. Jh.

2. kleinlich, engherzig. 1900 *ff.*

Zopfigkeit *f* Fortschrittsfeindlichkeit; Pflege veralteter Gewohnheiten und Ansichten. ↗Zopf 2. Seit dem 19. Jh.

Zopfmensch *n* alte Jungfer; altmodisch denkende Frau. ↗Mensch II. „Zopf" spielt doppeldeutig auf die Zopffrisur und auf „↗Zopf 2" an. 1935 *ff.*

Zopp *m* **1.** Streit, Zank. *Niederd* Form von „↗Zoff". Seit dem 19. Jh.

2. jm einen ∼ machen = jm ernste Vorhaltungen machen; jm ins Rede stellen. Seit dem 19. Jh.

zoppen *v* **1.** *tr* = etw ziehen. *Niederd* Entsprechung von *hd* „zupfen". 1500 *ff.*

2. *tr* = etw eintunken. *Westd* 1500 *ff.*

3. *tr intr* = koitieren. Versteht sich nach dem Vorhergehenden. 1900 *ff.*

4. *tr* = etw stehlen. ↗zopfen. *Rotw* seit dem frühen 19. Jh.

5. es (sie) gezoppt kriegen = geprügelt werden. ↗überziehen 1. *Westd* seit dem 19. Jh.

Zopper *m* **1.** Dieb. ↗zoppen 4. Seit dem frühen 19. Jh.

2. Bettler. Er zieht einen am Ärmel, um auf sich aufmerksam zu machen. *Österr* 1920 *ff, rotw.*

Zores *m* **1.** Durcheinander; überflüssige Umstände; Bedrängnis; Ärger; Streit o. ä. Stammt aus *jidd* „zaar = Angst, Not". Um 1800 im *Rotw* aufgekommen, vorwiegend *westd* und *oberd.*

2. Gesindel. Geht zurück auf *jidd* „zoir = Geringer, Niedriger". 1800 *ff, oberd* und *mitteld.*

Zorn *m* **1.** im ~ erschaffen sein = den Menschen zum Schaden erschaffen sein; unausstehlich sein. Zur Erläuterung *vgl* „↗Gott 21". 1900 *ff.*
2. ~ in der Brieftasche haben = kein Geld besitzen. 1930 *ff.*
3. er raucht vor ~ = er ist sehr zornig. Hängt nicht mit Tabakwaren zusammen, sondern versteht sich nach „↗rauchen 9". 1900 *ff, bayr.*
4. ~ schnauben = wütend sein. 1800 *ff.*

Zornbengel *m* zorniges, jähzorniges, eigensinniges Kind. ↗Bengel 4. Seit dem 19. Jh.

Zornbinkel *m* rasch aufbrausender Mensch. „Binkel" meint entweder „Bündel" (der Betreffende ist ein „Zornbündel", wie man ja auch ein „↗Nervenbündel" sein kann) oder „Beule" (etwa „Giftbeule"; „sich vor Zorn aufblähen"). *Bayr* und *österr*, seit dem 19. Jh.

Zorngickel *m* zorniger Mann. Eigentlich der wütende Hahn. Gickel = Gockel. *Rhein* und *hess*, seit dem 19. Jh.

Zorn-Igel *m* zorniger Mensch. Daß der Igel die Stacheln aufrichtet, wird ihm als Ausdruck des Zorns ausgelegt. 1600 *ff.*

Zornnickel *m* wütender, jähzorniger Mensch. Entweder volksetymologisch aus dem Vorhergehenden entstellt oder zusammenhängend mit „↗Nikkel 2". *Oberd* und *mitteld*, 1700 *ff.*

Zornpulver *n* Schnaps. Entweder meint man, in ihm seinen Zorn ertränken zu können, oder er bringt den Zorn erst zum Ausbruch. 1969 *ff*, kellnerspr.

Zossen (Zosse) *m* **1.** Pferd. Geht zurück auf *jidd* „sus = Pferd" und ist über *rotw* Vermittlung (1754 *ff*) zu den Soldaten 1870/71 gewandert. Seither vorwiegend Berlin und *sächs.*
2. Schiff, Kriegsschiff. Es gilt als braves Pferd, das „auf den Wellen" reitet. *Marinespr* in beiden Weltkriegen.
3. Kraftfahrzeug. ↗Benzinpferd. 1950 *ff.*
4. übergroßer, eindrucksvoller Gegenstand. 1930 *ff.*

Zoten *pl* ~ reißen = unanständige Witze erzählen. ↗Witz 24. *Stud* seit dem Ende des 18. Jhs.

Zoto'loge *m* **1.** Zoologe. *Stud* Wortwitzelei seit dem späten 18. Jh.
2. Freund von Zoten. Seit dem 19. Jh.

Zotolo'gie *f* **1.** Zoologie. ↗Zotologe 1. Seit dem 19. Jh.
2. Freude an Zweideutigkeiten (erotisch-unsittlicher Prägung). Seit dem 19. Jh.

zotologisch *adj* zotig. 1870 *ff.*

Zotologischer Garten *m* Zoologischer Garten. ↗Zotologe 1. Seit dem 19. Jh.

Zotte *f* **1.** *pl* = Haare; ungepflegte Frisur. Meint eigentlich das lange, lang herabhängende Tierhaar, auch den Flausch von Haaren, die Schambehaarung. Seit dem 13. Jh.

2. *sg* = nachlässiges, unsauberes Mädchen. Seit dem 19. Jh.
3. *sg* = Schimpfwort auf eine weibliche Person. Seit dem 19. Jh.
4. *sg* = Prostituierte niederster Art. Seit dem 19. Jh.
5. alte ~ = Frau *(abf)*. Seit dem 19. Jh.

Zottel *f* **1.** *pl* = lange, ungekämmte Haare; strähnig herabhängendes Haar. Verkleinerungsform von ↗Zotte 1. Seit dem 13. Jh.
2. *sg* = unordentlich, unsauber gekleidete weibliche Person; Frau mit wirren Haaren. Seit dem 19. Jh.

Zottelbär *m* Mann mit ungepflegtem Äußeren. Seit dem 19. Jh.

Zottelbart *m* **1.** ungepflegter Bart. Seit dem 19. Jh.
2. alter, verlebter Mann. Seit dem (16. Jh?) 19. Jh.

Zottelfransen *pl* zerzauste Haarsträhnen. ↗Fransen 1. Seit dem 19. Jh.

Zottelfrisur *f* wirre, strähnige Frisur. Seit dem 19. Jh.

Zottelfritze *m* unentschiedener, langsamer Mann. ↗zotteln 1; ↗Fritze. 1900 *ff.*

Zottelhaar *n* in Strähnen herabhängendes Kopfhaar. ↗Zottel 1. Seit dem 19. Jh.

zottelig *adj* langhaarig; mit wirren Haaren. 1300 *ff.*

Zotteljacke *f* langhaarige Pelzjacke. 1920 *ff.*

Zottelkopf *m* ungepflegtes, wirres Kopfhaar. Seit dem 19. Jh.

Zottelliese *f* Mädchen mit ungepflegtem Haar. 1920 *ff.*

Zottelmähne *f* ungepflegte, strähnige Haartracht. ↗Mähne 1. 1920 *ff.*

zotteln *intr* **1.** nachlässig, langsam gehen; schlendern. Wiederholungsform von „zotten" im Sinne von „watschelnd gehen"; eigentlich bezogen auf das Hin- und Herbaumeln der verschmutzten und verkletteten Haare von Schaf und Ziege. Seit *mhd* Zeit.
2. onanieren. „Zottel" nennt man auch den Topfausguß und die Gießkannenbrause. 1950 *ff.*

Zottelzicke *f* Frau mit unordentlichen Haaren. ↗Zicke 1. Etwa seit 1920.

zu *adj* geschlossen, verschlossen (zuer Wagen; zue Tür; zues Fenster; gelegentlich auch „zune Tür; zunes Fenster"). Verkürzt aus zugemacht. ↗zuen. Spätestens seit dem 16. Jh.

'Zuawi'ziecha ('Zuawi'ziahga) *m* Feldstecher, Opernglas. Man kann damit das Objekt „zu sich herziehen". *Bayr* 1900 *ff.*

zuballern *tr* etw lärmend zuwerfen. ↗ballern. Seit dem 19. Jh.

Zubehör-Fan (Grundwort *engl* ausgesprochen) *m* Autofahrer mit vielen überflüssigen Zubehörteilen am Wagen. ↗Fan. Kraftfahrerspr. 1955 *ff.*

zubeißen *intr* Kampfkraft entwickeln. ↗Biß 2. *Sportl* 1950 *ff.*

zubessern *v* sich etw ~ = seine Essenszuteilung durch Selbsthilfe vermehren. Man tut das Gemeinte hinzu und verbessert dadurch das Vorhandene. *Sold* 1939 *ff.*

zubiegen *v* sich etw ~ = etw an sich nehmen. 1950 *ff.*

zublasen *v* jm etw ~ = jm etwas Unehrenhaftes anvertrauen. ↗einblasen. Seit dem 14. Jh.

Zubläser *m* Ohrenbläser, Intrigant. 1900 *ff.*

zubleiben *impers* geschlossen bleiben. Seit dem 19. Jh.

zubringen *tr* etw schließen können. Seit dem 16. Jh.

Zubrot *n* Nebenverdienst. Eigentlich die Beikost, das Gemüse o. ä. 1950 *ff.*

zubuddeln *tr* etw mit Erde zuschütten. ↗buddeln 1. Seit dem 19. Jh.

zubumsen *tr* etw mit dumpfem Laut zuwerfen. ↗bumsen 1. Seit dem 19. Jh.

zubuttern *tr* etw zusetzen ohne Aussicht auf Rückerhalt; etw hinzubezahlen; etw einbüßen. Stammt wohl aus *niederd* „toboten = zuschießen; Feuerung nachlegen". *Nordd, mitteld* und *westd,* seit dem 19. Jh.

Zucht *f* was ist das für eine ~? = was ist das für eine Ungehörigkeit, für ein Durcheinander? „Zucht" meint die Erziehung, vor allem das Ergebnis der Erziehung, das gesittete Benehmen; hier auch beeinflußt von der Nebenbedeutung „Brut". Vom Wortschatz der Eltern und Lehrer im frühen 19. Jh in die Schülersprache übergegangen.

Zuchtbulle *m* beleibter, sinnlich veranlagter Mann. ↗Bulle 1. 1930 *ff.*

Zuchtel (Zuchtl) *f* weibliche Person; Hure. „Zucht" bezeichnet im *Oberd* das Geschlechtsteil bei Stute und Kuh. 1800 *ff.*

zuchten *tr intr* koitieren. Vielleicht entstanden aus „jn in die Zucht nehmen". *Vgl* aber auch das Vorhergehende. 1920 *ff.*

Zuchthaus *n* **1.** Schule; Heimschule. Als Strafanstalt aufgefaßt. *Schül* seit dem späten 19. Jh.
2. Kaserne. Der Wehrdienst gilt als Verbüßung einer Freiheitsstrafe. *BSD* 1965 *ff.*
3. ~ ohne Gitter = Schule. 1950 *ff.*
4. einen Blick haben wie zehn Jahre ~ = böse, wütend, furchterregend blicken. Übernommen von der Amtsmiene strenger Staatsanwälte. 1934 *ff.*
5. da wir grade vom ~ reden, was macht dein Bruder?: Redensart, mit der man einen dumm herausfordern will. *BSD* 1965 *ff.*

Zuchthausbiene *f* zu Zuchthaus verurteilte Frau; aus dem Zuchthaus Entlassene. ↗Biene 3. 1920 *ff,* *österr.*

Zuchthausbulle *m* **1.** Zuchthauswärter. ↗Bulle 1. 1920 *ff.*
2. Zuchthäusler. 1920 *ff.*

Zuchthaushengst *m* Zebra. Von der gestreiften Zuchthäuslerkleidung übertragen. *Vgl* ↗Zebra 2. 1920 *ff.*

Zuchthauskammer *f* Klassenzimmer. ↗Zuchthaus 1. 1920 *ff, bayr.*

Zuchthausknall *m* Haftpsychose bei Zuchthäuslern. ↗Knall 6. 1955 *ff.*

Zuchthauskotelett *n* Frikadelle. Scherzhafte Rangerhöhung. *BSD* 1965 *ff.*

Zuchthausleinen *n* sehr grober Wäschestoff. 1920 *ff.*

Zuchthauspasteten *pl* Frikadellen. Scherzhafte Rangerhöhung. 1960 *ff.*

Zuchthauspensionär *m* Zuchthäusler, der eine vieljährige Freiheitsstrafe verbüßt. 1870 *ff.*

Zuchthauspraline *f* Frikadelle. Scherzhafte Wertsteigerung zu einer Leckerei. 1965 *ff,* häftlingsspr. und *sold.*

Zuchthausschnitzel *n* Frikadelle. *BSD* 1965 *ff.*

Zuchthaustür *f* die ~ klappert = eine schwere Freiheitsstrafe ist zu erwarten. 1965 *ff.*

Zuchthauszelle *f* Klassenzimmer. ↗Zuchthaus 1. 1920 *ff.*

Zuchtochse *m* Versager. Die Bezeichnung ist absichtlich ein Widerspruch in sich: der Ochse als entmannter Stier ist für Zuchtzwecke ungeeignet. 1870 *ff.*

Zuchtrute *f* **1.** Penis des Familienvaters. ↗Rute 1. Zucht = Zeugung; Brut. *Jug* 1955 *ff.*
2. meine ~ = mein Vater. Kann bedeuten „mein ↗Erzeuger", aber auch „mein prügelnder Vater". 1955 *ff, jug.*

Zuchtsau *f* **1.** liebesgierige weibliche Person. ↗Sau. 1930 *ff.*
2. Frau im Besitz des Mütterehrenkreuzes. *Vgl* ↗Wurfprämie. 1935 *ff.*
3. beleibter Mensch. 1930 *ff.*

Zuchtsauorden *m* Mütterehrenkreuz der NS-Zeit. ↗Zuchtsau 2. 1935 *ff.*

Zuchtwahl *f* Brautschau. Umgangssprachlicher Niederschlag des Darwinismus. Seit dem frühen 20. Jh, Berlin.

Zuck *m* Schwung; Wendigkeit; zielbewußt sicheres Handeln. Nebenform von ↗Zack 1. Seit dem späten 19. Jh, vorwiegend *mitteld.*

zuckeln *intr* **1.** langsam gehen; langsam fahren; gemächlich wandern. ↗zockeln 1. Seit dem 18. Jh.
2. saugen. ↗suckeln. Seit dem 19. Jh.

Zuckeltempo *n* langsame Geh-, Fahrgeschwindigkeit. 1900 *ff.*

Zuckeltrab *m* langsame Gangart des Pferdes; Langsamfahrt. Seit dem 18. Jh.

Zuckeltrott *m* langsame Fortbewegung. ↗Trott. Seit dem 19. Jh.

zücken *tr* die Brieftasche ~ = die Brieftasche hervornehmen. Intensivum zu „ziehen". 19. Jh.

Zucker *m* **1.** schlechter Schütze. Zucken = sich hastig, ruckartig bewegen. *Sold* 1940 *ff.*
2. Feigling. Vor Gefahr oder Verantwortung zuckt er zurück. *Sold* 1940 *ff.*
3. Geistesblitz; vernünftiger Einfall eines Dummen. Der Gedanke durchzuckt ihn. 1935 *ff.*

4. nettes Mädchen. Gehört zur Vorstellung „↗süß". Seit dem 19. Jh.

5. Lysergsäurediäthylamid (LSD). Hehlwort unter Halbwüchsigen. 1960 *ff.*

6. Zuchthaus. Fußt auf *hebr* „ssugar = Kerker" und auf *jidd* „sogar = verschlossen". 1965 *ff*, häftlingsspr. und *prost.*

7. ~ für den Affen = Rauschgift für einen Süchtigen. ↗Affe 34. 1960 *ff.*

8. der ~ im Kaffee = (scheinbare Neben-)Sache von entscheidender Bedeutung. Kaffee ohne Zukker kommt vielen ungenießbar vor. 1955 *ff.*

9. einfach ~ (wie ~)! = hervorragend! ausgezeichnet! Das Gemeinte wird als „süß" empfunden, als angenehm auf der Zunge zergehend, o. ä. Gern auf Mädchen bezogen. Seit dem späten 19. Jh, vorwiegend *schül* und *stud.*

9 a. süß wie ~ = sehr nett, liebreizend, liebenswürdig, reizend. 1850 *ff.*

10. der reine ~ = a) sehr große Annehmlichkeit; hervorragende, willkommene Sache. 1850 *ff.* – b) makellose Schönheit, Lieblichkeit; bezaubernde Anmut. 1850 *ff.*

11. jm ~ in den Arsch (bis zum Mastdarm) blasen = a) sich bei jm einzuschmeicheln suchen; jn verwöhnen. ↗Puderzucker 1. Seit dem ausgehenden 19. Jh, *stud* und *sold.* – b) jn antreiben, schikanieren. ↗Puderzucker 2. *Sold* und *stud* seit dem ausgehenden 19. Jh.

12. jm ~ in den Arsch blasen und, wenn möglich, die Tüte dazu = jn übermäßig verwöhnen; jm würdelos liebedienern. ↗Zucker 11 a. 1960 *ff.*

12 a. dem kannst du ~ in den Arsch blasen, – dann scheißt er dir trotzdem noch auf die Zunge!: Warnung vor Undank. Berlin 1950 *ff.*

13. jm ~ geben = jn übergebührlich loben. Die Lobesworte gehen ihm wie Zucker ein. 1950 *ff.*

14. der Phantasie ~ geben = seine Phantasie schweifen lassen. 1920 *ff.*

15. einem Talent ~ geben = ein Talent ermutigen. 1920 *ff.*

16. der Vordermann hat keinen ~ im Arsch!: Redewendung des Soldatenausbilders, wenn in der Exerzierkolonne nicht der erforderliche Abstand eingehalten wird. *Sold* in beiden Weltkriegen.

17. jm ~ in den Hintern (sonst wohin) pusten = jm liebedienern. ↗Zucker 11 a. 1900 *ff.*

18. nicht von (aus) ~ sein = a) Regen nicht scheuen. 1870 *ff.* – b) nicht empfindlich sein; viel aushalten können. 1920 *ff.*

19. ~ auf die Scheiße streuen = Unangenehmes bemänteln. 1910 *ff.*

20. jm ~ auf den Schwanz streuen = jm schmeicheln. Schwanz = Penis. 1940 *ff.*

Zuckerbaby (Grundwort *engl* ausgesprochen) *n* Kosewort für die Geliebte. 1920 *ff.*

Zuckerbäcker *m* Mensch, der sich mit Nebensächlichkeiten aufhält. Meint eigentlich den Feinbäcker, den Konditor. 1920 *ff.*

Zuckerbäckerlandschaft *f* Kulissen-Schneelandschaft. 1920 *ff.*

Zuckerbäckerplastik *f* Denkmal als Kunstgreuel. 1950 *ff.*

Zuckerbäckerprunk *m* unkünstlerische, verspielte Ornamentik. 1900 *ff.*

Zuckerbäckerstil *m* **1.** Bauweise mit überladenem Fassadenschmuck. Von der Tortenverzierung übertragen. Im späten 19. Jh aufgekommen.

2. sowjetische Architektur. Dieser Baustil wurde besonders gefördert von Alexander W. Wlassow, in der Stalin-Ära Chefarchitekt der Moskauer Stadt-Baubehörde. 1950 *ff.*

Zuckerbengel *m* kleiner Junge (Kosewort). ↗Bengel. 1900 *ff.*

Zuckerbiene *f* Geliebte (Koseanrede). ↗Biene 3. 1950 *ff.*

Zuckerboy (Grundwort *engl* ausgesprochen) *m* junger Freund eines älteren Homosexuellen. 1960 *ff.*

Zuckerbrot *n* **1.** ~ und Peitsche = Gleichzeitigkeit von Maßnahmen, die kleine Annehmlichkeiten gewähren und zugleich Härte durchsetzen; Gleichzeitigkeit von Milde und Strenge. Sinnbildhaft übertragen von der Tierdressur. Seit dem späten 19. Jh.

2. ~ der armen Leute (des kleinen Mannes) = Nachrichten aus den höheren Gesellschaftskreisen nach dem Geschmack der einfachen Leute. 1900 *ff.*

Zuckerbüchse *f* **1.** Mund der Geliebten. Seit dem frühen 20. Jh.

2. Vagina. ↗Büchse 3. 1900 *ff.*

Zuckerchen *n* **1.** Bonbon. 1900 *ff.*

2. Kosewort. 1900 *ff.*

Zuckerdose *f* Mädchen (Koseanrede). ↗Dose 1. 1900 *ff.*

Zuckerengel (-engelchen) *m (n)* kleines Kind (Kosewort). 1920 *ff.*

Zuckerfabrikant *m* Schmeichler; übertreibender Lobredner. 1870 *ff.*

Zuckerfresser *m* Mensch, der für Schmeicheleien sehr empfänglich ist. 1890 *ff.*

Zuckergebäck *n* dem armen Mann sein ~ = Geschlechtsverkehr. 1920 *ff.*

Zuckergoscherl *n* **1.** Naschkatze; naschhafter Mensch. ↗Gosche 1. *Österr* seit dem 19. Jh.

2. nettes Mädchen. *Österr* seit dem 19. Jh.

Zuckerguß *m* **1.** Lobrednerei; Beschönigung, Verniedlichung. Übertragen von der Tortenverzierung. 1870 *ff.*

2. Zierat in Gips. Seit dem 19. Jh.

Zuckerguß-Architektur *f* unkünstlerische Bauweise mit viel Gips. ↗Zuckerbäckerstil. 1950 *ff.*

Zuckergußschnulze *f* überaus rührseliger Text. ↗Schnulze 1. 1955 *ff.*

Zuckerhäschen *n* Kosewort. ↗Häschen 1. 1900 *ff.*

Zuckerhut *m* **1.** Artilleriegeschoß; schwere Granate. Wegen der Formähnlichkeit. Seit dem 19. Jh, *sold*.

2. Stahlhelm. Meinte ursprünglich in Preußen die Blechhaube des 1. Garde-Regiments zu Fuß und des Kaiser Alexander Garde-Grenadier-Regiments Nr. 1. *Sold* 1916 *ff*.

3. Hochfrisur für Damen. 1965 *ff*.

4. Präservativ. 1920 *ff*.

Zuckerhütchen *n* Eichel des Penis. 1920 *ff*.

Zuckerkanderl *n* Kosewort. Eigentlich ein Stück Kandiszucker. *Österr* seit dem 19. Jh.

Zuckerkind *n* Kosewort. 1900 *ff*.

Zuckerkitsch *m* lieblich-rührselige („süßliche") Darstellung. ↗Kitsch. 1925 *ff*.

Zuckerl *n* **1.** Bonbon. *Österr* seit dem 19. Jh.

2. Fliegerbombe. Analog zu ↗Bonbon 3. *Sold* in beiden Weltkriegen.

3. Annehmlichkeit; verlockende Aussicht; eindrucksvolle Sache. ↗Bonbon 1. 1920 *ff*, österr.

4. anspruchslose Gefälligkeit; Bekundung guten Willens. 1920 *ff*, österr.

Zuckerle *n* Rheumatismus. *Schwäb* 1800 *ff*.

Zuckerlecken *n* das ist kein ~ (kein reines ~) = das ist keine reine Freude; das ist mehr Mühsal als Freude. *Vgl* ↗Zuckerschlecken. 1900 *ff*.

Zuckerlöffel *pl* hübsche Mädchenbeine. Die Form der Waden erinnert an die sanfte Wölbung des Löffels. *Halbw* 1930 *ff*.

Zuckermädel *n* kleines Mädchen (Kosewort). 1920 *ff*.

Zuckermännchen *n* kleiner Junge (Koseanrede). 1920 *ff*.

Zuckermaul *n* Mädchen (Kosewort). 1600 *ff*.

Zuckermäulchen *n* Kosewort für eine Frau. Seit dem 19. Jh.

Zuckermäuschen *n* kleines Kind (Kosewort). ↗Mäuschen. 1900 *ff*.

zuckern *tr* etw günstiger darstellen als der Wirklichkeit entsprechend; eine Sache beschönigen. Hergenommen von einer Speise, der man Zucker untermischt oder die man mit Zucker bestreut. *Sold* 1935 *ff*.

Zuckeronkel *m* bejahrter Liebhaber eines jungen Mädchens. Er verwöhnt das Mädchen mit Leckereien. Vielleicht übersetzt aus *engl* „sugar-daddy". 1920 *ff*.

Zuckerpferdchen *n* Kosewort für Mann oder Frau. *Vgl* ↗reiten 3. 1920 *ff*.

Zuckerpille *f* Freundlichkeit für erlittene Unbill. Man versüßt die Unannehmlichkeit, wie man ein bitter schmeckendes Medikament mit einer Zuckerschicht umgibt. ↗Pille 22. 1920 *ff*.

Zuckerplätzchen *n* reizvolles Wahlversprechen. Man nimmt es gern entgegen wie Zuckerbackwerk, aber es taugt nicht ernstlich zum täglichen Brot. 1955 *ff*.

Zuckerpopo *m* **1.** junger Freund eines älteren Homosexuellen. 1925 *ff*.

2. Junge (junger Mann), der, ohne homosexuell veranlagt zu sein, gegen Entgelt zu homosexuellen Handlungen bereit ist. 1925 *ff*.

Zuckerpüppchen *n* **1.** Kosewort für die Geliebte. 1900 *ff*.

2. empfindliches Mädchen. *Vgl* ↗Zucker 18 b. 1910 *ff*.

Zuckerpuppe *f* **1.** kleines Mädchen (Kosewort). 1900 *ff*.

2. intime Freundin. Bekannt durch den Schlager von der „Zuckerpuppe aus der Bauchtanzgruppe" (Text von Hans Brodke; Musik von Heinz Dietz). 1900 *ff*.

3. energieloser, weichlicher Mensch. 1910 *ff*.

Zuckerschlecken *n* das ist kein ~ = das ist nicht leicht zu bewerkstelligen; das ist eine harte Mühe. *Vgl* ↗Zuckerlecken. 1900 *ff*.

Zuckerschnalle *f* Mädchen (kosewörtlich). ↗Schnalle 2 u. 3. 1950 *ff*.

Zuckerschnauze *f* Frau (Koseanrede). ↗Zuckermaul. Seit dem 19. Jh.

Zuckerschnute (-schnutchen) *f (n)* Mädchen (Kosewort). Seit dem 19. Jh.

Zuckerschote *f* heftige Ohrfeige. Eigentlich Bezeichnung für eine hochwertige Erbse; *vgl* ↗Knallschote 1. 1900 *ff*.

Zuckerschuster *m* Konditor. ↗Schuster. 1920 *ff*.

Zuckerseite *f* vorteilhafte Seite. Hergenommen von der mit Zucker bestreuten oder mit Zuckerguß bestrichenen Schauseite eines Backwerks. 1920 *ff*.

Zuckerstengel (-stengelchen) *m (n)* nettes, anschmiegsames Mädchen; intime Freundin. 1920 *ff*.

zuckersüß *adj* **1.** übertrieben liebenswürdig; schmeichlerisch-gewinnend; aufdringlich hilfsbereit. 1870 *ff*.

2. liebreizend, anmutig. ↗Zucker 9 a. Seit dem 19. Jh.

Zuckerwasser *n* **1.** gefälschter Süß-, Südwein. 1900 *ff*.

2. Likör. 1920 *ff*.

Zuckerwasserabitur *n* Abitur, das nur zum Besuch der Erziehungswissenschaftlichen Hochschule berechtigt. Die Abschlußprüfung betrachtet man als substanzarm („verwässert"). 1955 *ff*.

Zuckerwasserverein *m* Zusammenschluß von Alkoholgegnern. 1900 *ff*.

zuckrig *adj* allerliebst; liebreizend; nett; übertrieben liebenswürdig. 1970 *ff*.

Zuckrigkeit *f* Liebreiz, Anmut. Seit dem 19. Jh.

zudämmern *tr* jn mit Schlägen eindecken. ↗dämmern 3. Es sind schallende Schläge. 1900 *ff*.

zudecken *tr* **1.** auf eine niedrige Karte eine höhere legen. Kartenspielerspr. seit dem 19. Jh.

2. jn prügeln. 1700 *ff*, nordd und mitteld.

3. zum Schweigen bringen. Feigheit vor dem Feind, Fahnenflucht o. ä. wurde früher dadurch bestraft, daß man den Betreffenden mit Mist zudeckte, bis er erstickte. 1900 *ff*.

4. jn mit Artillerie beschießen. Prügel und Beschuß werden umgangssprachlich mit denselben Wörtern bezeichnet. *Sold* in beiden Weltkriegen.

5. jn betrunken machen. Fußt wahrscheinlich auf der derben Sitte, daß man den Bezechten einst in einen Misthaufen legte und mit fettem Dung zudeckte. 1500 *ff.*

6. koitieren (vom Mann gesagt). 1900 *ff.*

7. *refl* = sich betrinken. ↗zudecken 5. 1700 *ff.*

zudonnern *v* **1.** *tr* = etw geräuschvoll zuwerfen. Seit dem 19. Jh.

2. etw zugedonnert kriegen = zu einer langen Freiheitsstrafe oder zu einer hohen Geldstrafe verurteilt werden. ↗verdonnern. 1900 *ff.*

zuen *adj* verschlossen (die zuene Tür). ↗zu. 1800 *ff.*

zufahren *intr* fahr zu! = gib dir Mühe! streng' dich an! arbeite schneller! Eigentlich Aufforderung zu schnellerem Fahren. 1900 *ff.*

Zufall *m* **1.** haariger ~ = ein durch natürliche Umstände nicht erklärbares Ereignis im Guten oder Schlimmen. ↗haarig. 1935 *ff.*

2. per ~ = zufällig. *Lat* „per = durch". 19. Jh.

Zufallsteufel *m* Ereignis, das sich (scheinbar) zufällig einstellt. 1920 *ff.*

zufeixen *intr* jm ~ = jm spöttisch, höhnisch zulachen. ↗feixen. Seit dem 19. Jh.

zufeuern *tr* etw heftig zuschlagen, zuwerfen. ↗feuern 1. Seit dem 19. Jh.

zufliegen *v* **1.** die Tür fliegt zu = die Tür schließt sich schnell (und geräuschvoll). Fliegen = sich schnell bewegen. Seit dem 18. Jh.

2. jm die Tür vor der Nase ~ lassen = vor jm die Tür ins Schloß fallen lassen. 1900 *ff.*

zufloppen *tr* die Tür ~ lassen = die Tür des Autos schließen. Lautmalerei. 1950 *ff.*

Zuflöte *f* Souffleuse. ↗flöten 1. Theaterspr. 1910 *ff.*

zuflüstern *v* jm etw ~ = dem Mitschüler vorsagen. ↗flüstern 2. 1930 *ff.*

Zufrühzündung *f* jäher Zorn; hemmungslose Gemütsaufwallung. Übernommen von einem Sprengkörper (mit Zeitzünder o. ä.), der früher (oder schon bei geringerem Anlaß) „losgeht", als man erwarten konnte. 1930 *ff.*

Zug *m* **1.** Eisenbahnzug. Hieraus verkürzt. Seit dem 19. Jh.

2. Unternehmungsgeist. Übernommen vom Luftstrom, mit dessen Hilfe man ein Feuer entfacht und am Brennen hält. 1900 *ff.*

3. Besuch mehrerer Gaststätten nacheinander. Übertragen vom Feld-, Fest- oder Umzug. 1900 *ff.*

4. Diebesfahrt. Wohl vom Fischzug herzuleiten. 1900 *ff.*

4 a. einmaliges Ziehen an einer Zigarette o. ä. 1914 *ff.*

4 b. Essensportion. Die Schöpfkelle wird durch den Inhalt des Kessels gezogen. *Sold* 1870 *ff.*

5. der ~ ist abgefahren = die Entscheidung ist gefallen und nicht mehr rückgängig zu machen. 1950 *ff.*

6. vom fahrenden ~ abspringen = sich von einem (schon in der Verwirklichung befindlichen) Vorhaben trennen. 1950 *ff.*

7. auf den ~ aufspringen = sich an einer (bereits „laufenden") Sache beteiligen. 1950 *ff.*

8. jn auf den ~ bringen = jn antreiben, zur Ordnung rufen. Übertragen vom Luftstrom für ein Feuer. 1840 *ff.*

9. ~ in die Kolonne bringen = eine disziplinlose Gruppe an „Zucht und Ordnung" gewöhnen. Fußt auf dem Bild vom Zug im Ofen. *Sold* 1900 bis heute; auch *ziv.*

10. der ~ ist durch = die Maßnahme ist zu spät in Gang gesetzt worden; der Vorschlag kommt zu spät; eine Beteiligung ist nicht mehr möglich. 1950 *ff.*

11. in den ~ einsteigen = sich einem Vorhaben anschließen. 1920 *ff.*

12. in den falschen ~ einsteigen = a) sich einer politischen Partei (o. ä.) anschließen, die später scheitert. 1920 *ff.* – b) anal koitieren. 1920 *ff.*

13. den ~ erreichen = sich einer Notwendigkeit nicht versagen; realistisch handeln. 1930 *ff.*

14. der ~ fährt = die Entwicklung ist nicht mehr aufzuhalten. 1930 *ff.*

15. der ~ fährt planmäßig = die Sache entwickelt sich wie geplant. 1930 *ff.*

16. ~ in der Kolonne haben = in einer Gruppe „Zucht und Ordnung" beibehalten. ↗Zug 9. *Sold* 1900 bis heute; auch *ziv.*

17. einen guten (einnehmenden) ~ am Leibe (am Hals) haben = wacker zechen können. „Zug" meint hier die saugende Einverleibung des Getränks, ähnlich wie „Atemzug". „Der Zug = das Trinken" gehört seit dem 16. Jh an. Die Redensart kam im 19. Jh auf.

18. einen wehmütigen ~ um die Beine haben = krummbeinig sein. Übertragen von der schrägen Kopfhaltung, die man in wehmütiger Stimmung leicht einnimmt. Berlin seit dem ausgehenden 19. Jh.

19. etw (jn) am (auf dem) ~ haben = eine Sache oder Person nicht leiden können; gegen jn auf Vergeltung sinnen. „Zug" meint hier den Abzugsbügel an der Handfeuerwaffe. Seit dem 16. Jh.

20. zum ~ kommen = Gelegenheit zum Handeln finden; an die Reihe kommen. Übertragen vom Zug beim Schachspiel o. ä. ↗Zug 23. 1900 *ff.*

21. einen ~ machen = in vielen Lokalen zechen. ↗Zug 3. 1900 *ff.*

22. einen ~ durch die Gemeinde machen = viele Wirtshäuser am Ort aufsuchen. ↗Zug 3. 1900 *ff.*

23. am ~ sein = an der Reihe des Handelns sein; Handlungsfreiheit haben. Vom Schachspiel übernommen. 1900 *ff.*

24. im ~ sein = a) in Mode sein. Herzuleiten entweder von den Zugtieren, die den Wagen zum Rollen gebracht haben, oder vom Luftstrom im Kamin. Man läßt sich aber auch vom „Zug der

Zeit" mitreißen. Seit dem 19. Jh. – b) im Schwung sein. Seit dem 19. Jh.

25. hier ist kein ∼ in der Kolonne = hier herrscht keine Ordnung. ↗Zug 9. *Sold* 1900 bis heute; auch *ziv.*

26. im falschen ∼ sitzen = sich gröblich irren. ↗Zug 1. 1920 *ff.*

27. auf den fahrenden ∼ springen = sich an einer erfolgversprechenden Sache beteiligen. 1950 *ff.*

28. in den falschen ∼ steigen = einen schweren Fehler begehen. ↗Zug 1. 1920 *ff.*

29. einen großen ∼ tun = einen großen Schluck aus der Schnapsflasche nehmen; ausgiebig zechen. ↗Zug 17. 1600 *ff.*

30. den ∼ verpassen (versäumen) = a) keinen Ehemann finden. ↗Anschluß 3. 1900 *ff.* – b) nicht zeitgemäß denken und handeln; gegenüber anderen in Nachteil geraten; sich um die Anerkennung bringen. 1920 *ff.*

Zugabe *f* **1.** Strafverschärfung. Euphemismus. 1920 *ff*, juristenspr. und *rotw.*
2. Nachexerzieren. *BSD* 1960 *ff.*
3. Strafstunde des Schülers. 1960 *ff.*
4. Ohrfeige im Anschluß an eine Strafrede. 1960 *ff.*

zugedreht *part* es ist ∼ = es ist Schluß; die Sache ist entschieden. Hergenommen vom Gas- oder Wasserhahn, auch von der verschlossenen Tür. *Bayr* 1950 *ff.*

zugehen *intr* **1.** geh zu! = a) beeil' dich! geh' weiter! Zugehen = auf ein Ziel zuschreiten. *Oberd* 1900 *ff.* – b) erzähl' keinen Unsinn! das glaube ich dir nicht! *Bayr* 1900 *ff.*
2. es geht zu = es herrscht lebhaftes Treiben. Verkürzt aus „es geht ausgelassen (munter, lustig) zu". *Bayr* 1920 *ff.*

zugeknöpft *adj* unzugänglich; nicht freigebig; zurückhaltend; sittenstreng. Ursprünglich auf die zugeknöpfte Geldtasche bezogen. Bei ernsten Anlässen trugen die Bauern Rock und Weste zugeknöpft; bei frohen Feiern durften drei Knöpfe ungeschlossen bleiben. 1800 *ff.*

Zugeknöpftheit *f* Verschlossenheit im Wesen; Unzugänglichkeit; Unnahbarkeit. 1800 *ff.*

Zügel *m* **1.** jm ∼ anlegen = jds Freiheit einschränken. Vom Reiten hergenommen. Seit dem 18. Jh.
2. leg' ∼ an! = bleibe sachlich! Übertreibe nicht! Aufforderung, sich in seinen Äußerungen „zu zügeln = zu mäßigen". 1930 *ff.*
3. jn fest am ∼ halten = auf jn streng achtgeben; jds Freiheitsdrang bändigen. Seit dem 19. Jh.
4. jn am langen ∼ lenken = jm viel Freiheit lassen. *Vgl* „lange ↗Leine". 1900 *ff.*
5. die ∼ locker lassen = Freiheit gewähren. Seit dem 19. Jh.
6. am langen ∼ regieren = a) fern vom Regierungssitz die Regierungsgeschäfte führen. 1960 *ff.* – b) dem Bürger viele Freiheiten zugestehen; nicht autoritär regieren. 1960 *ff.*

7. die ∼ schießen lassen = a) nicht in die Entwicklung eingreifen. Das Pferd darf laufen, wie es will. Seit dem 19. Jh. – b) sich (seinen Gefühlen) keinen Zwang antun. Seit dem 18. Jh.

8. die ∼ schleifen lassen = a) eine passive Politik betreiben; nicht überstreng auf Disziplin achten; die Selbständigkeit der Mitarbeiter weitgehend fördern. 1900 *ff.* – b) im sportlichen Wettkampf nicht die volle Energie entfalten. *Sportl* 1950 *ff.*

zugenäht *adj* **1.** unzugänglich, wortkarg, schweigsam. Dem Betreffenden ist der Mund gewissermaßen zugenäht. 1900 *ff.*
2. geizig, sparsam. Verstärkung von ↗zugeknöpft. 1900 *ff.*
3. verflixt und ∼. ↗verflixt I 2.

zugenäht sein an Verstopfung leiden. 1900 *ff.*

Zugereister *m* Eingewanderter; Ortsfremder; Neubürger. Seit dem 19. Jh, vorwiegend *südd.*

zugewunken *part* zugewinkt. ↗gewunken. Seit dem 19. Jh.

Zugführer *m* Marke ∼ = a) schlechter Tabak. Scherzhaft übernommen von der Eisenbahn: der Zugführer muß an jeder Haltestelle aussteigen; der Raucher minderwertigen Tabaks auch (um sich zu erbrechen). *Sold* und *ziv* in beiden Weltkriegen. – b) gute Zigarre. Sie „hat Zug". *Sold* 1914 *ff.*

Zugheuschrecke *f* **1.** alte Jungfer mit vielen, für ihre Mitmenschen meist unerfreulichen Eigenschaften und wunderlichen Angewohnheiten. ↗Heuschrecke 1. 1920 *ff.*
2. bejahrte Straßenprostituierte. Sie wirkt „↗verheerend". 1925 *ff.*

Zugkarten *pl* mit Glaspapier (Schmirgelpapier) an den Kanten abgeschliffene Spielkarten für betrügerische Zwecke. Der Kenner kann sie leicht herausfinden. Sie haben rauhe Kanten, und der Falschspieler kommt mit ihrer Hilfe gut „zum Zug" (↗Zug 20). 1960 *ff.*

Zugkraft *f* Trinkvermögen des Zechers. ↗Zug 17. 1920 *ff.*

Zügler *m* auswärtiger Schüler. Er kommt mit dem (Eisenbahn-)Zug zum Schulort. 1930 *ff, bayr.*

Zugloch *n* After. Zug = Windzug, Zugwind. 1900 *ff.*

Zuglokomotive *f* zugkräftiger Politiker o. ä. ↗Lokomotive 1. 1920 *ff.*

Zugmaschine *f* erfolgreicher Künstler. Eigentlich der Traktor. 1960 *ff.*

Zugnummer *f* beim Publikum beliebter Könner. Eigentlich die publikumswirksame Programmnummer einer Vorführungsfolge. 1920 *ff.*

Zugochse *m* schwerer Trecker; Schlepper. ↗Ochs 2. 1940 *ff, sold.*

Zugpferd *n* **1.** zugkräftiger Schauspieler; Parteipolitiker, der großen Anklang findet. 1920 *ff.*
2. Vordermann beim Wettlauf. *Sportl* 1955 *ff.*

Zugreif-Preis *m* niedriger, günstiger Kaufpreis. Kaufmannsspr. 1960 *ff.*

Mit jener Anzeige versuchte ein großer Elektrokonzern Strömungen entgegenzutreten, wie sie etwa auch in dem umgangssprachlichen Paradoxon „Die Zukunft ist leider auch nicht mehr das, was sie einmal war" (**Zukunft 1.**) *sichtbar werden. Diese Image-Pflege richtet sich im Grunde genommen gegen die unerwünschten Auswirkungen einst selbst gemachten Verheißungen von einer allein technizistisch gefaßten schönen neuen Welt, die nun, da sie sich als irreal und Wunschprojektionen erwiesen haben, gegen die richten, welche sie einst selbst in die Welt gesetzt hatten. Man tut so, als nähme man diese weit verbreiteten Befürchtungen und Zukunftsängste auf, malt den Teufel, das historische Beispiel, an die Wand und preist sich dann selbst als Retter in der Not an.*

Zugtippse *f* Stenotypistin im D-Zug. ↗Tippse. 1950 *ff.*

Zugtramper (Grundwort meist *engl* ausgesprochen) *m* auswärtiger Schüler. ↗trampen 2. 1950 *ff.*

zugucken *v* zum ∼ zu dämlich sein = überaus dumm sein. Zugucken = zuschauen. 1910 *ff.*

Zugvogel *m* **1.** unsteter Mensch. Seit dem 19. Jh.
2. oftmaliger Arbeitsplatzwechsler. 1920 *ff.*
3. auswärtiger Schüler. Zug = Eisenbahnzug. 1930 *ff.*
4. Prostituierte, die von Mal zu Mal in einem anderen Stadtviertel oder in einer anderen Stadt ihrem Gewerbe nachgeht. *Stud* Herkunft; seit dem frühen 19. Jh.
5. hervorragender Könner auf Tournee; Künstler, der das Publikum anzieht; Handelsvertreter im Außendienst. 1920 *ff.*

zugvögeln *intr* von Ort zu Ort reisen; nirgendwo auf Dauer seßhaft werden. 1840 *ff.*

zuhaben *intr* geschlossen haben (ein Geschäft, die Kirche o. ä.). Verkürzt aus „zugemacht haben". ↗zu. 1500 *ff.*

zuhäkeln *tr* etw wiedergutmachen; einen Streit schlichten. Häkeln ist eine Geduld erfordernde Kunstfertigkeit, die schöne Ergebnisse zeitigt. 1900 *ff.*

zuhalten *tr* etw geschlossen halten; ein Geschäft nicht öffnen (der Frisör hält montags zu). Seit dem 19. Jh.

Zuhälter *m* da sitzt ein ∼ in der Flasche: Redewendung, wenn man trotz heftigen Bemühens den Korken nicht herausziehen kann. Wortwitzelei. Kellnerspr. 1965 *ff.*

Zuhälterdeckel *m* Baskenmütze. Als Kopfbedeckung der Zuhälter vorübergehend in den zwanziger Jahren und in den ersten Jahren nach dem Zweiten Weltkrieg üblich; ein beliebtes Filmrequisit. *BSD* 1965 *ff.*

zuhauen *tr* etw zuschlagen. ↗hauen 1. 19. Jh.

'zucht ('zuig) *adj* verschlossen. ↗zu. 1900 *ff.*

zujubeln *v* jm ∼ = auf jds Wohl trinken. 1910 *ff.*

zuklatschen *tr* Neuigkeiten (aus den höheren Gesellschaftskreisen) einander zutragen, weitererzählen. ↗Klatsch 3. Seit dem 19. Jh.

zuknallen *v* **1.** *tr* = etw heftig schließen. ↗knallen. Seit dem 19. Jh.
2. *refl* = sich betrinken. ↗knallen 8. 1975 *ff, jug.*
3. *refl* = sich in einen Drogenrausch versetzen. 1970 *ff, halbw.*

zuknöpfen *refl* sich abweisend verhalten; unnahbar werden. ↗zugeknöpft. 1930 *ff.*

zukommen *intr* **1.** auf jn ∼ = a) jm ein Angebot machen. Man geht ihm mit einem Vorschlag ent-

gegen. Kaufmannsspr. seit dem 19. Jh. – b) die Spielfarbe bestimmen und ausspielen. Der Spielmacher geht auf die Gegner zu. Berlin 1840 *ff.*
2. es kommt auf ihn zu = er hat es zu gewärtigen; es wird für ihn wichtig werden. Das Gemeinte nähert sich ihm unausweichlich. Wahrscheinlich dem Kartenlegerinnendeutsch entlehnt. 1950 *ff.*

zukratzen *v* jm etw ~ = jm einen Vorteil verschaffen; jn in den Genuß einer Vergünstigung bringen. Stammt vom Hühnerhof: der Hahn scharrt im Boden und läßt das Huhn seinen Fund picken. 1940 *ff, ziv* und *sold.*

zukriegen *tr* **1.** etw schließen können (ich kriege den Deckel nicht zu). ↗zu. Seit dem 18. Jh. **2.** etw hinzubekommen. Seit dem 19. Jh.

Zukunft *f* **1.** die ~ ist leider auch nicht mehr das, was sie (einmal) war = die Zukunft sieht nicht ermutigend aus; wir können der Zukunft nicht mehr mit großen Hoffnungen entgegensehen; unser Unternehmen (o. ä.) hat keine günstigen Erfolgsaussichten mehr. Geht zurück auf einen Ausspruch des Franzosen Paul Valéry (etwa 1941), bei uns geläufig geworden vor allem durch „Schlachtbeschreibung" von Alexander Kluge, 1964.

2. die (seine) ~ hinter sich haben = keinerlei Zukunftsaussichten mehr haben. 1970 *ff.*

Zukunftsmusik *f* **1.** Wunschprogramm, das sich vielleicht später erfüllen läßt. Meint eigentlich die Musik, auf die die kommende Entwicklung zusteuert. Das Wort kommt bei Richard Wagner vor, scheint aber nicht von ihm geprägt worden zu sein. Im heutigen Sinne gegen 1875 aufgekommen.

2. Kindergeschrei in der Vorstellung eines Brautpaars. Adolf Glaßbrenner: Lustiger Volkskalender für 1861 (Dresden 1860).

zulabern *tr* jn mit Geschwätz (mit leeren Redensarten) mundtot machen. ↗labern. 1960 *ff,* *jug.*

Zulage *f* Prügel zur Strafrede. Seit dem 19. Jh.

zulangen *v* bei jm tüchtig ~ = jn heftig prügeln. 1920 *ff.*

zulassen *tr* **1.** verschlossen, geschlossen halten (er läßt das Fenster zu). ↗zu. Seit dem 19. Jh.

2. laß zu (laß sie zu)! = verstumme! prahle nicht so stark! Zu ergänzen ist „deinen Mund" oder „deine Schnauze". 1900 *ff.*

zulaufen *v* es ist mir zugelaufen = ich habe es gefunden. Bezieht sich eigentlich auf den zugelaufenen Hund und kann hehlwörtlich auch für „stehlen" stehen. 1950 *ff.*

zulegen *v* **1.** *intr* = die Fahr- oder Marschgeschwindigkeit steigern; den Trab beschleunigen. Gekürzt aus „einen ↗Zahn zulegen". 1930 *ff,* kraftfahrerspr., *sold* und *sportl.*

2. *intr* = das Spieltempo steigern. *Sportl* 1955 *ff.*

3. *intr* = an Gewicht, Umfang zunehmen. Man legt Pfunde hinzu. Seit dem 15. Jh; wiederaufgelebt gegen 1900.

4. etw zuzulegen haben = Fettreserven für schlechte Zeiten haben. 1900 *ff.*

5. sich eine ~ = eine Liebesbeziehung eingehen. „Zulegen" im Sinne von „zur Seite legen" wurde früher von der förmlichen Beilegung der Braut gesagt (Beilager). Später auch in der Bedeutung „anschaffen" gebräuchlich. *Stud* Herkunft, seit dem frühen 18. Jh.

Zull *m* einen ~en haben = a) nicht recht bei Verstand sein. Zull ist der Maikäfer. Daher analog zu „↗Käfer 18". Tirol, seit dem 19. Jh. – b) bezecht sein. Tirol, seit dem 19. Jh.

Zulle *f* **1.** unsympathische Frau; Frau, die sich jünger kleidet als ihrem Alter entsprechend. Berührt sich mit „↗Zull a". Seit dem 19. Jh.

2. unordentliche, unreinliche Frau. Gehört ablautend zu „↗Zottel 1 u. 2". Vorwiegend *südd*, seit dem 18. Jh.

3. Prostituierte. Seit dem 19. Jh.

zullen *intr* aus der Flasche trinken. Meint im *Oberd* soviel wie „an der Mutterbrust, am Schnuller saugen". 1900 *ff.*

Zulp (Zulpe) *m (f)* **1.** Schnuller. Meint eigentlich den Sauglappen, der früher aus Leinwandresten (= Zulpen) hergestellt wurde. 1700 *ff.*

*Miniatur aus einem um 1150 in Winchester entstandenen Psalter. Dieses Bild eines Engels, der das Höllentor zumacht, symbolisiert das Unwiderrufliche der Höllenstrafe. Es soll den Betrachter mahnen, sich eines Lebenswandels zu befleißigen, der ihm eine solche Strafe ersparen kann, und steht folglich auch in einem Zusammenhang mit der scholastischen Diskussion um den Begriff der Gnade. Die augustinische Lehre, wonach die Gnade als ein Geschenk des Himmels angesehen wird, das der Erwählte dann nur noch anzunehmen brauche, wird nun insofern abgewandelt, als diesem Heilsglauben das Moment der Willensfreiheit gegenübergestellt wird. Eine solche relative Determiniertheit ist, um den Blick jetzt wieder auf die Abbildung zu lenken, umgangssprachlich allerdings auch dort gegeben, wo ganz andere Tore zugemacht werden (vgl. **zumachen 1.**).*

2. Zigarre. Aufgefaßt als „Schnuller" für den erwachsenen Mann. Seit dem 19. Jh.

3. Schnapsflasche. Seit dem 19. Jh.

4. kräftiger Schluck aus der Schnapsflasche. Seit dem 19. Jh; *sold* in beiden Weltkriegen.

zulpen (zülpen) *intr* **1.** aus der Flasche trinken; zechen. 1900 *ff*.

2. fellieren. 1900 *ff*.

Zulukaffer *m* Dummer. Eigentlich eine Doppelbezeichnung: die Stammesgruppe der Zulu gehört zu den früher „Kaffern" genannten Bantu-Völkern Südost-Afrikas. Hier liegt wohl Erweiterung zu „↗Kaffer 1" vor. 1900 *ff*.

Zulu-Zeit *f* Uhrzeit, die eine Stunde hinter der Greenwich-Zeit zurückliegt. Ein technischer Ausdruck, fußend auf dem NATO-Alphabet: „Z = Zulu". Meint vor allem die Einheits-Uhrzeit bei NATO-Manövern. 1955 *ff, BSD*.

zumachen *v* **1.** *tr intr* = schließen; den Betrieb einstellen. Seit dem 19. Jh.

2. *intr* = sich beeilen. Meint entweder „Geschwindigkeit zugeben" oder „sich auf ein Ziel zubewegen". 1700 *ff*.

3. machen Sie zu, sonst tut Ihnen einer etwas hinein: Redewendung an einen, der versehentlich Tasche oder Koffer offenläßt. 1930 *ff*.

4. *refl* = sich betrinken. ↗zusein 4. 1960 *ff, halbw*.

zumogeln *v* jm etw ~ = jm etw betrügerisch (heimlich) zukommen lassen. ↗mogeln. 1920 *ff*.

Zumpel *m* **1.** minderwertiges Kleidungsstück. Eigentlich der Lumpen. Seit dem 19. Jh.

2. Putzlappen. Seit dem 19. Jh.

3. unordentliche, liederlich aussehende Frau. Seit dem 19. Jh.

4. einfältiger Mensch. Analog zu ↗Lapp. Seit dem 19. Jh.

Zumpeljule *f* Straßenkind; unordentlich gekleidetes Mädchen. ↗Jule. 1950 *ff*, Berlin.

Zumpf *m* Penis. Gehört wohl zu „zimperlich" im Sinne von „schämig". Seit *mhd* Zeit; heute vorwiegend *bayr* und *österr*.

Zumpferl *m n* **1.** kleiner Penis. *Vgl* das Vorhergehende. *Österr* seit dem 19. Jh.

2. dummer Mann. Meint ursprünglich den einfältigen Jungen. *Österr* 1950 *ff*.

Zund *m* **1.** geheimer Wink unter Falschspielern u. ä. Entstellt aus „Schund = Kot", fußend auf *zigeun* „chinac = koten; betrügen". *Rotw* seit dem 19. Jh, *österr*.

2. jm ~ geben = jn antreiben, mahnen; bei jm eine Geldschuld eintreiben. Seit dem 19. Jh.

3. einen ~ reiben = jm heimlich eine Nachricht zukommen lassen. ↗Zund 1. *Rotw* 1900 *ff, österr*.

Zündbereitschaft *f* geschlechtliches Verlangen. ↗zünden. 1960 *ff*.

Zündboy (Grundwort *engl* ausgesprochen) *m* Kellnerlehrling, der den Gästen Feuer reicht oder eine Kerze auf dem Tisch anzündet. 1930 *ff*.

Zünddeckel *m* kleines, „verwegenes" Hütchen. ↗Zündhütchen. 1925 *ff*.

zündeln *intr* **1.** mit dem Feuer spielen; Feuer legen. Wiederholungsform von „zünden". Seit dem 18. Jh.

2. ein Streichholz anzünden. 1900 *ff*.

3. flirten. ↗zünden 2. *Halbw* 1955 *ff*.

zünden *v* **1.** *intr tr* = rauchen. Fußt wahrscheinlich auf der Vorstellung von der Zigarette als Zündschnur. *Sold* 1939 *ff*.

2. *intr* = flirten. Zusammenhängend mit der Metapher „Liebesfeuer": man legt Feuer, löst einen Zündvorgang aus. *Halbw* 1945 *ff*.

3. jm eine ~ = jn ohrfeigen. Die Ohrfeige wird plötzlich versetzt und erzeugt Wärme. *Oberd* seit dem 19. Jh.

4. *tr* = jn anzeigen, verraten. ↗Zund 1. *Rotw* 1850 *ff*.

5. nicht ~ = sich abweisend verhalten; unwirksam bleiben. Analog zu ↗anspringen 2. 1930 *ff*.

6. es hat bei ihm gezündet = er hat begriffen. *Vgl* die Metapher „Geistesblitz". 1900 *ff*.

7. es hat zwischen beiden gezündet = Liebe hat sich eingestellt. Der „Liebesfunke" ist übergesprungen. 1935 *ff*.

8. spät ~ = begriffsstutzig sein; nur langsam zum Handeln übergehen. ↗Spätzünder 1. 1920 *ff*.

Zunder *m* **1.** Beschuß, Feuerüberfall o. ä. Eigentlich der getrocknete Baumschwamm zum Feuerfangen; weiterentwickelt zum Begriff „alles, was Feuer fängt" und zu *milit* „in Brand schießen". *Sold* in beiden Weltkriegen.

2. Prügel, Schläge. *Sold* 1914 *ff*, *ziv* 1920 *ff*.

3. strenger Drill. *Sold* 1935 *ff*.

4. heftige Auseinandersetzung; Anherrschung. 1914 *ff*.

5. Munition. *Sold* in beiden Weltkriegen.

6. Motorleistung. *Halbw* 1950 *ff*.

7. Geld, Lohn, Sold. Analog zu „↗Munition", „↗Pulver". 1914 *ff*.

7 a. Alkoholgehalt. 1914 *ff*.

7 b. Angriffsspiel, Torbedrängung. *Sportl* 1920 *ff*.

7 c. Ansporn. 1914 *ff*.

8. brennen wie ~ = leidenschaftlich verliebt sein. *Vgl* die Metapher „Liebesglut". 1920 *ff*.

9. jm ~ geben = a) jn verprügeln, grob behandeln, ausschimpfen; jm barsch die Meinung sagen. ↗Zunder 2. 1914 *ff, sold;* 1920 *ff, ziv.* – b) jn anfeuern, antreiben. 1914 *ff*.

Zünder *m* **1.** Streichholz. *Oberd* 1900 *ff*.

2. Verräter, Anzeigender. ↗Zund 1. *Rotw* 1900 *ff*.

3. ohne ~ = schwunglos, uninteressant. *Jug* 1960 *ff*.

4. da kriegst du einen auf den ~!: Ausruf der Verwunderung. „Zünder" meint hier den Kopf, das Nervenzentrum: der Anlaß der Verwunderung löst einen Zündvorgang aus. *BSD* 1965 *ff*.

Zündhebel *m* erigierter Penis. Der Kraftfahrttechnik entlehnt. *Vgl* ↗zünden 2. 1930 *ff*.

Zündholz *n* **1.** bei kleinster Unregelmäßigkeit aufbrausender Vorgesetzter. Er zündet bei Berührung mit der kleinsten Reibfläche. *Sold* in beiden Weltkriegen; auch *ziv*.
2. *pl* = sehr dünne Beine. 1870 *ff*, vorwiegend *oberd*.

Zündholzfabrik *f* ihm geht eine ganze ~ auf = plötzlich begreift er die Zusammenhänge. Vergröberung von „ihm geht ein ↗Licht auf". 1920 *ff*.

Zündholzschachtel *f* Gebäude der United Nations Organization in New York. ↗Streichholzschachtel. 1960 *ff*.

Zündholzspalter *m* geiziger, kleinlicher Mensch. Aufgekommen um 1910, als wegen vermehrter Aufwendungen für das Heer, für Schiffsbauten usw. die Verbrauchssteuern erheblich angehoben wurden (für zehn Schachteln Streichhölzer, die bisher einen Groschen kosteten, mußte man nun 22 bis 25 Pfennig bezahlen).

Zündhütchen *n* **1.** sehr kleine Kopfbedeckung für Damen und Herren; farbiges Damenhütchen nach Herrenschnitt. Die Vokabel beruht auf dem Größenvergleich zwischen Zündhütchen und Patrone. *Sold* im Ersten Weltkrieg soviel wie „Soldatenmütze ohne Schirm". *Ziv* 1920 *ff*.
2. Rothaariger. Beim Zündhütchen war das Papier der Hülle rot, wie in den alten Armeen in Hannover, Preußen usw. vorgeschrieben. Seit dem späten 19. Jh.
3. Anlaß zum Wutausbruch. Dem Aufgebrachten fehlt nur noch das Zündhütchen, damit es zum „Knallen" kommt. 1930 *ff*.

Zündis *pl* Zünd-, Streichhölzer. 1982 *ff*.

Zündkerze *f* **1.** anmutige weibliche Person. Sie wirkt „zündend" auf die Männerherzen. 1950 *ff*, Berlin u. a.
2. Aufnahme mit ~ = Fernsehaufnahme in Anwesenheit von beifallspendenden Zuschauern. 1960 *ff*.

Zündkerzenreiniger *pl* Instandsetzungsstaffel; Werkstattkompanie. *Sold* 1939 *ff*.

Zündloch *n* **1.** After. Von den Feuerwaffen hergenommen. 1900 *ff*.
2. Schimpfwort. Gemilderte Variante zu „↗Arschloch". *Sold* 1914 *ff*.

Zündmaschine *f* jm die ~ abschalten = jn sterilisieren. Vom Verbrennungsmotor gegen 1937 hergenommen.

Zündmasse *f* körperliche Anziehungskraft der Frau. 1930 *ff*.

Zündpfanne *f* Vagina. Hergenommen von den alten Gewehren, auf deren Zündpfanne etwas Pulver geschüttet wurde. ↗Pfanne 10. 1900 *ff*.

Zündpille *f* Liebesmittel. 1910 *ff*.

Zündpole *pl* aufreizend zur Schau getragene Brüste. 1955 *ff*.

Zündschnur *f* **1.** jm die ~ durchschneiden = jn sterilisieren. 1937 *ff*.

2. eine nasse ~ haben = nicht begreifen; begriffsstutzig sein. 1940 *ff*.
3. ihm steht einer auf der ~ = er begreift nicht. *Vgl* ↗Leitung 21 a. 1940 *ff*.

Zündspektakel *n* Feuerwerk. 1960 *ff*.

Zündstoff *m* ~ unter der Bluse haben = temperamentvoll, geschlechtlich aufreizend sein. ↗zünden 2. 1955 *ff*.

Zündung *f* plötzliche Erkennung der Zusammenhänge; plötzliches Sicherinnern. ↗zünden 6. 1930 *ff*.

Zunft *f* **1.** ~ vom roten Licht = Bordellprostitution. 1900 *ff*.
2. blaue ~ = Marinesoldaten. Wegen des blauen Uniformtuchs. 1914 *ff*.
3. grüne ~ = die Jäger. 1920 *ff*.
4. nasse ~ = die Winzer, Kellermeister, Weinhändler o. ä. 1960 *ff*.
5. schwarze ~ = a) Setzer und Drucker. Wegen des Umgangs mit der Druckerschwärze. ↗Schwarzkünstler. 1900 *ff*. – b) Schiffsheizer, Maschinenpersonal. Anspielung auf die ruß- und ölverschmierten Gesichter. *Marinespr* 1900 *ff*. – c) Schornsteinfegergewerbe. 1920 *ff*. – d) katholische Geistlichkeit. Wegen der schwarzen Amtstracht. *Nordd* und Berlin, 1900 *ff*. – e) Pioniere. Wegen der schwarzen Waffenfarbe. *BSD* 1965 *ff*.

Zunftbrüder *pl* Mittäter. Eigentlich die Zunftgenossen. 1950 *ff*.

Zunftbuch *n* Wehrpaß. Er bescheinigt die Zugehörigkeit zur „Zunft" der Soldaten. *BSD* 1965 *ff*.

zünftig *adj* **1.** großartig, schwungvoll, tüchtig. Leitet sich von der Zunftordnung her und meint „den Zunftgesetzen entsprechend"; daher soviel wie „gehörig". Parallel zu ↗anständig. Im späten 19. Jh aus der Kundensprache in die Soldatensprache und von da im frühen 20. Jh in den Wortschatz der Wandervogelbewegung übergegangen.
2. regelrecht, tatsächlich, stark (es hat zünftig geregnet; wir haben ihn zünftig verhauen). 1910 *ff*.

Zunge *f* **1.** besoffene ~ = Zunge in Madeira-Weinsoße. 1965 *ff*.
2. gedämpfte ~ = Ergebnis der staatlichen Zensur. Hier meint „Zunge" die „Redeweise"; gedämpft = gemäßigt. 1933 *ff*.
3. haarige ~ = Redegewandtheit. ↗haarig. 1960 *ff*.
4. rasiermesserscharfe ~ = verletzende Sprache. 1960 *ff*.
5. sich die ~ abbrechen = a) sich vergeblich bemühen, ein Wort auszusprechen. 1900 *ff*. – b) ausdauernd, hastig, gekünstelt sprechen. 1900 *ff*.
6. sich die ~ auskugeln = hastig, unüberlegt sprechen. Übertragen vom Gelenk, das man sich auskugeln kann. *Vgl* ↗Zunge 16. 1900 *ff*.
7. sich die ~ ausleiern = eindringlich auf jn einreden. Hergenommen von Schraubengewinden, die sich durch oftmaligen Gebrauch abschleifen, bis sie nicht mehr greifen. 1900 *ff*.

8. sich die ~ ausrenken = einen unversieglichen Redestrom entwickeln. ↗Zunge 6. 1880 *ff.*

9. mit der ~ ausrutschen = Unpassendes äußern. ↗ausrutschen 9. Spätestens seit 1890.

10. die ~ baden = ein Glas Alkohol zu sich nehmen. 1960 *ff.*

11. er wird sich noch über die ~ fahren: Redewendung angesichts eines tief vornübergebeugten Radrennfahrers. Berlin 1920 *ff.*

12. jm die ~ aus dem Mund gaffen = einen Sänger unverwandt anstarren. 1960 *ff.*

13. die ~ gradehalten = sehr vorsichtig zu Werke gehen. Bei Tätigkeiten, die viel Feingefühl und Geduld erfordern, hält man die herausgestreckte Zungenspitze unwillkürlich mit den Lippen fest. 1920 *ff.*

14. ihm ist die ~ geschwollen = er kann vor Trunkenheit nicht sprechen. 1900 *ff.*

15. eine elektrische ~ haben = ununterbrochen reden können. Die Zunge funktioniert mit der Ausdauer eines elektrischen Geräts. 1930 *ff.*

16. eine gelenkige ~ haben = redegewandt, schlagfertig sein. Seit dem 19. Jh.

17. eine scharfe ~ haben = aufrührerische Reden halten; mit Worten angriffslustig sein. Seit dem 19. Jh.

18. sich an jds ~ hängen = gespannt auf jds Rede lauschen. 1920 *ff.*

19. die ~ nicht mehr heben können = betrunken sein. Dem Zecher wird die Zunge schwer. 1700 *ff.*

20. die ~ hängt auf die Schuhe = man hat anstrengenden Dienst hinter sich; man ist völlig entkräftet. Wohl von der heraushängenden Zunge des hechelnden Hundes übertragen. *BSD* 1965 *ff.*

21. über die ~ kacken = sich erbrechen. ↗Zunge 26. 1820 *ff.*

22. deine ~ in deine Wade, und du könntest spielend bergauf radeln: Redewendung auf einen pausenlos Schwätzenden. Berlin, 1950 *ff.*

23. jm innerlich die ~ rausstrecken = jn mißachten, ohne es sich anmerken zu lassen. 1870 *ff.*

24. die ~ reinhängen = sich an etw gütlich tun; wacker zechen. Seit dem frühen 20. Jh; *sold* in beiden Weltkriegen.

24 a. sich die ~ aus dem Hals rennen = unermüdlich laufen. 1920 *ff, sportl.*

25. jm die ~ schaben = jn zu einfacher Kost anhalten. Man tötet ihm gewissermaßen die Geschmacksnerven ab. 1920 *ff.*

26. über die ~ scheißen = sich erbrechen. ↗Zunge 21. Seit dem 19. Jh.

27. schlag' dir bloß nicht mit der ~ ins Auge! = hör' auf mit deinem Wortschwall! 1910 *ff.*

27 a. sich die ~ aus dem Hals schreien = langanhaltend schreien. 1920 *ff.*

28. auf der ~ farbenblind sein = kein feines Geschmacksempfinden haben. Berlin 1950 *ff.*

29. unter der ~ feucht sein = beredt, schlagfertig sein. 1920 *ff.*

Es kann natürlich sein, daß jenem als recht ungebührlich geltendem Herausstrecken der Zunge seitens der jungen Musikantin der nicht weniger zu tadelnde Versuch vorausging, ihr die Zunge aus dem Mund zu gaffen (**Zunge 12.**). *Diese Verachtung und Spott ausdrückende Geste rührt, wie Lutz Röhrich vermutet, möglicherweise von älteren Abwehrgebärden her:* „*Als schimpfliche Abweisung ist sie auch an Brücken und Stadttoren angebracht worden. Bekannt ist der Basler sog.* ‚*Lällekönig*‘, *der nach Kleinbasel herüber diese Geste machte.*“ *In der Regel aber gilt: Wer seine Zunge im Zaum hat, kann sie sich auch nicht verbrennen* (**Zunge 31.**) *und wird ihr auch sonst keinen Schaden zufügen. Manchmal ist das schade, manchmal nicht.*

29 a. flink mit der ~ zu Fuß sein = beredt sein. *Vgl* das Folgende. 1900 *ff.*

30. die ~ spazieren führen (spazierengehen lassen) = unbedacht sprechen. Man läßt der Zunge freien Lauf wie dem Hund, den man beim Spazierengehen von der Leine löst. 1910 *ff.*

30 a. mit gespaltener ~ sprechen (reden) = zweierlei Standpunkte vertreten; es mit zwei Parteien halten. Aus (früheren) Indianerromanen im Sinn von „lügen; vertrauensunwürdig sein" geläufig. 1930 *ff.*

31. sich die ~ verbrennen = sich durch unüberlegte Äußerungen schaden. Entwickelt nach dem Muster von „sich die ↗Finger verbrennen". 1870 *ff.*

32. sich die ~ weichkauen = sich langweilen. 1960 *ff.*

33. sich die ~ zerfransen = eindringlich auf jn einreden. Fußt auf der Vorstellung vom ausfransenden Gewebe. 1930 *ff.*

34. sich etw auf der ~ zergehen lassen = etw gründlich auszukosten verstehen. Leitet sich her vom genießerischen Eisschlecken o. ä. 1920 *ff.*

35. jm an der ~ ziehen (jm die ~ ziehen) = jm ein Geständnis entlocken (entreißen); jn aushorchen wollen. Geht wohl auf alte Foltermethoden zurück. 1870 *ff.*

36. sich nicht an der ~ ziehen lassen = sich nicht übertölpeln (veralbern) lassen. 1870 *ff*, Berlin.

Züngelchen *n* ein dünnes ~ haben = ein Feinschmecker sein. Dünn = fein, feinfühlig (*vgl* ↗Haut 10). 1900 *ff.*

züngeln *intr* Zungenküsse austauschen. Seit dem 14. Jh.

Zungenakrobat *m* redegewandter Mensch. *Vgl* ↗Zungengymnastik. 1930 *ff.*

Zungenakrobatin *f* Lesbierin. Anspielung auf Cunnilingus. 1930 *ff.*

Zungenbrecher *m* schwer auszusprechendes Wort. ↗Zunge 5 a. 1900 *ff.*

Zungenbrei *m* Geschwätz. 1950 *ff.*

Zungendrescher *m* 1. redegewandter Mann; Vielschwätzer. Gewissermaßen wie mit einem Dreschflegel drischt er mit der Zunge auf die Zuhörer ein. 1500 *ff.*
2. Rechtsanwalt; Vertreter der Anklage. 1500 *ff.*

'Zungendresche'rei *f* Redeschwall. 1700 *ff.*

Zungeneffekt *m* Angewohnheit, bei Verrichtungen, die viel Feingefühl und Geduld erfordern, die Zungenspitze zwischen die Lippen zu schieben. 1920 *ff.*

Zungenfurz *m* Aufstoßen aus dem Magen, „Rülpser". *Sold* 1900 (?) *ff.*

Zungengulasch *m* radebrechende, stotternde Redeweise. Die Worte kommen in Bruchstücken hervor wie die Einzelstücke des Gulaschs. Seit dem frühen 20. Jh.

Zungengymnastik *f* Redegewandtheit. 1870 *ff.*

Zungenklaps *m* Sprachhemmung; Stottern. ↗Klaps 1. 1900 *ff.*

Zungen-Maschinengewehr *n* Schnellsprecher. Die Worte folgen aufeinander wie beim Maschinengewehr die Geschosse. 1914 *ff.*

Zungenragout (Grundwort *franz* ausgesprochen) *n* versehentliches Vertauschen einzelner Silben beim Aussprechen langer Wörter; Stammelsprache der Betrunkenen; witzige Schnellsprecherei. 1910 *ff.*

Zungensalat *m* 1. Stottersprache; unverständliche Abkürzungssprache. ↗Salat 1. 1900 *ff.*

2. mit Fremdwörtern durchsetztes Deutsch. 1920 *ff.*

3. ~ machen = sehr hastig sprechen; Worte verdrehen; sich versprechen; stammeln; Silben verschlucken. Theaterspr. 1900 *ff.*

Zungenschlag *m* 1. Rednergabe. Seit dem 19. Jh.
2. Berühren der Geschlechtsorgane mit dem Mund. 1900 *ff.*
3. falscher ~ = unaufrichtige Beteuerung. 1920 *ff.*
4. ~ haben = wegen Trunkenheit nicht mehr klar und verständlich reden können. *Oberd*, 1900 *ff.*
5. einen falschen ~ haben = Unsinn reden. 1920 *ff.*
6. einen ~ kriegen = vor Staunen, Schreck o. ä. nicht weitersprechen können. Abgeleitet von der Lähmung durch einen elektrischen Schlag oder von „Schlag = Schlaganfall". 1900 *ff.*
7. mit falschem ~ reden = lügen; unaufrichtig sein. 1920 *ff.*

Zungenschmalz *n* 1. schwülstige Redeweise. ↗Schmalz 4. 1933 *ff.*
2. Überredungskunst; übertriebene Lobrednerei. 1933 *ff.*

Zungenschnackler *m* Versprecher. ↗Schnackler 1. *Oberd* 1960 *ff.*

Zungenstolperer *m* Versprecher. 1920 *ff.*

Zungensünde *f* Berühren der Geschlechtsorgane mit dem Mund. 1900 *ff.*

Zungentatterich *m* 1. Lallen des Betrunkenen. ↗Tatterich. 1870 *ff.*
2. den ~ haben = Vielschwätzer sein. 1900 *ff.*

Zungenwurst *f* 1. versehentliches Vertauschen von Silben oder Wörtern; unverständliche Redeweise. Es gerät alles durcheinander wie beim Wurstmachen. 1920 *ff*, theaterspr.
2. ~ machen = sich unbedacht äußern. 1920 *ff.*

Zunkel *m* nachlässig gekleidete, ungepflegte Frau. Meint eigentlich den am zerrissenen Kleid herabhängenden Fetzen. 1900 *ff.*

Zunzel *f* nachlässig gekleidete Frau, geschwätzige, bösartige Frau. Meint ursprünglich den zottigen, rauhhaarigen Hund. 1920 *ff.*

Zupack-Preis *m* verlockend günstiger Preis. Kaufmannsspr. 1960 *ff.*

zupaffen *tr* etw heftig zuschlagen. Mit „paff" ahmt man den Schall des Schusses nach. 1900 *ff.*

zupängen *tr* etw heftig zuwerfen. „Päng" ist schallnachahmend für einen Schuß, ein plötzliches Platzen u. ä. 1900 *ff.*

zupatschen *tr* etw laut zuschlagen. ↗Patsch 1. Seit dem 19. Jh.

Zupf *f* Gitarre. Verkürzt aus „Zupfgeige". Wandervogelspr. seit dem frühen 20. Jh.

zupfeffern *tr* etw laut schließen; etw laut ins Schloß werfen. ↗pfeffern 1. Seit dem 19. Jh.

zupfen *v* 1. *tr* = stehlen, bestehlen. Meint eigentlich das diebische Herausziehen des Geldbeutels, der Taschenuhr o. ä. 1600 *ff.*
2. *tr* = jn um ein „Darlehen" angehen, das man

nicht zurückzahlen will; jn prellen. Seit dem frühen 20. Jh.

3. *tr* = jn degradieren. Man reißt ihm die Abzeichen von der Uniform. *Sold* 1935 bis heute.

4. *intr* = liebedienern; sich einschmeicheln; flirten. Hergenommen vom Zupfen der Katzen am Kleid oder vom Ablesen etwaiger Verunreinigungen von Anzug oder Uniform. *Halbw* 1960 *ff*.

5. *intr* = Prostituierte sein. Spielt auf die Entgeltsforderung an, auf bestimmte sexuelle Praktiken oder auf zudringliches Zupfen am Ärmel o. ä. des Vorübergehenden. 1930 *ff*.

6. sich ~ = davongehen. Parallel zu ↗ziehen 15. *Österr* 1900 *ff*.

7. sich einen ~ = onanieren. 1900 *ff*.

Zupfer *m* **1.** Liebediener. ↗zupfen 4. *Halbw* 1960 *ff*.

2. Taschendieb. ↗zupfen 1. *Rotw* 1750 *ff*.

Zupfgeige *f* **1.** verlebte, alte Frau. Anspielung auf Geschlechtsverkehr. *Bayr* und *österr*, 1920 *ff*.

2. Prostituierte niederster Art. ↗zupfen 5. 1930 *ff*.

Zupf-Zahn *m* Gitarristin. ↗Zahn 3. 1960 *ff*.

zupinnen *tr* eine Wand mit Ansichtskarten, Briefen o. ä. bedecken. ↗pinnen 1. 1950 *ff*.

zuplauzen *tr* die Tür laut ins Schloß werfen. ↗plauzen. *Sächs* seit dem 19. Jh.

zuplinken *v* jm ~ = jm zublinzeln, zuzwinkern. ↗plinken. Seit dem 19. Jh, *niederd*.

zuquasseln (-quatschen) *intr* dem Mitschüler vorsagen. 1920 *ff*.

zurechtbiegen *tr* **1.** jm gutes Benehmen beibringen; jn drillen. Wohl vom Gärtner übernommen, der einer gekrümmt wachsenden Pflanze zu geradem Wuchs verhilft. 1910 *ff*.

2. jn erziehen; jm neuen Mut einflößen; jds Verstimmung zu beheben suchen. 1910 *ff*.

3. eine Sache in Ordnung bringen. 1910 *ff*.

zurechtboxen *tr* jm dazu verhelfen, seine Fassung wiederzufinden; jn kräftigen. Man bedient sich dabei wohl drastischer Mittel. 1935 *ff*.

zurechtbrauen *tr* etw mehr schlecht als recht zubereiten, herstellen (man braut eine Bowle zurecht; man braut ein Gedicht zurecht). ↗brauen 1 u. 3. 1900 *ff*.

zurechtbügeln *tr* **1.** jn streng einexerzieren. „Bügeln" im Sinne von „glätten, polieren" ist Analogie zu „↗schleifen". *Sold* 1939 *ff*.

2. jn zu üblicher Gesittung und Gesinnung erziehen. 1950 *ff*.

zurechtdreschen *tr* jn durch Prügel erziehen. ↗dreschen. 1920 *ff*.

zurechtfrisieren *tr* den Sachverhalt verschönend entstellen; die ungünstige Seite einer Sache zu verdecken suchen; ein gestohlenes Kraftfahrzeug durch Veränderungen unkenntlich machen. ↗frisieren 1. 1920 *ff*.

zurechtfummeln *tr* etw (mehr schlecht als recht) instandsetzen, in Ordnung bringen. ↗fummeln. 1900 *ff*.

zurechthaben *v* sich wieder ~ = die Beherrschung wiedergewonnen haben. 1890 *ff*.

zurechtkochen *tr* etw mehr schlecht als recht herstellen, bewirken. Vom Kochen her verallgemeinert. 1900 *ff*.

zurechtkriegen *tr* etw in Ordnung bringen; einen Fehler, eine Verstimmung beheben. 19. Jh.

zurechtlaufen *v* es läuft sich schon zurecht = es wird schon in Ordnung kommen. Wie ein Wasserlauf sich seinen Weg bahnt. 19. Jh.

zurechtmachen *v* **1.** *tr* = jn vorteilhaft kleiden; jn für den Bühnenauftritt ausstatten, schminken usw. Seit dem 19. Jh.

2. *tr* = jn streng einexerzieren. *Sold* in beiden Weltkriegen.

3. *refl* = sich ankleiden; sich schminken o. ä.; sich geschmacklos, auffallend kleiden. Seit dem 19. Jh.

zurechtmuddeln *tr* etw unsorgfältig, unsachgemäß herstellen. ↗muddeln. Seit dem 19. Jh.

zurechtmurksen *tr* etw mit viel Geduld und wenig Sachkenntnis in Ordnung zu bringen suchen. ↗murksen 1. Seit dem 19. Jh.

zurechtpfeifen *tr* als Schiedsrichter einen Sportler heftig rügen. Der Schiedsrichter gebraucht die Trillerpfeife. *Sportl* 1955 *ff*.

zurechtreden *v* sich etw ~ = viel, unüberlegt reden; auf gut Glück reden. Ironische Vokabel. 1900 *ff*.

zurechtrücken *tr* etw richtigstellen. Man rückt die Dinge an den richtigen Platz, wie man es mit Möbeln tut. 1900 *ff*.

zurechtschaukeln *v* das schaukelt sich zurecht = das kommt wieder in Ordnung. ↗schaukeln 3. 1930 *ff*.

zurechtschleifen *tr* jn einexerzieren, rücksichtslos eingewöhnen. ↗schleifen 1. *Sold* 1900 *ff*.

zurechtschustern *tr* etw notdürftig in Ordnung bringen. ↗Schuster 1. Seit dem 19. Jh.

zurechtschwätzen *v* sich etw ~ = dumm, auf gut Glück, unverantwortlich reden. Ironisch gemeint. 1900 *ff*.

zurechtsetzen *tr* jm Vorhaltungen machen. Der Betreffende wird in die gehörige Ordnung gebracht. Seit dem 19. Jh.

zurechtsingen *v* sich etw ~ = viel, vielerlei, unschön singen. 1900 *ff*.

zurechtspinnen *v* sich etw ~ = a) sich in Gedanken etw ausmalen. ↗spinnen 1. 1920 *ff*. – b) über eine Sache lange nachdenken, bis man die Zusammenhänge erkannt zu haben glaubt; grübeln. 1920 *ff*.

zurechtstauchen *tr* jn zurechtweisen, nachdrücklich eines Besseren belehren. ↗stauchen 2. 1900 *ff*, *sold* und *schül*.

zurechtstoßen *tr* jn energisch zurechtweisen. ↗stoßen 4. 1920 *ff*.

zurechtstutzen *tr* jn rügen, erziehen. Hergenommen vom Gärtner, der Gewächse stutzt, damit sie besser gedeihen. 1870 *ff*.

zurechttrimmen *tr* jn in eine Rolle eingewöhnen; jn einstudieren. ↗trimmen 1. 1935 *ff*.

zurechtzimmern *tr* etw mehr schlecht als recht zustandebringen. 1870 *ff*.

zureden *v* jm gut ~ = jn schlagen, bis er das Gewünschte herausgibt. Euphemismus. 1935 *ff*.

zureiten *v* jn ~ = koitieren. Von der Pferdedressur übernommen. ↗reiten 3. 1900 *ff*.

zurollen *v* etw auf sich ~ lassen = eine Entwicklung abwarten. Vom Stein hergenommen, der einen Abhang herunterrollt; *vgl* ↗Stein 4 und 12. 1950 *ff*.

Zur-Schau-Stellerin *f* Schönheits-, Schautänzerin. Aus der „Schaustellerin" entwickelt. 1955 *ff*.

zurückbeißen *intr* Härte mit Härte begegnen. Übertragen von Hunden, die Biß mit Biß erwidern. 1920 *ff*.

zurückblaffen *intr* auf eine Rügerede heftig erwidern. ↗blaffen 2. 1920 *ff*.

zurückblenden *intr* zurückliegende Geschehnisse akustisch oder optisch erzählen. Aus der Filmsprache übernommen. 1950 *ff*.

Zu'rücker *m* Polizeibeamter vom Absperrdienst. Mit dem Ruf „zurück!" treibt er die Schaulustigen hinter die Absperrung zurück. 1950 *ff*, Berlin.

zurückficken *v* ihn sollte man ~ und abtreiben!: Redewendung auf einen unsympathischen Menschen, auch auf einen Versager. Auch in der Form „er gehört zurückgefickt und abgetrieben". ↗ficken 1. *BSD* 1965 *ff*.

zurückgetauft sein einer sein, dessen Namenstag vor dem Geburtstag liegt. Dies gilt als unglückbringend. *Österr*, 1950 *ff*.

zurückgetreten werden unfreiwillig von einem Amt zurücktreten. 1900 *ff*.

zurückgezogen *adj* sehr ~ leben (ein ~es Leben führen) = eine mehrjährige Freiheitsstrafe verbüßen. Ironie. 1920 *ff*.

Zurückgezogenheit *f* Haft. 1920 *ff*.

zurückhängen *intr* hinter der festgesetzten Zeit zurückbleiben; Verspätung haben. ↗hängen 3. 1955 *ff*.

zurückkeilen *intr* heftig entgegnen. Vom rückwärts ausschlagenden Pferd übertragen. 1960 *ff*.

zurückklotzen *intr* einen Hieb ebenso heftig erwidern. ↗klotzen. 1940 *ff*.

zurückkommen *intr* es kommt auf mich zurück = die Folgen habe ich zu tragen. Vielleicht vom Bumerang hergenommen. *Stud* 1900 *ff*.

zurückkurbeln *intr* auf einen früher geäußerten Gedanken zurückkommen. Hergenommen vom Zurückspulen eines Films oder Tonbands. 1960 *ff*.

zurücknehmen *v* ich nehme alles zurück und behaupte das Gegenteil! scherzhafte Redewendung, wenn man eine unrichtige Behauptung zurücknimmt. Zielt eigentlich auf einen Verdächtigen, der seine Aussage widerruft und sich zum entgegengesetzten Sachverhalt bekennt. Juristenspr. 1870 *ff*.

zurückpfeifen *tr* 1. jn ~ = einem Übereifrigen Einhalt gebieten. Hergenommen vom Jäger, der den Hund durch Pfeifen zurückkommandiert. 1920 *ff*.
 2. etw ~ = eine Sache rückgängig machen; ein Unterfangen absagen; von einem Plan Abstand nehmen. 1920 *ff*.

zurückschalten *intr* den früheren Gedankengang wiederaufnehmen. Von der Funktechnik übernommen; *vgl* die stehende Wendung „wir schalten zurück zum Funkhaus". 1935 *ff*.

zurückschießen *intr* einer kritischen Äußerung Kritik entgegensetzen. 1950 *ff*.

zurückschlucken *v* ein Wort ~ = eine Äußerung zurücknehmen. 1965 *ff*.

zurückschmeißen *tr* etw zurückwerfen. ↗schmeißen 1. 1500 *ff*.

zurückspritzen *intr* eine Dopplung doppeln. ↗Spritze 11. Kartenspielerspr. 1900 *ff*.

zurückspucken *v* 1. *tr* = Ausbezahltes zurückzahlen. Gegenwort zu ↗ausspucken. Seit dem ausgehenden 19. Jh, Berlin und *mitteld*.
 2. giftig ~ = angreifend erwidern; sich in einen argen Wortwechsel einlassen. ↗giftig 1. 1950 *ff*.

zurückstecken *intr* in seinen Forderungen bescheidener werden; zum Einlenken bereit sein. Verkürzt aus „einen ↗Pflock zurückstecken". 1900 *ff*.

zurückstottern *tr* eine Geldschuld in Teilbeträgen zurückzahlen. ↗stottern 1. 1920 *ff*.

zurückzahlen *intr* den Beschuß erwidern. *Sold* 1939 *ff*.

zusagen *v* dem Mitschüler vorsagen. *Nordd* 1870 *ff*.

zusammenackern *v* 1. sich etw ~ = etw durch Fleiß nach und nach erwerben; sich etw erarbeiten. ↗ackern 1. 1900 *ff*.
 2. Geld ~ = durch Fleiß Geld verdienen. 1920 *ff*, *prost*.

zusammenarbeiten *intr* voneinander abschreiben. *Schül* 1960 *ff*.

zusammenbaazen *tr* etw vermengen, zerdrücken. ↗Baaz. *Bayr* 1900 *ff*.

zusammenballen *refl* sich innig umarmen. 1950 *ff*.

zusammenballern *tr* jn niederschießen. ↗ballern. „Zusammen = auf einen Haufen"; *vgl* ↗Haufen 21. *Sold* in beiden Weltkriegen.

zusammenbeißen *tr* jn grob anherrschen. Hergenommen vom Verhalten des Hundes und des Raubtiers. 1950 *ff*.

zusammenblasen *tr* jn grob zurechtweisen. Gemeint ist ein so starkes „Anblasen", daß der Betreffende zusammenfällt wie ein Kartenhaus. 1910 *ff*.

zusammenbrauen *tr* 1. Getränke und/oder Speisen (mehr schlecht als recht) zubereiten. ↗brauen 1. Seit dem 16. Jh.
 2. etw zusammenstellen, zusammenfügen. 1920 *ff*.

3. etw gegen jn ~ = etw zu jds Nachteil planen. 1920 *ff.*

4. es braut sich etw zusammen = Unangenehmes bereitet sich vor; Mißstimmung kommt auf; Mißdeutungen schleichen sich ein. Hergenommen vom Gewitter, das sich allmählich entwickelt. 1920 *ff. Vgl engl* „something is brewing".

zusammenbrechen *v* ich breche zusammen (da brichst du zusammen)!: Ausdruck des Erstaunens, der Unerträglichkeit. Man meint, in Ohnmacht zu fallen. *Schül* 1950 *ff.*

zusammenbrüllen *tr* jn entwürdigend und lautstark anherrschen. *Sold* 1939 *ff.*

zusammenbrummen *intr* zusammenstoßen (auf Kraftfahrzeuge bezogen). ↗brummen 1. Kraftfahrerspr. 1950 *ff.*

zusammenbügeln *tr* **1.** jm heftige Vorhaltungen machen; jn zur Ordnung rufen. ↗bügeln 5. 1910 *ff, sold* und *ziv.* **2.** koitieren. ↗bügeln 8. 1900 *ff.*

zusammenbürsteln *tr* **1.** jn grob anherrschen. ↗bürsten 2. *Bayr* 1920 *ff.* **2.** jn ~, daß er in keinen Schuh mehr paßt = jn entwürdigend zur Rechenschaft ziehen. *Schül* 1950 *ff, bayr.*

zusammendätschen *tr* etw völlig zerdrücken. ↗datschen. *Bayr* seit dem 19. Jh.

zusammendonnern *tr* jn heftig ausschimpfen. Donnern = mit lauter Stimme reden. *Sold* 1914 *ff.*

zusammendreschen *tr* **1.** jn heftig prügeln. ↗dreschen 1. Zusammen = auf einen Haufen. Seit dem 18. Jh. **2.** ein Ziel mit Bomben belegen, durch Beschuß völlig zerstören. Umgangssprachlich werden Beschuß und Prügel gleichgesetzt. *Sold* 1939 *ff.*

zusammenfahren *intr* **1.** heftig erschrecken. Der Schreck „fährt einem in die Glieder". 1900 *ff.* **2.** Achtungsstellung einnehmen. 1910 *ff, sold.* **3.** sich etw ~ = ohne ausreichende Sachkenntnis autofahren. 1920 *ff.*

zusammenfaseln *v* sich etw ~ = etw erdichten; dummschwätzen. ↗faseln. 1900 *ff.*

zusammenfegen *v* du kannst dich ~ lassen!: Drohrede. Der Betreffende wird als Dreck (↗Dreck 1) angesehen. 1870 *ff.*

zusammenfetzen *tr* etw durch Beschuß zerstören. ↗fetzen 2. *Sold* in beiden Weltkriegen.

zusammenficken *v* **1.** sich etw ~ = viele Kinder zeugen; häufig geschlechtlich verkehren. ↗ficken 1. 1935 *ff.* **2.** etw ~ = etw oberflächlich bearbeiten, grob herstellen. Von hastigem Geschlechtsverkehr auf unsorgfältige Arbeitsweise übertragen. 1914 *ff, sold* und *ziv.* **3.** laß dich ~!: Drohrede. Entstellt aus ↗zusammenfegen. 1939 *ff, sold.*

zusammenflicken *tr* jds Wunde vernähen; gebrochene Knochen wieder zusammenfügen. ↗flik-

ken 1. *Sold* 1900 bis heute; auch *ziv.*

zusammenfummeln *tr* etw mühsam zusammensetzen. ↗fummeln. 1900 *ff.*

zusammengehen *v* **1.** es geht etw zusammen = es kommt etw zustande; ein Ereignis tritt ein. Analog zu „es kommt zum ↗Klappen"; zusammenpassende Teile schließen sich zusammen. *Bayr* 1900 *ff.* **2.** *intr* = sauer werden; gerinnen. Die Teilchen der Flüssigkeit schließen sich zu Flocken zusammen. *Bayr* und *schwäb,* seit dem 19. Jh. **3.** *intr* = kränklich aussehen; nach einer Krankheit angegriffen aussehen; kraftlos werden. Die Wangen fallen ein, die Körperkräfte gehen zur Neige. *Bayr* seit dem 19. Jh. **4.** es geht mit dem Geld zusammen = das Geld nimmt ab. Etwa soviel wie „einschrumpfen". *Bayr* 1900 *ff.* **5.** *intr* = ein Liebespaar werden. ↗gehen 15. 1800 *ff.*

zusammengeigen *v* es geigt sich nichts zusammen = man ist auf sich allein angewiesen; es stellen sich keine Kameraden ein. Hergenommen vom Streichquartett, das nicht zustandekommt. 1960 *ff.*

zusammengeritten *adj präd* geschlechtlich verbraucht. ↗reiten 3. 1900 *ff.*

zusammengespannt sein ein Ehepaar sein. ↗Gespann 2. Seit dem 19. Jh.

zusammengestrebt haben *tr* gut vorbereitet sein. ↗Streber 1. *Schül* 1950 *ff.*

zusammengewöhnen *v* sich mit jm ~ = sich aneinander gewöhnen. *Bayr* 1920 *ff.*

zusammengezupft *adj präd* geschmacklos gekleidet. *Bayr* 1920 *ff.*

zusammenglucken *intr* **1.** eng zusammenwohnen. Übertragen vom Verhalten der Glucke mit ihren Küken. 1920 *ff.* **2.** zusammenarbeiten; in einer Arbeitsgruppe tätig sein. 1920 *ff.* **3.** mit jm ~ = mit jm in geheimem Einverständnis stehen. 1920 *ff.*

zusammengondeln *v* sich etw ~ = mehr schlecht als recht autofahren. ↗gondeln. 1930 *ff.*

zusammenhaben *tr* **1.** zusammengebracht haben. Hieraus verkürzt. Seit dem 19. Jh. **2.** nicht alle ~ = nicht recht bei Verstand sein. Die übliche Fünfzahl der Sinne ist nicht vollständig. Seit dem 19. Jh.

zusammenhabern *v* sich etw ~ = viel essen. ↗habern 1. *Bayr* und *österr,* 1900 *ff.*

zusammenhäkeln *v* sich etw ~ = etw ersinnen, künstlerisch gestalten. ↗häkeln. 1960 *ff.*

zusammenhämmern *tr* etw durch anhaltenden Beschuß vernichten. Wie wuchtige Hammerschläge treffen die Granaten ins Zielgebiet. *Sold* 1939 *ff.*

zusammenhängen *intr* ineinander verliebt sein; einander küssen; koitieren. Seit dem späten 19. Jh.

zusammenhauen *v* **1.** *tr* = etw flüchtig zusammenfügen. Vom Schreiner hergenommen, der einem Gegenstand mittels Nägeln notdürftig Halt gibt. Seit dem 19. Jh.
2. *tr* = etw zerschlagen; jn derb prügeln; den Feind vernichtend schlagen. Seit dem 18. Jh.
3. *tr* = etw flüchtig niederschreiben. ↗hauen 2. 1900 *ff*, *schül* und *stud*.
4. *tr* = zwei Personen so lange beeinflussen, bis sie heiratswillig sind; eine Ehe stiften. 1920 *ff*.
5. es haut mich zusammen = es erschreckt mich, geht mir nahe, nimmt mich innerlich sehr mit. Es durchfährt einen wie ein elektrischer Schlag. 1935 *ff*.
6. *intr* = koitieren. 1870 *ff*, *sold* und *rotw*.
7. *refl* = eine Partnerschaft eingehen. *Sold* 1910 *ff*.
8. refl = heiraten. 1910 *ff*.

zusammenhocken *intr* beisammen sein. Hocken = sitzen. Seit dem 19. Jh, *südwestd*.

zusammenhökern *tr* etw zusammenbetteln. Hökern = Kleinhändler sein. 1910 *ff*, Berlin.

zusammenkacheln *intr* frontal zusammenstoßen. Aus „Kachel = Geschirr" ergibt sich hier die Bedeutung „Trümmer machen". Kraftfahrerspr. 1925 *ff*, vorwiegend *südd* und *mitteld*.

zusammenkitten *tr* eine Gruppe fest vereinen; eine Ehe stiften. ↗kitten 1. 1920 *ff*.

zusammenklappen *intr* **1.** zusammenbrechen; ohnmächtig werden; erkranken. Seit dem 19. Jh.
2. den Widerstand aufgeben. 1900 *ff*.
3. sich eckig verbeugen. ↗Taschenmesser. 19. Jh.

zusammenklavieren *v* **1.** sich etw ~ = Zusammenhänge zu verstehen suchen. ↗klavieren. 1840 *ff*.
2. sich etw (viel) ~ = oft und lange, aber mit geringem Können klavierspielen. 1900 *ff*.

zusammenklecksen *v* sich etw ~ = unkünstlerisch malen. Seit dem 19. Jh.

zusammenkleistern *v* sich etw ~ = etw eilig, unsauber, unsachgemäß bewerkstelligen. ↗kleistern 1. 1900 *ff*, nördlich der Mainlinie.

zusammenklucken *intr*. ↗zusammenglucken.

zusammenknacken *intr* zusammenbrechen; der Erschöpfung nahe sein. 1920 *ff*.

zusammenknallen *v* **1.** *tr* = (mehrere, viele Menschen in einer Aktion) erschießen. ↗knallen 5. *Sold* in beiden Weltkriegen.
2. *intr* = zusammenprallen. 1920 *ff*.

zusammenknüllen *tr* etw (knitternd) zusammenpressen. ↗knüllen. 1900 *ff*.

zusammenkrachen *intr* **1.** zusammenbrechen; ohnmächtig werden. 1900 *ff*.
2. (im Kraftfahrzeug) mit einem Kraftfahrzeug zusammenstoßen. 1920 *ff*, kraftfahrerspr.

zusammenkriegen *tr* **1.** Geld aufbringen. Man bringt es aus vielen Quellen zusammen. 1920 *ff*.
2. sich mühsam an etw erinnern. Gemeint ist der Versuch, die Zusammenhänge soweit wie möglich

Die Illustration aus einem der damals, zur Zeit des frühen 19. Jahrhunderts, weitverbreiteten „Töchter-Kalender" gibt nicht zu erkennen, ob eins der Mädchen hier, wie es umgangssprachlich heißt, zusammenpacken kann (vgl. zusammenpacken 2.). Die Wendung ist ursprünglich vom Hausierer hergenommen, der dann, wenn er keinen Abnehmer für seine Waren findet, diese wieder zusammenpacken muß und unverrichteter Dinge von dannen zieht (vgl. Stichwortartikel einpacken 3.). Er hat sein Päckchen eben weiter zu tragen. Da dieses allerdings, und das trifft nicht nur auf diesen besonderen Fall zu, meist alles enthält, was einer besitzt, kann das nur bedeuten, daß das Zerwürfnis Ausmaße angenommen hat, die eine rasche Versöhnung unmöglich machen. Das zeigt sich nicht zuletzt auch daran, daß, wenn es am Mut, diesen letzten Schritt zu tun, fehlt und man eben nicht geht und sich auch nicht zusammennehmen kann, oft das zusammengeschlagen wird, was man vielleicht doch besser zusammengepackt hätte.

zu rekonstruieren. 1920 *ff*.
3. ein Verlöbnis oder eine Ehe stiften. 1900 *ff*.

Zusammenkünftler *m* Mann, der im Vereinsleben aufgeht. 1960 *ff*, Berlin.

zusammenläppern *v* es läppert sich zusammen = aus vielen kleinen Beträgen ergibt sich eine ansehnliche Summe. ↗läppern 1. 1700 *ff*.

zusammenlaufen *v* sich etw ~ = viele Wege machen; oft unterwegs sein. Seit dem 19. Jh.

zusammenleimen *tr* gestörte Beziehungen zwischen zwei Menschen wieder in Ordnung bringen. ↗leimen 1. Seit dem 19. Jh.

zusammenlöffeln *tr* sich Punkt um Punkt ~ = sich Punkt um Punkt mühsam erspielen. Übertragen vom Löffeln der Suppe. *Sportl* 1955 *ff*.

zusammenlügen *v* sich etw ~ = viel, dreist lügen. Seit dem 19. Jh.

zusammenlullen *v* sich etw ~ = viel und unsinnig schwätzen; auf gut Glück schwatzen. ↗lullen 5. *Sold* 1940 *ff*.

zusammenmachen *v* einen ~ = koitieren. 1900 *ff*.

zusammenmixen *tr* eine Speise zubereiten. 1950 *ff*.

zusammenmurksen *tr* etw mehr schlecht als recht herstellen. ↗murksen. 1900 *ff*.

zusammennageln *tr* heftig auf jn einschlagen. Man prügelt ihn so stark, daß er „wie an den Boden genagelt" liegen bleibt. Rockerspr. 1967 *ff*.

zusammennähen *v* **1.** *tr* = Dinge oder Personen miteinander in Verbindung bringen, ohne daß sie zueinander passen. Übertragen von unsachgemäßem Nähen. 1940 *ff*, *sold*; 1950 *ff*, *ziv*.
2. sich etw ~ = viel Näharbeit verrichten; viel, aber ohne ausreichendes Können nähen. Seit dem 19. Jh.
3. *tr* = jds Wunden vernähen. 1900 *ff*.

zusammennehmen *refl* Fassung, Anstand wahren. Meint soviel wie „seine positiven Eigenschaften zusammenraffen". Seit dem 19. Jh. *Vgl engl* „to pull oneself together".

zusammenorganisieren *v* sich etw ~ = sich viele Dinge auf listige (unrechtmäßige) Weise besorgen. ↗organisieren 1. *Sold* in beiden Weltkriegen.

zusammenpacken *v* **1.** *tr* = koitieren. Etwa soviel wie „ergreifen und in die richtige Lage bringen". *Bayr* 1900 *ff.*
2. ~ können = es mit jm verderben; sich um jds Wohlwollen bringen. Parallel zu „↗einpacken 3". *Südwestd* seit dem 19. Jh.

zusammenpanschen *tr* etw mehr oder minder schlecht zubereiten. Eigentlich auf Getränke bezogen, aber auch auf Speisen. ↗panschen 2. Seit dem 19. Jh.

zusammenpappen *tr* **1.** jn ~ = die operierte Körperstelle notdürftig wieder verschließen. Anspielung auf das Klebepflaster. *Sold* in beiden Weltkriegen; *ziv* seit 1920.
2. etw ~ = ein Programm zusammenstellen, ohne daß die einzelnen Darbietungen sich dem Ganzen organisch einfügen. ↗pappen 1 u. 3. 1955 *ff.*

zusammenputzen *v* **1.** jn derb ausschimpfen, heftig rügen. ↗runterputzen. *Oberd* seit dem 19. Jh.
2. etw aufessen. ↗verputzen. *Bayr* seit dem 19. Jh.
3. sich etw ~ = oft, viel, unnötig viel, unsorgfältig putzen und wischen. Seit dem 19. Jh.

zusammenqualmen *v* sich etw ~ = viel rauchen; Tabakwaren aller Art rauchen. ↗qualmen 1. Seit dem 19. Jh.

zusammenquasseln *v* **1.** Unverheiratete ~ = Unentschlossenen zureden, bis sie heiratswillig sind. ↗quasseln 1. Seit dem 19. Jh.
2. sich etw ~ = viel Unsinn reden; Torheit über Torheit äußern; ein ausdauernder Dummschwätzer sein. Seit dem 19. Jh.

zusammenquatschen *v* sich etw ~ = viel und dumm reden. ↗quatschen. Seit dem 19. Jh.

zusammenramschen *tr* etw für wenig Geld einkaufen; wahllos kaufen; nehmen, was zu bekommen ist. ↗ramschen 1. Seit dem 19. Jh.

zusammenrappeln *refl* sich aufraffen; sich ermannen; sich beherrschen. ↗aufrappeln. Seit dem 19. Jh.

zusammenrasseln *v* mit jm ~ = a) mit jm eine heftige Auseinandersetzung haben. Übertragen vom lauten Aufeinanderprallen der Waffen bei Turnieren, Mensuren o. ä. *Sold* 1930 *ff.* – b) (im eigenen Kraftfahrzeug) mit jds Kraftfahrzeug zusammenstoßen. 1920 *ff,* kraftfahrerspr.

zusammenraufen *refl* sich aneinander gewöhnen; als junges Ehepaar allmählich zu friedlichem Zusammenleben gelangen; nach langem Zank schließlich einig werden. Seit dem 19. Jh.

zusammenrauschen *v* mit jm ~ = sich heftig mit jm streiten. ↗rauschen 4. 1920 *ff.*

zusammenreden *v* sich etw ~ = viel ohne Überlegung reden. Seit dem 19. Jh.

zusammenreimen *v* 1. etw ~ = etw lügnerisch ersinnen. Reimen = dichten = lügen. Seit dem 19. Jh.
2. sich etw ~ = a) etw zu Unrecht als richtig annehmen; falsch folgern; einem Trugschluß unterliegen. Geht zurück auf Jeremia 23, 28. 1500 *ff.* – b) verschiedene Angaben (Einzelheiten) in den richtigen Zusammenhang bringen und daraus richtige Folgerungen ziehen. 1920 *ff.*
3. wie reimt sich das zusammen?: Frage angesichts eines unlogischen Zusammenhangs. Seit dem 19. Jh.

zusammenreißen *v* 1. sich ~ = große Selbstbeherrschung üben; alle Energie aufbieten. Verstärkung von ↗zusammennehmen. Seit dem 19. Jh.
2. den Motor ~ = die höchstmögliche Fahrgeschwindigkeit zu erreichen suchen. 1955 *ff,* kraftfahrerspr.

Zusammenreißer *m* alkoholischer Stärkungstrunk vor einem schweren Unternehmen. *Sold* und *ziv,* 1940 *ff.*

zusammenrichten *tr* 1. jn heftig verprügeln. Mit Hilfe der Hiebe sucht man die Ordnung wiederherzustellen. *Bayr* 1900 *ff.*
2. jn wieder ~ = jn kurieren. *Bayr* 1900 *ff.*

zusammenrollen *refl* 1. heiraten. 1900 *ff, nordd* und Berlin.
2. koitieren. 1900 *ff, nordd* und Berlin.

zusammenrufen *v* sich mit jm ~ = mit jm fernmündlich eine Verabredung treffen. Man kommt mittels Anrufs zusammen 1950 *ff.*

zusammensäbeln *tr* etw durch Beschuß oder Bombenabwurf völlig zerstören. Meint eigentlich „mit Säbelhieben zerschlagen"; von da weiterentwickelt zur Bedeutung „mit großkalibrigen Geschossen vernichten". ↗säbeln. *Sold* 1939 *ff.*

zusammensacken *intr* 1. in sich zusammenfallen, einstürzen; zusammensinken. Hergenommen vom Bild des leeren Sacks: läßt man ihn fallen, „sackt" er zu einem Haufen Tuch zusammen. *Sold* in beiden Weltkriegen; *ziv* 1920 *ff.*
2. ohnmächtig werden. 1920 *ff.*
3. nach langem Widerstand ein Geständnis ablegen; eine Aussage widerrufen. 1925 *ff.*

zusammensauen *tr* jn heftig ausschimpfen; jn entwürdigend anherrschen. Parallel zu „jn zur ↗Sau machen". *Sold* 1939 *ff.*

zusammensaufen *v* sich etw ~ = viel und vielerlei trinken. 1900 *ff.*

zusammenschaufeln *v* sich etw ~ = viel Geld verdienen. Früher wurden die geprägten Geldstücke in der Münzstätte mit der Schaufel in Geldsäcke gefüllt (↗einsacken). 1920 *ff.*

zusammenscheißen *tr* jn barsch, entwürdigend anherrschen. ↗anscheißen 2. *Sold* 1935 *ff; schül* 1955 *ff.*

zusammenschießen *intr* gemeinsam eine Summe aufbringen. „Schießen" im Sinne von „schnell bewegen" meint auch „schnell Geld beschaffen", „Geld hergeben, beisteuern" (*vgl* „Zuschuß"). Seit dem 15. Jh.

zusammenschimpfen *tr* jn heftig ausschimpfen. 1935 *ff.*

Zusammenschiß *m* Anherrschung. ↗zusammenscheißen. *Schül* 1955 *ff.*

zusammenschmeißen *v* 1. *intr* = gemeinschaftlich eine Arbeit verrichten. Man vereinigt sein Können mit dem gemeinsamen Verdienst. Zusammenschmeißen = auf einen Haufen werfen = zusammenlegen. 1955 *ff.*
2. *intr* = heiraten. Die Partner werfen ihr bisher getrenntes Hab und Gut (auf einen Haufen) zusammen. 1955 *ff.*
3. *refl* = mit jm einen gemeinsamen Haushalt gründen, führen; mit jm zusammenleben, ohne mit ihm verheiratet zu sein. 1900 *ff.*

zusammenschmieden *tr* Heiratswillige trauen. *Vgl* ↗Eheschmiede. 1750 *ff.*

zusammenschmieren *v* 1. *tr* = etw unter Benutzung vieler Quellen zu Papier bringen. ↗schmieren 1. Seit dem 18. Jh.
2. sich etw ~ = mit schlechter Handschrift schreiben; schlecht schriftstellern. Seit dem 19. Jh.
3. ein Paar ~ = eine standesamtliche Trauung vollziehen. Schmieren = (unter)schreiben; ↗zusammenschreiben. Seit dem ausgehenden 19. Jh.

Zusammenschmiß *m* Ehe. ↗zusammenschmeißen 2. 1955 *ff.*

zusammenschnorren *v* sich etw ~ = etw durch Betteln zusammenbringen. ↗schnorren. 19. Jh.

zusammenschnulzen *v* sich etw ~ = rührselige Liedchen vortragen; viele Schlager komponieren. ↗schnulzen. 1955 *ff.*

zusammenschreiben *v* 1. Leute ~ = ein Paar standesamtlich trauen. Seit dem ausgehenden 19. Jh.
2. sich etw ~ = viel, unermüdlich schreiben. Seit dem 19. Jh.

zusammenschustern *tr* 1. etw mühselig, unsachgemäß zu bewerkstelligen suchen. ↗Schuster 1. Seit dem 19. Jh.
2. eine Summe in kleinen Teilbeträgen zusammenbringen. Seit dem 19. Jh.

zusammenschwadronieren *v* sich etw ~ = viel

und unüberlegt schwätzen. ↗schwadronieren. Seit dem 19. Jh.

zusammenschwanzen *refl* sich gefällig oder auffallend kleiden. Übertragen vom Pferd, dem man den Schwanz flicht und mit Bändern schmückt, o. ä. Von daher soviel wie „sich aufputzen". *Bayr* und *österr*, seit dem 19. Jh.

zusammenschwefeln *v* sich etw ~ = gedankenlos schwatzen. ↗schwefeln. Seit dem 19. Jh.

zusammenschwindeln *v* sich etw ~ = etw erlügen, mittels falscher Angaben erreichen. ↗schwindeln. Seit dem 19. Jh.

zusammenspinnen *v* **1.** *tr* = etw ersinnen, erlügen. Fußt auf der Metapher vom „Lügengespinst". 1900 *ff*.
2. mit jm ~ = mit jm ein Liebesverhältnis unterhalten. Hängt zusammen mit den früheren Spinnstuben; *vgl* ↗kungeln 2. 1900 *ff*.

zusammenspringen *tr* jn grob anherrschen. Übertragen vom Raubtier, das sein Opfer anspringt. *Bayr* 1900 *ff*.

Zusammenstand *m* das Zueinanderpassen. *Bayr* 1900 *ff*.

zusammenstauchen *tr* **1.** jn heftig prügeln, niederschlagen. ↗stauchen 1. Seit dem 19. Jh.
2. jn energisch anherrschen. ↗stauchen 2. 1870 *ff*, vorwiegend *sold* und *schül*.

zusammenstecken *intr* eng befreundet, ein Liebespaar sein; insgeheim geschlechtlich miteinander verkehren. Seit dem 19. Jh.

zusammenstehen *intr* mit jm ~ = mit jm gut auskommen. *Bayr* 1900 *ff*.

zusammensterben *intr* die Familie ist zusammengestorben = alle Erblasser sind gestorben, so daß die gesamte Hinterlassenschaft in den Besitz der Erben übergeht (übergangen ist). 1900 *ff*.

zusammenstibitzen *tr* hier und dort etw stehlen. ↗stibitzen. Seit dem 19. Jh.

zusammenstoppeln *tr* aus vielen kleinen Teilen mühsam ein Ganzes machen. Hergenommen vom Ährenlesen auf dem Stoppelfeld. 1500 *ff*.

zusammenstöpseln *tr* etw ohne Sachkenntnis zusammensetzen. ↗stöpseln 1. 1900 *ff*.

zusammenstottern *tr* einen Geldbetrag in Teilzahlungen aufbringen. ↗stottern 1. 1930 *ff*.

zusammenstreiten *refl* nach oftmaligem (langdauerndem) Streit sich wieder versöhnen, vertragen. Seit dem 19. Jh.

zusammentelefonieren *v* **1.** sich etw ~ = häufig telefonieren. 1900 *ff*.
2. sich mit jm ~ = eine Bekanntschaft fernmündlich anknüpfen oder erneuern; fernmündlich eine Verabredung treffen. 1950 *ff*.

zusammenteppern *tr* etw durch Beschuß oder Bombenabwurf vernichten. ↗zertöppern. *Sold* in beiden Weltkriegen.

zusammentreten *tr* jn beim sportlichen Wettkampf mehrmals treten, bis er nicht mehr weiterspielen kann. *Sportl* 1955 *ff*.

zusammentrinken *v* **1.** sich ~ = sich beim Trinken anbiedern; sich beim Trinken wieder vertragen. *Bayr* 1900 *ff*.
2. trinkt euch zusammen (trinkt's euch zamm)! = trinkt aus und geht heim! *Bayr* 1900 *ff*.
3. sich etw ~ = viel (vielerlei) trinken. 19. Jh.

zusammentrommeln *v* Leute ~ = Leute herbeirufen, alarmieren. Ursprünglich soviel wie „durch Trommeln herbeirufen". Seit dem 18. Jh.

zusammenwachsen *v* **1.** mit jm ~ = mit jm Streit bekommen. Übertragen vom engen Umklammern. *Oberd*, 1600 *ff*.
2. sich hübsch ~ = sich körperlich sehr ansehnlich entwickeln. 1900 *ff*, *österr*.

zusammenwichsen *v* **1.** *tr* = etw durch Beschuß völlig zum Einsturz bringen. ↗wichsen 1. *Sold* in beiden Weltkriegen.
2. *tr* = jn im Kampf völlig erledigen; jn besiegen. *Sold* 1939 *ff*.
3. sich ~ = sich festlich kleiden. ↗Wichs I 1. *Österr* seit dem 19. Jh.

zusammenwursteln *tr* etw unsorgfältig bewerkstelligen. ↗wursteln. Seit dem 19. Jh.

Zusatzpennen *n* Strafstunde des Schülers. Aufgefaßt als eine weitere Gelegenheit zu einem Schläfchen. ↗pennen. *Schül* 1955 *ff*.

zusaufen *v* jm ~ = jm zutrinken. ↗saufen 1. 1500 *ff*.

zuschanzen *v* jm etw ~ = jm etw heimlich zukommen lassen; jm etw beisteuern. Fußt auf *franz* „chance = günstige Gelegenheit, Glück" und hängt wohl mit dem Karten- oder Würfelspiel zusammen. Seit dem 16. Jh.

Zuschauersport *m* Fußballsport. Er lockt die größte Zahl von Zuschauern auf dem Sportplatz und vor dem Bildschirm an. 1960 *ff*.

Zusche *f* weibliche Person *(abf)*. Geht zurück auf altes „Zohe = Hündin" mit Anspielung auf Liederlichkeit. 1900 *ff*.

zuscheißen *tr* **1.** jn unauffällig beseitigen. *Vgl* ↗Rez. *Sold* 1939 *ff*.
2. laß dich ~!: Rat an einen Versager. *Sold* 1939 *ff*.

zuschlagen *intr* **1.** gierig essen. Übertragen vom Freßverhalten der Raubtiere. *Vgl* aber auch „↗Schlag 1". *BSD* 1965 *ff*.
2. sich betrinken. *BSD* 1965 *ff*.

Zuschläger *m* Richter, der höhere Strafen verhängt, als der Staatsanwalt beantragt hat. Zum beantragten Strafmaß gibt er noch einen „Zuschlag". 1920 *ff*.

zuschmeißen *tr* etw (geräuschvoll) zuwerfen. ↗schmeißen 1. Seit dem 16. Jh.

zuschmettern *tr* etw geräuschvoll schließen. ↗schmettern. 1900 *ff*.

zuschmusen *v* **1.** jm etw ~ = jm etw zutragen. ↗schmusen 1. Seit dem 19. Jh, *rotw*.
2. jm eine ~ = jm zu einem Mädchen zureden. ↗schmusen 3. *Bayr* seit dem 19. Jh.

zuschnappen *intr* **1.** zugreifen. ↗schnappen 1. 1920 *ff.*
2. diebisch sein. 1920 *ff.*
zuschupsen *tr* etw zuschieben, in jds Nähe schieben. ↗schupsen. Seit dem 19. Jh.
Zuschuß *m* **1.** Prügel. Sie sind als Zugabe zur Rüge zu verstehen. Berlin und *sächs*, seit dem 19. Jh.
2. Tunke; Soße. Berlin 1910 *ff.*
zuschustern *v* **1.** jm etw ~ = jm etw zuwenden, zukommen lassen. Meist mit dem Nebensinn des Heimlichen o. ä. Hergenommen von „schustern = Flicklappen auf den Schuh setzen" und weiterentwickelt zur Bedeutung „Kleines hinzugeben". 1700 *ff.*
2. etw ~ = Geld zusetzen. Seit dem 19. Jh.
zusein *v* **1.** geschlossen sein. ↗zu. Verkürzt aus „zugemacht sein". 1500 *ff.*
2. die ist zu!: Redewendung, wenn einer eine Tür heftig ins Schloß geworfen hat; oder wenn der Durchzug die Tür zuschlagen ließ. 1900 *ff.*
3. unter Rauschgifteinwirkung stehen. Außeneinflüsse werden in diesem Zustand kaum mehr wahrgenommen. 1970 *ff.*
4. ganz ~ = volltrunken sein. Die Speiseröhre ist bis oben gefüllt. 1945 *ff.*
5. noch ~ = unberührt sein (auf ein Mädchen bezogen). 1920 *ff.*
6. verschlossen, unzugänglich, abweisend sein (auf Personen und Institutionen bezogen). Vorwurfswort der jungen Leute. 1980 *ff.*
Zusel *f* Prostituierte. Gehört wohl zu „zausen, zerzausen" und spielt auf wirre Haartracht und ungepflegte Kleidung als Sinnbilder der Liederlichkeit an. Spätestens seit 1900.
zusetzen *v* zuzusetzen haben = beleibt sein. ↗zulegen 4. 1900 *ff.*
zuspielen *intr* dem Mitschüler vorsagen. Bezieht sich eigentlich auf den Täuschungszettel, den man dem Kameraden zuspielt. 1900 *ff.*
Zussel *f* unordentlich, nachlässig, flatterhaft gekleidete weibliche Person. ↗Zusel. Spätestens seit 1900.
zusselig *adj* unordentlich, nachlässig, verwahrlost. 1900 *ff.*
Zustand *m* **1.** Zustände wie am oberen Nil = äußerst primitive Verhältnisse. Hergenommen von Reiseberichten aus Oberägypten und dem Sudan. 1900 *ff.*
2. Zustände wie im alten Rom (mit dem Zusatz: „nur nicht so feierlich") = unhaltbare Zustände. Geht zurück auf eine Stelle in den Annalen des Tacitus: „in Rom fließen alle Sünden und Laster zusammen und werden verherrlicht". Von Schülern und Studenten kurz nach dem Ersten Weltkrieg aufgebracht.
3. Zustände kriegen = a) die Fassung verlieren. Hergenommen vom Gemütszustand des aufgeregten Menschen (Exaltationszustand). Seit dem ausgehenden 19. Jh. – b) ungeduldig werden. 1890 *ff.*

4. es ist, um Zustände zu kriegen (es ist zum Zuständekriegen) = es ist zum Verzweifeln. 1920 *ff.*
5. das ist kein ~ = das ist unerträglich, ungebührlich. Verkürzt aus „haltbarer, zumutbarer Zustand" o. ä. Seit dem ausgehenden 19. Jh.
zustecken *v* **1.** jm etw ~ = jm etw heimlich geben. Man steckt es ihm in die Tasche. 1600 *ff.*
2. *tr intr* = koitieren (vom Mann gesagt). 1930 *ff.*
zustimmend *adv* ~ schweigen = kein Wort des Einspruchs äußern. Man legt das Schweigen als Einverständnis aus. 1930 *ff.*
Zustimmungsknüppel *m* den ~ schwingen = Zustimmung unter Gewaltandrohung erzwingen. Hängt vielleicht zusammen mit dem Hammerschlag des Auktionators oder mit dem Gummiknüppel der Polizeibeamten. 1930 *ff.*
Zustimmungsmaschine *f* Stadtverordneter (Ratsherr), dessen politischer Einfluß sich auf die Zustimmung zu den Beschlüssen der anderen beschränkt. 1960 *ff.*
Zustütze *f* **1.** zusätzlich zum Arbeitslosengeld erworbenes Geld. ↗Stütze. Kurz nach 1945 aufgekommen; Berlin u. a.
2. Sonderzuwendung bei besonderen Gelegenheiten; Gratifikation. Berlin 1950 *ff.*
Zutsch *m* Zitronenlimonade. Nebenform zu ↗Zitsch; wohl vom Folgenden beeinflußt. 1910 *ff.*
zutschen *intr* **1.** saugen. Gehört zu „Zitze = Mutterbrust" und ist schallnachahmend beeinflußt von „↗lutschen 1". *Ostmitteld* seit dem 18. Jh.
2. trinken, zechen. Seit dem 19. Jh.
Zutte *f* Vulva, Vagina. Meint den Ausguß an der Kanne, auch die Scheide der Kuh. *Vgl* auch ↗Titte 1; ↗Zitze 1. 1900 *ff.*
zutun *tr* etw schließen, verschließen. ↗zu. 15 Jh.
Zutzel *m* **1.** Schnuller. ↗zutzeln 1. Vorwiegend *oberd*, seit dem 19. Jh.
2. Tabakspfeife; Zigarre. Mit beiden setzt man die Schnullergewohnheit der Kindheit fort. *Oberd* seit dem 19. Jh.
3. Penis. 1900 *ff*, *österr*.
zutzeln (zuzeln, zuzzeln) *tr intr* **1.** saugen, schlekken. Geht auf „saugen" zurück über die Mittelform „suckezen". Vorwiegend *oberd*, seit dem 17. Jh.
2. aus der Flasche trinken (als Säugling wie auch als Zecher). Seit dem 19. Jh, *bayr* und *österr*.
3. zechen. *Bayr* und *österr*, seit dem 19. Jh.
4. fellieren. 1900 *ff*, *österr*.
5. lügen. Versteht sich nach „sich etw aus den ↗Fingern saugen". *Österr*, 1900 *ff.*
Zutzler *m* **1.** falsche Anschuldigung. ↗zutzeln 5. *Österr*, 1900 *ff.*
2. Fellatio. *Österr*, 1900 *ff.*
Zuversicht *f* das ist eine schöne ~ = das ist eine schlimme Entwicklung. Zuversicht ist das feste Vertrauen; hier *iron* gemeint als Aussicht auf eine arge Enttäuschung. Seit dem 19. Jh.

zuviel *adv* **1.** einen ~ haben = a) nicht recht bei Verstand sein. Der Betreffende hat einen Sinn mehr als die anderen, nämlich den Unsinn. Seit dem 18. Jh. – b) angetrunken sein. Man hat ein Glas zuviel getrunken. 1700 *ff.* **2.** was ~ ist, ist ~: Ausdruck der Unerträglichkeit, der Abweisung einer Zumutung. 1870 *ff.* **3.** ~ kriegen = die Fassung verlieren; sich heftig erregen. Man hat erhöhten Blutdruck, oder der Geduld wird soviel zugemutet, daß der „Geduldsfaden" reißt. Spätestens seit 1900. **4.** ~ machen = eine Bühnenrolle übertreibend gestalten. Theaterspr. 1920 *ff.*

Zuvielversorgung *f* übertriebene Sozialversorgung. Spöttisch aus „Zivilversorgung" entwickelt. Berlin 1850 *ff.*

Zuwaage *f* Strafverschärfung. Eigentlich die Beigabe des Metzgers (Suppenknochen o. ä.) über das gewünschte Warengewicht hinaus. *Vgl* ↗Zugabe 1. *Rotw* 1920 (?) *ff.*

Zuwachs *m* auf ~ gekauft (geschneidert, berechnet o. ä.) = reichlich groß (von Kleidungsstücken gesagt). Gemeint ist, daß der Träger an Gewicht und Größe getrost zunehmen kann: das Kleidungsstück paßt dann um so besser. 1870 *ff.*

zuwegebringen *tr* jn aus dem Haus weisen. Der Betreffende wird auf den (Heim-)Weg gebracht, oder man bewerkstelligt es, daß er „sich auf den Weg macht". 1935 *ff, sold* und *ziv.*

Zuwiderling *m* unausstehlicher Mensch. *Österr* 1920 *ff.*

Zuwiderwurzen *f* unverträglicher, mürrischer, widersprechender Mensch. ↗Wurzen 1. „Wurzen" ist eigentlich soviel wie „Wurz, Wurzel"; dadurch parallel zu „↗Pflanze 2". *Oberd,* 1870 *ff.*

zuwispern *v* dem Mitschüler vorsagen. 1930 *ff.*

'Zuwi'zarrer ('Zuwi'zahrer) *m* **1.** Fernglas. Wörtlich soviel wie „Herzu-, Herbeizerrer". ↗Zuawiziecha. *Österr,* 1900 *ff.* **2.** Kundenzubringer zu Glücks-, Falschspielern oder Prostituierten. *Österr* 1920 *ff.*

zuwumsen *tr* etw lärmend zuwerfen. ↗wumsen. Seit dem 19. Jh.

zuzeln *intr* ↗zutzeln.

zwacken *v* jm eine ~ = jn ohrfeigen. Ablautende Nebenform zu „zwicken"; meint eigentlich das Ziehen am Ohr, auch das Kneifen ins Ohr. 1900 *ff.*

Zwang *m* freiwilliger ~ = unter moralischem Druck und nur scheinbar freiwillig erwirkte Handlung. 1933 *ff.*

Zwangsanleihe *f* Beschönigen einer Teilglatze durch von den Seiten oder vom Hinterkopf her über die kahle Stelle gekämmte Haarsträhnen. Übernommen von den staatlichen Zwangsanleihen. Die in Berlin aufgekommene Vokabel geht wahrscheinlich bis auf die napoleonische Zeit zurück und hängt zusammen mit der 1806 der Stadt Berlin auferlegten Kontribution von 5 Millionen Talern, die von den damals rund 300 000 Berlinern nur durch eine Zwangsanleihe beschafft werden konnten.

Zwangsarbeit *f* **1.** unbeliebte Unterrichtsstunde. 1950 *ff.* **2.** Hausaufgaben. 1950 *ff.* **3.** Strafarbeit. 1950 *ff.*

Zwangsbenehme *f* Fürsorge-Erziehungsanstalt. ↗Benehme 2. Berlin 1960 *ff.*

Zwangseisen *n* Ehering. Eigentlich ein Foltergerät. 1900 *ff.*

Zwangserziehungsklub *m* Wehrmacht. *Sold* 1935 *ff.*

Zwangshose *f* enganliegende Hose. Man muß sich hineinzwängen und fühlt sich in ihr eingezwängt. 1955 *ff, halbw.*

Zwangsjacke *f* **1.** Korsett o. ä. Eigentlich die im Rücken zu schließende Jacke, die man Tobsüchtigen anzieht. Auch das Korsett wird im Rücken gebunden. 1900 *ff.* **2.** Waffenrock, Uniform. Anspielung auf den engen Zuschnitt, auch auf die Unfreiwilligkeit des Tragens. *Sold* 1914 bis heute. **3.** Gehrock, Sonntagsanzug. Man fühlt sich in ihm unfrei. 1900 *ff.* **4.** Schulaufnahmeprüfung, Unterrichtsfächer, Schularbeiten, Klassenzimmer, Schule. 1950 *ff, schül.*

Zwangsrock *m* enger Mädchenrock. *Halbw* 1955 *ff.*

Zwangstourist *m* Ausgebürgerter; von der Polizei über die Landesgrenze abgeschobener Mensch. 1933 *ff.*

Zwangsvergleich *m* Ehe, die gerade noch rechtzeitig geschlossen wurde, ehe das Kind zur Welt kommt. Eigentlich der letzte Möglichkeit zur Abwendung drohenden Konkurses. Berlin 1925 *ff.*

zwangsvergleichen *refl* rechtzeitig vor der Geburt des Kindes heiraten. 1925 *ff.*

Zwangsverwalter *m* Vater, Erziehungsberechtigter. Er ist der von Amts wegen eingesetzte Verwalter eines Minderjährigen. *Jug* 1955 *ff.*

Zwangsvollstreckung *f* eiliges Harnen wegen heftigen Harndrangs. 1920 *ff.*

Zwangswinde *f* Arbeitshaus. ↗Winde 1. *Rotw* seit dem späten 19. Jh.

Zwanziger *m* **1.** Zwanzigmarkschein. 1900 *ff.* **2.** Wagen der Omnibus-, Straßenbahnlinie 20. 1900 *ff.*

Zwanzigerstutzen *m* Zwanzigmarkschein (Goldstück). Herleitung unbekannt. *Bayr* 1900 *ff.*

Zwanzigmarkmädchen *n* Straßenprostituierte. 1960 *ff.*

Zwanzigmarknutte *f* Straßenprostituierte. *Vgl* ↗Nutte 1. 1960 *ff.*

Zwanzigmarkschein *m* zerknitterter ~ = ältliche, reizlose Frau. 1960 *ff.*

Zwatzel (Zwazzel) *m* kleiner Junge. *Vgl* das Folgende. *Oberd* seit dem 19. Jh.

zwatzeln (zwazzeln) *intr* zappeln; unruhig umhergehen; nervös, ruhelos sein. Schallnachahmung raschen, plumpen Auftretens auf glattem Untergrund. *Oberd* seit dem 17. Jh.

Zweck *m* **1.** Penis. Soviel wie Nagel oder Stift (= Zwecke 1). *Österr*, 1900 *ff*.
2. der ~ der Übung = der Zweck eines Vorhabens; der Sinn eines Tuns. Hergenommen von einer militärischen oder sportlichen Übung. 1870 *ff*.
3. ohne ~, marsch!: mach' weiter und denk' nicht weiter drüber nach! Entstellt aus dem *milit* Kommando „ohne Tritt, – Marsch!" in Anspielung auf Märsche, deren Zweck niemand einsieht. *Sold* in beiden Weltkriegen.

Zwecke *f* **1.** kleiner Penis. Eigentlich der kleine Nagel; ⁊Zweck 1. 1900 *ff*.
2. sehr kleinwüchsiger Junge. Pars pro toto. *Ostmitteld* 1900 *ff*.

zwecken *intr tr* koitieren. ⁊Zweck 1; ⁊Zwecke 1. 1900 *ff*.

Zweckessen *n* Essen von Politikern, Offizieren o. ä., bei dem die zur Beratung stehenden Fragen weitererörtert werden. Vorläufer von ⁊Arbeitsessen. Gegen 1840 aufgekommen.

Zweckhochzeiter *m* Mann, der die Ehe nur aus materiellen (gesellschaftlichen) Gründen eingeht. 1971 *ff*.

Zweckoptimismus *m* übertrieben optimistische Darstellung aus Gründen der Täuschung der Öffentlichkeit oder der politischen Gegner. 1914 *ff*.

Zweckpessimismus *m* pessimistische Äußerung, mit der man den Gegner zu täuschen sucht. Um 1914 im Generalstab aufgekommen.

zwei *num* **1.** ~ des kleinen Mannes = Leistungsnote 4. Der „kleine Mann" ist hier nicht der Arbeitnehmer mit mittlerem Einkommen, sondern der mittelmäßige Schüler. 1960 *ff*.
2. ~ bis siebzehn = mehrere, viele (ungefähre Zahlangabe). *Schül* seit dem späten 19. Jh; *sold* in beiden Weltkriegen.
3. für ~ essen = schwanger sein. 1900 *ff*.
4. mir geht es ~ bis drei = mir geht es erträglich. Vor Einführung der Leistungsstufen 1 bis 6 wurde mit „2 bis 3" eine gutdurchschnittliche Leistung bewertet. 1920 *ff*.
5. ~ mal ~ ungerade sein lassen = leidlich (nicht sonderlich) begabt sein. 1950 *ff*.
6. alle ~ von sich strecken = a) tot sein. Umgemodelt aus *gleichbed* „alle viere von sich strekken"; „zwei" meint „die unteren Extremitäten". 1870 *ff*. – b) sich schlafen legen; schlafen. *Sold* 1939 *ff*.
7. nur bis ~ zählen = ein Bayer sein. Fußt auf der gesprochenen und gesungenen Aufforderung: „eins, zwei, gsuffa!". 1950 *ff*.

Zweiachser *m* Obergefreiter. Er hat zwei Streifen auf dem linken Oberärmel. *BSD* 1965 *ff*.

Zweiakter *m* bisexuell veranlagter Mensch. Akt = Geschlechtsakt. 1920 *ff*.

zwei'befeln *tr* etw bezweifeln. Hieraus aus Ulk umgestellt. *Stud* 1925 *ff*.

Zweibeinspritze *f* leichtes Maschinengewehr. Es hat zwei Spreizstützen am Lauf. ⁊Spritze 8. *Sold* 1939 *ff*.

zwei- bis siebzehnmal *adv* ziemlich oft. ⁊zwei 2. Seit dem späten 19. Jh.

Zweierkiste *f* Form des Zusammenlebens zweier Menschen gleichen oder verschiedenen Geschlechts. ⁊Beziehungskiste. 1980 *ff*.

zweierlei *adv* **1.** ihm wird ~ = a) er wird ohnmächtig. Meint soviel wie „kalt und heiß" („kalter Schweiß"!) o. ä. 1900 *ff*. – b) es wird ihm unbehaglich zumute. 1900 *ff*.
2. ~ werden = verliebt und beischlafbegierig werden. 1900 *ff*.

Zweierleimann *m* bisexuell veranlagter Mann. 1910 *ff*.

Zweifelscheißer *m* Unschlüssiger. ⁊Scheißer 1. *Oberd* seit dem 19. Jh.

Zweig *m* **1.** das Geschäft auf keinen grünen ~ bringen = geschäftlich nicht erfolgreich sein. *Vgl* das Folgende. 1900 *ff*.
2. auf keinen grünen ~ kommen = a) sein Auskommen nicht finden; in wirtschaftlichen Angelegenheiten kein Glück haben. Der „grüne Zweig" ist Sinnbild des Gedeihens. Grün ist die Sinnbildfarbe der Hoffnung. Seit dem ausgehenden 15. Jh. – b) einen Verdächtigen nicht überführen können; den Schuldbeweis nicht erbringen können. 1955 *ff*.

Zweigesiebter *m* vielerfahrener, listiger Mann. „Gesiebt" berührt sich mit „durchtrieben". 1930 *ff*.

zweigleisig *adv* **1.** ~ denken = es gleichzeitig mit zwei entgegengesetzten Parteien halten; die Einstellung beider Tarif- oder Vertragspartner verstehen. Von der Eisenbahn hergenommen. 1955 *ff*.
2. ~ fahren = a) gleichzeitig zwei gegnerischen Parteien angehören. 1920 *ff*. – b) gleichzeitig zwei verschiedene Möglichkeiten in Angriff nehmen; ein Vorhaben auf zweierlei Art zu verwirklichen suchen. 1920 *ff*. – c) neben der Ehe ein Liebesverhältnis aufrechterhalten. 1920 *ff*. – d) sowohl Winter- als auch Sommerurlaubsgäste aufnehmen. 1970 *ff*.
3. ~ lieben = bisexuell veranlagt sein; aus Erwerbsgründen sich auch homosexuell betätigen. 1920 *ff*.

Zweigleisiger *m* Soldat, der noch weniger als 100 Tage zu dienen hat. ⁊Eingleisiger. *BSD* 1968 *ff*.

Zweihundertachtzehner *m* Arzt, der Abtreibungen vornimmt oder Verhütungseingriffe macht. Medizinerspr. auf der Grundlage des § 218 StGB (Abtreibung) seit 1920.

zweihundertprozentig *adj* fanatisch einer Sache anhängend. Verstärkung von ⁊hundertprozentig. 1950 *ff*.

zweimal *adv* **1.** er muß ~ reinkommen = er ist

sehr hager. Man befürchtet scherzhaft, den An-
kömmling beim ersten Mal (= auf den ersten
Blick) nicht zu bemerken. 1920 *ff.*
2. sich etw nicht ~ sagen lassen = etw sofort ausführen; den Hinweis auf eine günstige Gelegenheit sofort wahrnehmen. 1830 *ff.*

Zweimalgesiebter *m* vielerfahrener, verschlage-
ner Mann. ↗Zweigesiebter. 1930 *ff.*

Zweiring *m* Zweipfennigmünze. ↗Zwilling. *Bayr*
1930 *ff.*

zweischläfrig *adv* **1.** ~ denken = nach Geschlechtsverkehr verlangen. 1920 *ff.*
2. ~ gucken = lüstern blicken. 1920 *ff.*
3. ~ sein = verheiratet sein; eine intime Freundin
haben. 1920 *ff.*
4. ~ sein = ein breites Gesäß haben. Spottwort
auf Leute, die ihren Beruf im Sitzen ausüben: der
„Büroschlaf" findet „auf beiden Backen" statt.
1950 *ff.*

Zweischläfrige *f* beleibte Ehefrau. 1955 *ff.*

zweisilbig *adj* redefreudig. Gegenwort zu „einsil-
big = wortkarg, schweigsam". 1930 *ff.*

Zweispänner *m* Doppelbett. Eigentlich der von
zwei Pferden gezogene Wagen. Anspielung auf
die Vorstellung von den Eheleuten als einem „Ge-
spann". 1870 *ff.*

zweispännig *adj adv* **1.** umfangreich. 1870 *ff.*
2. etw ~ essen = a) etw mit Gabel und Messer essen. Man hält Messer und Gabel mit der rechten
und der linken Hand wie die Zügel. 1920 *ff.* – b)
ein Butterbrot (belegtes Brot) mit beiden Händen
greifen. 1920 *ff.*
3. ~ fahren = a) Doppelagent sein; es mit gegnerischen Parteien halten. 1900 *ff.* – b) Zuhälter von
zwei Prostituierten (↗Pferdchen 1) sein. 1950 *ff.* –
c) neben der Ehefrau eine Geliebte haben. 1930 *ff.*

zweispurig *adv* **1.** ~ fahren = es mit zwei Parteien
halten; keiner von zwei (gegensätzlichen) Mei-
nungen widersprechen. 1930 *ff.*
2. ~ laufen = a) zweideutig reden. 1935 *ff.* – b)
bisexuell veranlagt sein; gegen Entgelt auch homosexuell verkehren. 1930 *ff.*

zweistöckig *adj* **1.** von zwei Geistlichen gelesen
(bezogen auf die katholische Messe). *Rhein*
1900 *ff.*
2. großwüchsig. In übertreibender Vorstellung ist
der Betreffende zwei Stockwerke groß. 1870 *ff.*,
schül.

Zweistöckiger *m* doppelter Schnaps. Die Eich-
striche am Glas bestimmen die „Stockwerkshö-
he". Seit dem 19. Jh.

zweit *adj* zu ~ heimkommen = geschwängert
heimkehren. Seit dem 19. Jh.

zweiter *m* der zweite sein = in Nachteil geraten.
1930 *ff.*

Zweitfrisur *f* Perücke. Gegen 1962 aufgekommen.

Zweitskalp *m* Perücke. Skalp = Haut und Haar
des Kopfes. 1970 *ff.*

Zweiunddreißigster *m* am zweiunddreißigsten

= nie; Ausdruck der Ablehnung, vor allem gegenüber Geldentleihern. Meint den 32. Tag eines
Monats, den es nie gibt. 1900 *ff.*

Zwei-Zentner-Mann *m* Schwerverbrecher. Fußt
wortspielerisch auf der Gleichsetzung von „viel
wiegend" und „schwerwiegend". 1950 *ff*, *jug*, Berlin u. a.

Zweizylinder *m* Abort mit zwei Sitzplätzen. ↗Zy-
linder. *Sold* 1935 bis heute.

Zwerchfell *n* das ~ massieren = Lachstürme erregen. 1910 *ff.*

Zwerchfellbürste *f* unwiderstehliche Komik
(auch: Komiker, Clown). 1960 *ff.*

Zwerchfellgymnastik *f* anhaltendes Gelächter.
1920 *ff.*

Zwerchfellmassage *f* Auslösung von Lachstür-
men; stürmisches Gelächter. 1920 *ff.*

Zwerchfellmasseur *m* Kabarettist (Conféren-
cier), der Lachstürme entfessel. 1920 *ff.*

Zwerg *m* **1.** Schüler der Unterstufe; Schulanfänger.
Anspielung auf die Kleinwüchsigkeit. 1930 *ff.*
2. Versager. 1935 *ff.*
3. ausgewachsener ~ = Kleinwüchsiger. 1930 *ff.*
4. unterbelichteter ~ = dummer Mensch. ↗un-
terbelichtet. 1920 *ff.*
5. es hat keinen ~ = es ist zwecklos. „Zwerg" ist
scherzhafte Entstellung aus „Zweck". Seit dem
späten 19. Jh.

Zwergenaufstand *m* übermäßige Aufregung.
1945 *ff*, *schül.*

Zwergenheim *n* Ein-, Zweimannzelt. Nur Zwerge
könnten sich darin aufrecht wie in einem „Heim
= Haus" bewegen. *BSD* 1965 *ff.*

Zwergfüllen *n* das Roß von Troja (das Trojanische Roß) war gegen dich ein ~ = du bist überaus
dumm. Das Trojanische Pferd aus Homers „Ilias"
ist hier nur zur Verstärkung von „↗Roß 1" bemüht. *Vgl* ↗Riesenroß. Füllen = Fohlen. Lehrerspr. 1920 *ff.*

Zwergpinscher *m* unbedeutender Parteifunktionär. Verstärkung von ↗Pinscher 1. 1955 *ff.*

Zwetsche *f* **1.** deutliche Anzüglichkeit. Parallel zu
↗Pflaume 1. 1870 *ff.*
2. Vulva. ↗Pflaume 8. Seit dem frühen 19. Jh.
3. weibliche Person. Pars pro toto. 1850 *ff.*
4. Versager; Mann, der nicht sachgemäß zu arbeiten versteht. ↗Pflaume 5. 1920 *ff.*
5. Rekrut ohne irgendwelche militärischen Kenntnisse. 1920 *ff.*
6. unsympathisches Mädchen. Hier ist wohl von
der gedörrten Pflaume auszugehen. *Halbw* 1960 *ff.*
7. alte ~ = alte Frau; Schimpfwort. 1900 *ff.*
8. blaue ~ = Polizeibeamter. Wegen des blauen
Uniformtuchs; doch wohl auch beeinflußt von
„↗Wetsch". 1950 *ff.*
9. die sieben ~n = a) die gesamte Habe; die vollständige militärische Ausrüstung eines Soldaten.
Parallel zu „Siebensachen" (früher ein Hehlwort
für die Schamteile und den Geschlechtsverkehr).

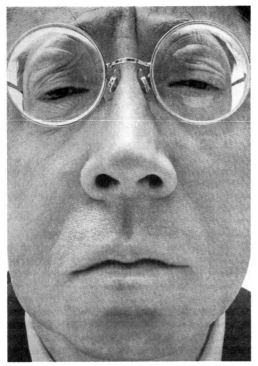

Auch wenn der Herr auf dem Foto oben selbst keinen Zwicker trägt, so kann der leicht verkniffene Gesichtsausdruck, den er an den Tag legt, dennoch verdeutlichen, was unter einer **Zwicker-Visage** *zu verstehen ist. Die negativen Konnotationen dieser Vokabel gehen vielleicht auf das in früheren Zeiten weit verbreitete Mißtrauen gegenüber Brillenträgern zurück.*

Von „Zwetsche" im Sinne von „Vulva" führt der Entwicklungsweg zur Bedeutung „Sache", sowohl im Sinne von „Geschlechtsverkehr" als auch von „Gegenstand". Im ausgehenden 19. Jh von Wien ausgegangen und von da nach Norden und Westen gewandert. – b) Kleinigkeit; geringe Geldsumme. 1900 *ff.*
10. die sieben ~n einpacken = dem Tode nahe sein. Wien, 1930 *ff.*
11. seine fünf ~n nicht beeinander haben = nicht recht bei Verstand sein. Die „fünf Zwetschen" sind hier die fünf Sinne. *Bayr* 1930 *ff.*
Zwetschenarsch *m* kleines Gesäß. *Bayr* und *schwäb*, seit dem 19. Jh.
Zwetschenbrühe *f* klar wie ~ = völlig einleuchtend. Gemeint ist die Brühe von gekochten Dörrpflaumen. *Vgl gleichbed* ↗Kloßbrühe 1. 1900 *ff*, *bayr.*
Zwetschendatschi (Zwetschgendatschi) *m* Pflaumenkuchen; Hefe-Blechkuchen mit Zwetschgen. Mit „datschen = drücken" wird vielleicht

auf die Notwendigkeit angespielt, den Teig gründlich zu kneten; aber die Früchte erscheinen auf dem fertigen Kuchen auch „gedatscht = gedrückt". *Bayr* spätestens seit dem 19. Jh.
Zwetschendörre *f* Theatergalerie. Anspielung auf die dort herrschende Hitze. Seit dem frühen 20. Jh, Berlin, Stuttgart u. a.
Zwetschenhändler *m* Gemüsehändler. *Bayr* 1900 *ff.*
Zwetschenkrampus *m* **1.** aus getrockneten Pflaumen u. ä. verfertigte Figur. ↗Krampus 1. *Österr* seit dem 19. Jh.
2. kleinwüchsiger, hagerer, häßlicher Mann. *Österr* seit dem 19. Jh.
Zwetschenkuchen *m* das ist billiger als ~ = das ist besonders billig (preiswert). 1960 *ff.*
Zwetschenmanndl *n* hagerer, kraftloser Mann. Übertragen von der Männchenfigur aus Backpflaumen. *Bayr* und *österr*, seit dem 19. Jh.
Zwetschenurinöse *f* Abortwärterin in einer Frauentoilette. ↗Zwetsche 2. Berlin 1950 *ff.*
Zwetschenwasser *n* **1.** Frauenharn. ↗Zwetsche 2. 1900 *ff.*
2. minderwertiges Getränk. 1900 *ff.*
Zwetschgus *m* Zwetschgenwasser, Pflaumenschnaps. Latinisierte Form zu „Zwetschge". *Bayr* 1900 *ff.*
Zwetschkerl *n* **1.** kleines Mädchen. Verkleinerungsform von ↗Zwetsche 3. *Österr* 1900 *ff.*
2. weibliches Geschlechtsorgan. ↗Zwetsche 2. *Österr* seit dem 19. Jh.
Zwick *m* zwickendes Kneifen (vor allem beim Liebesspiel). 1900 *ff.*
Zwickbohrer *m* Penis. Eigentlich der Zapfenbohrer. 1900 *ff.*
Zwicke *f* **1.** lästige, liederliche Frau. Parallel zu ↗Zange 1. Seit dem 19. Jh.
2. Gefängnis, Arbeitshaus. ↗zwicken 4. 1900 *ff*, *rotw.*
3. jn in der ~ haben = jn streng behandeln; jn zu etw zwingen. „Zwicke" steht in Analogie zu „Zange", „Klemme" u. ä. Kann auch Verkürzung von „↗Zwickmühle" sein. 1900 *ff.*
Zwickel (Zwickl) *m* **1.** wunderlicher Mensch; Einzelgänger; einfältige Person. Gehört wahrscheinlich zu „zwicken = Vieh kastrieren" und „Zwick = unfruchtbare Kuh". Vorwiegend *oberd* und *mitteld*, 1700 *ff.*
2. Zweipfennigmünze. „Zwickel" gehört zu „zwei". Kundenspr. 1850 *ff; BSD* 1965 *ff.*
3. Zweimarkstück. ↗Zwilling 1. 1960 *ff*, *rotw* und *BSD.*
4. böser ~ = charakterloser Mann. 1900 *ff.*
5. närrischer ~ = wunderlicher Mann. 1900 *ff*, *ostmitteld.*
6. jm in den ~ greifen = a) jn an einer empfindlichen Stelle treffen. Aufgekommen mit dem „↗Zwickelerlaß". 1932 *ff.* – b) jn beleidigen. 1932 *ff.*

*Die Zwiebel, jene ursprünglich in West-Asien behei-
matete Gemüsepflanze konnte sich hierzulande nie
der Wertschätzung erfreuen, die ihr in anderen Regionen zuteil wurde. Den alten Ägyptern galt sie als heili-
ges Gewächs, und als die Israeliten dieses ihnen gegenüber recht ungastliche Land verließen, sehnten sie
sich, wie bei Mose steht (2. Mos. 11,5.), doch immerhin noch nach den Zwiebeln Ägyptens zurück, also
nicht nur nach den bekannteren Fleischtöpfen. Die
umgangssprachliche Beliebtheit der Zwiebel entspricht, was nicht verwundert, der kulinarischen (vgl.*
Zwiebel 6.−8.).

Zwickelerlaß *m* **1.** übertrieben prüde Anordnung;
lächerliches Verbot. Leitet sich her von der Bade-
polizeiordnung vom 18. August 1932. In ihr bestimmte der kommissarische Preußische Innenmi-
nister Dr. Bracht u. a., daß der Damenbadeanzug
und die Herrenbadehose mit einem „Zwickel"
versehen sein müssen. „Zwickel" meint das im
„Schritt" eingenähte Dreieck, das das Durch-
scheinen der Geschlechtsteile verhindert. Der −
umgehend der Lächerlichkeit preisgegebene − Er-
laß schuf ein neues Sinnbild, nämlich das des
Zwickels als Inbegriff der Prüderie und der mora-
lischen Beschränktheit. 1932 *ff.*
2. höchst zweifelhaftes Gesetz (Gesetzesvorlage),
das die Freiheit des Bürgers willkürlich knebelt.
Aufgekommen 1958 im Zusammenhang mit dem
Gesetzesvorschlag von Bundesjustizminister Fritz
Schäffer zur Einengung der Pressefreiheit.
zwicken *v* **1.** *tr* = Spielkarten zu betrügerischen
Zwecken einknicken o. ä. 1600 *ff.*
2. *tr* = jn betrügen. *Vgl* ↗zupfen 1. 1700 *ff.*

3. *tr* = etw entwenden. Analog zu ↗klemmen 4.
Bayr und *schwäb*, 1900 *ff.*
4. *tr* = jn verhaften. Wie eine Zange schließt sich
die Fessel um das Handgelenk. 1920 *ff.*
5. *tr intr* = essen. Wie eine Zange greifen die Zähne von Ober- und Unterkiefer den Bissen. 1950 *ff*,
jug, österr.
Zwicker *m* **1.** Untergebenenschinder. Zwicken
= quälen, martern. Um 1500 soviel wie der
Scharfrichter, nach 1700 der Folterknecht. 1910 *ff.*
2. Erpresser. ↗zwicken 2. 1930 *ff.*
2 a. zu enger Schuh. 1920 *ff.*
3. Straßenbahnschaffner; Bundesbahnbeamter an
der Bahnsteigsperre. Mit einer Lochzange ent-
wertet(e) er die Fahrscheine oder -karten. 1960 *ff.*
4. brauchst du einen ∼?: Frage an einen, der etwas
Offenkundiges nicht gleich einsehen will oder
kann. Zwicker = Kneifer. 1964 *ff.*
Zwicker-Visage (Grundwort *franz* ausgesprochen) *f* verkniffener Gesichtsausdruck. Bei Leuten, die einen Kneifer tragen, verändert sich das
Mienenspiel: man bekommt einen strengen, un-
aufrichtigen Ausdruck. 1905 *ff.*
Zwickmühle *f* **1.** Bedrängnis von zwei Seiten.
Übernommen von dem Brettspiel „Mühle": wer
durch Öffnen einer „Mühle" eine zweite schließt,
kann dem Gegner bei jedem Zug einen Stein wegnehmen. Seit dem 15. Jh.
2. Schule. 1960 *ff.*
3. jn in die ∼ nehmen = jn heftig bedrängen; jm
heftig zusetzen. Seit dem 19. Jh.
Zwicknagel *m* Zigarette. Parallel zu ↗Reißzwek-
ke; beeinflußt von ↗Sargnagel. 1940 *ff.*
Zwiderling *m* ↗Zuwiderling.
Zwiderwurzen *f* ↗Zuwiderwurzen.
Zwieback *m* das hat keinen ∼ = das ist zwecklos.
Aus Lust am Ulk haben Schüler um 1920 „Zwieback" aus „Zweck" gedehnt, wobei „Weck"
(= Weizenbrötchen) eingewirkt haben dürfte.
Zwiebäckchen *n* wohlgeformtes Gesäß von Kindern, jungen Mädchen usw. Wortwitzelei um
„zwei kleine Backen". 1900 *ff.*
Zwiebel *f* **1.** Haarknoten. Der Zopf wird in Windungen gelegt, die einzelnen Windungen erinnern
an die Schichten der Zwiebel. 1870 *ff.*
2. Kopf. Von der Zwiebel auf den Rundschädel
übertragen. 1950 *ff.*
3. Taschenuhr. Wegen der Rundlichkeit und Dik-
ke der Uhren um 1800; wohl auch Anspielung auf
die Sprungdeckel. Seit dem frühen 19. Jh.
4. Loch am Hacken des Strumpfes. Der hierbei
sichtbar werdende Fersen-Ausschnitt hat rundli-
che Form und ähnelt einer Zwiebel. Etwa seit
1870, nördlich der Mainlinie.
5. *pl* = Hoden. *Sold* in beiden Weltkriegen; auch
ziv.
6. alte ∼ = alte Frau. 1870 *ff.*
7. treulose ∼ = untreuer, unzuverlässiger
Mensch. ↗Tomate 9. 1930 *ff.*

8. vertrocknete ~ = akademisch gebildete Frau, deren einziger Lebenssinn die Wissenschaft ist. 1960 ff.

9. eine ~ entblättern = ein Mädchen entkleiden. 1955 ff.

10. ~n stecken = Tret- oder Kastenminen legen. Übertragen vom Setzen der Steckzwiebeln. *Sold* 1939 ff.

Zwiebel-Apostel *m* Verfechter der natürlichen Lebensweise. 1920 ff.

Zwiebeldrüse *f* Zirbeldrüse. Scherzhafte Entstellung. Von Schülern oder von Medizinstudenten ausgegangen; 1920 ff.

Zwiebe'lei *f* rücksichtslose, rohe Behandlung von Mensch und Tier; schonungsloses Drillen. ↗zwiebeln 1. Seit dem 19. Jh.

Zwiebel-Expreß *m* Balkan-Expreß. Bei den Balkanvölkern ist die Zwiebel sehr beliebt. 1965 ff.

Zwiebelförster *m* **1.** Flurschütz, Feldaufseher. Spottwort. Seit dem 19. Jh.
2. Soldat, der das Gewehr mit der Mündung nach unten trägt. *BSD* 1965 ff.

Zwiebelkutscher *m* Fahrer beim Train. *Sold* 1870–1945.

zwiebeln *tr* **1.** jn quälen, streng behandeln. Gemeint ist, daß der Betreffende so hart behandelt wird, daß ihm die Augen tränen wie beim Zwiebelschneiden. Seit dem 17. Jh.
2. jn verprügeln. 1700 ff.

Zwiebelrad *n* Taschenuhr. Hängt zusammen mit der Form der Zwiebelscheibe, die man auch „Rad" nennt. 1950 ff, jug.

Zwiebelring *m* Haarkringel an der Stirn. 1950 ff.

Zwiebelrock *m* kugelig geschnittener Damenrock. 1958 ff.

Zwiebeltränen *pl* geheuchelte Tränen. Theaterspr. 1900 ff.

Zwiebeltüte *f* **1.** Hodensack. ↗Zwiebel 5. 1920 ff.
2. Suspensorium. 1920 ff.

zwiefotzig *adj* doppelzüngig. ↗Fotze 8. *Bayr* 1920 ff.

Zwiegespräch *n* **1.** mündliche Prüfung. *Schül* 1960 ff, österr.
2. ~ mit der Natur = Blähungen. 1900 ff.

Zwielicht *n* sein ~ leuchten lassen = a) einen Hang zum Verbrechen offenbaren. *Iron* Abwandlung von „sein ↗Licht leuchten lassen". 1950 ff. – b) Diebischsein hinter vornehmem Auftreten verbergen. 1950 ff. – c) ein Heiratsschwindler sein. 1950 ff.

zwieren *tr* (Geld) zählen. Fußt auf *jidd* „sphiras = Zahl, Zählung". *Rotw* 1840 ff.

Zwiesprache *f* ~ mit der Natur = Blähungen. 1900 ff.

Zwille *f* **1.** Gewehr. Meint eigentlich die kleine Schleuder. *BSD* 1965 ff.
2. Mädchen. Hängt wohl zusammen mit „Zwele = Gabelförmiges; Zweiggabelung". *BSD* 1965 ff.

*Einmal abgesehen vom Zweimarkstück, das als Verdoppelung des Einmarkstücks ebenfalls zum Zwilling wird (**Zwilling 1.**), treten solche „Doppelbelichtungen" umgangssprachlich seltsamerweise immer nur alleine auf, und das nicht deswegen, weil man sich die Geschichte von Jakob und Esau oder auch die Sage von Romulus und Remus als warnendes Beispiel vor Augen gehalten hätte. Die Mythologie spielt keine Rolle, einfach deswegen, weil es sich hier, nimmt man den „zweigeteilten Zwilling aus" (**Zwilling 2.**), um gar keine echten Zwillinge handelt. Auch ist das Bild, daß man sich von solchen Menschen macht, höchst widersprüchlich. Erscheinen sie zuerst als einheitliche Charaktere (vgl. **Zwilling 3.**), so später als das genaue Gegenteil davon (vgl. **Zwilling 4.**).*

Zwilling *m* **1.** Zweimarkmünze o. ä. 1950 ff.
2. zweigeteilter ~ = Zwillingskind, das sein Geschwister verloren hat. 1955 ff.
3. du bist wohl ein ~, einer allein kann nicht so dämlich sein: Redewendung auf einen überaus dummen Jungen. Seine Dummheit würde für zwei Menschen ausreichen. 1920 ff.
4. wenn du nochmal auf die Welt kommst, solltest du dafür sorgen, daß du als ~ geboren wirst: Redewendung an einen, der keine Ordnung halten kann. Gemeint ist, daß der andere Zwilling aufräumen wird, was der eine unordentlich zurückläßt. 1930 ff.

Zwingburg *f* **1.** Schule, Heimschule. Meint eigentlich die Burg eines Gewaltherrschers. Die Schüler meinen (schon um 1900), in der Schule herrsche ein Gewaltsystem.
2. Kaserne. *BSD* 1965 ff.

Zwinge *f* **1.** Vagina. ↗Zange 2. 1900 ff.

2. Ehering. Meint eigentlich den Metallring am Werkzeuggriff, auch das Werkzeug zum Zusammenpressen. 1955 *ff, jug, österr.*

zwingen *tr* etw aufessen können; etw leertrinken können. Man bewältigt es. Seit dem 19. Jh.

Zwinger *m* **1.** Sperrgebiet. Es ist meist von einem hohen Drahtzaun umgeben wie ein Käfig für wilde Tiere, für bissige Hunde u. ä. *BSD* 1965 *ff.*
2. Schule. Anspielung auf Unfreiheit. *Bayr* und *österr,* 1945 *ff.*
3. Schulhof; Klassenzimmer. 1945 *ff.*

Zwinkersprache *f* Verständigung durch Zwinkern, durch Blicke. 1920 *ff.*

Zwirbel *m* ruheloser Mensch. Gehört zu „zwirbeln = drehen; sich (schnell) drehen". 1900 *ff.*

zwirbeln *intr* **1.** koitieren. Anspielung auf die Schnelligkeit der Bewegung. 1900 *ff.*
2. onanieren. 1900 *ff.*
3. *intr tr* = ein Glas Alkohol zu sich nehmen. Man leert es schnell, hastig. 1920 *ff.*

zwirblig *adj* aufgeregt, nervös, ungeduldig, schwindlig. ↗Zwirbel. 1900 *ff.*

Zwirn *m* **1.** Sperma. Anspielung auf die weißen Samenfäden. ↗Zwirn 15. 1840 *ff, rotw* und *sold.*
2. Schnaps. Vom zweisträngigen Faden übertragen auf den doppeltgebrannten Schnaps. Auch ist Zwirn ein harter Faden, und der Schnaps gehört zu den „harten ↗Sachen". Spätestens seit 1770.
3. Geld, Bargeld. Kann mit „↗zwieren" zusammenhängen; andererseits bezeichnen die Vokabeln für Sperma auch die Munition und ebenfalls das Geld. 1850 *ff,* vorwiegend *österr* und *ostmitteld.*
4. Textilkleidung (im Gegensatz zur Lederkleidung). 1960 *ff.*
5. Uniform, Kampfanzug. *BSD* 1965 *ff.*
6. militärischer Diensteifer; Übereifer; pedantische Strenge. Zur Herstellung von Zwirn werden die Fäden gedreht oder gedrillt. Daher Analogie zu „Drill". *Bayr* und *österr, sold* seit dem späten 19. Jh.
7. Plage, Schikane. *Österr,* 1900 *ff.*
8. übereifriger, strenger Vorgesetzter. *Bayr, sold* 1870 *ff.*
9. ärarischer ~ = Drill. Ärarisch = staatlich. *Österr* 1900 *ff.*
10. bester ~ = Ausgehanzug. *BSD* 1965 *ff.*
11. blauer ~ = a) billiger, minderwertiger Schnaps. Es ist kein „klarer", kein „weißer" Schnaps. ↗Zwirn 2. Spätestens seit 1770. – b) unsinniges Gerede. Meint wohl das Geschwätz eines Schnapstrinkers: er verliert den „Faden" seiner Gedanken und redet „ins Blaue". Seit dem späten 18. Jh.
12. derselbe ~ = dieselbe Art. 1870 *ff,* Berlin.
12 a. grauer ~ = Uniform. Ihre Farbe ist „feldgrau". *BSD* 1965 *ff.*
13. schlechter ~ = untaugliches Mittel. Vom Nähen hergenommen. *Sold* 1880 *ff.*

14. schwarzer ~ = Geld. ↗Zwirn 3. 1900 *ff.*
15. weißer ~ = Sperma. ↗Zwirn 1. 1900 *ff. Vgl franz* „fil blanc".
16. ~ auffüllen (nachfüllen) = a) potenzsteigernde Mittel einnehmen. ↗Zwirn 1. 1900 *ff.* – b) nahrhafte Speisen verzehren; essen. 1900 *ff.*
17. der ~ geht ihm aus = er verstummt endlich. Zwirn = Gesprächsfaden. 1880 *ff.*
18. spiel' ~ und reiß' ab!: geh weg! ↗abreißen 1. *Österr* 1935 *ff, jug.*
19. ~ wickeln = nicht zum Tanz aufgefordert werden. Leitet sich her von Tänzen in der Spinn-, Kunkelstube. 1900 *ff.*

Zwirnakademie *f* Nähschule. *Österr* 1945 *ff.*

Zwirnbock *m* Schneider. „Bock-" spielt auf den Laut „meck" des Ziegenbocks an; mit „meck" verspottet man den Schneider. Seit dem 19. Jh.

zwirnen *v* **1.** *intr* = angestrengt arbeiten; sich sehr anstrengen. ↗Zwirn 6. *Sold* 1870 *ff.*
2. *tr* = jn plagen, drillen. ↗Zwirn 6. *Sold* seit dem späten 19. Jh, *bayr* und *österr.*
3. *tr intr* = koitieren. ↗Zwirn 1. 1900 *ff.*
4. *intr* = zusammenhanglos, unüberlegt schwätzen; Unsinn reden. ↗Zwirn 11 b. Seit dem späten 18. Jh.

Zwirner *m* Soldatenausbilder. ↗Zwirn 6. *Sold* 1900 *ff, bayr.*

Zwirnsfäden *pl* über ~ stolpern = an Kleinigkeiten Anstoß nehmen; Unwichtiges beanstanden. Seit dem 18. Jh.

Zwirny *m* Träger von Textilkleidung (im Gegensatz zu Lederkleidung). ↗Zwirn 4. 1967 *ff,* rockerspr.

Zwirnzicke *f* Handarbeitslehrerin. ↗Zicke 1. 1910 *ff.*

Zwischenakt *m* kurze Pause zwischen zwei Begattungen. Aus der Theatersprache übertragen. 1900 *ff.*

Zwischendeckstiger *m* Matrose, der im ganzen Deck für Ordnung sorgt; Wachtmeister im Zwischendeck. ↗tigern 1, 2 u. 3. *Marinespr* 1900 *ff.*

Zwischenhändler *m* **1.** Heiratsvermittler. Aus der Kaufmannssprache gegen 1920 übernommen.
2. Kuppler; Inhaber eines kleinen Hotels, dessen Zimmer auch stundenweise vermietet werden. 1920 *ff.*

Zwischenhoch *n* vorübergehende politische Hochstimmung. Aus dem Wortschatz der Meteorologen gegen 1967 in die Politiker- und Journalistensprache übergegangen.

Zwischenlandung *f* Flirt eines Verheirateten; Ehebruch. Von der Verkehrsfliegerei übernommen. 1930 *ff.*

Zwischenluft *f* **1.** Konstruktionsfehler; Lücke, wo sie fehl am Platz ist. 1920 *ff.*
2. unüberbrückbare Verschiedenheit der Ansichten; ernstes Hindernis. 1920 *ff.*

zwischenmang *adv präp* zwischen. ↗mang. Berlin und *sächs,* seit dem 19. Jh.

zwischennehmen *tr* **1.** jn einem Verhör unterzie-

hen; jn anfeinden, heftig kritisieren. 1900 *ff*.
2. ↗dazwischennehmen.

zwischenschieben *intr* koitieren (vom Mann gesagt). 1900 *ff*.

Zwischenstock (-stockwerk) *m (n)* Unterleib der Frau. 1935 *ff, nordd* und Berlin.

zwischenwichsen *intr* eingreifen; sich tatkräftig einmischen. ↗wichsen 1. 1920 *ff*.

Zwitschdame *f* beischlafwilliges Mädchen. ↗zwitschern 4. 1950 *ff*.

Zwitsche *f* **1.** leichtes Mädchen; Callgirl o. ä. ↗zwitschern 4. 1950 *ff*.
2. Zuträgerin, Ohrenbläserin. 1910 *ff*.
3. Trinkerin. ↗zwitschern 11. 1900 *ff*.

Zwitscherecke *f* Straßenkreuzung mit etlichen Gastwirtschaften. ↗zwitschern 11. 1920 *ff*.

Zwitscherer *m* Sänger. Er zwitschert wie ein Vogel. 1950 *ff, schül*.

Zwitschergemüse *n* Hülsenfrüchte. „Zwitschern" steht *iron* für das laute Entweichen von Darmwinden, auch für das Rumoren in den Därmen. *BSD* 1965 *ff*.

Zwitscherkneipe *f* Stehbierlokal. ↗zwitschern 11. Berlin 1920 *ff*.

Zwitscherl *n* Flirt. ↗zwitschern 3. *Oberd* 1920 *ff*.

Zwitscherlatte *f* Latrinensitzstange. Man sitzt auf der Stange wie ein Vogel und spricht mit den anderen. *Sold* 1914 bis heute.

Zwitscherliese *f* **1.** Straßenprostituierte. ↗zwitschern 3 u. 4. 1920 *ff*, Berlin.
2. weibliche Person, die in Lokalen die Männer zu reichlichem Verzehr veranlaßt. Berlin 1920 *ff*.

Zwitschermaschine *f* Grammophon, Rundfunkgerät, Plattenspieler. 1920 *ff*.

zwitschern *v* **1.** *intr* = reden; ein Geständnis ablegen. Parallel zu ↗singen 6. Seit dem frühen 20. Jh.
2. *intr tr* = dem Mitschüler vorsagen. 1920 *ff*.
3. *intr* = kosen, flirten. Anspielung auf Flüstern. 1910 *ff*.
4. *intr* = koitieren. Parallel zu ↗vögeln. 1900 *ff*.
5. bei ihm zwitschert es = er ist nicht recht bei Verstand. Analog zu „einen ↗Vogel haben". 1900 *ff*.
6. bei ihm zwitschert's unter dem Hut = er ist närrisch, verrückt. Erweiterung des Vorhergehenden. 1920 *ff*.
7. jm eine ~ = jn ohrfeigen. Gehört zur Vorstellung des „pfeifenden" Backenschlags. *Schül* seit dem späten 19. Jh.
8. *intr* = schießen, feuern. Anspielung auf den singenden, sirrenden Laut der fliegenden Geschosse. *Sold* 1939 *ff*.
9. *intr* = eiligst fahren oder gehen. 1920 *ff*.
10. jm etw ~ = jm etw zur Geheimhaltung anvertrauen. Zwitschern = flüstern. 1910 *ff*.
11. einen ~ = ein Glas Alkohol zu sich nehmen. Die älteste Buchung (für 1840, Berlin) leitet die Vokabel her vom Hin- und Herreiben des Kor-

kens am Flaschenhals, wodurch ein Zwitscherlaut entsteht.

Zwitscherpauker *m* Gesanglehrer. 1900 *ff*.

Zwitscherstange *f* Latrinensitzstange. ↗Zwitscherlatte. *Sold* 1914 bis heute.

Zwitschvogel *m* (Koloratur-)Sängerin. Seit dem frühen 20. Jh.

Zwitter *m* Prostituierter, der gegen Entgelt mit Frauen und Männern geschlechtlich verkehrt. Berlin 1950 *ff*.

Zwitterbock *m* **1.** unschlüssiger Mensch. 1910 *ff, ziv* und *sold*.
2. bisexuell veranlagter Mann. 1930 *ff, prost*.

Zwitterlokal *n* Gastwirtschaft, in der sich ältere und jüngere Leute gleichermaßen wohl fühlen. 1960 *ff*.

zwo *num* zwei. So lautet im *Mhd* das Femininum von „zwei". Das Zahlwort hatte früher drei Geschlechter, die sich im 18. Jh auf „zwei" vereinigten. Die Form „zwo" kam im 18. Jh erneut auf, vermutlich durch *stud* Vermittlung, und nahm seit dem Ersten Weltkrieg an Verbreitung zu, gefördert durch den Fernsprechverkehr, der bei der lautlichen Ähnlichkeit von „zwei" und „drei" eine unverwechselbare Form benötigte.

Zwockel *m* **1.** Kleinwüchsiger. Fußt auf *bayr* „Zwack = Heftnagel des Schuhmachers", dann auch Bezeichnung für den Schusterlehrling und schließlich für jede kleinwüchsige Person oder unbedeutende Sache. Auch *bayr* „Zwergel" für „Zwerg" kann eingewirkt haben. Seit dem 19. Jh.
2. österreichischer Soldat. Seit Anfang des 18. Jhs waren Zweige auf der Kopfbedeckung das übliche Feldzeichen der österreichischen Truppen. Solche Zweige wurden mundartlich „Zwogerl" genannt; diese Bezeichnung ging gegen 1850 auf die Soldaten über.
3. unmilitärischer Mensch. Hängt wahrscheinlich mit den österreichischen Soldaten zusammen, die der preußische Soldat nicht als vollwertig gelten ließ. *Sold* 1915 *ff*.

zwölf *num* **1.** fünf Minuten vor ~ = kurz vor dem Ende; im letzten Augenblick. 1920 *ff*.
2. von ~ bis Mittag arbeiten = arbeitsscheu sein. Die „Zeitspanne" von 12 Uhr bis Mittag ist gleich Null. 1930 *ff*.
3. von ~ bis Mittag denken = dumm, gedankenlos sein. 1900 *ff*.
4. davon gehen ~ aufs Dutzend = das ist nichts Besonderes. 1900 *ff*.
5. nichts von ~ bis Mittag (bis zum Läuten) merken (behalten) können = ein sehr schlechtes Gedächtnis haben. Seit dem späten 19. Jh.
6. das reicht (dauert) von ~ bis Mittag = das reicht (hält) nur kurze Zeit. Entstellt aus „das reicht von elf bis Mittag". Auf dem Lande wurde meist um 11 Uhr geläutet, damit das Feld Arbeitenden rechtzeitig zum Mittagessen zu Hause waren. Die Wendung mit „elf" ergibt einen

vernünftigen Sinn, während die mit „zwölf" fast bis zur Unkenntlichkeit verdorben ist. 1870 *ff.*

7. jetzt schlägt's aber ~!: Ausdruck der Unerträglichkeit, des Unwillens. Seit dem ausgehenden 19. Jh.

Zwölf *f* Gesicht. Zwölf ist der Zielmittelpunkt der Schießscheibe. Vom Treffer mitten ins Ziel übertragen zum Schlag mitten ins Gesicht. *BSD* 1965 *ff.*

Zwölfender *m* **1.** Mann, der 12 Jahre Wehrdienst abgeleistet hat und anschließend im Wehrdienst bleibt oder als Beamter in den Staatsdienst übernommen wird. Die Bezeichnung hat oft *abf* Charakter; denn der „Zwölfender" hat keine normale Ausbildung für den Beamtenberuf erhalten und wird daher von den Kollegen oft nur zwangsläufig geduldet, jedoch nicht anerkannt. Die Bezeichnung geht auf die Jägersprache zurück: Zwölfender ist der Hirsch, dessen Geweih zwölf Enden hat. Etwa seit 1900. **2.** Student mit 12 Semestern ohne Abschlußexamen. 1950 *ff, stud.*

Zwölfer *m* Volltreffer. Eigentlich der beste Treffer auf der Schießscheibe (12 Ringe). *BSD* 1965 *ff.*

Zwölfmännertabak *m* minderwertiger Tabak. Gemeint ist, daß einer raucht und elf umfallen. *Sold* 1939 *ff.*

Zwölf-Mann-Zigarette *f* lange Zigarette. *Sold* 1939 *ff.*

Zwölfpersonendekolleté *n* sehr großzügiges Dekolleté. Zwölf Männeraugenpaare können gleichzeitig hineinblicken. 1925 *ff.*

Zwölftonschaffe *f* Zwölfton-Musikwerk. ↗Schaffe 2. *Halbw* 1955 *ff.*

Zwölfzöller *m* einen ~ im Kopf haben = von Sinnen sein; eingebildet sein; wunderliche Gedanken äußern. Verstärkung von „einen ↗Nagel im Kopf haben". *BSD* 1965 *ff.*

Zwölfzylinder *m* Abort mit zwölf Sitzplätzen. ↗Zylinder. *Sold* 1939 bis heute.

Zwoling *m* Zweimarkstück. Durch „↗zwo" verdeutlichtes „↗Zwilling". 1950 *ff, halbw,* Hamburg.

Zwostern *m* Oberleutnant. Auf den Schulterstücken hat er zwei silberne Sterne. *BSD* 1965 *ff.*

zwot *adj* zweit. ↗zwo. Seit dem 18. Jh.

Zwusch *m* dummer Mensch. Herleitung unbekannt. *Österr* 1940 *ff, jug.*

Zyklop *m* **1.** dümmlicher, unaufmerksamer Mann; Mann, den man leicht übertölpeln kann. Übernommen aus der *griech* Mythologie, vor allem aus der Odyssee mit der Schilderung vom tölpelhaften Riesen Polyphem. 1935 *ff, sold* und *ziv.* **2.** *pl* = Maschinenpersonal. In der *griech* Mythologie stehen die Zyklopen als Schmiedegesellen im Dienste des Hephästos, des Gottes des Erdfeuers. *Marinespr* 1939 *ff.*

Zyklopensuppe *f* fast fettlose Suppe. Gemeint ist, daß nur ein einziges Fettauge auf der Suppe

schwimmt, die deshalb an den einäugigen Zyklopen Polyphem aus Homers „Odyssee" erinnert. Seit dem späten 19. Jh.

Zy'leum *n* Mädchengymnasium. Aus „Lyzeum" umgestellt. 1950 *ff.*

Zylinder *m* **1.** Abortsitz. Wegen Formähnlichkeit mit dem Motor-Zylinder, der seinerseits „Topf" genannt wird, und „Topf" ist Verkürzung von „Nachttopf". *Sold* 1939 bis heute. **2.** Stahlhelm. *Sold* 1916 bis heute. **3.** den ~ erhalten (kriegen) = ins Zivilleben zurücktreten, weil man an der „↗Majorsecke" versagt. Offizierspr. nach 1870. *Vgl engl* „to give the bowler hat". **4.** einen auf den ~ kriegen = a) einen Schlag auf den Kopf bekommen. Analog zu „einen auf den ↗Deckel kriegen". 1920 *ff.* – b) einen Verweis erhalten. Rüge und Prügel werden im Umgangsdeutsch auf dieselbe Weise ausgedrückt. 1920 *ff.* **5.** den ~ nehmen = um den Abschied einkommen; sich als amtsenthoben betrachten. Der Zylinderhut tritt an die Stelle des bisher getragenen Helms. ↗Zylinder 3. 1870 *ff,* offizierspr. und beamtenspr. **6.** ~ putzen = a) den Abort reinigen. ↗Zylinder 1. *Sold* 1939 bis heute. – b) onanieren. Anspielung auf die zylindrische Form und auf das „Reiben = Putzen". 1900 *ff, schül* und *stud.* **7.** es schlägt mir auf den ~ = es ist eine arge Zumutung. Das Gemeinte wird einem Schlag auf den Kopf gleichgesetzt. ↗Zylinder 4 a. 1920 *ff.* **8.** jm den ~ überreichen = jm die Amtsenthebung mitteilen. ↗Zylinder 3. 1900 *ff.* **9.** jm den ~ verleihen = jm den Abschied aus dem Amt geben. Der Abschied wird „verliehen" wie ein Orden oder Ehrenzeichen. 1900 *ff.* **10.** jm den ~ verpassen = jn in den Ruhestand versetzen; jn vorzeitig amtsentheben. 1900 *ff.* **11.** etw aus dem ~ zaubern = unbekannte, verblüffende Tatsachen plötzlich bekanntgeben. Von Zauberkunststücken übernommen. 1960 *ff.*

Zylinderhut *m* **1.** knitterfreier ~ = Stahlhelm. „Knitterfrei" ist dem Textilhandel entlehnt. *Sold* 1939 bis heute. **2.** den ~ erhalten (kriegen o. ä.) = wegen Unfähigkeit in den Ruhestand versetzt werden. ↗Zylinder 3. Seit dem ausgehenden 19. Jh.

Zylindervergolder *m* Homosexueller. ↗Zylinder 6 b; ↗Vergolder. 1900 *ff.*

Zyne *f* barscher, höhnischer Wortschatz; Zynismus. Aus letzterem verkürzt; wahrscheinlich vom Kabarettisten Wolfgang Neuß 1963/64 aufgebracht („Das jüngste Gerücht").

Zyniker *m* Empfangschef in Restaurants u. ä. Wortwitzelei: er nickt den Gästen zu (zü). *Österr* 1920 *ff.*

Zypresse *f* Beischlafdiebin o. ä. Sie preßt sich an den Kunden und bestiehlt ihn dabei. Berlin 1920 *ff,* polizeispr. und *prost.*

Abkürzungen

abf	abfällig		*jd*	jemand
adj	Adjektiv		*jds*	jemandes
adv	Adverb		*Jh*	Jahrhundert
ags	angelsächsisch		*jidd*	jiddisch
ahd	althochdeutsch		*jm*	jemandem
alem	alemannisch		*jn*	jemanden
altfranz	altfranzösisch		*journ*	journalistensprachlich
angloamerikan	angloamerikanisch		*jug*	jugendsprachlich
arb	arbeitersprachlich			
ärztl	Ärztesprache		*kirchenlat*	kirchenlateinisch
			konj	Konjunktion
bad	badisch			
bayr	bayrisch		*lat*	lateinisch
bds	beides		*lit*	literarisch
Bn	Beiname		*Ln*	Ländername
bot	botanisch			
brit	britisch		*m*	Maskulinum (männlich)
BSD	Bundessoldatendeutsch		*marinespr*	marinesprachlich
			mhd	mittelhochdeutsch
dän	dänisch		*milit*	militärisch
d. h.	das heißt		*mitteld*	mitteldeutsch
dim	diminutiv (verkleinernd)		*mittellat*	mittellateinisch
dt	deutsch			
			n	Neutrum (sächlich)
engl	englisch		*ndl*	niederländisch
etw	etwas		*nhd*	neuhochdeutsch
			niederd	niederdeutsch
f	Femininum (weiblich)		*nordd*	norddeutsch
ff	Folgende		*nordgerm*	nordgermanisch
Fn	Familienname		*num*	Zahlwort
franz	französisch			
fries	friesisch		o. ä.	oder ähnlich(es)
frühnhd	frühneuhochdeutsch		*oberd*	oberdeutsch
			oberösterr	oberösterreichisch
ggfs	gegebenenfalls		*obersächs*	obersächsisch
germ	germanisch		*On*	Ortsname
gleichbed	gleichbedeutend		*österr*	österreichisch
got	gotisch		*ostgerm*	ostgermanisch
griech	griechisch		*ostmitteld*	ostmitteldeutsch
			ostpreuß	ostpreußisch
halbw	halbwüchsigensprachlich			
hd	hochdeutsch		*part*	Partizipium
hebr	hebräisch		*pejorat*	pejorativ (verschlechternd, abschätzig)
hess	hessisch		*pers*	persisch
			pl	Plural (Mehrzahl)
impers	impersonell		*Pn*	Personenname
indogerm	indogermanisch		*poln*	polnisch
inf	Infinitiv		*portug*	portugiesisch
interj	Interjektion (Empfindungsausdruck)		*präd*	Prädikat
intr	intransitiv		*präp*	Präposition
ir	irisch		*pron*	Pronomen
iron	ironisch		*prost*	prostituiertensprachlich
ital	italienisch			

refl	Reflexivum	*südd*	süddeutsch
rhein	rheinisch	*südwestd*	südwestdeutsch
röm	römisch		
rotw	Rotwelsch	*tr*	transitiv
		trad	traditionell, tradiert
sächs	sächsisch	*tschech*	tschechisch
schles	schlesisch	*türk*	türkisch
schott	schottisch		
schül	schülersprachlich	*u. ä.*	und ähnlich(es)
schwäb	schwäbisch	*ung*	ungarisch
schwed	schwedisch		
schweiz	schweizerisch	*v*	Verbum
sg	Singular (Einzahl)	*vgl*	vergleiche
slaw	slawisch	*Vn*	Vorname
slovak	slovakisch		
slow	slowenisch	*westd*	westdeutsch
sold	soldatensprachlich	*westf*	westfälisch
span	spanisch	*westgerm*	westgermanisch
sportl	sportlersprachlich		
steir	steirisch	*zigeun*	zigeunersprachlich
stud	studentensprachlich	*ziv*	zivilsprachlich

Benutzerhinweise

a) Bestand der verzeichneten Wörter

Das „Illustrierte Lexikon der deutschen Umgangssprache" registriert alle Wörter und Redewendungen der deutschen Sprache, die im weitesten Sinne dem Bereich der Umgangssprache zuzurechnen sind. Da die deutsche Umgangssprache ihren Wortbestand im wesentlichen aus anderen Sprachbereichen bezieht (Hochsprache, Dialekte, Gruppensprachen, Sondersprachen, Fachsprachen etc.), ist der jeweilige regionale oder soziale Herkunftsbereich (*bad* = badisch; *ärztl* = Ärztesprache) vermerkt. Ebenfalls vermerkt ist der Zeitpunkt, zu dem ein Ausdruck umgangssprachlichen Charakter angenommen hat oder von der Umgangssprache eigens geprägt worden ist (**Blei** Bleistift. 1800 *ff*; **Bleispritze** Gewehr. 1960 *ff*).

b) Reihenfolge der Stichwörter

Die Stichwörter sind in alphabetischer Folge geordnet. Lediglich Abkürzungen wie **A, a. A. d. W, a. d. D. sein** sind den Stichwörtern mit gleichen Anfangsbuchstaben vorangestellt. Die Umlaute (ä, ö, ü) und die wie Umlaute gesprochenen Doppelbuchstaben (ae, oe, ue) folgen auf die entsprechenden Grundlaute: **hanebüchen, hängen, hapern.**

c) Schriftarten

Die Stichwörter sowie die Numerierungen ihrer Bedeutungen sind **fett** gedruckt. *Kursiv* gedruckt sind grammatikalische Bestimmungen (*v* = verbum; *pl* = Plural), Angaben über regionale oder soziale Herkunftsbereiche (*ags* = angelsächsisch; *jug* = jugendsprachlich) sowie alle darüber hinaus im Abkürzungsverzeichnis aufgeführten Hinweise.

d) Verweise

Mit dem Verweisungspfeil ↗ wird auf andere Zusammensetzungen des Stichworts oder eines seiner Teile (**Bleirotze** Gewehr. ↗ rotzen.) und auf Stichworte mit ähnlichen Bedeutungen (**Busenloser** Kompaniefeldwebel. Zusammenhängend mit „↗ Mutter der Kompanie".) hingewiesen.

e) Betonung und Aussprache

Betonungszeichen (**Bu'sento**) und Hinweise auf die Aussprache finden nur dann Verwendung, wenn es sich um Abweichungen von den allgemeinen deutschen Ausspracheregeln handelt oder wenn unterschiedliche Artikulationen desselben Wortes mit unterschiedlichen Bedeutungen einhergehen.

Sachbegriffe

Bildnachweis

Bildarchive und Museen
Archiv für Kunst und Geschichte, Berlin: 2833, 2955, 2956, 2971, 3048, 3077, 3171, 3197
Biblioteca Laurenziana, Florenz: 3003
British Museum, London: 3188
Galleria d'Arte Moderna, Mailand: 2822
Germanisches Nationalmuseum, Nürnberg: 2894
Hessisches Landesmuseum, Darmstadt: 2958
Holle Bildarchiv, Baden-Baden: 2844
Illustrierte „Quick" Archiv, Hamburg: 2812
Kodak, Stuttgart: 2889
Musée des Arts décoratifs, Paris: 3112
Musée National du Louvre, Paris: 2874
Musée Nissim de Camondo, Paris: 3013
Museo Civico, Bologna: 2908
Museum of the City of New York: 2810
National Gallery, London: 2974
Punch: 3056
Rabe Archiv, Stuttgart: 2817, 2860, 2923, 2996, 3060 (o.), 3163
Sammlung Ranson, Paris: 2823
Sammlung Georg Schäfer, Schweinfurt: 3161
SPADEM, Paris: 3070
Universitätsbibliothek Heidelberg: 2808, 3085
Verkehrsmuseum Nürnberg: 2978
Wallace Collection, London: 3037

Freie Fotografen:
Doyle Dane Bernbach: 3204
Cadge Productions: 2849

Joann Carney: 3178
Maria Cristina Cassinelli: 2826
Peter Caton: 3102
Bob Czernyz: 2883
John Eley: 2937
Michael Everett: 2942
Frieder Grindler/
Dieter Zimmermann: 2902
Hashi: 2983
Kazunori Hataguchi: 3134
Peter Hoare: 3191
William Klein: 3148
Walter Krautwurst: 3060 (u.)
Suzanna Lackman: 2806/2807
Hubertus Mall: 3042
Phil Marco: 3205
Francisco Márquez: 3133
McBride: 2991
Richard Montemurro: 3115
Irving Penn: 3044
Ellen Schuster: 2977
John Shaw: 2825
Stak: 3156
Joe Toto: 3206
Colin Thomas: 3111
Peter Vaeth: 2841
Gerhard Vormwald: 2836
Johnson Wax: 3096
D. Wilson: 3155
Ludwig Windstoßer: 2880